CHINA OCEAN YEARBOOK

2002
中国海洋年鉴

中国海洋年鉴编纂委员会 编

海洋出版社

2003年 · 北京

蓬勃发展的天津港

王广荣　摄

2001年12月30日，由全国人大法工委、国务院法制办、国土资源部和国家海洋局在人民大会堂举行贯彻实施《海域使用管理法》座谈会。全国人大常委会副委员长布赫到会，并做了重要讲话。在座谈会主席台上有：(右起)田凤山、布赫、周铁农、胡光宝

座谈会由国家海洋局局长王曙光主持

2001中国青岛海洋科技博览会暨海洋科技与经济发展国际论坛

海洋节期间进行海洋知识宣传

海洋节期间举行第三届全国海珍品养殖研讨会

全国海洋经济发展规划编制组会议(2001 年 8 月 2 日)

2001 年 11 月 8 日，由国家海洋局和财政部主办的学习贯彻《海域使用管理法》座谈会在北京举行。图为座谈会主席台

全国“十行百佳”妇女表彰大会在北京举行。图中左二为国家海洋局第三海洋研究所徐洵院士

国家卫星海洋应用中心揭牌仪式

哈飞航空工业股份有限公司
HAFEI AVIATION INDUSTRY CO., LTD
Z9海监型直升机和Y12海监型飞机是哈飞航空工业股份有限公司结合50年航空实践与现实需求，分别以其国产化Z9直升机和自行研制的Y12飞机为平台加装海洋执法监察设备改制而成的海洋执法航空产品。自1987年装备国家海洋局以来，以其机动灵活、反应快速、覆盖面广、威慑力大等卓越特性，在海洋管理中发挥了重要作用，现已构成了我国海洋执法监察力量不可或缺的组成部分。
随着我国综合国力的与日增强，海洋资源开发力度将逐年加大。哈飞航空将以其安全、高效、优质的产品和诚信的服务为我国的海洋监测事业做出更大的贡献。
电话/传真：0451-6502061
E-mail：hamcas@public.hr.hl.cn
邮编：150066

2001 年 3 月 30 日国家海洋局举行新闻发布会

中国海军舰艇正在发射反舰导弹

攻击型核潜艇在海面航行

“飞豹”雄姿

潜水训练

中国海监飞机和中国海监船联合
行动，进行海空同步立体监视

2001年6月30日～7月1日，国家海洋局在河北省廊坊市召开了"全国海域使用管理示范区工作座谈会"。国家海洋局局长王曙光（右3）、副局长孙志辉（右4）、副局长张宏声（右2）、财政部综合司副司长康学军（左2）到会并做了重要讲话

全国人大法工委在上海召开《中华人民共和国海域使用管理法》调研座谈会，右2为全国人大法工委副主任卞耀武，右1为国家海洋局副局长孙志辉

海域管理

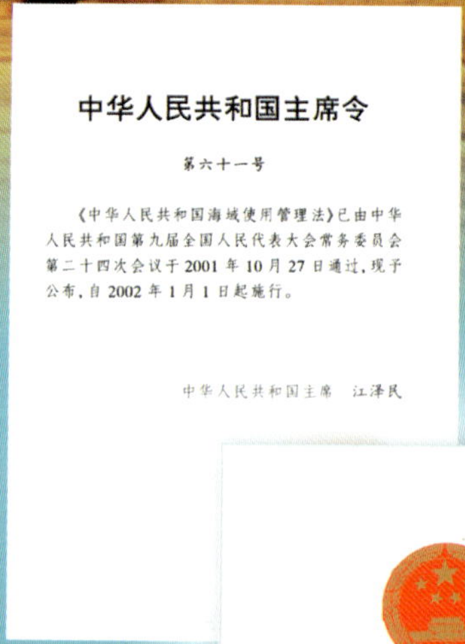

中华人民共和国主席令

第六十一号

《中华人民共和国海域使用管理法》已由中华人民共和国第九届全国人民代表大会常务委员会第二十四次会议于2001年10月27日通过，现予公布，自2002年1月1日起施行。

中华人民共和国主席　江泽民

2001年11月28日，国家海洋局在厦门召开"全国无居民海岛立法工作座谈会"

全球环境基金“中国南部沿海生物多样性管理项目”广西示范区咨询与研讨会

海洋国际合作

与越南南方水文气象中心领导合影

2001 年 5 月 15～18 日在中国香港特别行政区举行的
亚太经济合作组织海洋资源保护工作组第 14 次会议

第二届赤潮管理与减灾国际研讨会

国家海洋局极地

“雪龙”船

中山站冰上卸货

长城站景色

冰上输油

中山站

金图企鹅

考察办公室

国家海洋局极地考察办公室

地磁三分量观察

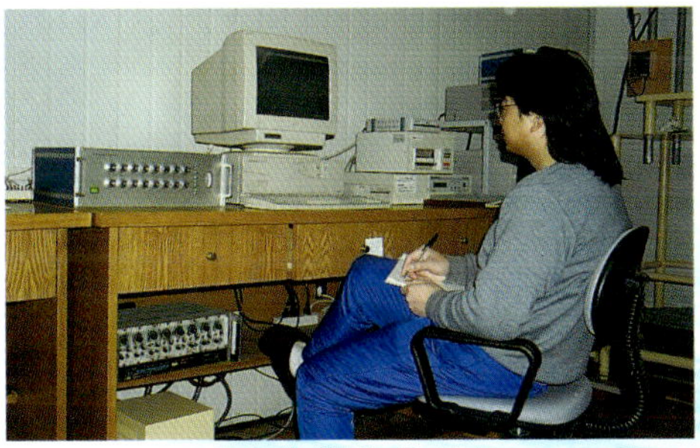

高空大气物理观察

南极内陆安装自动气象站

中国大洋矿产资源

中国大洋协会成立十周年表彰大会暨第四届理事会第一次会议

采矿系统湖试试验船

陈炳鑫理事长听取采矿系统试验人员汇报

海底热液矿床

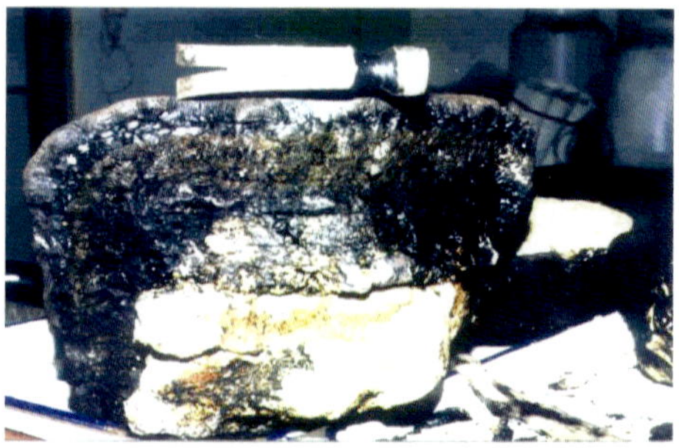

海底富钴结壳

研究开发协会

国家海洋局通过在联合国登记注册的国际海底资源开发先驱投资者——中国大洋协会，组织有关部门开展海底资源的勘探与开发，组织协调中国开辟区的多金属结核及国际海底其他资源的调查，开展基础地质、环境评价、深海采矿技术及选冶工艺的研究，以及深海开发经济模式及发展战略等研究，积极参与国际合作，并履行相关的义务，为人类开发利用国际海底资源做出贡献。

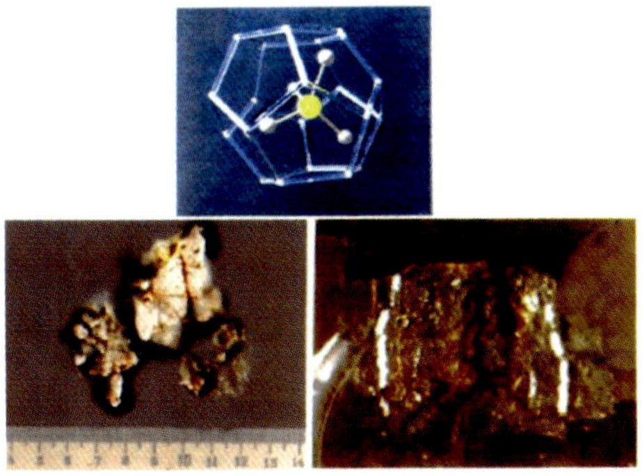

海底天然气水合物

深海集矿车

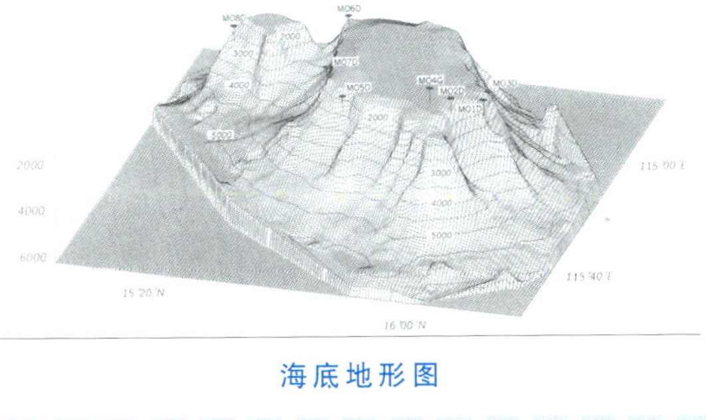

海底地形图

海底沉积物剪应力现场测量设备

广东省海洋与

Guangdong Provincial Oceanic and

广东省是海洋大省，有海岸线长3 368千米，岛岸线长2 416千米，沿海有岛屿1 431个，大小港湾500多个，海域总面积40多万平方千米。多年来，省委、省政府不但重视海洋经济的发展，

李珠江局长参加海域法宣传日活动，并接受记者的采访

2001年7月10日在饶平召开现场会，要求全省学习饶平经验，全面推进海湾整治工作

整治以后的港湾

广东省海砂开采管理取到预期的效果

广州市民踊跃参与海域法宣传日的法律咨询

渔业局

Fishery Administration

加大对海域综合管理的力度

而且也把海域管理工作提上重要位置，提出一手抓开发，一手抓管理。自1993年以来，已召开了4次全省海洋工作会议，批准成立海洋管理、执法和监测机构，配套和完善有关管理规章，该局按照省委、省政府的要求，与时俱进，大胆创新，采取一系列措施加强海域管理，对全省海湾进行整治，对乱围、乱填进行查处以及对珠江口海砂开采进行整顿，有力遏制乱围乱填行为，改变“三无现象”，有效推进海域管理工作。到目前为止，全省共颁发海域使用证1 500多本，面积约3.1万公顷，收取海域使用金3 000多万元。为广东省海洋经济可持续发展打下了良好的基础。

宣传活动有奖问答场面

2001 年12 月29 日在北京路开展海域法宣传活动

全省海岛概况：据全省海岛调查，共有海岛1 431个(其中面积大于500平方米的海岛759个)，岛岸线长2 416.15千米，海岛总面积1 599.9平方千米，占全省陆域总面积0.9%

伶仃洋有一个面积虽然不到2 000平方米，但作用却极其重要的小岛屿——舢板洲。南中国海进入广州海域极为重要的灯塔之一就座落在这里，灯塔上装备了当今世界上最先进的设备，为进出广州港的船只保驾护航

2002年1月1日施行的《中华人民共和国海域使用管理法》从法律的高度明确了用海单位和海洋行政主管部门的权利与义务。图为广州市农业局（海洋与渔业局）联合广东省有关职能部门在广州最繁华的北京路步行街举行大型的《海域法》宣传日活动

广州市农业局（海洋

广州海洋信息网（www.gzocean.com）于2002年1月29日正式开通。信息网的开通是宣传国家、省、市有关法律法规，做到及时、迅速、准确反映海洋新闻，增强“蓝色国土”意识。其二是使海洋综合管理逐步向科学化、现代化电子政务管理模式迈进，实现海域使用申请、受理、审核和海域使用证的年审网上办理，方便群众，增强政府部门的服务意识

根据《海域法》开展海域使用普查。广州市被定位为全国的普查试点城市之一。广州市政府对此项工作非常重视，专门成立了以张桂芳副市长为组长的普查工作小组，督促指导普查工作的开展

为探索海洋管理的新方式、新方法，国家海洋局已批准广州市为惟一的海洋综合监控信息系统试点地区。要求广州在全国率先建立一套以4S（GIS、RS、GPS、AIS）技术为基础的海洋综合管理监控信息系统，图为各方专家为广州市海洋综合管理监控信息系统项目出谋划策

广州市计委、广州市农业局（海洋与渔业局）联合召开《广州市海洋功能区划（文本）》成果（送审稿）专家评审会，专家一致认为区划总体成果起到了国内同类工作示范和指导作用。国家海洋局海域司副司长潘新春到会发言，充分肯定广州市的功能区划编制工作

与渔业局）

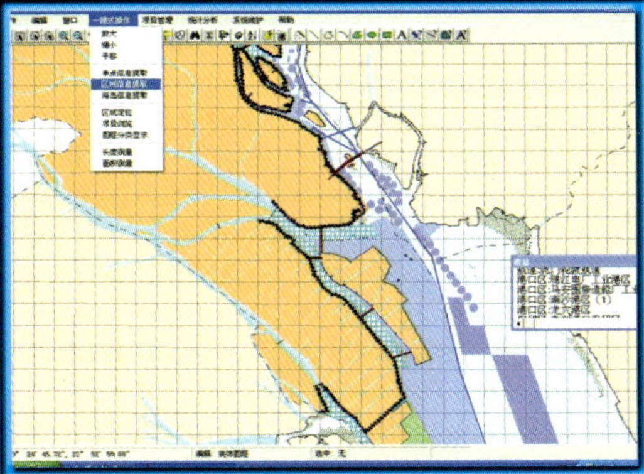

以海域普查数据为基础，广州市农业局（海洋与渔业局）与有关单位合作开发了广州市海域使用管理信息系统。系统实现了功能区划、海域管理、海域普查、相关法律查询等多种功能。海洋管理部门只需要轻点鼠标就可以知道该海域的面积、用途、坐标、办证等多方面的信息

广州市农业局（海洋与渔业局）联合广州市普法办出版了《学习海域法，了解蓝色国土》宣传手册，发放了近6 000本到广大干部群众手中，得到了极大的好评；并编制了广州市海洋功能区划。功能区划的编制对于强化广州市海域管理，合理开发利用海洋资源，保护海洋环境，促进海洋经济可持续发展有重要意义

中国科学院海洋

1

2

3

8

9

10

中国科学院海洋研究所始建于 1950 年 8 月，是目前我国规模最大、综合实力最强的海洋科学研究机构。现有科技人员 461 人，其中中国科学院院士 5 人，中国工程院院士 1 人，第三世界科学院院士 1 人，高级研究人员 162 人，博士生导师 84 人。设有 5 个博士点和 8 个硕士点，是我国海洋科学一级学科博士学位授予单位、中国科学院博士研究生重点培养基地和国家海洋科学博士后流动站。2001 年有在学博士生 111 人、硕士生 96 人，在站博士后 12 人。

海洋研究所是中国科学院知识创新工程试点单位，面向国家战略需求，面向国际海洋科学前沿，在蓝色农业优质、高效、持续发展的理论基础与关键技术，海洋环境与生态系统动力过程，海洋环流与浅海动力过程，大陆边缘地质演化与资源环境效应等 4 个优先发展领域的 9 个科学方向上开展基础性、战略性和前瞻性研究。在国家“973”海洋领域的 6 个项目中，作为首席科学家主持 3 项，并参与另外 2 项，第一单位主持课题 14 项；主持“863”课题 26 项、国家自然科学基金等 47 项。2001 年取得省部级以上科技成果 11 项，其中国际奖 1 项、省部级一等奖 2 项；申

11

研究所

4

5

6

1. 中国科学院海洋研究所现任所长——相建海
2. 曾呈奎院士在藻类学研究上的突出贡献，荣获美国藻类学会2001年“杰出贡献奖”
3. 皱纹盘鲍的遗传改良和品种培育取得重大突破，培育出生长快、成活率高的皱纹盘鲍“中国红”
4. 曾呈奎院士在海洋科学研究上做出的不可磨灭贡献，荣获山东省首次设立的科学技术最高奖。
5. 张福绥院士在海湾扇贝引种、育苗、养殖等方面的突出贡献，荣获2002年第三世界科学网络组织农业奖
6. 郑守仪院士在微型生物有孔虫研究上的突出贡献，荣获2003年美国库什曼有孔虫研究杰出人才奖
7. 为我国海洋科学考察作出重大贡献的“科学一号”考察船
8. 费修绠研究员等的“紫菜种苗工程”获2002年国家科技进步二等奖
9. 侯保荣研究员等的“钢铁设施在海洋环境中的腐蚀及其防腐蚀技术”获2002年国家科技进步二等奖
10. 海洋研究所先后被中国科学院、共青团中央、全国少工委命名为“全国青少年走进科学世界科技示范活动基地”，被科技部、中宣部、教育部、中国科协命名为“全国青少年科技教育基地”
11. 位于青岛南海路七号的中国科学院海洋研究所
12. 亚洲规模最大的中国科学院海洋生物标本馆，馆藏海洋生物标本67万余号

请国家专利45项，获国家专利授权41项；发表专著9部；发表学术论文295篇，其中在SCI发表53篇、EI发表12篇、CSCD发表230篇。

海洋研究所设有实验海洋生物学与生物技术、海洋生态与环境科学院级重点实验室和海洋环流与波动、海洋地质过程与古环境开放实验室等4个基础性研究室，海洋生物工程技术和海洋环境工程技术2个应用研究发展中心；还有中科院现代海底热液活动研究青年实验室、胶州湾生态系统研究站和收藏67万余号的海洋生物标本馆；还与国外联合建有3个开放实验室（研究中心）；与青岛市共建了2个重点实验室。研究所还设有文献信息中心、分析测试中心；拥有一支包括“科学一号”、“金星二号”在内的远洋科学考察船队。

主办的学术刊物有《海洋与湖沼》、《中国海洋湖沼学报》（英文版）、《海洋科学》、《海洋科学集刊》。

12

2001 年 7 月份，北海分局先后两次出动“中国海监飞机”，与辽宁省海洋渔业厅、辽宁省海监总队和大连市渔政局一道对辽东湾海域进行休渔期联合检查

2001 年 8 月，全国人大常委会委员王明时（右 3）在国家海洋局副局长陈连增（右 4）的陪同下，就“海域管理使用”问题在北海分局进行调研

国家海洋局北海分局

2001 年 12 月，“渤海综合整治—— 十五能力建设项目”考察调研会在青岛召开。国家海洋局一所所长袁业立院士（左 1）、国家海洋局环保司副司长徐胜（左 2）和北海分局局长王志远（左 3）参加了会议

2001 年 8 月，北海分局开展“石油平台执法大检查”行动

国家海洋局东海分局
上海市 海洋局

2001 年 7 月 3 日，全国政协副主席周铁农率全国政协代表团一行 29 人，在国家海洋局副局长张宏声陪同下，对福建海域使用管理工作进行了考察调研。7 月 9 日，中国海监东海总队总队长沈阿坤陪同政协代表团，乘坐“中国海监 62”船在海上考察了福建海域

中国海监东海总队于 2001 年 6 月登检进行中外合作项目海上调查活动的美国科考船

国家海洋局南海分局

简 介

国家海洋局南海分局是国家海洋局设在广州的南海区海洋行政管理机构，依法对南海海域实施海洋综合管理，以维护海洋权益、开发海洋资源、保护海洋环境和减灾防灾为宗旨，负有对所在海区内广东、广西、海南三省(区)海洋管理工作实施指导、协调、监督和服务，以及对中国海监南海总队行使管理的职能，同时负责组织完成国家下达的海洋科研调查、监测、监视、海洋环境预报和执法监察等任务。2001年，分局积极联合地方走共同发展之路，在抓好海域使用、环境保护、执法监察3项管理，发展科技服务、公益服务2个支撑，完善综合保障1个体系等方面实现了预期目标，进一步强化了南海分局在南海区海洋管理工作的形象，开创分局事业发展的新路子、新局面，使各项工作又迈上了新台阶。

1 中国海监飞机正在南海执行监测、监视任务

2 南海分局局长张利民主持南海区海域使用海砂开采管理工作会议，国家海洋局局长王曙光出席会议并讲话

3 南海分局有关领导参加《中华人民共和国海域使用管理法》宣传日活动

4 南海分局赤潮生物分析研究室

5 广东沿岸海域海陆空联合执法监察

《2002 中国海洋年鉴》编委会成员名单

（按姓氏笔画排序）

编 辑 说 明

《中国海洋年鉴》是由国家海洋局主办、全国涉海各部门共同参与编写的我国惟一的大型编年性、综合性、资料性、史册性工具书。其宗旨是集中、全面地反映我国海洋界各部门、各行业、各地区每一年度的最新进展和主要成就，收录海洋界每年度发生的重大海洋事件和重要活动，真实地记载中国海洋事业发展进程，为国内外了解中国海洋事业发展现状提供翔实的资料，为各级管理部门制定海洋宏观政策提供重要参考依据，也为各涉海企事业单位展示海洋科技成果和新产品信息提供一个重要平台。

2002 年是《中国海洋年鉴》创办出版 20 周年纪念年（其前身《海洋技术年鉴》创办于 1982 年）。20 年来，我国海洋事业得到了持续、快速、健康的发展。特别是进入 21 世纪以来，随着国家经济体制的改革，我国海洋机构、海洋管理体制和管理职能发生了深刻变化，在开发利用海洋资源、发展海洋经济方面取得了巨大成就，主要海洋产业总产值增长速度大大高于全国经济平均发展速度，海洋经济已成为国民经济新的增长点。这一基本事实在《中国海洋年鉴》得到了客观反映，海洋事业的快速发展也促进了《中国海洋年鉴》的不断发展创新。

《2002 中国海洋年鉴》所刊载的内容，主要是 2001 年度中国海洋各行各业的进展情况，少数资料由于事件的连续性而时间上有所跨越。

《2002 中国海洋年鉴》设 10 个篇目：（1）综合篇；（2）产业篇；（3）地方篇；（4）海洋管理篇；（5）海洋公益事业篇；（6）海洋科技篇；（7）极地与国际海底篇；（8）国际合作篇；（9）海洋新闻出版与教育篇；（10）附录。

为进一步突出“大海洋”特色，提高资料的覆盖面，《2002 中国海洋年鉴》对部分篇目及其内容作了调整和充实，主要有：一是特载中增加了国家领导人对海洋工作的指示、批示、讲话等内容，大事记中加强了对海洋各界发生大事和重要活动的介绍，专文中增加了对海洋经济发展战略的探讨性专论，海洋法规中增加了重要文献的内容；二是在海洋科技篇中增加了对海洋科技成果情况分析；三是将极地篇与国际海底篇合并为一篇。

《2002 中国海洋年鉴》所刊载的内容和数据分别由有关主管部门和单位提供。文稿中的数据由于统计口径或来源不同或其他原因，与统计表中数字不一致者，以统计资料为准。

《2002 中国海洋年鉴》资料未包括澳门特别行政区和台湾省数据。

本年鉴的编辑出版，得到了海洋界各部门的支持和热情帮助，特别是得到了许多单位的经费支持，充分体现了全国各涉海部门支持、参与和共同承办的大海洋、大协作精神。我们在此对所有支持本年鉴工作的单位和个人表示衷心感谢。

由于《中国海洋年鉴》内容涉及到不同行业、不同地区和不同部门，资料的搜集和处理难度较大，资料不够全面或处理不当之处，恳请各界专家、领导和广大读者批评指正，欢迎提出建设性意见，使中国海洋年鉴与时俱进，越办越好。

中国海洋年鉴编辑部

2003 年 7 月

目　次

综　合　篇

特　　载

专　　文

2001 年 大 事 记

海洋法规、文献选编

沿海海洋经济概况

产业篇

海洋渔业

海洋油气业

海洋交通运输业

海洋盐业和盐化工

海洋船舶业

滨海旅游业

其他海洋产业

地方篇

海南省

广西壮族自治区

广 东 省

福 建 省

厦门市

浙江省

宁 波 市

舟 山 市

上海市

江苏省

山 东 省

青 岛 市

天津市

河北省

辽宁省

大 连 市

香港特别行政区

海 洋 管 理 篇

海洋综合管理

海 域 管 理

海洋执法监察工作

海洋环境保护

海洋技术监督

海洋科技管理

海洋公益事业篇

海洋灾害与环境预报服务

海洋信息管理与服务

海洋科技篇

海洋科学研究

海 洋 技 术

极地与国际海底篇

极地考察

国际海底

国际合作篇

海洋新闻出版与教育篇

海洋新闻与出版

海 洋 教 育

附 录

图片目录

CONTENTS

General

Marine Industries

Marine Management

Marine Public Welfare Facilities

Marine Science and Technology

Polar and International Seabed

International Cooperation

Marine Journalism & Publication and Education

Appendixes

综合篇

General

特　载
Special Contributions

党中央、国务院等领导有关海洋资源工作的讲话、批文等

2001年3月15日第九届全国人民代表大会第四次会议批准的《中华人民共和国国民经济和社会发展第十个五年计划纲要》明确指出：

“加大海洋资源调查、开发、保护和管理力度，加强海洋利用技术的研究开发，发展海洋产业。加强海域利用和管理，维护国家海洋权益。”

2001年3月5日，国务院总理朱镕基在第九届全国人民代表大会第四次会议上关于国民经济和社会发展第十个五年计划纲要的报告中指出：

“加强对海洋资源的综合开发利用和保护”，“继续开展重点流域、区域、海域的污染治理。”

2001年3月11日，江泽民总书记在中央人口资源环境工作座谈会上指出：

“经济社会发展对土地、水、矿产、海洋等资源的需求继续增长，……海洋资源开发利用不足与过度开发并存，近岸海域污染和生态恶化加重。”

“要加强规划的宏观指导和约束作用，建立和完善国土资源规划体系，开展国土资源各项规划编制工作，增强规划的科学性。依法制定的规划要严格实施。”

“加强海洋资源综合管理，完善海洋法律、规划和海洋管理体系，加快海域使用管理的法制化进程，强化海洋环境保护和海洋执法监察工作。”

2001年1月22日，在21世纪的第一个春节即将来临之际，中共中央政治局委员、书记处书记、国务院副总理温家宝来到国家海洋局，代表党中央、国务院和全国人民，通过卫星通讯，向远离祖国、在南极考察第一线辛勤工作的考察队员们表示新春祝贺，祝愿考察队员们工作顺利、身体健康、节日愉快，为南极考察事业再立新功。

在听取了长城站站长王建国、中山站站长刘书燕的工作汇报之后，温家宝副总理指出，21世纪将是科学技术迅猛发展的新时代，人类认识自然、改造自然、利用自然、保护自然的水平和能力将大大提高。南极考察是人类探索自然奥秘的重要领域，是一项功在当代、利在千秋的伟大事业。在过去的一年里，南极考察队的同志们精心组织，科学安排，团结奋斗，顽强拼搏，圆满完成了16次考察任务。尤其是对格罗夫山进行再次考察，获取了大量资料和样品，绘制出版了世界上第一张该区域1∶2.5万地形图。他们用自己的实际行动，表现了中国人民不畏艰险、勇于探索、为人类和平利用南极作出贡献的气魄和能力。

2001年7月12日，全国人大常委会副委员长邹家华在天津考察海水淡化与综合利用工作时强调指出，“解决水的问题，关键是增加水的总资源量，海水淡化这条路是非走不可的。天津等北方沿海城市应当快一点、早一点解决这个问题。”

邹家华副委员长还提出，多年来，海水淡化的技术不断发展，海水淡化的应用越来越广泛。海水淡化的价格和技术是连在一起的，要利用海水淡化的技术继续降低海水淡化的成本。沿海地区和城市水资源非常紧缺，我们要把这一问题作为战略问题来抓。

全国人大副委员长布赫在贯彻实施《海域使用管理法》座谈会上的讲话

实施好《海域法》是利国利民的一件大事

（2001年12月30日）

《中华人民共和国海域使用管理法》（以下简称《海域使用管理法》）已经九届全国人大常委会第24次会议审议通过，并将于2002年1月1日起施行。这部法律的颁布放行，是我国海洋事业发展历程中的一件大事，是我国政府实施依法治海、强化海洋综合管理、进一步推进海洋法制建设采取的一项重大举措，它对于合理开发利用海洋资源，保证海洋经济的可持续发展，使海洋更好地为我国的现代化建设服务，具有重大而深远的意义。

从世界范围来看，由于经济全球化的步伐加快和人口的不断增长，各国对资源的需求量剧增，随着陆地资源的日益减少，人们的目光逐渐转向海洋，期望在海洋中寻找新的生存和发展的空间。在这种形势下，自20世纪90年代以来，各沿海国家出现了一些值得关注的新动向：一是争相扩大管辖海域。二是不断加大海洋资源的开发力度，海洋经济高速发展。三是普遍加强海洋环境与资源的保护工作。沿海各国和国际社会纷纷制定多种措施防止对海洋资源的损害和近岸海域的污染，仅先后出台的国际公约就达40多个。四是大大强化国家对海洋的法制建设和行政管理。截至1998年7月，全世界就有120多个国家批准了《联合国海洋法公约》，宣布实行200海里专属经济区和大陆架制度，并加强了与之配套的涉海法规建设和海上执法队伍建设。所有这些情况都充分说明，21世纪是人类对海洋全面认识、充分利用、切实保护的新世纪，这对我国是机遇，同时也是严峻的挑战。

再从我们国内来看，我国不仅是一个陆地大国，也是一个濒临太平洋的海洋大国。海岸、岛岸线长达32 000多千米，近300万平方千米的管辖海域，其中享有完全主权的内水和领海面积达38万平方千米。海洋资源种类繁多，蕴藏量十分丰富。党中央、国务院历来十分重视海洋工作，先后制定了许多重要政策。江泽民总书记更是以战略的眼光，高瞻远瞩地指出：“开发和利用海洋，对于我国的长远发展将具有越来越重要的意义。我们一定要从战略的高度认识海洋，增强海洋意识。”在2001年3月11日中央召开的人口资源环境座谈会上，江泽民总书记又进一步强调：“要加强海洋资源综合管理，完善海洋法律、规划和海洋管理体系，加快海域使用管理的法制化进程，强化海洋环境保护和海洋执法监察工作。”正是在党中央、国务院的正确领导下，我国的海洋事业出现了前所未有的繁荣兴旺的景象，其中，最为突出的是海洋产业的产值连续20多年保持了高速增长，从1978年的64亿元，攀升到2000年的4 127亿元。但是，在大好的形势下，也存在一些突出的矛盾和问题，如：海洋环境资源的保护和开发利用、管理问题等等，对这些问题，必须高度重视，通过完善海洋法规体系加以解决。因此，认真贯彻好《海域使用管理法》十分重要。

贯彻实施好这部法律，要认真做好以下几点：

第一，要抓宣传。通过多种形式，反复向用海单位和个人做细致的宣传教育工作，使大家都逐步认识到实施这部法律的重要意义，懂得实施好这部法律是利国利民的一件大事。

第二，要抓培训。《海域使用管理法》虽然只有短短的8章54条，但内涵十分丰富，涉及到海域使用中的种种情况的处理，政策性很强。各级海洋行政主管部门是执法机关，一定要下功夫认真学习，反复钻研，弄懂弄通法律的每一条、每一款，真正掌握好精神实质，切实做到应知应会，依法行政。同时，要特别注意培训基层骨干，努力提高他们的法律意识、政策水平，这样才能既保证法律得到有效的贯彻实施，也保持经济稳定的发展。

第三，要抓队伍建设。实施好《海域使用管理法》，一定要有一支综合素质高的队伍。这支队伍不仅要业务精，更要政治强、纪律严、作风好。要恪守职业道德，严肃执法纪律，真正做到公正执法、文明执法。同时，要努力改进执法装备，提高执法能力。

第四，要抓典型。各级海洋行政主管部门和执法监察队伍，在《海域使用管理法》的实施中，对于自觉守法用海的，要通过新闻媒体，大张旗鼓地予以宣传、表彰，对于严重违法用海又拒绝改正的，要毫不手软地严厉查处，并给予曝光，从而使法律的尊严得到有效维护，并日益深入人心。

我衷心希望，通过《海域使用管理法》的贯彻实施，我国的管辖海域，资源开发利用更加合理有序，生态环境更加优美宜人，海洋经济更加快速发展，整个海洋工作呈现出更加喜人的新局面。

全国政协副主席
周铁农在视察福建海域使用管理工作后的讲话

（2001年7月3～12日）

7月3～12日，由全国政协副主席周铁农任团长的全国政协委员视察团在福建就该省的海域使用管理工作进行了视察，视察结束后，全国政协副主席周铁农就福建省的海域使用管理状况发表了重要讲话。讲话的主要内容如下。

这次全国政协委员视察团到福建视察海域使用管理工作，在福建境内的行程超过1400多公里，经过对福建沿海的6个市县的视察，我们听取了福建省、市、县、乡、村5级领导同志给我们介绍的情况，观看了福建省、厦门市和云霄县三级海域使用管理系统的演示，对海洋经济中所涉及到的一、二、三产业也都做了了解。可以说，这次视察的面是相当广的，但由于时间有限，我们委员提出的意见和建议可能不是十分全面。但总的来说，这次视察的收获还是巨大的。

一、认识海洋新概念

1. 海洋是我国国土的重要构成。原来我们提到国土的概念的时候，往往只会想到960万平方公里。现在看来，我们在海洋上的国土权益和我们在陆地上的国土权益同样重要。从某种意义上来说，由于海洋国土的特殊属性，它的重要性可能更大。

2. 海洋是国家资源的重要载体。以前我们讲国家资源，也只是讲地上资源和地下资源，但实际上我们国家很大一块资源是蕴藏在海洋之中的。这一部分资源的开发利用对于国家和社会的发展同样具有重要的意义。

3. 海洋是我国经济发展的重要支点。我国国民经济在陆地上有很多的增长点，但是涉海行业中的经济增长点也非常多，我国国民经济现在就有很大一块是由海洋经济构成的。随着我国海洋生产力水平的不断提高，海洋经济在国民经济中所占比重还会不断增长，对国民经济贡献的比例会越来越大，对国计民生所起的作用也会越来越大。

4. 海洋是人民生活的重要依托，特别是沿海地区的人民。通过这次视察，我们感觉到，沿海地区的人民，他们以前过着穷苦的日子，和海洋有关；现在他们富裕起来了，也和海洋有关。现在有些沿海的居民的日子早已超过了小康，变得很富裕了，可他们的生活仍然和海洋息息相关。

5. 海洋是科技创新的重要领域。我国的海洋科技在国际上所处的地位应该说还处在一个相对落后的地位。我们科研人员中从事海洋科研工作的，只是占了其中极小一部分。其实我国的海洋科研还是很有干头。离开了海洋的科技创新，也是不完整的科技创新。

6. 海洋是国家巩固国防的重要战线。国家的安全在很大程度上依赖于海岸线的稳固。过去，我国所受到的侵略主要来自海上；现在，国家在安全上所受到的主要威胁也是来自海上。所以要巩固国防，首先要重视海上国防的稳固。

所以，可以说海洋关系到我们国家工业现代化、农业现代化、科学技术现代化、国防现代化的方方面面，如果没有海洋的现代化，那么我们所说的四个现代化的建设就是不完整的，也是不全面的。因此，海洋这样一块如此重要的事业，理所应当地应该受到我们全党、全国人民和各行各业的高度重视，积极的支持和广泛的参与。这是我们这些全国政协委员通过这次视察形成的一些共识。

二、福建海洋工作成效明显

1. 首先是福建省的领导海洋意识强，提出了要把福建建设成一个海洋强省的战略目标。重视海洋是我们每一个拥有海洋的省份的思想上的一笔宝贵财富。所以福建省在省领导的强烈的海洋意识指导下，福建省整个的海洋工作，包括海洋管理工作，海洋生产的发展、海洋的规划开发、海洋的科研工作等方方面面，都取得了巨大的进展。据国家海洋局介绍，福建省从立法、海洋管理的体制、海洋管理机构的建立等方面相对来说起步比起其他一些省份要晚一些，但是在这么短的一段时间里，能够取得这么大的进展，确实离不开福建省委省政府的高度的海洋意识。

2. 福建省在抓海洋工作和抓其他工作中都体现出了我们党的解放思想、实事求是的指导思想，也体现了江泽民总书记提出的“三个代表”的思想。坚定不移地按照党的解放思想、实事求是这样一个思想路线来做，坚定不移地按照总书记提出的三个代表的思想来办事，路一定会越走越宽。

3. 福建省在海洋使用管理问题上，工作思路很清晰，工作机制也很完善。其中比较突出的有以下四点。

(1) 既有强有力的管理，同时又配有强有力的思想政治工作。福建海洋管理者并不是通过简单管理来解决海域使用中的无序、无度、无偿等诸多问题，而是做了大量深入细致的工作。我们到了礁美村，在和渔民们进行座谈后，发现渔民们对于海域使用管理的认识，已经到了一个很高的层次。这一点就可以看出我们的福建的海洋工作做了大量的工作。

(2) 另一个比较突出的感受是福建省海洋工作在制定规划、划分区域功能、制定地方行政规章的时候，既考虑到国家对海洋的管理，维护国家对海洋所享有的权益，同时也充分照顾广大群众，特别是一些涉海行业和个人的利益。从群众的利益出发是我们一切立法工作的基础。如果我们的法律法规只是利于我们的管理，而不利于人民群众的生产生活；只是考虑到国家的权益，而没有充分替群众考虑的话，这样的法律的立法宗旨就是不正确的，所以在执行起来，也会遇到这样那样的阻力。福建省在立法和制定具体工作规划的时候，确实考虑了群众的利益。所以群众在海洋工作者加强对海域使用管理的过程当中，不是利益受到侵害，而是利益得到了进一步加强，他们正当的生产生活没有被破坏，并且从管理中收到了更好的效益。礁美村的用海户群众都普遍接受了这样的管理。由于通过立法建立起了有效的海域使用管理体制，使用海群众的收入得到增加，这样的立法怎么能不受群众的欢迎。

(3) 福建省的海域管理工作既有完善的管理体制，又有有效的协调机制。特别是我们到了厦门之后，我发现我们这里的协调机制可以有效地协调各方的利益，协调各方面的关系，协调在法律执行当中的一些冲突，这也是我们的管理能够有效地实施、法律法规能够有效地推广的一种保证。强有力的管理和灵活机动的协调相配合，在目前是十分符合我国国情的。

(4) 在福建省委、省政府的领导下，海域使用管理工作既考虑到了海洋的开发利用，又充分考虑到了对海洋环境的保护。

以上都是福建海域使用管理工作留给我们这些委员的总体印象。总的说来，福建省在加强海域使用管理工作方面，虽然起步晚，但是提速快，工作力度大，效果好。我们这些政协委员也对福建在海域使用管理工作中所做的工作表示钦佩，应该说，福建省作为一个海洋大省，在促进我国的海域使用管理工作的推广中作出了自己的贡献。

三、对海洋工作的几点建议

1. 进一步增强海洋意识。特别要增加海洋是一个可持续发展的重要领域的认识，增强保护海洋环境，建设海洋生态，增强依法使用海洋的意识，提高依靠科技进步来提高海洋经济的发展后劲。我们很多委员都提到，除了我们看到的厦门以外，海洋经济的构成主要还是停在以养殖为主的低级产业阶段。这个生产力的水平应该说比原来的浅海捕捞、近海捕捞相比有了很大进步，但是仍然处在一个相对较低的水平上。所以，我们海洋管理工作者，要有意识地引导用海的生产者把从事与海洋相关的生产中所得到的收入再投入到对海洋的更进一步的开发中去，投入到扩大再生产中去，特别是要提高养殖生产者的文化知识水平。在海洋开发的时候也应该特别重视产业结构的调整，要通过合理规划推进海洋产业的发展，把海洋产业结构的调整做到前面。

2. 加强对海洋功能区划的科学性。我们发现福建很重视对海洋功能区划的划分。海洋的功能区划现在有两方面的内容，一方面是对现有的使用功能的承认，另一方面是对未来的使用功能的规划。在规划问题上我们海洋工作者要有前瞻性，要注意规划的科学性和前瞻性。一个不合理、不科学的规划，有的时候比没有规划更糟糕。海洋如果规划不当，使用不当，极有可能在未来几十年造成灾害性的后果。

3. 要特别重视海洋科技研究。应该说人类对海洋的认识现在还是处在一个初始的阶段，我们现在从中央到地方，都应该重视对海洋科学研究的投入，使得我们对海洋的使用管理规划都能够建立在科学合理的基础之上。

4. 重视对从事海洋生产的劳动者的帮助。除了要帮助他们致富，还需要帮助提高他们的思想文化素质。我们现在确实看到有很多的渔民富裕起来了，但是他们的思想文化素质并不是很高。提高他们的思想文化素质，对于我们加强管理特别是对海洋的合理规划使用对我们新的社会主义精神文明的建设，都会起到十分重要的作用。

5. 我们在加强海域使用管理工作的过程中要注意总结经验，适时地进行一些调整。目前我国对海洋使用的立法管理都还处在一个相对来说比较初级的阶段，也可以说还处在一个摸索的阶段，如何在讲求效率的同时，兼顾公平的问题，这也是值得各级海洋管理单位考虑的。有些事情，有的时候坚持是把它贯彻到底的一种办法，有的时候适时做出调整是把它贯彻到底的另一种办法。

6. 要加快海域立法进程。通过这次视察活动，委员们普遍感到，就海域的使用管理这样一个问题，进行全国性的立法，目前立法基础比较厚实，时机也比较成熟。我们建议全国人大加快这一立法的进程。立法就要能够执行，出台以后，就应该能够很好地实施。要针对我国的海域使用管理工作立一部能够行得通，能够执行的法。

福建是一个海洋大省。福建是一个沿海省份，是人所共知的，但是福建省所辖海域的面积如此之大，海岸线如此之长，海洋经济在国民经济中所占比重如此之高，特别是东山作为一个海岛县，海洋经济在那里的国民经济中所占比例达到了百分之四十，这些都让我们切实地感觉到福建确实是一个海洋大省。我们的委员中也提到，福建距离一个海洋强省还有一定的距离，但是我们也明显地感觉到福建在抓陆地经济建设的同时，在海洋建设方面也下了很大的力气。我们真切地感受到福建省委、省政府双管齐下，按照中央的布置，正努力加快福建向海洋强省迈进的步伐。

贯彻实施《海域法》是“三个代表”思想在海洋领域实践的具体体现

（国土资源部部长　田凤山，2001年12月30日）

经九届全国人大常委会第24次会议审议通过的《中华人民共和国海域使用管理法》，后天就要正式实施了。今天，有关方面的7个部门联合举行这个座谈会，共同研讨如何贯彻实施好这部法律，是十分必要的，也是很及时的。在此，我首先代表国土资源部向在百忙中前来出席座谈会的布赫副委员长、周铁农副主席以及其他领导同志表示热烈的欢迎和衷心的感谢！

《海域使用管理法》是在党和国家领导的亲切关怀下，在众多部门的大力支持和沿海省

（市、区）的共同努力下，经过国家海洋行政主管部门和财政部门长期艰辛努力而诞生的一部重要法律。它的颁布实施，是江泽民总书记“三个代表”重要思想在海洋领域的具体体现，是我国实行依法治海，促进海洋管理法制化、规范化的关键举措，对于保障海洋资源的合理开发，保护合法用海，打击非法占海，确保海洋经济的持续、快速、健康发展，必将产生巨大而深远的影响。

《海域使用管理法》颁布一个多月以来，沿海省市区的各级海洋行政主管部门和财政部门的同志，通过多种形式，迅速掀起了学习和宣传的热潮，取得了初步成效。这部法律，立意高远，内涵丰富，内容完备，不仅是我国海洋立法进程中的一大创举，也可以说是世界海洋法制宝库中的一件经典之作。我认为，它至少具有以下几个方面的特色：

一是鲜明的时代性。自第二次世界大战结束以后，特别是20世纪90年代以来，世界经济飞速发展，人口的剧增与资源的锐减这一矛盾日趋尖锐。在这种情况下，沿海国家纷纷把战略争夺的重点转向海洋，调整海洋政策，扩大管辖海域，强化对海洋的综合管理，成为一股不可逆转的强大潮流。几届联合国大会和世界环发大会，都要求沿海国家把海洋列为实施可持续发展的重要领域。可以说，我国《海域使用管理法》的颁布，正是顺应世界海洋开发与管理大趋势的必然产物。

二是独特的创新性。《海域使用管理法》确立了三项基本制度，即海域权属管理制度、海洋功能区划制度、海域有偿使用制度。这三项制度是相互关联、相互依托、相互制约的统一整体，构成了整部法律的核心框架。它的确立，是对传统海洋管理理论的历史性突破。首先，该法明确规定，海域为国家所有。国务院代表国家行使海域所有权，任何单位或者个人不得侵占、买卖或者以其他形式非法转让海域，使用海域必须依法取得海域使用权，这就为建立集中统一的海域监督管理制度提供了法律依据。其次，法律规定，海域使用实行功能区划制度，所有用海项目，只有符合海洋功能区划才能审批，这就从根本上保证了我国海域的科学、合理利用。再次，该法还规定，单位和个人使用海域，必须依法缴纳海域使用金，这就从法律上体现了国家作为海域所有者的身份让渡使用权所获得的经济上的收益。

三是强烈的针对性。我国既是一个陆地大国，又是一个海洋大国。不仅有960万平方千米的陆地领地，而且有近300万平方千米的管辖海域，其中享有完全主权的内水和领海面积达38万平方千米。在这片蓝色国土中，蕴藏着极为丰富的多种资源。在过去漫长的岁月里，海洋开发为中华民族的生存与发展做出了巨大的贡献。特别是改革开放以来，我国海洋经济快速发展，海洋主要产业产值由1978年的64亿多元，跃升为2000年的4 127亿元。事实证明，海洋已成为我国国民经济新的增长点。但长期以来，由于缺少一部管海、用海的国家法律，随着海洋开发力度的不断拓展，资源开发利用的“无序、无度、无偿”现象越来越严重。在一些海区，开发秩序混乱，用海纠纷频发，造成国有资产流失，局部海域生态环境严重恶化，有些资源甚至面临灭绝的危险。这种情况说明，加强海洋综合管理，制定一部国家海域使用管理的法律，完全是客观实际的迫切需要，也是一件功在当代、利在千秋的大事。

四是广泛的民主性。《海域使用管理法》在立法过程中，有关领导和同志多次深入沿海各地，进行了大量的调研工作，仅法律文本编写组编撰了近300万字的各类立法参考资料，沿海省（市、区）和有关部门对法律文本提出了240多条参考意见，前后经过了30多次的修改，才形成了送审稿。在立法计划实施阶段，又就海域使用要不要实行统一管理、海域管理范围如何界定、怎样和《渔业法》有关条文相衔接、要不要对所有经营性用海都实行有偿使用、会不会增加渔民负担等一系列带有根本性的问题进行了严密的论证，并充分听取了各方面的意见，使问题都得到了较好的解决。所以，《海域使用管理法》的制定过程也是走群众路线的过程，是广泛发扬民主的过程，其本身就是领导和群众智慧相结合的产物。

关于如何贯彻实施好《海域使用管理法》，上次在全国海洋厅（局）长座谈会上，我已经讲了一些意见。今天，我想借这个机会，再着重强调几点：

一是要深入学习，准确把握。作为加强海域使用管理的关键性工作，《海域使用管理法》的实施是一项复杂的系统工程，需要各级领导的高度重视、各有关部门的大力支持和广大人民群众的积极参与。各级海洋行政主管部门要把学习《海域使用管理法》作为当前和今后一个时期的一件大事来抓，原原本本组织学习，逐章逐条逐款细读细研，真正掌握海洋监督管理工作的法律武器。同时，要有计划、分步骤，采取多种形式，面向用海单位和个人、面向社会、持续广泛地宣传，切实做好法律的普及教育工作，使之家喻户晓，人人皆知。

二是要完善措施，全面落实。要根据法律规定，针对法律实施中可能出现的问题，进一步做好配套法规、规章的制定工作，保证《海域使用管理法》能够真正落到实处。同时，要结合贯彻学习，对以往地方颁发的有关海域使用的规章制度进行清理，凡是与《海域使用管理法》内容不符的，必须依照国家《立法法》的规定，以《海域使用管理法》为准绳进行修订，坚决维护国家法律的严肃性。

三是要认真贯彻，坚决执行。各级海洋行政主管部门要忠于职守，坚持高起点、高标准、严要求，严肃履行法律所赋予的执法权限和职责，做到有法必依，执法必严，违法必究；要开拓创新，把贯彻实施《海域使用管理法》与加快海洋行政管理体制改革相结合，与加强中国海监队伍建设相结合，与加快建立《海域使用管理法》相适应的行政规章体系相结合，与做好日常行政执法工作相结合，积极探索和掌握做好新时期海洋行政管理工作的特点和规律。

我完全相信，只要我们深入学习贯彻江泽民总书记“七一”重要讲话和党的十五届六中全会精神，按照“三个代表”的要求，以贯彻实施《海域使用管理法》为契机，团结一致，努力奋斗，我国的海洋综合管理工作一定会出现一个崭新的局面，为实现建设海洋强国的伟大复兴做出新的贡献。

全国人大环资委副主任委员叶如棠在贯彻实施《海域使用管理法》座谈会上的讲话

协调有效地搞好海域使用和海洋环境资源的保护工作

（2001年12月30日）

在有关部门的共同努力下，我国《海域使用管理法》已经正式颁布了，并将于2002年1月1日实施，这是值得庆贺的大事。这部法律是继《海洋环境保护法》之后，全国人大常委会审议通过的又一部保护海洋和资源的法律。它的颁布实施，对保护海洋环境和资源将发挥重要作用。长期以来，我国海域被“无偿、无序、无度”地开发利用，在国有资产、国有资源严重流失的同时，海洋资源和环境也遭到严重的破坏和污染。《海洋环境保护法》虽然明确了各项保护海洋环境的制度和措施，但是由于海域权属不明，海域的开发利用无从规范，给海洋环境和资源的保护工作增加了许多困难，也不可能从根本上解决海洋环境和资源的保护问题，因此需要有一部法律对海域使用的原则问题做出明确的规定，以保障《海洋环境保护法》更加有效地贯彻实施。

《海域使用管理法》与《海洋环境保护法》相辅相成，相互协调，共同担负着保护海洋环境和资源的重任。《海域使用管理法》规范了海域使用的规则和秩序，明确了国家对海域的所有权，要求海域使用者必须依法有偿使用海域；同时，明确了海域使用以海洋功能区划为基础。《海域使用管理法》的这些规定是与《海洋环境保护法》的有关规定紧密衔接的，使海域使用活动在科学有序的前提下进行，有利于保护海洋环境和资源。《海洋环境保护法》将环境保护的各项制度和措施予以确定，如明确了环境影响评价制度、限期治理制度、排污收费制度、船垢油污染的防治制度、海上油污染应急制度和监测制度，以及有关海洋环境保护的各项标准等。这些制度和措施与《海域使用管理法》的有关规定也是协调的，为我国的海洋环境与资源保护工作奠定了良好的法制基础。随着这两部法律的贯彻实施，我国的海洋环境和资源保护必将走上良性发展的轨道。《海域使用管理法》颁布实施以后，希望有关部门和地方相互配合、共同努力，全面贯彻法律规定的海域权属制度、有偿使用制度、功能划区制度等各项制度。这不但是《海域使用管理法》的核心内容，也是《海洋环境保护法》规定的各项制度和措施得以有效贯彻实施的基础和保障。我们相信，各部门、各地方在国务院的领导下，按照法律的有关规定，一定能够团结一致，紧密配合，协调有序地搞好海域使用管理和海洋环境与资源的保护工作。

最后，向辛勤工作在海洋环境与资源保护战线的同志们表示诚挚的问候和谢意。感谢大家为发展我国的海洋事业，保护好我们的蓝色国土奉献的智慧和汗水。

国务院法制办公室副主任曹康泰在贯彻实施《海域使用管理法》座谈会上的讲话

贯彻实施《海域法》 彻底转变传统的用海观念

（2001年12月30日）

九届全国人大常委会第24次会议审议通过的《中华人民共和国海域使用管理法》将于2002年1月1日起施行。《海域使用管理法》的颁布实施，是我国海洋管理法制建设中的一件大事，是我国依法管理海域的一项重大举措，标志着我国对海域使用的管理和监督步入了法制化的轨道，对于加强我国海域使用管理，维护国家海域所有权和海域使用权人的合法权益，促进海域的合理开发和可持续利用具有十分重要的意义。

下面，我就贯彻实施《海域使用管理法》谈几点认识和建议：

一、要把贯彻实施《海域使用管理法》纳入全面推进依法行政的总体部署中加以把握和推进

为了贯彻实施党的“十五大”提出的“依法治国，建设社会主义法治国家”的基本方略，国务院于1999年7月专门召开了全国依法行政工作会议，就全面推进依法行政进行了部署，并于同年11月做出了全面推进依法行政的决定。在政府工作中，全面推进依法行政，是贯彻依法治国基本方略的基础和关键，是改革和发展的新形势对国家行政管理提出的迫切要求，也是从严治政，建设廉洁、勤政、务实、高效政府的关键所在，反映了行政管理现代化的本质特征。

《海域使用管理法》从我国海域使用管理的实际情况出发，在总结经验的基础上，针对存在的突出问题，确立了多项重要的制度和措施。主要是：海域管理权属制度、海域功能区划制度、海域有偿使用制度和比较严格的法律责任制度。这些重要制度既是加强海域使用管理的法律依据，也是国务院有关部门和沿海各级人民政府对海域使用进行监督管理的行为规范。因此，我们应当把贯彻实施《海域使用管理法》纳入依法行政的总体部署中加以把握和推进。要以“三个代表”的重要思想为指导，以贯彻实施《海域使用管理法》为契机，以促进和实现政府行为法制化、理性化、自律化为主要内容，有针对性地采取切实有效的措施，不断提高沿海各级政府行政行为规范化的水平，不断提高依法行政、依法管理的能力和水平。

二、要将严格执法作为贯彻实施《海域使用管理法》的关键环节来抓

贯彻实施《海域使用管理法》，需要做许多方面的工作，比如：深入学习、广泛宣传、严格执法、强化监督等等。我认为其中最关键的是严格执法，这是因为，徒法不足以自行，法律的生命在于法律的实施，再好的法律如果得不到有效地贯彻实施，也只是一纸空文。从

我国法制建设的实际情况来看，这些年立法工作取得了举世公认的巨大成就，初步形成了有中国特色社会主义法律体系的基本框架。从总体上看，我国政治、经济、文化和其他社会生活领域基本上做到了有法可依。当前突出的问题就是有法不依、执法不严、违法不究。这种状况如果不下决心解决，势必严重损害法律的权威和尊严，损害党和政府的形象。因此，我们贯彻实施《海域使用管理法》，一定要在严格执法方面下功夫。

严格执法是依法行政的基本要求，要做到严格执法，需要做好以下几方面的工作：一是要加强行政执法队伍建设，调整和优化执法人员结构，提高执法人员素质，努力建设一支政治素质强、法律水平高、业务技能精、廉洁高效的专业执法队伍，从组织上保障《海域使用管理法》的顺利实施；二是要按照党的十五届六中全会精神，切实转变工作作风，加强行政执法人员的职业道德建设，根据《海域使用管理法》规定的职责权限和程序，严格依法办事，真正做到严格执法、廉洁执法、文明执法；三是要建立健全行政执法责任制、考核评议制、行政执法过错追究制等制度，真正做到有法必依、执法必严、违法必究，使《海域使用管理法》所确立的各项制度和措施得以落到实处。

三、要动员全社会的力量，共同做好《海域使用管理法》的贯彻实施工作

贯彻实施《海域使用管理法》，不仅仅是沿海各级人民政府及其海洋行政主管部门的事，也是全社会共同的事业。《海域使用管理法》是海域管理者和使用者必须共同遵守的行为规范。沿海各级人民政府及其海洋行政主管部门要在严格依法管海的基础上，向社会公众广泛宣传《海域使用管理法》，要使用海单位和个人彻底转变传统的用海观念，自觉知法守法，合法用海，并充分调动广大人民群众的力量，切实保障《海域使用管理法》所规定的各项制度、措施得以落实。

各级海洋行政主管部门应当注意加强与有关部门密切配合，形成合力，在明确责任的基础上共同做好《海域使用管理法》的贯彻实施工作。国务院法制办将积极配合财政部、国土资源部、国家海洋局拟订有关配套行政法规，沿海各级政府法制工作机构要积极主动地配合海洋行政管理部门做好《海域使用管理法》的宣传、贯彻、实施以及配套法规的建设工作，积极反馈有关情况，为实现加强海域使用管理，维护国家海域所有权和使用权人的合法权益，促进海域的合理开发和可持续利用的总体目标做出积极的贡献。

全国人大法工委副主任
卞耀武在贯彻实施《海域使用管理法》座谈会上的讲话

管理海域要以《海域法》为准绳

（2001年12月30日）

即将实施的《海域使用管理法》，是我国跨入新世纪制定的一部重要的法律，它不仅对当前具有重要的现实意义，而且对今后将会产生深远的影响。因此，我就这部法律的制定和实施讲几点认识：

第一，《海域使用管理法》的制定在我国确立了海域使用管理的法律制度，这是具有历史意义的大事。我国是海洋大国，海洋事业的发展在国家的发展中占有重要地位，通过立法将海域使用管理纳入法制化轨道，这对维护国家利益，促进海洋资源的合理开发利用，增强国家的综合国力，都有非常重要的意义。

第二，制定和实施《海域使用管理法》，是实现海域使用管理法制化、制度化的重要保障，将会使海域管理工作进入一个新的阶段。在法律的有力保障下，增强海域使用管理的权威性，提高管理的规范化水平，这是我国海洋事业发展的现实需要，也是当前加强海域使用管理的正确途

径和必要措施。

第三，在《海域使用管理法》中，确立了一系列海域使用管理的基本规范，包括海域使用管理权属的确定、管理体制、管理权限、管理程序、执法规则等等。这些事项都是以法律形式确定的行为规范，它是人们必须共同遵守的行为准则，不仅对海洋行政主管部门和海域使用者具有约束力，而且对用海的各个有关部门也都具有约束力。也就是说，有关各方都有维护海域使用管理法律秩序的法定义务，或者说都有共同维护国家利益，管好海域的义务。

第四，由于海域自身的特点，使海域使用涉及到多个方面、多个部门，有多种经济关系。实施这部法律需要各方面密切配合，齐心协力，共同推进海域管理工作。管理海域要以《海域使用管理法》和相关的法律为准绳，调整好各有关方面的关系，团结一致，共同担负起实施《海域使用管理法》的任务。

第五，《海域使用管理法》的制定是海域使用管理的经验总结，但是要根据实际需要，包括现实的需要和发展的需要，不断加以完善和提高，使之成为一部有生命力的法律制度。对于这部新的重要的法律，必须大力宣传。宣传它的重要意义，宣传它的内容，宣传它的实施，树立依法使用海域的观念，做到有法必依、执法必严、违法必究，为国家和海洋事业的发展做出新的贡献。

全国人大农委副主任

杨振怀在学习贯彻《海域使用管理法》座谈会上的讲话

认真学法　严格执法

（2001年11月8日）

九届全国人大第24次会议通过了《中华人民共和国海域使用管理法》。这是中国海洋开发管理和保护步入法制化轨道的一个重要里程碑。21世纪是海洋世纪，《海域使用管理法》在21世纪的第一年出台，预示着我国海洋事业在新世纪的蓬勃发展，也预示着中国将跨入世界海洋强国之林。我代表全国人大农业与农村委员会，向所有海洋工作者表示祝贺！

一、海域立法是加强海洋管理的需要

中国既是陆上大国，也是海洋大国。中国的版图除了960万平方千米的陆地面积以外，还有领海、内水、专属经济区和大陆架，海洋面积300万平方千米。

海洋资源丰富，面积广阔，占地球表面积的71%，是人类生存与发展的物质基础。开发、利用和保护海洋，实施海洋立法是20世纪以来世界海洋发展的潮流。世界上所有发达国家都十分重视海洋。美国从1953年以来就出台了一系列综合性的海洋管理法规，并成立了海洋事务委员会，专门负责制定21世纪美国海洋发展战略。日本早就提出“海洋立国”的战略。2000年日本的12个部门都制定了新的海洋发展战略。我国周边国家，特别是南海周边国家也都把海洋管理提到了国家战略的高度，都在强化海洋管理和执法能力，加快了对南海岛礁的占领和开发。《联合国海洋法公约》的生效，对我国海洋管理提出了更高的要求。

改革开放以来，我国沿海地区利用沿海交通便捷的区位优势和国家政策的扶持，大力发展海洋经济。“海上山东”、“海上浙江”、“海上辽宁”以及福建省提出的“念山海经”，这些都充分说明它们十分重视海洋。沿海地区经济增长速度远远高于全国国民经济增长速度，已经成为我国经济新的增长点，并将保持强劲的发展态势。但是在海洋开发中，遇到了海域权属不清，用海“无序、无度、无偿”的问题，严重制约了我国海洋经济的可持续发展。因此社会各界都强烈呼吁加强海洋管理工作。近年来，全国人大、全国政协有关议案和提案也都要求通过立法的形式强化海洋管理。面对这样的国际、国内形势，党中央、国务院明确指示，要加快海域使用法的制订。江总书记在全国人口、资源、环境问题座谈会上就指出，加强海洋资源综合管理，完善海洋法律、规划和海洋管理体系，加快海域使用的立法进程。根据党和国家领导的指示，在全国人大、国务院、国家和地方海洋与财政部门以及其他各方面的共同努力下，经过7年多的努力，解决了立法过程中遇到的大量问题，最终使《海域使用管理法》出台。

二、要认真学法、宣传法和严格执法

《海域使用管理法》明确海域属国家所有，由国务院代表国家行使海域管理权；明确单位和个人使用海域，必须依法取得海域使用证；确立了海洋功能区划的法律地位和使用海域必须符合海洋功能区划；同时也明确了国家海洋、财政等有关部门对法的执行情况进行监督、检查。

《海域使用管理法》的生命在于执行。与会的各位都是沿海省（区、市）海洋和财政部门的同志，《海域使用管理法》需要通过你们的贯彻、落实才能真正发挥作用，因此，希望大家首先要认真学法、宣传法。执法者首先要是宣传者、守法者，做到依法行政，依法管海。《海域使用管理法》涉及到用海的各个单位、各个部门以及个人的切身利益，执法的难度大。希望各海洋管理部门做到《海域使用管理法》第41条规定的“依照法律规定行使海洋监督管理权的有关部门，在海上执法时，应当密切配合，相互支持，共同维护国家海域所有权人和海域使用权人的合法权益。”

总之，希望大家广泛宣传《海域使用管理法》，进一步健全海洋综合执法的管理体系，保障《海域使用管理法》得到落实。

展望未来，中国发展海洋经济、合理利用和保护海洋的新时代已经到来，前景辉煌，希望大家为振兴中国的海洋事业共同努力，并做出新的贡献。

国家海洋局、财政部关于印发国土资源部部长田凤山、国家海洋局局长王曙光、财政部部长助理李勇等领导同志在学习贯彻《海域使用管理法》座谈会上的讲话的通知

（2001年11月28日）

国海发[2001]37号

沿海各省、自治区、直辖市及计划单列市人民政府办公厅(室)、财政部门、海洋行政主管部门：

2001年11月8日至10日，国家海洋局、财政部联合在北京召开了学习贯彻《中华人民共和国海域使用管理法》座谈会，来自沿海各省、自治区、直辖市和计划单列市人民政府财政部门、海洋行政主管部门以及国家海洋局各分局、局机关有关部门的负责同志共150人，参加了会议。国土资源部部长田凤山到会作了重要指示，国家海洋局局长王曙光、财政部部长助理李勇、财政部综合司助理巡视员孙燕等分别发表重要讲话。全国人大农委副主任委员杨振怀、环资委委员王先进、杜碧兰，全国政协委员张登义，国务院法制办副主任曹康泰等领导以及国家海洋局领导班子成员出席了座谈会。

会议期间，国务院法制办副主任曹康泰、全国人大常委会委员王家福教授就如何准确领会把握《中华人民共和国海域使用管理法》做了专题讲座，国家海洋局海域管理司副司长吕彩霞介绍了《中华人民共和国海域使用管理法》的法律条文。

会议认为，在全国人大常委会审议通过《中华人民共和国海域使用管理法》后不久，国家海洋局和财政部就联合召开了学习贯彻海域法的座谈会，非常及时、非常必要。这次座谈会不仅起到了解惑释疑、理清思路、开阔视野的作用，而且明确了广大海洋管理工作者在宣传海域法、贯彻海域法工作中的责任和义务，为今后全面实施海域法、强化海洋法制化管理奠定了良好的基础。

会议认为，《中华人民共和国海域使用管理法》的正式颁布是我国海洋事业发展进程中的一

座里程碑，是新世纪我国海洋行政管理工作全面迈上新台阶的显著标志，具有十分重要的历史和现实意义。会议号召沿海各级海洋部门和财政部门的同志要以江总书记“三个代表”的重要思想为行动指南，认真落实六中全会精神。团结一致，拼搏进取，扎扎实实地学习和贯彻实施好《中华人民共和国海域使用管理法》，并以此为主线全面推进我国海洋综合管理工作，为把我国建设成现代化的海洋强国，实现中华民族的伟大复兴努力奋斗。

现将国土资源部部长田风山、国家海洋局局长王曙光和财政部部长助理李勇、财政部综合司助理巡视员孙燕在这次座谈会上的讲话印发给你们，请结合本地区、本单位的情况，认真学习贯彻。沿海各省、自治区、直辖市及计划单列市的海洋行政主管部门和国家海洋局各直属单位、局机关各部门请将贯彻学习的情况和下一步的工作打算于2001年12月20日前报国家海洋局办公室。

国土资源部部长
田凤山在学习贯彻《海域使用管理法》座谈会上的讲话

（2001年11月 8 日）

同志们:

在《中华人民共和国海域使用管理法》颁布后不久，国家海洋局和财政部就召开这次学习贯彻座谈会，是十分必要的，也是十分及时的。借此机会，我讲两点意见。

一、要充分认识海域使用管理法颁布的必然性和重大意义

从海域使用管理制度的实施到海域使用管理法的颁布，前后经过了7年多的时间。这部法律之所以能在新世纪的第一年和国家“十五”计划刚刚起步的时候诞生，决不是偶然的。

1. 海域使用管理法的颁布是党和国家高度重视的结果。长期以来，特别是改革开放20多年来，党和国家领导对海洋事业予以高度重视，先后在不同时间、不同场合，对海洋工作作出了一系列重要指示和重大决策。江泽民总书记在今年3月11日召开的中央人口资源环境工作座谈会上强调指出：“加强海洋资源综合管理，完善海洋法律、规划和海洋管理体系，加快海域使用管理的法制化进程，强化海洋环境保护和海洋执法监察工作。”同时，全国人大，国务院的有关部门也对海洋工作尤其是海域法的制定和颁布极为关注，并给予了多方面的大力支持。可以说，正是这些来自各有关方面的关怀、关心和支持，才使我们对这部法律的期待、渴望变成如今的现实。

2. 海域使用管理法的颁布是适应国际发展潮流的客观需要。在当今世界经济高速发展，陆地资源日益减少，人口不断增加的情况下，世界各国对海洋的关注达到了前所未有的程度。1994年开始生效的《联合国海洋法公约》，要求各沿海国家对其管辖海域在行使权利的同时，必须承诺两项主要责任，即实施“海洋综合管理和可持续发展”。在联合国的推动下，各沿海国家纷纷调整海洋政策，扩大管辖海域，强化海洋综合管理。可以说，我国海域法的颁布正是顺应了这一世界潮流，并在法律内容的完备性和前瞻性方面走在了世界的前列。

3. 海域使用管理法的颁布是加强我国海域使用管理的客观要求。我国既是一个陆地大国，又是一个海洋大国。不仅有960万平方公里的陆地领土，而且有近300万平方公里的管辖海域，其中，内水和领海面积约38万平方公里。在这片蓝色国土中，蕴藏着极为丰富的矿产、石油、天然气、渔业、旅游、交通运输、港口等资源。在过去漫长的岁月里，海洋开发为中华民族生存与发展作出了巨大的贡献。特别是改革开放以来，我国海洋经济快速发展，海洋经济产值已经由1978年的60多亿元，跃升为2000年的4 000多亿元，平均年增长率超过21%。事实证明，海洋已成为我国国民经济新的增长点。但长期以来由于缺少一部管

海、用海的国家法律，随着海洋开发空间的不断拓展，在海域使用中，资源开发利用的“无序、无度、无偿”现象越来越严重。在一些海区，开发秩序混乱，用海纠纷频发，造成国有资产流失，局部海域生态环境严重恶化，有些资源甚至面临灭绝的危险。这种情况说明，如果我们再不加强海洋综合管理，不尽快推进海洋工作的法制化进程，我国的海洋经济就不可能持续快速健康的发展，可持续发展的目标就会落空。

4. 海域使用管理法的颁布是广大海洋工作者和社会各界共同努力的成果。近年来，我国海域管理工作扎实推进并取得了明显成绩。1993年，国家海洋局和财政部联合制定了《海域使用管理暂行规定》。在7年多的时间里，国家海洋局、财政部根据暂行规定，又相继发布了一系列海域使用管理的配套制度，全国沿海11个省、区、市也陆续制定了50多个海域使用管理方面的规范性文件，使全国的海域使用管理逐步做到了有章可循。与此同时，还成功地开展了海洋功能区划工作，建设了两批海域使用管理示范区，并在各个海区建立和强化了海域管理执法队伍和监察、监视网络。所有这些成绩。都大大增强了海洋管理人员强化海域使用管理的信心，统一了各部门及社会各有关方面的认识，从而为这部法律的颁布创造了良好的舆论氛围，奠定了坚实的基础。

在整个立法过程中，各部门参与这项工作的同志，团结一致，以高度的责任感、使命感，朝着一个目标，进行了坚韧不拔的努力，开展了大量、全方位、多层次的宣传、沟通、协调工作，赢得了上上下下广泛的认同和共识。借此机会，我代表国土资源部党组，向所有为这部法律的制定和颁布付出了心血、智慧和辛劳的各部门领导和同志们表示衷心的感谢！

海域使用管理法的颁布，对于广大从事海洋工作的同志来说，是盼望已久的一件大事；是我国海洋法制建设取得的历史性突破；是我国海洋开发由“无序、无度、无偿”状态转变为科学、合理、协调、有序局面的分水岭；是促进我国海洋经济持续、快速、健康发展的根本保证；是各级海洋行政主管部门能够真正依法行政、实施强有力的海洋综合管理的强大武器。这部法律的颁布，预示着我国的海洋事业必将在21世纪书写出更加辉煌灿烂的新篇章。

二、要抓好海域使用管理法的宣传和实施

海域使用管理法虽然颁布了，但大量的工作还在后面。应该看到，距明年1月1日正式实施，只有不到两个月的时间了，我们面临的任务更艰巨、责任更重大。如何把这部法律付诸实施，使之发挥应有的效力，是需要我们认真考虑的问题。这两天，大家还要就这个问题进行讨论，曙光同志在会议结束时将要做具体的部署和安排。我在这里先讲几点要求：

1. 要认真做好宣传工作。各级海洋行政主管部门，要按照统一的部署，在沿海各级人民政府的直接领导下，在沿海广大地区，特别是县、乡、村，进行形式多样的宣传教育活动，既要形成声势，又要扎扎实实。尤其是在“三无”现象突出的地方，更要加大宣传的力度。要主动宣传，耐心细致，持之以恒。一定要使用海单位和个人懂得依法管海、用海是一件利国利民的好事，是造福中华民族子孙后代的大事，明白为什么海域属国家所有、用海要经过审批和交纳海域使用金的道理，真正做到自觉守法。

2. 要切实提高执法者的素质。法律实施效果的好坏，在很大程度上取决于执法者自身的素质。各级海洋行政主管部门，一定要花大气力，对海洋执法人员进行法律知识培训工作，培训要有的放矢，区别对象，增强针对性。同时，要加强执法人员的思想道德建设，真正做到依法行政，杜绝人情执法、关系执法。在处理具体问题时，既要依法办事，又要合情合理、公平公正；服从和服务于国家改革、发展、稳定的大局。

3. 要积极推动有关配套法规的健全和完善。海域使用管理法只有8章54条，对海域使用管理中出现的各种问题不可能都一一作出规定。需要制定相关的具体办法。如军事用海的管理办法，将由国务院、中央军委依据本法制定。对渔民使用海域从事养殖活动收取海域使用金的具体步骤和办法由国务院另行规定，海域使用权证书的发放和管理办法，由国务院规定。为此，海洋行政主管部门，要在认真总结以往实践经验的基础上，积极配合做好有关工作。要完成全国海洋功能区划，经国务院批准后组织实施。要全面开展海域勘界工作，为海域管理打下基础。各地尚未

制定地方性法规的，要抓紧制定。已经制定了地方性法规的，要根据海域使用管理法进行修订和完善。

4. 要努力推进海域使用管理工作。明年是海洋行政管理年。要进一步加强“中国海监”执法队伍的建设，健全海域执法监察体系，不断加大执法力度，提高执法水平。对海域使用状况要进一步开展普查，大力推进用海审批发证和有偿使用制度，对违法用海的典型案例要及时予以曝光，对自觉守法用海好的典型要大张旗鼓地宣扬，使我们管辖的海域尽快出现整治“三无”、开发有序的崭新局面。

总之，做好新世纪的海洋工作，任务十分艰巨。让我们在以江泽民同志为核心的党中央领导下，高举邓小平理论的伟大旗帜，认真学习贯彻六中全会精神，自觉实践“三个代表”的重要思想，以海洋使用管理法颁布为契机，转变作风，开拓进取，扎实工作，为把我国尽快建设成为海洋强国，实现中华民族的伟大复兴努力奋斗。

国家海洋局局长
王曙光在学习贯彻《海域使用管理法》座谈会结束时的讲话

（2001年11月10日）

同志们：

历时两天多的座谈会就要结束了，两天来，大家围绕学习贯彻海洋使用管理法，认真听取了国土资源部、全国人大环资委、法工委、农委、财政部、国务院法制办等领导同志的重要讲话，国务院法制办曹主任，著名法律专家王家福教授给我们做了很好的专题报告，国家海洋局吕彩霞同志对法律条文进行了讲解。在此基础上，与会同志结合本地区、本单位的实际情况进行了认真地讨论，就如何学习贯彻海域法，相互交流了情况，提出了一些中肯的意见和建议。会议气氛热烈，收到了理清思路，明确目标，鼓舞斗志的预期效果。大家普遍感到，海域法的颁布，是全国广大海洋工作者期盼已久的一件大事、喜事，也可以说是我国海洋事业发展进程中一座具有标志性意义的里程碑。下面，我根据会议的安排和讨论情况，着重讲三个方面的问题。

一、海域使用管理法立法过程的简要回顾（略）

二、学习海域使用管理法需要把握的几个主要问题

这次颁布的海域法共8章54条。整个法律，涵盖了海域使用管理中的一系列重大问题，是一个相互联系、环环紧扣的有机整体。前天，曹主任、王家福同志和吕彩霞同志作了详细的讲解，对我们深入学习、领会海域使用管理法起到了很好的引导作用。这里，我就需要特别注意把握的几个主要问题再重申一下。

（一）三项基本制度

海域使用管理法确立了三项基本制度，即海域权属管理制度、海洋功能区划制度和海域有偿使用制度。这三项制度是相互关联、相互依托、相互制约的统一整体。

1. 海域权属管理制度。这是海域使用管理法的精髓和灵魂。首先，明确规定海域为国家所有，这是该法的基础。法中的所有规定，都是建立在这一基础之上的。同时，法中明确了海域所有权和使用权分离的原则，这完全符合社会主义市场经济规律。法还规定了单位和个人使用海域，都要按规定提出申请，经有批准权的政府批准后，才能取得海域使用的合法权利。另外，海域使用权人的合法权益在法中也得到了明确的体现，即他们享有依法用海的权力，获取收益的权力，请求海洋行政主管部门或人民法院排除妨害的权力，对非法损害有依法请求赔偿的权力。享有权力就必须承担义务。海域使用权人有依法保护和合理使用海域的义务，允许不妨害其依法使

用海域的非排他性用海活动的义务以及及时报告海域情况发生重大变化的义务。

这项制度是建立在海洋资源属于国家所有的物权理论基础之上的。国家作为海域所有人，对海域拥有占有、使用、收益、处分的权力。同时，按照物权管理一物一权的原则，一物之上只能成立一个所有权，否则会造成所有权界定不清。此外，海域的整体性和使用多宜性的特点，决定了其权属只能由国家的一个代表者来统一行使。

2. 海洋功能区划制度。海域使用管理法正式明确了海洋功能区划的法律地位。海洋功能区划是海域使用管理的科学依据，是海域发挥最佳经济、生态和环境效益的保障。海域是一个立体资源空间，海域适宜干什么，不适宜干什么，相互之间有什么影响，科学性很强。因此，海域法专设一章，对海洋功能区划的编写部门、编制原则、申报批准、修改、公布以及功能区划与各行业规划、土地利用规划、城市规划的关系都做了明确的规定，其要害就在于所有用海项目，只有符合海洋功能区划才能审批。

确立海洋功能区划制度，主要基于以下三点考虑。一是合理开发利用海洋资源，发展海洋经济的客观需要；二是加强海洋环境保护工作，促进海洋资源、环境可持续发展的基本要求；三是建立统筹协调机制，解决用海矛盾的有效手段。

3. 海域有偿使用制度。海域是国有资源性资产，对其实行有偿使用制度是国家利益的具体体现。任何单位和个人使用海域进行生产经营活动，都必须依法缴纳海域使用金。使用金上交国库，使国家得到应有的收益。同时，根据海域使用多种用途的不同情况，作出对军事用海、公益用海和其他非经营性用海等免收使用金的规定。根据经营性用海和收入、风险差异的不同情况，对有些项目又作出了减收或免收使用金的规定。对用海单位收取(包括因灾减免)和免收海域使用金的界线是看其是否有经营性收入。这就保证了各类用海活动的健康协调发展。

收取海域使用金，既不属于行政性收费，也不属于一般的税收，而是国家以所有者的身份，出让海域使用权获得的收益，是国家凭借资产权利征收的财政收人。缴纳海域使用金，是使用海域的单位和个人应尽的义务，是国家对海域的所有权在经济上的体现。

(二)两大关系

海域使用管理法明确了两大基本关系，即海域权属统一管理与行业部门管理的关系，中央和地方在海域使用管理工作中的关系。这是海域使用管理实践中会经常碰到的问题，需要我们根据实际情况，按照海域使用管理法的规定，妥善处理，并不断加以总结和完善。

1. 权属统一管理与行业部门管理的关系。实行海洋综合管理是世界沿海国家的通行做法。联合国第45届大会通过的决议，1992年世界环发大会通过的《21世纪议程》，以及1994年生效的《联合国海洋法公约》等都要求沿海国家实行海洋综合管理。海域法规定，对海域权属实行统一管理，由国务院海洋行政主管部门负责全国海域使用的监督管理。国务院海洋行政主管部门是这部法的执法主体，“中国海监”是它的组成部分，因而也是执行主体的组成部分。同时规定，渔业部门依照《渔业法》、海事部门依照《海上交通安全法》分别对海洋渔业生产和海上交通安全实施监督管理。用海法人使用海域首先要按规定取得海域使用证。取得用海权后，行业管理部门再按有关规定对用海法人生产、经营等活动进行管理，这部法明确了海域权属统一管理和部门行业生产经营管理的关系。

2. 中央与地方在海域使用管理工作中的关系。海域法中规定海域使用管理实行中央统一管理和授权地方政府分级管理相结合的管理体制。海域属国家所有，是战略性资源。海域的使用既涉及经济问题，又涉及国防、外交等问题，因此，海域的使用原则上要由中央实施统一管理。但考虑到海域的面积大和情况各异，海域使用项目的种类繁多、规模和期限不一，以及地方政府在海域使用管理方面的实际需要和能力，法中规定国务院可以授权地方政府负责本行政区毗邻海域使用的监督管理，这是符合我国国情的，也有利于更好地发挥中央和地方对海域使用管理的两个积极性。国务院海洋行政主管部门和根据授权各省区市海洋行政主管部门管理海域使用都是体现对海域权属实行统一的管理。

(三) 四项要求

海域使用管理法中对各级海洋行政主管部门及其工作人员提出了如下四项要求：

1. 必须加强队伍建设，提高政治素质和业务素质，要秉公执法、忠于职守、清正廉洁、文明服务，并依法接受监督。这一条是对我们各级海洋执法队伍的总体要求。

2. 不得参与和从事与海域使用有关的生产经营活动。不得参与和从事经营性活动，是中央对国家各级行政机关和执法机构的明令要求，在用海问题上，也不能例外。海域使用法的这一规定，不仅符合中央的要求，也是为了确保我们公平、公正地执法。

3. 海域使用行政管理和执法监督，必须严格按照规定程序进行。程序合法是公正执法的基本保证，也是依法行政的基本要求。海域法规定，在履行监督检查职责时，应当出示有效执法证件。这条要求尽管很具体，但却是行政处罚法着力强调的，是关系到我们的执法权威、执法形象的大问题，其实质是对我们执法行为的规范，切不可小视。

4. 各有关部门在海上执法时应当密切配合，互相支持，共同维护国家海域所有权和海域使用权人的合法权益。这一条是根据目前海上执法工作的特殊情况和执法队伍的现状作出的，在这一方面，我们曾经有过很好的实践。

上述这些规定，都是为了保证严肃执法、依法行政而提出的。这是海域使用行政管理和执法管理工作的行为规范，具有约束和警示作用，同时，也为用海者对管海者的监督提供了法律依据。

三、实施海域使用管理法需要做好的几项重点工作

海域使用管理法的根本出发点和落脚点就是为了维护国家和最广大人民群众的根本利益，是完全符合江总书记“三个代表”要求的。我们一定要以江总书记“三个代表”的重要思想为指导，认真学习海域法，实施海域法，并从一开始就要坚持高起点，高标准，严要求。

高起点，就是要坚持努力为改革开放和稳定大局服务，为促进海洋经济健康、持续发展服务，为沿海各级人民政府决策服务，为各有关涉海部门的工作服务，为沿海人民群众的需求服务，以公正、高效、廉洁的良好形象，采用先进手段，严格按照法定程序，规范执法。

高标准，就是海域使用要实行国家统一监督管理；重大问题实行全国统一的政策；各级海域使用审批程序统一规范；海域使用金的上缴比例实行全国统一标准；海域使用权证全国统一印制。

严要求，就是执法人员一定要加强自身建设，强化监督机制，严格办事程序，严守执法纪律，有效保护合法用海，严肃查处违法占海，真正做到依法行政、秉公执法、文明执法。

要实现以上目标，需要通过艰苦的努力，做大量的工作。当前要努力做好以下几项重点工作：

（一）要广泛深入宣传海域法，并以此为契机进一步提高全民的海洋意识

对海域法的宣传，说到底就是对全民海洋意识的一次普及和提高。增强全民的海洋意识，是推动我国海洋事业发展的一项极为重要的基础性工作，是保证各种海洋法规能够真正得到贯彻落实的关键所在。当前，我国沿海各地区的干部群众，总的来看，海洋意识比过去有了明显的增强，但是，发展很不平衡，在有些地方，在一些用海单位和个人中，由于受到传统用海观念的影响，特别是受到眼前利益和行业利益的驱动，海洋意识相当薄弱，“三无”现象屡禁不止就是突出的表现。

海域法是一部新法，覆盖面很广，涉及到多种关系的调整和方方面面的利益。广泛深入地宣传好海域法，不仅是贯彻和落实这部法律的需要，也是进一步提高全民海洋意识的一次极好机会。沿海省区市海洋行政主管部门要对这项工作做出通盘考虑，切实把海域法的宣传活动作为加强海域使用管理、增强全民海洋意识的一项经常性工作，常抓不懈。今后一段时间内海域法宣传的重点对象，一是沿海各级领导，包括县以下的基层领导干部；二是广大用海单位和个人，尤其是用海大户；三是涉海部门和单位，包括海洋管理部门自身。宣传工作要多形式、多层次、多渠道，在充分利用大众传媒的基础上，既要发挥网络等现代信息技术的优势，又要注意采用广大人民群众喜闻乐见的形式，达到既形成声势，又扎扎实实的效果。宣传工作要注重抓好正反两方面的典型，对自觉守法用海的，要大张旗鼓地给予宣传、表彰，对于严重违法用海的，要严厉查处，并及时通过当地新闻媒体予以曝光。要通过广泛深入地宣传，明显增强全民的海洋意识和依法管海、用海意识，不断转变传统用海观念。

（二）要抓紧制定和修订配套法规，完善海域使用管理的法规体系

海域法虽然颁布了，但要把这部法律真正贯彻好，还必须要有与之相配套的法规和制度。因此在全面学习贯彻落实海域法的同时，抓紧制定海域法配套法规和制度建设，是摆在我们面前的一项十分重要的工作。在这项工作中，有三件事要做好：

一件是法中已明确的几项重要规定，需要我们进一步细化，以便在贯彻实施时，能够共同遵循，做到上下一致。为此，要与财政部合作起草并上报《海域使用金征收管理条例》；协助财政部起草《海域使用金使用管理办法》；同时，着手研究起草《海域使用申请审批管理办法》。此外，还要起草或修订海域招标拍卖管理办法、海域转让管理办法、填海管理办法、临时用海管理办法等。

在配套制度建设方面，要着重抓好海域使用论证制度、海域分等定级及评估师制度、海籍管理制度等的研究和制定。

另一件是关于地方法规与法律的衔接。各地要按照《中华人民共和国立法法》第六十三条和第六十四条的规定执行。在这方面有两类情况：一类是国务院授权省、自治区、直辖市人民政府制定的规定，各地要尽快制定相应的法规，在制定这类法规时，要与国家局及时通气，以便在一些问题上能够做到全国统一；再一类是海域法颁布前地方出台的有关规章，各地要尽快清理，凡与海域法有不一致的内容，要尽快修改和完善。

不管是上述那一类情况，都要按照国家立法法关于地方法规服从国家法律的要求进行处理。现在已经快到年底了，各地要抓紧时间，争取将法规的制订和修改工作列入当地人大、政府2002年的立法计划。

第三件是在划分地方海域使用审批权限的工作中，应当掌握的几项基本原则。一是只对设有海洋行政主管部门的县级以上人民政府授予相应的海域使用管理和审批权限；二是审批权限的划分应当有利于调动各级政府的积极性，有利于海域的管理和资源的保护；三是相邻管理区域有争议的项目用海，由共同上级人民政府批准，并且不得作为将来海域勘界的依据。

（三）要努力加强干部队伍建设，不断提高执法队伍的整体素质

海域法的贯彻落实必须要有一支综合素质高的队伍，从目前来看，我们这支队伍总体的素质是好的，但是按照海域法的要求，还有一定的差距。我们一定要按照江总书记“三个代表”重要思想的要求，站在依法治国、依法治海的高度，充分认识自己的历史使命，自觉地把增强依法行政、规范执法的责任感当作一件紧迫的大事抓紧、抓好。

各级海洋行政主管部门要十分重视海域使用管理法的培训工作，并作出系统安排。要通过培训班、座谈会、研讨会等多种形式，组织广大管理、执法人员特别是各级领导干部，扎扎实实地学懂、弄通海域法的每一章、每一款条文以及相关的法律知识，真正领会其基本精神和丰富内涵，不断增强自身的政策观念、法制观念，提高秉公执法的自觉性和解决实际问题的能力。在各地开展海域法培训的基础上，国家海洋局将集中举办3～4期高层次培训班。大体安排是，今年年底前举办1期，2002年上半年举办1～2期，下半年再办1期。同时开展对海监队伍的强化培训，提高执法人员的综合素质，确保海域法实施后能公正执法，工作有新局面。

要切实加强队伍内部的制度建设和管理，严肃执法纪律。要正确认识和运用手中的权力，严防以权谋私、执法腐败。权力是一把双刃剑，用得好，会极大地推进事业发展，用得不好，会毁了事业、毁了干部，这样的教训已经屡见不鲜，我们要引以为戒、警钟长鸣。

我之所以强调这个问题，是因为相对来说，过去海洋管理的权力是不多的，但随着海洋环保法，特别是海域法的颁布实施，我们的管理面宽了，权力也变多变大了，在这种情况下，稍不谨慎，放松思想警惕，就很可能出这样那样的问题。现在早点吹吹风，有益无害。

（四）要努力加强组织建设，强化海洋行政管理机构

建立和完善与职能任务相适应的组织机构是全面贯彻实施海域使用管理法的根本保证，也是地方人民政府获得国家授权管理海域的前提条件。目前，在组织机构建设方面，要高度重视并着力抓好以下几个方面的工作。

一是要强化省级海洋行政管理机构，建立、

健全市县两级海洋行政管理机构。在上一轮机构改革中，地方省级海洋管理机构普遍得到了加强，配备了一批能力很强的领导干部，为海域使用管理工作乃至整个海洋事业的发展提供了组织保证。但是由于各地机构设置不尽相同，进入海洋管理的时间有早有晚。在这种情况下，各地应该进一步建立和完善海洋管理的必要机构、工作运行机制，健全必要的工作制度，使我们的机构能够真正履行起海域行政管理的职责。

要十分注意市县两级海洋行政管理机构的建设。根据海域法的规定，县级以上人民政府海洋行政主管部门在海域使用管理工作中承担诸多职责，任务十分繁重。如果没有相应的海洋行政管理机构，海域法的贯彻实施将难以落到实处。目前沿海一些地区正在开展县市两级政府的机构改革，大家务必引起高度重视，要不失时机地做好工作，确保海洋管理机构能够在改革中得到强化、取得应有的地位。

二是要切实加强中国海监队伍建设。维护合法使用海域、打击违规用海行为，需要有一支过硬的执法队伍。中国海监队伍经过几年的发展，已经有了长足的进步，但各地的队伍发展情况不平衡，目前有的地方有队伍但力量很弱、有的地方还没有正式成立队伍，这种情况不利于法的全面贯彻落实。各级海洋行政管理部门应当对这个问题引起足够的重视。中编办关于中国海监队伍实施公务员管理、中国海监统一标志、标识的批复意见等有关文件的精神，是促进地方海监队伍建立和建设非常有利的条件。有的省已经利用这些有利因素取得了地方政府的理解和支持，在队伍建设上取得了进展。各地要紧紧抓住海域法颁布实施这一重要机遇，充分利用各种有利条件，推进各级海监机构特别是省级以下海监机构的组建和队伍管理的正规化，为贯彻实施《海域使用管理法》提供组织保障。在队伍建设方面，也可以采取共建的方式，充分发挥海区现有力量的作用，在条件成熟时移交地方管理。中国海监是一支执法队伍，无论通过什么方式来建设，都应当坚持高标准，使之成为政治强、业务精、纪律严、作风好。能打硬仗的队伍，向社会展示自己的良好风貌。

三是要进一步加强海洋管理能力建设。海监船舶飞机建造第一期工程要确保质量，加快进度，力争新建海监船舶飞机在2002年年底能开始投入使用。同时，要抓紧研究第二期海监船舶飞机的建造方案，包括海监执法装备。第二期船舶飞机的建造方案要认真考虑海域法实施后，各地海洋监察力量的能力建设需求，特别是要加大对近海海洋监察船舶等执法装备的投人。在能力建设方面，要采用先进技术，增加执法装备的科技含量。各地要广开经费来源，除争取地方政府的财政支持外，还可以研究是否可从海域使用金留成部分拿出一定比例资金，尽快使中国海监队伍的能力有一个明显的提高。

（五）要主动加强部门合作，形成综合管理海洋的强大合力

一是海洋与财政部门要齐心协力、密切配合。在海域使用管理和海域法的立法过程中，海洋部门与财政部门的合作是非常好的。海域使用管理法中规定的三项基本制度，是海洋部门和财政部门分别承担的，但这三部分的工作密不可分，两个部门在海域使用管理中的工作是相互衔接、互为依托的。前天，财政部部长助理李勇同志对各级财政部门如何贯彻海域法，以及如何同海洋部门加强配合作出了部署，并提出了很高的要求，刚才孙燕副司长又讲了很好的意见。我们各级海洋部门，一定要主动和当地财政部门紧密配合，加强信息沟通，建立经常性的联系渠道和制度，随时研究工作中出现的新问题、新情况，不断总结新经验、新方法，把海域法的每一项制度和规定都落到实处。

二是要加强同各涉海部门的协作。尽管涉海部门在海上分工不同，有的是从事生产的，有的是从事管理的，有的是兼而有之的，但大家的目标只有一个，就是在保证海洋资源、环境可持续发展的前提下，繁荣、壮大国家的海洋事业。从这个意义上讲，我们都是海上一家人。因此，我们海洋部门的同志一定要在海域使用管理工作中，充分尊重有关涉海部门的职能和职责，在国家法律和政策允许的范围内，尽最大可能为他们履行职责提供方便和创造有利条件。由于海洋工作的特殊性，涉海部门之间的相互配合和支持，相对陆地来说，显得尤为重要，任何一家都不可能在海上包打天下，只有依靠涉海部门通力协作，拧成一股绳，才能真正把海洋管好、用好。要特别注意加强与渔业、交通部门的密切合作。

过去我们在海上有过多次涉海部门联合执法的成功经验，今后我们还要一如既往地做下去，并不断总结提高。海域使用管理，作为一种全新的管理行为，在实践中肯定会出现这样那样的问题，甚至会有一些不愉快的事情，发生这种情况，我们一定要冷静处理，本着顾大局、向前看，以国家利益为重的原则，采取高姿态，坐下来好好沟通，求得妥善的解决。

（六）要切实做好支撑性工作，为全面实施海域法打下良好的基础

一是要抓紧完成海洋功能区划工作。海洋功能区划作为一项重要制度已列入海域法，它是海域使用审批的先决条件和必要依据，可以这样说，没有海洋功能区划，海域使用审批就无从谈起，也就没有海域法的顺利实施。各级海洋管理部门对这项工作要给予高度重视。目前，全国大比例尺海洋功能区划，已征求各有关部门的意见，正组织力量进行修改，年底前报国务院审批；沿海省级大比例尺海洋功能区划，已经当地政府或人大批准的，要注意总结使用当中出现的新情况、新问题，做进一步修订；尚未完成的，要加快步伐，力争年底前基本完成，并报当地人民政府或人大批准执行。从2002年1月1日起，要严格按照海域法“海域使用必须符合海洋功能区划”的规定开展工作。

二是要全面启动全国海域勘界工作。整个工作2005年基本结束。省际间海域勘界工作，由国家海洋局直接组织，各省区市配合。

县际间海域勘界工作计划明年试点，2003年全面启动，此项工作要在国家海洋局的统一指导下，由省、自治区、直辖市人民政府及海洋行政主管部门具体组织实施，由国家海洋局报国务院审批。在海域使用审批中出现的争议区，在协商不能解决的情况下，可暂时交上一级处理，一定不要硬性审批，避免引发矛盾。此事请各地一定要从稳定大局出发，予以高度重视。

三是在调查登记的基础上进一步做好海域使用权证的发放。要继续组织开展好全国海域使用调查登记工作。加大力度，在现有海域使用调查登记资料的基础上，抓紧开展补充调查，建立动态调查机制，力求比较完整、及时地掌握全国海域使用情况。在调查登记的同时，海域使用证的发放不仅不能停，还要加快步伐，对符合海洋功能区划的用海项目，要依据海域法的规定，予以登记、发证。要特别注意对传统渔民(以捕鱼和海水养殖为生的个体渔民)权益的保护，不要增加他们的负担。对此问题要妥善处理。

四是继续抓好海域使用管理示范区工作。国家海洋局和财政部批准建立的第二批17个海域使用管理示范区的建设效果非常好，根据贯彻落实海域法的需要，一方面我们拟将这17个示范区建设年限延长一年，同时我们正在考虑明年进一步增加示范区的数量。今后示范区的主要任务就是提供准确实施海域法的经验。

此外，还要完善并推广示范区海域使用管理自动化系统，筹划建立海域使用统计及信息发布系统等。

上面我就学习、贯彻海域法的有关工作讲了一些意见，这些工作是今后一段时间内必须确保的重点，请各地的同志回去后，积极向政府分管领导做好汇报，努力争取支持。

同志们，海域法的出台为海洋事业的快速发展开辟了广阔的道路，也是国家和人民对我们的信任。任务光荣、任重道远，我们一定要以江总书记“三个代表”的重要思想为行动指南，认真落实六中全会精神，团结一致，拼搏进取，扎扎实实地学习和贯彻实施好海域法，并以此为主线，全面推进全国海洋综合管理工作，为把我国建设成为现代化的海洋强国，为实现中华民族的伟大复兴努力奋斗！

财政部部长助理
李勇在学习贯彻《海域使用管理法》座谈会上的讲话

（2001年11月8日）

同志们：

中华人民共和国第九届全国人民代表大会常务委员会第二十四次会议于2001年10月27日审议通过了《中华人民共和国海域使用管理法》。这

是新中国建立以来我国在海域使用管理领域的第一部法律，也是在党中央、国务院高度重视和关心我国海洋事业发展的情况下取得的一项重大成果，是适应经济全球化发展趋势采取的一项重要措施。这一专门的海域使用管理法在国际上是少有的，具有前瞻性和开创性，在我国海洋行政管理发展过程中具有里程碑意义。在此，我代表财政部党组向出席今天座谈会的全国人大常委会各位领导和同志们表示衷心的感谢！

《中华人民共和国海域使用管理法》与《中华人民共和国领海及毗连区法》、《中华人民共和国专属经济区和大陆架法》、《中华人民共和国海洋环境保护法》一起，初步构成了我国海洋领域的法律体系，为维护国家海域所有权和海域使用权人的合法权益，促进海域的合理开发和可持续利用奠定了坚实的法律基础。

刚才田凤山部长就如何宣传、贯彻和实施好《中华人民共和国海域使用管理法》提出了一系列明确要求，这些都很重要。就财政部门而言，按照《中华人民共和国海域使用管理法》第五章、第六章、第七章的规定，沿海各级财政部门对依法推进海域有偿使用制度的实施负有重要职责。

沿海各级财政部门要认真学习、深入贯彻法律精神，与各级海洋行政主管部门密切配合，依法做好海域使用金的征收管理工作。把海域使用金作为一项重要的政府非税收入加强征收管理，是海域法出台后财政和海洋行政主管部门面临的一项重要任务。为此，我们要积极探索，不断积累经验，逐步完善海域使用有偿制度，管好用好海域使用金，以进一步加快海洋经济发展。

密切合作　依法行政
共同开创海域使用管理工作的新局面

（财政部综合司助理巡视员　孙　燕，2001年11月10日）

同志们：

《中华人民共和国海域使用管理法》已由第九届全国人大常委会第二十四次会议于2001年10月27日审议通过，将于2002年1月1日起正式施行。在此，请允许我代表财政部综合司对《海域使用管理法》的颁布表示热烈祝贺，并对多年来为海域使用管理立法工作倾注了大量心血的全国人大法工委、法律委、环资委等专门委员会和国务院法制办，以及所有参与和支持这项工作的同志们表示衷心的感谢。

《海域使用管理法》的颁布，从法律上明确了我国以海域权属管理制度、海洋功能区划制度和海域有偿使用制度为核心的海洋综合管理体系，它必将对国家推进海域使用管理工作的法制化进程产生积极作用，同时也为进一步推动海洋环境的保护，加强海洋资源的合理开发和利用，促进海洋经济的可持续发展提供了有力的法律支持。

在《海域使用管理法》正式实施前夕，国家海洋局和财政部联合召开这次学习贯彻《海域使用管理法》座谈会，是非常必要和及时的。通过这次座谈会，一方面，海洋行政主管部门和财政部门要对深入宣传和贯彻《海域使用管理法》进行全面的工作部署；另一方面，要继续加强我们两个部门的合作，按照社会主义市场经济条件下依法加强海域使用管理工作的要求，做好有关配套法规的制定和完善工作，努力开创我国海域使用管理工作的新局面。

为了切实做好《海域使用管理法》的贯彻实施工作，我利用这个机会，结合财政部门在海域使用管理工作中的职责，对下一步沿海各级财政部门贯彻实施《海域使用管理法》时需要注意的问题，简要地谈几点意见。

一、沿海各级财政部门要认真学习和宣传《海域使用管理法》

首先是要认真学习、领会《海域使用管理法》的内涵。再有一个多月时间，《海域使用管理法》就要正式付诸实施了，在这么短的时间内，我们还有大量工作要做，任务十分紧迫。当务之急是沿海各级财政部门要认真学习《海域使用管理法》，经常主动地与海洋行政主管部门的同志沟通，争取在最短的时间内准确地把握法律所确立的各项规定以及对财政部门提出的工作要求，做到带头守法，为依法做好海域使用金的征收管理工作打下坚实的基础。

其次是要大张旗鼓地宣传《海域使用管理法》。沿海各级财政部门要积极配合当地海洋行政主管部门采取法律咨询、法律讲座、法律知识竞赛等宣传形式，利用广播、电视、报刊、网络等宣传手段，广泛深人地开展《海域使用管理法》的宣传教育，使海洋权属管理、海洋功能区划、海域有偿使用等法律的核心内容能够家喻户晓，让管理和使用海域的单位和个人明确自己的权利、责任和义务，做到依法管理、依法用海。

二、密切合作，强化政府对海域使用的法制化管理

1993年5月，财政部和国家海洋局联合颁布了《国家海域使用管理暂行规定》。从文件颁发到第一批海域使用管理示范区取得成功和第二批海域使用管理示范区工作的顺利展开，从地方进行海域使用立法和配套制度建设到国家《海域使用管理法》的出台，在前后七八年的时间里，中央和沿海各地方的财政部门、海洋行政主管部门在保护和合理利用海洋资源，规范海域使用行为等方面做了大量有益的工作，为《海域使用管理法》的出台奠定了基础。可以说，海域使用管理工作从艰难起步发展到今天有了一部专门法律，取得的成绩是来之不易的，这与多年来财政和海洋行政主管部门的密切配合、相互支持是分不开的。这些年来的工作实践表明，财政部门和海洋行政主管部门的密切合作是搞好国家海域使用管理工作的重要条件之一，也是促进海洋经济健康发展的需要。

《海域使用管理法》马上就要实施了，希望财政部门继续与海洋行政主管部门一如既往地紧密合作，扎扎实实地把《海域使用管理法》的贯彻工作落到实处。通过对海域使用的法制化管理，认真落实法律规定的各项基本制度，利用经济手段合理调节海域使用行为，切实做到取之有度、用之有方、规范有序，提高海域使用的整体效益，促进海域的合理开发和可持续利用，从根本上解决过去海域使用中的“无序、无度、无偿”问题；同时也为各级财政部门搞好海洋财源开发，加强财政非税收入管理做出有益的尝试。

三、加快完善相关配套法规，依法征收海域使用金

《海域使用管理法》以法律形式确立了国家实行海域有偿使用制度，为财政部门依法行政提供了法律保证。为了做好海域有偿使用管理工作，下一步亟需规范和完善相关的配套措施。目前，财政部正会同国家海洋局制定《海域使用金征收管理条例》，争取在近期下发沿海各地征求意见，希望沿海各级财政部门进一步总结8年来的管理经验，尽快完善有关海域有偿使用方面的配套制度。在这里我就下一步修改完善《海域使用金征收管理条例》强调四点：

一是要深入调查海域使用金的征收范围。为了增强《海域使用金征收管理条例》的可操作性，沿海各级财政部门近期要深入调查研究，摸清各自管辖海域的基本情况，了解和掌握各种用海类型的分布，配合《海域使用金征收管理条例》的制定，尽力将适用海域使用金减缴、免缴条款的海域使用类型进一步具体化，明细化，为今后科学地设计海域使用金收入政策，依法征收海域使用金提供依据。

二是要认真研究海域使用权价值评估办法。海域使用权价值评估与制定海域使用金征收标准有密切的关系，海域使用金征收标准必须依据海域使用权价值确定。在现行海域使用权市场发育还不完善的情况下，通过政府评估来确定海域使用权价值的做法是符合客观需要的。目前各地海域使用金征收标准都还存在一定差异，国家也还没有统一的规定，《海域使用管理法》出台后，认真研究海域使用权价值评估办法，已经成为影响制定海域使用金征收标准的一项关键性工作。

财政部和国家海洋局制定海域使用金征收标准的基本思路，是以海域级差收益为依据，对全国海域分等定级，确定各地海域的等级系数，由社会中介机构对具体海域进行评估，经过政府部

门确认后，制定全国统一的征收标准，沿海各地则根据毗邻海域的等级状况对号入座，形成本地区的征收标准。海域使用权价值评估是一项非常复杂并且技术性很强的工作。请大家集思广益，积极主动地想办法，认真研究海域使用权价值评估办法，力求尽早制定出科学合理、切合实际的海域使用金征收标准。

三是要加强海域使用金征收管理的具体制度建设。海域使用金是国家以海域所有者身份，以出让海域使用权等有偿使用方式，向取得海域使用权的单位和个人收取的权利金。根据它的性质，海域使用金应当全部纳入财政预算管理，成为政府财政非税收入的一个重要组成部分。关于海域使用金问题，在《海域使用管理法》中有专门的一章，明确了海域使用金的缴纳主体、缴纳方式以及适用海域使用金减免的用海类型等。但是，从实际操作的角度看，《海域使用管理法》中对海域使用金的规定还是比较原则的。我们认为，在下一步贯彻实施《海域使用管理法》的过程中，法的贯彻效果在一定程度上取决于海域使用金征收管理的具体制度建设。因此，希望沿海各级财政部门按照《海域使用管理法》的要求，同海洋行政主管部门加强合作，进一步制定海域使用金的具体征收范围、征收标准、征收程序、减缴、免缴审批程序，以及对渔民使用海域从事养殖活动如何征收海域使用金的办法等。沿海各地已经制定了地方性法规的，要根据《海域使用管理法》的要求进行修订和完善，使之与《海域使用管理法》的规定相衔接。财政部门务必要把海域使用金征收管理工作落到实处，杜绝海域使用中的资源浪费和财政收入流失，确保国家海域所有权在经济上得以真正体现。

四是《海域使用管理法》已明确规定海域使用权可以转让，但从全国范围来看，目前海域使用权二级市场基本处于未发育状态。沿海各级财政部门要未雨绸缪，以促进海域利用、发挥海域最佳效益和防止投机、炒作海域为前提，对海域使用权二级市场的有关政策和制度进行超前性研究，积极引导海域使用权二级市场的合理发育。

在贯彻实施《海域使用管理法》中，财政部门和海洋行政主管部门都负有重要的职责。希望今后我们能够继续携起手来，齐心协力、相互配合，依法行使海域使用管理职责，共同做好海域使用管理工作。

农业部副部长

刘坚在“清理整顿三无和三证不齐渔船新闻发布会”上的讲话

（2001年2月27日）

中国是个海洋渔业大国，每年来自海洋的渔获量达上千万吨，海洋水产品成为中国人民的重要食物和营养来源。保护好海洋渔业资源，实现可持续发展，让子孙后代有鱼吃，是我们义不容辞的重大责任。但是，由于种种原因，多年来各地盲目造船下海捕鱼的现象十分普遍，导致渔船数量和功率过度增长，海洋捕捞强度大大超过渔业资源的承受能力。控制海洋捕捞强度的增长，保持渔业生产的持续发展，成为中国渔业管理的重点和难点。为此，农业部决定坚决贯彻实施2000年12月1日生效的新《渔业法》，把渔船管理作为2000年渔业管理工作的重点，在全国沿海省(区、市)集中开展清理整顿三无和三证不齐渔船的工作。

中国是世界上渔船最多的国家。为了摸清现有海洋渔船的情况，农业部于2000年开展了首次全国海洋渔船普查，涉及沿海11个省、自治区、直辖市。据普查统计，目前全国共有海洋捕捞渔船24.43万艘、541万总吨，主机功率1 222万千瓦。在这些渔船中，无渔业捕捞许可证书、渔船登记证书、渔船检验证书的“三无”渔船有6.72万艘，48万总吨，功率138.7万千瓦；上述三种证书不齐的“三证不齐”渔船有5.09万艘，105.8万总吨，功率247.7万千瓦。从数量上看，“三无”渔船占捕捞渔船总数的27.5%，“三证不齐”渔船占捕捞渔船总数的20.8%。在这些“三无”和“三证不齐”

渔船中，大部分是小型渔船，船长12米以下的小船有8.52万艘，占72.2%(其中，艇、筏、排有1.56万艘，占小型渔船数量的18.3%)。

普查情况表明，“三无”和“三证不齐”渔船大量存在，特别是小型渔船(包括艇、筏、排)数量庞大，是海洋捕捞强度增长失控的主要原因，对近海渔业资源的保护和合理利用造成了极大的威胁，严重影响了中国海洋渔业的可持续发展。为从根本上改变这种状况，农业部决定按照新《渔业法》的有关规定在2001年内对海洋“三无”和“三证不齐”渔船进行一次彻底清理整顿，规范和加强海洋渔船的管理，控制海洋捕捞强度，促进海洋渔业的可持续发展。

这次清理整顿的对象是“三无”和“三证不齐”渔船，以及持有《渔业捕捞许可证》但未贴附或未贴足功率凭证的渔船、所持证书载明的主机功率与渔船实际主机功率不符的渔船。

清理整顿的基本原则是纳入管理，区别对待。凡2000年全国海洋渔船普查登记在册的清理整顿对象，经检验合格后纳入管理，按不同情况分别处理。属专业渔民个人所有的“三无”渔船，必须申请检验，经检验合格后，由主管机关核发《渔业船舶登记证书》和《渔业捕捞许可证(临时)》，限制作业海域、作业方式、渔船不得抵押和出售，不得更新。属于业主投资，雇佣船员从事捕捞生产的“三无”渔船，不得再从事捕捞作业，必须转产转业。“三证不齐”渔船，经检验合格后，按照“缺什么补什么”的原则，按规定办理所缺证件。“三证不齐”或“三证”齐全，但实际功率与证书载明功率不一致的渔船，需重新申请渔船检验，并办理相关的更改手续。

清理整顿的时间为自2001年1月至10月31日。凡届纳入管理的“三无”和“三证不齐”渔船及其他更改主机功率的渔船，渔船所有人须按当地渔业行政主管部门规定的时间主动到渔船检验机构申请检验，到渔政渔港监督管理机构办理其他相关手续，并按规定补交渔业资源增殖保护费和其他规费。

凡2000年全国海洋渔船普查未登记在册，以及虽登记在册，但经检验不合格的“三无”和“三证不齐”渔船，应立即淘汰，一律不得再从事海洋捕捞作业。应纳入管理的“三无”和“三证不齐”渔船，逾期未办理变更手续的，自2001年11月1日起，一律不得从事海洋捕捞作业。继续违规作业的，一经查获按《渔业法》的有关规定从严查处，情节严重的依法予以没收。

这次清理整顿工作涉及面广，政策性强，任务十分艰巨。为保证工作顺利进行，农业部已发出了《关于清理整顿三无和三证不齐渔船的通知》，对清理整顿工作作了全面部署。印发了《关于清理整顿三无和三证不齐渔船的通告》，准备在沿海渔村、码头广泛张贴。农业部今年还将组织几次统一执法行动，对未纳入管理的“三无”和“三证不齐”渔船依法取缔。同时，我部正在根据新《渔业法》的有关规定，修订《渔业捕捞许可管理办法》，规范捕捞渔船的管理和渔业许可批准程序，建立审批签发责任制度，从制度上堵住漏洞，杜绝出现新的“三证不齐”渔船。对今后因不按法定程序签发证件而出现新“三证不齐”渔船的地区，将依据《渔业法》第四十九条规定追究有关单位和责任人的责任。

（本文有删略）

国家海洋局副局长孙志辉在纪念我国批准加入《联合国海洋法公约》5周年座谈会上的讲话

维护我国海洋权益工作任重道远

（2001年5月15日）

各位专家、各位领导：

5月15日，是我国人大常委会正式批准《联合国海洋法公约》5周年的日子。在这个有意义的日子里，中国国际法学会和中国海洋法学会在这里召开座谈会，纪念我国批准《海洋法公约》5周年，研讨、交流维护我国海洋权益的有关问题，十分有意义。各有关部门、各位专家，都十分重视这次会议的召开，特别是一些德高望重的老一辈法学家亲临会议指导，令我们十分感动。有关新闻单位也给予了大力支持。在此，我谨代表国家海洋局对各位专家的到会表示热烈欢迎，对多年来对海洋工作的鼎力支持表示衷心的感谢。

近些年来，世界各国对海洋给予了前所未有的高度重视，各沿海国家纷纷把维护海洋权益，发展海洋经济、保护海洋环境列为本国的重大发展战略。究其原因，我认为主要有以下几方面：一是对海洋资源的重大需求，随着陆地资源的短缺，人们纷纷把目光转向海洋这一巨大资源宝库；二是囿于海洋对维护国家安全的重要地位，各海洋国家对海洋作为国家屏障的重要性有了新的认识；三是随着世界经济和科技的高度发展，使开发利用海洋条件不断成熟；四是国际海洋法律不断健全，使各国开发利用海洋有了法律保障，这其中，《联合国海洋法公约》的生效，对世界的海洋开发利用和维护海洋活动秩序起到了巨大的推动作用。

《联合国海洋法公约》是人类历史上第一部全面的海洋法典，它为人类在海洋上的所有活动提出了基本的法律准绳，也为各个国家特别是沿海国维护其海洋权益提供了有力的法律依据。因此，《联合国海洋法公约》是有史以来最重要的一部国际海洋法律，从其自1994年11月生效以来的实践也表明，这部法律在国际海洋事务中有着不可替代的重大作用。

《联合国海洋法公约》生效后，世界各国均给予了高度重视。根据《公约》的规定，各国对本国的海洋发展战略作出调整，在海洋立法、海洋规划、海洋开发、海洋维权和海洋管理等方面加大了力度。国际上围绕海洋权益的斗争也更加激烈。

我国批准《公约》5年来，我们在维护海洋权益等方面做了大量工作，如颁布了《大陆架和专属经济区法》、《涉外海洋科学研究管理规定》，修改了《海洋环境保护法》和《渔业法》，《海域使用管理法》也正在加紧制定。成功地与越南签定了北部湾划界协议，与其他海上邻国的划界工作也正在抓紧准备。根据《公约》规定，经多年调查，我国已向国际海底管理局申请到了7.5万平方公里的大洋海底多金属结核矿区，近日内我国拟与国际海底局签署勘探合同。为落实《公约》第76条的规定，我们正在加紧研究超出200海里大陆架问题。我国在一些涉海国际组织中也为维护我海洋权益进行了不懈的努力。

应该看到，我国在维护海洋权益方面，还面临着十分严峻的形势，我国与海上邻国还存在着严重的管辖海域划界和岛屿归属争端。我国正当的海洋权益还时常受到一些国家特别是个别霸权主义国家的侵犯，因此我国维护海洋权益的工作面临着十分艰巨的任务。

党中央、国务院十分重视我国的海洋事业，党和国家领导人多次对海洋工作做出重要指示。在我国的第十个五年计划纲要中明确要求：“加大海洋资源调查、开发、保护和管理力度，加强海洋利用技术的研究开发，发展海洋产业，加强海域使用和管理，维护国家海洋权益。”江总书记在今年三月份中央召开的人口、资源、环境工作座谈会上指出：“加强海洋资源综合管理，完善海洋法律、规划和海洋管理体系，加快海域使用管理的法制化进程，强化海洋环境保护和海洋执法监察工作。”国务院在下达我局的“三定”方案中赋予我局4项职能，其中之一就是“依法维护海洋权益”，因此，我们深感责任的重大和担子的沉重。今后，我们将努力从立法、规划和管理三个方面入手，完善有关海洋维权的配套法规，抓紧实施有关海上调查，加强维权法理和有关方案的研究和制定，充实和强化海洋维权执法体系，加大海上巡航执法力度，积极主动地参与有关海洋权益的国际组织活动，最大限度地享用《公约》所规定的有关利益，加大维护海洋权益的宣传，大力提高全民族的国土意识和维护海洋权益意识。我相信，在党中央和国务院的正确领导和统一部署下，在国务院有关部门和军队方面的大力协作配合下，在各位法学专家和海洋专家的大力支持下，我国的维护国家海洋权益工作定能开创一个新的局面。

专 文
Monograph

关于海洋物权管理的问题

(全国人大法律委委员 王家福)

非常高兴在《海域使用管理法》通过不久，在这里和大家一起研究关于海域使用管理方面的法律问题。2001年10月27日通过的《海域使用管理法》是一部具有开创性的法律，是中国依法治海的重大制度创新，在世界上的其他国家是没有先例的，具有开创性的意义；《海域使用管理法》实施后，一定会对我国的海洋管理，促进海洋经济的可持续发展，以及海洋生态环境的保护方面都具有重大的意义。

我今天从法律制度创新的角度，特别是从物权的角度，对海域建立物权制度创新这方面做一些分析。

《海域使用管理法》在法律制度上有四个创新：

第一，确立海洋功能区划制度。这对合理利用、保护海洋起到很大作用。根据海洋自然属性和发展需要划分功能区来管理海洋，这非常重要。这与土地总体规划是一个道理。土地分为耕地和非耕地、建设用地和其他用地。海洋功能区划也是用来更好地划分作为“蓝色国土”的海洋的用途，保证海洋的各个行业长期、稳定、协调发展。

第二，海域集中统一管理。在起草审议涉海法律时，最大的争论是涉海单位都争着要海洋的管理权。夸大分管业务的重要性，争取控制对海洋的管理，这些部门都是用海单位。我认为对海洋的统一管理，应由海洋行政主管部门进行，即海洋局管理。因为海洋局处于超脱的地位，可以使海洋得到综合管理，使海洋的开发利用得到协调发展。这一点在《海域使用管理法》中得到明确规定。各涉海部门只在业务方面进行管理，不能对海域本身进行管理。这与我们在制定《城市房地产管理法》时是一样的。当时建设部和土地管理局争得厉害，我们为什么不同意由建设部管，就是因为建设部是用地部门，它如果管理土地，那么土地被滥用的机会就会很多，所以只能由土地管理部门进行管理。

第三，海域有偿使用制度。这个制度不是中国的创新，但经过几年努力后在法律上得到正式确认，更好地开发海洋使国有资产得到回报，避免海域资源的浪费。

第四，海域登记制度。这项制度是把海域当作一项财产，甚至是一项不动产来设立物权制度，即国家的海域所有权，单位和个人对海域的使用权，这一点从外国法律来看还没有先例，还没有哪一个国家在海域上明确建立海域物权制度，而我国则非常明确地规定了这一制度，应该讲这是一个非常重要的创新。

现在从海域物权制度建立上对物权方面的内容从法理上做一个解释，主要讲八个方面的内容：第一，什么叫物权制度；第二，为什么对海域建立物权制度；第三，物权的种类，《海域使用管理法》规定了几种物权；第四，如何取得物权，即物权取得的方式；第五，海域使用登记制度；第六，海域使用金问题；第七，海域物权的保护；第八，几点建议。

一、物权的概念

物权指单位和个人依法对特定目的的一定程度的直接控制与支配的权利。物权法是调整对物的不同程度的支配和控制所产生的社会关系的法律规范的总和。物权解决以下三个问题，即对物的权利的确认，物权关系的利益调整，物权的保护。物权非常重要，是基本的法律制度。但是，由于过去单一的公有制，对财产不重视、轻视、否定，乃至剥夺，相当长的时期，我国没有物权概念，也没有涉及物权的法律制度，只在法律上笼统规定自然资源属国家所有、集体所有，对个人权利的保护等等。正是因为这样，由于受“左”倾思想影响，我国一段时期内把物权观念打得粉碎，对物权可以随便剥夺，老百姓和国家的物权得不到保护，而且我们有一个观念，好像有了公有制以后，我们的生产可以发展起来了，人民生活可以富裕起来了。公有制有很多优越性，但本身也有弱点。它把人和生产资料拉得很远，人的内在动力削弱了，所有权行使的监督不够，所有人常常虚化，造成在一定条件下，生产力比私有制条件下有想象不到的大破坏。所以说，要想使我国的公有制发挥优越性，非常重要的一点就是把物权制度建立起来，从这个意义上说物权制度极为重要。为何以前同样的土地，同样的海洋，我们还是不够吃、不够穿，凭票证，产品极端匮乏。而今天有较丰富的产品了，很重要的是改革开放后，特别是开放初期到20世纪80年代中期，我国逐步建立起物权制度。《民法通则》规定的所有权与所有权有关的财产权，讲的就是物权。因为当时怕“物权”听不懂，该法通不过，所以考虑是不是可以写成“所有权”、“与所有权有关的财产权利”，这样规定对我国这几年的发展，保护人们的所有权起到了很大作用，与所有权有关的其他物权、财产权，包括如《担保法》中的担保物权、土地使用权、承包经营权，这些都是物权。

物权可以分为所有权、用益物权、担保物权。什么是用益物权呢？它是指运用物的使用价值的物权，是所有权派生的权利。所有人运用这种权利，对物的使用权赋予他人，由他人使用，做到物尽其用。还有一种是担保物权，它是指利用物的交换价值设立的一种权利。一个人用钱，他可以用他的财产来抵押或质押，以取得资金来投资，发展生产。那么抵押权人或质押权人在贷款人不能按期还债时，他可以通过变卖抵押物来取得受偿。

1．物权的特征

(1) 法定性。物权是法律明文规定的，不能设定。而债权是由当事人平等协商后产生的，它不是法律明文规定的，这是物权与债权一个很大的不同。

(2) 一物一权。一个物上只能设定一个所有权，比如一物只能设一个所有权或用益物权，不能在一个物上有两个所有人。

(3)排他性。任何人不能侵犯物权，妨碍权利人行使权力，物权产生后形成的关系中，对方是任何人，这是非常广泛的权利。而债权仅对合同当事人而不针对其他人。从某种意义上讲，物权是一种“对事权”，这是与“对人权”相对而言的。

(4) 追及力。权利人可以直接找占有人要求返还，而债权只能找合同当事人，所以说物权有强大的保护力。

2．物权的意义

(1) 有利于社会基本经济制度的巩固。社会主义初级阶段实行社会主义基本经济制度，多种所有制并存，共同发展，公有制要发挥作用，非常重要的就是必须要有物权制度。否则，公有制的弱点就会显现出来，而且优越性发挥不了。如果任何人的财产都可被剥夺，个人财产就没有安全感，就不可能达到致富的目的。

(2) 物权制度是生产力的根基。一个人要生产、发展，他必须是所有者，只有以财产权——物权为基础，生产力才能得以发展。

(3) 物权是资源合理利用的需要。否则难以合理利用资源，要么浪费、闲置，要么过度开发、掠夺性利用，要么对财产有大的破坏。

(4) 物权是公民物质生活的物质保障。人的基本权利：一个是人身权利，另一个是财产权利。一个人如果没有财产权，上无片瓦，下无立锥之地，这样很难有生存权、发展权。所以物权既是人们物质生活的基本保证，也是人的基本权利之一。任何国家如果没有稳定的物权，没有稳定的财产关系，就很难调动亿万人民去创造和积累财富。为什么前苏联解体，这与物权制度不健全有直接关系。我在20世纪90年代初去过俄罗斯，那时前苏联刚垮台，那里的人非常懒惰，不愿意做事，这样的国家很难去创造和积累财富。现在人大法工委正在积极起草物权法典，已经是第5稿了，相信不久将会出台，那时我们的民主权利就会大为改观。

二、为何对海域建立物权制度

1．能不能在海域上设立物权制度

这是在起草《海域使用管理法》时非常突出

的问题。将海域看作行政管辖的对象，还是作为一项财产来看待，这的确值得研究。首先，将海域作为一项财产来看待的根据是什么。这里的海域指内水和领海，我国对内水和领海享有主权。那么主权是什么，它对外是独立权，不受侵犯权，对内是最高的权利，包括立法权、司法权、行政权。它是一种公权，可以通过立法来管理海域，例如对海域航行的安全、国家的安全，有无走私由海关管理，海难救助由海事部门管理。但这是从公法意义上讲的，能不能从主权派生出来对海域享有所有权，享有私法上的所有权，这是可以的，因为它是主权的延伸。这就好像专属经济区一样，国家对专属经济区不拥有主权，但对其资源拥有主权权利。主权权利与主权是不同的，所以对海域资源享有所有权。其次，海域是一种资源，它也是一种财产。但不同的是，它不是陆地上的土地，也不是矿产，而是一种海域。它是一种动产还是不动产？应该讲它是一种不动产，它是以海床、底土为支撑的，包括水体和水面的同在一个空间的海域。应该说在它上面设立物权完全可以。我们不好说对流动的鱼设立物权，因为在没抓到以前是不能这样说的，对海水也不好说。但是我们对一个空间来说，设立物权是可以的。它是可以触摸，可以感觉到的，是实实在在的东西。至于电，因为它能被控制，也能够成为物权特定的客体。海域可以特定化，是可以作为客体来对待的。

2．为何要对海域建立物权制度

(1) 明确海域的权属。“三无”现象就是因为海域所有人不明确，使用人也不清楚，造成滥用、过度开发海洋，海洋资源流失，争议层出不穷。

(2) 海域本身就是珍贵的财产，必须要设立物权，用以确认、巩固和保护它。如果不用物权确认保护，海域成为任何人都可以侵犯、滥用的对象，国有财产将会造成巨大的浪费和破坏，以及环境污染。

(3) 更好地合理开发利用海洋，实现海洋的可持续发展和保证海洋生态的良性循环。因为没有物权制度作保证，所有的开发都建立在权力的基础上，人们凭什么去开发？还有谁愿为开发付出代价？没有。因为没付出代价，没有权利的确认，人们不会去投资，海域处于一种动荡的不确定的状态，造成不合理、盲目开发，捞一把就走等短期行为，势必造成对海洋的破坏。

根据以上三点，可以看出确立物权制度是非常必要的。

3．海洋物权的特征

这与前面讲的是一致的，即它的法定性，排他性，追及力和一物一权。

三、海域物权的种类

从《海域使用管理法》的规定可以看到三种权利：

第一是海域所有权。海域所有人可以对自己所有的海域享有完全的支配权，完全依照自己的意志占有、使用、收益和处分的权利。它很大的特点是国家专有性。因为它是从国家主权延伸出来的，本身是一种私权，是一种民事权利。《海域使用管理法》明文规定，海域属国家所有，国务院代表国家行使所有权，在国家专有的权利中还有一个是矿产权，其他资源如森林、土地、草原等由国家也可由集体所有，而海域除国家所有外，别的主体不能成为所有人；海域所有权具有完全性，它不需要任何人的许诺，可以自主行使。

第二是海域使用权。在法定范围内，权利人对国家所有的海域享有占有、使用、收益和部分处分的权利。它具有派生性、不完全性、有期限性和排他性。派生性是指它是从所有权派生出来的，所有人通过法律程序给自然人、法人和其他经济团体、组织的权利，不是其本身所有的；不完全性是指它要受到所有权人的限制，首先要经过所有权人的许诺、让与，如何合理使用，不能违反海域的自然属性和功能区划的规定；有期限是指不是永久性的，如本法中有关15年、20年、30年的年限规定；排他性是指一旦确立，任何单位和个人，包括海域所有人——国家，都不能妨碍其行使该项权利，这是与所有权是一样的。

第三是相邻海域的利用权。这是从本法中第23条第二款的规定归纳出来的。海域是固定的、特定化的，但它们是相互连着的，他人无害通过某一海域，应当允许，不得阻碍。如果相邻海域必须通过某个海域才能到达，这是不可以被阻碍的。

四、海域物权的取得方式

就海域所有权而言，它是属于原始取得、是由国家主权引伸而自然产生的。海域使用权则需要通过一定的法律程序形成，那么如何设立呢？

1．行政审批方式

通过海域行政主管部门的审批。由用海个人和用海单位向海域行政上管部门提出用海申请，经审批取得海域使用权。这里的审批程序，是一个重要的审批方式。需要分析的问题是海域的所有权，海域作为国家的财产，属国家所有，行使这个权利是国务院和授权的地方各级政府，海洋行政主管部门是执行机关，具体承办的机关，行政审批是海域使用权产生的法律依据。但是，海域使用权是一个实权，完全由政府机关的行政指令产生的权利，是不是非常恰当呢？审批包括两个方面的内容：一个是行政的审批，是由符不符合功能区划，有没有资格申请海域使用权来决定。另外审批程序也可作为海洋行政主管部门代表国家政府行使，是所有者的代表行使所有权的一种方式，批准当作承诺，也是实权的一个协议产生。审批制度产生的行政指令和协议产生的方式，完全作为一种行政措施产生使用权，与土地不一样，土地使用中一种方式是行政划拨，产生土地使用权，行政划拨是无偿使用。海域使用制度是有偿的，是行政指令与协议相结合的一种方式。审批是取得海域使用权的一种方式。

2．招标、投标方式

取得海域使用权的第二种方式是招标、投标，招标、投标方式是一种形式。招标是要约的邀请。要求投标人将标书投到海域管理部门，本身并不是要约。标书是一种要约，中标是一种承诺。招标是公开的，投标和评标是秘密的，中标以后的开标是公开的，是一种承诺。这种形式在一定意义上讲是在较广的范围内通过协议的方式出让海域使用权，转让海域使用权，与通过行政主管部门与申请人之间的行政审批制度不一样，有一定公开性兼协议性让与海域使用权。取得海域使用权的招标、投标方式，比行政审批形式更具有一定的公开性，能保证受到社会的监督，是一种比较好的方式。

3．拍卖方式

取得海域使用权的第三种方式是拍卖方式，与招标、投标方式不一样的是，拍卖方式完全是公开竞卖。如果特定的海域要拍卖的话，对所有具有资格的个人或者单位来说都有同等的机会，最终的结果是把海域使用权拍卖给出价最高的人，是一种非常公平的竞卖形式，也是受社会监督程度最高的一种形式。

综上所述，取得海域使用权的方式有三种：审批方式、招投标方式、拍卖方式。在土地使用权的取得实践中，协议的方式占绝大多数，而拍卖方式的只占1%。海域使用权的审批类似于土地中的协议获取，是行政审批与作为所有人的代表同申请人之间的协商，在土地使用管理中占绝大多数。在今后的海域使用权获得过程中，尽可能多地采取招标、投标和拍卖方式，会更加有利于监督管理。当然，对较大项目的海域使用权获得可采取审批方式；而对商业性较强的用海项目，则可以采取招投标和拍卖的方式进行。

五、海域物权的登记制度

在讨论《海域使用管理法》的过程中，一个很重要的进展是从初期的仅从统计学的观点上考虑，发展到后来的海域使用物权登记制度，是物权设立后变更的一个重要的制度，物权经过登记后进行公示，海域使用权证颁发后要公布于众。最重要的一点是要成为物权制度，必须要登记在册。海洋行政主管部门应该建立海域使用权登记簿，将海域使用权登记在册。这是一种公示制度，使海域使用者确信使用权是受法律保护的，是别人不能侵犯的，很重要的一点是国家海洋行政主管部门登记在册了。物权的生效是以登记制度为基础的。在批准申请人的用海要求后，或者完成中标和拍卖程序后，发给海域使用权证。登记的内容与海域使用权证的内容一样，如果发现差误，以登记的内容为准。登记制度是物权的产生和设立的必备的法律程序，应该高度重视登记过程，应该考虑登记内容的信息系统化管理，而且要注意备份。

六、海域使用金问题

海域使用权的使用金问题，《海域使用管理

法》中规定，具体办法由国务院规定。这看起来与物权是分开的，但实际上海域使用金是海域使用权让与的，不是海域使用的税收，也不是租金。这里产生的物权不是债权，不是租赁，不是承租权，而是所有权产生的。通过特定方式取得的海域使用权，应该支付费用作为使用权的代价。可以按年支付，也可一次性支付，才能持续取得海域使用权。国务院制定海域使用金管理办法时应有个幅度，使在海域使用权确定时有一个商量的余地，根据不同情况来决定。海域使用金的减免也是一样的。收取的费用交给财政，是使用权让与的费用，不是征税。海域使用金应该体现所有权实现的价值，将使用权让给你，应该有回报，而不能看成是税收。

七、海域物权的保护

在《海域使用管理法》中规定的方式，一是可以请求排除妨碍，进行处理；二是请求损害赔偿。另外，还可考虑请求确认权利，当发生争议时，可请求确权。如果确权后当事人不服，当事人可提出申诉；另一种是可请求返还使用权，如果侵权人将你赶离了这块海域，请求海洋行政管理机关和法院主持返还海域使用权；再有一种是请求恢复原状，如养殖海域受到破坏时，可以有权要求破坏者恢复原貌，这些都是对物权的保护方式。

八、几点建议

1．争取将海域物权写入《物权法》

正在起草的《物权法》中，涉及土地使用权、湿地使用权、林地使用权、居住权、采矿权、渔业权等，范围比较宽，包括了现在经常讲的土地使用权和土地承包经营权，但是还不包括海域使用权。《海域使用管理法》中设定了物权制度，就应该在今后的《物权法》这部基本法律的起草中写进这一内容，使法律基础更加雄厚。

2．保证审批确定海域使用权的公正性

主管部门和申请人之间进行的海域使用权确定，随着海域资源的价值越来越大，海洋经济将成为一个新的增长点，应该采取严格的措施，保证审批确定海域使用权的公正性。特别要注意防止的是，在土地管理中用协议方式取得使用权时，产生的以权谋私的现象。海洋主管部门应从初期就高度重视，避免这类问题的出现。

3．海域物权设立后应防止不合理的炒卖现象

海域物权的设立应有利于海洋经济发展、海洋的合理开发和海洋的可持续发展，防止海洋使用权转让过程中的倒买倒卖的不合理现象。有一段时间许多人通过关系和权力进行炒卖地皮，这是不正常的，海域使用权获得后一定要投入相关的开发。特别是商业价值大的区域，应该严格按照区划和功能的要求进行管理，如用养殖业的海域使用权作为旅游开发来使用，很可能获更大的利益。

4．做好海域使用权的登记工作

海域使用权的登记是一项基础性工作，但又是一项非常难以做好的工作，比如怎么来表示海域的四至。在许多技术问题上应该统一考虑研究建立一个体系，怎么进行登记？怎么把登记制度做好？怎么把海域使用权登记簿做好、保管好？引用地籍管理中成功的经验，造好册，使之长期地保存下来。从基层开始，做仔细踏实，不仅为我国的海域物权制度的落实打下基础。而且也为世界其他国家提供参考。

海域物权制度的建立是法律制度的一个重大突破，在国外没有先例，它符合我国的社会主义性质，符合我国社会主义市场经济规律的要求，也符合发展我国海洋经济的需求。海洋行政主管部门既是国家的行政管理部门，又是国家行使海域所有权的代表。国土资源部现在重视的是国家土地的宏观管理，而在物权管理制度的建设上有待继续推进。

5．统一机制，严格执法

《海域使用管理法》赋予海洋行政管理部门很大的权力，如何抓住时机使我国的海上执法力量集中统一起来，像美国的海岸警备队一样。使我国的海监成为国家统一的海上执法机构，对海上执法过程中发现的问题回来后分头进行处理，关键是要有统一的机制，使我们的海洋管得更好。《海域使用管理法》的颁布是一个契机，应该强化执法队伍和能力的建设，强化海洋的集中统一管理。

坚持依法行政　推进政府工作法制化

（国务院法制办公室副主任　曹康泰）

以江泽民同志为核心的党中央第三代领导集体，高举邓小平理论伟大旗帜，在党和国家工作的方向性、全局性问题上，提出了许多重大方针和指导原则，做出了一系列重要决策，全面推进了建设有中国特色社会主义的伟大事业。特别是党的“十五大”把依法治国提到党领导人民治理国家的基本方略的高度，明确提出建设社会主义法治国家的宏伟目标，在我国社会主义民主法制建设史上树起了一座新的里程碑。我想结合工作实践，对贯彻“依法治国”基本方略，坚持依法行政，推进政府工作法制化，谈几点认识和体会，不妥之处，欢迎大家批评指正。

一、江泽民同志提出“依法治国”基本方略，是对马克思主义国家理论的创造性发展

马克思、恩格斯、列宁、毛泽东是马克思主义的经典作家，他们的宏伟巨著，揭示了国家的阶级本质，同时也探讨了无产阶级专政的国家政权的组织形式，创立了马克思主义国家理论。这一理论，对无产阶级夺取政权、建立无产阶级专政国家，起了极其重要的指导作用。但是，马克思主义的经典作家对无产阶级取得政权、无产阶级政党成为执政党之后，以什么样的方式治理国家却很少论及。当然，在这一点上我们不能苛求“老祖宗”，因为他们毕竟缺乏这方面的实践或者实践经验不足。

从治国方略的价值取向来看，人类历史上治理国家的方式大体上有两种：一种是人治，一种是法治。国家运作和社会发展所需要的权威，是来自特定的人还是非人格化的法律，构成了这两种治国方式的本质区别。“人治”是人类社会必然经历的阶段，但又是必须跨越的阶段。在生产力不发达的条件下，社会的经济、文化较为落后，人类对问题的观察和处理，大多依靠日积月累的经验，其中包括政治领域的治国问题。也就是说，在这一社会历史发展阶段，“人治”是治国方略的必然选择。随着人类社会的发展，当生产力水平有了较大提高，摆脱了自然经济而进入商品经济、市场经济，经济、文化、科技有了较大进步的时候，人类对客观规律有了较多认识，对问题的观察处理不再停留在经验阶段，而是更多地依靠科学，政治领域中的“治国”问题也必然要由“人治”转变为“法治”。因此，依法治国，是社会生产力发展到一定阶段，人类政治行为、经济行为法制化、制度化的产物，它既是对国家管理的科学认识，又是一种科学的管理方法。我对“治国方略”做这样的分析，目的在于说明“人治”和“法治”都是一种社会历史现象，有其产生、存在的客观物质条件，但“人治”同“法治”比较，毕竟是一种落后的、陈旧的、弊端较多的治理国家的方式。

我们党真正对治理国家的方式引起高度重视，是从党的十一届三中全会开始的。邓小平同志在总结国际共产主义运动和我国革命与建设正反两方面经验的基础上，提出了一系列关于加强社会主义民主法制建设的精辟论述。这些精辟论述集中到一点，就是只有实行“法治”，我们的国家才能兴旺发达和长治久安。江泽民同志继承和发展了邓小平同志的民主法制理论，明确提出了“依法治国、建设社会主义法治国家”的治国方略，并把这一伟大的“治国方略”写入党的“十五大”报告，载入国家的根本大法——宪法。党的“十五大”以来，随着有中国特色社会主义伟大事业的实践和理论研究的不断深入，江泽民同志在2001年年初召开的全国宣传部长会议上又强调指出：“我们在建设有中国特色社会主义，发展社会主义市场经济的过程中，要坚持不懈地加强社会主义法制建设，依法治国，同时也要坚持不懈地加强社会主义道德建设，以德治国。”并明确要求全党“应该始终注意把法制建设与道德建设紧密结合起来，把依法治国与以德治国紧密结合起来”。这一重要思想是对党的“十五大”确立的依法治国基本方略的重大补充和发展，它把思想道德建设第一次提到了治国基

本方略的高度上来，把“依法治国”和“以德治国”统一于建设社会主义法治国家的总目标之中。这在国际共产主义运动和我们党的历史上还从来没有过，这是对新中国成立以来特别是改革开放以来实践经验的科学总结，是对我们党在新的历史条件下如何治理、建设国家，进行创造性理论探索的伟大成果，是对马克思主义国家理论的创造性发展。实行依法治国方针，是中国共产党执政方式的重大变革，是党领导人民群众治理国家的基本方略的重大转变，标志着我国社会主义民主法制建设进入了一个新的历史阶段。

二、实施“依法治国”基本方略，关键在于政府必须严格依法行政

依法治国作为一种治国方略，指明了法律手段是治理国家的基本手段。这一点在现代法治国家是相通的。但是，不同社会制度的国家实行依法治国的政治目标是有着本质区别的。在我国，实行依法治国的政治目标就是建设社会主义法治国家。仅从法律角度考虑，在我国实现这一伟大政治目标必须达到以下五个方面的基本要求：

一是必须实现法律的民主性。就是法律要真正体现广大人民群众的意志，代表广大人民的根本利益；同时，法律也必须反映社会发展的客观规律。

二是必须实现法律的完备性。就是依法享有立法权的国家机关要严格按照法定权限和程序制定法律、法规、规章，建立起比较完备的具有中国特色的社会主义法律体系。

三是必须确立法律的权威性。就是一切国家机关和公职人员都必须严格依法办事，真正做到有法必依、执法必严、违法必究。

四是必须体现法律的平等性。就是法律面前人人平等，任何人不得享有不受法律约束的特权。

五是必须做到法律的普及性。就是全体公民都具有健全的法律意识和良好的法律素质，养成自觉遵守法律的习惯，具备正确运用法律武器维护自身合法权益的能力。

只有全面达到了以上这些基本要求，我们才有资格说真正建成了社会主义法治国家。因此，这五方面的基本要求对建设社会主义法治国家来说，每一项都是非常重要的，缺一不可的。但是，就这五个方面相互比较而言，我认为其中最重要的应当是第三项和第四项，也就是法律的实施问题。这是因为“法贵在行”，法律的生命在于法律的实施，立法的目的就是为了让人们去执行和遵守。如果认为立法之后便万事大吉，那就大错特错了。据我们了解，目前自觉或者不自觉地持有此种错误认识的人还不在少数。这是我们贯彻依法治国基本方略，迈向建设社会主义法治国家进程中的最大障碍之一。

在我国，实施法律是所有国家机关的任务。但最重要、最关键的还是国家行政机关，即各级人民政府及其工作部门。这是由我国国家行政机关和行政权力的性质、作用和特点所决定的。

第一，从我国国家行政机关的性质来看，《宪法》明确规定：政府是国家权力机关的执行机关。作为执行机关，究竟执行什么？当然是执行由人民自己的代表组成的国家权力机关的意志，即人民的意志。这种意志的集中体现，就是宪法和法律。因此，国家行政机关是否坚持依法行政、严格行政执法，是直接关系到人民当家作主、管理国家事务的意志能不能实现的重大原则问题，而这一点恰恰是依法治国基本方略的本质要求。

第二，从政府行政权的作用范围来看，政府工作几乎都涉及到国家政治、经济、文化和其他社会生活的各个领域；涉及到公民个人从出生到死亡，以及学习、工作、劳动和衣食住行的各个阶段和各个方面。这就是说，国家行政管理是整个国家管理活动中范围最大的一块。因此，国家行政管理法治化的程度，直接影响着甚至决定着整个国家政治、经济、文化，以及其他社会生活领域法治化的进程。

第三，从政府行政权行使的特点来看，现代国家行政权的行使有两个重要特点：一是讲求“效率”，二是讲求“民主”，否则就会出现办事拖拉或者行政专横。中外历史上既不讲效率、更不讲民主的政府比比皆是；只讲效率而不懂得或者不可能讲民主的政府也不在少数。资产阶级在反对封建专制制度时，提出了用法律控制行政权的理论，但在实际效果上，较为普遍的现象是理论与实际脱离，宪法、法律的规定与现实脱节。我国是人民当家作主的社会主义国家，政府是人民的政府，各级政府行政权的行使，不仅需

要而且完全能够把效率和民主统一起来，成为真正高效、民主的政府。这种统一的最佳途径，就是严格执法，严格依法办事，严格依法行政。

第四，从国家行政机关执行的法律、法规的数量来看，我国80%的法律、所有的行政法规和90%的地方性法规都是由政府来执行的。因此，政府能不能自觉地依法行政、严格依法办事，直接关系到法律、法规的实施效果，直接影响着法律、法规的尊严和权威。

第五，从现代国家管理的基本要求来看，现代市场经济的发展、特别是经济全球化的发展，已经引起政府对经济宏观管理的思维方式、组织结构和管理方法的重大变化，政府行为法制化已经成为现代社会生活的普遍要求，成为衡量一个国家、一个地区管理水平，特别是行政管理现代化的重要标志。因此，各级政府能不能自觉地依法行政、严格执法，是关系到新时期治国安邦的重大问题。

从以上几个方面的简要分析中，我们就可以清醒地认识到新的历史条件下政府行为法制化的极端重要性。从一定意义上来讲，各级政府及其工作人员能不能自觉依法行政、严格依法办事，依法行政的能力和水平如何，行政执法的状况如何，是直接关系到依法治国的基本方略能不能顺利实施、建设社会主义法治国家的宏伟目标能不能顺利实现的根本问题。正因为如此，所以江泽民同志强调指出："干部依法决策，依法行政是依法治国的重要基础。"

三、依法行政的本质要求，应当是实现政府行为的规范化

近几年，我国行政法学界对依法行政从不同角度进行了研究讨论，提出了许多很有见地的观点，发表了许多很有理论深度和具有指导意义的文章，对依法行政的内涵和要求进行了认真的探讨。对一些理论观点学术界存在着不同看法，甚至是众说纷纭，见仁见智。有的认为依法行政就是用法律控制政府的行为，有的认为依法行政就是限制政府的行为，等等。这些观点从不同的角度分析都有一定的道理。但我认为，从我国社会政治、经济和文化发展的状况来分析，从社会主义市场经济发展的客观要求以及政府在促进经济和社会发展中的作用等方面来综合研究，在我国现阶段全面推进依法行政最根本的问题就是实现政府行为的规范化，如果单纯强调控制行政权力或者限制行政权力，就难免产生片面性，可能对政府职能的正确发挥造成负面影响。

从我国政府工作的实际情况分析，我认为政府行为规范化至少应当包括三个方面的内容和要求：

一是政府行为的法制化。就是要求政府行使职权必须纳入法制化的轨道。法律、法规对行政机关的职责和行使行政权力的程序要做出明确规定，为行政机关履行职责提供准确的依据；凡是法律、法规作了规定的，行政机关就必须严格遵守和执行，严格依法履行职责、自觉做到办事权限合法，办事程序也合法。政府行为的法制化，是现代社会规范政府行为的重要趋势和基本要求。

二是政府行为的理性化。从法学观点看，法律不是万能的，法律不可能穷尽行政机关的所有行政行为。为了有效地发挥国家行政机关的职能，必须赋予政府一定的自由裁量权；同时，法律条文也不可能都是尽善尽美的，合法的行政行为未必都是真正合理的。因此，除法制化外，还应当有一套包括职业道德在内的更高层次的行政行为规范或者原则，来保证政府的自由裁量权不被滥用，保证政府正确地执行法律，使政府的行为既合法又合理，真正实现依法行政的目的。这种更高层次的行为规范或者原则，就是政府行为的理性化规范。主要体现在：政府行为的明确目的性(即邓小平同志提出的"三个有利于"的原则)、政府决策的科学性、政府政策的连续性、对外开放活动中的主导性以及维护社会稳定政策的坚定性等方面。这种理性化规范或者原则，不仅对政府在法定自由裁量权范围内的行政行为是否合理、适当有主导作用，也不仅对法律规定暂缺时的政府行为有补充的规范作用，更重要的是对整个政府行为有着总体意义上的规范、指导等统率作用。因此，从一定意义上说，理性化是政府行为规范化的重要原则和要求。

三是政府行为的自律化。自律化是现代社会政府行政行为规范化的重要内容。所谓政府行为的自律化，是指政府内在的对自身(包括行政机关及其工作人员)行政行为的约束能力和控制能力，也就是人们通常所说的政府自身的守法状况。这种自律化的实质就是政府怎样防止和减少自身(包

括行政机关及其工作人员)的寻租行为，即如何反腐倡廉问题。寻租问题或腐败问题是政府行为规范化的严重障碍，更是社会各界关注政府行为的焦点问题。所谓寻租行为，狭义的含义是指行政机关及其工作人员利用手中的权力，阻碍生产要素的自由流动和自由竞争从而来维护或者攫取既得利益的行为。

以上三个方面，既相互独立、各有特点，又密切联系、不可分割，共同构成政府行为规范化的完整内涵。

改革开放以来，国务院及地方各级政府，在促进和实现以政府行为法制化、理性化、自律化为内容的政府行为规范化方面，做了大量的工作，采取了一系列重大措施，取得了举世公认的显著成就，各级政府的行政行为规范化水平有了很大提高，对于充分发挥行政职能，促进经济的迅速发展和社会的全面进步起到了根本性的推动和保障作用。但是，我们还应当清醒地看到，由于经济体制改革和政府职能转变是一个艰难的过程，更由于改革的经验不足等主客观原因，在前进的道路上还存在着许多问题。比如，在政府行为法制化方面，一些政府工作人员特别是有些领导干部法律意识和法制观念淡漠，对依法办事的必要性和紧迫性认识不足：依法行政的能力和水平不高，有法不依、执法不严、违法不究，甚至滥用职权、执法犯法、徇私枉法的现象时有发生，对行使政权的监督在某些环节上还比较乏力；在政府行为理性化方面，存在着决策民主化、科学化程度不高，政府职能转换不到位，一些部门职能交叉、相互扯皮，办事环节多、手续繁杂、行政效率不高等问题；在政府行为自律方面，还存在着权钱交易，以权谋私，收受贿赂，不给好处不办事、给了好处乱办事等腐败现象。这些问题的存在，严重影响了一些地方和部门行政行为规范化的水平，阻碍了政府职能的发挥。这是造成一些地方和部门依法行政的能力和水平不高的根本原因。因此，在我国全面推进依法行政，就必须从以上这三个方面入手，有针对性地采取切实有效的措施，不断解决政府行为法制化、理性化、自律化方面存在的问题，全面提高各级政府行政行为的规范化水平。只有这样，才能实现国务院提出的“依法行政，从严治政，建设廉洁、勤政、务实、高效政府”的奋斗目标。

四、坚持依法行政，推进政府工作法制化，需要研究和解决的几个问题

1．各级领导干部要进一步提高认识，增强依法行政的自觉性和责任感

行政机关作为国家权力机关的执行机关，行使着大量管理国家和社会的行政管理职能，各级行政机关实行首长负责制。依法行政是行政机关自身的职责所在，依法行政搞得好不好，关键在于各级领导是否重视、是否身体力行。因此，依法行政首先是对各级领导干部的基本要求。领导干部依法行政，是党的方针、政策和国家法律得以很好贯彻的有力保证；否则，就会给国家和人民利益带来极大危害。各级领导要切实负起责任，带头依法办事，树立榜样。同时，要加强对依法行政的领导，督促和支持本地方、本部门依法行政，使各级政府机关、每个行政工作人员都切实做到依法办事。各级政府领导干部和所有机关工作人员，都要认真学法，做到知法、懂法、用法，不断提高依法行政的意识和水平。在发展社会主义市场经济的条件下，一个称职的领导干部，不仅要具备较高的政治素质、较强的业务能力，还应当具备良好的法律素质。

应当看到，我国现行的行政管理，在观念、体制、方式等方面都还不能完全适应社会主义市场经济的要求，政府职能转变还不到位，主要表现在三个方面：一是政府职能越位、缺位、错位现象大量存在，一方面，政府还在管许多不该管、管不了、也管不好的事，另一方面，该政府管的事，却没有管住、管好；二是权力与利益挂钩，乱收费、乱罚款屡禁不止；三是权力与责任脱钩，办事手续繁琐，效率低下。解决这些问题，最根本的要靠加快改革的步伐，加大改革的力度，继续推进行政管理体制改革和政府机构改革，全面推进依法行政。但是，提高各级领导对转变政府职能，全面推进依法行政的重要性、紧迫性的认识，增强依法行政的自觉性，具有特殊重要的意义。现在，有的领导干部为了追求“政绩”，超越权限，违反程序，乱上建设项目，搞所谓的“形象工程”，实际上多是重复建设、包袱工程；有的官僚主义、形式主义严重，导致基层强迫命令、瞎指挥；严重侵害农民合法权益，

实际是坑农害农；有的不顾中央三令五申搞地方保护、行业垄断，妨碍市场统一和公平竞争。所有这些说明，在一些地方和部门还没有做到依法行政。

最近，朱镕基总理在会见省部级干部依法行政专题研究班学员时强调指出："领导干部要带头依法行政"，"把依法行政落到实处，是政府领导干部的首要职责。"因此，各级政府机关工作人员特别是领导干部，都要从巩固我们党的执政地位、巩固国家政权的高度，始终坚持全心全意为人民服务的根本宗旨，全面贯彻江泽民总书记"三个代表"的重要思想，切实做到依法行政。要从思想上认识到，依法行政是现代行政管理的重要方式，是解决目前我们面临的各种错综复杂矛盾的有效途径，也是建设廉洁、勤政、务实、高效政府的根本要求。依法行政是依法治国方略的重要组成部分，其基本要求，就是所有行政机关及其工作人员必须依照法定权限和程序履行职责，既不失职，又不越权。各级政府和政府各部门都要善于把依法行政的基本原则和要求，贯穿、渗透于改革、发展和稳定的各项工作中去，善于运用法律规范与法律原则，处理和解决政府工作中的各种实际问题，不断提高依法行政的能力和水平。

2. 进一步深化行政管理体制改革，强化对行政权力的制约机制

依法行政必须进一步深化行政管理体制改革。制订新的法律、法规要全面体现政府机构改革的精神和原则，促进政府职能切实转变到经济调节、社会管理和公共服务上来。对不符合市场经济要求和行政管理体制改革精神、原则的法律、法规、规章，该修订的要修订，该废止的要废止。改革现行行政审批制度，是深化行政管理体制改革、进一步转变政府职能的突破口。各级政府和政府各部门对此都要高度重视，统一思想，按照党中央、国务院的部署，大力压缩、减少行政审批，尤其是政府对经济事务的行政审批，按照精简、统一、效能的原则改革行政体制。

必须强化对政府权力的制约监督机制。依法行政要求正确行使权力，防止滥用权力。要充分发挥新闻舆论的监督作用，切实加强行政系统内部的监督。当前，要在提高行政执法的公开性、透明度上下功夫，真正把行政执法置于人民群众的监督之下。要按照党的"十五大"的要求，建立和健全行政执法责任制和评议考核制，对有法不依、执法不严、违法不究、执法犯法、甚至徇私枉法，造成严重后果的，不仅要严肃追究直接责任人的法律责任，还要严肃追究有关领导干部的行政责任；构成玩忽职守罪或者其他罪的，要依法追究刑事责任。

必须牢记"为人民服务"的宗旨，运用法律手段，强化政府的监管职能。各级政府和政府各部门都要把人民群众的根本利益作为一切工作的出发点，切实解决人民群众普遍关心的热点、难点问题，当前要做好以下三项工作：一是切实加强社会治安工作，全力维护社会政治稳定；二是大力整顿和规范市场经济秩序；三是运用法制手段，严格实行安全事故行政责任追究制度，从制度上、机制上防范安全事故的发生。

3. 坚持依法治国与以德治国相结合，加强行政职业道德建设

"以德治国"同"依法治国"是相辅相成的。法律与道德作为上层建筑的重要组成部分，都是维护社会秩序、规范人们行为的重要手段。建设社会主义法治国家，既需要法律和制度的保障，也需要伦理道德的支撑。"治国"既是一个政治学、法学的范畴，又是公共行政学的范畴。对政府机关来说，实施"以德治国"，就必须坚持"以德治政"，就是各级政府一定要廉洁、勤政、务实、高效，并把廉政放在第一位。没有廉政，也就谈不上勤政、务实、高效。我们的政府是人民的政府，人民政府的根本职责是全心全意为人民服务，廉洁从政是最起码的要求。从本质意义上讲，"以德治国"中的"德"，首先是指执政党的党员和领导干部、国家机关的广大公职人员自身的职业道德建设。

行政机关及其工作人员的职业道德建设是一项系统工程。基于行政职业道德具有他律性和自律性相统一的特点，我认为当前应当着重从两个方面研究和加强：

一方面，从行政职业道德的他律性特点分析，需要研究和加强行政职业道德的监督机制建设。从这些年查处的领导干部违纪违法案件来看，大多数是群众举报或者其他案件牵带出来的，这在很大程度上反映了我们对领导干部的监督乏力，越是高级公务人员越缺乏有效的监督和

管理。这就需要研究如何进一步完善制度，加强事前预防和监督的力度，努力做到公务人员的权力行使到哪里，相应的监督就实行到哪里。

另一方面，从行政职业道德的自律性特点分析，需要研究和加强行政职业道德的养成机制建设，也就是要加强行政职业道德的教育与修养。行政伦理学的研究表明，行政职业道德的养成大体要经过三个阶段：一是以履行行政义务为核心的道德他律时期；二是以履行行政责任为核心的道德自律时期；三是将行政理想、行政态度、行政义务、行政责任心、行政纪律、行政技能、行政荣誉、行政作风等融为一体，将行政职业道德的他律与自律有机统一起来的行政人格形成与完善时期。江泽民总书记多次强调指出：“人格的力量很重要”，并要求各级领导干部都要“努力把真理的力量和人格的力量统一起来”。这应当是我们每一位政府工作人员、特别是领导干部职业道德修养的目标。人格，是一个人的性格、气质和能力等特征以及人的思想、道德、情感、学识等内在素质与行为表现的有机融合；人格力量，是一个人的社会价值的重要特征，是一个人在社会生活中的尊严、价值和形象的体现。高尚的人格，具有一种强大的感染力量。一个领导者之所以能够团结别人，使一个集体得以形成强大的凝聚力，其中，个人的人格力量有着极其重要的作用。在社会生活中，对一个人的评价，不但要“听其言”，更重要的是要“观其行”。一个人的道德素养不是由他的言论所体现的，而是由他的一连串的行为凝聚而成的。高尚的人格有一种感人的魅力，有一种使人敬佩和信任的品格。一旦这种力量和真理相结合，就能够产生一种团结群众、凝聚人心、推动工作和事业发展的强大力量。正因为这样，所以江泽民总书记谆谆告诫我们要“努力把真理的力量和人格的力量统一起来”。

这里还有一个问题需要明确，就是我们所要坚持的“以德治国”，与历史上传统的“德治”有着本质的区别。传统“德治”理论的核心，是把国家的治理寄托在统治者的道德素养和个人品质上，主张“德者治天下”，其重大缺陷是忽视制度和法律对统治者的制约，更缺乏民主政治的观念，因此它在本质上是一种“人治”或者“贤人政治”，与现代意义上的“法治”或者“民主政治”是大相径庭的。我国历史上的儒家就是把良好政治的希望寄托在“明君”、“贤人”身上，而不是寄托在优良的政治制度上，忽视甚至否定法治和民主对于国家治理的首要意义。我们今天倡导的“以德治国”，是在建设社会主义法治国家的总目标、总框架下的治国方略，它是以民主和法治为前提的。虽然我们在实行“以德治国”的时候可以对传统的“德治”思想进行批判地吸收，但是必须明确两者的性质是完全不同的。因此，我们在实施“以德治国”方略的时候，必须坚持社会主义法治国家的基本取向，把民主法制建设和思想伦理道德建设有机地结合起来，充分发挥人民群众“以德治国”的主体性，为“依法治国”奠定良好的伦理道德基础，以更好地实现建设社会主义法治国家这一总的政治目标。

4. 总结依法行政新经验，探索依法行政新理论

依法行政，是现代法治的一个重要概念，是现代行政管理和行政法的最重要的原则，它所包含的内容非常丰富。马克思曾经说过，行政就是国家的组织活动。作为国家的组织活动，就必然带有阶级性。不同阶级的国家的政府，其行政管理的实践千差万别，根据这些实践总结出来的理论也就不一样。

这几年，我阅读了国内一些学者有关行政法学研究的专著和文章，考察了美国、日本和欧洲、东南亚一些国家依法行政的情况，总的印象是：依法行政不是一个抽象的概念，其具体内容是同各个国家的政治、经济和社会发展紧密联系在一起的，是受不同国家的阶级本质、政府行为的目的和政府职能制约的，是受本质不同的法律制约的。而且，即使同一个国家，在不同时代、不同的国度、不同的管理模式下，形成的依法行政的理论也都不完全一样。我国是社会主义国家，从国家性质、政权的组织形式和政权的运作目的来看，与资本主义国家有着本质的区别。因此，我国依法行政的理论也应当同他们有本质的区别。当然作为一门科学，也必然有符合客观规律的共同之处。为了形成具有中国特色的依法行政的新理论，我们既要研究依法行政理论中带有共性的东西，又要从我国行政管理的实际出发，研究各级政府在依法行政实践中遇到的新情况，总结我们的特殊经验。比如，在依法行政实践中形成的行政执法责任制、评议考核制、错案追究

制、政务公开制等制度在国外就没有。如果把这些经过实践检验的成功经验升华为理论，这就是我们的特点。用这些理论去指导各级政府的行政管理活动，从而把我们的各级政府真正建设成比资本主义国家的政府更廉洁、更高效的政府，使我们国家行政权的行使更加科学、合理，更能够体现保护公民、法人和其他组织合法权益这一政府行为的最终目的。总之，我们要按照江泽民同志提出的“以我们正在做的事情为中心，着眼于对马克思主义理论的运用，着眼于对实际问题的理论思考，着眼于新的实践和新的发展”的要求，积极研究、全面推进依法行政进程中的新情况，创造依法行政的新理论。

要做到从我国行政管理的实际出发，研究新情况，总结新经验，探索新理论，必须注意防止和克服影响我们进行创造性思维和理论创新的某些思想倾向和苗头。

其一，要防止和克服教条主义。这些年在我们的实际工作中出现了一种值得注意的倾向，就是有些同志研究问题时，总是喜欢“言必称外国”。比如，在起草和审查法律、法规草案过程中，当对某些条文提出疑问时，有的同志往往喜欢说国外是如何规定的，我们要与之接轨。但是当进一步询问国外为什么要这样规定时，就说不上来了。因此，我认为在出国进行立法考察时，不仅要考察人家是怎么规定的，更重要的是要考察人家的规定是在什么样的社会政治经济背景下做出的，在执行过程中有什么问题和成功的经验，哪些我们可以借鉴，哪些不能借鉴，要进行认真分析，决不能只了解“是什么”，而不研究“为什么”。

其二，要防止和克服实用主义。我们在建立社会主义市场经济法律制度的过程中，应当积极地借鉴一些市场经济比较发达的国家法律制度方面的成功经验。但是，每个国家的情况都不一样，法律制度方面也存在较大的差异。我们在对一项法律规定进行考察、借鉴时，应当对不同国家的不同规定进行比较研究，从而提高借鉴别人经验的科学性。但是，在实际工作中，有些人往往看哪个国家的规定对他们有利，就去考察哪个国家，提供哪个国家的立法资料。其实各个国家的具体法律制度只符合其本国特点，并不一定对其他国家都有普遍意义。

其三，要防止和克服经验主义。有些同志从事法制工作有十几年甚至几十年的历史，积累了丰富的经验，这对搞好工作是十分宝贵的。但是，有的同志却把这些经验当作包袱，往往习惯于按老经验办事，当情况发生变化后，不用心研究分析新情况、新矛盾，掌握新知识，解决新问题，摸索新经验，而是老一套，“以不变应万变”，结果处处被动，很难有所发现、有所前进。

此外，研究我国依法行政的实践和理论时，还必须清醒地看到，我们是在社会主义初级阶段的历史条件下推进依法行政的，我国的基本国情从根本上制约着依法行政的进程和状况。不清楚这一点，要么就陷于盲目，要么就可能导致消沉。正确的态度应当是，从实际出发，既不能裹足不前，无所作为；也不能匆忙行事，急于求成。我们要采取既积极、又稳妥的步骤来扎扎实实地推进依法行政，在此基础上，总结经验，升华理论，并通过经验、理论进一步指导和推进依法行政工作。

研究社会主义市场经济条件下依法行政的规律和经验，探索具有中国特色的依法行政的新理论，还需要理论工作者和实际工作者的紧密配合。这是因为，现代社会的良性、规范、有效的运作，必须做到实际工作部门与理论工作者的优势结合。这种结合，对实际工作部门来说，有利于促进行政管理工作朝着理性化、科学化、规范化的方向发展；对理论工作者来说，有利于以现实问题为理论研究的起点和契机，创造出更多有价值、有现实意义的成果，使理论研究始终与实践相结合，保持强大的生命力和时代感，从而更有效地服务于社会。我相信，只要我们坚持在探索中学习，在实践中提高，做到刻苦而又得法，有毅力而又有知识，有勇气而又讲科学，就一定能够总结出新经验，创造出新理论，为全面推进依法行政做出贡献。

强化海洋工作　维护海洋权益

（国家海洋局局长　王曙光）

《联合国海洋法公约》于1994年11月16日正式生效。它是人类历史上第一部涵盖最广泛、内容最丰富的海洋法典。这部国际大法对国家在各海洋空间的权利和义务进行了全面、明确的规范，为建立合理、公正的国际海洋新秩序起到了重要的推动作用。今天，是我国正式批准加入该《公约》5周年的日子，回顾《公约》生效以来在海洋方面出现的种种新形势、新情况，对于我们在新世纪正确把握海洋大势、冷静应对各种挑战、进一步强化海洋工作、有效维护海洋权益，具有重要的现实意义和长远的历史意义。

《公约》生效以来的这段时间，是世界范围内海洋事业迅猛发展，也是以资源为核心，各国竞相争夺自身海洋权益日益激烈的一段时间。总的来说，显现出这样几种趋势和特点。一是，各国和国际组织纷纷调整海洋政策，迎接《公约》带来的新的机遇和挑战。联合国专门成立了“关于海洋法和海洋事务非正式磋商进程”，每年全面审议《公约》的执行情况，为联大决策提供建议。其他涉海国际组织也开始组织评估《公约》对其产生的影响，并根据《公约》的有关规定对其政策和计划做了重新安排。与此同时，各国也纷纷审视自己过去的海洋政策，着手制定新的海洋发展战略。如澳大利亚于1998年出台了《澳大利亚海洋政策》，为规划和管理海洋开发利用提供了战略依据；美国于1998年和2000年两次召开全国海洋工作会议，通过了海洋法案，成立了国家海洋政策委员会，重新审议和制定了美国新的海洋战略。加拿大于1997年出台了《海洋法》，制定了国家海洋战略。二是，调整海洋管理体制，实施海洋综合管理和统一执法。联合国按照《公约》的规定及时成立了国际海底管理局、国际海洋法法庭和大陆架界限委员会等三个新的海洋国际组织，以适应海洋法与海洋事务的发展要求。1996年，韩国将十几个中央政府部门的涉海部门合并成立了海洋水产部，该部设立海洋警察厅，实行统一海上执法；1997年加拿大决定海岸警备队由海洋与水产部指挥，对海洋实行综合管理；印度成立了海洋开发部，负责开发与管理国家管辖海域以及国际海底的海洋资源；日本决定调整体制，以利综合管理海洋事务；1999年越南、澳大利亚都成立了统一的海岸警备队；印度尼西亚也于2000年成立了海洋与渔业部，以加强海洋综合管理和统一执法。三是，着力扩展海洋管辖范围，占领海洋资源开发的制高点。《公约》生效后，各国纷纷加紧领海基点基线的确立，加大专属经济区、大陆架及其资源的调查力度。韩国于1996年和1997年启动了专属经济区勘测和领海基点调查工作；印度、澳大利亚制定并正在实施其大陆架勘测计划；虽然美国和加拿大国会还没有批准本国加入《公约》，但已开始有选择地执行《公约》中的部分规定，最大限度地享受《公约》带给沿海国的利益。上述事例充分说明，国际社会围绕《公约》所做的种种努力，其核心和焦点，归根结底就是为了维护和实现国家的海洋权益，包括海洋政治利益、海洋经济利益和海上安全利益。这也从一个侧面告诉我们，在陆地资源日益枯竭的今天，对海洋资源的争夺愈演愈烈将成为国际间不可逆转的大趋势。

我国是一个海洋大国，海洋资源的充分开发和利用，直接关系到国家的现代化建设和可持续发展。因此，维护《公约》所赋予我国的海洋权益，是我们应当担负的神圣使命。我国政府高度重视《公约》实施，采取了一系列措施维护国家海洋权益。在批准《公约》之前，我国已于1992年颁布了《领海及毗连区法》。在批准《公约》的同一天，我国政府颁布了大陆领海的部分基线和西沙群岛的领海基线，进一步明确了中国领海的范围。在批准《公约》之后，我国于1998年颁布了《专属经济区和大陆架法》。至此，我国有了覆盖所有管辖海域的基本法律，使公约赋予沿海国对其管辖海域的各项基本权利在我国国内法律中得到了比较具体的体现。为了更加适应公约的有关要求，我国还对原有的一些法律法规，如

《海洋环境保护法》和《渔业法》进行了重大修改，《海域使用管理法》也正在加紧制定，以期更加有效地维护海洋权益，促进海洋的可持续利用和发展。

根据《公约》的有关规定以及我国有关法律和主张，我国管辖海域总面积近300万平方千米。但是，我国与邻国存在着不少争议海域和岛屿争端。为此，我国人大常委会在批准《公约》的同时，对我国与海上邻国之间的划界问题做了专门的声明："中华人民共和国将与海岸相向或相邻的国家，通过协商，在国际法基础上，按照公平原则划定各自海洋管辖权界限"。根据《公约》的有关规定和上述声明，我国已与越南就北部湾划界问题进行了和平友好的协商，并于2000年12月签定了两国间正式的划界协议。这是我国与海上邻国之间通过平等、和平谈判划定的第一条海上边界，为今后我国与其他国家解决海上划界问题提供了一个良好的范例。我国还分别与朝鲜、韩国、日本等邻国就有关海洋法问题进行了非正式磋商。根据《公约》的有关规定，我国分别于1997年和2000年与日、韩签定了新的渔业协定。中国于1996年6月18日以国务院第199号令颁布了《中华人民共和国涉外海洋科学研究管理规定》，同年10月1日开始实施，使我国涉外海洋科学研究管理活动走上法制化轨道。

近年来，我国还积极参与东盟国家就南海有关问题开展的对话和磋商，为缓和地区紧张局势，维护地区稳定做出了贡献。我国积极参与了国际海底管理局关于《"区域"内多金属结核探矿和勘探规章》（"采矿法典"）的谈判，并获得在东太平洋中部7.5万平方千米多金属结核矿区的专属勘探权和优先开发权。围绕2006年6月以前我国向大陆架界限委员会提出超出200海里的大陆架申请问题开展了一系列调查研究。我国积极参加涉海国际组织活动，1998年国家海洋局苏纪兰院士竞选联合国政府间海洋学委员会主席职位获得成功，使我国在国际海洋事务中提高了地位，扩大了影响。

党中央、国务院高度重视我国海洋事业，我国国民经济和社会发展第十个五年计划纲要中明确要求"加大海洋资源调查、开发、保护和管理力度，加强海洋利用技术的研究开发，发展海洋产业，加强海域利用和管理，维护国家海洋权益"。它标志着我国在发展海洋经济、强化海洋管理、维护国家海洋权益等方面将上一个新的台阶。但是，由于我国是发展中国家，中国海洋事业的发展还受到许多制约，目前我国海上执法力量、管理体制、与国际接轨的法制建设还不适应国内外形势的需要，还不能真正有效地维护国家海洋权益。为此，今后在维护国家海洋权益方面，将努力推进以下工作：(1)制定和完善维护海洋权益工作的规划和战略，研究起草与《领海及毗连区法》、《专属经济区和大陆架法》等相配套法规，加快《海域使用管理法》的立法进程，认真执行《海洋环境保护法》，修改完善《涉外海洋科学研究管理规定》，研究起草海底资源勘探管理法规等，逐步形成和完善国家维护海洋权益的法规体系；(2)大力推进海上统一执法队伍建设步伐，提高装备水平，形成必要的执法能力；(3)进一步组织开展海域划界谈判的法理研究和技术支持准备，搞好划界谈判，切实维护国家海洋权益；(4)积极参与有关海洋权益地区机制和国际组织的活动，根据联合国大陆架界限委员会的要求进一步组织开展我国200海里以外大陆架的研究工作；(5)努力加强各涉海部门的联系和协调，建立定期和不定期的海洋权益磋商和情况通报制度，建立高效的维护国家海洋权益工作机制；(6)加大维护海洋权益工作的宣传，大力提高全民族的海洋国土意识和维护海洋权益意识。

21世纪是海洋世纪。我们相信，《公约》精神在新世纪国际海洋新秩序的建立中将发挥主导作用，广大爱好和平的国家一定会以《公约》为武器努力战胜海洋强权政治，一个公平、公正的国际海洋新秩序的阳光定会普照蔚蓝色的大海。我们一定要在以江泽民同志为核心的党中央领导下，励精图治，大力发展海洋事业，努力维护我国海洋权益，并在国际海洋事务中发挥海洋大国应有的作用。

依法管海用海是海洋经济发展的必然

（国家海洋局副局长　孙志辉）

《中华人民共和国海域使用管理法》已经九届全国人大常务委员会第二十四次会议审议通过，江泽民主席发布主席令颁布，该法将于2002年1月1日起开始实施。这是我国海洋事业乃至国际海洋事务中的一件大事，它将对于我国在新的世纪中继续保持海洋经济的快速、稳定和持续发展产生重大影响，具有十分重要而深远的意义。

海洋，具有广阔的空间和巨大的资源，对于人类的生存和发展至关重要。特别是在当今世界经济、科技高速发展、陆地资源减少、人口增加、环境恶化的情况下，世人对海洋的关注达到了前所未有的高度。1992年联合国环境与发展会议通过了《21世纪宣言》，1994年《联合国海洋法公约》生效，包括我国在内的绝大多数沿海国家纷纷通过立法程序批准加入这一重要条约。在这两个具有国际法律效力的文件中，均要求沿海国家作出承诺对其管辖海域实行综合管理和可持续发展。这是国际社会对多年来海洋管理实践的经验总结。沿海国家纷纷采取行动，积极响应和履行这一国际责任和义务。我国《海域使用管理法》的颁布，也是顺应了这一世界潮流。

我们国家，是陆海兼备的国家。建国以来特别是改革开放以来，我国的海洋事业得到了长足的发展。海洋经济总产值从1978年的60余亿元发展到2000年底的近4 000余亿元，其增长速度远远高于全国GDP的增长速度，海洋经济已成为我国国民经济新的增长点。海域是发展海洋经济的载体，因此，管好用好海域，是促进海洋经济健康发展的重要基础。

改革开放前，我国的海洋开发利用多局限于交通、捕捞、制盐等传统产业，即所谓“渔盐之利，舟楫之便”。改革开放以来，随着经济的发展和科技的进步，海洋油气开发、海水养殖、海洋采矿、海洋旅游以及海洋化工等高新技术产业蓬勃兴起。随之而来的，也出现了一些新的情况和问题：一是海域权属不清，一部分人错误地认为海域属于本地或本人所有，擅自占用或者出让、转让、出租海域；二是由于海域使用缺乏统一的权属管理，使各行业用海矛盾突出，用海者之间时常发生纠纷，用海秩序混乱，甚至引发社会不稳定因素；三是海域使用者的合法权益得不到有效保护，影响了海洋开发者的积极性；四是海域无偿使用现象普遍存在，造成国有资源性资产的流失。所有这些，均严重影响了海域综合效益的发挥和海洋经济的持续发展。因此，广大海洋管理工作者和海域使用者多年来一直盼望能出台一部全面规范海域使用管理的新法律。

党和国家历来十分重视海洋经济发展和海域使用管理工作。早在1992年，国务院就明确要求制定以海域使用审批许可和海域有偿使用为主要内容的海域使用管理制度。我国“十五”计划纲要中明确提出：“加强海域利用和管理，维护国家海洋权益。”江泽民总书记于今年3月11日在中央召开的人口资源环境座谈会上强调指出：“加强海洋资源综合管理，完善海洋法律、规划和海洋管理体系，加快海域使用管理的法制化进程，强化海洋环境保护和海洋执法监察工作。”“继续深化资源有偿使用制度改革，逐步完善资源有偿使用体系。”党和国家这一系列方针政策，为我们在《海域使用管理法》的立法过程中提供了强有力的指导和强大的动力。

《海域使用管理法》共8章54条，确定了三项主要制度，同时对海域使用的管理体制、监督检查和法律责任都作了明确规定。整部法是一个有机联系的整体，完全符合我国海域使用管理的实际情况，有很高的合理性、科学性和可操作性。

海域权属管理制度，这是海域法的核心制度。首先，明确规定海域为国家所有，这是该法的基础，法中的所有规定都是建立在这一基础上的。同时，法中明确了海域所有权和使用权分离的原则。这完全符合社会主义市场经济规律。所有用海者都要按规定提出申请，经有批准权的政府批准后，才能获得使用海域的合法权力，其利益受法律保护，任何单位和个人不得侵犯，这使合法使用海域者的权益得到有效的保护。

海域功能区划制度，是海域使用管理的科学依据，是海域发挥最佳效益的保障，海域是一个主体资源空间，且具有流动性和整体性的特点，海域适宜干什么，相互之间有什么影响，科学性很强，因此，须根据海域的自然属性和社会属性，正确制定海洋功能区划，所有用海项目，必须符合海洋功能区划才能审批。

海域有偿使用制度，是海域作为国有资源性资产国家利益的体现。任何单位和个人使用海域进行生产经营活动，都必须交纳海域使用金。使用金上交国库，使国家得到应有的收益。同时，根据海域使用多种用途的不同情况，作出了对公益用海、行政用海和军事用海等免收使用金的规定。根据经营性用海情况和收入、风险差异的不同情况，对有些项目作出了按规定减收或免收使用金的规定。这就保证了各类用海活动的健康协调发展。

法中规定海域使用管理实行中央统一管理和授权地方政府分级管理相结合的管理体制。海域归国家所有，是战略资源，既有经济问题，又有国防、外交等问题，因此，原则上由中央统一管理。但考虑到海域的面积大，海域使用的种类多、数量大，规模大小不一，以及地方政府在海域使用方面的实际需要，法中规定国务院可以授权地方政府负责本行政区毗邻海域使用的监督管理，这是符合我国实际情况的，也定能充分发挥中央和地方对海域使用管理的两个积极性。

海域法的颁布，为我国海域使用的规范化管理提供了强有力的法律依据，同时对广大海域使用者维护自身的合法权益提供了可靠的保障。我们一定要认真学习海域法，大力宣传海域法，坚决贯彻执行海域法。努力提高海洋管理者的管理水平和执法能力，努力提高广大用海者依法用海的意识。我相信，海域法的颁布和实施，必将在我国海洋经济发展的过程中起到里程碑的作用。

浅论我国海洋经济发展制约因素及对策

（中国市场经济研究会会长 王 珏）

（中共中央党校经济学博士 王金柱）

我国作为一个海洋大国，海洋经济发展蕴藏着巨大的开发潜力。然而，目前我国的海洋产业产值还不足世界海洋产值的2％，我国的海洋开发利用水平与我国海洋资源的拥有量和海洋大国的地位极不相称，海洋产业在整个国民经济中还是个薄弱环节，远不能满足国民经济的发展需要。而21世纪将是人类全面认识、开发、利用和保护海洋的新世纪。其主要标志是：第一，海洋权再分配进入新阶段。200海里以内海域逐步国土化，公海和国际海底向国际共同管理的方向发展。1994年11月16日生效的《联合国海洋法公约》将使约1.09亿平方千米的近海（约占海洋总面积的35.8％）被沿海国家划为国家管辖海域。沿海国家都在陆续制定法律，国家间的海上边界也将陆续划定，国际海底矿产资源的国际社会共同管理制度将逐步实施。第二，高新技术将促进海洋产业的发展，海洋经济的作用日益重要。随着科学技术的迅速发展，人类的生产和生活空间日渐向海洋推进。过去，海洋资源的利用主要是海洋捕捞、海上航运和海盐开采，而目前已向多元化发展。海洋矿产资源、生物资源、油气资源、水资源和海洋旅游资源的利用将发挥巨大潜力。第三，海洋是全球环境的调节器。海洋对全球环境的影响日益受到重视，国际合作的全球重大海洋研究活动日趋活跃。为了掌握全球环境变化规律，保护生态环境，国际组织和许多国家正在合作进行大洋环流实验、大洋热通量实验、热带海洋和全球大气实验、深海探测、深海钻探等，全球海洋污染调查也在计划之中。全球海洋观测网正在建设，海洋卫星越来越多。这些研究活动将对地球科学的发展做出重大贡献，对解决全球环境问题提供科学依据。第四，我国是世界上人口最多的国家，而我国陆地自然资源人均占有量却低于世界平均水平，要想保障国民经济持续、快速、健康地发展，就必须由海洋来提供巨量财富。因此，在21世纪，海洋将成为解决我国资源、人口、环境问题的主要出路。

海洋新世纪的到来，既给我们带来了机遇，又使我们面临挑战。如何抓住机遇，迎接挑战，不仅决定着我国海洋事业的发展，也将对我国未来经济、社会的发展及综合国力的提高产生重大影响。

一、我国构筑海洋经济发展平台的制约因素

改革开放以来，我国海洋经济得到了迅速发展，海洋产业产值年平均增长率在20%以上。但是，我国的海洋开发还仅仅处于起步阶段，面临着许多亟待解决的问题。在国际上，我国海洋权益受到侵犯，许多岛礁被侵占，海洋油气资源争端严重，海域划界矛盾突出。在国内，涉海的部门、行业之间缺乏协调与合作，影响海域的综合开发效益；海洋资源产权界限不清，破坏、浪费现象严重；海洋污染治理技术发展缓慢，海洋污染逐年加重、范围扩大；由于过度捕捞，沿海海域和近海渔业资源及生态环境遭到破坏，物种锐减，难以持续利用。这些紧迫问题，必须尽快加以解决。具体说来，制约我国海洋经济发展的现实因素主要有五个方面：

首先，是国民的海洋国土意识淡薄。按照1994年11月16日正式生效的《联合国海洋法公约》，海洋被划分为内水、领海、毗连区、专属经济区、大陆架、公海和国际海底等7个不同的区域。这使全世界海洋面积3.6亿平方千米中的1/3，约1.09亿平方千米的区域成为沿海国家的管辖海域，而其他面积达2.51亿平方千米的是公海和被确定为人类共同继承财产的国际海底。依据《公约》的规定和我国的主张，我国管辖海域约为300万平方千米。在其中的38万平方千米内水和领海内享有完全主权，在其他260余万平方千米的专属经济区、大陆架等海域内拥有勘探开发自然资源的主权权利，以及海洋科研、海洋环保、人工设施建设三方面的管辖权。但是，由于历史原因及宣传力度不够，海洋国土概念尚未成为我国上上下下的自觉意识。我国《宪法》在规定我国自然资源的所有属性时，尚未列入近300万平方千米的海洋资源，中小学教科书中也未提到我国海洋这一“蓝色国土”及资源问题。而当今世界，围绕维护海洋权益的矛盾和斗争却越来越尖锐和复杂，不牢牢树立起海洋是“蓝色国土”的意识，必将会影响我国海洋事业发展中一系列问题的解决。

第二是南海权益维护难。南海自然海域总面积350万平方千米。其中，我国传统海疆线（指9条断续线）以内约200余万平方千米。南海海洋权益问题包括岛礁主权争端和海域划界争议问题，以及历史性捕鱼权等问题。迄今为止，南海周边国家均宣布了本国的专属经济区和大陆架制度。我国南沙群岛及其海域已形成多方占领局面。有些周边国家置我“主权归我，搁置争议，共同开发”的主张于不顾，在所占岛礁中除军事驻扎外，还大力进行石油开采、旅游开发、渔业利用等活动。对此，维护国家主权，妥善处理好我南海海域权益问题，任务重大而艰巨。

第三是国家海洋管理体制不顺，海上执法队伍分散。目前，国务院涉海部门虽多，但职能交叉，协调困难，造成政出多门，管理分散。国家海洋局虽然是国务院管理海洋事务的综合部门，但目前还难以对我国近300万平方千米管辖海域实施全面有效的管理。此外，近几年建立的地方各级海洋管理机构归属不同，职责不一。例如，仅海上执法就有海监、渔政、港监、海上公安、缉私等，分别属于国家海洋局、农业部、交通部、安全部、海关等部门，不能形成一支统一的海上执法力量。特别是对近200海里专属经济区和大陆架的巡逻执法工作尚未开展起来，也未建立健全海上船舶报告制度，海上侵权事件难于及时发现和制止。

第四是海洋法律制度不够健全。这对于从法律的角度维护我国的海洋权益十分不利，也难以克服对海洋资源开发利用的无偿、无序、无度现象。当然，随着《中华人民共和国海域使用管理法》的颁布及实施，会使这种现状有所改观。

第五是海洋经济整体素质有待提高。改革开放二十几年来，我国海洋产业结构发生着积极的变化。但由于种种原因，迄今传统的海洋产业仍占主导地位：海洋渔业产值占整个海洋产业总产值的一半以上，加上海洋交通运输业和海盐业，三大传统产业的产值占整个海洋产业总产值的

71.8%。而作为新兴产业的海洋油气、海底矿产、海洋旅游、海洋化工、海水农业、海水淡化和综合利用、海洋药物、海产品深加工等海洋产业发展潜力巨大，但其产值在海洋产业总产值中的比重只占28.2%。我国海洋产业结构第一产业比例明显过高，第二产业和第三产业相对落后。海洋产业结构现状，反映出技术上的差距。海滨采矿生产由于生产规模小，技术设备落后，成本高，在市场竞争中处于不利地位，近几年生产不景气，产量产值明显下降；海运客运量也由于条件差、航班少、运期长及管理等原因，不适应快捷、舒适的现代化社会节奏的需求，与铁路、航空等交通工具相比竞争力下降，客源大量减少；我国渔业中苗种资源破坏严重，养殖技术水平低，抵御防止病虫害能力差，近海捕捞过度、过滥，一些珍贵鱼种濒临灭绝。远洋渔业亟待发展；我国沿海滩涂目前开发利用不到1/3；大陆架石油资源量估计为240亿吨，迄今已探明储量的只有7亿多吨，年产量2 000万吨；与此同时，每年有100多亿吨陆源污染物（主要是生活污水和工农业废水）未经处理直接排放到海洋，造成近海环境污染不断加重，由此造成的经济损失逐年增大。此外，海洋自然生态破坏加剧，海岸滩涂得不到保护，大片红树林、珊瑚礁遭到破坏，海岸砂石被乱采乱挖，造成沿海湿地大幅度减少，岸线后退，濒危海洋生物物种增多。沿海有些地方正在或准备发展石化工业，如排污问题不能解决，势必污染环境优美的海湾，这些都应引起高度重视。

二、发展我国海洋经济的重要对策

一是要把海洋观念提到足够的高度，全面提高全民族的海洋意识。海洋国土，是我们中华民族未来生存和发展的重要依托和基地。要切实增强全民族的海洋国土观、海洋经济观、海洋政治观和海洋防卫观。建议召开一次全国海洋工作会议，首先提高各级领导干部的海洋意识和可持续发展的综合决策能力，提高广大海洋工作者的素质。其次，在大中学生教材中尽快补充增加海洋国土、海洋地理和海洋资源的内容，以培养青少年懂得爱祖国，爱疆土，也要爱海洋。此外，要通过一切宣传手段和宣传媒介普及海洋知识，宣传国内外海洋开发及保护形势，增强国民对“蓝色国土”的忧患意识，树立民族自尊心和建设海洋经济强国的使命感。

二是加强海洋的综合管理，成立国务院海洋委员会，组建国家海洋总局。目前，我国海洋资源的开发利用和保护，基本上是以行业和部门管理为主，这些部门在海上有各自的职责范围，职能交叉，缺乏统一协调。建议将分散管理改为集中协调管理。在国务院成立有关部门参加的、由国务院领导挂帅的海洋委员会，承担综合协调工作。在现有国家海洋局的基础上组建国家海洋总局，直接对国务院负责，并作为国务院海洋委员会的日常办事机构。海洋委员会通过制定国家的海洋政策和规划，确定海洋开发的战略目标和发展方向，调整海洋产业之间和开发利用海洋活动之间的关系，引导海洋产业健康持续发展。同时，要进一步调动地方管理海洋的积极性，发挥中央和地方的不同作用，共同管好和用好海洋。

三是建立一支强有力的统一的海上执法队伍。针对我国目前现存的海上执法队伍力量分散，处理海上应急事件时常出现“都管都不管”的现象，建议将海上各执法力量统一组织起来，在原有人力财力的基础上划拨或新置一部分船只或舰艇，参照美国“海岸警备队”、日本“海上保安厅”等管理模式的有关经验，组建一支适合中国国情的、现代化的、统一的“中国海上警卫队”，以实现对我国近300万平方千米管辖海域的有效管理。可采取“海上一把抓，回来再分家”的方法，海上警卫队统一执法，岸上由有关机构依法处理。警卫队平时担负执法任务，应急时具有快速反应能力。

四是加强海洋法制建设，依法管理海洋。要形成配套的法律体系，规范全国海洋资源开发利用和保护保全工作，同时与国际法接轨，使我国海洋事业在法制的轨道上可持续发展。为进一步确立中国对西、南、中、东沙群岛的主权地位，建议实行国际惯例认可的政府有效管理，中央批准在南海设立琼沙县（市），并加大对南海的开发力度，巩固我主权地位。为合理开发利用渔业资源，要严格执行已有的休渔制度，同时鼓励渔民发展远洋捕捞，对近海捕捞应有度、有序进行。建议中央、国务院召开一次全国性的海洋工作会议，就我国海洋的主权维护、资源开发利用与保护等重大问题作出决定，确立海洋事业发展战略、目标、任务，并制定可操作的政策措施。

五是调整优化海洋产业结构，以高新技术改造海洋传统产业，发展新兴海洋产业。重点发展油气业、旅游业、渔牧业、造船业，积极发展海洋药业、海水利用业，努力开展海底采矿海洋能利用，提高第二产业在海洋产业中的比重。在各种产业中要加强高附加值产品的研制开发，注重海产品深加工。在这一工作中，要加强国家的宏观管理，编制发展计划，制定产业政策，配置科技和经济力量，建立示范区，引导各地的科技兴海活动，同时还需要采取措施保护民族工业。

六是通过高技术产业化发展海洋产业。众所周知，海洋产业是高投入、高风险、高收益的产业，因此更加需要高技术的支撑。可以借鉴美、日等国家建立"官、产、研"三位一体机制的办法，将研究、开发、生产、销售、服务衔接起来。可建立动态联盟，成立非营利性的公司，共同出资，共担风险，从形成的新产品中获取收益。有了受益的主体和高科技产业化的实体，才能使海洋高科技产业化落到实处。

利用高新技术提升海洋产业结构

（国务院发展研究中心社会发展部　周宏春）

我国是一个海洋国家，但还不是一个海洋大国，更不用说海洋强国了。我国濒临西太平洋，东、南面为海洋所环抱；海岸线绵延曲折，长达18 000千米，还有14 000千米的海岛岸线，7 000多个海岛。我国重要的岛屿有海南岛、澎湖列岛、舟山群岛、台湾岛和钓鱼岛等；沿海的重要城市有上海、天津、大连、青岛、厦门、宁波、福州、广州、基隆、高雄等。海洋渔业水产资源丰富，海洋贸易源远流长；港口条件优越，海滩类型众多，旅游资源各具特色；各类海洋生物资源种类繁多，初步探明的南海油气资源也十分丰富。所有这些，都是我国社会经济可持续发展的物质基础。

一、海洋科技应纳入世界科技革命的轨道

海洋高新技术的发展，离不开世界科技发展总的潮流。在人类已经进入21世纪的今天，海洋开发、海洋高新技术研究及其产业化得到越来越多的国家、国际组织和研究单位的重视，这就为沿海地区的海洋经济发展创造了有利的外部环境；通过科技进步提升沿海地区的产业结构，加快产业结构的优化，是我国在未来较长一段时间内的发展主线。

1. 信息技术和交通通讯是推动全球化的主要力量

当前，世界的主要特征是什么，不同的人会有不同的答案。但每一个人都能看到的是全球化在快速推进。从经济的角度看，全球化的特点主要表现为国际贸易的增长速度快于世界经济的增长速度；跨国投资和国际资金流动加大，跨国公司成为对外投资的主体等。从技术的角度看，新技术的跨国转移和信息共享由于网络技术的应用而飞速发展，"地球村"正日益成为现实。此外，全球化还有各色各样的含义，如消费习惯的国际趋同；劳动力的跨国流动，以及生态环境问题的全球化等。在全球经济一体化背景下，随着国际间联系和交流的加强，为我们在技术、信息及资源共享方面创造了机遇，也带来极大的挑战。

对我们的最大机遇是，工业化和信息化的同步实施，使我们不必走发达国家工业化的老路。由于信息技术和通讯的发展，将使经济形态发生根本性的变革，并改变我们的社会生活。电子商务的诞生是互联网技术发展的直接结果。互联网具有开放性、全球性、交互性、低成本、高效率的特点，为电子商务创造了条件：电子商务将传统的商务流程电子化、数字化，以电子流部分地代替了实物流，大幅降低经营成本；突破了时空限制，使得交易活动在任何时间、任何地点都能

进行，从而大大提高了效率；改变了传统的流通模式，减少了中间环节，使生产者和消费者的直接交易成为可能；建立了新型的商务通信，使传统的单向商务通信变成了双向通信，为商务交流提供了极大的方便。这从一个方面说明，发展中国家可以用较小的资源环境代价达到工业化国家具有的社会财富和福利水平。

对沿海城市的挑战也是明显的。例如，由于航空的发展以及互联网的使用，海洋航运的发展受到一定程度的影响，特别是具有高科技含量和高附加值产品，几乎没有一样是通过船运来实现的。同样，对于港口城市来说，如何发挥港口的资源优势促进城市的发展，需要我们根据世界经济发展和科技进步的趋势进行调整，制定适应新形势的发展战略，促进沿海城市和地区的可持续发展。

2. 高新技术必将成为21世纪经济发展的主要推动力量

全球化和新经济是我国政府和研究界都非常关注的两个话题。美国在20世纪90年代连续9年的高速经济增长，使经济学界提出了所谓的“第五长周期”理论，其大意是说，由于科技进步，使经济发展周期可以变长，特别是增长的时段变长而衰退的时段变短。事实上，美国的经济增长在2000年就开始出现了速度回落，这种周期如何变化还有待时间的考验。但不可否认的是，高新技术的发展成为经济发展和社会进步的伟大力量，这一点是无庸置疑的！

在人类文明史上，18世纪60年代以蒸汽机为标志的第一次技术革命，使社会生产力获得一次大的飞跃，人类从此由农业社会进入工业社会。19世纪后半叶开始的以电力应用为特征的第二次技术革命，不仅极大地促进了社会生产力的发展，而且使科学技术成了资本竞争的重要力量。20世纪50年代以来的第三次技术革命，以核技术、电子技术、空间技术、新材料技术、生物技术、海洋技术等一系列现代高科技为特征，使生产力的发展从来没有像今天这样活跃和迅速，人类生活从来没有像今天这样离不开科学技术，国家和民族的兴盛也从来没有像今天这样依赖科学技术。现代科学技术革命的兴起，有力地推动了当代自然科学以空前的规模和速度应用于各生产领域，使社会物质生产的各个领域日新月异。如今，一系列新兴的工业，如高分子合成工业、原子能工业、电子计算机工业、半导体工业、宇航工业、激光工业等，都是建立在新兴科学基础上的。

今天，科学技术与生产愈益紧密联系在一起，科学技术上的每一重大突破，都会迅速带来新的工艺革命，形成新的产业。现代科学技术应用于生产的周期越来越短，科技在产品中的含量越来越高。第二次世界大战后产品的科技含量每隔10年增长10倍，现在科技对经济增长的贡献率在发达国家已经达到50%以上。科学技术越来越成为真正的战略资源。而一旦科学技术有大的突破，必然带来新的生产力大发展。如第二次世界大战以来，人类运用了近代的物理学知识，开发了核能；运用航天航空技术，向地球外层空间进军；运用生物工程，控制生物的遗传与变异，使人类能够制造生命；克隆技术、特别是基因图谱的再现，将使人类攻克许多生命方面的难题；由于计算机的广泛应用，信息产业的生产率近20年来提高了100万倍。况且，科学技术对生产力的改造和提高作用日益突现。有人做过单位物质重量所含的科技价值的估算，以钢铁、小汽车、计算机芯片为代表，单位重量的经济价值增加了成千上万倍！

现代国际间的竞争，说到底是综合国力的竞争，关键是科学技术的竞争。那么，21世纪的高新技术是什么呢？很多科学家预测，21世纪将是海洋世纪。海洋科技将是21世纪人类在科技领域取得突破性进展的领域之一。在海洋高新技术方面，海洋观测技术、海洋油气资源勘探开发技术、海洋农牧化技术、海洋生物技术、海水利用技术、深海技术等，在21世纪必定会有空前的发展。然而，海洋高科技如何发展，海洋科技如何转化为生产力，成为促进经济发展的推动力量，是海洋科学家和经济学家必须面对的重大课题。

二、用高新技术提升沿海城市的产业结构

1. 沿海地区经济实力具备了发展海洋高新技术的条件

从1978年改革开放算起，我国沿海地区的发展融入世界经济的主流已经有20多年的时间。沿海开放的城市由最初的14个城市扩展到全国的开

放，我国的经济已经发生了巨大的变化，沿海地区经济发展更是迅猛，一大批沿海城市正以崭新的面貌出现在世人的面前。在这当中，海洋产业的发展功不可没。沿海地区依靠其特有的海洋资源优势，并将之转化为经济发展的优势，也给海洋科技、海洋产业本身带来了蓬勃发展的大好时机。

从总体上看，我国海洋科技和海洋产业的发展还有很大的空间。根据《中华人民共和国海洋行业标准》对原有海洋经济统计指标体系进行调整和完善后的统计结果表明，2001年，我国海洋产业总产值为7 233.80亿元，增加值为3 297.28亿元，占全国国内生产总值的3.4%，比发达国家低10%～20%的水平。从绝对值看，海洋水产业、海洋交通运输业、造船工业、油气工业仍是其主要产业构成，海洋产业和产品中的科技含量仍处于较低水平。

在国家“十五”发展计划中明确提出，结构调整是我国未来发展的主线。用高新技术和先进实用技术提升传统产业才能为海洋经济创造新的生机。海洋可以为人们提供水、石油和粮食，但目前由于技术经济水平的制约，海洋的这些功能还远远没有发挥出来。可以预计，随着海水淡化技术、海洋农牧化技术、天然气水合物采集等技术的发展，300万平方千米海洋将为我们提供更多的财富，使海洋真正成为我国可持续发展的新的基地。从另一个方面看，在“十五”甚至更长的时间内，国家实施西部大开发战略，也为沿海地区的产业结构升级提供了机会。沿海地区的一些原材料、加工业以及初级产品制造行业可以向内地转移，腾出空间结合海洋特色发展海洋产业，从而达到提升产业结构的目标。

2. 通过高新技术的发展提升沿海地区的产业结构

要开发利用海洋，就必须先了解海洋，对海洋的监测和考察是了解海洋的一个必要手段。但是，我国在大洋考察的能力上还相当有限，作为基本工具的考察船大多已有20年的船龄，已跟不上时代发展的需要。因此，在人们关注“上天”的同时，也必须关注“下海”问题。这对于我国向深海和远海进军，发展海洋经济，维护海洋权益，建立海洋强国都有重要的现实意义。

要以走向世界、进军大洋为目标进行海洋科技工作的战略转移，既要重视传统海洋产业，更要通过“科技兴海”，大力发展基于现代科学技术的海洋生物、海洋运输、造船、油气勘探和开发、旅游等新兴产业。在远洋渔业方面，要建立渔场环境信息服务体系，包括太平洋、印度洋、大西洋渔场环境遥感信息获取、处理与海况速报技术，改变我国目前远洋渔业生产的落后状况，提高远洋渔业生产力，增强我国在国际公海权益竞争中的实力。

此外，要大力发展有利于提高人民生活质量和发展海洋经济的海洋生物、海洋药物、海洋能源等的研究和开发，增加海洋产品的科技含量和附加值，通过海洋高新技术的发展，提升和优化海洋产业结构。

三、对发展海洋高新技术产业的一些建议

在世界经济发展日新月异的今天，新一轮海洋的竞争最重要的领域是经济实力的竞争，而经济发展的最大推动力是科技进步。在新经济条件下，海洋开发已经融合了现代各方面的高科技成果，成为知识技术密集、资金密集的综合性社会经济活动。20世纪80年代以来，美日英法德等发达国家纷纷制定海洋发展规划，提出优先发展海洋高新技术的战略。如1986年美国率先制定了《全球海洋科学规划》，提出海洋是世界上“最后的开辟疆域”，谁能最早最好地开发利用海洋，谁就能获得最大的利润；1990年美国又发表了《90年代海洋科技发展报告》，明确提出发展海洋科学技术来满足对海洋不断增长的需要，以便继续保持和增强它在海洋科技的领先地位。同年，英国海洋科技协调委员会发表了“90年代英国海洋科技发展战略报告”，提出要优先发展对海洋开发具有战略意义的高新技术；日本也特别重视海洋开发，1997年制定了《海洋开发推进计划》，提出以科技加速海洋开发和提高国际竞争能力的战略，并将1998年确定为“海洋生物技术元年”。因此，我国也必须通过海洋高新技术的发展，促进海洋经济的发展，并带动整个沿海地区的发展，这是时代赋予我们的责任。

1. 海洋高新技术开发要面向经济建设的主战场

如果发展海洋高新技术，发展哪些海洋高新技术，这是耕耘在海洋领域的科学家所熟知的。

然而，技术含量高的不一定能带动经济发展。过去高科技成就或产品，有一些并没有被市场所接受，或者说并没有转变成社会生产力，其原因是这些成就或产品虽然在科学上是近乎完美的，但本身的经济可行性存在问题；相反，一些科技成果虽然在科学上并没有划时代的意义，但因其实用且物美价廉，产品很快占领了市场，为社会创造了财富。计算机的发展可以说是一个典型。苹果公司的创始人试图制造出一台世界上功能最完美的计算机，而微软的创始人将制造出一美元的计算机作为努力的方向，结果微软产品很快赢得了市场，比尔公司的股票市值在1999年《财富》全球500强企业中排到前几名。

这个例子，实际上与我国所提倡的“科技发展要面向经济建设的主战场”是一样的道理。随着我国社会主义市场经济体系的建立和完善，市场在资源配置方面将发挥越来越大的作用，从科技的立项到科技资金的投向，市场在一定程度上将起到很大的作用，社会资金在科技方面的投入更是如此。可以通过资本市场的运作、股票上市等多种途径，筹集更多的资金用于高新技术的发展，用于海洋科技的发展，科技的成果再回报给社会，形成良性循环。

2. 2000年《财富》全球500强企业的启示

随着这两年《财富》论坛在我国的召开，全球500强成为我国一些地方和企业家的追求，将企业做大做强也成为一些企业家的奋斗目标。这里，我们简单对世界500强企业做一些分析，对于我国发展海洋高新技术，促进海洋经济的发展，将是有益的。

从总体上看，在2000年《财富》全球500强中，排在前10位的是汽车、贸易、电子电器、能源等行业，只有两家与海洋有关，一是排名484位的英国船运，一是排名490位的日本船运。从运输本身看，航天航空、航空公司有16家，铁路运输有8家，而船运仅有两家。由于船运、铁路、航空所含的科技水平是逐步升高的，科技含量越高，所创造的增加值越多，这完全符合当今世界经济发展的一般规律。从这一意义上说，发展海洋高新技术，提升海洋经济的产业结构，是中国必须坚持的方向。

在我国，虽然早有专家提出将造船培育成经济增长点，但造船工业并没有得到快速发展。我们认为，发展船舶工业在我国有很大的空间。船舶工业包括建造、修理、拆解等三部分，其中建造又包括造船体、造船用机械、造海洋工程设备等。从1996年开始，我国造船总量和船舶出口产值已位列世界第三，但这个“第三”却与前两名日本、韩国相距很远，这也说明船舶工业在我国的发展潜力很大。

船舶工业的产业关联度很高，涉及到钢铁、有色金属、机械、电子、化工、轻纺、轻工、建材、仪表等50多个行业。研究表明，在一艘船的总产值中，船厂创造的占1/3，机械工业占1/3，材料工业占1/4，其余近1/10则由船用品制造业和服务业创造。发展船舶工业，不仅可以带动国内相关产业的发展，而且还可以拉动国内工业品市场，从而为扩大内需提供途径。船舶工业的科技含量较高，涉及导航、通讯、水声、光学、电子等300多个专业学科，其中的一些属于高精尖技术。发展船舶工业，不仅可以跟踪当代高新科技，而且能产生大量的高科技产品，带动经济发展。何况，我国每年造船总量中的大部分用于出口。因此，将船舶工业培育成为新的经济增长点，对于沿海地区乃至船舶工业的发展均具有重要意义。

此外，不仅传统的海洋渔业、远洋航运和滨海旅游需要强大的船舶工业的支持，而且海洋石油、海洋化工、海洋矿产、海洋生物等新兴海洋产业的发展，更需船舶工业作为最基本的支持手段。要将我国建设成为一个强大的海洋国家，保卫我国的海洋安全，需要有一支强大的海军，这也需要船舶工业的发展以不断提供和更新舰船。

综上所述，由于各地的地理条件、资源状况、人口素质和文化传统等方面的差异，决定了各地的经济发展不可能采取一个模式，必须坚持多样化的发展思路，从本地实际出发制定发展战略，找准具有自身特色的发展路子。依靠科技进步，促进经济发展，这是我们必然要作出的选择。

接轨世界　中国渔业需实施五个发展方略

（中国水产科学研究院　刘大安）

2001年我国海洋渔业继续朝着持续、稳定的方向发展。海洋渔业总产量达到2 572万吨，占总产量的58.69％。海洋捕捞实现了“负增长”，2001年较2000年降低了2.49％，产量由2000年的1 477万吨降低到1 440万吨；而海水养殖业则成为水产业中发展最快的产业，产量达到1 131万吨，比2000年增长6.62％。在海洋渔业持续、健康的发展过程中，广大农、渔民收入也有显著的增长。海洋渔业产业结构的良性调整、渔业科技健康而快速地长入生产为我国渔业应对加入WTO后的相关挑战、海洋渔业产品更大范围地面向国际市场降低了风险和提供了有利的机会。

加入WTO从长远来看对我国海洋渔业的发展将起到良好的推动作用，但近期也会给海洋渔业的发展带来一定的压力。我们应该正确地面对机遇和挑战，及时调整发展战略，如：调整产业结构；建立健全市场流通体系；加大科技投入，提高渔业现代化水平；加快企业管理体制的改革，以国际市场的游戏规则来规范生产经营活动；参照国际标准，提高产品质量、包装、卫生检疫等方面水平。同时，充分利用WTO过渡时期的政策，有限度地保护国内市场，使国内的水产企业能够及时调整经营策略，逐步适应国际市场，具备参与国际竞争的实力。

1．坚持“可持续发展”和“科技兴渔”的总体战略思想。我们既要对加入WTO带来的机遇善于把握，又要对可能出现的反复有清醒的认识，并结合中国渔业的实践，制定符合中国国情的发展战略。“可持续发展”和“科技兴渔”的战略思想仍然是我国渔业的立足之本，也是渔业各产业发展的根本指导思想。

2．严格执行WTO的规则履行各项承诺，加强与国际渔业的交流与合作。加入WTO，我国渔业将面临更加广阔的市场空间，我国的水产品市场也将更加开放，市场竞争会进一步加剧。放弃中国特色，按国际惯例和国际标准组织生产和管理将成为渔业参与国际市场乃至国内市场竞争的基本要求，严格执行WTO规则和履行各项承诺也成为与WTO成员互利互惠的先决条件。近期我国渔业主管部门已通过媒体表达了全面履行对WTO的各项承诺，决心加大对外开放的力度，逐渐削减各种对企业的保护措施，实施优惠政策，鼓励国外技术、资金对中国渔业的投资，通过建立符合国际惯例的开放的市场经济体制，加强与国际渔业的交流与合作。

3．增强竞争力，扩大国际市场份额。增强竞争力、扩大国际市场份额要从产品结构、价格优势、产品质量三方面入手，并在以下方面采取切实有效的措施。

(1) 发展符合国际生产、加工标准的养殖、加工，建立符合国际标准的水产品市场的出口生产基地，提高产品质量。要继续以国际、国内市场为导向，优化产业结构，大力发展名特优新水产品养殖。在大力发展养殖业的过程中，积极推广健康养殖技术和生态养殖模式。加强对养殖业的管理，对养殖水域进行合理规划和布局。加强对水域、苗种、鱼药生产的管理和监督，保护水域生态环境和种质资源，确保养殖产品的卫生与安全。

(2)加大科技投入，提高渔业现代化水平。要抓住入世后市场开放的大好时机，积极引进先进的技术、设备和优良品种，增加科技投入，加强科学研究，提高水产品的科技含量。实施品种、技术、知识更新工程，加强科技进步，降低生产成本，改善品质，挖掘生产潜力，进一步增强我国渔业在国际上的整体竞争能力，适应国际市场的需求。为此，要加强渔业科研单位基本条件建设。建设一批省、部级重点实验室和中试基地，在建设资金、课题经费的安排上，向这些单位倾斜，支持这些单位改善科研手段和条件，使其吸引和稳住一批优秀人才，形成渔业科技的中坚力量。

(3) 调整优化产业结构，实现产业升级。社会经济的发展必然伴随着产业结构的调整，水产业也必须调整现行的产业结构，并且要突破水产业的行业界限，将水产业融入到国民经济整体中，参与经济结构的大调整。产业结构的调整是渔业可持续发展的重要保证。在水产养殖方面，要调整现行的养殖结构和养殖模式，不断引进新的优良品种，提高名特优产品的养殖比例，逐步实现集约化、工厂化养殖，降低养殖成本，减少病害和污染，努力实现从粗放式生产向集约经营的转变。在海洋捕捞方面，要加强保护近海渔业资源，转变渔业增长方式，积极发展二、三产业，如大力发展水产品加工业，加强水产技术推广的力度，建立和完善水产品流通体系和信息咨询服务体系，引导休闲渔业健康发展，拓展渔业发展空间。

(4) 积极推进渔业产业化经营，加快各类渔业龙头企业、龙头组织的建设与发展。加快渔业产业化经营是适应市场经济发展要求，把分散的渔（农）户组织起来，形成规模经营的一种生产经营组织途径，也是提高渔（农）民收入的有效途径。因此人世后，我国渔业管理部门、大中渔业企业应携起手来，积极推进产业化经营，增强风险防范能力，确保渔民增收、渔业增产，增强渔业竞争力。

(5) 加快渔业管理体制的改革。我国现行渔业管理体制不适应加入世贸组织后水产品国际市场一体化的要求，主要问题有：①国家对企业管得过多过死，企业自主权不足；②长期以来，在高关税的保护下，一些企业不思进取，导致管理落后、成本偏高，对市场反应迟钝；③水产品外贸管理体制不合理，现有的计划管理、进出口许可证、配额制等，有诸多不符合WTO规定的原则。因此，必须加快渔业管理体制的改革，加大企业自主权，既要减少企业对政府的依赖，又要减少企业间在国际市场上的恶性竞争。建立一个真正能够对水产品的生产、流通、进出口贸易实施有效宏观调控的管理体制。

4. 强化水产品标准和检疫工作，冲破“绿色壁垒”。在关贸总协定第7轮东京回合和第8轮乌拉圭回合中签订的《TBT协议》中，认可了“绿色壁垒”的合法性。水产品的“绿色壁垒”主要表现为对水产品的内在品质的检疫、检验和水产品的外包装方面。目前对我国水产品实行“绿色壁垒”主要焦点在于我国水产品品质本身的问题，当然也存在外国对我国的歧视性壁垒。因此，我们应该针对不同的原因，不同的对象，采取不同的措施，积极消除绿色壁垒对我国水产品出口的影响。

(1) 加强水产标准化工作。水产标准化工作对提高水产品质量、渔业管理水平、渔业科技成果转换率、发展渔业产业化有十分重要的作用。目前我国渔业正面临着从数量型向质量效益型的转变，水产标准化对促进这一转变将发挥重要作用。渔业从初级生产开始到最终进入消费领域，国际上都制定有相应的标准。我国现有的标准大多不符合国际标准，我国渔业要参与国际贸易，必须建立与国际渔业生产和贸易标准相一致的标准体系。

(2) 全面加强水产检疫工作，搞好水产品与水产动植物检疫是保障城乡居民健康、卫生地消费水产品的重要措施，也是提高我国水产品质量、扩大水产品出口、提高我国水产品在国际上的质量信誉和市场竞争力的基础工作。我们要以保护我国水产业的健康发展、维护水生生态系统稳定为目标，本着“以防为主”的原则，制定和采用科学、简便、高效的水生动植物检疫技术标准，建立起一支适应水生动植物防疫、检疫工作需要的专业化执法队伍，使重大水生动植物疫病的发生和流行得到逐步控制、减少直到消灭，为社会提供丰富、健康、安全的水生动值物产品。

5. 建立与WTO规则相一致的争端解决机制和相关服务组织。加入WTO后，我国渔业企业对WTO规则短期的不适应，必将引发较多的贸易争端。逐步建立系统的法律服务与援助体系和法律援助机构，为我国渔业企业在国际贸易争端中提供WTO规则和法律服务与援助，为我国渔业企业开拓国际市场、参与国际贸易服务中所涉及的海关与国际贸易多方面事务提供服务。同时，建立高级别的标准与一致化的咨询体系，对促进国际渔业贸易和渔业生产有重大的促进作用。此外，为了加强政府对渔业的宏观管理，政府与企业要对话，要建立和完善渔业信息服务体系，如：建立和完善渔业市场信息网，建立和完善渔业政务信息网；建立和完善渔业统计、综合分析系统；建立渔政执法管理信息系统等。

国际船舶市场需求及近期趋势分析

（中国船舶工业经济研究中心　曹友生　朱汝敬）

一、国际船舶市场中长期需求预测及供求状况分析

1. 新船需求量预测

国际船舶市场对新船的需求主要取决于世界经济贸易发展推动运力增长以及老旧船舶更新两方面因素。比较而言，由于经济增长带来的新增需求约占总需求的1/5，更新需求是船舶需求的主要动力。世界经济在经历1998年的严重危机后，2000年全球经济增长率达到4.4%，创20世纪90年代以来最高增幅。2001年由于“9·11事件”等因素的影响，世界经济又整体走低。但从长期来看，世界经济将保持稳定增长势头。据国际货币基金组织（IMF）的最新预测，未来5年，世界经济年均增长率将达到3.6%左右，2006～2015年为4.3%。当前，世界船队老龄化问题已十分突出。据劳氏船级社2001年统计，世界船队平均船龄为18.4年，按载重吨份额计算，船龄超过20年的船舶占总吨位的27.9%，其中油船、杂货船和客货船三类船队的老龄化尤为突出，船龄超过20年的船舶占各自船队吨位的比例分别高达33%、44%和43%。2001年4月，国际海事组织正式宣布实施加速淘汰单壳油轮计划，并公布了三类油轮的淘汰时间表，预计在2003～2004年，世界船队将出现拆解高峰。在新增需求和更新需求的双重推动下，未来5～15年世界船舶总需求将继续保持较高水平。

据OECD造船工作组公布的预测数据表明，2001～2010年间世界船舶年平均需求量为3 914万载重吨，略高于1996～2000年平均3877万载重吨的市场需求量，并且在2003～2004年出现需求高峰。2005年后，由于20世纪70年代中期建造的大批VLCC油船更新完毕，新船需求将会明显下降，但预计仍能达到与90年代前半期相近的水平。

最近欧洲和日本、韩国造船行业协会对2015年前的长期市场趋势进行了预测。欧洲和日本的预测结果大体相同，但韩国的预测结果明显高于前两家。即使按欧、日较保守的预测结果，未来15年世界新船需求量仍比较大（见下表）。

欧日韩造船行业协会对世界新船需求预测的对比

	船舶吨位	2001～2005年	2005～2010年	2010～2015年	2001～2015年
欧洲造船工业联合会(AWES)	百万载重吨	32.5	35.5	38.9	35.5
	百万总吨	23.8	25.0	28.5	25.9
	百万修正总吨	16.6	18.3	20.0	18.3
日本造船工业会(SAJ)	万载重吨	35.6	37.2	34.2	35.7
	万总吨	25.0	27.0	25.1	25.7
	万修正总吨	17.1	19.3	17.9	18.2
韩国造船工业协会(KSA)	百万载重吨	50.2	44.4	47.6	47.4
	百万总吨	34.1	31.6	33.7	33.1
	百万修正总吨	22.0	22.4	22.8	22.4

2. 新船成交价趋势估计

发生在20世纪70年代中期和80年代中期的两次造船危机，曾使国际新船成交价大幅下跌。90年代后期的亚洲金融危机又使船价出现较大幅度下降。从1999年春起，新船价格开始缓慢回升，但从2001年5月起新船价格又出现下跌趋势。

从较长时期来分析，由于世界造船能力大于市场需求的矛盾仍呈进一步恶化趋势，在21世纪头10年，国际船市的船价水平难以回升到90年代初的高位，总体上仍将在较低水平波动。

3. 世界造船供求平衡状况

20世纪进入90年代以后，在国际船舶市场景气刺激下，世界船舶工业经历了二次较大规模的扩张。一次是90年代前期各国造船业普遍进行了一轮大规模现代化改造，包括扩建、新建船坞；另一次是90年代中期以韩国为代表兴建大型船坞扩大造船能力的高潮。第一次扩能的结果，1995年世界造船能力达到2 600万总吨，较1990年的2 000万总吨增加了30%；第二次扩能的结果，使1997年世界造船能力达到3 100万总吨，较1995年又增加了20%。而这几年国际市场对新船的需求增加却并不很大，从而使造船能力远远大于市场需求，1997年的能力过剩率高达23.9%。预计今后10年中，世界造船能力还将以年均3%的速度增长，过剩率将进一步上升。因此，即使从长期市场趋势看新船需求量较大，但由于世界造船能力扩大（由2000年的2 315万修正总吨上升到2005年的2 673万修正总吨），造船市场供求关系将进一步恶化。

二、国际船市现状分析与近期走势预测

至今人们对两年多前亚洲金融危机造成的世界造船市场危机仍记忆犹新。然而，在过量订船、世界经济增速放缓和“9·11”恐怖事件等三大不利因素的共同影响下，国际船市再次告别繁荣，重新跌入严重衰退状态，而且短期内难以好转。

1. 国际船市现状分析

下面分别从造船合同量和合同价来分析一段时期来国际造船市场状况，然后简要分析近期航运状况。

(1) 造船合同量从9月起急剧萎缩

2001年1～8月期间，从新船合同量看造船市场仍处于较兴旺状态，月平均成交量达到540万载重吨。但9月份和10月份成交量均仅230万载重吨，11月、12月成交量继续走低。2001年全年新船成交量只达到5 010万载重吨，比2000年的7030万载重吨下降了28.7%。

(2) 新船合同价持续下跌

在新船成交量明显萎缩之前，从2001年5月份开始国际新船成交价出现持续下跌。至12月中旬，12种船舶的价格平均跌幅达9.6%。其中，大多数油船和集装箱船的跌幅都超过了10%；LNG船的价格尽管只下跌了4.35%，但已跌破1999年4月低点。

除了成交量萎缩、合同价下跌外，近几个月造船市场衰退还表现在船东对订造新船态度的重大转变，许多船东中止或取消了订船计划，取消订船选择权、造船意向书，造船市场上订船询价稀少；鉴于当前租船市场租金太低，有些船东将故意拖延接船。

(3) 航运市场遭受重创

在外部环境严重恶化和船舶供需矛盾加剧的夹击下，2001年下半年世界航运市场明显恶化，费率急速下滑。

波罗的海干散货运价指数（BDI）已由年中的1 400点下降至11月初的840点水平，目前运价水平远低于2000年和1999年下半年，只相当于1998年下半年和1999年初的水平。各型油船日租金近几个月也出现大幅下跌，几乎已跌至近4年的最低水平。此外，集装箱船、液化气船的费率近几个月也出现程度不等的跌落。

据英国克拉克松研究公司分析，跟踪14种航运市场的克拉克松海运指数在2001年12月跌破10 000美元/天（9 600美元/天），这是近10年来第三次。1992年6月跌破10 000美元，那次航运危机持续了6个月；在亚洲金融危机冲击下1999年3月克拉克松海运指数再次跌破10 000美元/天，航运危机持续了9个月。

在航运市场严重不景气状态下，二手船价也迅速下滑。从油船和散货船的二手船价走势来看，很有可能下跌到亚洲金融危机时期的低水平。

2. 国际船市衰退原因剖析

造成国际船市衰退的根本原因不是“9·11”恐怖事件的影响，“9·11”事件的出现只是给下

滑中的船舶市场雪上加霜，加剧了船市的衰退。这次国际船市衰退的根本原因在于：造船市场长期过热，订造新船过多，导致航运市场上运力严重失衡。

(1) 船市过热订造过量是根本原因

自1994年以来，新船订货量居高不下。在1997年订货量达到5 830万载重吨之后，1998年受亚洲金融危机影响而稍有下降（4 400万载重吨），1999年又上升到4 930万载重吨，2000年又进一步达到7 030万载重吨的历史第二最高记录。

连年高订单使世界船厂手持订单持续增长。据统计，2001年12月全球船厂手持订单高达1 927艘、11 540万载重吨（4 260万修正总吨），相当于2.8年工作量。

目前主要船型的手持订单量与船舶保有量之比已达到很高的水平，8万载重吨以上大型油船已超过20%，3 000TEU以上大型集装箱船和LNG船则已超过45%，这充分显示着订造量已大大超过正常水平，并对航运市场产生巨大压力。

订货量的增多和造船效率的提高使大量新船进入市场；新船完工量大大超过拆解和灭失量使船舶保有量（运力）迅速增长。以巴拿马型散货船为例，2001年平均每月建成投入运营的船舶达10艘，而拆解灭失量平均仅1艘，此型船保有量在2001年里增长10%；而大灵便型散货船保有量同期增长9%。

集装箱船保有量（运力）增长势头更猛。估计2001年有61.5万TEU集装箱船建成，2002年完工量进一步增加到71.3万标准箱；2001年运力增长13.6%，而2002年将增长14.0%。特别是超巴拿马型集装箱船，2001年下半年和2002年一年半期间有81艘建成并投入运营。

(2) 世界经济增长放缓

2001年以来，美国经济增速减缓，日本经济持续低迷，欧盟经济增长乏力，亚洲地区经济复苏受阻，世界经济增长明显放缓，进入了一个新的调整期。国际货币基金组织2001年8月28日预测，2001年世界经济增长2.8%，与1998年亚洲金融危机时期持平，世界贸易增长4.4%，比2000年下降8%。经济增速放慢使海运市场上运量增长受到严重影响。在运力高速增长情况下，运力过剩逐渐加重，供求关系开始恶化。

(3) “9·11”恐怖事件的影响

“9·11”事件使正在下滑的船舶市场更加恶化。受直接冲击的是大型旅游船市场，缺少安全感使海上旅游人数锐减，两家著名旅游船公司申请破产。旅游船市场的变动使承建大型旅游船的欧美船厂遭受重大冲击。

“9·11”事件对世界经济产生重大负面影响，至少使2001年经济增长率下降1%。而全球经济增长率下降1%，会使世界石油和干散货的运量减少2%～3%，集装箱海运量则有更大程度减少。从而，海运市场供求关系急剧恶化。以集装箱船为例，集装箱运量年增长率由2000年的12.4%降至2001年的3.9%，而运力年增长由2000年的9.5%升至2001年的13.6%，从而使供需指数由95.6跌落至92.7，2002年将进一步跌至90.6，将低于1998年的90.7。

3. 对近期国际船市的估计

无论从国际船市内部供需关系还是从外部环境来看，自2001年夏出现的以船价下滑为标志的造船市场衰退不可能很快结束，至少会持续到2002年年中，也有可能延续到2002年底，甚至更长。

(1) 新船成交继续呆滞不振

看来，2002年上半年造船市场仍将呆滞不振；即使下半年（或秋后）成交稍有回升，预计2002年全年新船订货量很可能不足4 000万载重吨，低于亚洲金融危机时期1998年的4 000万载重吨。

(2) 各类型船舶市场全面清淡

2001年在造船市场总体萧条中，原油船、成品油船、散货船、集装箱船、液化气船等主要船类不大可能闪现明显亮点。即使是近年比较兴旺的海洋开发装置（钻井平台、储油船和三用工作船等），如果国际油价长期低位徘徊，订造积极性也将下降。

但是，仍会有一些船东考虑到良好的中长期市场前景，利用低船价有利时机，投放一定数量订单（2002年订单总量不大可能低于3 000万载重吨）。比较而言，散货船、化学品船、液化气船市场可能比油船、集装箱船市场活跃些，中小型船可能比大型、超大型船畅销些。

(3) 新船成交价继续下跌

2001年下半年新船成交价持续下跌，预计2002年第一季度将继续下跌。即使较乐观估计，2002年下半年才可能出现止跌回升；船价也有可能迟至2002年冬天才随着订货量增加而有所上涨。

挪威著名船舶经纪公司费恩莱斯公司2001年10月31日发表市场报告，认为市场还未跌入谷底，运价、租金、二手船价和新船合同价在2002年之前将进一步下滑。其中新船价在2002年上半年还要下跌10％左右，2002年下半年才可能有所回升。

尽管2002年一段时间内新船合同价将继续下跌，但多数船型不大可能跌到亚洲金融危机时期的低水平。这是因为：①东亚船厂持有较充足订单（大多数船厂手持2.5年以上工作量），不急于低价接单；②韩元、日元不可能像亚洲金融危机时期那样出现大幅度贬值；③欧盟要向WTO控告韩国船厂低价倾销的架势将牵制韩国船厂大幅度降价接船的做法。

蓬勃发展的“海上山东”

（山东省海洋与渔业厅厅长　宋修武）

2001年是“海上山东”建设战略实施10周年。10年来，海上山东建设迅速发展，到2001年全省海洋产业总产值达到1 278亿元，比1991年增长了8倍多。其中海洋渔业产值712亿元，10年年均递增22.6％。海洋产业增加值占全省国内生产总值的比重由10年前的不足2％增长到6％。海洋经济已成为国民经济的重要组成部分，在调整优化全省国民经济产业结构，建设“大而强，富而美”的新山东中正发挥着越来越重要的作用。

一、海上山东建设基本情况

1. 各级领导重视，海上山东建设不断深入人心

1991年山东省委、省政府审时度势，提出了开发半壁江山，建设“海上山东”的跨世纪战略举措。省政府先后召开了有关海岛、浅海、滩涂开发工作会议和全省渔业工作会议，在全省掀起了向海洋进军，开发蓝色国土的热潮。在1995年和2000年的两次政府机构改革中，省委、省政府高度重视海洋开发、保护与管理，与国际惯例接轨，设立海洋与渔业合一的海洋综合管理机构，并进入省政府序列。1998年，省委、省政府召开了“海上山东”建设工作会议，省政府成立了“海上山东”建设领导小组，省委、省政府出台了《加快“海上山东”建设的决定》、《“海上山东”建设规划》，确定了“海上山东”建设四大工程，组建了海洋工程研究院。以“海上山东”建设工作会议为标志，山东省海洋经济进入了一个新的发展阶段。省人大、省政协非常重视和关注“海上山东”建设，加大了对海洋与渔业视察、调研力度。在省九届人大一次会议上，确定《关于加强我省海洋综合管理》为省人大常委重点办理的议案，连同此后的一系列举措，都有力地促进了“海上山东”建设的发展。

沿海各地按照山东省委、省政府的要求，制定海洋产业地区性发展规划、政策和措施，推进了“海上山东”建设地区发展战略不断向广度和深度发展。青岛市立足建立21世纪国际海滨大都市，大作海洋科技优势文章，计划用10年的时间，着力推进海洋科技产业化，把青岛由海洋科技城建设成为海洋科技产业城。烟台市以国家海洋综合管理示范区建设为先导，大力搞好海岛及海岸带开发、管理与保护，不断提高海洋与渔业经济水平。威海市坚持以海兴市，在全国率先提出实施“海洋经济现代化”战略，依托海洋渔业企业规模大、实力雄厚的优势，大力推进海洋水产科技示范园、国家级渔业现代化示范区建设。潍坊市发挥滩涂广袤的优势，海洋化工产业焕发生机，“耕滩牧贝”战略取得显著成效。日照市实施以港兴市和科技兴渔战略，整体推进欧亚大陆桥头堡和海洋经济强市建设。东营市和滨州市注重发挥黄河三角洲丰富的资源优势，加大招商引资力度和“上粮下渔”综合开发，推进海洋产业的迅速发展。

2. 海洋各业异彩纷呈

以“海上山东”建设四大工程为标志的山东

省海洋产业呈现快速、协调发展态势。

(1) 海洋农牧化建设工程注重质量和效益的提高，实现了稳定增长，在海洋经济中继续保持主导地位。10年来，海洋渔业大力实施可持续发展战略，不断加快产业结构战略性调整步伐。积极实施"走出去"战略，大洋性渔业迅速崛起。目前全省远洋渔业船达200艘以上，其中1 000马力以上的大洋性渔船达40艘。海水养殖方式品种多样化，名特优生产规模不断扩大。全省海淡水养殖品种已达40多个，名特优产品产量占全省水产养殖总产量的40%。对虾、扇贝养殖"二次创业"取得了明显成效。海水鱼类养殖从无到有，2001年全省海水网箱养鱼已发展到7万箱以上。营造"海底森林"，促进了生态渔业的发展。大力培植龙头企业，推进渔业产业化向纵深发展。全省渔业企业年销售收入过亿元的达56家。狠抓大宗产品精深加工，以海洋食品、海洋保健品和海洋药品为重点的海洋精深加工产值占加工总产值的35%以上。加强质量监督检验，实施名牌发展战略，全省在国家级各类博览展销活动中荣获的水产名牌达120余个，占全国同行业的40%以上。实施渔业国际化战略，积极拓展两个市场，加大招商引资力度，扩大出口创汇。2001年，全省水产品对外贸易总量146.8万吨，对外贸易总额21.3亿美元，其中出口创汇13.6亿美元，占全省大农业的32%，连续多年保持全国同行业首位。休闲渔业迅速崛起，并拉动渔业第三产业快速增长。

(2) 涉海工业建设工程在巩固中提高，技术改造项目、技术开发项目以及国家重点新产品生产项目纷纷落户滨海地区并开花结果。

(3) 海上大通道建设工程，强化功能，合理布局，全面拓展，初步形成了山东半岛大中小相结合、内外贸并举、客货运兼备的港口群体。

(4) 滨海旅游建设工程，立足高起点，开展大旅游，突出特色、重点，加大投入、推介力度，实现了超常规发展，旅游业产值有了大幅度增长。海洋产业结构在发展中加快调整，三次产业结构逐步优化，二、三产业比重明显增大。

3. 科技开辟海洋新天地

深化渔业科技体制改革，推动产学研相结合。①组织科研、教学单位和海洋企业联建共建海洋工程研究院、重点实验室、工程技术研究中心、试验示范基地等，引导科技力量进入海洋开发主战场，加快了科研成果的转化。②加强海洋应用基础研究，提高知识创新能力。全省水产良种产业化步伐加快，原、良种场建设及良种覆盖率居全国前列。全省国家级和省级水产原、良种场已达11个，各级名特优养殖示范基地、示范园区已达110多个。③突出高新技术，培植和壮大海洋新兴产业。积极组织承担国家"863"计划项目，"九五"期间，全省承担"863"计划海洋领域项目50多项，其中海洋生物技术项目占总数的一半以上。重点开展了深水网箱养殖技术的引进和虾病防治、封闭养殖技术攻关，成功完成了大菱鲆、象拔蚌、南美白对虾等引进育苗及规模化养殖技术和牙鲆良种选繁育技术项目及无特定病原高健康中国对虾优良抗病品种的技术研究与应用。目前，全省渔业科技进步贡献率达到50%以上。海洋科技进一步推动海洋产业的快速发展，港航业、海洋勘探、海洋矿产、海洋深潜、海洋环保、海洋油气开发科技含量大幅度提高。据初步统计，海洋新兴产业增加值已占整个海洋产业增加值的60%左右，海洋科技进步贡献率达到45%。

4. 海洋综合管理重点突破

山东省实施"海上山东"建设战略以来，努力推进海洋与渔业机构及法制建设，依法治海，依法治渔，取得明显成效。1995年省海洋与水产厅的设立，标志着山东省海洋综合管理的新开端。此后省、市、县各级海洋综合管理机构相继成立，海洋监察队伍从无到有，不断发展壮大，形成了一个比较符合山东省省情的海洋管理体系。1998年省政府颁布了《山东省海域使用管理规定》和《山东省海域使用金征收暂行管理办法》，标志着山东省海洋立法实现"零"的突破，海洋综合管理步入法制轨道。沿海各地积极推行海域使用确权审批和海域有偿使用制度，全省海域使用登记率和审核发证率分别达到90%和85%，居全国前列。大型用海项目普查、海底电缆铺设，省级港口、码头、企业用海等管理工作迈出了新步伐。海洋功能区划已取得阶段性成果。加大海洋资源环境管理力度，建立和选划了多处海洋自然保护区。定期发布山东省海洋环境状况及影响通报。成立了全省渔业环境保护委员会，初步建立了海洋预警、预报和环境预测服务网络。认真贯彻执行国家近海捕捞"零"增长和新的伏季休渔制度，取得明显成效。开展海上联合执法，加强了渔业安全、防灾、抢险、救助工作，共同维护海上安全生产和治安秩序，为“海上山东”建设保驾护航。

实施“海上山东”建设战略10年来，尽管取得了显著成就，但是也应当看到，对“海上山东”建设亟待进一步提高认识，整体推进力度亟待进一步加大，海洋综合管理亟待进一步加强，海洋生态环境污染亟待进一步治理。

二、新世纪再创辉煌

21世纪是“海上山东”建设再创辉煌的世纪。我们要以邓小平理论、江总书记“三个代表”的重要思想为指导，以加快发展为主旋律，以结构调整为主线，以改革开放和科技进步为动力，加快体制创新、科技创新和管理创新，实施科教兴鲁、经济国际化、城市化和可持续发展战略，强化海洋综合管理，全面推进海洋与渔业经济结构的战略性调整，提高经济的整体素质和综合竞争力。到2005年，全省海洋产业产值将超过1 700亿元，海洋产业增加值900亿元，增加值占国内生产总值的比重由2001年的6％提高到8％。为实现新的目标和任务，应着重在以下方面加大工作力度。

(1) 进一步提高对“海上山东”建设重大战略地位的认识。“海上山东”建设事关全省经济发展的大局。面对全国海洋开发咄咄逼人的形势，应进一步提高对海洋的认识。在更高层次上确立新的发展观，正确估量自己，认清形势，明确思路，确立新的定位，制定加快“海上山东”建设的政策、措施，顺应国内外海洋经济发展大潮，抢占21世纪经济发展制高点。

(2) 依法加强海洋开发与管理。进一步完善海洋管理法规体系，加大海洋综合管理力度，坚持可持续发展原则。正确处理近期与长远、局部与全部的关系，努力提高海洋资源利用效率，坚持资源开发与保护并重，实现海洋资源的可持续利用，把海洋与渔业经济的发展建立在社会良好发展的基础上，走符合山东实际的可持续发展道路。

(3) 依靠科技进步，积极推进“四大”工程建设。建立海洋科技创新机制，加大政策实施和资金投入力度及科技攻关力度，切实解决好海洋经济发展中存在的“瓶颈”问题，坚持以结构战略性调整为主线，把海洋产业结构调整和突出发展海洋高新技术产业放在突出位置上，以调整促发展，巩固提高第一产业，优化提升第二产业，大力发展第三产业，促进全省海洋经济增长方式的转变。

(4) 大力推进“两个文明”建设。努力学习和实践“三个代表”，加强社会主义“物质文明”和“精神文明”建设，实现海洋经济增长和社会进步相一致，“物质文明”和“精神文明”相统一。内强素质，外塑形象，重铸蓝色辉煌，不断谱写“海上山东”建设新的篇章。

关于将海洋纳入经济区划视野的思考

（中国海洋报社总编助理、记者　徐志良）

（国务院发展研究中心社会发展部　周宏春）

在人类共同面临人口、资源、环境等困境的今天，海洋在社会经济可持续发展中的地位和作用日益重要，因为它能提供包括蛋白质、能源、矿藏以及空间等人类未来发展所需要的一切资源。正如联合国《21世纪议程》指出的那样，海洋是全球生命支持系统的一个基本组成部分，也是一种有助于实现可持续发展的宝贵财富。因此，应将海洋纳入经济区划的视野，作为一个独立系统进行综合规划、开发和保护。国务院批准了全国海洋功能区划，沿海地区海洋经济发展迅速，有关部门进行了大量的研究，已经为海洋纳入经济区划创造了条件。

一、中国三次经济区划均忽略了海洋

经济区划，也称国土规划，是经济地理和经

济学界研究的内容。由于我国地理条件和经济发展水平的南北、东西差别都很大，因而宏观经济部门和学术界历来对经济区划非常重视，依据地理位置、人口分布、经济发展水平等指标进行国土的单项或综合分区，作为国家政策制定和实施、经济布局和建设的基础。20世纪50年代以来，我国分别做过三次大的区划。第一次是解放初期的行政区划，分别划出了东北、华北、西北、华东、中南和西南等六大行政区。第二次是“七五”计划时期关于三个经济地带的划分，把全国划分为东部沿海、中部、西部三大经济地带，迄今在经济研究中仍然有不少人采用这种划分。第三次是“九五”计划时期的七大经济区的划分，把全国划分为东北地区、环渤海地区、长江三角洲及沿江地区、东南沿海地区、中部地区、西南和华南部分省区、西北地区等七大经济区。

在不同历史时期我国的三次区划，对全国生产力布局，科学利用和合理配置资源，平衡地区间的经济发展，乃至对国民经济的发展和人民生活水平的提高，都起到了积极的作用。尤其是“七五”计划时的三个经济地带的划分，第一次把沿海地区作为一个经济地带划分出来，把地理视野扩展到了海边，展示了中国通过海洋向世界开放沿海地区的姿态。三个经济地带的划分是中国最具影响力的经济区划，现在的西部大开发，也大致沿用了这一划分所形成的基本区域格局，尽管由于经济发展水平等原因将地域范围扩大到欠发达地区。在过去二十多年的改革开放中，东部沿海地带创造了巨大的经济效益。据最新统计，2001年以海洋经济为依托的沿海市、县国民经济稳步增长，国内生产总值达37 153.84亿元，占整个沿海地区国内生产总值的61.7%，占全国国内生产总值的38.7%；沿海市、县的工业总产值为46 678.16亿元，占整个沿海地区工业总产值的66.4%；农业总产值为5 961.82亿元，占整个沿海地区农业总产值的47.7%。

然而，受发展阶段和认识水平所限，在过去三次大的经济区划中，都没有把海洋当成一个独立的经济区来看待，也没有把我国台湾、香港、澳门及南海诸岛纳入经济区划的视野，这对于将我国建设成为海洋强国目标的实现是极为不利的。

经济区划是一个国家对国土资源及宏观经济认识的具体体现。将海洋或蓝色国土排斥在经济区划之外，会产生众多的不利影响。首先，不利于海洋意识的提升。江泽民同志在1995年视察海军部队时强调指出：“我们一定要从战略高度来认识海洋，增强全民族的海洋意识”。然而，由于国家没有把海洋纳入国土规划，海洋经济、海洋科技、海洋文化和海洋管理等项内容，难以体现在有关的国民经济和社会发展规划计划之中。迄今，在少数国人脑海里，仿佛中国疆域只有960万平方千米的陆地国土，忘记了我们还有近300万平方千米的海域，这从根本上反映了一些人海洋国土意识的淡漠。其次，不利于维护我国的海洋权益。依据《联合国海洋法公约》的有关原则和我国维护国家海洋权益的主张，我国应拥有大约300万平方千米的管辖海域。然而，由于与周边国家的边界划分存在争议，我国一些拥有主权的海域得不到有效的开发和保护。至今还有人认为我国的海上防卫战略应是近海防御，这种思维定式对拓展海上防御空间极为不利，也影响了祖国统一的进程。最后，它禁锢国人的地理视野，影响对海洋资源开发和海洋环境保护，也影响沿海地区经济社会的可持续发展，进而影响国家整体竞争力的提高。

总之，中国的三次经济区划没有把海洋当成一个独立的经济区来看待，这是国土规划和经济区划的一个历史局限，也是国人海洋意识在整体上难以提高的根本原因。如果任其继续发展下去，必将妨碍我国的进一步改革开放，影响社会经济的可持续发展。因此，将海洋纳入经济区划的视野，既是沿海地区发展的内在要求，也是实现我国社会经济可持续发展的必然选择。

二、将海洋纳入经济区划视野的依据及新的区域划分

将海洋纳入国土规划或经济区划，涉及面较广，难度很大。但最基本的一条，还是如何认识和确定海洋的区域地理边界问题。

海洋地理边界是一个新的概念，也是一个有着多重权属意义的区域。一般来说，外沿是指一国领海以外，与领海基线垂直向外延伸200海里的“界线”，这是一国专属经济区管辖海域的外沿边界。这个边界可能是与国际公海相连的海洋地理边界，也可能是与一国或多国相邻的、但未经各

国双边确定或国际海洋法庭裁定的交叉重叠的海洋地理边界。内沿是指海洋与大陆相连的高潮基准线或依据现行国家的海洋法规确定的海岸线。

将海洋纳入经济区划，其依据主要有以下几点：

(1) 把海洋作为国家经济区划中的独立区域的法律依据

海洋首先是一个区域的概念。1996年5月15日，全国人大常委会批准加入的《联合国海洋法公约》，在开篇中明确写道：“意识到各海洋区域的种种问题都是彼此密切相关的，有必要作为一个整体来加以考虑”；在其专属经济区的表述中，明确了“专属经济区是领海以外并邻接领海的一个区域”。

在区域开发理论中，区域是指“拥有多种类型的资源、可以进行多种生产性社会经济活动的一片相对较大的空间范围。”毫无疑问，中国管辖的海洋，包括内水、领海、毗连区、专属经济区、大陆架以及区域内的海岛礁盘等，是由多种类型资源组成的可以进行社会经济活动的一个区域。

《联合国海洋法公约》已于1994年11月16正式生效。按《联合国海洋法公约》的有关规定，我国从批准签署这项国际公约起，便可以自然获得包括内水、领海、毗连区、专属经济区、大陆架在内的近300万平方千米的管辖海域。这些海域虽然各自有不同的主权权利，但对资源的开发养护和管辖权可以扩大到领海基线以外200海里。也就是说，这片海域的法律权属地位是获得国际法承认的。

我国也已形成了开发和管理海洋的法律法规系体系。建国50多年来，不包括台湾省和香港、澳门特别行政区，我国已颁布各类海洋法规法律性文件30多项，其中属于实体法的有：《领海及毗连区法》、《专属经济区及大陆架法》、《海洋环境保护法》、《海域使用管理法》、《海上交通安全法》、《渔业法》、《矿产资源法》、《海关法》等。依据这些法律法规从事海洋管理的队伍逐渐发展壮大，海洋开发活动正从无度、无序、无偿状态逐步走向有度、有序、有偿，并成为沿海地区的一个新的经济增长点。

(2) 独特的“区情”需要将海洋作为一个独立的经济区划分

我国区域开发的指导思想是“坚持区域经济协调发展，逐步缩小地区发展差异”，所遵循的原则是因地制宜、可持续发展和统筹兼顾协调发展三大原则。国家管辖范围内的海洋水域、海岛、海床、海底及其底土，不论其区域是完全的主权权利还是资源的管辖权，也不论其政治体制是社会主义还是资本主义，其自然特性是一个有别于陆地的区域，其社会经济文化背景也有区别于陆地的“区情”。正因为如此，在经济区划中，就必须尊重其差异性，区别对待，而不能把它和沿海地区混在一起规划，那样将违背自然规律，也违背海洋的规律。

传统的观念总习惯把海洋看成是一个行业，而且是一个与沿海经济混为一起的弱势行业，很少有人把海洋当成一个独立的区域来看待。鉴于海洋在国民经济中的重要地位，以及与陆地国土有着很不相同的“区情”，迫切需要将海洋作为一个独立区域划分出来。

一方面，由于介质的特殊性，海水是流动的，污染物质也非常容易跨界扩散。海洋有潮汐运动，有不可阻隔的通道作用。海洋资源许多是可再生资源。由于海洋灾害的不可抗拒和海水的含盐性，一切的海洋人工设置都必须考虑它的强度和耐腐蚀度。由于海洋和海岛的人群接受自然和人文信息与大陆有很大的差异，受教育的程度也不相同，与陆地人口中心区有不同的文化背景和价值观念等。

另一方面，海洋地理边界与大陆地理边界有很大的不同。第一，海洋地理边界没有明显的标志，海上不可能立界碑，界线的标记是以抽象的地理空间定位来确定的。第二，不同海域边界有不同的主权权利。例如，领海权包括自然资源的所有权，沿岸航运权，航运管辖权，国防保卫权，边防、关税和卫生监督权，领空权，管辖权，海上礼节权等。而专属经济区的权利是：“勘探和开发、养护和管理海床上覆水域和海床及底土的自然资源为目的的主权权力等。”第三，由于《联合国海洋法公约》签署时间还不长，包括中国在内的许多国家，与临国之间的海洋地理边界还没有界定，有的边界还存在较大争议。

依据《中华人民共和国海域使用管理法》、《海洋环境保护法》及国家有关法规和方针、政策，国务院批准了《全国海洋功能区划》。《区划》在其开篇中明确指出：“海洋功能区划是根据海域的区位、自然资源、环境条件和开发利用的要求，按照海洋功能标准，将海域区分为不同类型的功能区，目的是为海域使用管理和海洋环境保护工作提供科学依据，为国民经济和社会发展提供用海保障。《区划》的范围包括我国管理的内水、领海、毗连区、专属经济区、大陆架及其它海域。”《区划》正是根据海洋所显示的不同特性而制定的特定功能区划。

(3) 新的经济区划，可以使“新中部”经济主战场的地位更加突出

确定中国海洋地理区域，是一个极为复杂而敏感的话题，涉及到国家的外交政策、对港澳台的政策、周边关系、军事战略、海洋权益、边界区域民族心理和文化背景等等，要想在现今技术经济条件下，短时间内划出一条与周边国家无争议的海洋地理区域的边界是不现实的；但划定一个原则性的边界范围是必要的且条件也是成熟的。

对我国而言，这个区域就是依据《联合国海洋法公约》和我国的主张，向外以公布的领海基线为标准，向海洋垂直延伸至200海里专属经济区（部分海域还适应大陆架原则，可向外延伸至350海里）管辖海域国境线（包括未经与周边国家谈判确定但又属我国主张的领海或专属经济区），向内为大陆海岸的高潮基准线，总面积近300万平方千米的内水、领海、毗连区、大陆架和专属经济区的管辖海域，其中包括7 372个面积大于500平方米的海岛，以及台湾省、海南省、香港特别行政区、澳门特别行政区等四个省级海岛和临近岛屿。这个区域处于中国东部沿海以外，在地理概念上可以称之为中国的“新东部”。其他的地区分别为：原中部九省、区加重庆共10个省、区、市（即黑、吉、内蒙、晋、豫、鄂、湘、皖、赣、重庆）和沿海11个省市区（此处不包括海南，即京、津、冀、辽、沪、苏、浙、闽、鲁、粤、桂）共21个省市区为“新中部”。这21个省市区，由于有了西部高原（戈壁）和东部海洋（海岛）的空间屏障作用，自然成为中国经济发展主战场，是中国的最有安全系数的中部地带。而西部地区则保持现有的范围不变。

提出“新东部”这个概念，可以使国人从长期以来形成的传统的地缘空间概念中跳出来，把国家的经济、科技、文化、军事等布局从陆地大幅度地延伸到海洋，形成新的经济地理概念和地缘战略，并成为国土规划或经济区划的基础。按照新的经济区划，不仅突出了海洋的战略地位，也可以形成制定和实施包括海洋在内的有完整国土意义的新中部、新东部、西部三大战略协调发展的战略。

确立经济区划当中的“新东部”，继续沿袭中国目前最具有影响力的东部、中部、西部三大发展战略的区划格局，完整保留了国家已经实施的西部发展战略规划，提升中部的区域地位，既能衔接国家国土开发的整体规划，也没有削弱原东部沿海发展战略的地位和功能。更重要的是，由于确立了中国海洋的地理边界，在中国实施海洋强国战略，结合已经实施的西部大开发战略，从而构成了中国国土开发整体战略布局中的东西协调发展和东西两道安全屏障的发展战略格局，凸现“新中部”不是以往概念上的欠发达地区，而是目前国家经济发展的主要地带；若干年后“新中部”仍将是经济的主战场。西部黄土高原（戈壁）和“新东部”海洋（海岛）所实施的两大战略——西部大开发战略和“新东部”的海洋强国战略，在国家整体发展战略的布局上，都有利于“新中部”的21个省市的经济发展和安全稳定。惟其这一点，不论是自然地理边界的变化还是人文观念边界的变化，在国家发展中都具有十分重大的战略意义。

三、把海洋纳入经济区划视野的现实作用

如前所述，把海洋作为中国经济区划的一个独立地带划出，对于中国国土进行新的区划，对于提升整个国土，特别是蓝色国土的自然和人文优势，具有十分重要的作用。

首先，尊重海洋特有的规律，是各项事业成功的基础。

确立经济区划中的“新东部”，就把海洋和沿海地区分别开来。笔者认为，在中国目前的资源利用背景下，所谓沿海，主要还是强调利用沿海地区的土地资源的功能。占国家经济主导地位的工业，主要还是沿海城市的工业和临海工业，其基础是土地的开发或利用海洋的空间资源扩充地域空间。对海洋的利用除了能获取部分生物资源和矿产资源外，更多的只是借用了海洋的运输优势和区位优势，在国家工业生产中海洋的整体

优势还没有充分显现出来。而国外则不然，例如日本早就把大钢铁厂建在海上的人工岛上。这里既有生产力水平低的原因，也有人们思维里固有的土地观念大陆观念太强太深刻的原因，这些观念遮掩了人们发现海洋优势的眼光。确立“新东部”，把海洋从陆地或土地中独立出来，便于人们认识和发现它的特征和本质。

尊重海洋规律也是海洋防卫及科学试验成功与否的关键。国家海洋局于20世纪70年代中期到1980年，根据国防科学工作委员会的要求，连续四次对太平洋特定海域的气象、水文、地球物理等方面进行现场调查，研究这一海域的自然环境及其变化规律，为我国第一颗运载火箭的成功发射和数据舱的准确回收提供了基础。相反，建国初期漠视海洋潮汐规律的某海战就导致了失败，证明按照陆战的规律去打海战必然要出问题。在处理重大海洋事务时如果不尊重海洋的规律，难免出现重大的失误。

海洋的鲜明特征和本质，需要人们依据制定与之相适应的海洋开发政策和发展战略，建设与海洋生态环境相容的生产和生活设施，构建海洋政治、经济、科技、文化发展和国际环境相吻合的海洋防御体系等等。邓小平同志从海洋开放与交流的特征出发，从20世纪80年代开始成功地制定了中国沿海发展战略，首先提出了开放中国沿海地区，使之在短短20多年的时间内，创造了近代几个世纪都未能达到的产值和繁荣，这是正确认识沿海地区，把它作为独立地域对待的最大收获。

相反，历史上的明朝因为日本贡使打架和对付倭寇而正式禁海，结果不仅没有达到预期目的，还导致了衰落。清朝因郑成功与沿海老百姓有密切的贸易往来无法剿灭，朝廷下令“迁界”，把沿海人民内迁数十千米，隔断了以海洋贸易为依托的郑成功财源，这一政令不仅使郑成功大伤元气，也使一度辉煌的中国海洋文明出现了最彻底的衰退，即使有了后来的“洋务运动”和“明治维新”，也无法挽回清朝国运衰落的结局。

正反两方面的经验和教训都告诉我们，将沿海作为一个独立的经济区域对待，将促进地区乃至整个国家的经济发展，否则难免带来不必要的损失。

第二，海洋区域资源潜力巨大，可以成为我国可持续发展的重要资源接替地。

中国有近300万平方千米的管辖海域，其中贮存着丰富的矿产资源、生物资源、水资源、海洋能、风能、潮汐能、天然冰和空间资源等。2001年全国海洋总产值仅大陆统计数就已达到7 200多亿元人民币。其中海洋渔业、盐业、海运业、石油天然气和滨海旅游业等已成为人民生活的必需品和国民经济中的重要产业。我国南沙群岛海域的石油天然气储藏量丰富，有第二个中东之称；台湾以东钓鱼岛临近海域的石油天然气储量也相当可观。我国大陆架和近海的原油产量2001年为2 140余万吨，天然气产量45亿立方米。海洋渔业和盐业的生产总量一直领先于世界水平；海洋运输业是现代物流的基础，在我国约5 000亿美元的进出口贸易额中（2001年，国家统计局），海运承担了90％以上的物流。在我国加入世贸组织后，进出口贸易规模将进一步扩大，海洋运输业及其相关的造船工业、港口工业的地位也将更加突出。

我国有面积大于500平方米的海岛7 000余个。我国的台湾省、海南省，是中国的最大的两个岛，香港、澳门特别行政区是一国两制的典范，这四个现有的省级或相当于省级的地理单元所创造的经济总量，超过了中国大陆现已划分的七大经济区中的任何一个经济区，年国民生产总值5 000亿美元以上。两岸统一是一个必然趋势，只是一个时间问题。南沙群岛、西沙群岛、中沙群岛、黄岩岛、钓鱼岛和近岸的长山列岛、舟山群岛、东山岛、南澳岛、万山群岛、川山群岛、东海岛等岛屿的政治经济军事地位正在突现，其中近岸的大部分岛屿已经开发，理应成为中国大陆经济发展的前沿地带。

第三，便于实施国家的海洋防卫战略。

海洋，历来不平静。毛泽东同志曾经说过：“过去帝国主义侵略中国大都是从海上来的。现太平洋上还不太平。我们应该有一支强大的海军。”从地中海发育起来的西方海洋文化，都是重视贸易带有扩张性的海洋文化。从16世纪开始，以哥伦布、麦哲伦、达咖马等为主的西方航海家，在中国明朝下西洋的大航海活动停止之后，开辟了东方航路；接着是地理大探险和环球航行。世界性的航海活动刺激了资本主义世界贸易和殖民掠夺，建立海上霸权便成为沿海国家发展和保护海上贸易乃至殖民掠夺的西方海洋文化观。19世纪末，美国海权论者马汉出版了《论海权对历史的影响》一书，由于罗斯福总统的重视，“海权论”成了美国的国家意志。于是，濒海国家，除了分享海洋给予的“渔盐之利，舟楫之便”外，还必须建立强大的海军，以保护自己的贸易通道和防止外来侵略。随着海洋经济活动的增加，进入海洋的人群增多以及在台湾回归祖国问题上中国政府一贯表示不放弃武力的大政方针，我国的海上安全防御战略必将向西北太平洋推进。确立“新东部”，国土的外缘边界已推到了数百海里以外，这就改变了过去的海洋防卫战略只防卫陆地和海岸线的传统思维，迫使人们把国土安全的概念延伸到海上，建立包括外层空间、空中、海底在内的海上立体防御体系，更有效地维护国家安全和实现祖国的和平统一。

第四，有利于扩大国人长期禁锢的地理视野。

由于长期受黄河文化及传统的地平大地观的影响，古代人狭隘地认为中国是世界的中心，其他各国是中国的“附庸”。这种夜郎自大式的“世界中心主义”被历朝历代的君主们无限制扩大，成了人们长期依赖土地不思进取导致海洋文明衰落的文化包袱。在今天，很多国人对土地怀有浓厚的情感，而对近在咫尺的海洋却漠不关心。例如，名震一时的中华世纪坛，建设者用了960块方砖砌成一个环形广场，以表示国土面积是960万平方千米，而近300万平方千米的管辖海域却置之“场”外。2001年4月外交部和国家测绘局在《关于严格遵守使用中国地图有关规定的通知》中指出：“近年来，有的部门在一些公开出版的图书、杂志、报刊以及电影电视、橱窗展览装饰品和大量的商业广告上所绘制的中国地图，经常出现对我国疆域和国界线的错误画法，如错绘中印边界、漏绘南海诸岛和钓鱼岛，甚至台湾岛等，对内对外造成了很坏的影响，需引起特别注意。”可是《通知》发布两个月后，中国中央电视台播的“小护士”广告中又出现台湾的海岸线与大陆海岸线不同颜色的错误。国人在整体上地理视角的狭隘和儒家文化的影响，构成了在涉及海洋问题时的错漏百出，这是下多少次《通知》也难以改变的。因此，把东部海洋加上海岛确定为“新东部”并作为中国整体发展战略的一部分后，可以把中国人传统的地理视野的中心，从“中州”、“京师”移到东部沿海进而瞭望海洋，可以扩大中国人长期禁锢的地理视野。

2001年大事记
Chronicle of Events

1月8日 在第七届全国企业管理现代化创新成果评审会上，中国石化集团胜利石油管理局申报的《浅海油田的集约化开发管理》获国家管理创新成果二等奖。

1月13～15日 国家海洋局召开党组扩大会议。会议传达了温家宝副总理在全国国土资源厅局长会议上的讲话。党组书记、局长王曙光作了工作报告，在对2000年的工作进行全面总结的基础上，对2001年的主要工作进行了安排和部署。会议结束时，党组成员、副局长孙志辉对会议进行了总结。

1月16日 中国第一艘无人飞船“神州二号”遨游太空7天后顺利返回着陆。在此期间，中国航天远洋测量船“远望号”船队在世界三大洋上，成功地对“神州二号”飞船进行了持续7天7夜的跟踪测量与控制，这标志着中国低轨航天器的海上测控技术取得了新的突破。

1月21日 农业部发布《关于清理整顿“三无”和“三证不齐”渔船的通知》（农渔发〔2001〕2号），要求各地渔业部门整顿“三无”和“三证不齐”渔船，全面加强渔船管理。

1月21日 国家海洋局印发了《国家海洋局2001年十项重要工作任务》。根据2001年全国海洋工作的总体安排，局党组确定了国家海洋局2001年十项重点工作任务，并将其分解为50项具体任务，对每一项具体任务的负责人、承担单位和工作内容均提出了明确要求。

1月22日 国务院副总理温家宝来到国家海洋局，代表党中央、国务院和全国人民，通过卫星通讯，向在南极考察第一线辛勤工作的考察队员们表示新春祝贺，祝愿考察队员们工作顺利、身体健康、节日愉快，为南极考察事业再立新功。温副总理还视察了中国海监总队机关，听取了海监总队政委兼常务副总队长张有份关于海监队伍和海洋行政执法情况的简要汇报，详细地询问了海监队伍的执法能力以及总队机关工作人员的情况，并向中国海监工作人员致以节日的问候。慰问仪式由国家海洋局局长王曙光主持。陪同参加慰问活动的有关部门领导和负责人有：国土资源部部长田凤山、国务院副秘书长尤权、科技部副部长李学勇、教育部副部长周远清、信息产业部副部长娄勤俭、卫生部副部长王陇德、外交部部长助理张业遂、中国科学研究院副院长陈宜瑜、国家测绘局局长陈邦柱、中国地震局局长陈章立、中国气象局局长秦大河、国家基金委副主任马福臣。国家海洋局原局长张登义、国家海洋局副局长孙志辉、陈连增，党组成员吕子耀等也参加了慰问活动。

1月31日 穆迪公司给予中国海洋石油有限公司Baa2的信贷评级。

2月1日 标准普尔公司给予中国海洋石油有限公司BBB的信贷评级。

2月8～9日 由国家海洋局局长王曙光率领的中国政府南极视察慰问团在南极考察和慰问，代表团视察了中国南极科考基地长城站，向坚守在冰天雪地中的中国科考队员转达了党和政府的殷切关怀以及祖国人民的亲切慰问。视察团在南极期间还走访了智利、乌拉圭、俄罗斯、韩国和捷克五国设在乔治王岛的7个工作站，并和上述国家考察队员进行了友好交流。此次参加赴南极考察慰问的代表团成员包括国土资源部副部长孙文盛、全国人大法工委副主任卞耀武、山东省委副书记陈建国等。中国驻智利大使任景玉也陪同代表团前往南极。

2月9日 国家海洋局副局长陈连增在京会见了联合国教科文组织政府间海洋学委员会（简称“海委会”）官员一行7人，双方就海洋综合管理的多个层面进行了热烈友好的探讨。此次来访的官员是来北京参加联合国每年举行的海委会官员会议的。本届海委会主席、中国科学院院士、国家海洋局第二海洋研究所名誉所长苏纪兰教授代表海委会感谢国家海洋局的热情接待，他简要介绍了海委会此次会议的一些情况。

2月2日至3月21日 中国石化集团新星石油公司上海海洋石油局在东海西湖凹陷浙东中央背斜带（苏堤构造带）天外天构造钻探了天外天气田

的油气评价井——天外天三井，获得高产油气流，折合日产天然气68.3万立方米，凝析油23.1立方米。天外天三井的成功钻探及测试，为春晓—天外天地区的油气探明储量计算和油气藏评价提供了重要资料。

2月16日 农业部发布《中韩渔业协定暂定措施水域管理办法》（农业部令第47号）。

2月20日 国家海洋局在北京召开海域使用管理示范区建设工作会议。国家海洋局副局长张宏声和财政部综合司副司长康学军到会并做重要讲话。康学军在讲话中对示范区建设的任务提出了明确的要求。张宏声在讲话中对前一阶段的工作予以了充分肯定，对如何完成好第二批海域使用管理示范区建设工作提出了具体的要求，对在工作中可能出现的困难和问题进行了细致的分析。

2月20日 “统筹海洋和西部开发座谈会”在京召开，会议聚集了中国海洋界和有关方面的人士30余人，包括人大代表和政协委员多人，他们就加强海洋意识宣传工作和促进海洋与西部的开发合作等问题阐述了看法，趁着即将举行的“两会”东风为国家献计献策。会议由中国高科技产业化研究会海洋分会、中国海洋报社、中国船舶报社、中国海洋石油报社、国务院发展研究中心国际经济研究所5家单位联合举行，中国高科技产业化研究会常务副理事长邓寿鹏、中国高科技产业化研究会海洋分会理事长关定华主持了会议。

2月27日 农业部在北京召开了清理整顿“三无”和“三证不齐”渔船新闻发布会。20余家新闻单位的记者和有关方面代表40余人出席了发布会。刘坚副部长做了重要讲话。刘坚副部长和渔业局副局长李健华解答了记者的提问。

2月27～28日 中国海洋石油有限公司分别在纽约及香港上市成功。中海油于2月27日在纽约证券交易所上市，每份美国托存股定价为15.40美元，首天收市价为16.12美元，较招股价跃升4.6%。2月28日，中海油在香港联合交易所上市，收市价为7.00港元，较招股价5.95港元上升17.67%。此次股票发行筹资约12.6亿美元。

3月5日 国务院总理朱镕基在第九届全国人民代表大会第四次会议上关于国民经济和社会发展第十个五年计划纲要的报告中指出：“加强对海洋资源的综合开发利用和保护”，“继续开展重点流域、区域、海域的污染治理”。

3月11日 江泽民总书记在中央人口资源环境工作座谈会上对海洋工作有多处指示。他指出：“经济社会发展对土地、水、矿产、海洋等资源的需求继续增长，……海洋资源开发利用不足与过度开发并存，近岸海域污染和生态恶化加重。”“要加强规划的宏观指导和约束作用，建立和完善国土资源规划体系，开展国土资源各项规划编制工作，增强规划的科学性。依法制定的规划要严格实施。”“加强海洋资源综合管理，完善海洋法律、规划和海洋管理体系，加快海域使用管理的法制化进程，强化海洋环境保护和海洋执法监察工作。”

3月15日 第九届全国人民代表大会第四次会议批准的《中华人民共和国国民经济和社会发展第十个五年计划纲要》明确指出：“加大海洋资源调查、开发、保护和管理力度，加强海洋利用技术的研究开发，发展海洋产业。加强海域利用和管理，维护国家海洋权益。”

3月15日 农业部发布《关于调整闽粤交界海域伏季休鱼通知》（农渔发〔2001〕7号）。

3月16日～5月26日 中国石化集团新星石油公司上海海洋石油局在东海西湖凹陷浙东中央背斜带（苏堤构造带北部）残雪构造钻探了该构造的第一口评价井——残雪二井，获得高产油气流，折合日产天然气11.25万立方米，原油137.03立方米。残雪二井的成功钻探及测试，为残雪构造的油气探明储量计算和油气藏评价提供了重要依据。

3月17日 外交部发言人朱邦造回答记者提问时，驳斥了菲律宾方面对中国的黄岩岛提出的领土要求，指出黄岩岛是中国的固有领土，黄岩岛海域是中国渔民的传统渔场。中国对黄岩岛拥有主权并实施管辖的事实得到国际社会的普遍尊重。黄岩岛从来不在菲律宾领土范围之内。菲方近年来以200海里专属经济区和地理邻近为由对中国的黄岩岛提出领土要求，这在国际法上是根本站不住脚的。中方要求菲方尊重基本事实及国际法的基本原则，尊重中国的领土主权，恪守双方经过多次谈判达成的谅解及共识，以实际行动维护南海地区稳定和中菲友好大局。

3月22日 温家宝副总理在黄海水产研究所唐启升和赵法箴两院士提出的《关于加强海洋渔业资源调查和渔业管理的建议》上批示：“在新形势下发展我国海洋渔业，需要重视和加强海洋渔业资源调查、渔业产业结构调整和渔业管理。”

3月30日 国家海洋局召开新闻发布会，国家海洋局新闻发言人、国家海洋局办公室主任陈士标向记者们介绍了中国新修订的《海洋环境保护法》实施一周年来，国家海洋局积极履行法律赋予的各项职责，加强了对中国海洋环境保护的监督和保护工作的有关情况。新闻发布会上，国家海洋局还发布了2000年中国海洋环境公报（包括中国海洋环境质量公报，中国海洋灾害公报，中国海平面公报），并预测了2001年度海洋灾害情况。

4月 国土资源部部长田凤山在视察福建省海洋与渔业局、国家海洋局第三海洋研究所时，提出发展海洋事业要“继续做好增强海洋意识、搞好海洋规划、健全海洋法规、强化海洋管理、发展海洋科技等五个方面工作”，希望“海洋科技工作为促进经济可持续发展多作贡献。”

4月1日 美国一架海军 EP-3 侦察机在中国海南岛东南海域上空活动，并与中国的飞机相撞，致使中方飞机坠毁，飞行员王伟失踪。撞机后，美机未经中方允许，进入中国领空，于9时33分降落在海南岛陵水机场。外交部发言人朱邦造就美国军用侦察机在南海空中撞毁中国军用飞机事件发表谈话说：发生这一事件的责任完全在美方。中方已就此向美方提出严正交涉和抗议，对美方给中方造成损失问题，中方保留进一步交涉的权利。

海军党委作出决定，批准王伟为革命烈士。中华人民共和国中央军事委员会主席江泽民签署命令，授予王伟同志“海空卫士”荣誉称号。

4月3日 海关总署与汕头大洋集团在广东汕头市海滨路大洋船总码头举行交船仪式。中国第一艘小水线面双体船的建成填补了中国高性能船中的小水线面双体船设计和建造实船的空白，打破了国外在这一技术领域对中国的技术封锁和垄断，是中国船舶工业发展史上的新成就。

4月13日 国家海洋局印发了《海洋工作“十五”计划纲要》。“十五”期间海洋工作的基本指导思想是：高举邓小平理论的伟大旗帜，认真贯彻党的十五届五中全会精神，按照国民经济和社会发展第十个五年计划纲要的总体要求，围绕推动海洋经济可持续发展的主题，以满足社会经济发展对海洋资源不断增长的需要为基本出发点，把开发海洋资源、维护海洋权益、强化海域管理、保证海洋安全、保护海洋环境作为主线，建立和完善海洋规划、海洋法律、海洋管理、海洋科技和公益服务体系，实现海洋工作全面、快速、协调发展，为建设海洋强国奠定初步基础。各地区、各单位要认真贯彻这一指导思想，站在全国海洋工作高度，从国家海洋事业发展大局出发，团结一致，开拓进取，为全面实现“十五”期间海洋工作发展目标而努力奋斗。

4月16日 中国石化集团公司与美国能源开发公司（EDC）签定“埕岛西A区开发补充协议”。

4月17日 由上海市计委、海洋局牵头开展的上海市大比例尺海洋功能区划在沪通过评审验收。上海市大比例尺海洋功能区划是根据国家海洋局“关于组织开展沿海省、市、自治区大比例尺海洋功能区划工作的通知”要求组织开展的一项海洋管理的基础性工作。上海市大比例尺海洋功能区划工作于1999年9月启动，2001年4月完成编制工作，成果包括上海市大比例尺海洋功能区划报告、登记表、区划图（纸质及电子图件）、基础资料汇编、地理信息系统及管理决策系统、工作报告、实施办法等7项。该项工作根据海域的自然属性和经济社会发展需求，在区划海域划分了290个功能区，其中开发利用类192个，整治利用类24个，自然保护类21个，特殊功能类45个，保留类8个。

4月17日 福建省人民政府第27次常务会通过了《福建省海域使用管理办法》。这是福建省第一部海洋综合管理的地方性规章，标志着福建省海洋管理实现了依法管理、依法治海，从根本上改变长期以来海域使用无序、无度、无偿状况。从而提高了海域使用的社会效益、经济效益和生态效益，促进海洋经济的健康发展。

4月19～22日 第六届中国国际船艇展及其设备技术展览会在上海国际会议中心举行。该展览是中国船艇行业中规模最大，最具影响力的国际性专业展览会，由上海船舶工业行业协会等单位主办、每年举行一次。来自美国、德国、瑞典、日本、韩国、澳大利亚、新西兰、新加坡、中国、中国香港特别行政区和台湾省的11个国家和地区的百余家著名厂商参加，万余人参观展览会。

4月23日 温家宝副总理在中南海会见了印度尼西亚渔业部长萨尔沃诺一行，双方表达了发展包括渔业在内的友好合作的愿望。农业部副部长齐景发与萨尔沃诺渔业部长就两国渔业合作举行会谈，并签署了《中国与印尼渔业合作谅解备忘录》。

4月24～26日 中国大洋协会成立十周年表彰大会暨第四届理事会第一次会议在山东省青岛市举行，协会理事会理事和理事代表、协会高级顾问、受协会表彰的突出贡献专家、各有关领域的专家和代表、协会“十五”各项目首席科学家和责任专家共80余人参加了会议。国务院副总理温家宝为本次会议发了贺信、全国政协副主席宋健为大洋协会成立十周年写了贺词，国际海底管理局秘书长南丹先生、中国常驻国际海底管理局代表处郭崇立大使分别发函表示祝贺。会议对19位在大洋工作中取得突出成绩的专家进行了表彰；选举产生了协会第四届理事会和常务理事会；审议通过了《中国大洋协会成立十周年表彰大会暨第四届理事会第一次会议工作报告》；听取了协会财务报告和国家海洋局、中国地质调查局、中国钢铁工业协会、中国有色金属工业协会提交的本系统大洋工作进展情况报告；听取了国际海底最新进展和关于协会“十五”项目总体设计的报告。

5月1日 《关于实施运输船舶强制报废制度的意见》已经国务院同意，客船类运输船舶强制报废，从2001年5月1日起施行；其他类运输船舶的强制报废，自2002年1月1日起施行。通知要求对老旧运输船舶进行严格管理，对已达到强制报废船龄的船舶实施强制报废制度，强制退出水路运输市场，不得在中华人民共和国登记从事水路运输。

5月8日 国家海洋局向沿海省市发出了《关于加强海洋赤潮预防控制治理工作的意见》通知。近年来，海洋赤潮灾害的日趋严重引起了全社会的广泛关注，党和国家领导同志十分重视赤潮管理和减灾工作，国务院副总理温家宝先后两次做出重要批示，要求国家海洋局牵头负责、各有关部门和沿海省区相互配合，加强赤潮预防控制治理工作，有效减轻赤潮灾害造成的损失。为了落实批示精神，2001年，在全面加强赤潮监测监视的同时，国家海洋局组织开展了赤潮灾害中短期发生条件预测和赤潮监测预警管理减灾综合示范工作，在总结多年的实际经验和利用大量海洋环境监测数据的基础上，在试点海域进行了赤潮发生发展趋势短期预测，并将监测预警及预测信息及时发布给沿海地方政府，指导和监督当地水产养殖单位采取相应的措施，有效减少了赤潮造成的经济损失。

5月13日 由中国科学院兰州化学物理研究所、浙江省玉环县科学技术研究院、玉环县海洋生物化学有限公司组成的甲壳素研究与开发联合实验室签字暨揭牌仪式在玉环县海洋生物化学有限公司举行，这是中国科学院首次与地方企业联合建立的甲壳素研究与开发实验室。

5月15日 中国海洋法学会、中国国际法学会主办，国家海洋局国际合作司协办的“纪念中国正式批准《联合国海洋法公约》五周年座谈会”在京召开。国家海洋局副局长孙志辉、中国海洋法学会会长张登义、中国国际法学会会长王厚立、中国海洋法学会顾问陈炳鑫、海军前副司令员张序三等到会讲话，来自外交部、农业部渔业局、海军、中国海洋石油总公司等单位的30余位领导和专家回顾了《公约》生效以来在海洋方面出现的种种新形势，并就如何进一步维护中国海洋权益、不断强化海洋工作等问题进行了热烈研讨。

5月16～17日 主题为“21世纪海洋科技与发展”的中国海洋学会2001年学术年会在上海召开，共有来自各地的170余位专家、学者参加了年会。国家海洋局副局长倪岳峰到会并讲话，汪品先、丁德文、冯士筰、金翔龙、高从堦等院士在内的15位专家就21世纪海洋科技发展作了报告。本次年会共收到论文163篇，近70位专家、学者就海洋资源、海洋环境、海洋技术等进行了广泛的学术交流。与会专家一致认为，本次年会是面向新世纪的一次海洋学术盛会，21世纪海洋科技发展前景令人鼓舞。

5月21日 为期3天的全国渔业法制培训在北京结束。来自全国各省及部分市、县渔业系统的200余名学员参加了培训。培训期间，最高人民法院行政庭、国家濒危动物进出口管理办公室、全国人大农业与农村委员会法案室等有关方面专家，分别就中国行政法律基本制度、中国野生动物保护管理、新《渔业法》、生动保护及自然保护区制度建设、水污染防治与环境保护法律制度等专题进行了讲解。

5月22日 国际海底管理局秘书长南丹先生与中国大洋协会秘书长金建才先生在国际海底多金属结核资源勘探合同上签字，中国和平利用国际海底资源翻开了新篇章。这项合同标志着中国大洋协会将对7.5万平方千米的矿区具有多金属结核资源的专属勘探权，并且在多金属结核进入商业开采时具有优先开发权。

5月30日 中国石化集团胜利石油管理局油建公司承建的国际反承包项目“EDC工程平台导管架”开工建造，9月底完成陆地预制，10月初进行了海上吊装就位，并一次成功。该项目首次采用液压顶升自动称重系统，为大型海工结构滑移装船、拖航及吊装就位提供了可靠保证。

5月30日 朱镕基总理主持召开国务院第39次常务会议，讨论并原则通过了《中华人民共和国职业病防治法（草案）》和《中华人民共和国海域使用管理法（草案）》。会议决定，《中华人民共和国职业病防治法（草案）》和《中华人民共和国海域使用管理法（草案）》经修改后，由国务院提请全国人大常委会审议。

5月30日 农业部渔业局宣布，2001年伏季休渔将从6月1日正式开始，预计中国北海、东海、南海三个海区今年参加休渔的船数达11.7万艘，涉及渔业劳力约120万人。

6月6日 东海舰队某防救船大队的4名潜水员成功创下140米饱和、166米巡潜的新纪录，这表明中国目前已经能够运用当今世界前沿的高新技术装备，在大深度进行长时间水下抢险和深海作业。这一深潜纪录的创立，使中国的深海潜水能力向国际顶级先进水平靠拢，迈进了历史性的一大步。这种技术，主要适用于海区深度大、水下作业时间长以及一切仪器设备或机械手难以完成的潜水作业，是人类直接向海洋进军的主要手段，在海洋开发、援救失事潜艇、海底观测采样、深海救生和海底施工等民用、军用任务方面都具有极为重要的实用价值。

6月7日 中船重工集团公司第七研究院在北京召开大会，隆重庆祝建院40周年。中共中央政治局常委、全国人大常委会委员长李鹏，中央军委副主席刘华清等党和国家领导人题词或批示表示祝贺。李鹏的题词是：“寓军于民，开拓进取，科技兴船，巩固国防”。刘华清题词是：“风雨征程四十载，建设海军立功劳”。

6月8日 中国石化集团胜利石油管理局海洋钻井公司与美国EDC公司签订“胜利埕岛西区块钻井工程承包合同”。合同的签订标志着埕岛西风险勘探区块正式进入开发阶段。

6月8日 全国“十行百佳妇女”表彰大会在北京人民大会堂隆重举行。国家海洋局第三海洋研究所徐洵院士荣获全国“十行百佳妇女”荣誉称号，同时获得“全国三八红旗手”奖章。

6月10日 河北省大比例尺海洋功能区划通过了专家评审委员会的评审。河北省国土资源厅副厅长祁兰夫参加了会议，党组成员孟庆祥参加并主持了会议。与会专家认为，河北省大比例尺海洋功能区划基础资料齐全、技术路线正确、成果系统完整；对于资源环境和社会经济的分析深刻，具有战略眼光；在功能区划分类体系与指标应用方面有所创新，具有可操作性；功能分区结果客观实际，提出的实施措施和建议有针对性，切实可行。

6月11日 “海大论坛——新世纪国际海洋科技论坛”在青岛海洋大学隆重开幕。国家海洋局局长王曙光，山东省委常委、青岛市委书记张惠来，中国工程院院士、山东省政协副主席、青岛海洋大学校长管华诗，国家海洋局副局长倪岳峰及来自美国、加拿大、日本、韩国、荷兰等20多个国家及台湾省、香港特别行政区的知名大学、著名公司和科研机构的海大校友、专家学者150余人及驻青高校、科研单位、大型企业和有关部门的人士共300多人出席了开幕式。本次论坛，共有42个报告，涉及海洋大气环流、海洋遥感科学、海洋生物、水产及海洋文化等。

6月14～17日 大连市与有关单位联合举办了第二届大连国际海鲜节暨大连国际水产品及配套设备展览会。来自日本、泰国、瑞士、爱沙尼亚等国家和香港特别行政区以及辽宁、山东、江苏等11个省市的200余家企业参展。同期举行了中国水产学会第七次会员代表大会、中国水产学会2001年学术交流年会，国内外著名水产专家和各省市渔业厅局长500余人参加。学术年会以“推进渔业科技产业化”为主题，安排80余名专家学者围绕海淡水养殖新品种新技术、水产品加工、渔业资源与管理等专题进行了数十场学术交流与演讲。此次大会共签定合作项目17个，投资总额3.27亿元，经贸销售项目20个，销售金额2.2亿元。

6月15日 由中国钓鱼协会和大连市政府主办，大连市钓鱼协会、大连市旅游局、长海县人民政府承办的第五届大连长海国际钓鱼节在长海县隆重开幕。来自韩国、澳大利亚等国家以及国内10余个省、市和地区的经贸界人士参加了开幕式。节庆期间，共签订了20个经贸项目，其中合同项目13个，投资总额1.42亿元，意向项目7个，投资总额1.06亿元。

6月15～17日 在辽宁省丹东市举办了全国海域使用管理培训班。沿海省、自治区、直辖市和计划单列市及17个海域使用管理示范区等32个单位的近50名海域使用管理人员参加了此次培训。培训内容包括：《海域使用管理法》的立法目的和配套制度，海域使用面积测量及用海界线界定，海域使用管理信息系统演示与系统安装条件，海洋开发规划执行情况和存在问题以及在工作中如何协调解决矛盾等方面。

6月16日 来自全国17个省、市、自治区50名参加“椰树杯2001中国横渡琼州海峡大奖赛”的勇士在广东徐闻县白沙湾下海。海南省三亚红珊瑚海洋俱乐部的宫晓宇、李华东和北京红牛铁人队的孙海英分别荣获男子冠军、亚军和季军。海南省三亚红珊瑚海洋俱乐部的张楠楠、北京红牛铁人队的马莹和张楠楠的队友吴霞分获女子第一、第二和第三名。本届大奖赛经国家体育总局批准，由国家体育总局游泳运动管理中心、中国游泳协会、海南热岛文化体育发展有限公司和椰树集团有限公司承办。

6月18日 中国石化集团公司与中国海洋石油总公司就东海西湖凹陷天然气勘探开发合作问题达成《东海西湖凹陷天然气勘探开发合作协议》。根据《合作协议》，中国石化集团公司与中国海洋石油总公司携手对外合作，按照国际惯例组成联合管理委员会，联合勘探开发东海西湖凹陷天然气资源。

6月19日 全国青年文明号集体信用建设示范行动推进会暨杰出青年文明号表彰大会在京召开。国家海洋局东海分局北礵海洋站等37个集体被命名为首届“全国杰出青年文明号”。在120个首批全国青年文明号信用建设示范创建单位中，东海分局北礵海洋站、北海分局日照海洋站、浙江杭州西斗门膜工业公司工程部榜上有名。全国政协副主席周铁农及共青团中央、国家经贸委、国家海洋局等部委有关领导出席了会议。

6月22～25日 中国科学技术协会第六次全国代表大会在北京召开，来自包括香港、澳门和台湾在内的全国各地以及海外地区的1 000余名代表，为中国改革开放和现代化建设开创新业绩共谋大计。中国海洋学会理事长杨文鹤、副理事长苏纪兰当选为中国科协第六届全国委员会委员。此次会议表彰了294名科技工作者，并授予“全国优秀科技工作者”荣誉称号。国家海洋环境预报中心主任蒋兴伟获此殊荣。同时，中国科协“六大”还表彰了360名在科协、学会工作中作出优异成绩的“中国科学技术协会先进工作者”，中国海洋学会海水淡化与水再利用分会秘书长张维润获此殊荣。

6月26日 九届全国人大常委会第二十二次会议在人民大会堂举行，由李鹏委员长主持。会议审议法官法修正草案、海域使用管理法草案等。受国务院委托，国土资源部部长田凤山在会上作海域使用管理法草案的说明。

6月26日 由中国船舶社、中国造船工程学会、中国对外贸易经济合作企业协会主办的首届“中国国际航运技术与设备博览会”在天津拉开帷幕。包括海事业务、航运管理、港口与航道设备、船舶工程与制造、水运技术、海上石油设备、运输设备及其他相关设备与服务的100余家国内外港航企业参加了此次展览会。

6月28～29日 船舶外贸发展论坛在北京举办，中国国际贸易促进委员会、国防科工委、中国进出口银行、中国银行、北京海关、中船集团公司等单位以及船舶外贸企业、造船企事业单位共150余人出席会议。代表们就中国加入WTO后船舶外贸行业面临的机遇和挑战等问题先后作了专题发言，经过两天研讨，与会人员就很多问题达成了共识，并一致通过了《倡议书》。

6月30日 《中韩渔业协定》正式生效实施。《中韩渔业协定》是继《中日渔业协定》之后，中国与周边国家签订的基于专属经济区管理制度的第二个双边渔业协定，这份协定的实施对于加强专属经济区管理和维护国家的海洋渔业权益具有重要意义。《中韩渔业协定》是4月5日，中国农业部与韩国海洋水产部在北京就协议规定的维持现有渔业活动水域范围、各自专属经济区管理水域对方渔船入渔的规模和作业条件等问题达成一致后签定的。

6月30日至7月1日 国家海洋局在河北省廊坊市召开了全国海域使用管理示范区工作座谈会。沿海各省、自治区、直辖市、17个示范区海洋厅

（局）及国家海洋局各分局的主管领导参加了会议。国家海洋局王曙光局长、孙志辉副局长、张宏声副局长和财政部康学军副司长到会并做了重要讲话。会议着重交流了海域使用管理立法和示范区建设的有关情况，总结了经验，统一了认识，并对下一步海域使用管理立法和示范区建设工作作出部署和安排。

7月 由武汉大学专家绘制的世界上首张南极内陆地形图《南极格罗夫山地形图》正式出版发行。武汉大学中国南极测绘中心的专家们履冰卧雪，冒着生命危险在这一地区进行了广泛的测绘考察，终于完成以格罗夫山为核心的120平方千米范围的1∶25 000地形图。

7月3～12日 由全国政协办公厅和国家海洋局联合组织、由全国政协副主席周铁农任团长的全国政协委员福建视察团对福建海域使用管理情况进行为期10天的视察工作。视察团先后赴福州、宁德、莆田、石狮、东山、云霄、厦门等地，分别听取当地政府和有关部门、单位海域使用管理工作汇报，实地视察海域使用管理工作情况，并与基层干部、群众座谈。

7月4～5日 国家海洋局海洋发展战略研究所和澳大利亚乌龙岗大学海洋政策中心在北京联合举办了中澳海洋环保国际研讨会。此次研讨会交流和总结了过去几年双方合作的经验和成果，并研究探讨了中澳双方未来合作思路和可能的合作领域。会议邀请了国家海洋局、农业部、国家环保总局等单位的政府官员和专家，与会代表近20人。研讨会共报告论文13篇。

7月7日 “海洋生态环境科学与工程”国家海洋局重点实验室正式挂牌。该重点实验室主任是中国工程院院士丁德文教授，重点实验室建立在国家海洋局第一海洋研究所原有的海洋化学、海洋生物和海洋地质三个学科的基础上。实验室将紧紧围绕生态、海岸带等主要领域开展应用基础理论和工程技术开发研究，以及海岸带生态环境污染机理与控制策略研究，揭示海洋生态系统健康机理并使其实现服务功能、预测海洋环境灾害并进行有效防治，实现海洋环境与资源的可持续利用。

7月10日 中国科学院院士、中国国家海洋局第二海洋研究所名誉所长苏纪兰，在巴黎联合国教科文组织总部召开的第21届政府间海洋学委员会（简称海委会）大会上再次当选为海委会主席，这是中国籍科学家首次在联合国教科文组织的重要机构中连任主席职务。苏纪兰在获得连任后接受记者采访时说，他的连任表明中国在国际海洋科学研究领域的活动日趋活跃，地位正在不断提高。他表示连任后将进一步推动海委会的业务性工作，组织讨论海洋科学研究领域的战略性问题，为迎接2002年举行的联合国环发大会做好充分的准备。

7月11～12日 农业部全国水产技术推广总站在福建召开了首届全国大型抗风浪海水网箱养鱼技术研讨会暨网箱产品发布会，全面推动近年来国际上发展很快的海水养殖新型方式在中国的应用。

7月12日 全国人大常委会副委员长邹家华在国家计委副主任张国宝、天津市市长李盛霖、国家海洋局副局长倪岳峰等陪同下，在天津考察了海水淡化与综合利用工作。他指出：“解决水的问题，关键是增加水的总资源量，海水淡化这条路是非走不可的。天津等北方沿海城市应当快一点、早一点解决这个问题。”

7月12～14日 浙江省海洋与渔业局在平阳县南麂马祖岙海域投放3 020立方米人工鱼礁。

7月15日 2001中国青岛海洋科技博览会暨海洋科技与经济发展国际论坛隆重开幕。本届博览会暨论坛由国务院发展研究中心、国土资源部、国家环保总局、国家海洋局、中国科协、中国科学院、国家自然科学基金委员会、中国海洋学会、联合国教科文组织驻华代表处和青岛市人民政府共同主办，由国家科技部提供支持。全国人大副委员长常委会、中国科协主席周光召，国务院发展研究中心副主任鲁志强，国土资源部副部长蒋承菘，国家海洋局副局长倪岳峰等中央部委领导及山东省、青岛市等有关领导出席了开幕式。青岛市副市长马论业主持开幕式。博览会的宗旨是追踪世界海洋科技新动态，促进中国海洋科技发展和增强创新能力，促进产、学、研进一步结合，促进海洋科技成果的转化和海洋产业发展。本届海博会汇集了国内外近年来海洋科研及海洋产业方面所取得的最新成果，参展单位400余个，同时还举办以海洋科技为主题的新技术、新成果交易会和一系列科技成果咨询、洽谈、交易活动。

7月16日 东海平湖油气田一期开发工程建设完成。经过几年的开发建设，平湖油气田完成了

15口油气生产井的钻完井作业，建成了4～5亿立方米/年天然气生产能力。

7月23日 国防科工委、国家经贸委联合发文，正式批复了《中船集团试点方案》，标志着中国船舶工业集团正式组建。新成立的集团以中国船舶工业集团为核心，以资本为主要联结纽带，由集团公司的合资企业，控股企业和直属事业单位为主体成员，联合其他企业法人或机构，具有层次性的、稳定的企事业法人经济联合体。首批成员共55家。

7月23日 恒指服务有限公司发表声明，中国海洋石油有限公司已获纳入恒生指数成份公司，于7月31日起生效。由于中海油股票表现出众，恒指服务公司打破了上市两年方可进入的规定。

7月29日 张健成功横渡英吉利海峡，横渡的时间用了11小时56分钟。横渡英吉利海峡的活动已经有100多年的历史，但张健横渡是中国人第一次横渡，也是有史以来声势最为浩大的一次。中央电视台全程直播了张健横渡英吉利海峡的活动，有十多家新闻单位的记者随行进行了采访报道。这次活动的组委会还在国内组织了上百人的助威团，在起点和终点为这次活动助威。中国驻英国大使马振岗不仅参加了在多佛海滩为张健举行的下水仪式，在张健成功横渡之后，还专门发来了贺电。

7月31日 国家海洋科学研究中心在青岛成立，这标志着中国海洋科学研究进入了强强联合阶段。经科技部批准组建的国家海洋科研中心，以驻在青岛的国家海洋局第一海洋研究所、农业部黄海水产研究所、青岛海洋大学和中国科学院海洋研究所 4 家海洋科教单位现有的重点实验室为基本单位，在不改变各自人员隶属关系和仪器所有权的前提下，重新组合成若干个实验室，由这些实验室构成一个全新的海洋科研中心。他们实行强强联合，对于集中优势科研力量，紧紧围绕海洋科学发展的前沿，开展一些高水平的研究，开发更多高新科技的海洋产品，推动中国海洋科研水平的提高，都将起到重要作用。

8月 全国海域勘界试点工作结束。海域勘界试点工作顺利完成了辽冀线、闽粤线的海域行政区域界线的勘定工作。在试点过程中，制定、完善和充实了《海域勘界技术规程》、《海域勘界管理办法》及《海域勘界档案管理规定》等一系列规范性、技术性文件。为2002年启动全国海域勘界工作打下了坚实的基础。

8月2日 国家计委、国家海洋局在京召开全国海洋经济发展规划编制组会议。规划编制组组长、国家海洋局副局长孙志辉，规划编制组副组长、国家计委地区经济发展司司长郭培章在会上就海洋经济发展规划编制和有关问题作了讲话。沿海省（区、市）及计划单列市、国务院涉海部门、解放军总参谋部等单位、部门编制组成员和代表共56人出席了会议。规划将突出海洋产业的合理布局和协调发展，加强海洋经济发展的宏观调控，引导沿海地区发展各具特色的海洋区域经济，重视培育海洋经济市场，继续实施科技兴海战略，走可持续发展之路。规划的主要内容包括：海洋经济发展的基础；指导思想、基本原则和战略目标；区域布局、海洋产业发展及结构调整；支撑条件；重大项目；实施规划的主要措施等。

8月3～9日 国家自然科学基金委员会地球科学部在青岛举办学科项目评审会议，来自全国的大学、研究院所的122名专家参加了会议。

9月 中国海洋石油总公司获得国际著名信用评级机构标准普尔和穆迪公司分别授予的BBB和Baa2投资级评级，这是中国企业获得的最高信用等级，也是国有全资企业的首例。

9月4～5日 国家计委产业发展司主办的LNG船国产化研讨会在京召开。研讨会由广东LNG运输项目中方筹备办公室筹办、中船集团公司、中船重工集团公司协办，来自中国、日本、法国、美国、韩国、芬兰、挪威、英国、澳大利亚等国的38家单位共120余人参加。这是我国造船史上有关发展LNG船的最大规模研讨会，国内造船界表示一定能建造出一流的LNG船，各有关部门公开表态，坚决支持和落实LNG船国产化的战略举措。

9月5～11日 国家海洋局人事司和中国海监总队在北京共同举办了中国海监首期管理干部培训班。来自中国海监各海区、各省总队及有关部门的领导，各海监支队领导和中国海监总队机关各处室领导共53人参加了培训，国家海洋局副局长兼中国海监总队队长张宏声到会并讲话。培训班开设行政法、海洋法和海洋执法监察三个专题，聘请国务院法制部门、中国著名法学院校和国家海洋局相关业务司、海洋发展战略研究所共10名行政领导和学者进行了专题讲座。

9月11～13日 亚太地区海事机构首脑论坛第

五次会议在北京举办。来自亚太地区18个国家和地区的海事机构首脑、官员及国际航标协会秘书长出席会议。本次会议就海上搜寻救助、油污应急反应、船舶航行安全等专题进行了交流。中方代表就海上防污演习、船员质量标准、船舶交通服务系统建设发表了论文。第六次论坛会议将于2003年在美国夏威夷召开。

9月12～15日 2001年海洋创新成果奖评审会议在南京召开，经专家认真评审，共有19项海洋创新成果获奖，其中一等奖2项，二等奖17项。

9月13～16日 作为中国第四届开渔节重头戏的浙江首届渔业博览会在宁波的天马国际展览中心开幕，来自加拿大、韩国、日本等国家和中国台湾省及内地的270余个商家参加了展出。期间还举行了优质产品展评、浙江渔业论坛、浙江省优秀水产品营销大户命名、浙江省渔业投资招商洽淡和浙江渔文化汇演等活动。

9月15日 埕岛油田第一口气井——CBG5井投产一次成功，日产天然气8万立方米。

9月15～17日 中国首届海洋强国战略研讨会在大连召开。国家海洋局、国内20余个科研院所、海军大连舰艇学院、大连市海洋局及有关的中国科学院院士、中国工程院院士等50余位领导、专家、学者参加了研讨会。与会专家、学者从海洋军事、海洋经济等不同方面进行广泛交流。中国海洋学会理事长杨文鹤参加会议并发了言。

9月16～21日 由中国工程院、中国造船工程学会、中国航海学会联合主办，中国造船工程学会船舶力学委员会承办的第八届国际船舶实用设计大会在上海举行，来自24个国家300余名代表出席了会议。

9月17日 “东海西湖凹陷天然气勘探开发合作项目中方联管会成立大会暨第一次会议”在上海举行，这次会议标志着中石化与中海油携手合作勘探开发东海西湖凹陷天然气的工作正式启动。中国石化集团公司副总经理牟书令、中国海洋石油总公司副总经理周守为等出席了会议。中方联合管理委员会由6人组成，中国石化集团公司、中国海洋石油总公司各3人，首届联管会主席由中国石化集团公司委派。

9月18日 亚太地区海事调查官第四次会议在北京开幕。来自日本、韩国、新加坡等国家和中国香港特别行政区的海事调查官出席了会议。这次会议将就国际上加强海事调查的地区协作问题进行深入探讨。代表们还将介绍本国家和本地区的海事调查体系和结构，并介绍发生在本辖区的典型海事案例。中国在会上首次公布了“大舜”号的事故调查报告。

9月18～21日 国际救助联合会第47届年会在上海国际会议中心举行。本届年会的主要内容有汇报救助契约有关事宜、解释船东保险协会特别补偿条款的有关问题等。中国救捞系统于1994年以中国救捞公司的名义正式加入该联合会，成为其44个成员之一。

9月19日 中国科学院海洋研究所科技工作者隆重集会，庆祝中国科学院院士曾呈奎教授荣获美国藻类学会“杰出贡献奖”。“杰出贡献奖”由美国藻类学会于1993年设立，以奖励那些已被证明对于藻类学领域有突出贡献和影响的学者个人。该学会第55届年会将2001年“杰出贡献奖”授予曾呈奎教授，并委托曾呈奎教授的次子曾云骥教授专程回国代表该学会颁奖。

9月23日 国务院总理朱镕基签署第318号中华人民共和国国务院令，公布了《国务院关于修改〈中华人民共和国对外合作开采海洋石油资源条例〉的决定》，并自公布之日起施行。《中华人民共和国对外合作开采海洋石油资源条例》1982年1月30日由国务院发布实施，此次国务院对该条例进行了10余处修改，并对条文的顺序进行了相应调整。

9月27日 国家海洋局科研机构体制改革工作座谈会在北京召开，国家海洋局副局长倪岳峰、局党组成员周茂平出席了本次会议。会上，国家海洋局领导就中国科技改革的国际国内大背景、改革的必要性、迫切性以及此次改革的基本思路、要求等作了重要讲话。国家海洋局8个科研单位和人事司、科技司、办公室的领导参加了座谈会。被科技部确定为改革试点单位而先行一步的国家海洋局第一海洋研究所、第二海洋研究所以及局试点单位杭州水处理技术研究开发中心，分别介绍了各自改革的经验和取得的成绩。

9月27日 国内首家海事司法鉴定机构——山东海事司法鉴定中心在青岛成立。中心将开展海洋污染鉴定、船舶碰撞鉴定、海水养殖鉴定、海运货损及水产品品质鉴定、海洋工程及设施司法鉴定、海上保险合同纠纷司法鉴定等10余项鉴定业务。最高人民法院、山东省高级人民法院、山东省司法厅、部分海事法院及青岛市党政领导、涉海行政执法机关及企业等200余人参加了该中心的成立大会。

10月 针对近年来连续发生多起因渔船作业等原因而阻断登陆中国上海附近海域国际海底光缆的事故，国务院办公厅发出紧急通知，要求切实加强对国际海底光缆的保护工作，确保光缆的畅通无阻。

10月8日 秦皇岛32-6油田一期开发工程提前投产。油田一期工程由北区A、B两座井口平台、单点系泊、浮式生产储油轮组成。油田年产能力为120万立方米。

10月9日 农业部在杭州召开了1995～2001年全国伏季休渔工作总结暨表彰大会。农业部副部长齐景发、浙江省副省长章猛进出席会议并讲话。会议总结了中国沿海伏季休渔工作经验，表彰了在伏季休渔工作中涌现出来的先进单位和先进个人。这次受表彰的60个先进单位和201名先进个人，来自沿海11个省、自治区、直辖市。农业部副部长齐景发在会上作了题为“总结休渔经验，加大保护力度，保持渔业可持续发展”的报告。

10月16日 浙江舟山市隆重举行江泽民总书记为舟山市题词“开发海洋，振兴舟山”十周年大会。浙江省副省长章猛进、国家海洋局副局长倪岳峰等到会并讲了话。连日来，舟山市还举办了“舟山开发海洋十周年成就图片展”、“新世纪海洋开发技术交流洽谈会”、“2001年海洋经济论坛”等活动。

10月24日 海南省政府出台了《海南省海域使用管理办法》，确定今后凡占用海域从事开发活动的，要向海洋管理部门申请办理海域使用许可证，并缴交海域使用金。该《办法》的出台，其目的是加强海域使用管理，维护海域所有者和使用者的合法权益，改变该省以往海域使用存在的无序、无度和无偿状况，保护海洋生态与环境，实现海域资源的合理开发和可持续利用。

10月27日 九届全国人大常委会第二十四次会议通过了全国人大常委会关于《中华人民共和国海域使用管理法》等五部法律的决定。国家主席江泽民分别签署主席令公布这些法律和决定。《中华人民共和国海域使用管理法》分为总则、海洋功能区划、海域使用的申请与审批、海域使用权、海域使用金、监督检查、法律责任、附则8章，共54条。《中华人民共和国海域使用管理法》将于2002年1月1日起施行。这部法律的颁布，是中国政府进一步强化建设毗邻海域国家权益、彻底解决海域使用及其资源开发的“无序、无度、无偿”状态，强化海洋综合管理的关键举措，是推进中国海洋管理法制化建设的显著标志。同时也是破除传统用海观念，建立海洋资源开发利用的社会主义市场机制的一次深刻革命。《中华人民共和国海域使用管理法》的制定和实施，对于解决海域使用中的“三无”问题，遏制海洋资源破坏，改善海洋生态环境，建立科学的海洋综合管理体制，维护国家海洋权益和可持续发展都是非常必要而及时的，它将为中国海洋事业迎来一个新的历史时期。

10月27日 由中国药学会海洋药物专业委员会主办的第七届中国海洋湖沼药物学术研讨会在大连召开。会议探讨了21世纪中国海洋生物工程高技术的发展战略、开发具有中国自主知识产权的海洋生物工程产品等问题。

10月29日～11月1日 2001国际渔业博览会、2001中国国际水产养殖展览会在青岛举办。全国政协副主席李贵鲜、全国人大农业与农村工作委员会主任高德占等出席了开幕式。来自32个国家和地区的480家企业参加了此次博览会。展会期间，举办了2001渔业贸易与发展论坛、中国水产饲料企业管理与技术创新论坛、全国水产品进出口发展战略研讨会、水产品加工与国际贸易专题报告会、水产食品质量安全研讨会、厄瓜多尔海产品介绍及品尝会、中日韩水产品加工贸易洽谈会、水产养殖新品种论坛等50多场专题报告会及技术交流会，同时主办机构还将组织外商考察青岛水产品加工、养殖企业。在中国定期举办的“中国国际渔业博览会”由农业部支持，中国国际贸促会农业行业分会主办，美国海洋展览公司海外协办，并得到了国内各省市渔业部门、参加国政府及驻华使领馆和国内外专业机构的支持。下届中国国际渔业博览会及中国国际水产养殖展览会将于2002年10月29～30日在青岛举办。

10月30日 由中国石化集团胜利石油管理局油建公司承建的国际反承包项目——大港油田赵东海上开发区块ODA／OPA平台建造工程开工。该工程主要包括由栈桥连接的ODA（钻井平台）和

OPA（生产平台）两个海上平台，是目前国内海域最大、最重的石油平台。

10月30日 中国海军首家应用微生物技术处理舰艇生活垃圾的生化处理站在上海吴淞军港投入使用。

11月1日 由大连新船重工有限公司承建的船宽58米、船身长达330米的30万吨超大型油轮下水。该油轮为伊朗国家油轮公司建造。该轮的建成，实现了中国在VICC造船上“零”的突破。

11月8日 中国船舶重工集团公司(CSIC)企事业单位领导干部会议召开。中央组织部副部长孙晓群根据中央任免决定，宣布李长印任CSIC党组书记、总经理，于世春任党组副书记，李国安、董强、张必贻任副总理、党组成员。黄平涛、王辉、胡基政三位同志不再担任集团公司领导职务，会上李长印宣布了党组关于任命陈天立为集团公司总经济师的决定。

11月8～10日 由国家海洋局和财政部主办的学习贯彻海域使用管理法座谈会在北京召开。全国人大有关专门委员会领导及国务院有关部门领导莅临指导。沿海省、区、市及计划单列市的海洋厅(局)、财政厅(局)、国家海洋局直属各单位140余人参加会议。国土资源部部长田凤山在会上作了重要讲话。国家海洋局局长王曙光作总结讲话。

11月 中国石化集团新星石油公司上海海洋石油局完成了“东海残雪油气田新增油气探明储量报告”及“东海断桥气田（断一井区）新增油气探明储量报告”，向国家储量委员会提交探明天然气地质储量370亿立方米，并获批准。从而使春晓气田群（春晓、天外天、残雪、断桥）的探明天然气储量超过了800亿立方米，奠定了春晓气田群一期开发工程的储量基础。

11月11日 EDC与中国石化集团胜利石油管理局签订“埕岛西B区块CB－1井钻井总承包合同”。该井的钻探标志着EDC完成了埕岛西石油合同规定的在埕岛西合作区B区内应承担的义务工作量。

11月12～16日 由国家海洋局主持、国家海洋局第一海洋研究所主办的“第二届赤潮减灾国际研讨会”在青岛召开。国家海洋局倪岳峰副局长、青岛市于冲副市长等出席了开幕式。亚太经合组织、联合国教科文组织政府间委员会、国际海洋学院等国际组织派代表出席，有来自23个国家和地区的60位专家和国内海洋管理及科研机构的100多人参加了会议。

11月14～17日 由海南大学和海南省海洋与渔业厅主办的“第三届世界华人虾类养殖研讨会”在海南省海口市举行。来自新加坡、菲律宾、澳大利亚、美国等国家和地区的300余名代表参加了研讨会。大会分别就养虾生物技术、养殖技术与管理、养殖生态与环境、病害及其防治、饲料营养与生理等问题进行了研讨。大会共收到论文113篇。

11月15日 中国第十八次南极考察队乘“雪龙”号科学考察船从上海港浦东新华码头启航。本次考察队南极科考的主要任务是：“长城”和“中山”站的度夏考察及越冬考察；南大洋的环境调查及南极内陆考察共6个板块。参加本次队的考察队员和“雪龙”号船员共143人，另有来自美国、德国和中国台湾省的科学家7人亦同船前往。本次考察执行“一船两站”的航行计划，预计航程2万余海里，历时约140天，“雪龙”船计划于2002年4月初返航上海。

11月18日 国家卫星海洋应用中心在北京宣布正式成立。该中心的主要任务是发展中国系列海洋卫星，为国民经济和社会发展服务。中国第一颗海洋卫星（“HY-1”卫星）是一颗试验型水色卫星，预计工作寿命为2年，将在2002年上半年和风云一号系列卫星同时发射升空。国家卫星海洋应用中心在北京和三亚分别设立了卫星地面站。

11月18日 浙江省在舟山市召开捕捞渔船拆解现场会。现场会共拆解22艘老旧渔船。

11月19日 农业部召开渔业科技与发展战略座谈会，研究2001年和今后一段时期中国渔业科技发展的战略和思路。农业部副部长齐景发出席座谈会并发表讲话。中国科学院、有关海洋与渔业院校的工程院院士与有关专家就海洋经济与渔业经济、水产科学与海洋科学发展提出了相关建议。

11月20日 国家海洋局公布了2001年海洋创新成果奖获奖项目和优秀图书，共有19项海洋创新成果获奖，其中一等奖2项，二等奖17项。优秀图书3本。

11月20日 国家海洋技术中心在天津正式成立，国家海洋局局长王曙光、天津市人大副主任李振东等出席揭牌仪式并讲话。王曙光局长首先对国家海洋技术中心挂牌成立表示热烈祝贺，他指出，国家海洋技术中心的建立，不仅是中国履行《联合国海洋法公约》，提高利用和保护海洋资源能力，维护国家海洋权益，加强海上国防建设的需要，也是强化海洋管理，统一规划、协调全国海洋高新技术的发展，促进中国海洋技术创新，加快与国际接轨的需要。他希望该中心要适应职能转变，抓住机遇，开拓创新，尽快落实职能到位，切实担负起为中国海洋综合管理、海洋科学考察、海上国防建设和国际海洋事务、社会公益服务做好技术保障、技术支撑，成为全国海洋技术领域的业务权威。

11月28日　大连福凯船舶设计有限公司在大连成立。该公司由瑞典的FKAB公司、大连船舶工程技术研究中心有限公司、福建造船工业公司三方出资建成，分别持股51%、34%和15%，国内首家合资船舶设计公司。该公司为中国及欧州船东提供概念设计、基本设计、吸引国际船东在中国造船。

12月4～7日　第11届中国国际海事会展在上海隆重开幕。在展览中心1～2层共13 000平方米展厅内，来自全世界30个国家和地区的778家参展商，展示了造船、修船、船用设备、海洋工程、港口设施、动力机械、船舶咨询服务等20余项海洋事业中最新的技术、产品和服务。为期4天的展会期间还将举办了主题为“新经济时代与世界海事合作”的高级海事论坛研讨会及“船级社国际交流日”活动。本届海事会由中国船舶工业集团公司中国船舶重工集团公司和中国造船工程学会联合主办，并得到上海市政府、国防科工委、交通部等部门的大力支持。

12月5～6日　农业部部长杜青林在江苏考察使指出，坚持用发展的思路提升海洋渔业。

12月7日　中国第十八次南极考察队长城站12名越冬队员、1名度夏队员及两名中央电视台记者在站长董利同志带领下，乘飞机由北京起程奔赴南极。

12月21～24日　第四届中国国际供水与水处理展览会在上海国际展览中心举行。本届展会由上海市环境保护局、中国国际贸易促进委员会上海市分会、上海市环境科学学会举办。

12月12日　由国家计委批准、国家海洋局负责实施的“中国海洋环境监测系统建设项目”经过两年多的建设已全面完成。该项目的实施，在充分利用国家海洋局原有海洋环境监测系统的基础上，重点加强了对中国沿海海洋环境监测站和志愿船观测系统的能力建设，极大地改善了海洋环境监测基础设施和工作环境，提高了监测人员技术素质，实现了海洋自然环境观测和海洋污染监测的有机结合，有效增强了中国海洋环境立体监测网络能力，实现了对中国全海域海洋环境长期、定点、连续、准确的动态监测和实时数据通信传输。

12月23日　7 000条中华鲟被放流闽江。这是近年来福建省为重建闽江中华鲟种群第三次，也是规模最大的一次中华鲟人工放流增殖活动。

12月26日　青岛国家海洋科学研究中心水产种苗产业化基地项目签字仪式在山东省青岛市举行。该项目总体规划面积66.67公顷，计划总投资3亿元，建成后将成为全国规模最大、科技含量最高、建设档次一流的水产种苗产业化基地。

12月30日　贯彻实施海域法座谈会在人民大会堂召开。全国人大副委员长布赫、全国政协副主席周铁农、全国人大法律委员会副主任委员李伯勇、国土资源部部长田凤山、全国人大法工委副主任卞耀武、全国人大环资委副主任委员叶如棠、国务院法制办副主任曹康泰、财政部部长助理瘳晓军在会上探讨了海域法颁布的意义，并为贯彻落实海域法提出了宝贵的意见和建议。国家计委、建设部、交通部、农业部、国家环保总局、国家工商总局、国务院体改办、国务院政策研究室、中国社会科学院、海洋石油总公司、中央军委法制局的有关领导、专家出席了会议。会议由国家海洋局局长王曙光主持。

12月31日　中国石化集团胜利海上油田全年生产原油213.6万吨，天然气8 270万立方米，折合油当量221.87万吨，连续9年保持大幅度上升。

海洋法规、文献选编
Selected Marine Laws & Regulations and Literatures

中华人民共和国海域使用管理法

（2001年10月27日第九届全国人民代表大会常务委员会第二十四次会议通过）

第一章 总 则

第一条 为了加强海域使用管理，维护国家海域所有权和海域使用权人的合法权益，促进海域的合理开发和可持续利用，制定本法。

第二条 本法所称海域，是指中华人民共和国内水、领海的水面、水体、海床和底土。

本法所称内水，是指中华人民共和国领海基线向陆地一侧至海岸线的海域。

在中华人民共和国内水、领海持续使用特定海域三个月以上的排他性用海活动，适用本法。

第三条 海域属于国家所有，国务院代表国家行使海域所有权。任何单位或者个人不得侵占、买卖或者以其他形式非法转让海域。

单位和个人使用海域，必须依法取得海域使用权。

第四条 国家实行海洋功能区划制度。海域使用必须符合海洋功能区划。

国家严格管理填海、围海等改变海域自然属性的用海活动。

第五条 国家建立海域使用管理信息系统，对海域使用状况实施监视、监测。

第六条 国家建立海域使用权登记制度，依法登记的海域使用权受法律保护。

国家建立海域使用统计制度，定期发布海域使用统计资料。

第七条 国务院海洋行政主管部门负责全国海域使用的监督管理。沿海县级以上地方人民政府海洋行政主管部门根据授权，负责本行政区毗邻海域使用的监督管理。

渔业行政主管部门依照《中华人民共和国渔业法》，对海洋渔业实施监督管理。

海事管理机构依照《中华人民共和国海上交通安全法》，对海上交通安全实施监督管理。

第八条 任何单位和个人都有遵守海域使用管理法律、法规的义务，并有权对违反海域使用管理法律、法规的行为提出检举和控告。

第九条 在保护和合理利用海域以及进行有关的科学研究等方面成绩显著的单位和个人，由人民政府给予奖励。

第二章 海洋功能区划

第十条 国务院海洋行政主管部门会同国务院有关部门和沿海省、自治区、直辖市人民政府，编制全国海洋功能区划。

沿海县级以上地方人民政府海洋行政主管部门会同本级人民政府有关部门，依据上一级海洋功能区划，编制地方海洋功能区划。

第十一条 海洋功能区划按照下列原则编制：

（一）按照海域的区位、自然资源和自然环境等自然属性，科学确定海域功能；

（二）根据经济和社会发展的需要，统筹安排各有关行业用海；

（三）保护和改善生态环境，保障海域可持续利用，促进海洋经济的发展；

（四）保障海上交通安全；

（五）保障国防安全，保证军事用海需要。

第十二条 海洋功能区划实行分级审批。

全国海洋功能区划，报国务院批准。

沿海省、自治区、直辖市海洋功能区划，经该省、自治区、直辖市人民政府审核同意后，报国务院批准。

沿海市、县海洋功能区划，经该市、县人民政府审核同意后，报所在的省、自治区、直辖市人民政府批准，报国务院海洋行政主管部门备案。

第十三条 海洋功能区划的修改，由原编制机关会同同级有关部门提出修改方案，报原批准机关批准；未经批准，不得改变海洋功能区划确定的海域功能。

经国务院批准，因公共利益、国防安全或者进行大型能源、交通等基础设施建设，需要改变海洋功能区划的，根据国务院的批准文件修改海洋功能区划。

第十四条 海洋功能区划经批准后，应当向社会公布；但是，涉及国家秘密的部分除外。

第十五条 养殖、盐业、交通、旅游等行业规划涉及海域使用的，应当符合海洋功能区划。

沿海土地利用总体规划、城市规划、港口规划涉及海域使用的，应当与海洋功能区划相衔接。

第三章 海域使用的申请与审批

第十六条 单位和个人可以向县级以上人民政府海洋行政主管部门申请使用海域。

申请使用海域的，申请人应当提交下列书面材料：

（一）海域使用申请书；

（二）海域使用论证材料；

（三）相关的资信证明材料；

（四）法律、法规规定的其他书面材料。

第十七条 县级以上人民政府海洋行政主管部门依据海洋功能区划，对海域使用申请进行审核，并依照本法和省、自治区、直辖市人民政府的规定，报有批准权的人民政府批准。

海洋行政主管部门审核海域使用申请，应当征求同级有关部门的意见。

第十八条 下列项目用海，应当报国务院审批：

（一）填海五十公顷以上的项目用海；

（二）围海一百公顷以上的项目用海；

（三）不改变海域自然属性的用海七百公顷以上的项目用海；

（四）国家重大建设项目用海；

（五）国务院规定的其他项目用海。

前款规定以外的项目用海的审批权限，由国务院授权省、自治区、直辖市人民政府规定。

第四章 海域使用权

第十九条 海域使用申请经依法批准后，国务院批准用海的，由国务院海洋行政主管部门登记造册，向海域使用申请人颁发海域使用权证书；地方人民政府批准用海的，由地方人民政府登记造册，向海域使用申请人颁发海域使用权证书。海域使用申请人自领取海域使用权证书之日起，取得海域使用权。

第二十条 海域使用权除依照本法第十九条规定的方式取得外，也可以通过招标或者拍卖的方式取得。招标或者拍卖方案由海洋行政主管部门制订，报有审批权的人民政府批准后组织实施。海洋行政主管部门制订招标或者拍卖方案，应当征求同级有关部门的意见。

招标或者拍卖工作完成后，依法向中标人或者买受人颁发海域使用权证书。中标人或者买受人自领取海域使用权证书之日起，取得海域使用权。

第二十一条 颁发海域使用权证书，应当向社会公告。

颁发海域使用权证书，除依法收取海域使用金外，不得收取其他费用。

海域使用权证书的发放和管理办法，由国务院规定。

第二十二条 本法施行前，已经由农村集体经济组织或者村民委员会经营、管理的养殖用海，符合海洋功能区划的，经当地县级人民政府核准，可以将海域使用权确定给该农村集体经济组织或者村民委员会，由本集体经济组织的成员承包，用于养殖生产。

第二十三条 海域使用权人依法使用海域并获得收益的权利受法律保护，任何单位和个人不得侵犯。

海域使用权人有依法保护和合理使用海域的义务；海域使用权人对不妨害其依法使用海域的非排他性用海活动，不得阻挠。

第二十四条 海域使用权人在使用海域期间，未经依法批准，不得从事海洋基础测绘。

海域使用权人发现所使用海域的自然资源和自然条件发生重大变化时，应当及时报告海洋行政主管部门。

第二十五条 海域使用权最高期限，按照下列用途确定：

（一）养殖用海十五年；

（二）拆船用海二十年；

（三）旅游、娱乐用海二十五年；

（四）盐业、矿业用海三十年；

（五）公益事业用海四十年；

（六）港口、修造船厂等建设工程用海五十年。

第二十六条 海域使用权期限届满，海域使用权人需要继续使用海域的，应当至迟于期限届满前二个月向原批准用海的人民政府申请续期。除根据公共利益或者国家安全需要收回海域使用权的外，原批准用海的人民政府应当批准续期。准予续期的，海域使用权人应当依法缴纳续期的海域使用金。

第二十七条 因企业合并、分立或者与他人合资、合作经营，变更海域使用权人的，需经原批准用海的人民政府批准。

海域使用权可以依法转让。海域使用权转让的具体办法，由国务院规定。

海域使用权可以依法继承。

第二十八条 海域使用权人不得擅自改变经批准的海域用途；确需改变的，应当在符合海洋功能区划的前提下，报原批准用海的人民政府批准。

第二十九条 海域使用权期满，未申请续期或者申请续期未获批准的，海域使用权终止。

海域使用权终止后，原海域使用权人应当拆除可能造成海洋环境污染或者影响其他用海项目的用海设施和构筑物。

第三十条 因公共利益或者国家安全的需要，原批准用海的人民政府可以依法收回海域使用权。

依照前款规定在海域使用权期满前提前收回海域使用权的，对海域使用权人应当给予相应的补偿。

第三十一条 因海域使用权发生争议，当事人协商解决不成的，由县级以上人民政府海洋行政主管部门调解；当事人也可以直接向人民法院提起诉讼。

在海域使用权争议解决前，任何一方不得改变海域使用现状。

第三十二条 填海项目竣工后形成的土地，属于国家所有。

海域使用权人应当自填海项目竣工之日起三个月内，凭海域使用权证书，向县级以上人民政府土地行政主管部门提出土地登记申请，由县级以上人民政府登记造册，换发国有土地使用权证书，确认土地使用权。

第五章 海域使用金

第三十三条 国家实行海域有偿使用制度。

单位和个人使用海域，应当按照国务院的规定缴纳海域使用金。海域使用金应当按照国务院的规定上缴财政。

对渔民使用海域从事养殖活动收取海域使用金的具体实施步骤和办法，由国务院另行规定。

第三十四条 根据不同的用海性质或者情形，海域使用金可以按照规定一次缴纳或者按年度逐年缴纳。

第三十五条 下列用海，免缴海域使用金：

（一）军事用海；

（二）公务船舶专用码头用海；

（三）非经营性的航道、锚地等交通基础设施用海；

（四）教学、科研、防灾减灾、海难搜救打捞等非经营性公益事业用海。

第三十六条 下列用海，按照国务院财政部门和国务院海洋行政主管部门的规定，经有批准权的人民政府财政部门和海洋行政主管部门审查批准，可以减缴或者免缴海域使用金：

（一）公用设施用海；

（二）国家重大建设项目用海；

（三）养殖用海。

第六章 监督检查

第三十七条 县级以上人民政府海洋行政主管部门应当加强对海域使用的监督检查。

县级以上人民政府财政部门应当加强对海域使用金缴纳情况的监督检查。

第三十八条 海洋行政主管部门应当加强队伍建设，提高海域使用管理监督检查人员的政治、业务素质。海域使用管理监督检查人员必须秉公执法，忠于职守，清正廉洁，文明服务，并依法接受监督。

海洋行政主管部门及其工作人员不得参与和从事与海域使用有关的生产经营活动。

第三十九条 县级以上人民政府海洋行政主管部门履行监督检查职责时，有权采取下列措施：

（一）要求被检查单位或者个人提供海域使用的有关文件和资料；

（二）要求被检查单位或者个人就海域使用的有关问题作出说明；

（三）进入被检查单位或者个人占用的海域现场进行勘查；

（四）责令当事人停止正在进行的违法行为。

第四十条 海域使用管理监督检查人员履行监督检查职责时，应当出示有效执法证件。

有关单位和个人对海洋行政主管部门的监督检查应当予以配合，不得拒绝、妨碍监督检查人员依法执行公务。

第四十一条 依照法律规定行使海洋监督管理权的有关部门在海上执法时应当密切配合，互相支持，共同维护国家海域所有权和海域使用权人的合法权益。

第七章 法律责任

第四十二条 未经批准或者骗取批准，非法占用海域的，责令退还非法占用的海域，恢复海域原状，没收违法所得，并处非法占用海域期间内该海域面积应缴纳的海域使用金五倍以上十五倍以下的罚款；对未经批准或者骗取批准，进行围海、填海活动的，并处非法占用海域期间内该海域面积应缴纳的海域使用金十倍以上二十倍以下的罚款。

第四十三条 无权批准使用海域的单位非法批准使用海域的，超越批准权限非法批准使用海域的，或者不按海洋功能区划批准使用海域的，批准文件无效，收回非法使用的海域；对非法批准使用海域的直接负责的主管人员和其他直接责任人员，依法给予行政处分。

第四十四条 违反本法第二十三条规定，阻挠、妨害海域使用权人依法使用海域的，海域使用权人可以请求海洋行政主管部门排除妨害，也可以依法向人民法院提起诉讼；造成损失的，可以依法请求损害赔偿。

第四十五条 违反本法第二十六条规定，海域使用权期满，未办理有关手续仍继续使用海域的，责令限期办理，可以并处一万元以下的罚款；拒不办理的，以非法占用海域论处。

第四十六条 违反本法第二十八条规定，擅自改变海域用途的，责令限期改正，没收违法所得，并处非法改变海域用途的期间内该海域面积应缴纳的海域使用金五倍以上十五倍以下的罚款；对拒不改正的，由颁发海域使用权证书的人民政府注销海域使用权证书，收回海域使用权。

第四十七条 违反本法第二十九条第二款规定，海域使用权终止，原海域使用权人不按规定拆除用海设施和构筑物的，责令限期拆除；逾期拒不拆除的，处五万元以下的罚款，并由县级以上人民政府海洋行政主管部门委托有关单位代为拆除，所需费用由原海域使用权人承担。

第四十八条 违反本法规定，按年度逐年缴纳海域使用金的海域使用权人不按期缴纳海域使用金的，限期缴纳；在限期内仍拒不缴纳的，由颁发海域使用权证书的人民政府注销海域使用权证书，收回海域使用权。

第四十九条 违反本法规定，拒不接受海洋行政主管部门监督检查、不如实反映情况或者不提供有关资料的，责令限期改正，给予警告，可以并处二万元以下的罚款。

第五十条 本法规定的行政处罚，由县级以上人民政府海洋行政主管部门依据职权决定。但是，本法已对处罚机关作出规定的除外。

第五十一条 国务院海洋行政主管部门和县级以上地方人民政府违反本法规定颁发海域使用权证书，或者颁发海域使用权证书后不进行监督管理，或者发现违法行为不予查处的，对直接负责的主管人员和其他直接责任人员，依法给予行政处分；徇私舞弊、滥用职权或者玩忽职守构成犯罪的，依法追究刑事责任。

第八章 附 则

第五十二条 在中华人民共和国内水、领海使用特定海域不足三个月，可能对国防安全、海上交通安全和其他用海活动造成重大影响的排他性用海活动，参照本法有关规定办理临时海域使用证。

第五十三条 军事用海的管理办法，由国务院、中央军事委员会依据本法制定。

第五十四条 本法自2002年1月1日起施行。

中华人民共和国对外合作开采海洋石油资源条例

（1982年1月30日国务院发布，根据2001年9月23日《国务院关于修改〈中华人民共和国对外合作开采海洋石油资源条例〉的决定》修订，2001年9月23日起施行）

第一章 总 则

第一条 为促进国民经济的发展，扩大国际经济技术合作，在维护国家主权和经济利益的前提下允许外国企业参与合作开采中华人民共和国海洋石油资源，特制定本条例。

第二条 中华人民共和国的内海、领海、大陆架以及其他属于中华人民共和国海洋资源管辖海域的石油资源，都属于中华人共和国国家所有。

在前款海域内，为开采石油而设置的建筑物、构筑物、作业船舶，以及相应的陆岸油(气)集输终端和基地，都受中华人民共和国管辖。

第三条 中国政府依法保护参与合作开采海洋石油资源的外国企业的投资、应得利润和其他合法权益，依法保护外国企业的合作开采活动。

在本条例范围内，合作开采海洋石油资源的一切活动，都应当遵守中华人民共和国的法律、法令和国家的有关规定；参与实施石油作业的企业和个人，都应当受中国法律的约束，接受中国政府有关主管部门的检查、监督。

第四条 国家对参加合作开采海洋石油资源的外国企业的投资和收益不实行征收。在特殊情况下，根据社会公共利益的需要，可以对外国企业在合作开采中应得石油的一部分或者全部，依照法律程序实行征收，并给予相应的补偿。

第五条 国务院指定的部门依据国家确定的合作海区、面积，决定合作方式，划分合作区块；依据国家长期经济计划制定同外国企业合作开采海洋石油资源的规划；制定对外合作开采海洋石油资源的业务政策和审批海上油(气)田的总体开发方案。

第六条 中华人民共和国对外合作开采海洋石油资源的业务，由中国海洋石油总公司全面负责。中国海洋石油总公司是具有法人资格的国家公司，享有在对外合作海区内进行石油勘探、开发、生产和销售的专营权。

中国海洋石油总公司根据工作需要，可以设立地区公司、专业公司、驻外代表机构，执行总公司交付的任务。

第七条 中国海洋石油总公司就对外合作开采石油的海区、面积、区块，通过组织招标，采取签订石油合同方式，同外国企业合作开采石油资源。

前款石油合同，经中华人民共和国对外贸易经济合作部批准，即为有效。

中国海洋石油总公司采取其他方式运用外国企业的技术和资金合作开采石油资源所签订的文件，也应当经中华人民共和国对外贸易经济合作部批准。

第二章 石油合同各方的权利和义务

第八条 中国海洋石油总公司通过订立石油合同同外国企业合作开采海洋石油资源，除法律、行政法规另有规定或者石油合同另有约定外，应当由石油合同中的外国企业一方(以下称外国合同者)投资进行勘探，负责勘探作业，并承担全部勘探风险；发现商业性油(气)田后，由外国合同者同中国海洋石油总公司双方投资合作开发，外国合同者并应负责开发作业和生产作业，直至中国海洋石油总公司按照石油合同规定在条件具备的情况下接替生产作业。外国合同者可以按照石油合同规定，从生产的石油中回收其投资和费用，并取得报酬。

第九条 外国合同者可以将其应得的石油和购买的石油运往国外，也可以依法将其回收的投资、利润和其他正当收益汇往国外。

第十条 参与合作开采海洋石油资源的中国企业、外国企业，都应当依法纳税，缴纳矿区使用费。

前款企业的雇员，都应当依法缴纳个人所得税。

第十一条 为执行石油合同所进口的设备和

材料，按照国家规定给予减税、免税，或者给予税收方面的其他优惠。

第十二条 外国合同者开立外汇账户和办理其他外汇事宜，应当遵守《中华人民共和国外汇管理条例》和国家有关外汇管理的其他规定。

第十三条 石油合同者可以约定石油作业所需的人员，作业者可以优先录用中国公民。

第十四条 外国合同者在执行石油合同从事开发、生产作业过程中，必须及时地、准确地向中国海洋石油总公司报告石油作业情况；完整地、准确地取得各项石油作业的数据、记录、样品、凭证和其他原始资料，并定期向中国海洋石油总公司提交必要的资料和样品以及技术、经济、财会、行政方面的各种报告。

第十五条 外国合同者为执行石油合同从事开发、生产作业，应当在中华人民共和国境内设立分支机构或者代表机构，并依法履行登记手续。

前款机构的住所地应当同中国海洋石油总公司共同商量确定。

第十六条 本条例第三条、第九条、第十条、第十一条、第十五条的规定，对向石油作业提供服务的外国承包者，类推适用。

第三章 石油作业

第十七条 作业者必须根据本条例和国家有关开采石油资源的规定，参照国际惯例，制定油(气)田总体开发方案和实施生产作业，以达到尽可能高的石油采收率。

第十八条 外国合同者为执行石油合同从事开发、生产作业，应当使用中华人民共和国境内现有的基地；如需设立新基地，必须位于中华人民共和国境内。

前款新基地的具体地点，以及在特殊情况下需要采取的其他措施，都必须经中国海洋石油总公司书面同意。

第十九条 中国海洋石油总公司有权派人参加外国作业者为执行石油合同而进行的总体设计和工程设计。

第二十条 外国合同者为执行石油合同，除租用第三方的设备外，按计划和预算所购置和建造的全部资产，当外国合同者的投资按照规定得到补偿后，其所有权属于中国海洋石油总公司，在合同期内，外国合同者仍然可以依据合同的规定使用这些资产。

第二十一条 为执行石油合同所取得的各项石油作业的数据、记录、样品、凭证和其他原始资料，其所有权属于中国海洋石油总公司。

前款数据、记录、样品、凭证和其他原始资料的使用和转让、赠与、交换、出售、公开发表以及运出、传送出中华人民共和国，都必须按照国家有关规定执行。

第二十二条 作业者和承包者在实施石油作业中，应当遵守中华人民共和国有关环境保护和安全方面的法律规定，并参照国际惯例进行作业，保护渔业资源和其他自然资源，防止大气、海洋、河流、湖泊和陆地等环境的污染和损害。

第二十三条 石油合同区产出的石油，应当在中华人民共和国登陆，也可以在海上油(气)外输计量点运出。如需在中华人民共和国以外的地点登陆，必须经国务院指定的部门批准。

第四章 附 则

第二十四条 在合作开采海洋石油资源活动中，外国企业和中国企业间发生的争执，应当通过友好协商解决。通过协商不能解决的，由中华人民共和国仲裁机构进行调解、仲裁，也可以由合同双方协议在其他仲裁机构仲裁。

第二十五 条作业者、承包者违反本条例规定实施石油作业的，由国务院指定的部门依据职权责令限期改正，给予警告；在限期内不改正的，可以责令其停止实施石油作业。由此造成的一切经济损失，由责任方承担。

第二十六条 本条例所用的术语，其定义如下：

1.“石油”是指蕴藏在地下的、正在采出的和已经采出的原油和天然气。

2.“开采”是泛指石油的勘探、开发、生产和销售及其有关活动。

3.“石油合同”是指中国海洋石油总公司同外国企业为合作开采中华人民共和国海洋石油资源，依法订立的包括石油勘探、开发和生产的合同。

4.“合同区”是指在石油合同中为合作开采石油资源以地理坐标圈定的海域面积。

5.“石油作业”是指为执行石油合同而进行的勘探、开发和生产作业及其有关的活动。

6.“勘探作业”是指用地质、地球物理、地球化学和包括钻探井等各种方法寻找储藏石油的圈闭所做的全部工作，以及在已发现石油的圈闭上为确定它有无商业价值所做的钻评价井、可行性研究和编制油(气)田的总体开发方案等全部工作。

7.“开发作业”是指从国务院指定的部门批准油(气)田的总体开发方案之日起，为实现石油生产所进行的设计、建造、安装、钻井工程等及其相应的研究工作，并包括商业性生产开始之前的生产活动。

8.“生产作业”是指一个油(气)田从开始商业性生产之日起，为生产石油所进行的全部作业以及与其有关的活动，诸如采出、注入、增产、处理、贮运和提取等作业。

9.“外国合同者”是指同中国海洋石油总公司签订石油合同的外国企业。外国企业可以是公司，也可以是公司集团。

10.“作业者”是指按照石油合同的规定负责实施作业的实体。

11.“承包者”是指向作业者提供服务的实体。

第二十七条 本条例自公布之日起施行。

中华人民共和国国际海运条例

（2001年12月5日国务院第49次常务会议通过，2002年1月1日施行）

第一章 总 则

第一条 为了规范国际海上运输活动，保护公平竞争，维护国际海上运输市场秩序，保障国际海上运输各方当事人的合法权益，制定本条例。

第二条 本条例适用于进出中华人民共和国港口的国际海上运输经营活动以及与国际海上运输相关的辅助性经营活动。

前款所称与国际海上运输相关的辅助性经营活动，包括本条例分别规定的国际船舶代理、国际船舶管理、国际海运货物装卸、国际海运货物仓储、国际海运集装箱站和堆场等业务。

第三条 从事国际海上运输经营活动以及与国际海上运输相关的辅助性经营活动，应当遵循诚实信用的原则，依法经营，公平竞争。

第四条 国务院交通主管部门和有关的地方人民政府交通主管部门依照本条例规定，对国际海上运输经营活动实施监督管理，并对与国际海上运输相关的辅助性经营活动实施有关的监督管理。

第二章 国际海上运输及其辅助性业务的经营者

第五条 经营国际船舶运输业务，应当具备下列条件：

（一）有与经营国际海上运输业务相适应的船舶，其中必须有中国籍船舶；

（二）投入运营的船舶符合国家规定的海上交通安全技术标准；

（三）有提单、客票或者多式联运单证；

（四）有具备国务院交通主管部门规定的从业资格的高级业务管理人员。

第六条 经营国际船舶运输业务，应当向国务院交通主管部门提出申请，并附送符合本条例第五条规定条件的相关材料。国务院交通主管部门应当自受理申请之日起30日内审核完毕，作出许可或者不予许可的决定。予以许可的，向申请人颁发《国际船舶运输经营许可证》；不予许可的，应当书面通知申请人并告知理由。

国务院交通主管部门审核国际船舶运输业务申请时，应当考虑国家关于国际海上运输业发展的政策和国际海上运输市场竞争状况。

申请经营国际船舶运输业务，并同时申请经营国际班轮运输业务的，还应当附送本条例第十七条规定的相关材料，由国务院交通主管部门一并审核、登记。

第七条 经营无船承运业务，应当向国务院交通主管部门办理提单登记，并交纳保证金。

前款所称无船承运业务，是指无船承运业务经营者以承运人身份接受托运人的货载，签发自己的提单或者其他运输单证，向托运人收取运费，通过国际船舶运输经营者完成国际海上货物运输，承担承运人责任的国际海上运输经营活动。

在中国境内经营无船承运业务，应当在中国境内依法设立企业法人。

第八条　无船承运业务经营者应当在向国务院交通主管部门提出办理提单登记申请的同时，附送证明已经按照本条例的规定交纳保证金的相关材料。

前款保证金金额为80万元人民币；每设立一个分支机构，增加保证金20万元人民币。保证金应当向中国境内的银行开立专门账户交存。

保证金用于无船承运业务经营者清偿因其不履行承运人义务或者履行义务不当所产生的债务以及支付罚款。保证金及其利息，归无船承运业务经营者所有。专门账户由国务院交通主管部门实施监督。

国务院交通主管部门应当自收到无船承运业务经营者提单登记申请并交纳保证金的相关材料之日起15日内审核完毕。申请材料真实、齐备的，予以登记，并通知申请人；申请材料不真实或者不齐备的，不予登记，书面通知申请人并告知理由。已经办理提单登记的无船承运业务经营者，由国务院交通主管部门予以公布。

第九条　经营国际船舶代理业务，应当具备下列条件：

（一）高级业务管理人员中至少２人具有３年以上从事国际海上运输经营活动的经历；

（二）有固定的营业场所和必要的营业设施。

第十条　经营国际船舶代理业务，应当向国务院交通主管部门提出申请，并附送符合本条例第九条规定条件的相关材料。国务院交通主管部门应当自收到申请之日起１５日内审核完毕。申请材料真实、齐备的，予以登记，并通知申请人；申请材料不真实或者不齐备的，不予登记，书面通知申请人并告知理由。

第十一条　经营国际船舶管理业务，应当具备下列条件：

（一）高级业务管理人员中至少２人具有３年以上从事国际海上运输经营活动的经历；

（二）有持有与所管理船舶种类和航区相适应的船长、轮机长适任证书的人员；

（三）有与国际船舶管理业务相适应的设备、设施。

第十二条　经营国际船舶管理业务，应当向拟经营业务所在地的省、自治区、直辖市人民政府交通主管部门提出申请，并附送符合本条例第十一条规定条件的相关材料。省、自治区、直辖市人民政府交通主管部门应当自收到申请之日起15日内审核完毕。申请材料真实、齐备的，予以登记，并通知申请人；申请材料不真实或者不齐备的，不予登记，书面通知申请人并告知理由。

第十三条　国际船舶运输经营者、无船承运业务经营者、国际船舶代理经营者和国际船舶管理经营者经依照本条例许可、登记后，应当持有关证明文件，依法向企业登记机关办理企业登记手续。

第十四条　国际船舶运输经营者、无船承运业务经营者、国际船舶代理经营者和国际船舶管理经营者，不得将依法取得的经营资格提供给他人使用。

第十五条　国际船舶运输经营者、无船承运业务经营者、国际船舶代理经营者和国际船舶管理经营者依照本条例的规定取得相应的经营资格后，不再具备本条例规定的条件的，国务院交通主管部门或者省、自治区、直辖市人民政府交通主管部门应当立即取消其经营资格。

第三章　国际海上运输及其辅助性业务经营活动

第十六条　国际船舶运输经营者经营进出中国港口的国际班轮运输业务，应当依照本条例的规定取得国际班轮运输经营资格。

未取得国际班轮运输经营资格的，不得从事国际班轮运输经营活动，不得对外公布班期、接受订舱。

以共同派船、舱位互换、联合经营等方式经营国际班轮运输的，适用本条第一款的规定。

第十七条　经营国际班轮运输业务，应当向国务院交通主管部门提出申请，并附送下列材料：

（一）国际船舶运输经营者的名称、注册地、营业执照副本、主要出资人；

（二）经营者的主要管理人员的姓名及其身

份证明；

（三）运营船舶资料；

（四）拟开航的航线、班期及沿途停泊港口；

（五）运价本；

（六）提单、客票或者多式联运单证。

国务院交通主管部门应当自收到经营国际班轮运输业务申请之日起３０日内审核完毕。申请材料真实、齐备的，予以登记，并通知申请人；申请材料不真实或者不齐备的，不予登记，书面通知申请人并告知理由。

第十八条 取得国际班轮运输经营资格的国际船舶运输经营者，应当自取得资格之日起180日内开航；因不可抗力并经国务院交通主管部门同意，可以延期90日。逾期未开航的，国际班轮运输经营资格自期满之日起丧失。

第十九条 新开、停开国际班轮运输航线，或者变更国际班轮运输船舶、班期的，应当提前15日予以公告，并应当自行为发生之日起15日内向国务院交通主管部门备案。

第二十条 经营国际班轮运输业务的国际船舶运输经营者的运价和无船承运业务经营者的运价，应当按照规定格式向国务院交通主管部门备案。国务院交通主管部门应当指定专门机构受理运价备案。

备案的运价包括公布运价和协议运价。公布运价，是指国际船舶运输经营者和无船承运业务经营者运价本上载明的运价；协议运价，是指国际船舶运输经营者与货主、无船承运业务经营者约定的运价。

公布运价自国务院交通主管部门受理备案之日起满30日生效；协议运价自国务院交通主管部门受理备案之时起满24小时生效。

国际船舶运输经营者和无船承运业务经营者应当执行生效的备案运价。

第二十一条 国际船舶运输经营者在与无船承运业务经营者订立协议运价时，应当确认无船承运业务经营者已依照本条例规定办理提单登记并交纳保证金。

第二十二条 从事国际班轮运输的国际船舶运输经营者之间订立涉及中国港口的班轮公会协议、运营协议、运价协议等，应当自协议订立之日起15日内将协议副本向国务院交通主管部门备案。

第二十三条 国际船舶运输经营者有下列情形之一的，应当在情形发生之日起１５日内，向国务院交通主管部门备案：

（一）终止经营；

（二）减少运营船舶；

（三）变更提单、客票或者多式联运单证；

（四）在境外设立分支机构或者子公司经营国际船舶运输业务；

（五）拥有的船舶在境外注册，悬挂外国旗。

国际船舶运输经营者增加运营船舶的，增加的运营船舶必须符合国家规定的安全技术标准，并应当于投入运营前１５日内向国务院交通主管部门备案。国务院交通主管部门应当自收到备案材料之日起３日内出具备案证明文件。

其他中国企业有本条第一款第（四）项、第（五）项所列情形之一的，应当依照本条第一款规定办理备案手续。

第二十四条 国际船舶运输经营者之间的兼并、收购，其兼并、收购协议应当报国务院交通主管部门审核同意。

国务院交通主管部门应当自收到国际船舶运输经营者报送的兼并、收购协议之日起60日内，根据国家关于国际海上运输业发展的政策和国际海上运输市场竞争状况进行审核，作出同意或者不同意的决定，并书面通知有关国际船舶运输经营者。

第二十五条 经营国际船舶运输业务、无船承运业务和国际船舶代理业务，在中国境内收取、代为收取运费以及其他相关费用，应当向付款人出具中国税务机关统一印制的发票。

第二十六条 未依照本条例的规定办理提单登记并交纳保证金的，不得经营无船承运业务。

第二十七条 经营国际船舶运输业务和无船承运业务，不得有下列行为：

（一）以低于正常、合理水平的运价提供服务，妨碍公平竞争；

（二）在会计账簿之外暗中给予托运人回扣，承揽货物；

（三）滥用优势地位，以歧视性价格或者其他限制性条件给交易对方造成损害；

（四）其他损害交易对方或者国际海上运输市场秩序的行为。

第二十八条 外国国际船舶运输经营者从事本章规定的有关国际船舶运输活动，应当遵守本条例有关规定。

外国国际船舶运输经营者不得经营中国港口之间的船舶运输业务，也不得利用租用的中国籍船舶或者舱位，或者以互换舱位等方式变相经营中国港口之间的船舶运输业务。

第二十九条 国际船舶代理经营者接受船舶所有人或者船舶承租人、船舶经营人的委托，可以经营下列业务：

（一）办理船舶进出港口手续，联系安排引航、靠泊和装卸；

（二）代签提单、运输合同，代办接受订舱业务；

（三）办理船舶、集装箱以及货物的报关手续；

（四）承揽货物、组织货载，办理货物、集装箱的托运和中转；

（五）代收运费，代办结算；

（六）组织客源，办理有关海上旅客运输业务；

（七）其他相关业务。

国际船舶代理经营者应当按照国家有关规定代扣代缴其所代理的外国国际船舶运输经营者的税款。

第三十条 国际船舶管理经营者接受船舶所有人或者船舶承租人、船舶经营人的委托，可以经营下列业务：

（一）船舶买卖、租赁以及其他船舶资产管理；

（二）机务、海务和安排维修；

（三）船员招聘、训练和配备；

（四）保证船舶技术状况和正常航行的其他服务。

第四章 外商投资经营国际海上运输及其辅助性业务的特别规定

第三十一条 外商在中国境内投资经营国际海上运输业务以及与国际海上运输相关的辅助性业务，适用本章规定；本章没有规定的，适用本条例其他有关规定。

第三十二条 经国务院交通主管部门批准，外商可以依照有关法律、行政法规以及国家其他有关规定，投资设立中外合资经营企业或者中外合作经营企业，经营国际船舶运输、国际船舶代理、国际船舶管理、国际海运货物装卸、国际海运货物仓储、国际海运集装箱站和堆场业务；并可以投资设立外资企业经营国际海运货物仓储业务。

经营国际船舶运输、国际船舶代理业务的中外合资经营企业，企业中外商的出资比例不得超过49%。

经营国际船舶运输、国际船舶代理业务的中外合作经营企业，企业中外商的投资比例比照适用前款规定。

中外合资国际船舶运输企业和中外合作国际船舶运输企业的董事会主席和总经理，由中外合资、合作双方协商后由中方指定。

第三十三条 经国务院交通主管部门批准，外商可以依照有关法律、行政法规以及国家其他有关规定投资设立中外合资经营企业、中外合作经营企业、外资企业，为其拥有或者经营的船舶提供承揽货物、代签提单、代结运费、代签服务合同等日常业务服务；未在中国境内投资设立中外合资经营企业、中外合作经营企业、外资企业的，上述业务必须委托中国的国际船舶代理经营者办理。

第三十四条 外国国际船舶运输经营者以及外国国际海运辅助企业，经国务院交通主管部门批准，可以依法在中国境内设立常驻代表机构。

外国国际船舶运输经营者以及外国国际海运辅助企业在中国境内设立的常驻代表机构，不得从事经营活动。

第五章 调查与处理

第三十五条 国务院交通主管部门应利害关系人的请求或者自行决定，可以对下列情形实施调查：

（一）经营国际班轮运输业务的国际船舶运输经营者之间订立的涉及中国港口的班轮公会协议、运营协议、运价协议等，可能对公平竞争造成损害的；

（二）经营国际班轮运输业务的国际船舶运输经营者通过协议产生的各类联营体，其服务涉及中国港口某一航线的承运份额，持续1年超过该航线总运量的30%，并可能对公平竞争造成损害的；

（三）有本条例第二十七条规定的行为之一的；

（四）可能损害国际海运市场公平竞争的其他行为。

第三十六条 国务院交通主管部门实施调查，应当会同国务院工商行政管理部门和价格部门（以下统称调查机关）共同进行。

第三十七条 调查机关实施调查，应当成立调查组。调查组成员不少于3人。调查组可以根据需要，聘请有关专家参加工作。

调查组进行调查前，应当将调查目的、调查原因、调查期限等事项通知被调查人。调查期限不得超过1年；必要时，经调查机关批准，可以延长半年。

第三十八条 调查人员进行调查，可以向被调查人以及与其有业务往来的单位和个人了解有关情况，并可查阅、复制有关单证、协议、合同文本、会计账簿、业务函电、电子数据等有关资料。

调查人员进行调查，应当保守被调查人以及与其有业务往来的单位和个人的商业秘密。

第三十九条 被调查人应当接受调查，如实提供有关情况和资料，不得拒绝调查或者隐匿真实情况、谎报情况。

第四十条 调查结束，调查机关应当作出调查结论，书面通知被调查人、利害关系人。

对公平竞争造成损害的，调查机关可以采取责令修改有关协议、限制班轮航班数量、中止运价本或者暂停受理运价备案、责令定期报送有关资料等禁止性、限制性措施。

第四十一条 调查机关在作出采取禁止性、限制性措施的决定前，应当告知当事人有要求举行听证的权利；当事人要求听证的，应当举行听证。

第六章 法律责任

第四十二条 未取得《国际船舶运输经营许可证》，擅自经营国际船舶运输业务的，由国务院交通主管部门或者其授权的地方人民政府交通主管部门责令停止经营；有违法所得的，没收违法所得；违法所得50万元以上的，处违法所得2倍以上5倍以下的罚款；没有违法所得或者违法所得不足50万元的，处20万元以上100万元以下的罚款。

第四十三条 未办理提单登记、交纳保证金，擅自经营无船承运业务的，由国务院交通主管部门或者其授权的地方人民政府交通主管部门责令停止经营；有违法所得的，没收违法所得；违法所得10万元以上的，处违法所得2倍以上5倍以下的罚款；没有违法所得或者违法所得不足10万元的，处5万元以上20万元以下的罚款。

第四十四条 未办理登记手续，擅自经营国际船舶代理业务或者国际船舶管理业务的，由国务院交通主管部门或者其授权的地方人民政府交通主管部门责令停止经营；有违法所得的，没收违法所得；违法所得5万元以上的，处违法所得2倍以上5倍以下的罚款；没有违法所得或者违法所得不足5万元的，处2万元以上10万元以下的罚款。

第四十五条 外国国际船舶运输经营者经营中国港口之间的船舶运输业务，或者利用租用的中国籍船舶和舱位以及用互换舱位等方式经营中国港口之间的船舶运输业务的，由国务院交通主管部门或者其授权的地方人民政府交通主管部门责令停止经营；有违法所得的，没收违法所得；违法所得50万元以上的，处违法所得2倍以上5倍以下的罚款；没有违法所得或者违法所得不足50万元的，处20万元以上100万元以下的罚款。拒不停止经营的，拒绝进港；情节严重的，撤销其国际班轮运输经营资格。

第四十六条 未取得国际班轮运输经营资格，擅自经营国际班轮运输的，由国务院交通主管部门或者其授权的地方人民政府交通主管部门责令停止经营；有违法所得的，没收违法所得；违法所得50万元以上的，处违法所得2倍以上5倍以下的罚款；没有违法所得或者违法所得不足50万元的，处20万元以上100万元以下的罚款。拒不停止经营的，拒绝进港。

第四十七条 国际船舶运输经营者、无船承运业务经营者、国际船舶代理经营者和国际船舶管理经营者将其依法取得的经营资格提供给他人使用的，由国务院交通主管部门或者其授权的地方人民政府交通主管部门责令限期改正；逾期不改正的，撤销其经营资格。

第四十八条 未履行本条例规定的备案手续的，由国务院交通主管部门或者其授权的地方人民政府交通主管部门责令限期补办备案手续；逾期不补办的，处1万元以上5万元以下的罚款，并可以撤销其相应资格。

第四十九条 未履行本条例规定的运价备案手续或者未执行备案运价的，由国务院交通主管部门或者其授权的地方人民政府交通主管部门责令限期改正，并处2万元以上10万元以下的罚款。

第五十条 依据调查结论应当给予行政处罚或者有本条例第二十七条所列违法情形的，由交通主管部门、价格主管部门或者工商行政管理部门依照有关法律、行政法规的规定给予处罚。

第五十一条 国际船舶运输经营者与未办理提单登记并交纳保证金的无船承运业务经营者订立协议运价的，由国务院交通主管部门或者其授权的地方人民政府交通主管部门给予警告，并处2万元以上10万元以下的罚款。

第五十二条 未经国务院交通主管部门批准，外国国际船舶运输经营者以及外国国际海运辅助企业擅自设立常驻代表机构的，由国务院交通主管部门或者其授权的地方人民政府交通主管部门责令限期改正，并处2万元以上10万元以下的罚款。

外国国际船舶运输经营者以及外国国际海运辅助企业常驻代表机构从事经营活动的，由工商行政管理部门责令停止经营活动，并依法给予处罚。

第五十三条 拒绝调查机关及其工作人员依法实施调查，或者隐匿、谎报有关情况和资料的，由国务院交通主管部门或者其授权的地方人民政府交通主管部门责令改正，并处2万元以上10万元以下的罚款。

第五十四条 非法从事进出中国港口的国际海上运输经营活动以及与国际海上运输相关的辅助性经营活动，扰乱国际海上运输市场秩序的，依照刑法关于非法经营罪的规定，依法追究刑事责任。

第五十五条 国务院交通主管部门和有关地方人民政府交通主管部门的工作人员有下列情形之一，造成严重后果，触犯刑律的，依照刑法关于滥用职权罪、玩忽职守罪或者其他罪的规定，依法追究刑事责任；尚不够刑事处罚的，依法给予行政处分：

（一）对符合本条例规定条件的申请者不予审批、许可、登记、备案，或者对不符合本条例规定条件的申请者予以审批、许可、登记、备案的；

（二）对经过审批、许可、登记、备案的国际船舶运输经营者、无船承运业务经营者、国际船舶代理经营者和国际船舶管理经营者不依照本条例的规定实施监督管理，或者发现其不再具备本条例规定的条件而不撤销其相应的经营资格，或者发现其违法行为后不予以查处的；

（三）对监督检查中发现的未依法履行审批、许可、登记、备案的单位和个人擅自从事国际海上运输经营活动以及与国际海上运输相关的辅助性经营活动，不立即予以取缔，或者接到举报后不依法予以处理的。

第七章 附 则

第五十六条 香港特别行政区、澳门特别行政区和台湾地区的投资者在内地投资经营国际海上运输业务以及与国际海上运输相关的辅助性业务，比照适用本条例。

第五十七条 外国国际船舶运输经营者未经国务院交通主管部门批准，不得经营中国内地与香港特别行政区、澳门特别行政区之间的船舶运输业务，不得经营中国内地与台湾地区之间的双向直航和经第三地的船舶运输业务。

第五十八条 内地与香港特别行政区、澳门特别行政区之间的海上运输，由国务院交通主管部门依照本条例制定管理办法。

内地与台湾地区之间的海上运输，依照国家有关规定执行。

第五十九条 任何国家或者地区对中华人民共和国国际海上运输经营者、船舶或者船员采取歧视性的禁止、限制或者其他类似措施的，中华人民共和国政府根据对等原则采取相应措施。

第六十条 本条例施行前已从事国际海上运输经营活动以及与国际海上运输相关的辅助性经营活动的，应当在本条例施行之日起60日内按照本条例的规定补办有关手续。

第六十一条 本条例自2002年1月1日起施行。1990年12月5日国务院发布、1998年4月18日国务院修订发布的《中华人民共和国海上国际集装箱运输管理规定》同时废止。

中华人民共和国政府和大韩民国政府渔业协定

（2000年8月3日签署，2001年6月30日生效）

中华人民共和国政府和大韩民国政府，根据一九八二年十二月十日《联合国海洋法公约》的有关规定，为养护和合理利用共同关心的海洋生物资源，维护海上正常作业秩序，加强和发展渔业领域的相互合作，经友好协商，达成协议如下：

第一条 本协定的适用水域（以下称“协定水域”）为中华人民共和国的专属经济区和大韩民国的专属经济区。

第二条 一、缔约各方按照本协定和本国有关法律、法规的规定，准许缔约另一方的国民及渔船在本国专属经济区从事渔业活动。

二、缔约各方授权机关根据本协定附件一及本国有关法律、法规的规定向缔约另一方国民及渔船发放入渔许可证。

第三条 一、缔约各方每年决定缔约另一方国民及渔船在本国专属经济区的可捕鱼种、渔获配额、作业时间、作业区域及其他作业条件，并通报缔约另一方。

二、缔约各方决定第一款所规定事项时应考虑到本国专属经济区的海洋生物资源状况、本国捕捞能力、传统渔业活动、相互入渔状况及其他相关因素，并应尊重根据第十三条的规定设立的中韩渔业联合委员会的协商结果。

第四条 一、缔约一方的国民及渔船进入缔约另一方专属经济区从事渔业活动，应遵守本协定及缔约另一方有关法律、法规的规定。

二、缔约各方应采取必要措施，确保本国国民及渔船在缔约另一方专属经济区从事渔业活动时，遵守缔约另一方有关法律、法规所规定的海洋生物资源的养护措施及其他条件和本协定的规定。

三、缔约各方应及时向缔约另一方通报本国有关法律、法规所规定的海洋生物资源的养护措施及其他条件。

第五条 一、缔约各方为确保缔约另一方的国民及渔船遵守本国有关法律、法规所规定的海洋生物资源的养护措施及其他条件，可根据国际法在本国专属经济区采取必要措施。

二、被扣留或逮捕的渔船或船员，在提出适当的保证书或其它担保之后，应迅速获得释放。

三、缔约一方在扣留或逮捕缔约另一方的渔船或船员时，应通过适当途径，将所采取的行动及随后所施加的处罚，迅速通知缔约另一方。

第六条 第二条至第五条的规定适用于协定水域中除第七条、第八条和第九条所指水域以外的部分。

第七条 一、下列各点顺次用直线连接而围成的水域（以下称“暂定措施水域”）适用第二款及第三款的规定。

1. 北纬37度00分，东经123度40分之点（A1）
2. 北纬36度22分23秒，东经123度10分52秒之点（A2）
3. 北纬35度30分，东经122度11分54秒之点（A3）
4. 北纬35度30分，东经122度01分54秒之点（A4）
5. 北纬34度00分，东经122度01分54秒之点（A5）
6. 北纬34度00分，东经122度11分54秒之点（A6）
7. 北纬33度20分，东经122度41分之点（A7）
8. 北纬32度20分，东经123度45分之点（A8）
9. 北纬32度11分，东经123度49分30秒之点（A9）
10. 北纬32度11分，东经125度25分之点（A10）
11. 北纬33度20分，东经124度08分之点（A11）
12. 北纬34度00分，东经124度00分30秒之点（A12）
13. 北纬35度00分，东经124度07分30秒之点（A13）
14. 北纬35度30分，东经124度30分之点（A14）

15. 北纬36度45分，东经124度30分之点（A15）

16. 北纬37度00分，东经124度20分之点（A16）

17. 北纬37度00分，东经123度40分之点（A17）

二、缔约双方为养护和合理利用海洋生物资源，应按照根据第十三条的规定设立的中韩渔业联合委员会的决定，在暂定措施水域采取共同的养护措施和量的管理措施。

三、缔约各方在暂定措施水域对从事渔业活动的本国国民及渔船采取管理和其他必要措施，不对缔约另一方国民及渔船采取管理和其他措施。缔约一方发现缔约另一方国民及渔船违反中韩渔业联合委员会的决定时，可就事实提醒该国民及渔船注意，并将事实及有关情况通报缔约另一方。缔约另一方应尊重对方的通报，并在采取必要措施后，将结果通报对方。

第八条 一、自本协定生效之日起四年内，下列（一）及（二）各点顺次用直线连接而围成的水域（以下称"过渡水域"）适用第二款至第四款的规定。

（一）中方一侧过渡水域坐标

1. 北纬35度30分，东经121度55分之点（C1）
2. 北纬35度00分，东经121度30分之点（C2）
3. 北纬34度00分，东经121度30分之点（C3）
4. 北纬33度20分，东经122度00分之点（C4）
5. 北纬31度50分，东经123度00分之点（C5）
6. 北纬31度50分，东经124度00分之点（C6）
7. 北纬32度20分，东经123度45分之点（C7）
8. 北纬33度20分，东经122度41分之点（C8）
9. 北纬34度00分，东经122度11分54秒之点（C9）
10. 北纬34度00分，东经122度01分54秒之点（C10）
11. 北纬35度30分，东经122度01分54秒之点（C11）
12. 北纬35度30分，东经121度55分之点（C12）

（二）韩方一侧过渡水域坐标

1. 北纬35度30分，东经124度30分之点（K1）
2. 北纬35度00分，东经124度07分30秒之点（K2）
3. 北纬34度00分，东经124度00分30秒之点（K3）
4. 北纬33度20分，东经124度08分之点（K4）
5. 北纬32度11分，东经125度25分之点（K5）
6. 北纬32度11分，东经126度45分之点（K6）
7. 北纬32度40分，东经127度00分之点（K7）
8. 北纬32度24分30秒，东经126度17分之点（K8）
9. 北纬32度29分，东经125度57分30秒之点（K9）
10. 北纬33度20分，东经125度28分之点（K10）
11. 北纬34度00分，东经124度35分之点（K11）
12. 北纬34度25分，东经124度33分之点（K12）
13. 北纬35度30分，东经124度48分之点（K13）
14. 北纬35度30分，东经124度30分之点（K14）

二、为在过渡水域逐步实施专属经济区制度，缔约各方应采取适当措施，逐步调整并减少在缔约另一方一侧过渡水域作业的本国国民及渔船的渔业活动，以努力实现平衡。

三、缔约双方在过渡水域应采取与第七条第二款和第三款相同的养护和管理措施，还可采取联合监督检查措施，包括联合乘船、勒令停船、登临检查等。

四、缔约双方各自对在缔约另一方一侧过渡水域作业的本国渔船发放许可证，并相互交换渔船名册。

五、本协定生效之日起四年后，过渡水域适用第二条至第五条的规定。

第九条 缔约双方在第七条第一款规定的暂定措施水域北限线所处纬度线以北的部分水域及第七条第一款规定的暂定措施水域和第八条第一款规定的过渡水域以南的部分水域，维持现有渔业活动，不将本国有关渔业的法律、法规适用于缔约另一方的国民及渔船，除非缔约双方另有协议。

第十条 缔约各方为确保航行和作业安全，维护海上正常作业秩序并顺利及时处理海上事故，应对本国国民及渔船采取指导及其他必要措施。

第十一条 一、缔约一方的国民及渔船在缔约另一方沿岸遭遇海难或其他紧急事态时，缔约另一方应尽力予以救助和保护，同时迅速将有关情况通报对方的有关部门。

二、缔约一方的国民及渔船，由于天气恶劣或其他紧急事态需要避难时，可按本协定附件二的规定，与缔约另一方有关部门联系，到缔约另一方港口等处避难。该国民及渔船应遵守缔约另一方的有关法律、法规，并服从有关部门的指挥。

第十二条 缔约双方为开展养护和合理利用海洋生物资源的科学研究（包括交换必要资料），应加强合作。

第十三条 一、缔约双方为便于实施本协定，设立中韩渔业联合委员会（以下称“渔委会”）。渔委会由缔约双方各自任命的一名代表和若干名委员组成，必要时可设立专家组。

二、渔委会的任务如下：

（一）协商如下事项，并向缔约双方政府提出建议：

1．第三条规定的缔约另一方国民及渔船的可捕鱼种、渔获配额及其他具体作业条件的事项；

2．有关维持作业秩序的事项；

3．有关海洋生物资源状况和养护的事项；

4．有关两国间渔业合作的事项。

（二）根据需要，可就本协定附件的修改向缔约双方政府提出建议。

（三）协商和决定与第七条、第八条规定有关的事项。

（四）研究本协定的执行情况及其他有关本协定的事项。

三、渔委会的一切建议和决定须经双方代表一致同意。

四、缔约双方政府应尊重第二款第（一）项的建议，并按照第二款第（三）项的决定采取必要措施。

五、渔委会每年召开一次会议，在中华人民共和国和大韩民国轮流举行。根据需要，经缔约双方同意可召开临时会议。

第十四条 本协定各项规定不得认为有损缔约双方各自关于海洋法诸问题的立场。

第十五条 本协定的附件为本协定不可分割的组成部分。

第十六条 一、本协定经缔约双方履行各自国内法律程序后，自换文通知之日起生效。

二、本协定有效期为五年，之后有效至根据第三款的规定终止为止。

三、缔约任何一方在最初五年期满时或在其后，可提前一年以书面形式通知缔约另一方，随时终止本协定。

（附件略）

国家海洋局关于印发《海洋工作“十五”计划纲要》的通知

(2001年 4 月13日)

国海计财字[2001]109号

沿海省、自治区、直辖市及计划单列市海洋厅(局)，局属各单位，局机关各部门：

《海洋工作“十五”计划纲要》业经4月7日国家海洋局局务会议审议通过，现印发你们。

“十五”期间海洋工作的基本指导思想是：高举邓小平理论的伟大旗帜，认真贯彻党的十五届五中全会精神，按照国民经济和社会发展第十个五年计划纲要的总体要求，围绕推动海洋经济可持续发展的主题，以满足社会经济发展对海洋资源不断增长的需要为基本出发点，把开发海洋资源、维护海洋权益、强化海域管理、保证海洋安全、保护海洋环境作为主线，建立和完善海洋规划、海洋法律、海洋管理、海洋科技和公益服务体系，实现海洋工作全面、快速、协调发展，为建设海洋强国奠定初步基础。各地区、各单位要认真贯彻这一指导思想，站在全国海洋工作高度，从国家海洋事业发展大局出发，团结一致，开拓进取，为全面实现“十五”期间海洋工作发展目标而努力奋斗。

请局属各单位按照《海洋工作“十五”计划纲要》的总体要求，结合实际，编制和完善本单位“十五”计划，于6月30日前报局。

海洋工作“十五”计划纲要

一、“九五”期间我国海洋工作回顾（略）

二、“十五”期间我国海洋工作的指导思想和发展目标

（一）我国海洋工作面临的形势和机遇

有利于海洋事业发展的国际海洋形势正在形成。进入新世纪，国际海洋事务将呈现出三大特点：第一，海洋在全球政治、经济、军事格局中的战略地位日趋突出，争夺海洋资源、维护海洋权益、保证海洋安全的斗争会更加尖锐复杂。第二，人类开发利用海洋的能力不断提高，海洋经济特别是海洋高新技术产业将成为世界经济新的增长点。以科技革命为先导的海洋能源开发、海水综合利用、海洋生物产业等将实现重大突破，成为缓解全球能源、水资源和粮食紧缺问题的重要途径。第三，加强海洋管理、保护海洋环境、实现海洋的永续利用，将成为人类社会的自觉行动。在可持续发展战略的指导下，沿海国家将大力加强海洋法制建设、增加海洋领域的投资、发展海洋科学技术、强化海洋管理机构，以便对海洋实施有效的综合管理。新的国际形势对我国海洋事业的发展是挑战更是机遇。

有利于海洋事业发展的国内社会环境更加成熟优化。进入21世纪，我国各族人民将在以江泽民同志为核心的党中央领导下，继续推进现代化建设、完成祖国统一、维护世界和平与促进共同发展，开始实现中华民族伟大复兴的历史征程。党和国家将更加重视海洋事业，经济社会发展对海洋资源的需求将继续增长，社会各界也会以更大的热情支持海洋事业的发展。江泽民总书记在2001年初全国人口资源环境工作座谈会上强调要“加强海洋资源综合管理，完善海洋法律、规划和海洋管理体系，加快海域使用管理的法制化进程，强化海洋环境保护和海洋执法监察工作。”党的十五届五中全会文件把依法保护和开发海洋国土资源作为重要内容。面向新世纪的我国国民经济和社会发展第十个五年计划纲要中着力强调“加大海洋资源调查、开发、保护和管理力度，加强海洋利用技术的研究开发，发展海洋产业，加强海域利用和管理，维护国家海洋权益。”“加强近岸海域水质保护，研究预防、控制和治理赤潮，抓好渤海环境综合整治和管理。”认真贯彻党和国家上述文件精神，新世纪我国海洋事业一定能够取得更大的进步和成就。

（二）“十五”期间海洋工作的指导思想及基本思路

“十五”期间海洋工作的基本指导思想是：高举邓小平理论的伟大旗帜，认真贯彻党的十五届五中全会精神，按照国民经济和社会发展第十个五年计划纲要的总体要求，围绕推动海洋经济可持续发展的主题，以满足社会经济发展对海洋资源不断增长的需要为基本出发点，把开发海洋资源、维护海洋权益、强化海域管理、保证海洋安全、保护海洋环境作为主线，建立和完善海洋规划、海洋法律、海洋管理、海洋科技和公益服务体系，实现海洋工作全面、快速、协调发展，为建设海洋强国奠定初步基础。基本工作思路是：

1．坚持从战略高度上认识海洋，为建设海洋强国做好理论研究和规划研究工作。海洋在政治、经济、军事和全球环境方面具有重要战略意义，现代世界强国都从战略全局上关注海洋。在我国运筹和实施海洋强国战略与西部大开发战略将共同成为推动中华民族实现伟大复兴的战略性两翼。江泽民总书记要求我们从新时代的战略高度关注海洋，从“蓝色国土”、振兴经济、战略资源基地、国家安全、世界安全的角度，考虑海洋的战略问题，把建设海洋强国作为一项重要的历史任务。我们应抓紧运筹建设海洋强国战略，全面推动海洋事业发展，为建设现代化海洋强国打下坚实的基础。

2．坚持以经济建设为中心，持续快速发展海洋经济。发展是硬道理，经济建设是中心工作。海洋工作必须围绕经济建设这个中心，保证海洋

经济持续快速发展，成为国民经济新的增长点，为经济发展作出更大贡献。因此，我们要积极开展海洋环境调查，海洋资源勘探，合理开发海洋资源，大力发展海洋产业，保护海洋生态环境，为国民经济建设、国防建设及沿海地区经济社会健康、持续发展服务。

3. 坚持以海洋行政管理工作为主体，协调发展海洋调查研究和公益服务，实现海洋事业的全面持续发展。强化海洋行政管理和业务管理工作，包括海域使用、海洋开发利用、海洋环境保护、海洋监察执法、海洋科技调查、海洋公益服务、大洋和极地考察、海洋权益和涉外海洋事务管理，不断提高综合管理能力和水平；深化海洋环境调查和海洋科学研究，发展海洋高技术，促进海洋技术产业化；加强海洋预报、海洋信息、海洋监测系统建设，不断提高海洋公益事业服务水平。

（三）“十五”期间海洋工作的主要发展目标

——海洋经济保持持续快速发展。力争海洋资源勘探取得重大进展，海洋资源开发利用更趋合理，推动海洋经济持续快速发展，争取2005年全国海洋产业总产值比2000年翻一番。

——海洋规划、海洋立法、海洋管理体系基本形成。编制海洋经济发展(海洋开发)规划、海洋生态环境保护规划及重要专项规划，努力形成比较完善的规划体系；海洋法律制度得到完善，基本实现海洋行政管理、海洋环境和资源调查、海洋环境观测、海洋污染监测、海洋环境预报、海洋信息服务法制化，依法开展海洋行政管理和业务服务工作；国家和地方海洋行政管理机构建设得到加强，精干高效的管理队伍和运行机制基本形成；海上执法力量建设得到强化，政府与沿海民众广泛参与的海洋管理体制趋于成熟，实现海洋管理体制系统化。

——海洋行政管理工作取得重大突破。“十五”末期海域使用审批和有偿使用制度得到普遍落实，海域确权使用达到90％以上，基本实现海域使用管理的法制化和规范化；近岸海域生态环境恶化趋势得到遏制，外海水质继续保持良好状态，大面积赤潮灾害得到缓解；渤海环境综合整治取得明显成效；力争到“十五”末期使我国海洋灾害预报警报水平和防灾减灾能力有显著提高，进一步减少海洋灾害造成的经济损失；海洋战略和划界研究取得一批有使用价值的成果，海洋划界获得应有的管辖海域，国家海洋权益得到更有效的维护。

——海洋科技和公益服务水平进一步提高。海洋基础理论研究与创新进一步得到重视，海洋高技术和关键技术有较大发展，重大海洋基础调查工作取得阶段成果，为海洋主体工作服务的科技支撑系统基本形成；海洋预报、海洋信息和海洋计量系统能力建设得到加强，为海洋开发、海洋行政管理、其他海上活动提供预报、信息和计量服务的水平不断提高。

三、合理开发利用海洋资源，持续快速发展海洋经济

（一）加大海洋资源调查勘探力度，努力发现新的可开发资源，增加战略性资源储备。重点开展大陆架石油天然气资源、天然气水合物资源、国际海底资源、海洋生物资源、海洋旅游资源调查和勘探，为海洋产业持续发展提供基础资料和资源保证。

（二）以海洋功能区划为基础，优化海洋开发布局，充分合理利用海域，开发建设海洋经济区。以我国近海海域为重点，抓紧建设临海产业经济带，逐步形成覆盖我国管辖海域的不同类型的海洋经济区，包括临海经济带、海岸带综合经济带、海岛综合经济带、专属经济区水产经济带、大陆架油气资源产业带以及我国国家管辖海域以外的国际海底资源开发区。

（三）继续实施“科技兴海”战略，推动传统海洋产业技术创新，发展新兴海洋产业。稳定发展海洋渔业、海洋造船、海洋油气、海洋运输、海洋盐业、海洋旅游等海洋产业，加快推进海水综合利用、海洋化工、海洋药物、海洋环保、海水农业等海洋新兴产业的形成和发展，扩大海洋产业群，推动海洋经济的全面振兴和可持续发展。继续抓好国家“科技兴海”示范区和技术转移中心建设，鼓励有条件的地区适当建立地方的“科技兴海”示范区，调整海洋产业结构，提高科学技术对海洋经济发展的推动作用。

（四）积极发挥地区优势，调整海洋产业结构和区域布局。“十五”期间应根据海洋自然条件的优劣以及沿海地区经济社会发展状况，遵循市场经济规律，逐步调整不合理的区域布局和用海

项目，建设一批优势突出的专业化海洋产业带，形成一批具有区域优势产品特色的海洋开发基地，提高海洋开发的综合效益。

四、完善海洋规划和立法体系，实现海洋管理法制化

海洋规划和立法是进行海洋管理的重要手段。“十五”期间要本着全面部署、分步实施、重点突破的思路，充分调动各方面的积极性，逐步建设形成适应国家海洋事业发展的海洋规划和海洋立法体系。

（一）逐步建立起包括海洋综合发展规划、海洋生态环境保护和资源开发利用规划，以及重点领域专项工作规划等在内的规划体系。“十五”期间的重点是：1. 开展海洋强国战略研究，构筑新世纪国家海洋事业发展战略蓝图。2. 组织进行海洋资源开发利用战略研究，制定海洋经济发展规划。3. 制定海域使用规划，海洋环境保护规划，海洋生态建设规划以及海洋保护区发展规划。4. 制定一批适应新世纪海洋事业发展的专项规划，主要包括海洋科技创新规划、极地考察发展规划等，开始组织实施渤海综合整治规划。此外，积极鼓励各地制定本地区海洋事业发展和资源开发保护等规划。

（二）逐步建立和完善具有中国特色的海洋法规体系。“十五”期间的重点是：1. 推动《海域使用管理法》和《中华人民共和国涉外海洋科学研究管理法》法律类项目的出台。2. 修订《铺设海底电缆管道管理规定》和《海洋倾废管理条例》；制定海洋功能区划条例、海洋工程建设项目环境保护管理条例、海洋观测预报管理条例、海洋环境监测管理规定、海洋生态管理条例、外国非商业航行器在我国内海、领海通行管理条例和中华人民共和国国际海底区域采矿条例。3. 启动海岸带开发与管理条例和赤潮灾害防治条例等项目的立法研究工作；研究制定海域使用申请审批管理办法、海域使用项目实测管理规定、无居民海岛管理规定、领海基点管理办法、防止海岸侵蚀管理办法、海底电缆管道保护规定、海砂开采使用海域管理规定、对外提供和交换海洋资料管理办法、海洋环境资料管理规定、赤潮信息发布和资料管理办法、中华人民共和国涉外海洋科学研究管理规定实施细则和海洋执法监察工作规定等部门规章。4. 根据有关国际条约的要求，参考其他海洋国家的立法实践，逐步建立极地和大洋的国内法律制度，规范我国极地和大洋活动。5. 地方在贯彻执行国家有关海洋法规，加强海洋执法管理的同时，也应建立和完善地方性的海洋开发保护法规，形成国家与地方配套的海洋法规体系，促进海洋资源的依法保护和合理开发利用。

五、进一步加大力度强化海洋行政管理

“十五”期间要探索建立适应社会主义市场经济体制的海洋管理体制、现代化的海洋管理模式和方法，重点加强海域使用管理、海洋环境管理、维护国家海洋权益和海上监察执法管理，管好用好海洋。

（一）海域使用管理。认真贯彻实施海域使用管理法规，强化海域使用管理工作。完成大比例尺海洋功能区划，作好海域使用管理规划，建立海域使用管理信息系统，新建一批海域使用管理示范区，全面推行海域使用审批制度和海域有偿使用制度，逐步调整不合理的用海项目。在海域勘界试点工作的基础上，完成全国海域勘界工作。完善海洋工程勘察设计资质管理制度，引导建立海洋工程勘察设计的市场运行机制。继续加强海砂开采和海底电缆管道的管理工作，制定全国海岛和海岸带开发保护政策和管理措施，提高综合管理能力。

（二）海洋环境保护管理。全面贯彻落实新修订的《海洋环境保护法》，建立健全沿海地区海洋生态环境保护管理监测业务机构和协调运行机制，加强总量控制、污染防治和生态保护，减缓和遏制近岸重点海域环境污染和生态环境破坏日益严重的势头。启动渤海湾、辽东湾、大连湾、胶州湾、长江口、杭州湾、大亚湾和珠江口海域的入海污染物总量控制工程，强化海洋工程与海岸工程的环境管理。实行海洋石油勘探开发污染物排放总量控制，开展石油开发区定期监测与评价，建立海洋石油勘探开发溢油应急系统。建立海洋倾倒的新评价程序，实行海洋倾倒船舶的登记管理制度和海洋倾废区的定期监测制度，加强海洋倾倒管理。加强赤潮的控制和治理。强化海洋生态建设与海洋保护区管理，切实保护海洋生物多样性。“十五”期间开展一次全国性海洋生

态调查，建设10～15个海洋生态监测站，选划和建设10个海洋自然保护区、5～7个海洋特别保护区，建立一批生态保护示范工程。

（三）海洋权益维护管理。在建立和完善维护海洋权益的法律制度的基础上，积极开展海洋划界和其他海洋权益维护工作。深入调查划界海域资源环境要素，研究海洋划界法理问题，提出可供谈判决策参考的黄、东海划界方案，研究形成南海海域与周边国家划界、解决钓鱼岛问题以及个别争议海域的共同开发初步方案。完成大陆架外部界限划定工作。积极参与国际海底区域钴结壳等资源勘探开发规章的制定工作，拟定批准伦敦倾废公约1996年议定书的对策和方案，积极参与国际海洋科研法律制度的谈判，争取形成对我国有利的国际法律框架，加大涉外海洋科研调查活动的管理力度，并探索开展对随机船、自动观测系统的管理。

（四）海洋执法监察管理。努力完善海洋巡航执法业务体系，形成国家与地方相结合的中国海监队伍，进一步健全海洋监察执法制度，加强海洋监察执法能力建设，完成海监船和海监飞机建造一期工程并争取启动二期工程，建立海洋监察执法信息系统。全面监视近岸海域，加大对重点及热点海区海洋巡航监察执法力度，有计划地开展对大陆架和专属经济区的巡航监视，及时发现和处理各类违法活动及突发事件。

六、加强海洋调查与科学技术研究

以海洋开发利用和管理工作所面临的科技问题为重点，贯彻“有所为，有所不为”的原则，发展海洋基础科学和应用基础科学研究，建立海洋知识创新体系，增加海洋科技储备和发展后劲。研究开发海洋高技术和先进适用技术，促进科技成果产业化和业务化，为社会服务。

（一）海洋科学技术的组织与管理。“十五”期间重点组织开展西北太平洋海洋环境调查和研究。积极推进海洋“973”项目的滚动发展，力争在有优势的重大海洋科学领域取得进展。大力发展海洋遥感技术、浮标及台站技术、海洋预报技术和海洋信息技术，建立军民两用的海洋预报和信息服务系统所需的技术研发体系。发展海洋生物技术、海水资源利用技术、海洋能利用技术、深海矿产资源勘探开发技术以及海洋环境保护与生态修复技术，形成新兴海洋产业开发技术体系。加强海洋标准计量体系建设与管理。

（二）海洋卫星体系的建设与管理。发射海洋一号卫星，完善北京、三亚海洋水色卫星地面接收站和北京海洋卫星资料地面处理系统，初步建立海洋卫星业务测控系统，推进海洋水色卫星的现场定标与真实性检验场建设。做好海洋卫星资料的接收处理和分发，为海洋监测、海洋资源开发利用、海洋管理提供卫星信息。积极推动系列海洋卫星发射和应用。

（三）国际海底区域活动的组织与管理。积极建议开展6 000米载人深潜器和无人自治作业型深潜器的研制，建立深海资源勘查技术体系，形成部分自主知识产权的深海勘查高技术产品和重大技术装备。完善深海环境调查、监测和评价技术方法和设备。进一步开展多金属结核资源开采技术研究开发。进行钴结壳、天然气水合物、多金属硫化物、深海基因资源调查勘探。

（四）极地科学考察的组织与管理。重点开展极地海洋、极地冰雪、极地大气及极地应用基础研究。加强对中国南极长城站、中山站的后勤保障和支持系统建设，增强雪龙号极地考察船的综合支持能力，加速中国极地重点实验室的建设，提高内陆野外考察的装备水平，建立和完善极地数据库，以及数据资料的服务与管理，选择适当时机新建极地考察站。

七、大力发展海洋公益服务事业

（一）海洋环境监测体系建设与管理。进一步加强海洋观测、监测网络建设。建立市县级以上海洋环境监测业务机构，形成国家与地方相结合、功能齐全的全国海洋环境监测业务体系。全面实施近岸和重点海域控制性监测及全海区的趋势性监测，开展重点海区总量控制监测，主要污染源排污监测，分阶段推进全海区海洋生态环境监测。加强对赤潮发生机理和防治技术的研究，开展对赤潮的预测、监测和预报工作。进一步完善监测业务保障和技术支撑体系建设，提高监测能力和技术装备水平。基本实现全海域环境年度公报制，为国家和地方的海洋环境监督管理提供决策依据。

（二）海洋预报服务体系建设与管理。继续采取国家与地方共建的办法，扩大现有海洋观测台站的规模和观测内容，初步建成立体观(监)测网络，基本形成与全球海洋观测系统(GOOS)相接轨的军民两用业务化运行系统，提供数字化、网络化、可视化的预报服务。海洋预报由单一的物理要素预报逐步向生态环境和三维空间多要素预报发展，预报项目逐步由风暴潮、海浪、海冰、表层海温预报，扩展到盐度、跃层、水质、厄尔尼诺预报。提高预报的时效和精度。

(三) 海洋信息服务体系建设与管理。加快我国海洋信息系统建设步伐，形成海洋基础信息数据库群，实现海洋基础信息共享。建立中、大比例尺(全海域的1：25万、重点海区的1：10万和1：5万)海域基础地理信息系统，为“数字海洋”工程的发展奠定基础。综合利用多媒体与虚拟现实技术，建设和完善海洋新闻信息网络、海洋统计信息网络、海洋划界信息系统、海洋行政管理信息系统，开发满足海洋管理、开发、科研、国防以及社会发展需求的信息产品。

八、政策措施

(一) 深化改革，不断完善海洋工作体制和运行机制

海洋工作是一个新的充满机遇和挑战的领域，我们要着眼于现实需要和未来海洋工作的发展要求，不断更新思想观念，开拓新的工作领域，推动海洋事业发展。争取把海洋工作纳入各级政府的国民经济和社会发展计划，为海洋工作的进一步发展创造有利的条件。深化改革，加强各级海洋管理机构建设，进一步完善国家、省(区市)、地(市)、县(市)四级海洋管理体系和工作机制。树立全国海洋工作一盘棋的思想，建立和完善海洋工作的协调机制，形成海洋工作的合力，推动国家海洋事业发展。

(二) 多渠道筹资，不断增加海洋工作投入

建立多元化的投入机制，多渠道筹措海洋发展资金。除中央和地方财政外，要积极鼓励社会团体、企业和个人增加对海洋工作的投人，以及国际组织的支持。争取沿海各级政府把海洋工作经费纳入地方财政预算，并根据自身经济的发展水平，逐渐增加投入，切实加大对海洋工作的经费支持力度。纳入国家规划的海洋重点建设项目，可以采取中央与地方共建，地方按比例配套支持的办法，共同建设。加大海域使用金征收和上缴力度，扩大海洋管理经费的来源。

(三) 实施海洋人才战略，加强海洋工作队伍建设

紧紧围绕我国海洋工作的发展目标，加快实施人才发展战略，努力建设与社会主义市场经济和海洋事业发展相适应的人才队伍体系。各级海洋行政主管部门都要以高度的政治责任心立足自身现有人才资源潜力，切实抓好三支队伍建设。一是海洋行政管理队伍建设，重在提高素质、优化结构，努力培养复合型管理人才。二是海洋专业技术队伍建设，形成年龄结构合理、专业结构完善、以高级管理及科技人才为主力军的科技人才梯队。三是执法队伍的建设，要适应海洋监察执法任务日趋繁重的形势，努力壮大队伍，提高执法人员的思想政治素质和执法业务水平。此外还要创造条件吸引海内外高层次人才为我国海洋事业发展服务。

(四) 加强能力建设，改善海洋工作的基础条件

继续争取建造一定数量的技术装备先进的海洋监测、监视、巡航执法船舶，进一步加强海洋观测(监测)系统建设。逐步更新海洋预报、海洋信息系统的技术装备。加强海洋领域的文献图书与资料档案馆的建设。建立必要的中试基地或工程中心，推动有前景的科技项目实现产业化。

(五) 积极参与海洋国际事务，加强国际与地区合作

积极参与联合国及其他政府和非政府间国际组织和地区性组织的海洋事务，大力发展双边海洋事务合作。在《联合国海洋法公约》框架内，开展国际海洋政策与法律、海洋管理、海洋生态环境保护、海洋科学技术研究的国际合作，同时，努力争取国际援助和合作项目，促进我国海洋事业的发展。

(六) 加强精神文明建设，营造有利于海洋事业发展的良好环境

大力弘扬爱国主义、集体主义和社会主义精神，深人开展“三个代表”重要思想的教育，坚持讲学习、讲政治、讲正气，树立正确的世界观、人生观、价值观。要巩固和发展“三讲”教育的成果，实践“三个代表”的重要思想，深入贯彻党的十五大和十五届五中全会精神，持续开展警示教育，加强党风廉政建设，自觉同“法轮功”邪教组织和一切不利于稳定的行为作斗争，

维护国家和单位的稳定，为实施建设海洋强国战略营造良好的发展环境。

（七）加强海洋宣传教育，增强全民海洋意识

发展海洋事业，建设海洋强国，需要全社会关注海洋，共同推动海洋事业向前发展。要在中小学开展海洋知识教育，在大学设立海洋学科，逐步培养各类海洋人才。要采取教育和培训的方法，提高各级领导干部的海洋意识。要利用包括互联网络在内的多种现代传播手段与教育途径，广泛开展海洋资源、海洋经济、海洋国防、海洋环保、海洋法规、海洋科技的宣传，提升海洋在国家发展战略中的地位，提高全民族的海洋意识，树立正确的海洋国土观、海洋经济观、海洋政治观、海洋防卫观。

科学技术部　教育部　中国科学院　中国工程院　国家自然科学基金委员会关于印发《关于加强基础研究工作的若干意见》的通知

（2001年3月6日）

国科发基字[2001]81号

国务院有关部委，各有关单位：

基础研究是我国科技工作的重要组成部分。江泽民总书记做出了“基础研究很重要”等一系列重要指示。《中共中央国务院关于加强技术创新，发展高科技，实现产业化的决定》指出：“重大突破性创新要着眼于从基础研究抓起，不断形成新思想、新理论、新工艺，为应用研究和技术开发提供源泉，增强持续创新的能力。”

2000年3月27日至29日，科学技术部、教育部、中国科学院、中国工程院、国家自然科学基金委员会在京联合召开了全国基础研究工作会议，李岚清副总理出席会议并做了重要讲话。会前，五部门联合起草了《关于加强基础研究工作的若干意见》（讨论稿），会议代表就此讨论稿进行了热烈讨论，并提出了许多修改意见。

会后，根据会议精神和李岚清副总理的重要指示，以及会议代表提出的修改意见，并征求了国家计委和财政部的意见，我们对《关于加强基础研究工作的若干意见》（讨论稿）进行了认真修改。经国务院同意，现将《关于加强基础研究工作的若干意见》印发给你们，请结合本部门、本单位的实际情况，认真贯彻落实。

关于加强基础研究工作的若干意见

基础研究是我国科技工作的重要组成部分。建国以来特别是改革开放以来，我国基础研究工作取得了很大成绩，但还存在着重大成果少、创新不够、分散重复、年轻后备力量不足等问题。当前，我国改革开放和现代化建设已进入新的重要历史时期，知识创新、技术创新和高新技术产业化成为衡量国家竞争力的关键因素。作为高新技术先导和源泉的基础研究的发展将更为重要。面向新世纪，为进一步提高我国基础研究水平，落实科教兴国战略，充分发挥基础研究对国家经济建设和社会发展的促进作用，增强科技实力，针对当前我国基础研究存在的突出问题，特提出以下意见。

1．深刻认识基础研究的战略重要性。我国基础研究工作包括三个方面：以认识自然现象、揭示客观规律为主要目的的探索性研究工作；以解

决国民经济和社会发展以及科学自身发展提出的重大科学问题为目的的定向性研究工作；对基本科学数据、资料和信息系统地进行考察、采集、鉴定，并进行评价和综合分析，以探索基本规律的基础性工作。江泽民总书记指出："基础研究很重要"。全国技术创新大会提出："重大突破性创新要着眼于从基础研究抓起，不断形成新思想、新理论、新工艺，为应用研究和技术开发提供源泉，增强持续创新的能力。"基础研究是人类文明进步的动力，是技术创新与经济发展的源泉和后盾，是培养和造就科技人才的摇篮，是国家竞争力的重要组成部分。基础研究的重大突破，将带动新兴产业群的崛起，引起经济和社会的重大变革。基础研究的重大成就对于振奋民族精神，增强民族凝聚力和自信心，提高全民科学文化素质具有重要作用。在新的历史时期，为增强国家经济实力、国防实力和民族凝聚力，实现科学技术的跨越式发展，必须充分重视基础研究的重要作用。

2．加强基础研究和国家目标的联系，坚持"有所为，有所不为"。我国基础研究的发展要加强国家战略需求和国际科学前沿的结合，攀登世界科学高峰，为国家经济、社会发展和国家安全提供战略性、基础性、前瞻性的知识人才储备和科学支撑。要遵循"统观全局，突出重点，有所为，有所不为"的原则。符合国家战略目标，关系国家安全和长远利益的科技领域，要坚持有所为；对经济和社会发展有重大影响，具有广阔应用前景的科学问题和关键技术，要坚持有所为；处于国际领先地位，在世界上占有一席之地的重点学科和科学工程，要坚持有所为。要瞄准世界科学技术发展前沿，选择农业、能源、信息、资源环境、人口与健康、材料等重点领域，集中必要的人力、财力、物力，开展多学科综合性研究。

要正确处理好一般和重点的关系。一般面上的研究工作应保证一定的量，面向广大科学家，环境要宽松，支持要稳定。对少数有基础、有应用前景的重大战略性研究和重大科学前沿，设立专项研究计划，明确目标，突出重点，精心组织，强化支持。

3．强化创新，提高我国基础研究的整体水平。国家经济社会发展中一系列重大问题需要通过基础研究从深层次探求解决办法，增强中华民族的自主创新能力，掌握我国科技发展的主动权，需要基础研究在国家发展需要的一些重要领域提高水平，增强实力。要紧紧抓住新科技革命的良好机遇，建立信心，勇于创新，善于创新，争取在某些方面有所突破，后来居上。

创新是基础研究的本质特征。前沿探索性研究要创新，应用基础研究也要创新。要遵循科学创新的内在规律，鼓励和支持科学家提出新思想、新理论、新方法，树立牢固的创新思想，保持强烈的创新意识，切实提高创新能力，特别是原始性创新能力。要把是否有创新思想作为项目立项的首要标准，使我国基础研究实现从模仿、跟踪到创新的历史性转变。

4．加强学科建设，优化学科布局。基础研究的发展有赖于学科的长期积累。要重视学科建设，完善和发展具有我国特色、符合当代科学发展趋势的基础研究学科体系。要充分发挥我国自然条件和传统学科的优势，稳步推进基础学科的发展。要破除学科壁垒和学科保护主义，大力推动和加强学科交叉研究，积极鼓励和支持新兴学科和交叉学科的发展，促进自然科学与社会科学的交叉融合，努力在世界科学前沿形成我国的新优势。

要大力加强基本科学数据积累等基础性工作，为国家若干主要领域的独创性和重大突破性研究，政府宏观决策和经济、社会可持续发展提供强有力的基础。

5．深化改革，对科技资源进行优化配置。要进一步强化竞争机制，对基础研究机构的支持、研究课题的立项、学术带头人的选择、基础研究队伍的形成和成长，都要进行公开、公平、公正的竞争。国家财政将集中支持少数精干的、高水平的国家基础研究基地。要调整基础研究的组织结构和力量布局，促进科研部门、单位之间最大限度地开放。要充分发挥中国科学院和大学的作用。鼓励部门和其他科研机构从事应用基础研究。要打破封闭状况，促进人才流、信息流和物质流的畅通。鼓励中国科学院等系统的院、所，以多种方式同大学联合，促进有应用前景的基础研究与高技术研究、技术开发工作相衔接，使一批水平高、实力强的大学成为国家基础研究的重要基地。基础研究机构应安排相应的经费用于聘请国内外人员工作。为适应科学发展综合交叉的趋势，强化基础研究相关力量的联合和合作，国家将选择若干重点领域，对现有研究力量进行优化组合，有计划地建设一批国家科学研究中心。

6．加强对国家重点实验室、重大科学工程等基础研究基地的建设和管理。建设国家重点实验室、重大科学工程和重点野外观测台站是国家加强基础研究的重要措施。要加强对国家重点实验室、现有国家重大科学工程和国家重点野外观测台站的管理，实行“开放、流动、联合、竞争”的运行机制。赋予实验室主任和学术委员会较大的自主权，加大对实验室仪器设备的投入。要调整国家重点实验室的布局，加大对现有重点实验室调整的力度，根据实际情况调整、合并、淘汰、重组水平低、运行差的实验室，新建一些国家发展急需和新兴、交叉学科方面的实验室。加强对部门开放实验室和地方重点实验室的宏观引导。通过建立虚拟实验室、网络实验室等形式，促进相关实验室之间的联合和合作。要加强对现有重大科学工程的管理，建立必要的考核、评估制度，充分发挥其作用。根据量力而行的原则，慎重选择目标，新建一些重大科学工程。在现有野外观测台站基础上，根据我国地域特点、区域代表性和学科代表性的需要，重点完善和建设一批能适应21世纪国民经济和科学技术发展需要的规范化、标准化的野外长期观测台站。加强野外观测台站的数据网络和科学数据中心的建设，逐步实现信息共享。

7．以人为本，建设一支优秀的基础研究队伍。要花大力气培养、吸引、凝聚国内外优秀人才，全方位、多层次加强队伍建设。要用好现有人才，稳住关键人才，引进急需和顶尖人才，培养未来人才。要加快建立新的用人机制和激励机制，形成人才合理有序的流动，不断优化队伍结构。对现有队伍进行分流调整，择优支持一支精干、高水平的研究队伍。逐步提高科学家的工资待遇，使优秀科学家能够集中精力专心深入地从事某项科学研究工作。加大专项资金支持力度，实行特殊政策，大力培养和造就优秀学术带头人，特别是中青年学术带头人。从解决住房、建立实验室、配备助手等方面切实加强国际一流水平科学家的引进和配套支持工作，积极吸引国外高水平人才回国。要重视和加强试验观测和技术队伍的建设，使基础研究队伍形成合理的结构。大力加强对优秀科学家群体的支持。大力推行岗位聘任制，实行固定岗位与流动岗位相结合的用人制度，使流动人员与固定人员的比例达到１：１以上。

8．改进基础研究的管理，提高科研管理水平。科学管理是提高基础研究效率和效益的重要保证。管理要为科研服务。要逐步建立政府宏观引导，制定政策和规划，创造环境，大学、研究所自主发展，中介机构客观公正评价的新型基础研究管理体制。各级管理机构和管理人员要有战略眼光和长远观点，深人了解和掌握科学研究的特点、发展趋势和规律，深刻理解基础研究的地位、使命和价值，通过宏观调控和政策引导，为科学工作者创造优越、宽松的外部环境，要加强对基础研究工作的总体规划和部署，明确发展目标、指导思想和工作重点。要改变目前对基础研究层层检查、频繁检查和检查指标过细的现象。积极引导科学家围绕国家目标开展探索性研究，鼓励和支持科学家自主选题，开展科学前沿的研究。在继续支持科研项目的同时，加大对基地和人才的支持力度。国家基础研究项目要尽可能实行课题制管理。要打破条块分割组建课题组，建立课题组首席专家责任制，扩大课题组的自主权。严格国家计划项目的经费管理。

加强对全国基础研究工作的领导和协调，优化资源配置，提高整体效益。加强基础研究发展规划、计划与其它科技规划、计划的协调与衔接。各相关部门要把国家利益放在首位，主动加强与其它部门间的配合和协调，保证相关基础研究规划、计划的相互衔接和国家任务的顺利完成。

9．建立科学、合理的基础研究活动评价制度。基础研究活动的评价要有利于促进创新，提高质量，有利于调动科研人员的积极性，有利于青年人才的成长，有利于创造宽松的学术环境。要采用符合国际规范的方法，建立评价工作的决策支持系统，逐步形成被社会和科学界公认的公开、公正、开放、多元化的科学的评价体系。不同类型的基础研究工作应有不同的评价指标体系和侧重点。政府侧重对国家财政支持的基础研究工作进行绩效评估，根据国家目标进行政策导向，组织制定政策、评估指标体系和实施办法，具体评估工作可以委托评估机构或专家进行。评价标准对社会公开，评价结果作为科研计划调整乃至终结的重要依据。对于主要依靠财政支持的科研基地，由政府主管部门组织，定期进行评价，评价结果作为国家对科研基地动态调控和管理的重要依据。一般科学成果的学术价值，应由科学共同体评价，避免行政干预。对一些短期内难以被大多数人所共识的基础研究成果，应建立后评估制度。适当延长评估期限，使高水平的创新成果有较长的孕育时间。

10．积极营造有利于创新的学术环境。基础研究需要长期的积累，宽松的环境。在探索中失败是难以避免的，而且许多重大创新成果正是在失败的基础上产生的。要充分发挥科学家的积极性，鼓励科学工作者创新的自信心，树立敢为人先的意识。要允许失败，不急于求成。继续提倡和弘扬“百花齐放、百家争鸣”的方针，鼓励学术民主，积极开展科学评论，保障不同学术观点的公开发表和争论，使不同学术思想、观点、学派之间能真正地进行平等竞争。

倡导基础研究的创新文化，振兴中华民族的创新精神。要加强科研群体之间的协作和讨论，同时加强对杰出人才个性、特殊性创造才能的理解、保护与支持。营造学术气氛浓郁、有适当激励机制、有利于学科交叉、有利于人才脱颖而出、有利于创新的基础研究环境。

11．大力加强基础研究的国际合作。要顺应基础研究的国际化趋势，把开展国际交流与合作作为提高研究水平的一条重要途径，要积极参与全球性、区域性的双边或多边大型国际研究计划。创造条件，大力支持由我国科学家创意并提出的、我们有一定优势和特色的国际研究计划。鼓励我国科学家积极参与国外的科研项目和国际学术组织的重要活动，我国的一些基础研究项目和机构也要逐步对外开放，吸引外国科学家参加研究。鼓励承担国家重点基础研究任务的科学家能在国内外交叉工作。鼓励我国在外留学人员以各种形式回国参加科学研究、培养青年人才、进行学术交流。支持在我国举办重要的国际学术会议。鼓励我国的研究机构在国际化方面迈出更大的步伐，积极探索建立中外合作研究机构，积极支持在我国建立国际性的研究中心，条件成熟时也可在国外建立我国的研究机构。

12．加强基础研究支撑条件建设。大力提高我国基础研究的装备水平。结合国家重点实验室等科研基地的建设、调整和相关科技计划的实施，促进国家重点科研基地的仪器设备更新，使之达到或接近国际先进水平，为优秀科学家攀登世界高峰创造条件。加强科研仪器的自主研究开发，增强自我发展能力。

要加强科研基础设施建设，完善运行机制和管理模式，促进科研支撑条件体系的资源共享、高效服务。加强图书资料和数据信息方面的条件建设。采取措施提高我国科技期刊的质量与水平，压缩重复、低层次、低水平的期刊，集中力量，按照国际惯例和标准，办少数有国际影响的国内学术期刊。加快科学信息网络基础设施建设，推进基础数据、资料和信息的共享。

13．增加投入，保持基础研究持续稳定发展。随着经济实力的不断增强，国家将有计划地加大对基础研究的投入。中央财政将进一步增加对国家自然科学基金的投入，加大对重点基础科学研究的投人，在重要的基础科学研究领域进行开拓性的工作，保证少数重点科研院所和高等学校的科研机构从事基础科学研究所需的经费，在基建拨款中安排一定数量的专项资金用于重点科研基地和重大科学工程的建设。

要制定相应的法律和政策措施，引导各级地方政府、企事业单位、民间组织、社会团体和个人对基础研究的投入，特别是要鼓励企业和个人设立各类资助基础研究的基金，积极利用国际资金，形成以国家财政投入为主、多元化资助基础研究的格局。鼓励和支持有条件的省市，特别是经济发达地区结合当地经济和社会发展的需要开展应用基础研究，培养和锻炼高层次科技人才，为高新技术及其产业的发展提供基础，提高地方科技创新能力和水平。要通过体制、机制、管理的改革和创新，努力提高资金利用效率。

14．加强科研队伍的精神文明建设。要在科技界大力弘扬爱国主义精神，热爱科学、无私奉献的精神，实事求是的精神，团结协作的精神，艰苦奋斗的精神，开拓创新的精神，形成求真务实的科学学风、严肃认真的科学行为规范。提倡和鼓励科学工作者潜心从事科学研究工作，克服浮躁倾向，坚决反对弄虚作假、剽窃、浮夸、压制学术民主等不端行为。

沿海海洋经济概况
Survey of Coastal Economy

【综述】 按2001年沿海地区行政区划分，中国沿海省区包括辽宁、河北、山东、江苏、浙江、福建、广东、海南8个省，广西一个自治区和上海、天津两个直辖市。由于台湾省和香港、澳门特别行政区需特殊区划，暂未统计在内。中国沿海地区城市化程度较高，现有沿海城市53个，其中包括两个直辖市和51个沿海地级市；沿海县级市有62个；沿海（区）县有77个。就总体而言，沿海市辖区、县级市和县较多的是广东省、山东省、浙江省和福建省，其次是辽宁省、江苏省和海南省，其余省、自治区、直辖市较少。

沿海地区是中国经济最发达的地区。它的陆地面积约占全国总面积的13%，人口约占全国总人口的40%，但经济总量却超过60%。2001年沿海省、自治区、直辖市的国内生产总值达60 208.67亿元，占全国国内生产总值的62.8%。与2000年相比，沿海省、自治区、直辖市的国内生产总值增长了9%，占全国国内生产总值的比重提高了0.8个百分点。其中，第一产业7 095.99亿元，占沿海省市总GDP的11.8%；第二产业29 407.55亿元，占沿海省市总GDP的48.8%；第三产业23 705.13亿元，占沿海省市总GDP的39.4%；第一、第二、第三产业结构的比例为11.8：48.8：39.4，而全国第一、第二、第三产业结构的比例为15.2：51.2：33.6，说明沿海地区第三产业发展较快，产业结构优于全国。

2001年沿海市县的国内生产总值合计为37 153.84亿元，占沿海省、市国内生产总值合计的61.7%，其中，沿海城市的国内生产总值为25 872.9亿元，占沿海市、县合计的69.6%；沿海县（直辖市区）的国内生产总值为11 280.94亿元，占沿海市、县合计的30.4%。沿海市、县的第一、第二、第三产业结构比例为9.8：49.1：41.1，说明其产业结构优于沿海省、市的产业结构。这种优化的产业结构应归功于沿海城市。沿海城市第一、第二、第三产业结构比例为6.2：49.1：44.7，说明其产业结构已接近高级水平；而沿海县的第一、第二、第三产业结构比例为18.2：48.8：32.9，说明沿海县的产业结构尚低于全国平均水平，今后应突出发展第三产业。

2001年全国直接海洋社会从业人数为431.9万人，比2000年的425.5万人增加了1.5%。按地区分，海洋社会从业人数较多的是广东省95.9万人，占全国海洋社会从业人员总数的22.2%；福建省72.3万人，占16.7%；山东省72.2万人，占16.7%；以下依次为：浙江50.0万人，占11.6%；辽宁34.6万人，占8.0%；江苏26.2万人，占6.1%；上海22.7万人，占5.3%；海南21.1万人，占4.9%；广西18.0万人，占4.2%；河北11.4万人，占2.6%；天津7.5万人，占1.7%。按行业分，从业于海洋水产业的人员最多，达295.0万人，占全国海洋社会从业人员总数的68.3%；以下依次为，滨海旅游业64.3万人，占14.9%；海洋交通运输业34.1万人，占7.9%；沿海造船业15.4万人，占3.7%；海盐业13.5万人，占3.1%；海洋油气、海洋科研服务、海洋环保和海滨砂矿等行业的海洋社会从业人数较少。与2000年相比，海洋水产、海滨砂矿、沿海造船、海洋交通运输、海洋环保等产业的海洋社会从业人员有所增长，海洋油气业、海洋盐业的海洋社会从业人员有所减少，海洋科研服务和滨海国际旅游业持平。主要行业海洋社会劳动者人数比较突出的地区是福建省和山东省的海洋水产业，广东省的滨海旅游业，上海和广东省的海洋交通运输业，天津市的海洋油气业、山东省的海盐业，上海市和江苏省的造船业等。

2001年全国主要海上活动船舶有29.4万艘，比2000年的30.0万艘减少了0.6万艘。就海上活动船舶的数量而言，海洋渔业拥有的船舶最多，达28.3万艘，占全国海上活动船舶总数的96.3%，但由于渔业生产结构调整，海洋渔船比上年减少了6 858艘。海洋运输业拥有1.07万艘，占全国海上活动船舶总数的3.6%，比2000年增加了340艘。海洋运输业的船舶数量虽然不多，但其总吨位却最多，达2 450.22万吨，占全国海上活动船舶总吨位的80.4%。海洋油气船、海洋地质勘探船与海洋管理科研船舶较少。

2001年，全国海洋科研机构共有104个，从业人员有14 206人。由于机构精减，与2000年相比，海洋科研机构减少1个，从业人员减少了420人。其中，专业技术人员有10 396人，占海洋科研机构从业人员总数的73.2%；具有高级职称的有3 498人，占专业技术人员的33.6%，具有中级职称的有3 567人，占专业技术人员的34.2%，具有初级职称的有2 199人，占专业技术人员的21.3%，其他人员有1 132人，占专业技术人员的10.9%。专业技术人员高级、中级、初级、其他的技术职称结构比例为33.6：34.2：21.3：10.9。按行业分，从事海洋渔业的科研机构最多，达31个，占全国海洋科研机构总数的29.8%；其次是环境保护，达18个；以下依次为：海洋科学研究和气象业各13个、海洋交通运输业9个、海洋事业有7个、海盐业有4个，其余行业的科研机构较少。就从业人员数量而言，海洋科学研究的从业人员最多，达3 998人；其次是海洋渔业2 753人、海洋交通运输业1 857人；以下依次为，海洋事业1 666人、环境保护业1 202人、水利业865人；其他行业443人、气象业337人、海盐业294人、仪器仪表业230人、地质勘察业200人、农业190人、化学化工171人。海洋专业技术人员的比重，气象业的人才比例最高，专业技术人员占从业人员的比例达95%，其中高级、中级、初级、其他的职称结构比例为35.4：44.7：16.6：3.3；其次是水利业，专业技术人员占从业人员的比例为83.4%，其职称结构比例为51.6：21.6：14：12.8；第三是海洋交通运输业，专业技术人员占从业人员的比例为83.1%，其职称结构比例为31：24.7：16.9：27.4；以下依次为：环境保护业，农业，海洋科学研究，海洋事业，仪器仪表业等。按地区分，拥有海洋科研机构较多的地区是，广东省有16个、山东省有14个、辽宁省和浙江省均有13个、上海市有11个、天津市有10个、江苏省6个，其余地区较少。就从业人员数量而言，山东省的从业人员数量最多，达2 688人，占全国海洋科研机构从业人员总数的18.9%；其次是天津市2 450人，占全国海洋科研机构从业人员总数的17.2%；第三是上海市2 222人，占15.6%。以下依次为，广东省1 356人，占9.5%；北京市1 317人，占9.3%；江苏省1 283人，占9%；其余地区的从业人员较少。海洋专业技术人员比重，河北省的海洋科研机构的人才比例最高，专业技术人员占从业人员的比例为100%，其人才结构，高级、中级、初级、其他的比例为42.3：26.9：19.2：11.6；其次是福建省，专业技术人员占从业人员的比例为88.9%，其人才结构比例为28.1：38.4：24.9：8.6；以下依次为：江苏省，专业技术人员的比例为79.9%，其人才结构为43.7：23.3：17.4：15.6；辽宁省，专业技术人员的比例为79.6%，其人才结构为36.2：38.4：21.8：3.6；北京市，专业技术人员的比例为8.7%，其人才结构为34.4：39.3：21.2：5.1；浙江省，专业技术人员的比例为78.4%，其人才结构为41：36.9：17.3：4.8；上海市，专业技术人员的比例为75.6%，其人才结构为28.6：26：20.2：25.2；其余地区专业技术人员的比例也都在68%以上，只有天津市的专业技术人员的比例为62.4%。职级较高的地区是江苏、河北、浙江，其高级职称的比例都在40%以上；高级职称的比例在30%以上的地区有辽宁、山东、湖北、天津、北京等。

【沿海海洋经济概况】 2001年是进入21世纪的头一年，也是中国实施“十五”计划的第一年。在这一年里，中国沿海海洋经济同整个国民经济一样，在“九五”的基础上又迈出了新的步伐。沿海海洋经济总体呈现良好的发展态势。为了更全面、客观地反映海洋经济状况，提高海洋经济在国民经济中的显示度，从2001年开始对原有海洋统计指标作了调整，除原有的海洋水产、海洋油气、海滨砂矿、海洋盐业、沿海造船、海洋交通运输、滨海国际旅游等7个产业外，新增加了海洋化工、海洋生物制药和保健品、海洋电力、海洋工程建筑、海洋信息服务5个新兴海洋产业及其他海洋产业的统计数据，并新增国内旅游收入统计。按新的海洋统计指标统计，2001年，中国海洋产业总产值7 233.8亿元，其中包括国内旅游收入、新增5个产业和其他海洋产业的总产值2 773.88亿元。按原7个产业统计，总产值为4 459.92亿元，与2000年相比，同比增长7.9%。海洋产业增加值3 297.28亿元，占全国国内生产总值的3.4%，其中包括新增产业的增加值385亿元。按原7个产业统计，增加值2 912.28亿元，同比增长26.8%，占全国国内生产总值的3.0%，同比增长0.4%。统计显示，沿海海洋经济对国民经济的贡献越来越大。

2001年中国各种海洋产业总产值构成比重为：沿海旅游业总产值2 502.87亿元，占全国海洋产业总产值的34.6%，仍为第一大海洋产业，其中国内旅游收入(1 796亿元)远远超过国际旅游收入(706.87亿元)；海洋水产业总产值2 256.56亿元，占全国海洋总产值的31.2%，为第二大产业；排序第三位的是海洋交通运输业，运营收入达788.93亿元，占10.91%；以上三个产业就占全国海洋产业总产值的76.7%。以下10个产业占海洋产业总产值的23.3%，其中海洋电力和海水利用业总产值421.32亿元，占5.82%；海洋油气业总产值320.68亿元，占4.43%；沿海造船业总产值292.72亿元，占4.05%；海洋盐业总产值90.99亿元，占1.26%；海洋化工业总产值76.27亿元，占1.05%；海洋生物制药和保健品业总产值20.87亿元，占0.29%；海洋工程建筑业总产值17.81亿元，占0.25%；海洋信息服务业总产值13.1亿元，占0.18%；海滨砂矿业总产值3.17亿元，占0.04%；其他海洋产业总产值428.51亿元，占5.92%。

在区域海洋经济方面，2001年沿海省、自治区、直辖市主要海洋产业产值都呈上升趋势。沿海地区海洋产业总产值达5 437.81亿元(不含国内旅游收入)。广东省的海洋经济仍居沿海地区榜首，其海洋产业总产值达1 542.69亿元，占沿海地区海洋产业总产值的28.4%；其次是山东省，其海洋产业总产值840.58亿元，占沿海地区海洋总产值的15.5%；第三是福建省，其海洋产业总产值684.08亿元，占沿海地区海洋总产值的12.6%。以下依次排序为：上海市海洋产业总产值624.93亿元，占11.5%；浙江省海洋产业总产值603.32亿元，占11.1%；辽宁省海洋产业总产值362.37亿元，占6.6%；天津市海洋产业总值268.65亿元，占4.9%；江苏省海洋产业总产值171.99亿元，占3.2%；广西省海洋产业总产值121.14亿元，占2.2%；河北省海洋产业总产值115.75亿元，占2.1%；海南省海洋产业总产值102.31亿元，占1.9%。

2001年，沿海各地依据各自的资源优势和开发基础，因地制宜地实施“科技兴海”战略，进一步推进海洋经济发展，形成了各具特色的区域海洋经济格局。例如，广东省具有近海石油、沿海旅游、海洋电力、海运和海洋渔业资源优势，2001年其海洋石油产值209.67亿元，占全国海洋石油总产值的65.4%；沿海国际旅游收入343.05亿元，占全国沿海国际旅游总产值的48.5%；海洋电力总产值360.87亿元，占全国海洋电力总产值的85.7%。这三项海洋产业的产值均居沿海省、自治区、直辖市之冠，海洋交通运输业和海洋水产业均居第二位，可谓海洋大省。山东省的海洋渔业、海盐业和近海油气资源比较丰富，他们以此为重点，推进“科技兴海”，建设“海上山东”。2001年山东省海洋水产业创产值554.52亿元，占全国海洋水产业总产值的24.6%；海盐业产值65.63亿元，占全国海盐总产值的72.1%。两者位居沿海省、自治区、直辖市榜首，海洋油气业产值也超过30亿元，位居第三位。上海市是中国经济最发达的地区，其海洋产业特别是海洋交通运输业、沿海造船业、沿海旅游业等产业很发达，海洋交通运输业产值383.98亿元，占全国海洋交通运输业总产值的48.7%；沿海造船业产值77.01亿元，占全国沿海造船业总产值的26.3%，两者位居沿海地区首位。福建省发挥渔业资源、沿海旅游资源、海岛资源优势，加快海洋产业发展，培育新的经济增长点，已成为中国海洋经济第三大省份。

在海洋产业结构方面，随着全球经济结构由以生产活动为基础的体系向以服务业活动为基础的体系过渡，海洋经济领域已经出现了由“海洋资源”开发向海洋“服务”业的转变。2001年以沿海旅游业、海洋交通运输、海洋信息服务业为代表的第三产业，发展迅速，所占比重已达46%，首次超过第一海洋产业。中国海洋三次产业结构呈现为31.2：23.1：45.7，海洋产业结构日益优化。特别是随着人民生活水平的不断提高，沿海旅游业异军突起，其产值居诸多海洋产业之首，已成为海洋服务业的主体。另一方面，某些技术含量高的新兴产业，如海洋石油、海水养殖、海洋化工、海洋药物等都有较大的发展，新兴产业所占比重明显上升。

2001年海洋产业结构

海洋产业分类		产业比重（%）
海洋三次产业	海洋第一产业	31.2
	海洋第二产业	23.1
	海洋第三产业	45.7

（刘秀芳）

表1　2001年中国沿海地区行政区划

单位：个

地　区	沿海城市	沿海县级市	沿海（区）县
合　计	53	62	77
天　津	1		3
河　北	3	2	6
辽　宁	6	7	4
上　海	1		6
江　苏	3	5	9
浙　江	6	11	12
福　建	6	7	12
山　东	7	14	6
广　东	14	9	13
广　西	3	1	1
海　南	3	6	5

表2　2001年沿海各地区海洋产业总产值比重

沿海地区	海洋产业总产值（亿元）	占全国海洋总产值比重(%)
广　东	1542.69	28.4
山　东	840.58	15.5
福　建	684.08	12.6
上　海	624.93	8.6
浙　江	603.32	8.3
辽　宁	362.37	5.0
天　津	268.65	3.7
江　苏	171.99	2.4
广　西	121.14	1.7
河　北	115.75	1.6
海　南	102.31	1.4
合　计	5 437.81	100

注：沿海各地海洋产业总产值不含国内旅游产值。

表3　2001年沿海地区海洋产业总产值

单位：亿元

地区	年份	合计	海洋水产	海上油气	海滨砂矿	海洋盐业	海洋化工	海洋药物	海洋电力	沿海造船	海洋工程建筑	海洋交通运输	滨海旅游	海洋信息服务	其他产业
合计	2000	4 133.5	2 084.34	383.77	3.05	83.07				223.97		717.40	637.90		
	2001	7 233.8	2 256.56	320.68	3.17	90.99	76.27	20.87	421.32	292.72	17.81	788.93	2502.87	13.10	428.51
天津	2000	138.63	6.66	67.43		4.81				2.33		38.23	19.17		
	2001	268.65	7.03	77.62		4.89	38.33			3.95		44.27	23.17		69.39
河北	2000	69.19	33.05			8.07				2.71		19.45	5.91		
	2001	115.75	41.69			6.64	18.10		15.03	4.00		24.10	6.19		
辽宁	2000	326.58	211.30	4.92		4.42				47.23		37.48	21.23		
	2001	362.37	254.80	2.42		4.51				60.34		21.95	27.35		
上海	2000	601.37	13.10							74.53		380.37	133.37		
	2001	624.93	14.44							77.01		383.98	149.50		
江苏	2000	146.04	114.37			5.39				9.71		11.28	5.29		
	2001	171.98	125.15			5.70	15.06	4.30		13.11		2.95	5.71		
浙江	2000	399.53	300.74			0.72				21.40		40.06	36.61		
	2001	603.32	303.25			1.37		8.16	0.34	37.14	1.44	18.30	45.83	8.10	179.39
福建	2000	419.15	347.76		0.96	1.05							69.38		
	2001	684.08	377.06		0.95	1.14		6.20		23.47	14.30	20.69	73.14	5.00	162.13
山东	2000	737.76	551.77	36.23	0.05	57.17				26.08		45.38	21.08		
	2001	840.58	554.52	30.97	0.02	65.63	4.78	0.98	45.08	35.39	2.07	75.20	25.30		0.64
广东	2000	1 114.5	335.63	275.19	0.28	0.58				39.80		144.82	318.27		
	2001	1 542.6	402.11	209.67	0.23	0.52		1.23	360.87	38.25		186.76	343.05		
广西	2000	110.45	108.77		0.03	0.48							1.17		
	2001	121.14	104.68		0.03	0.17						4.23	1.17		10.86
海南	2000	70.23	61.19		1.73	0.38				0.18		0.33	6.42		
	2001	102.31	80.83		1.94	0.42				0.06		6.50	6.46		6.10

注：2001年合计的滨海旅游产值包括国内旅游收入。

表4 2001年沿海地区国内生产总值

单位：亿元

地区		年份	国内生产总值 GDP	第一产业	第二产业	第三产业
全国总计		2000	89 403.60	14 212.00	45 487.80	29 703.80
		2001	95 933.30	14 609.90	49 069.10	32 254.30
沿海省市总计		2000	55 260.96	6 824.51	27 182.33	21 254.12
		2001	60 208.67	7 095.99	29 407.55	23 705.13
沿海市县合计		2000	33 190.08	3 457.07	16 359.84	13 373.17
		2001	37 153.84	3 651.31	18 227.62	15 274.91
沿海城市合计		2000	22 921.40	1 481.22	11 376.44	10 063.74
		2001	25 872.90	1 596.14	12 718.56	11 558.20
沿海县合计		2000	10 268.68	1 975.85	4 983.40	3 309.43
		2001	11 280.94	2 055.17	5 509.06	3 716.71
天津		2000	1 639.36	73.54	820.17	745.65
		2001	1 826.67	78.56	891.51	856.60
	沿海区	2000	530.37	4.49	368.25	157.63
		2001	633.70	5.08	435.58	193.04
河北		2000	5 088.96	824.55	2 559.96	1 704.45
		2001	5 088.96	824.55	2 559.96	1 704.45
	沿海城市	2000	1 661.88	293.94	797.40	570.54
		2001	1 800.84	304.50	866.50	629.84
	沿海县	2000	367.10	103.78	155.12	108.2
		2001	400.46	109.12	170.71	120.63
辽宁		2000	4 669.06	503.44	2 344.40	1 821.22
		2001	5 033.08	544.44	2 440.55	2 048.09
	沿海城市	2000	1 376.35	66.05	713.09	597.21
		2001	1 556.26	68.68	788.48	699.10
	沿海县	2000	560.55	150.77	254.26	155.52
		2001	565.34	157.59	251.34	156.41

续 表

地区		年份	国内生产总值 GDP	第一产业	第二产业	第三产业
上海		2000	4 551.15	83.20	2 163.68	2 304.27
		2001	4 950.84	85.50	2 355.53	2 509.81
	沿海区县	2000	741.60	48.66	367.38	375.56
		2001	851.73	51.19	421.23	379.31
江苏		2000	8 582.73	1 031.17	4 435.89	3 115.67
		2001	9 514.60	1 088.35	4 913.69	3 512.56
	沿海城市	2000	332.80	14.02	183.93	134.85
		2001	380.25	16.18	213.76	150.31
	沿海县	2000	1 008.07	284.40	392.48	331.19
		2001	1 091.07	297.78	429.47	363.82
浙江		2000	6 036.34	664.16	3 193.47	2 188.71
		2001	6 748.15	695.15	3 459.75	2 593.25
	沿海城市	2000	1 902.30	78.44	970.93	852.93
		2001	2 386.88	99.30	1 201.14	1 086.44
	沿海县	2000	2 317.70	277.37	1 343.75	696.58
		2001	2 578.41	290.77	1 478.91	808.73
福建		2000	3 920.07	640.57	1 711.16	1 568.34
		2001	4 253.68	651.11	1 904.21	1 698.36
	沿海城市	2000	3 416.13	453.42	1 649.49	1 313.22
		2001	3 737.90	459.83	1 799.93	1 478.14
	沿海县	2000	1 596.52	275.81	774.86	545.85
		2001	1 685.30	278.37	821.82	585.11
山东		2000	8 542.44	1 268.57	4 244.40	3029.47
		2001	9 438.31	1 359.49	4 654.51	3424.31
	沿海城市	2000	1 845.93	121.85	1 097.75	626.33
		2001	1 966.39	125.34	1 158.20	682.85
	沿海县	2000	1 573.46	311.31	769.15	493.00
		2001	1 776.05	322.83	887.03	566.19

续表

地区		年份	国内生产总值 GDP	第一产业	第二产业	第三产业
广东		2000	9 662.23	1 000.06	4 868.75	3 793.42
		2001	10 556.47	1 004.53	5 303.98	4 247.96
	沿海城市	2000	5 860.54	218.69	2 899.59	2 742.26
		2001	6 819.47	235.00	3 331.74	3 252.73
	沿海县	2000	1 204.77	339.43	471.60	393.74
		2001	1 311.08	358.08	521.18	431.82
广西		2000	2 050.14	538.69	748.00	763.45
		2001	2 231.19	562.52	791.85	876.82
	沿海城市	2000	169.48	61.22	38.85	69.41
		2001	266.65	105.69	63.50	97.46
	沿海县	2000	57.67	22.98	14.32	20.37
		2001	62.64	24.43	15.83	22.38
海南		2000	518.48	196.56	102.45	219.47
		2001	566.72	201.79	132.01	232.92
	沿海城市	2000	165.48	16.85	41.56	107.07
		2001	180.75	17.56	48.27	114.92
	沿海县	2000	310.87	156.85	72.23	81.79
		2001	325.16	159.93	75.96	89.27

表5 主要海上活动船舶

类别	年份	艘数（艘）	总吨（万吨位）	载客量（客位）	总功率（万千瓦）
合计	2000	300 230	2 822.57	159 834	24 725 353
	2001	293 683	3 048.43	141 207	26 035 271
海洋运输	2000	10 378	2 232.45	159 834	11 834 508
	2001	10 718	2 450.22	141 207	13 035 428
海洋油气	2000	120			
	2001	98			
海洋地质勘探	2000	11			
	2001	13			
海洋渔业	2000	289 682	582.01		12 727 083
	2001	282 824	597.24		12 976 508
海洋管理科研	2000	39	8.11		163 762
	2001	30	0.97		23 335

表6 海洋社会从业人数

单位：人

地区	年份	合计	海洋水产	海洋油气	海滨砂矿	海洋盐业	沿海造船	海洋交通运输	滨海国际旅游	海洋环保	海洋科研服务
合计	2000	4 254 648	2 878 473	20 526	2 672	176 878	133 352	327 231	646 443	55 802	13 271
	2001	4319 430	2 949 840	19 297	4 488	135 265	153 810	340 772	642 595	60 092	13 271
天津	2000	85 246	8 600	8 251		12 316	9 412	25 626	17 216	1 423	2 402
	2001	75 418	6 610	8 062		12 312	4 677	22 022	17 661	1 672	2 402
河北	2000	123 121	57 968			23 318	4 300	20 588	7 471	9 155	321
	2001	114 002	59 968			19 843	2 838	20 641		10 391	321
辽宁	2000	126 233	24 347	259		14 563	20 411	31 757	26 850	7 201	845
	2001	345 645	252 387	282		12 083	20 645	25 918	26 548	6 937	845
上海	2000	233 205	9 824	87			39 213	99 271	80 445	1 996	2 369
	2001	227 240	8 218	101			38 481	94 900	81 162	2 009	2 369
江苏	2000	517 303	464 822			25 579	7 724	1 794	8 768	7 433	1 183
	2001	261 996	171 193			23 178	37 782	12 404	8 486	7 770	1 183
浙江	2000	478 984	439 020			7 181			28 005	3 867	911
	2001	500 142	446 066			7 944			41 022	4 199	911
福建	2000	675 867	572 893		2 208	16 188	15 000		65 817	3 089	672
	2001	723 129	626 255		2 262	14 667	11 483	17 068	47 386	3 336	672
山东	2000	716 589	533 820	5051	50	63 969	18 299	41 283	40 808	10 618	2 691
	2001	722 224	555 284	4 854	50	34 885	17 365	49 600	46 622	10 873	2 691
广东	2000	989 617	476 470	6 878	214	7 486	18 993	106 912	364 218	7 013	1 433
	2001	958 520	492 569	5 998	891	4 420	20 338	87 759	336 269	8 843	1 433
广西	2000	166 464	153 337		200	3 048			6 845	2 934	100
	2001	180 148	159 969		205	2 898		6 331	7 509	3 136	100
海南	2000	142 019	137 372			3 230				1 073	344
	2001	210 966	171 321		1 080	3 035	201	4 129	29 930	926	344

表7 分行业海洋科研机构、人员情况

行 业	年 份	机构数（个）	从业人员（人）	专业技术人员（人）	高 级	中 级	初 级	其 他
合 计	2000	105	14 626	10 701	3 484	3 640	2 332	1 245
	2001	104	14 206	10 396	3 498	3 567	2 199	1 132
农 业	2000	1	133	105	23	21	30	31
	2001	2	190	154	41	25	52	36
渔 业	2000	32	2 862	1 852	465	696	487	204
	2001	31	2 753	1 816	492	701	459	164
水利业	2000	1	762	652	269	164	108	111
	2001	1	865	721	372	156	101	92
海盐业	2000	4	303	175	33	29	31	82
	2001	4	294	165	31	27	28	79
化学化工	2000	1	144	104	34	42	28	0
	2001	1	171	90	41	34	15	0
仪器仪表	2000	1	243	114	29	37	48	0
	2001	1	230	110	26	35	41	8
地质勘察	2000	1	96	92	52	21	13	6
	2001	1	200	106	56	30	17	3
交通运输	2000	9	2 007	1 548	514	414	300	320
	2001	9	1 857	1 543	478	382	260	423
科学研究	2000	12	278	246	67	118	48	13
	2001	13	3 998	2 933	1 108	1 085	577	163
气象业	2000	18	1 207	993	250	377	297	69
	2001	13	337	302	107	135	50	10
海洋事业	2000	6	1 609	1 183	396	430	268	89
	2001	7	1 666	1 192	408	513	209	62
环境保护	2000	15	4 244	3 127	1 206	1 111	555	255
	2001	18	1 202	988	242	377	325	44
其 他	2000	4	738	510	146	180	119	65
	2001	3	443	276	96	67	65	48

表8 分地区海洋科研机构、人员情况

行业	年份	机构数（个）	从业人员（人）	专业技术人员（人）	高级	中级	初级	其他
合计	2000	105	14 626	10 701	3 484	3 640	2 332	1 245
	2001	104	14 206	10 396	3 498	3 567	2 199	1 132
北京	2000	5	1 355	1 061	378	370	228	85
	2001	5	1 317	1 029	354	404	218	53
天津	2000	10	2 402	1 423	501	442	330	150
	2001	10	2 450	1 528	468	512	313	235
河北	2000	2	321	260	49	100	62	49
	2001	1	26	26	11	7	5	3
辽宁	2000	13	845	662	211	263	148	40
	2001	13	837	666	241	256	145	24
上海	2000	11	2 369	1 693	484	489	341	379
	2001	11	2 222	1 680	480	437	339	424
江苏	2000	8	1 183	960	341	247	201	171
	2001	8	1 282	1 024	447	239	178	160
浙江	2000	13	911	697	260	267	130	40
	2001	13	927	727	298	268	126	35
福建	2000	10	672	592	170	209	159	54
	2001	10	692	615	173	236	153	53
山东	2000	14	2 691	1 895	656	710	395	134
	2001	14	2 688	1 839	662	693	401	83
广东	2000	16	1 433	1 102	325	375	283	119
	2001	16	1 356	969	272	372	269	56
广西	2000	2	100	78	15	54	8	1
	2001	2	85	58	14	40	2	2
湖北	2000	1	344	278	94	114	47	23
	2001	1	324	235	78	103	50	4

产业篇

Marine Industries

海 洋 渔 业
Marine Fishery

【全国海洋渔业发展总体形势分析】 2001年，全国海洋渔业在实施3个渔业协定、控制捕捞强度和规范管理的基础上，紧密地围绕渔民减船转产和保持渔区社会—经济稳定这一中心任务，调整产业结构，加强相关政策的调查研究，及时向国务院报送了《妥善解决中日、中韩、中越渔业协定生效后我国渔业和渔区经济面临若干问题的请示》，积极争取中央的政策支持。在国家渔业主管部门和各地渔业管理、生产、科研部门的积极支持下，全国渔业生产与渔业经济保持了应有的发展局面，实现海洋渔业产量、产值双增长。

2001年中国渔业经济发展主要呈以下特点：

(1) 养殖业结构和区域布局调整加快，生产空间进一步拓展。2001年各级渔业行政主管部门紧紧围绕渔业可持续发展和渔(农)民增收两大目标，积极推进水产养殖规模化建设，推广先进适用的养殖方式和健康养殖技术，推广优良品种，注重养殖品种结构调整和养殖布局调整，把水产养殖业列入“扶贫工程”、“增收工程”和“致富工程”，使其成为农村经济发展的热点，农业产业结构调整的切入点和农民增收的增长点。

2001年全国海水养殖成为沿海地区渔业结构调整的主攻方向，海水养殖产量1 131.5万吨，增加70.24万吨，比2000年增长6.62%，其中海水鱼产量49.40万吨，比2000年增加6.7万吨，增长15.6%；对虾养殖继续保持高增长，产量达30.4万吨，比上年增加8.62万吨，增长39.55%，达到历史最高水平。

(2) 沿海渔民减船转产工作得到重视，捕捞业结构调整逐步深入。针对新海洋制度的实施对中国海洋渔业造成的重大影响，各地加强了相关政策的调查研究，做出远洋渔业结构战略性调整，保持了沿海渔区的社会经济稳定。2001年年末全国机动渔船拥有量比2000年降低1.54%，其中海洋渔业机动渔船拥有量比2000年降低2.38%。

(3) 渔业资源和环境保护得到进一步得到重视，管理工作有所加强。为了保护渔业资源，保持可持续发展，2001年农业部全面开展了清理整顿海洋“三无”和“三证不齐”渔船工作，取得了阶段性进展；在全国范围组织开展了打击电炸毒鱼联合执法行动，取得了一定效果；以专属经济区渔政巡航检查和双边渔业协定实施为重点，继续组织各海区开展专属经济区渔政管理，完成了中外渔船相互入渔捕捞许可证发证和协定水域的渔政管理任务。伏季休渔制度得到有效实施，伏季休渔成效显著。实现了海洋捕捞产量“零增长”目标，负增长势头明显。渔业水域生态环境保护和治理工作取得了长足进展。

(4) 远洋渔业结构调整力度加大，但经济效益下滑。各级政府和有关部门高度重视远洋渔业结构调整工作，继续把发展远洋渔业作为贯彻实施“走出去”发展战略和渔业产业结构调整的方法，以及渔民转产转业的一个重要途径。公海渔业资源探捕、超低温冷藏设备研制和开发力度及投入逐步加大，加强了对远洋渔业企业的宏观管理和引导，特别是金枪鱼和鱿鱼钓的生产，取得了较好的经济效益。但由于渔业资源的减少，远洋渔业的整体经济效益明显下降。据统计，2001年中国远洋渔业渔船，比2000年有所增加，涉及太平洋、印度洋、大西洋公海及30余个国家和地区管辖水域。远洋渔业产量88.49万吨，比2000年增长2.28%，金枪鱼科产量增加，带鱼类产量12.75万吨，同比增加1.3万吨，增长11.35%。远洋渔业国外经营总收入达5.15亿美元，比2000年减少2.25亿美元，同比降低30.4%。

2001年，中国的渔业经济发展存在以下主要问题：

(1) 受新海洋制度的影响，海洋渔业面临严峻挑战。随着新海洋制度的建立，大批渔船要撤出部分外海传统渔场，使近海渔场变得更为拥挤，部分渔民生产面临较大困难。由于海上渔业管理制度的变化，渔民还难以完全适应，涉外渔业事件增多，损失严重，2001年仅韩国就抓扣中国渔船173艘，罚款折合人民币2 000余万元。

(2) 部分水域环境恶化、资源持续衰退，甚至出现“荒漠化”迹象。由于陆源污染严重，一些沿海鱼虾生长繁殖和水生野生动物栖息场所遭严重破坏，加上捕捞强度未能得到有效控制，致使中国沿海水域的渔业资源量持续下降。有的水域水质严重恶化，渔场环境遭严重破坏，生物资源量明显减少，有的甚至已不适宜水生生物的存在，呈现出荒漠化趋势。

(3) 水产品市场开拓和渔民增收难度加大。受宏观环境变化和产业自身因素的影响，国内水产品消费需求不旺，水产品结构性、区域性过剩的状况没有得到根本改观，市场开拓和渔民增收难度加大。水产品质量安全监控薄弱，出口水产品多次发生质量事故。据国家质检总局统计，2001年有96批次出口水产品被国外检验出质量问题，对中国水产品出口造成不良影响。由于各种综合因素的作用，导致了渔业的盈利空间缩小，一些传统产区亏损面有所增加。

【海洋捕捞业】 2001年度，为全面实施3个渔业协定，控制捕捞强度，引导渔民向非捕捞业转产，管理部门积极发展远洋渔业，捕捞经济得到相应发展，并实现了捕捞产量的“负增长”目标。主要特点如下：

(1) 捕捞产量由2000年的1 477万吨降低到1 461万吨，在2000年降低1.35%的基础上，2001年再降低2.49%，下降幅度超过2000年。

(2) 国有企业捕捞产量继续下降，由2000年的66.7万吨降至61.3万吨，降幅为8.21%。

(3) 南海区的外海渔业发展得到拓展。通过捕捞生产，渔民增收幅度高于其他渔区，海南省捕捞产量有明显增加。

(4) 捕捞产量除海南省（产量增加近10万吨）和天津、福建、广西有小幅增加外，其他省市捕捞量受资源衰退和全面控制捕捞强度等制约因素的影响，产量继续保持“负增长”，降幅较大的是山东省和浙江省。

(5) 海洋主要捕捞品种产量较2000年相对稳定。由于放流增殖，大黄鱼产量增长较大，增长幅度超过60%。

在渔业资源保护、渔业管理、渔业发展方面：①部分地区渔船报废与拆除工作开始起步，浙江省政府每年拿出1.96亿元用于安排渔民转产转业和补贴减轻渔民负担后出现财政困难的地市政府的财政。②继续推进专属经济区巡航管理，各地在农业部渔政指挥中心的领导下，积极组织实施巡航任务，加大管理力度和保障中国的渔业权益。③各地渔业生产组织积极探索外海、远洋渔业发展途径，一些渔业企业通过发展鱿鱼钓和相应的远洋渔业，渔业生产结构得到合理调整。④为保护、恢复渔业资源，部分渔区大规模实施增殖放流工程和人工鱼礁工程。⑤继续开展“三无”、“三证不齐”渔船的清理整顿工作，并加大伏季休渔的工作力度。为了表彰7年来伏休工作成绩，农业部还召开了全国伏季休渔总结暨表彰大会，对60个先进单位和201名先进个人进行了表彰。温家宝副总理对伏季休渔工作给予了充分的肯定。

面临的突出问题是：①大批渔船从外海传统渔场撤出，进入近海渔场作业，使近海的资源的争夺更趋激烈，增加了资源保护的难度。②部分渔民生产生活面临较大的困难。③涉外渔业事件增多。④由于陆源污染严重，鱼虾生产繁育和水生野生动物的栖息地受到严重的破坏，天然水域的渔业资源量持续下降。⑤捕捞强度未能得到有效控制，渔业资源恢复仍难实现，捕捞生产效益仍难得到保障。⑥受生产技术、生产工具、就业形势、转产资金、个人技能等多因素影响，调动渔民转产转业的积极性难度仍较大。

【海水养殖业】 2001年海水养殖业作为全国渔业产业结构调整的重要支撑领域，养殖生产得到进一步的推动，养殖经济蓬勃发展，其主要特点如下。

(1) 养殖总产量继续增加，由2000年的1 061万吨增加到2001年的1 132万吨，增幅为6.62%，但增加强度低于2000年。

(2) 国有企业养殖产量继续下降，由2000年的20万吨降至17.2万吨，降幅达14.35%。

(3) 对虾养殖产量达30.4万吨，比2000年增长40%以上。

(4) 各地养殖产量均有所增长，产量增幅最大的是山东省（17.8万吨），其次是广东省(10.3万吨)。

(5) 海水养殖单产出现回升，由2000年的8 533千克/公顷增至2001年的8 796千克/公顷，增幅近3%。

(6) 各地海水养殖面积均出现不同程度的增

加，到2001年养殖面积达到128.6万公顷，滩涂养殖面积增加较多。

(7) 海水鱼育苗量大幅下降，幅度超过25%；但对虾、扇贝、鲍鱼的育苗量显著增加，对虾增加达60%以上，扇贝近70%。

(8) 精品渔业有大发展的趋势。

(9) 大力发展抗风浪深水网箱养殖技术，为养殖业提供了更为广阔的发展空间。

在养殖业管理与服务工作方面：①依靠科学技术。在对虾、海水鱼养殖方面，大力发展南美白对虾和高档出口鲷科鱼类，推行和倡导健康养殖，积极发展混养模式和多茬养殖模式，推行精养高产模式。②大力发展设施渔业和调整养殖品种。在养殖品种上，结合工厂化养殖突出养殖对虾、鲍鱼、名贵贝类、牙鲆、大菱鲆、三文鱼等高档产品。在北方地区，山东、辽宁等地大面积实施工厂化养殖（辽宁省工厂化大棚养殖面积突破40万平方米）；在南方地区，广东、福建、浙江、江苏等资源条件较好的地区也开始积极发展工厂化养殖。③为适应社会化服务的需要，各地进一步建立健全水产技术推广体系，加大社会化服务力度。④利用与管理相结合，推行依法管理。养殖水域利用逐步规范化是渔业管理所必需的，为此各地加大对管理的宣传力度，推进依法兴海、依法兴渔，贯彻实施《海域使用管理法》、《海洋环境保护法》和渔业海域使用制度。⑤积极构筑养殖业发展的保障体系，主要从养殖技术、病害防治、苗种体系、产品质量、市场营销、资金保障等方面入手，确保养殖业成为渔业产业结构调整的重要支撑领域。

【表彰全国伏季休渔先进单位和先进个人】 自1995年开始，中国先后在黄海、东海和南海部分海域施行全面伏季休渔制度。几年来，在各级政府的领导下，在各级渔业行政主管部门及其所属的渔政渔港监督管理机构的努力工作和有关部门的大力支持下，伏季休渔制度得到了很好的贯彻落实，有效保护了近海渔业资源，取得了良好的生态效益、经济效益和社会效益，得到了广大渔民群众的理解和欢迎，也受到社会各界和国际社会的广泛好评。

伏季休渔是适合中国国情的保护海洋生物资源的重大举措，符合广大渔民群众的长远利益和根本利益，是“三个代表”重要思想在渔业经济发展中的成功实践。在几年的伏季休渔工作中，涌现了一大批先进单位和先进个人。他们在思想上坚决拥护国家关于渔业可持续发展的方针政策和伏季休渔制度，在行动上坚决贯彻执行伏季休渔等渔业资源保护和管理措施；他们重视组织领导、做好宣传教育、加大管理投入，加强执法检查，保证了伏季休渔制度的成功实施；他们以国家和渔民的利益为重，认真抓好伏季休渔期间的安全管理，为渔民做好各种服务工作，在伏季休渔工作中做出突出成绩；他们顾全大局、遵纪守法、以身作则，不攀不比、严于自律，在企业和渔民群众中起到模范带头作用，为伏季休渔制度的顺利实施和圆满成功做出了突出贡献。

为总结经验，鼓励先进，促进中国伏季休渔制度长期、稳定执行，农业部决定授予辽宁省渔政处等60个单位“全国伏季休渔工作先进单位”称号，每个单位奖励电脑和打印机各1台。授予史丕修等201人“全国伏季休渔工作先进个人”称号，每人颁发奖金2 000元。希望受到表彰的单位和个人再接再厉，在各自的岗位上继续努力工作，取得更大的成绩。希望各级渔业行政主管部门及其所属的渔政渔港监督管理机构、广大干部职工和广大渔民群众，向受到表彰的先进单位和先进个人学习，为进一步完善和实施伏季休渔制度，促进中国海洋渔业实现可持续发展而努力奋斗。

统 计 资 料

Statistical Data

表1 2001年全国海水产品主要品种产量增减情况表

单位：吨

品 种	2001年	2000年	2001年比2000年增（+）减（-）产量
总 计	25 721 467	25 387 389	334 078
大黄鱼	76 289	122 920	-46 631
小黄鱼	245 325	281 717	-36 392
带 鱼	1 282 698	1 285 469	-2 771
鳓 鱼	101 342	107 689	-6 347
马 鲛	476 690	496 566	-19 876
鲳 鱼	352 493	338 848	13 645
鲷 鱼	125 692	105 785	19 907
鲍 鱼	381 561	350 750	30 811
蓝圆鲹	544 728	502 289	42 439
鳀 鱼	1 260 712	1 142 884	117 828
远东拟沙丁鱼	160 825	153 944	6 881
太平洋鲱	51 950	15 258	36 692
马面鲀	201 733	221 683	-19 950
对 虾	401 184	302 328	98 856
其中：养殖对虾	304 182	217 994	86 188
鹰爪虾	244 202	312 436	-68 234
毛 虾	565 792	625 234	-59 442
贻 贝	568 305	534 503	33 802
扇 贝	960 294	919 591	40 703
海 带	797 730	830 410	-32 680
紫 菜	44 683	48 159	-3 476

表2 2001年全国海水产品产量增减情况表

单位：吨

品 种	2001年	2000年	2001年比2000年增（+）减（-）产量	增减幅度（%）
水产品总产量	43 820 987	42 789 984	1 031 003	2.41
海水产品	25 721 467	25 387 389	334 078	1.32
海洋捕捞	14 406 144	14 774 524	-368 078	-2.49
海水养殖	11 315 323	10 612 865	702 458	6.62
海水产品中：鱼类	10 127 081	10 327 139	-200 058	-1.94
虾蟹类	3 022 022	2 970 083	51 939	1.75
贝 类	10 822 374	10 389 488	432 886	4.17
藻 类	1 241 497	1 221 988	19 509	1.60
其 他	508 493	478 691	29 802	6.23

表3　2001年全国各省市海水产品产量增长情况表

单位：吨

地　区	2001年比2000年增（+）减（-）			
	总　产　量	海水产品	海洋捕捞	海水养殖
全国总计	43 820 987	25 721 467	14 406 144	11 315 323
天　津	264 564	43 834	37 143	6 691
河　北	848 887	514 411	318 147	196 264
辽　宁	3 507 602	3 104 923	1 496 053	1 608 870
上　海	297 658	104 904	102 269	2 635
江　苏	3 208 521	941 014	639 658	301 356
浙　江	4 728 529	4 069 625	3 293 072	776 553
福　建	5 424 862	4 818 225	2 092 126	2 726 099
山　东	6 860 957	5 830 883	2 753 226	3 050 657
广　东	6 096 725	3 670 700	1 880 226	1 790 474
广　西	2 483 753	1 644 307	893 069	751 238
海　南	955 778	795 664	691 178	104 486
中水总公司	182 977	182 977	182 977	

表4　2001年沿海各省、市、自治区海水养殖产量（按产品类别分）

单位：吨

地　区	海水养殖产量合计	1. 鱼　类	2. 虾蟹类			3. 贝　类			
			小　计	对　虾	其　他	小　计	贻　贝	扇　贝	蛏
全国总计	11 315 323	494 725	457 078	304 182	152 896	9 112 435	568 305	960 294	
天　津	6 691	1 855	4 836	4 411	425				
河　北	196 264	10 829	14 100	14 100		171 262	9 360	112 450	
辽　宁	1 608 870	39 358	28 546	13 869	14 677	1 211 154	115 628	190 712	2 996
上　海	2 635		2 568	2 547	21				
江　苏	301 356	7 711	20 968	6 964	14 004	262 008			30 800
浙　江	776 553	31 787	62 266	20 601	41 665	655 383	31 806	82	292 698
福　建	2 726 099	109 530	41 597	18 746	22 851	2 229 335	66 446	8 021	179 723
山　东	3 050 657	35 654	40 767	27 295	13 472	2 498 341	250 443	635 464	81 323
广　东	1 790 474	230 732	130 444	98 439	32 005	1 394 081	94 172	3 593	889
广　西	751 238	18 640	59 474	48 919	10 555	671 639	350	9 966	8 945
海　南	104 486	8 629	51 512	48 291	3 221	19 232	100	6	

续 表

地 区	3. 贝类（续）				4. 藻类				5. 其他海水养殖产品
	蛤	蚶	牡蛎	其他	小计	海带	紫菜	其他	
全国总计	2 014 126	232 229	2 490 972	1 248 835	1 214 810	797 730	58 399	358 681	36 275
天 津									
河 北	43 514	5 938							73
辽 宁	322 784	24 571	244 290	310 173	325 344	168 478		156 866	4 468
上 海									67
江 苏	165 685	7 100	8 764	49 659	7 927	184	7 743		2 742
浙 江	72 234	111 678	120 796	26 089	26 766	9 520	15 240	2 006	351
福 建	221 622	31 198	1 612 987	109 338	344 325	296 172	32 177	15 976	1 312
山 东	856 961	12 158	534 294	127 698	465 839	323 376	2 282	140 181	10 056
广 东	115 536	34 122	532 440	613 329	20 009		957	19 052	15 208
广 西	208 598	4 760	429 643	9 377					1 485
海 南	7 492	704	7 758	3 172	24 600			24 600	513

表5　2001年沿海各省、市、自治区海水养殖产量（按水面类型分）

单位：吨

地 区	海水养殖产量合计	浅海养殖	港湾养殖	滩涂养殖
全国总计	11 315 323	4 938 427	939 658	5 437 238
天 津	6 691			6 691
河 北	196 264	118 823	803	76 638
辽 宁	1 608 870	1 007 406	103 738	497 726
上 海	2 635			2 635
江 苏	301 356			301 356
浙 江	776 553	177 516	188 695	410 342
福 建	2 726 099	1 754 408	110 679	861 012
山 东	3 050 657	1 704 188	92 834	1 253 635
广 东	1 790 474	20 009	376 384	1 394 081
广 西	751 238	150 727	35 932	564 579
海 南	104 486	5 350	30 593	68 543

表6　2001年沿海各省、市、自治区海洋捕捞产量（按品种分）

单位：吨

地　区	海水捕捞产量合计	鱼　类	虾 蟹 类	软 体 类	藻　类	其他品种
全国总计	14 406 144	9 632 356	2 564 944	1 709 939	26 687	472 218
天　津	37 143	14 377	6 915	15 674		177
河　北	318 147	174 741	78 262	38 131		27 013
辽　宁	1 496 053	773 536	342 965	215 507		164 045
上　海	102 269	50 996	22 193	28 344		736
江　苏	639 658	402 978	113 008	79 905	2 920	40 847
浙　江	3 293 072	2 197 821	822 493	260 836	1 543	10 379
福　建	2 092 126	1 595 493	309 033	146 188	1 314	40 098
山　东	2 780 226	1 767 976	501 450	429 996	833	79 971
广　东	1 880 226	1 430 772	218 057	171 454	5 199	54 744
广　西	893 069	549 544	116 279	186 722		40 524
海　南	691 178	584 583	32 039	45 994	14 878	13 684
中水总公司	182 977	89 539	2 250	91 188		

表7　2001年沿海各省、市、自治区海洋捕捞产量（按海域分）

单位：吨

地　区	海水捕捞产量合计	按捕捞海域分					按内外海分	
		渤　海	黄　海	东　海	南　海	其他海域	内　海	外　海
全国总计	14 406 144	1 374 114	3 215 401	5 397 899	3 580 176	838 554	9 380 856	5 025 288
天　津	37 143	24 364	776			12 003	24 890	12 253
河　北	318 147	242 691	73 582			1 874	272 382	45 765
辽　宁	1 496 053	627 663	680 847	49 556		137 987	1 234 848	261 205
上　海	102 269			42 995	1 439	57 835	44 434	57 835
江　苏	639 658	16 933	449 327	148 794		24 604	495 984	143 674
浙　江	3 293 072			3 109 709		183 363	857 624	2 435 448
福　建	2 092 126			1 844 928	192 157	55 041	1 292 640	799 486
山　东	2 780 226	462 463	2 010 869	201 917	300	104 677	2 385 785	394 441
广　东	1 880 226				1 802 761	77 465	1 466 576	413 650
广　西	893 069				892 895	174	881 273	11 796
海　南	691 178				690 624	554	424 420	266 758
中水总公司	182 977					182 977		182 977

表8 2001年沿海各省、市、自治区海洋捕捞产量（按渔具等分）

单位：吨

地　区	按捕捞渔具分						按捕捞产品栖息水层分	
	拖　网	围　网	小型流刺网	定置网	钓　业	其　他	中上层	中下层
全国总计	7 150 254	640 811	2 293 284	2 412 431	452 861	1 456 503	5 575 503	8 830 641
天　津	5 046	548	14 729	2 608	12 003	2 209	9 159	27 984
河　北	64 792	910	127 199	58 582	1 454	65 210	183 687	134 460
辽　宁	499 135	83 300	378 166	252 831	44 301	238 320	776 380	719 673
上　海	82 464	9 363		3 314	6 818	310	73 634	28 635
江　苏	101 644	20	80 927	338 063	5 930	113 074	248 378	391 280
浙　江	2 075 103	52 664	168 798	641 636	125 943	228 928	493 961	2 799 111
福　建	803 701	135 817	262 610	530 494	27 372	332 132	1 001 150	1 090 976
山　东	1 614 719	44 016	365 542	469 565	51 942	234 442	1 373 395	1 406 831
广　东	1 050 886	179 240	447 469	41 583	88 959	72 089	564 068	1 316 158
广　西	594 574	69 423	84 030	27 882	11 677	105 483	380 480	512 589
海　南	75 213	65 510	363 814	45 873	76 462	64 306	288 234	402 944
中水总公司	182 977						182 977	

表9 2001年沿海各省、市、自治区海水养殖面积（按产品类别分）

单位：公顷

地　区	海水养殖面积合计	1. 鱼类	2. 虾蟹类			3. 贝类			
			小　计	对　虾	其　他	小　计	贻　贝	扇贝	蛏
全国总计	1 286 458	79 140	290 900	236 440	54 460	796 551	15 749	55 111	62 155
天　津	4 394	1 653	2 685	1 934	751				
河　北	74 773	4 826	19 822	19 822		49 953	1 863	16 189	
辽　宁	246 183	1 890	39 914	35 004	4 910	184 254	2 010	22 304	907
上　海	732		711	701	10				
江　苏	143 780	440	19 027	14 073	4 954	113 347			8 673
浙　江	112 746	6 241	33 137	20 442	12 695	67 309	1 193	42	26 549
福　建	134 327	11 391	20 387	15 127	5 260	84 196	1 795	387	14 163
山　东	289 992	7 759	70 454	59 598	10 856	156 023	4 774	14 479	8 391
广　东	202 792	42 154	55 799	43 359	12 440	99 667	4 054	1 047	96
广　西	60 888	1 724	18 459	17 177	1 282	39 902	55	653	3 376
海　南	15 851	1 062	10 505	9 203	1 302	1 900		10	

续 表

地　区	3. 贝类（续）				4. 藻　类				5. 其他海水养殖产品
	蛤	蚶	牡蛎	其他	小计	海带	紫菜	其他	
全国总计	326 617	39 101	114 674	183 144	58 254	24 073	23 733	10 448	61 613
天　津									56
河　北	21 436	10 465							172
辽　宁	87 652	2 385	8 513	60 483	8 413	4 669		3 744	11 712
上　海									21
江　苏	84 073	2 747	427	17 427	7 953	27	7 473	453	3 013
浙　江	8 119	13 383	5 462	12 561	5 896	787	4 604	505	163
福　建	12 428	3 541	47 366	4 516	17 962	6 198	10 892	872	391
山　东	91 684	2 631	10 367	23 697	14 150	12 392	536	1 222	41 606
广　东	8 480	2 840	20 125	63 025	1 534		228	1 306	3 638
广　西	12 174	819	21 772	1 053					803
海　南	571	290	642	382	2 346			2 346	38

表10　2001年沿海各省、市、自治区海水养殖面积（按水面类别分）

单位：公顷

地　区	合　计	浅 海 养 殖	港 湾 养 殖	滩 涂 养 殖
全国总计	1 286 458	289 447	245 336	751 675
天　津	4 394			4 394
河　北	74 773	19 167	1 734	53 872
辽　宁	246 183	117 857	41 330	86 996
上　海	732			732
江　苏	143 780			143 780
浙　江	112 746	13 146	33 818	65 782
福　建	134 327	51 309	23 853	59 165
山　东	289 992	71 227	35 759	183 006
广　东	202 792	1 534	101 591	99 667
广　西	60 888	14 336	4 098	42 454
海　南	15 851	871	3 153	11 827

表11 2001年沿海各省、市、自治区海水养殖单产水平（按产品类别分）

单位：千克/公顷

地 区	总水平	1.鱼类平均水平	2. 虾蟹类			3. 贝类			
			虾蟹类平均	对 虾	其 他	贝类平均	贻 贝	扇 贝	蛏
全国总计	8 796	6 251	1 571	1 287	2 807	11 440	36 085	17 425	9 611
天 津	1 523	1 122	1 801	2 281	566				
河 北	2 625	2 244	711	711		3 428	5 024	6 946	
辽 宁	6 535	20 824	715	396	2 989	6 573	57 526	8 551	3 303
上 海	3 600		3 612	3 633	2 100				
江 苏	2 096	17 525	1 102	495	2 827	2 312			3 551
浙 江	6 888	5 093	1 879	1 008	3 282	9 737	26 661	1 952	11 025
福 建	20 294	9 615	2 040	1 239	4 344	26 478	37 017	20 726	12 690
山 东	10 520	4 595	579	458	1 241	16 013	52 460	43 889	9 692
广 东	8 829	5 474	2 338	2 270	2 573	13 987	23 229	3 432	9 260
广 西	12 338	10 812	3 222	2 848	8 233	16 832	6 364	15 262	2 650
海 南	6 592	8 125	4 904	5 247	2 474	10 122	20 000	600	

地 区	3. 贝类				4. 藻类				5.其他海水养殖产品单产
	蛤	蚶	牡 蛎	其 他	藻类平均	海 带	紫 菜	其 他	
全国总计	6 168	5 939	30 443	6 819	20 854	33 138	2 461	34 330	589
天 津									
河 北	2 030	567							424
辽 宁	3 683	10 302	28 696	5 128	38 672	36 084		41 898	381
上 海									3 190
江 苏	1 971	2 585	20 525	2 850	997	6 815	1 036		910
浙 江	8 897	8 345	22 116	2 077	4 540	12 097	3 310	3 972	2 153
福 建	17 832	8 811	34 054	24 211	19 170	47 785	2 954	18 321	3 355
山 东	9 347	4 621	51 538	5 389	32 921	26 096	4 257	114 714	242
广 东	13 625	12 015	26 457	9 732	13 044		4 197	14 588	4 180
广 西	17 135	5 812	19 734	8 905					1 849
海 南	13 121	2 428	12 084	8 304	10 486			10 486	13 500

表12 2001年沿海各省、市、自治区海水养殖单产水平（按水面类别分）

单位：千克/公顷

地区	海水养殖面积合计	浅海养殖	港湾养殖	滩涂养殖
全国总计	8 796	1 7062	3 830	7 233
天津	1 523			1 523
河北	2 625	6 199	463	1 423
辽宁	6 535	8 548	2 510	5 721
上海	3 600			3 600
江苏	2 096			2 096
浙江	6 888	13 503	5 580	6 238
福建	20 294	34 193	4 640	14 553
山东	10 520	23 926	2 596	6 850
广东	8 829	13 044	3 705	13 987
广西	12 338	10 514	8 768	13 299
海南	6 592	6 142	9 703	5 795

表13 2001年沿海各省、市、自治区海洋渔业总产值

单位：万元

地区	全社会渔业总产值（1990年不变价）	海水产品产值（1990年不变价）	全社会渔业总产值（现行价）	海水产品产值（现行价）
全国总计	20 186 187.5	10 103 493.37	2 9282 623.97	13 939 227.13
天津	134 135.00	34 619.00	205 575.00	62 328.00
河北	386 744.00	216 928.00	611 648.00	342 029.00
辽宁	1 688 280.00	1 294 960.00	1 896 945.00	1 455 012.00
上海	215 603.00	52 132.00	401 251.00	123 503.00
江苏	1 952 232.00	516 595.00	3 341 704.00	899 851.00
浙江	2 184 888.00	1 585 060.00	3 139 840.00	2 277 845.00
福建	2 023 300.00	1 525 640.42	3 305 195.00	2 492 235.00
山东	3 478 711.00	2 958 082.00	3 506 900.00	2 821 300.00
广东	2 305 414.47		3 900 613.78	1 803 988.37
广西	821 357.12	472 970.79	1 620 893.12	980 404.28
海南	508 184.12	424 448.92	786 179.78	680 731.48

表14 2001年沿海各省、市、自治区海洋渔业灾害

地 区	沉 船（艘）	冲毁养殖池（公顷）	损失水产品数量（吨）	直接经济损失（万元）	死亡人数（人）	失踪人数（人）	重伤人数（人）
全国总计	2 625	19 375	168 432	237 120	599	230	218
天 津							
河 北	3			203	23	5	26
辽 宁	61		37 334	17 860	61	58	17
上 海							
江 苏	11	417	304	1 610	38	13	6
浙 江	103	180	197	4 359	195	58	67
福 建	1 866	2 073	65 301	127 628	174	42	40
山 东	64	2 058	14 068	14 349	35	5	2
广 东	475	13 395	43 617	53 693	49	18	28
广 西		94	4 622	6 442			
海 南	40	1 158	2 789	10 976	24	31	32

表15 2001年沿海各省、市、自治区海洋渔业乡、村及群众（非国有）渔业人口、劳动力

地 区	渔业乡（个）	渔业村（个）	渔业户（户）	渔业人口(人)	渔业劳动力(人)
全国总计	405	4 214	1 443 968	5 619 142	2 929 357
天 津	3	14	3 623	90 55	6 610
河 北	12	97	31 610	124 535	55 363
辽 宁	112	528	107 625	376 320	262 387
上 海		13	4 356	11 314	8 218
江 苏	9	125	53 868	186 165	183 599
浙 江	87	768	274 481	964 184	446 066
福 建	37	459	334 367	1 430 096	626 255
山 东	52	822	305 550	989 226	535 034
广 东	67	970	208 054	932 410	492 569
广 西	4	116	51 284	247 126	163 835
海 南	22	302	69 150	348 821	149 421

（中国水产科学研究院 刘大安）

海洋油气业
Offshore Oil and Gas Industry

综　述
Summary

【中国海洋石油总公司综述】 中国海洋石油总公司（CNOOC）是1982年2月15日成立的国家石油公司，依据《中华人民共和国对外合作开采海洋石油资源条例》，享有在中国海域对外合作开采海洋石油、天然气资源业务的专营权。中国海油注册资本500亿元人民币，职工近2.1万人，总部设在北京。

中国海油在实现高速发展的同时亦保持了较高的发展质量。2001年，公司油气产量达2 329万吨油当量，石油和天然气净储量总计约18亿桶油当量。公司实现销售额276亿元，利润96亿元，上缴税收42.3亿元。2001年底中国海油资产总值达733亿元，净资产501亿元。

中国海洋石油有限公司2001年2月在香港和纽约上市后，以优异的表现获得国际资本市场的广泛认可。上市不到3个月就以较大比重进入摩根斯坦利国际资本指数，上市5个月即破格纳入恒生指数成份股，公司被Asiamoney评为2001年度中国最佳管理公司第一名。总公司和有限公司双双获得标准普尔和穆迪公司BBB和Baa2的信贷评级，这是中国企业获得的最高信用等级。

（中国海洋石油总公司）

【中国石油化工集团公司综述】

胜利油田浅海油气概况

胜利浅海油气勘探开发区位于渤海西南部、山东省北部沿海，西起四女寺河口，经套尔河口、老黄河口、新黄河口、小清河口、东至潍河口，海岸线全长414千米，水深0～18米，勘探面积约4 870平方千米(包括垦东凸起陆滩部分)。该地区的勘探始于1978年，1988年5月钻探埕北12井，发现了埕岛油田。

截至2001年底，浅海地区共计探明含油面积153.5平方千米，探明石油地质储量40 368万吨、溶解气地质储量175.21亿立方米。

东海油气概况

东海陆架盆地位于上海市、江苏省、浙江省和福建省以东的东海大陆架，面积约27万平方千米，与中国经济最发达的华东地区相连。

截至到2001年，中国石化新星公司上海海洋石油局（原地质矿产部上海海洋地质调查局）在东海陆架盆地进行了大量的油气勘查工作，共完成重力调查55 100千米，磁法勘探210 000千米，二维地震约120 000千米，三维地震满次覆盖面积3 000余平方千米，钻油探井、评价井37口，钻井总进尺144 071米。钻井主要分布在西湖凹陷，油气钻探成功率达到63％，发现了平湖、天外天、残雪、断桥、宝云亭、武云亭、孔雀亭和春晓等8个油气田和一批含油气构造。

2001年，上海海洋石油局在东海西湖凹陷完成了天外天三井、残雪二井2口评价井的钻探，均获得了工业油气流，分别计算了油气探明储量并获得国土资源部的批准认定。其中，残雪二井在西湖凹陷渐新统花港组第一次发现了低阻油层，给西湖凹陷油气层评价提出了新的课题，也增加了储量潜力。

平湖油气田在2001年又完钻2口开发井，使开发井数达到15口；年产天然气3.6亿立方米，原油60.1万吨。

为加快东海油气资源的开发利用，根据国务院的指示精神，在国家计委的协调下，2001年6月18日，中国石化集团公司和中国海洋石油总公司签署合作协议，携手合作，联合勘探开发东海西湖凹陷油气资源。原上海海洋石油局所持有的矿区变更为中石化和中海油共同持有，同时将上海海洋石油局在西湖凹陷已经发现的8个油气田的50％储量无偿转让给中海油。

（中国石化集团公司　罗大清　夏金宝等）

【中国石油天然气集团公司滩海油气主要指标及说明】 中国石油天然气集团公司滩海原油及天然气产量及产值列于下表。从表中主要指标对比情况中可以看出，中国石油天然气集团公司滩海的原油、天然气的产值和产量以及增加值同比都有所下降。其主要原因是：

（1）产值下降的原因一是受油价的影响，二是受原油、天然气产量下降的影响。

(2) 产量下降主要是由于老井自然递减以及油井含水上升所至。2001年集团公司对滩海油井的管理有所加强，在企业减员的情况下滩海的年末职工人数同比上升了29人，同时对滩海勘探工作也有所加大，地震测线由上年的180千米上升到463千米。

中国滩海石油、天然气主要指标对比情况

指标名称	计量单位	2001年
原油产值	万元	106 621.00
天然气产值	万元	9 188.00
增加值	万元	8 224.00
原油产量	万吨	86.00
天然气产量	万立方米	20 196.00
采油井	口	633.00
采气井	口	30.00
注水井	口	154.00
其他井	口	7.00
地震测线	千米	463.00
年末职工人数	人	547.00

(中国石油天然气集团公司规划计划部)

【海洋石油天然气资源】

胜利浅海油气资源

根据第二轮油气资源评价结果，中国石化集团胜利浅海地区石油资源量达12亿吨，已经探明石油地质储量4.04亿吨，剩余资源量还有8亿吨，剩余资源丰度仍达16万吨/平方千米，高于国内大部分正在进行勘探的盆地的资源丰度，仍有较大勘探潜力。

东海油气资源

东海大陆架是大陆向海区的自然延伸，面积约51万平方千米，占东海总面积的67%，是世界上最宽广的大陆架之一。根据盆地形成的机制及其演化特点、新生代地层的发育和展布以及古地理的差异，地质学家将东海大陆架划分为三隆二盆5个一级构造单元，自西而东分别为浙闽隆起区、东海陆架盆地、钓鱼岛隆褶带、冲绳海槽盆地和琉球隆褶区。东海陆架盆地和冲绳海槽盆地又可进一步划分为若干次一级构造单元。

东海陆架盆地是一个以新生代沉积为主的大型沉积盆地，面积约27万平方千米，新生代最大沉积厚度可达15 000米。盆地呈北北东-北东走向，主要形成于晚白垩世至上新世，地层发育齐全。盆地的形成经历了古新世-始新世的断陷、渐新世-中新世的坳陷和上新世以来的区域沉降三个时期。随着地质历史的发展，在盆地内不同基底的背景下，形成了不同地质结构的次级构造单元（凹陷和凸起），这些次级构造单元因地层沉积环境、沉积相和构造演化史等差异，油气地质条件和油气丰度存在显著的差别，根据分析，西湖凹陷油气地质条件最好，瓯江凹陷次之。目前的油气勘探开发工作主要集中在西湖凹陷和瓯江凹陷。

1. 西湖凹陷

西湖凹陷位于东海陆架盆地东北部，即27°40′～31°30′N，124°30′～127°30′E，面积5.6万平方千米，是东海陆架盆地中最主要的含油气凹陷。

西湖凹陷是一个新生代沉积凹陷，经历了裂谷期-反转期-沉降期三个发展阶段，在前第三系基底之上沉积了巨厚的下第三系古新统-第四系碎屑岩地层。古新世初期，由于基隆运动拉张应力的作用，产生了一系列北北东-北东向大断裂，同时形成多个地堑、地垒构造格局，以冲积扇-河流-洪泛沉积体系为主的古新统地层充填在这些地堑中，最大厚度可达9 000米；至始新世，拉张应力减弱，盆地稳定沉降，始新统地层在西湖凹陷广泛分布，厚度可达5 000米，同时海水从凹陷南部频繁侵入，因而在凹陷中南部形成海湾沉积环境，沉积了一套潮坪-三角洲沉积体系；始新世末的玉泉运动结束了西湖凹陷的裂谷阶段，进入反转期，沉积了渐新统-中新统陆相滨湖-河流相体系。中新世末的龙井运动，西湖凹陷被准平原化，从上新世开始进入区域沉降阶段，沉积了一套上新统的海陆过渡相和第四系的海相地层。

西湖凹陷的地质结构具有明显的“东西分带、南北分块”的特点。自西向东可分为保俶斜坡、三潭深凹、浙东中央背斜带、白堤深凹和天屏断裂带5个构造单元，这些构造单元呈北北东向展布。截至到2001年底，在西湖凹陷共发现130余个局部构造，大部分分布在12个构造带内。构造类型有背斜、半背斜、断块、断鼻，主要圈闭层为渐新统和始新统。

根据20余年的勘探实践和“六五”至“九五”国家重点科技攻关成果，西湖凹陷是东海陆架盆地的主力生油气凹陷，始新统的暗色泥岩和煤是主力烃源岩系，生成烃类以气为主，资源量巨大。始新统平湖组和渐新统花港组是主要勘探目的层，油气藏类型有构造型、岩性型和构造-岩性复合型等多种类型，产出流体以天然气和凝析油为主。目前在西湖凹陷已经发现8个油气田，主要分布在凹陷西部保俶斜坡平湖构造带和浙东中央背斜带南部的苏堤构造带，已发现油气探明储量为原油2 213万吨，天然气852亿立方米。平湖油气田已经投入开发，春晓凝析气田是目前西湖凹陷最大的气田，即将投入开发。据预测，西湖凹陷潜在油气资源量达2.63万亿立方米天然气当量，其中石油资源量为2.5亿吨，天然气资源量为2.38万亿立方米。

2. 瓯江凹陷

瓯江凹陷位于东海陆架盆地西南部，即26°30′～28°13′N，121°25′～123°05′E，面积约1.8万平方千米。中国海洋石油总公司将瓯江凹陷划分为椒江凹陷和丽水凹陷。

上海海洋石油局“六五”、“七五”期间在瓯江凹陷完成了大量地球物理勘探工作，使全区二维地震测网密度基本达到2千米×2千米，个别局部构造达到1千米×1千米，并钻有3口探井。1992年，经国务院批准，瓯江凹陷实行对外招标，中国海洋石油总公司与16家外国石油公司合作，在瓯江凹陷开展了大规模的石油勘探工作，共完成地震勘探4万千米测线，钻探井15口，其中第15口探井（丽水36-1-1井）获得商业发现，该井测试获凝析油18.7立方米/日，天然气28万立方米/日，在瓯江凹陷发现了第一个油气田-丽水36-1气田。

瓯江凹陷是以下第三系海相沉积为主的凹陷。凹陷内新生界最大厚度可达14 000米，其中古新统厚度超过10 000米，缺失始新统上部至中新统地层。据地震和钻井资料分析，瓯江凹陷古新统大部分为充填型沉积，中下部主要为陆相，中上部主要为海相，其中灵峰组上段近陆侧部分地区为三角洲沉积；古新统上部和始新统主要为坳陷型沉积，属浅海、滨海至沼泽相，近陆侧局部地区为三角洲沉积；上中新统和上新统为披覆沉积，属海陆交互相；第四系为海相披覆沉积。

瓯江凹陷从西至东可分为雁湖斜坡、瓯西深凹、温东构造带和瓯东深凹4个次级构造单元。目前已发现41个局部构造，分布在雁湖斜坡、温东构造带以及深凹等不同部位。构造类型以潜山披覆型为主，其次为断块、断鼻构造。潜山披覆构造核部由前新生界组成，钻井揭示为元古界片麻岩、燕山期花岗岩，其上为古新统和中下始新统披覆沉积。

瓯江凹陷具有两套含油气组合，一套为古新统自生自储式含油气组合，古新统既是主要烃源岩系，也是主要的勘探目的层。另一套为新生古储式含油气组合，古新统生成的油气聚集在潜山之中。

瓯江凹陷的油气资源条件不如西湖凹陷，预测资源量1.8亿吨油当量。主要原因是凹陷内缺少充足的烃源和泥岩盖层，不能形成大的油气藏。

（罗大清　夏金宝等）

海 洋 油 气 勘 探
Offshore Oil and Gas Exploration

【中国海洋石油总公司油气勘探概述】 中国海上的油气勘探、开发、生产和销售业务由中国海油控股的上市公司——中国海洋石油有限公司负责。

2001年中国海洋石油有限公司与外国公司合作共采集了8 337千米二维和3 514平方千米三维地震资料。2001年，有限公司自营钻探井13口，与外国公司合作钻探井29口，合计钻井42口，其中预探井19口，评价井23口。

2001年钻探获得7个油气发现，其中包括自营2个，合作5个。7个油气发现中，珠江口盆地的5个发现具有领域性的突破，为今后该地区油气的持续勘探开拓了现实有利的领域；尤其珠江口盆地东部天然气藏的发现，展示了珠江口盆地天然气勘探的曙光。

2001年成功地评价了10个含油构造，其中8个集中于渤海，这为渤海未来5年实现油田开发高速发展奠定了良好的储量基础。新评价的含油构造使公司的储量替代率达到131%。

（中国海洋石油总公司）

【中国石化集团公司海洋油气勘探】

东海西湖凹陷勘探

2001年，中国石化集团新星公司上海海洋石油局在东海西湖凹陷完钻天外天三井和残雪二井2口评价井，总进尺7 360米。

天外天三井位于东海西湖凹陷苏堤构造带中部的天外天气田，钻探目的是深入评价天外天气田，追踪渐新统花港组上段主要油气层（Hu-2B）的变化，落实渐新统花港组下段H1-1A气层的存在情况，争取实现本构造始新统平湖组油气突破。该井于2001年2月2日开钻，3月21日完井，在渐新统花港组的主要油气层Hu-2B、H1-1A均获得工业性油气流，日产天然气68.3万立方米，凝析油23.1立方米；并且在始新统平湖组发现了多层较好的油气显示。

残雪二井位于苏堤构造带北部的残雪油气田，于2001年3月29日开钻，5月26日完井，钻探的主要目的是获取油气藏评价参数，为计算残雪油气田探明油气地质储量提供新的资料依据。该井油气显示频繁，完钻后安排了6层进行钻杆测试，第II测试层试获高产工业油气流，折算日产天然气11.25万立方米，墨绿色原油137立方米，其余各层均有少量油气显示。残雪二井第II测试层测井电阻率仅为5欧姆米左右，是较典型的低阻油层，其发现不仅扩大了西湖凹陷的找油思路，同时也为西湖凹陷油气藏评价提出了新的课题。

经国家储量委员会审查通过，残雪油气田基本探明地质储量为：天然气87.31亿立方米，原油和凝析油531.5万吨，油气藏叠合面积15.2平方千米，属于中型、中等丰度、高-中产油气田。断桥气田基本探明地质储量为：天然气116.1亿立方米，凝析油612.1万吨，叠合面积12.3平方千米，属于中型、高丰度、中-低产气田。

埕岛地区勘探

埕岛地区是典型的复式油气聚集区，具有明显的浅、中、深三层地质结构。2001年在上、下第三系和前第三系潜山等三个层系勘探中都有新发现。截至2001年底，共探明石油地质储量40 368万吨。

前第三系潜山勘探。埕北古6潜山位于埕岛潜山披覆构造主体部位，埕北断层上升盘。埕北古6井完钻后，在中生界电测解释油层6层61米，对2 737～2 758.9米井段试油，10毫米油嘴求产，获日产油59.6吨、天然气4 740立方米的高产工业油气流。埕岛地区中生界过去大都做为兼探层系，埕北古6为中生界内幕含油并获得较高产量，这说明潜山内幕有一定储集性能，2001年新增控制储量341万吨。

第三系勘探。埕北30潜山披覆构造带前第三系为北东走向的垒块潜山带，受埕北30南、北两条断层的长期继承性活动，第三系自下而上继承性发育了断鼻构造。2001年在埕北30区块北部和南部第三系勘探取得重要发现，钻探的埕北32、321、322、33、332井均获得成功。位于埕北30东南浅层断鼻构造的埕北31井馆上段见油层5层18.1米，油水同层1层3.9米，馆下段见油层2层5.8米，油水同层1层2.5米，试油获得日产油27.5吨。位于埕北30区块北部的埕北32井电测解释在馆陶组、东营组、沙河街组、中生界见4套油层，共计油层29层94.8米，油水同层10层25.1米，试油射开东营组两层，10毫米油嘴求产，分别获得日产油65.1吨、气6 363立方米和日产油99.8吨、气10 028立方米的高产工业油气流。埕北321井在馆陶组、东营组见油层20层55.8米，东营组试油获日产油32.9吨。埕北322井在馆陶组、东营组见油层11层33.5米，东营组试油10毫米油嘴，日产油54吨，馆陶组试油获日产油32.3吨。

2001年该区东营组上报预测储量913万吨。埕北断层下降盘东段馆陶组滚动背斜构造上部署的埕北33井电测解释馆陶组见油层14层53.1米，油水同层6层33.2米，试油射开2 143.3～2 150.6米井段，泵抽日产油63.3吨。在其南部钻探的埕北332井于馆陶组见油层8层24.8吨，试油获日产油22.3吨。该块2001年新增控制石油地质储量1 744万吨。另外，向南一直到桩海地区，形成了浅层馆陶组油藏的有利聚集区，2001年钻探的桩斜139井完钻电测见油层4层58米，馆陶组试油两层，分获日产油8.88吨和45.6吨。该块2001年新增探明储量590万吨。

埕北断层下降盘勘探。位于埕北断层下降盘的埕北243井钻遇明化镇组气层1层3.1米、油层6层16.2米，馆陶组油层1层1.8米。射开明化镇组油层1层6.4米，10毫米油嘴求产，日产油96吨，天然气1 450立方米。埕北245井电测解释馆陶组油层5层14.4米，油水同层3层7.2米，试油两层，分获日产65.4吨和51吨的工业油流。这两口井获工业油气流，扩大了该区上第三系含油范围。在埕岛主体西部埕北大断层下降盘的埕北246井电测解释明化镇组见油层3层9.9米，馆陶组见油层5层44.7米（最大单层厚度22.3米）。

垦东地区

垦东12鼻状构造勘探。垦东12鼻状构造是在中生界古地形背景上继承性发育的鼻状构造，上第三系地层披覆于中生界潜山上，形成构造岩性油气藏，曾计算控制储量3 758万吨。为实现储量升级，在其高部位部署了垦东125、127、128、121井，相继获得成功。其中垦东125井钻遇明化镇组气层1层1.8米、油层7层16.8米、油水同层6层12.6米、馆陶组油层7层18.4米、油水同层1层2.8米，对明化镇组油层试油，日产油26.1吨。垦东127井于明化镇、馆陶组见油层8层24.8米、油水同层4层11.9米，试油日产油28.8吨。垦东128井于明化镇组、馆陶组见油层19层62米，试油3层，分获日产11.3吨、34吨、28.8吨的工业油流，这是垦东地区上第三系油层最厚的一口探井。垦东121井见油层4层11.8米。2001年该区新增探明储量1 759万吨。

其他构造勘探。位于垦东1断鼻构造的垦东102井馆陶组获日产油35.1吨。垦东古2井在馆陶组钻遇油层2.2米，试油日产油23.5吨。在垦东4断鼻构造上钻探的垦东401井馆陶组见油层1层7.5米。

（罗大清　夏金宝等）

海洋油气开发工程
Offshore Oil and Gas Development Engineering

【中国海洋石油总公司油气开发工程概况】 2001年中国海洋石油有限公司的工程建设项目取得骄人成绩，绥中36-1油田二期开发项目全面完成工程建设，WHP3/4/5三个井口平台分别提前85天、74天和30天投产。秦皇岛32-6的A/B平台、FPSO和单点系泊系统按时完成工程建设并提前23天投产。这两个油田的提前投产，为有限公司完成2001年的原油生产任务做出了贡献。其他在建项目包括东方1-1气田、文昌13-1/13-2油田、蓬莱19-3油田一期开发工程和番禺4-2/5-1油田。各个工程项目工程质量良好，均未发生任何重大安全事故。

2001年工程建设项目共完成了2个基本设计、6个导管架的陆地预制、4个导管架的海上安装、7个组块的陆地预制、5个组块的海上安装，完成1艘FPSO的建造、7条海底管线的铺设。

【2001年建成投产的项目】

绥中36-1油田二期工程　绥中36-1油田位于渤海辽东湾南部海域，距绥中港70千米，该区域水深30～32米。绥中36-1油田二期工程主要包括：6座井口平台（1座与CEP平台相连的井口平台及5座无人驻守井口平台），1座中心处理平台，12条平台间海底管线，1条70千米长上岸海底管线，5条平台间海底电缆，1座陆上终端和1座原油外输码头。该项目2001年度完成的主要工作有：WHP 3／4／5平台组块的陆地预制、海上安装及调试，铺设连接WHP 3／4／5的海底管线及海管试压、海缆的铺设等工作，以及WHP 3／4／5平台的投产。WHP 3／4／5分别于11月9日、9月18日、8月26日投产，分别比计划提前30、74、85天。这标志着绥中36-1油田二期工程全面投产。

秦皇岛32-6油田　油田一期包括A、B两个井口平台、15万吨浮式生产储油装置（渤海世纪号）和单点系泊系统(SPM)以及相配套的海底管线和海底电缆，计划2001年10月下旬完成海上安装、连接和联合试运转，10月31日投产。实际WHPA/B于10月8日提前23天投产。

【2001年在建工程项目】

秦皇岛32-6油田

1. 工程概况

秦皇岛32-6油田位于渤海湾的中西部，在京唐港东南约20千米处，距塘沽约130千米，地理位置为39°02′～39°10′N，119°08′～119°19′E，平均水深为19.6米。该油田发现于1995年，油田面积39.7平方千米，油藏埋深1 000～1 500米。

该油田主要工程设施有：6座4腿无人驻守井口平台，1艘15万吨级浮式生产储油装置，1座单点系泊系统，6条平台间输往FPSO的海底管线，6条平台间海底电缆，6条平台间的海底注水管线。

该油田计划按2年3期投产。

一期：井口平台A、B、SPM和FPSO，2001年下半年投产。

二期：井口平台C、D，计划2002年下半年投产。

三期：井口平台E、F，计划2002年下半年投产。

2. 工程进展

2001年度主要进行的工作有：A/B组块预制、安装、调试，E/F导管架建造、安装及上部组块的预制，单点导管架的建造、安装及连接，FPSO建造、调试，海底管线的铺设及一期工程所涉及的工程设施的连接和联合调试、试投产等工作。工程总进度实际完成87.8%，计划完成87.9%。

文昌13-1/13-2油田

1. 工程概况

文昌油田包括文昌13-1油田和文昌13-2油田。

文昌13-1油田位于海南省文昌市以东136千米海域，即19°34′～19°41′N，112°00′～112°07′E。文昌13～2油田位于海南省文昌市以东132千米海域，即19°32′～19°38′N，111°58′～112°04′E，距东北方向文昌13-1油田约7千米。文昌海域水深117米，区域季风特点明显、风大浪高、易受台风影响。

文昌油田计划分两期投产：

2002年2月15日，文昌13-1油田投产。

2002年5月1日，文昌13-2油田投产。

工程设施主要包括2座4腿带修井机无人驻守井口平台，两条平台间混输海底管线及2条海底电缆(6.8千米)，一座内转塔式永久系泊的单点系统，一艘15万吨浮式生产储油轮装置(FPSO)。文昌13-1油田设生产井10口，文昌13-2油田设生产井11口。

2.工程进展

该项目2001年度的主要工作有：导管架及平台组块建造，FPSO及单点的设计建造，导管架海上安装等工作。该项目建造工作2001年全面展开，工程总进度实际已完成83.4%。

东方1-1气田

1. 工程概况

东方1-1气田位于南海西部海域，距海南省东方市约110千米，气田地理位置为107°39′～107°49E′，18°31′～18°44′N，中心平台坐标位置为X：158012.73，Y：2061227.9，平均水深69.2米。

该气田发现于1995年，气田面积287.7平方千米，气藏埋深1 200～1 600米。

该项目一期工程方案为：1座8腿的CEP综合平台，1座4腿的E井口平台，1条110千米的22英寸的上岸海底输气管线，两平台间分别铺设1条12英寸的3.6千米的海底管线和1条海底电缆，在陆上建1座终端处理厂。该气田计划于2003年下半年投产。

2. 工程进展

2001年东方1-1项目主要开展的工作有：工程招标采办；陆上终端、海底管线和平台的详细设计；两个导管架的陆地建造等工作。截至到2001年底，项目总进度实际完成20.78%，介于计划下限20.44%至上限23.14%之间。

蓬莱19-3油田一期工程

1. 工程概况

蓬莱19-3油田是中国海洋石油总公司与美国菲利普斯石油公司合作，于1999年5月在渤海海域11/05区块发现的一个海上大油田。

油田开发的作业者为菲利普斯中国有限公司(PCI)。合作者是菲利普斯渤海分公司和中国海洋石油总公司(CNOOC)。中国海洋石油总公司参股51%，菲利普斯中国有限公司参股29.40%，菲利普斯渤海分公司参股19.60%。

蓬莱19-3油田位于渤海湾中部，蓬莱西北方向约70千米，距天津塘沽约250千米，距大连约130千米，距胜利孤东油田约120千米，距龙口约86千米，水深28米左右。

油田初步计划分两期开发。主要设施包括：四桩六立柱24井槽的无人驻守井口平台一座，浮式生产储油轮一艘(租用渤海公司的“明珠号”)，1.6千米海底管线/海底电缆和一座单点。预计2002年投产。

2. 工程进展

中海石油工程公司承担一期工程海上工程设施的建造、安装、单点导管架建造、单点头的维修工作；“明珠号”的维修工作在山海关船厂进行，由渤海公司、山海关船厂、中海石油工程公司三家承担维修改造工作。2001年中下旬，以上建设工作分别展开。

番禺4-1/5-2油田

1. 工程概况

番禺油田包括番禺4-2和5-1油田。油田位于香港以南200千米海域，15/34合同区内。番禺4-2、番禺5-1油田水深分别为97米和110米。番禺油田计划投产时间为2003年下半年。工程主要设施包括两座8腿钻井井口平台（番禺4-2平台14口生产井，番禺5-1平台12口生产井），一艘15万吨的浮式生产储油卸油装置(FPSO)，两条共计18千米的平台间海底管线及电缆。

2. 工程进展

2001年9月1日该项目ODP报告获得批准并进入实施阶段。2001年9月18日作业者与胜宝旺/Saipem联合体签署平台和海底管线设施部分的EPIC合同，并开始了基本设计工作。2002年1月10日开始了平台的陆地预制工作。

（中国海洋石油总公司）

【中国石化集团海工建设】 中国石化集团胜利石油管理局油建公司在全面开拓浅海市场的过程中，不断加大人力、物力投入，逐步形成了国内独有的浅海领域工程施工技术，创造和完善了一整套海底输油、注水、输气管线等不同结构、不同规格、不同水域、不同作业环境和不同技术要求的全过程施工工艺，并有4项滩海施工技术获国家专利。滩海浅海石油工程施工已成为胜利油建公司的核心竞争力。

2001年，胜利油建公司共施工综合平台6座，海底管线10条共计20.77千米，海底电缆3条共计1.6千米。

截至到2001年底，中国石化集团在胜利浅海地区已经建成各类平台52座、海底输油管线62.29千米、海底注水管线40.87千米、海底电缆9.16千米以及其他相关配套设施。

【滩海地震勘探】 中国石化集团现有4个滩海地震队和1个滩海设备队。用于滩浅海勘探的地震仪器共有5套，其中3套TELSEIS STAR无线遥测数字地震仪和2套BOX无线遥测数字地震仪，现有装备可以配备成4 000道。有2条震源船、2条测量船。海上的测量设备主要有法国DSNP公司生产的中程差分定位仪2+7台套，滩涂两栖带的测量设备有美国Trimble 5700及4700型GPS 3+14台套。新购置了美国I/O公司生产的digipoint system 二次定位系统2套及用于检波器上的应答器1 000个（适用3米以上水深），定位精度可达米级。另有赫格隆8台，橡皮艇50艘，罗利冈20台，陆上车辆110辆。拥有处理软件系统20余套，采集方法设计软件10余套。具有年度内可完成浅海过渡带三维勘探200平方千米、水上三维勘探300平方千米、二维勘探2 000千米的地震勘探采集施工能力。

技术能力与地震生产：中国石化集团滩浅海勘探工作始于1972年。能够在滩海浅海地区开展各种常规二维、三维地震勘探工作，完成滩涂、潮涧带、极浅海（0～2米水深）、浅海（5～30米水深）等不同施工地表的地震采集任务，特别是在0～30米水深的浅海，在国内具有明显的优势。可实现陆地、两栖及浅海内同一工区连续不间断施工，资料采集信噪比高、同相轴连续无畸变。顺利通过ISO9002质量管理与质量保证体系认证，建立起一整套运行有效的质量管理体系、质量保证体系和质量监督体系。

2001年，滩海地震队承担了胜利滩海地区4个三维区块的地震勘探任务。通过加大技术攻关和新方法、新工艺的推广力度，根据工区的地质任务和勘探目标，利用设计软件经过详细的采集参数论证和选择，并对设计的观测系统利用地质模型和射线追踪技术进行综合分析，确定了较为合理的采集参数。在施工过程中，滩涂和潮涧带使用速度型的防水检波器和炸药震源，浅海区使用单个压电水中检波器和气枪震源等不同方式激发和接收地震波，有效提高了资料信噪比。强化各工序质量监控，保证了复杂区块完整采集和地质任务的完成，共完成三维资料面积604.7平方千米，三维满次覆盖面积439.21平方千米，技术含量和施工质量较往年有明显提高。

科研成果：参加了国家“十五”“863计划”的招标工作并顺利中标，“滩海浅海地区高精度地震勘探技术”成为海洋资源开发技术主题项目研究课题。通过该课题的研究，将形成一套适合于滩浅海特点的高精度地震资料采集与处理技术，进一步提高中国滩浅海的地震技术水平。对海上气枪震源、滩海钻机、运载工具等滩海采集设备进行改造，对滩海观测系统设计论证、海上（滩涂、两栖地带）激发与接收技术研究、二次定位技术、滩海施工组织等进行攻关和研究等，都取得了较好效果，其中在滩海施工中二次定位技术的推广应用大大提高了测量定位准确率。经过不断总结和完善，形成了一套较为完善的滩海和极浅海地区地震采集技术，较好地完成了多种复杂地表和地下地质构造条件下的采集任务，获得了高信噪比和高品质的地震野外数据。

（罗大清 夏金宝等）

海洋油气开发与生产
Offshore Oil and Gas Development and Production

【中国海洋石油总公司油气开发与生产概况】

2001年中国海洋石油有限公司国内共有24个海上在生产油气田，其中合作生产的油气田12个：

渤海海域：秦皇岛32-6油田；

南海东部海域：惠州21-1油田，惠州26-1油田，惠州32-2油田，惠州32-3油田，惠州32-5油田，西江24-3油田，西江30-2油田，陆丰13-1油田，陆丰22-1油田，陆丰11-1油田；

南海西部海域：崖城13-1气田；

自营生产的油气田12个：

渤海海域：绥中36-1油田，锦州20-2凝析气田，歧口18-1油田，歧口17-3油田，歧口17-2油田，锦州9-3油田，渤中34-2油田，渤中34-4油田，埕北油田；

南海西部海域：涠洲11-4油田，涠洲12-1油田；

东海海域：平湖油气田，为国内合作油气田。

2001年完成年净份额油气产量9 540万桶（含马六甲82万桶）。

【渤海油气田开发与生产】 截至2001年12月31日，渤海海域净探明可采储量1 066.17百万桶油当量，拥有中国海上最大的净探明储量。2001年净日产水平为107 690桶油当量，为目前中国海洋石油有限公司第一大油气生产区。

绥中36-1油田 截至2001年12月31日，绥中36-1油田原油探明净可采储量约为261.27百万桶，2001年油田平均日净产量约为58 966桶，居各油田之首。

2001年8～11月，绥中36-1油田二期C、G、H平台相继投产，至此二期6个井口平台全部投产。全油田总井数249口，其中老区64口井（生产井50口，注水井12口，水源井2口）；二期185口井（生产井179口，注水井1口，水源井5口）。

绥中36-1二期工程的全面投产，大幅度提升了渤海海域的原油产量。

锦州区块 截至2001年12月31日，锦州9-3油田原油探明净储量为43.42百万桶，2001年原油日均净产量15949桶，总生产井数43口。

截至2001年12月31日，锦州20-2凝析气田天然气探明净储量为229.35bcf，凝析油净储量为11.56百万桶。总生产井数11口，2001年日均净产量为8 402桶油当量。

渤西油田群 截至2001年12月31日，该区块大约有31.72百万桶的原油探明净储量和28.59bcf的天然气探明净储量。目前渤西区块拥有三个在生产油田（歧口17-3，歧口18-1，歧口17-2）以及两个在开发油田（歧口18-2，歧口18-9）。2001年日均净产量15 587桶油当量，总生产井数44口。

目前正在编制歧口18-1油气田的调整方案，计划新钻2口井，完善注采井网，提高原油采收率。该方案计划2002年实施。

埕北油田 根据日中合同，该油田从2000年9月终止合同，转入自营油田管理。截至2001年12月31日，探明原油净储量为9.4百万桶。总开发井数52口，2001年日均净产量为4 329桶。

该油田处于开采后期，为提高油田产液能力，正在编制调整方案，预计2003年开始实施。

渤中34-2/4油田 根据该油田生产情况，经中日双方协商，该油田已于2000年9月提前终止合同，转入自营管理。截至2001年12月31日，原油探明净储量为4.91百万桶，总开发井数25口，2001年日均净产量为2 091桶。

秦皇岛32-6油田 秦皇岛32-6油田是第一个由中方担任作业者的合作油田，中海油有限公司（51%权益）与美国德士古中国公司（24.5%权益）、BP中国有限公司（24.5%权益）联合开发建设，秦皇岛32-6油田开发工程包括六座井口平台、单点系泊、FPSO。

截至2001年12月31日，公司在该油田净份额原油储量为9 818万桶，2001年公司日均净产量为2 366桶。

秦皇岛32-6油田A、B平台和渤海世纪号浮式生产储油装置于2001年10月8日提前投产（计划10月31日）获得成功。

秦皇岛32-6油田平面上被划分为北区、南区、西区。油田设井口平台6座，布开发井163口。2001年10月8日至11月26日，北区48口井全部投产完毕；南区C、D平台和西区E、F平台分别计划于2002年6月1日和9月1日投产。

蓬莱19-3油田 蓬莱19-3油田是合作油田，作业者是菲利普斯公司。中国石油原油净储量为117.38百万桶。该油田分Ⅰ、Ⅱ期开发，目前Ⅰ期正在进行工程建设，计划建1座平台，打24口生产井，一期预计2002年四季度投产。

目前正在编制蓬莱19-3Ⅱ期ODP方案。

渤南油气田群 此油气田群由四个油气田组成：渤中28-1，渤中26-2，渤中13-1和曹妃甸18-2油田。截至2001年12月31日，原油净储量为31.9百万桶，天然气净储量为218.61bcf。2001年2月完成可行性研究，6月ODP通过专家审查。目前正在进行天然气市场调查。

南堡35-2油田 南堡35-2油田属于边际油田，截至2001年12月31日，原油探明净储量为75.76百万桶。2001年新钻2口评价井，计划2002年完成ODP研究。

【东海油气田开发与生产】 该地区目前仅平湖油气田在生产，春晓油气田群正在进行开发评价。

平湖油气田 该油田属上海石油天然气有限公司所有，中海油为此油田作业者。截至2001年12月31日，平湖油气田原油净储量为348万桶，天然气净储量71.63bcf。开发井数7口油井，6口气井。2001年公司日均净产量5 599桶油当量。

为了满足上海天然气市场的需求，现在正在进行平湖扩建工程，ODP方案已完成，第一阶段工程预计2003年投产。

【南海西部油田开发与生产】 截至2001年12月31日，南海西部海域净探明可采储量约53 519百万桶油当量，2001年净日产约64 440桶油当量。

涠洲区块 截至2001年12月31日，该区块原油探明净储量为60.16百万桶，总开发井数53口，2001年日均产量40 377桶。

崖城13-1气田 该气田为与外方合作生产的气田，作业者为阿科公司。截至2001年12月31日，天然气储量为612.31bcf，凝析油储量为451万桶。气田至今已顺利向用户供气6年。

为了保证气田稳定生产，增加气田储量动用范围，从2000年7月至2001年11月开始实施开发调整，共钻开发调整井5口，其中4口在2000～2001年投产，1口在2002年投产。

东方1-1气田 该气田为中海油目前最大的天然气田。截至2001年12月31日，天然气净探明储量为1 309.61bcf。目前该项目正在进行工程建设，预计2003年投产。

文昌区块 截至2001年12月31日，文昌13-1/2油田净探明储量5 536万桶，目前正在进行工程建设，开发井数21口，计划2002年投产。文昌8-3油田探明净储量1 157.8万桶，目前处于开发评价阶段。

乐东区块 该区块包括乐东15-1、乐东22-1两个气田。截至2001年12月31日，净探明天然气储量499.54bcf。目前正在进行天然气市场机会研究。

【南海东部油田开发与生产】 该地区目前所有油田均为与外国公司联合作业或评价。截至2001年12月31日，该地区剩余探明可采储量13 219万桶油当量，2001年净日产水平81 404桶原油。该地区为中国海洋石油有限公司第二大石油生产区。

惠州油田 惠州区块作业者为CACT联合作业公司。该区块包括5个在生产油田：惠州21-1、惠州26-1、惠州32-2、惠州32-3、惠州32-5油田，共有开发井59口；5个在评价油田：惠州25-1、惠州27-1、惠州33-1、惠州19-3/2油田。2001年该油田日均净产量38 003桶油当量。

西江区块 菲律普斯和中海油是该区块的联合作业者。该区块包括两个在生产油田：西江24-3、西江30-2油田。截至2001年12月31日，西江区块公司净原油储量为2 559万桶，开发井数39口，2001年日均净产量为29 564桶。

流花11-1油田 阿莫科东方石油公司和中海油为该油田的联合作业者。截至2001年12月31日，油田探明净储量为6.00百万桶，油田开发井数25口，2001年公司净日均产油8 293桶。

陆丰13-1油田 由三家日本公司组成的集团JHN为该油田作业者。截至2001年12月31日，该油田公司净原油储量为500万桶，油田开发井数19口，2001年公司净日均产量3 451桶。

陆丰22-1油田 中海油和挪威国家石油（东方）公司为该油田的联合作业者。截至2001年12月31日，该油田探明净储量为53万桶，油田开发井5口，2001年公司净日产油2 093桶。

番禺4-2/5-1油田 作业者为丹文公司。截至

2001年12月31日，公司净原油储量3 283万桶。2001年6月ODP通过了专家的审查，9月上报国家计委。 （中国海洋石油总公司）

【中国石化集团公司海洋油气开发生产】

胜利浅海油气开发生产

生产作业：全年生产原油213.6万吨，为年初计划212万吨的100.8%，比调整指标多产3 600吨；实际交油208.84万吨，为年计划的100.8%。天然气交气量完成8 272万立方米，为年计划的118%；新建产能12万吨；油田注水75.35万立方米。全年躺井率为2.52%，低于年初确定的2.9%的控制指标；螺杆泵井检泵周期达1 017天，电泵井检泵周期达642天，分别比上年延长199天和66天。自然递减率12.7%，含水上升率由4.4%减到3.9%。全年完成68井次的维护和措施工作量，恢复日产油1 636余吨。合理实施油井调参8井次，累计增油1.34万吨。通过合理注采调配和注采管理，在馆陶组见到明显效果，注水前后对比，自然递减率由14.8%下降到12.7%，含水上升率由4.4%减为3.9%，注水区地层压力由10.87兆帕回升到10.92兆帕。

产能建设：全年完钻交井16口，完成钻井进尺28 532米，交井资料全准率、工程质量合格率均为100%。全年建成平台8座，铺设输油管线2条、注水管线10条，敷设海底电缆3条。完成孤六联——孤岛首站377毫米外输管线施工。组织了海上第一口气井——CBG5投产。

滚动勘探：全年完钻探井及评价井11口，试油10口，获工业油流9口。埕北30北断裂带下第三系取得突破，埕北32井东营组试油获日产99.8吨，约束反演计算主力油层地质储量425万吨。埕北321、322两口井东营组分获日产32.9吨、54吨的工业油流。埕北30南断裂带上第三系和埕岛地区中生界有新发现，埕北33、332两口井馆上段+馆下段分获日产63吨和29吨的工业油流，CBG6井中生界内幕储层试油获日产60吨的工业油流。

东海平湖油气田开发生产

中国石化集团以参股方式参与了平湖油气田的开发。

东海平湖油气田花港组原油储量1 086万立方米，平湖组天然气储量109.6亿立方米。布开发井15口，其中油井7口，气井8口。

花港组油藏于1998年11月18日投产，截至2001年底，已累计采出原油213.8万立方米，采出程度19.69%，累计采出溶解气1.6亿立方米。

2001年计划生产原油51.4万吨，实际生产原油60.1万吨，完成计划的117%，全年生产溶解气0.34亿立方米。

2001年底，油井综合含水67.3%，花港组油藏已进入中后期开采。

平湖组气藏于1999年3月投产，截至2001年底，累计采出天然气7.4亿立方米，采出程度为6.75%，累计采出凝析油14.8万立方米。

2001年全年生产气层气3.6亿立方米，凝析油6.3万立方米。

东海春晓气田群总体开发方案

2001年，中国石化集团新星公司上海海洋石油局规划设计研究院和中国海洋石油总公司研究中心联合编制完成了春晓气田群总体开发方案(ODP)。研究的工区范围包括4个油气田：春晓凝析气田，天外天气田，残雪油气田，断桥凝析气田。

根据春晓气田群的油气藏地质特征、油气储量基础、气藏工程与数值模拟研究结果，在多方案对比的基础上提出了春晓气田群的推荐开发方案：所有气藏均采用衰竭式开采，春晓气田春一井区分两套层系，春三井区分三套层系，天外天气田和残雪油气田分别采用一套层系，断桥气田分两套层系；共部署开发井33口，其中31口为定向井，2口为水平井；平均采气速度为3.88%，稳产期13年，生产期25年。 （罗大清 夏金宝等）

海洋油气科技发展工作
Scientific & Technological Development Work for Offshore Oil and Gas

【中国海洋石油总公司科技工作】 2001年是中国国民经济发展第十个五年计划的第一年。中国海油制定了要在2005年实现油气年产4 000万吨的“十五”计划目标。为保证这一宏伟目标的实现，中国海油实施了包括高科技战略的六大战略。

加强科技管理，重新成立科技发展部是中国海油机构重组的重要举措。科技发展部成立后，为提高中国海油在科技方面的国际竞争力，实现公司做强做大的目标，从建立健全公司系统的科技管理体系和狠抓科技“三基”工作入手，很快在技术研究、技术发展、技术交流、技术标准、知识产权、知识管理和学会管理等方面全面展开了工作。

在公司科学技术委员会的直接领导下，经专家论证，科技发展部确定了以解决天然气勘探、稠油开发和新领域等三大技术问题的9项综合科研重点项目："稠油油田少井高产技术"，"稠油油田精细油藏描述技术"，"稠油油田提高采收率技术"，"天然气勘探新技术"，"钻完井新技术"，"高温超压油田固井新技术"，"海上新型平台设计制造技术"，"海底管线检测、监测技术"和"全海域第三轮油气资源评价"。

经国家科技部批准，中国海油共承担了国家"十五""863"高技术研究计划的6个课题："时移地震勘探技术"，"可控三维钻井技术"，"提高采收率技术"，"抗冰平台技术"，"海底管线检测技术"和"钻井中途测试技术"。　　（中国海洋石油总公司）

【中国石化集团海洋油气科技工作】 东海西湖凹陷春晓构造带油气勘探项目"九五"总结报告。

"九五"期间，中国石化集团新星公司上海海洋石油局在东海春晓构造带油气勘探项目中投入了大量的勘探工作量，累计完成二维地震1 300多千米，三维地震1 400余平方千米，探井7口、总进尺26 000余米。探明了春晓、天外天2个油气田，提交油气探明储量近5 700万油当量。

报告通过系统总结上海海洋石油局"九五"期间在春晓构造带油气勘探项目取得的重要地质成果和主要油气成果以及勘探技术的应用，进一步深化了油气成藏规律的认识，丰富了西湖凹陷油气勘探理论，同时形成了一套基本适合于东海陆架盆地的油气勘探技术系列。该项目成果获得中国石化集团公司油气勘探成果二等奖。

（中国石化集团公司　罗大清　夏金宝　王亚宁
彭伟欣　郑　军　潘彦杰　李言经）

表1　2001年中国海洋原油、天然气产量

部　门	原　油（万吨）		天 然 气（万立方米）	
	2000	2001	2000	2001
中国海洋石油总公司	1 774.65	1 843.35	425 107	421 416
中国石油化工集团公司	217.71	213.60	3 757	15 600
中国石油天然气集团公司	88.00	86.00	31 263	20 196
总　计	2 080.36	2 142.95	460 127	457 212

表2　2001年中国海洋原油、天然气产值

部　门	原　油（万元）		天 然 气（万元）	
	2000	2001	2000	2001
中国海洋石油总公司	2 929 501	2 422 261	296 801	293 891
中国石油化工集团公司	345 268	289 230		3 971
中国石油天然气集团公司	140 481	106 621	17 536	9 188
总　计	3 415 250	2 818 112	314 337	307 050

表3　2001年中国海洋石油天然气工业总产值和增加值

单位：万元

部　门	总　产　值		增　加　值	
	2000	2001	2000	2001
中国海洋石油总公司	3 317 417	2 781 242	1 949 827*	2 043 766*
中国石油化工集团公司	362 317	309 699	198 447	178 448
中国石油天然气集团公司	158 017	115 809	89 632	82 244
总　计	3 837 751	3 206 750	2 237 906	2 304 458

注：*该数据中还包括其他地区的部分资料。

海洋交通运输业
Marine Communications and Transportation

综 述
Summary

【概况】 2001年是中国实施国民经济和社会发展第十个五年计划的第一年，尽管受美国和日本经济低迷的影响，世界经济和贸易的发展速度明显放缓，对水运生产造成一定冲击，但中国经济一枝独秀，增长速度达到了7.3%的较高水平，经济运行质量明显提高，为水运生产创造了良好的外部环境，中国水运形势保持稳中有升的良好局面，实现了“十五”计划的良好开局。主要情况和特点如下：

(1) 港航基础设施和装备的改善为港航生产提供了有力支持。2001年，对水运基础设施加大投入，全年共完成投资174.3亿元，其中沿海港口建设步伐加快，共完成投资124亿元，比上年增长54.6%，港航基础设施得到了进一步改善。全国港口共拥有生产用码头泊位33 441个，比上年增加583个，其中万吨级及以上泊位达到810个，比上年增加26个。沿海港口万吨级及以上泊位吞吐能力增强，专业化、现代化水平不断提高。其中5万～10万(不含10万)吨级泊位达到90个、10万吨级以上泊位达到19个。万吨级以上专业化泊位达到了349个，其中煤炭泊位86个、原油泊位40个、成品油及液化气泊位45个、粮食泊位24个、集装箱泊位83个。

水上运输船舶向专业化、大型化发展，结构更趋合理。船舶艘数比上年减少了8.2%，平均吨位增长6.3%。中国船公司拥有的从事国际航运的船舶超过2 300万载重吨位，集装箱位47.9万标准箱。

(2) 水上货物运输量继续增长，旅客运输量继续呈结构性下降。2001年，水上货运量共完成13.3亿吨，比上年增长9.0%；货物周转量完成25 988亿吨千米，比上年增长9.5%。货运量和货物周转量在综合运输体系中的比重分别为9.7%和55.7%，比上年分别提高了0.7个和2.3个百分点。水路旅客运量完成1.9亿人，比上年下降了4.1%；旅客周转量完成89.9亿人千米，比上年下降了10.5%。客运量和旅客周转量在综合运输体系中的比重均比上年下降了0.1个百分点。

(3) 水路客运趋向短途，货物运距持续延长。近年来，随着传统长距离水上客运的萎缩，特别是海上客运的全面退出，以及以中短距离为主的陆岛运输和旅游运输的不断发展，使水路客运日趋短途化。2001年全国水路客运平均运距48.2千米，比上年减少3.7千米。水路货运在远洋运输不断增长带动下，平均运距不断延长，2001年达到1 959千米，比上年增加19.6千米。

(4) 港口货物吞吐量平稳增长，沿海增幅高于内河。全国沿海、内河港口共完成货物吞吐量24亿吨，比上年增长8.8%，其中沿海港口完成14.5亿吨，比上年增长12.4%；外贸货物吞吐量累计完成6.6亿吨，比上年增长14.1%。其中，沿海港口完成6.0亿吨，比上年增长14.4%。

(5) 多功能、综合性大型枢纽港口发展加快。列全国沿海港口吞吐量前10位的港口年货物吞吐量都在3 000万吨以上，完成的吞吐量占沿海主要港口的72.8%，其中外贸占67.7%。继上海、广州、宁波3大港口之后，2001年又有天津、青岛、秦皇岛、大连4个港口货物吞吐量超过1亿吨，使中国多功能、综合性的亿吨大港达到7个。其中上海港货物吞吐量连续两年突破2亿吨大关，2001年达到2.2亿吨。7个货物吞吐量突破亿吨的港口全年共完成货物吞吐量9亿吨，占全部沿海主要港口货物吞吐量的63.7%。

(6) 煤炭、石油、金属矿石、矿建材料和钢铁仍占较大比重。货物吞吐总量中，煤炭完成4.5亿吨，占总吞吐量的23.6%；石油及制品3.1亿吨，占总吞吐量的16.1%；金属矿石2亿吨，占总吞吐量的10.3%；矿建材料1.9亿吨，占总吞吐量的9.8%；钢铁0.8亿吨，占总吞吐量的4.2%。

(7) 集装箱吞吐量继续攀升。全国港口完成集装箱吞吐量2 748万标准箱，比上年增长17.0%，其中沿海港口完成2 470万标准箱，比上年增长20.7%；2001年集装箱吞吐量超过100万标准箱的港口达到8个，形成了较大规模。其中上海港达到634万标准箱，居世界第5位；深圳港达到508万标准箱，居世界第8位。青岛、天津、广州、厦门、大连和宁波港集装箱吞吐量分别达到了264、201、174、129、122和121万标准箱。

海洋运输
Marine Transport

【国内航运业发展概况】 2001年，在国家扩大内需的方针带动下，国内水路运输继续保持良好的发展势头，结构调整加快，水运企业经济效益普遍改善。

2001年，国内沿海运输完成货运量3.29亿吨，货运周转量3 579亿吨千米；大宗散货运输稳步增长，内贸集装箱运输继续保持高速增长势头，集装箱吞吐量为393万标准箱，为2000年的1.36倍。

2001年船舶运力继续呈结构性调整，船舶大型化和专业化水平不断提高。2001年全国拥有运输船舶21.1万艘，比上年减少了1.9万艘。船舶平均吨位258载重吨，比上年增加35吨。集装箱船舶运力增长明显。

在国内水路运输行业管理方面，加强了法规建设，以部令的形式陆续出台了4个部门规章。颁布《国内船舶运输经营资质管理规定》(2001年第1号令)，建立了严格的航运企业资质管理认可制度和监督检查制度，在提高市场准入门槛的同时对达不到资质条件的现有企业限期整改，整改后仍达不到要求的，取消经营资格。通过实施资质管理制度，促进航运经营者结构优化和升级，达到全面提高企业管理素质和安全管理水平的目标。

经国务院同意，建立了以船龄为标准的运输船舶强制报废制度，并修改颁布《老旧运输船舶管理规定》(2001年第2号令)，全面提高进口二手船的船龄标准，并对达到一定年限的现有老旧船舶实行特别检验制度，增加检验次数和检验范围。通过实施这一规定，以减少安全隐患，优化运力结构。

颁布并实施《国内船舶管理业规定》(2001年第3号令)，建立起与船舶安全管理和航运发展相适应的新型船舶管理制度。

针对中国航运业的现状和存在的问题，提出了航运业结构调整的意见。通过10年左右的努力，调整运力结构、运输结构和航运企业结构，实现“航运业四化”，即船舶大型化、船队专业化、企业经营集约化、内河船舶标准化，全面提高中国航运业的整体素质和管理水平，促进航运业持续、快速、健康的发展。

按照中央的统一部署，在全国范围内组织开展了航运市场整顿工作。

针对过去长期存在的个体运输船舶“挂靠”经营的现象，提出了解决方案，要求除内河普通货船之外的个体运输船舶在规定的时间内以组建公司、折价入股、光船租赁、委托经营和交由专业管理公司管理等5种方式实现企业化经营。

【煤炭运输】 2001年，中国煤炭需求旺盛，供需基本平衡，煤炭价格恢复性上升，第四季度部分地区甚至出现供应紧张现象。

煤炭历来是中国水上运输的大宗货源之一，占水上货运量的40%以上。2001年，中国水运煤炭量再次实现历史性突破，江海主要港口下水煤炭完成23 287.7万吨，比上年增长17.6%，其中内贸发运完成14 712.7万吨，外贸出口发运完成8 608.9万吨，分别比上年增长5.7%和46.2%，外贸煤炭出口发运量已跃居世界第二。

2001年，煤炭需求的增长为煤炭水运提供了充足的货源保障。交通港航系统在全国煤炭订货交易会上，签订运输合同19 693万吨，实际完成23 287.7万吨，为订货数的118.3%，比上年增长了46.2%。煤炭出口形势喜人，煤炭出口发运量大幅增长。在煤炭出口优惠政策的鼓励下，全年煤炭出口发运量创历史最高记录。

但下半年需求增加，煤源紧张，煤炭到港不足，港存低下，船舶效率降低。交通港航企业积极与各部门配合，克服重重困难，采取有效措施，作出牺牲，有力地保障了重点用户用煤，为国民经济的持续稳定发展做出了贡献。

【铁矿石运输】 2001年，交通系统港航企业的广大职工团结协作，奋力拼搏，克服一切不利因素，经过积极努力，使铁矿石吞吐量完成创历史同期最高纪录。港口铁矿石吞吐量完成14 011.8万吨，比上年增长38.05%，其中外贸进口铁矿石接卸完成9 348.4万吨，比上年增长31.3%；国内中转二程铁矿石完成4 431.1万吨，比上年增长

265.9%；受进口铁矿大幅增长的冲击，海南铁矿石完成232.3万吨，比上年下降10.7%。

进口铁矿石是中国对外贸易进出口物资的第一大货类。目前，中国沿海及长江共有27个港口接卸和转运铁矿石。其中，年接卸量增幅较大的9个港口有：丹东、锦州、秦皇岛、天津、烟台、青岛、连云港、湛江和防城港。

【化肥和粮食运输】 2001年江海主要港口化肥和农药吞吐量完成2 618万吨，比上年增长3%，其中外贸完成1 245万吨，比上年下降9.9%。

化肥和农药运输：2001年外贸下降9.9%，内贸增幅达到23.5%。沿海主要港口完成1 868万吨，比上年增长3.6%，继续呈现“南增北减”的趋势。华南港口全年接卸710万吨，比上年增长23.4%；华东港口495万吨，比上年减少10%；北方港口全年接卸597万吨，比上年下降5.1%。

粮食运输：粮食是中国水上运输生产的传统大宗货源之一。水上粮食货源的流向主要为：一是东北粮食产区通过北方沿海港口调运至华南和华东港口再销往南方销区；二是东北产区的玉米和长江中下游的大米出口国外；三是一些国家的小麦、大米、玉米和大豆等通过外贸进口至华南、华东港口等。2001年，广东、福建和浙江省进行农业结构调整，成为中国粮食消费和调进大省，粮食水上调运将呈现快速增长形势，带动了国内粮食水运量的整体增长。受外贸出口大幅度下降的影响，2001年，江海主要港口粮食吞吐量完成6 698万吨，比上年下降5%，其中外贸完成2 523万吨，比上年下降11%。

2001年中国水上粮食运输的基本特点：一是与上年正好相反，由“外增内减”转变为“外减内增”；二是内贸仍是“北粮南运”；三是外贸“有进有出，品种调节，进出基本平衡”。

【国际集装箱运输】 2001年，在国际经济形势不景气，国际集装箱运输量大幅下降的大背景下，中国港口的集装箱吞吐量仍保持了一定量的增长。

2001年全国集装箱吞吐量达2 653.26万标准箱，比上年增长17%，其中位居全国集装箱吞吐量首位的上海港达到了634万标准箱，居世界排名第5位。

2001年中国国际集装箱运输市场的主要问题是航线运力过剩、运价低迷、竞争激烈，特别是中日航线受日本经济低迷以及中日贸易摩擦的影响，长期表现不佳；相对于亚洲市场，中美航线的货运情况表现好些；得益于欧洲经济相对稳定，欧洲航线的货运量逐步增加。但中国的出口增长并不稳定，全球经济放缓对出口的影响仍很明显。与此同时，外国班轮在中国箱运市场的实力不断增强，市场份额比重比以往有提高。值得注意的是，中国班轮公司的市场份额有大幅下降的趋势。随着中国政府不断出台刺激外贸出口的政策与措施和中国加入WTO带来的发展机遇，无疑将有助于中国经贸的发展，中国集装箱运输市场仍将是全球的最亮点已成为世界公认的事实。尽管外贸进出口受美国经济增速放慢的影响较大，中国港口集装箱吞吐量的增幅亦有明显下降，但仍保持两位数的增长率。

【国内集装箱运输】 2001年，中国国内集装箱运输仍呈平稳上升之势。集装箱外贸内支线运输港口吞吐量为160万标准箱，比上年下降17%；集装箱内贸运输港口吞吐量为393万标准箱，比上年增长29%。

(1) 集装箱班轮内支线发展情况：2001年，中国国际集装箱运输发展受美国、日本经济的影响，增长速度由2000年的37%下降到5.6%。集装箱班轮内支线是国际航线的喂给航线，因此，也受到干线集装箱运输增长速度下降的影响。

截至2001年底，全国共有50多个港口开展了集装箱内支线装卸业务。长江干线、环渤海湾内支线和华东沿海内支线仍是运输量最大的几条航线。

2001年国内集装箱内支线运输的发展速度虽然有明显地减缓，但内支线运输仍向合理、成熟、完善方向发展。

(2) 内贸集装箱运输：2001年内贸集装箱港口吞吐量达到393.3万标准箱，比上年增长29%；内贸集装箱运输干支线网络已形成并趋于完善。内贸集装箱码头专业化程度明显提高，运输船舶平均舱位明显增加。

【危险货物运输管理】 2001年，海事系统共申报监管危险货物船舶287 072艘次，其中国内航行船舶197 489艘次，国际航行船舶89 583艘次。危险货物数量35 233.3万吨，其中进港21 142.7万吨；出港12 411.0万吨；过境1 679.6万吨。纠正危险品运输船舶违章3 244次。

2001年，海事局组织了对新版《国际海运危险货物规则》的翻译出版和宣贯、培训工作。该规则的翻译出版使中国的危险品管理工作进一步与国际接轨。

交通部印发了《关于下放液货船水上过驳作业审批权限的通知》，下放了液货船过驳审批权限，以充分调动和发挥直属海事局的作用，简化了手续，适应了中国加入WTO的需要。立法工作也取得了一定的进展，制定了《水路散装液体危险化学品运输安全管理规定》和《港口危险货物安全管理规定》。这些规定填补了水路危险货物运输安全管理法的空白，使安全管理无法可依、责任不明的混乱状况得以改善。

2001年12月，海事局与国家安全生产监督局联合主办危险化学品公路及水路运输安全研讨会，对当前的运输安全问题进行了深入地研讨。

【旅游“黄金周”水路客运情况】 2001年“春节”、“五一”以及“十一”三个旅游“黄金周”期间，据11个水路客运主要省市统计，水路客运量分别为320万人、556万人、400万人，比上年分别下降18.5%、20%和10%。

水路运输客运量呈现逐年下降的原因是多方面的，但铁路客运的提速，公路网迅速延伸、等级的提高，民航发展加快等因素，对水路客运的影响日益加大，尤其是对水路长途客运。水路客运航速慢、大多需中转换乘和舒适度相对较差的弱点逐步显现出来。

沿海港口生产
Coastal Ports Production

【综述】 2001年全国港口完成货物吞吐量24亿吨，其中国际集装箱吞吐量完成2 700万标准箱，与上年相比分别增长8.8%和15%。主要有以下特点：

(1) 全国主要港口生产取得显著成绩，货物吞吐量保持快速增长势头。2001年全国主要港口完成货物吞吐量18.9亿吨，比上年增长14.9%，其中，沿海主要港口完成货物吞吐量14.2亿吨，比上年增长12.7%。截至2001年底，中国形成7个亿吨大港，其中上海港货物吞吐量突破2亿吨，宁波、广州港继续保持亿吨大港地位，天津、秦皇岛、青岛、大连港货物吞吐量跨越1亿吨。

(2) 外贸货物吞吐量稳步增长。2001年，中国政府采取了一系列鼓励出口的措施，加快出口退税，降低出口成本，使对外贸易保持了快速增长态势，港口外贸运输稳步增长。全国主要港口外贸货物吞吐量完成6.4亿吨，比上年增长13.6%，其中沿海主要港口外贸吞吐量完成5.9亿吨，比上年增长13.7%。

(3) 港口集装箱吞吐量保持两位数增长。在国际经济低迷的情况下，2001年全国主要港口集装箱吞吐量完成2 653万标准箱，比上年增长17.2%，其中，沿海主要港口完成2 456万标准箱，比上年增长19.2%。2001年宁波港集装箱吞吐量突破100万标准箱，成为第8个吞吐量超过百万标准箱的港口。

(4) 受世界经济增长放缓等因素的影响。2001年主要港口的外贸吞吐量和集装箱吞吐量虽有增长，但增速均下降，回落20多个百分点。

【引航管理】 2001年是中国引航业管理工作走向规范化、法制化的一年，同时也是引航生产大发展、再上新台阶的一年。全年总引领艘次再创新高，达15万艘次，比上年增长15%。其中，外国籍船舶10万余艘次，集装箱船4.5万艘次，特种和超大型船舶1.7万艘次。2001年交通部颁布了《船舶引航管理规定》(2001年第10号令)，该规定的颁布填补了中国引航管理法规的空白，为引航管理提供了有效的法律保障。引航业的精神文明建设取得良好的成果，交通部从内容和形式两方面重点抓了的精神文明建设工作。从内容上，交通部制订和颁布了《引航员职业道德和纪律规范》，并在全国范围内进行了宣传贯彻。各引航站根据自己的实际情况和特点，制订了切实可行的实施方案，收到了良好的效果。在形式上，交通部制订了《引航员统一服装制式标准》，引航员上岗都必须统一着装、统一标示、规范服务。2001年，交通部首次组织引航员赴西欧进行引航技术的培训和考察，通过考察培训，引航员们对西欧发达国家的港口现状和先进的管理模式有了初步的认识；对西欧的引航法律、法规及法令，引航机构的设置和管理，引航技术及装备，引航员的培训与管理等情况有了较清晰的了解，明确了中国引航工作的差距及今后的发展方向。

【外轮理货管理】 2001年，中国外轮理货业以狠抓理货质量为主线，大力开拓理货业务，使理货生产再创新高。全年理货总艘次为16.9万艘，比上年增长15.6%；理货总吨数为27 208万吨，比上年增长23.54%；集装箱理箱量为2 103.27万标准箱，比上年增长22.95%；理货总件数为72 093万件，比上年增长6.77%；装拆箱量为205.45万标准箱，比上年增长34.5%；理货船舶到数率为98.86%，比上年增长0.07%；理货数字准确率为99.98%，比上年增长0.5%。

【营口港】 2001年完成货物吞吐量2 508.1万吨，比上年增加291万吨，增长13.1%，其中外贸完成991.9万吨，比上年增加11.7万吨，增长1.2%；内贸完成1 516.2万吨，比上年增加279.4万吨，增长22.6%。煤炭及制品完成198.8万吨，比上年增长47.8%；石油及天然气制品完成302.2万吨，比上年增长28.3%；金属矿石完成366.4万吨，比上年增长50.3%；钢铁完成386.9万吨，比上年增长37.2%；粮食完成269.2万吨。集装箱完成21.1万标准箱，完成年计划的105.5%，比上年增加5.4万标准箱，增长34.5%，其中外贸完成3.3万标准箱，内贸完成17.8万标准箱。

疏港路改扩建工程竣工通车，竣工后路宽33米，长5千米，双向6车道，达到国家一级路标准，航道疏浚至-11米。三期工程多用途泊位水工工程开工建设，南护岸、东西围堰及防波堤延长段全部完工。一港池成品油及液体化工品码头项目工可获国家计委批复；营口港物流存储配送中心工可获辽宁省计委批复。港区码头安装电吊4台，集装箱桥吊1台，具备接卸集装箱能力。

2001年10月19日，营口港务股份公司首次公开发行股票申报材料通过了中国证监会审核。

【秦皇岛港】 2001年，该港实现了几代秦港人的夙愿，港口吞吐量跨上亿吨台阶。全港吞吐量完成1.13亿吨，比上年增长16%，位居沿海港口第5位。其中煤炭吞吐量超过亿吨，达10 007.1万吨，进一步巩固了煤炭运输主枢纽港地位；石油运输在大庆原油大幅减少的情况下，仍完成571万吨；杂货吞吐量完成723.9万吨，集装箱完成20 291标准箱，杂货和集装箱运输量均为历史最高水平。全年营运总收入22.5亿元，比上年增长20.3%；实现利润6.23亿元，比上年增长34.3%，其中经营利润4.13亿元，比上年增长55.8%，经济效益处于沿海港口领先地位。

在安全管理上，坚持“安全第一、预防为主”的方针，以杜绝重特大事故为目标，严格落实各级安全责任制，坚持反“三违”，进一步规范了边缘和接口部位安全管理，安全工作进一步加强，全年重大恶性事故和死亡事故为零，实现了年初确定的安全工作目标。固定资产投资完成12.3亿元，创历史新高，一批重点建设工程项目投产。主要项目有：戊己码头实现了简易投产，新增吞吐能力300万吨；一公司储油罐建成，新增储油能力8万立方米；散化肥库完工，新增储存能力14万吨。301泊位改造工程、散粮筒仓工程正在安进度抓紧施工。项目前期工作得到加强，进行了港口医院扩建和海景酒店改造工程的初步设计。开展了一公司15万立方米原油储罐扩建工程，煤四期预留工程和煤三、四期防风网工程可行性研究；完成了三、四期配煤工程和戊己码头集装箱改造项目的方案设计。计算机应用开发取得新的进展，实现了办公自动化系统，完成了主要基层单位光纤联网建设，提高了港口管理的信息化水平。

【天津港】 2001年，全港完成货物吞吐量11 369万吨，比上年增长18.8%，货物吞吐量第一次突破亿吨大关。集装箱吞吐量完成了201万标准箱，比上年增长17.7%。全年完成基建投资14.8亿元，创天津港建设历史最高水平。专业化南疆煤码头一期工程建成投产；大型15万吨级通用散货泊位、南疆1号靠船墩改造10万吨级原油泊位开工建设；南疆散货物流中心已经完成2平方千米的煤、焦炭仓储用地和主要道路等基础设施的建设；南疆铁路正式通车；北疆港区老码头改造加快，28、29号集装箱深水泊位改造工程已经竣工；东突堤北侧集装箱泊位改造获国家批准。天津港10万吨级航道一期工程竣工投入使用，二期工程按航道水深-15米，底宽210米进行施工，15万吨级船舶可乘潮进港。2001年，港务局投入5.2亿元，购置各种港口生产机械设备136台套，为港口生产增添了后劲，自动化办公系统投入运行。

【青岛港】 2001年青岛港货物吞吐量完成10 398.3万吨，比上年增长20.4%。集装箱、煤炭、原油、矿石四大支柱货种均超过1 500万吨以上，成为中国综合性国际亿吨大港。其中，外贸吞吐量达到7 016万吨，比上年增长21.7%；集装箱吞吐量完成263.9万标准箱，比上年增长24.5%；煤炭吞吐量完成1 563万吨，比上年增长16.8%；原油吞吐量完成2 490万吨，比上年增长4.3%；矿石吞吐量完成2 588万吨，比上年增长63.96%。安全及时靠离船舶11 720艘次，其中超过200米长的大型船舶2 230艘次。全年实现港口总收入22.68亿元，比上年增长21.1%。

青岛港将外贸集装箱作业转移至新港区。截至2001年底，10条国际集装箱航线已由老港区转移至前湾新港区。前湾二期集装箱码头吞吐量由年初的3 346标准箱/月发展到39 000标准箱/月。

2001年，建设完成了电视会议系统、港务局生产管理信息系统(二期)工程等九大信息化建设工程并投入运行。全国最大的20万吨级兼顾30万吨级矿石专用码头通过国家验收并正式投入生产，推动了矿石现货交易市场的发展。

建设八大工程：前湾三期两个水深-16.5米、长800米的大型集装箱专用泊位竣工；在建的3号大型集装箱泊位正抓紧施工；老港区一、二号码头连体改造暨散粮接卸设施建设工程全面竣工；新建5万吨级散粮专用泊位1个；容量1万立方米的钢质筒仓8座；液体化工码头等工程前期工作已完成了海上、陆域拆迁工作，进入开工准备阶段；扩大矿石接卸能力工程已完成小港池堆场、前辅区堆场和中胶粮堆场的第一阶段工作；30万吨级原油码头、前湾四期工程、扩大煤炭接卸能力工程、散水泥出口基地工程的前期工作齐头并进。

进一步扩大内外开放，加快招商引资步伐，建设“万国码头”，先后在香港、西安、青岛等地成功举办了招商推介会，与世界500强企业中石化集团强强联合，有偿转让了32座总容量为180万立方米的油罐。

加强国家级技术中心的建设，配备两院(港口机械设计院、港口工程设计院)、两室(港口规划与装卸工艺研究室、港口安全技术研究室)、两个中心(信息中心、环保中心)，专职研发人员101人。其中，硕士5人，高、中级职称人员占总数的59%。完成了11项重大技术改造和建设项目的可行性研究方案论证和设计，10个港口信息化工程研究开发和应用项目。

全年共投入资金6 000余万元，完成技术进步与革新项目766项，产生经济效益2亿元。申报中国专利105项(其中有51项已经授权)、申请市级以上技术创新项目9项。

【上海港】 2001年，上海港装卸生产继续保持较好的增长势头，创造了全港货物吞吐量、港务局货物吞吐量、外贸吞吐量和集装箱吞吐量四项历史新纪录。货物吞吐量，全港完成2.2亿吨，其中港务局完成1.3亿吨，分别比上年增长8.1%和7.2%；外贸吞吐量，全港完成8 653万吨，港务局完成7 065万吨，分别比上年增长13.4%和14.3%；集装箱吞吐量完成634万标准箱，比上年增长13%。全年新开国际集装箱航线17条，月均航班密度达到1 032班，基本形成对内对外两个扇面的运输网络。集装箱装卸效率不断提高，单机每小时最高作业量达到50.9个自然箱，单船每小时最高作业量达到213.9个自然箱，最高日接卸能力已突破2.5万标准箱。新港区建设进展顺利。外高桥码头三期工程基建成；外高桥码头四期工程码头水工主体部分基本完工，道路、堆场工程完成近23万平方米，约占全部道路、堆场工程的20.9%。

科技进步展示新貌。研究制定了《上海港务局“十五”科技发展规划》和《上海港信息化“十五”规划》。集装箱码头配置了外伸距为63米、起重量为61吨的超巴拿马型桥吊，场地龙门吊采用了GPS(卫星定位系统)自动纠偏装置。管理信息系统工程项目完成开发并投入试用。《抓斗动态仿真及优化研究》、《智能软起动节能器》、《外高桥港务公司集装箱实时管理系统》和《人工辅助循环综合治疗》等课题分别获国家和上海市的奖励。

【宁波港】 2001年，全港完成货物总吞吐量为12 852.3万吨，比上年增长11.3%，继续位居中国大陆港口第二位。其中，货物吞吐量完成9 374.7万吨，比上年增长4.4%；集装箱吞吐量突破百万标准箱大关，达到121.3万标准箱，比上年增长34.4%；全港旅客吞吐量完成572.3万人，比上年增长1.5%；铁路货运量完成679.5万吨，比上年增长6%。安全生产实现了"四无一控制"目标。

(1) 港口生产再创新高，集装箱运输继续快速发展。2001年新开辟远洋干线6条，从而使宁波港的集装箱远洋干线达到了16条，航线总数达到58条，月航班近300班。内贸集装箱快速增长，内贸箱吞吐量达5.4万标准箱。干线集装箱吞吐量占外贸集装箱吞吐量的比例由上年的40.2%提高到54.2%。继续有效地开展对外服务承诺，积极推行集装箱单确认制，优化服务、提高效率。

(2) 基本建设和重点技改项目进展顺利。2001年是宁波港建港史上基本建设投入最大的一年，点多、线长、施工难度大，建设部门根据港口生产发展的需要，在确保质量的前提下，抢时机、抓进度，共完成基本建设投资10.15亿元。技术改造共完成2.3亿元。

(3) 企业管理、改革和合资、改制工作取得明显成效。2001年，全面质量管理体系进一步完善，客货运质量持续稳定，客运站被交通部评为"五星级客运站"；港口生产做到安全、高效、有序进行，装卸效率和泊位利用率得到了进一步提高；对大型设备的监造、安装和调试工作加大了检测力度，深化了点检和状态检测工作，使设备管理水平进一步提高；北仑港区900米集装箱码头与香港和黄集团合资项目取得成功；对原北仑港埠公司进行了资产剥离和重组，宁波港北仑股份有限公司正式成立，进入上市辅导期；新组建的北仑第二港埠公司各种关系得以理顺，运作正常。

【广州港】 2001年，全港货物吞吐量完成12 823万吨，比上年增长15.2%，创历史最高水平，货物吞吐量连续三年突破亿吨大关；国际集装箱吞吐量完成173.8万标准箱，比上年增长21.5%，创历史最高纪录；旅客发送量为5.9万人，比上年减少19.2%。

全港外贸吞吐量完成3 495.5万吨，占全港吞吐量的比重为27.3%，比上年增加12.5%，其中外贸进口完成2 706万吨，比上年增长14.7%；外贸出口完成789万吨，比上年增长5.5%。外贸吞吐量中增加的货类主要是石油、金属矿石、钢铁、粮食、糖、矿建材料、集装箱等。全港内贸吞吐量完成9 327万吨，占全港吞吐量的比重为72.7%，比上年增长16.3%，其中内贸进口完成5 938万吨，比上年增长16.5%；内贸出口完成3 390万吨，比上年增长16%。内贸吞吐量中增加的货类主要是煤炭、石油、钢铁、矿建材料、非金属矿、集装箱等。

全年完成固定资产投资额28 703万元，其中新沙8#～10#泊位集装箱系统改造工程完成投资3 093万元，为年度投资计划4 240万元的72.9%。新沙8#～10#泊位集装箱系统改造现已基本完成，两台伸距45米的集装箱装卸桥吊已正式投入使用。广州港历史上最大的浮筒工程——坭洲头5万吨级浮筒已通过竣工验收，该浮筒可供长235米、宽32米、深17.4米的船舶靠泊。

2001年，广州港与新加坡港务集团合资建设集装箱码头，加快了集装箱运输发展。新开辟了"黄埔－胡志明－曼谷"和"黄埔－东南亚"等外贸航线；与烟台海运合作开辟了"黄埔－上海"的内贸航线；与天津海运集团合作开辟了一条挂靠新沙码头的沿海内贸班轮。

沿海港口建设
Coastal Ports Construction

【概况】 2001年是中国实施"十五"计划的第一年，国家继续加大对沿海港口的投入。2001年沿海港口(含南京下游港口)在建项目共91项，建设泊位162个，其中深水泊位114个、中级泊位36个、小型泊位12个；完成投资899 332万元，为年度计划的110.5%。2001年可建成泊位36个，其中深水泊位19个、中级泊位10个、小型泊位7个，新增吞吐能力5 687万吨，217.6万人和141.5万标准箱。

(1) 继续加强水运工程建设管理法规建设。为贯彻《合同法》、《招标投标法》和国务院《建设工程质量管理条例》、《建设工程勘察设计管理条例》等有关规定，更加适应沿海港口建设的新形势，在广泛征求意见和总结经验的基础上，进行了《水运工程勘察设计招标投标管理办法》、《水运工程机电设备招标投标管理办法》的制定工作和《水运工程建设项目法人责任制实施办法》的专题研究工作，并完成了《水运工程勘察设计招标投标管理办法》报审稿。根据《水运工程施工招投标管理办法》(2000年4号令)，对《港口工程施工招标文件(含合同)范本》进行进一步修改。根据交通部安排，制定了《关于整顿和规范水运建设市场秩序的若干意见》。

(2) 抓好沿海港口建设项目的管理。在抓好在建和新开工的建设项目管理的同时，重点抓了竣工投产项目的管理、及时组织已完成项目的竣工验收。狠抓了重点工程，重视工程实施中的关键环节——在建的工程项目均按规定执行了招投标制、工程监理制和合同管理制，并逐步探讨实行项目法人制的经验。2001年建成投产的项目有营口港鲅鱼圈港区二期工程、烟台港三期工程第一阶段工程、青岛港前湾港港区20万吨级矿石专用码头工程和广州港出海航道一期工程。

(3) 做好水运工程建设项目执法监察工作。根据国务院办公厅《关于进一步整顿和规范建筑市场秩序的通知》和交通部发布的《关于印发〈关于整顿和规范水运建设市场秩序的若干意见〉的通知》的有关要求，为进一步规范水运建设市场秩序，严格基本建设程序，规范招标投标行为，提高工程建设质量，2001年下半年水运司对在建及新开工水运工程建设项目(含支持系统建设项目)，以交水发[2001]748号《关于进一步开展水运工程建设项目执法监察工作的通知》，对执法监察的范围、方式及要求做了具体部署。执法监察工作的重点是以工程建设质量为核心，紧紧围绕工程招标投标活动，重点检查应该招标的工程建设项目是否按规定进行招标，招标活动是否按国家有关规定进行，招标投标行为是否公平、合理。是否存在肢解工程发包、虚假招标、私下授标、层层转包或违法分包，以及挂靠、无证和越级承包等违法违规现象。总结和推广一批在制度建设、廉政建设方面的先进典型经验，推动全国建设工程项目执法监察工作的深入开展。

【青岛港前湾港区20万吨级矿石专用码头工程通过验收】 该工程是国家“九五”重点建设项目，建设20万吨级矿石专用泊位1个，设计吞吐能力1 100万吨，并预留发展余地，批准工程总概算168 253万元。工程于1998年5月开工，2000年3月已按批准的建设规模和标准建成，2001年10月18日通过国家验收。码头泊位长度420米，由卸货平台、系缆墩和人行桥组成，码头通过栈桥、引堤与陆域堆场相连接。码头卸货平台为沉箱重力墩式梁板结构，顶面高程10.0米，码头前沿底面高程-21.0米，港池水域底面高程-18.5米。堆场面积13.46万平方米，面层为高强混凝土联锁块结构。港内道路面积10 483平方米，面层为混凝土大板结构。港内铁路线长2 637米，生产辅助设施建筑面积9 015平方米。

【烟台港三期工程(第一阶段)通过验收】 该工程是国家“九五”重点建设项目，共建设深水泊位4个，设计吞吐能力255万吨，其中集装箱175万吨(24万标准箱)。工程总投资13.68亿元，其中人民币84 370万元，外币6 300万美元。工程于1998年6月开工，2001年10月已按国家批准的建设规模和标准建成，2001年12月7日通过国家验收。

该工程建设码头岸线总长度961米，码头为沉箱重力式结构。顶面高程4.5米，集装箱码头(顺岸)前沿底面高程-14米，杂货码头(突堤)前沿底面高程-16米。护岸总长2 047米，为斜坡堤结构，护面采用四脚块体。围堰总长1 236米，为抛石斜坡堤结构，护面采用四脚块体。堆场面积18.5万平方米，面层采用混凝土高强联锁块结构。道路面积6.61万平方米，面层为沥青混凝土结构、混凝土联锁块结构和混凝土大板结构。钢结构集装箱交接库一座，建筑面积5 485平方米。其他房建12 425平方米，为框架、排架结构。港内铁路专用线总长度4 945米。

【营口港鲅鱼圈港区二期工程通过验收】 该工程是国家“八五”跨“九五”的重点建设项目，建设1.5万吨级泊位5个，其中顺岸泊位2个、突堤泊位3个，水工结构分别按3万吨级和5万吨级预留，设计吞吐能力350万吨，批准的调整总概算51 058万元。工程于1994年4月开工，1999年12月基本建成，2001年2月19日通过国家验收。

该工程建设码头岸线总长度1 145米，码头为方块重力式结构，顶面高程5.5米，顺岸泊位码头前沿底面高程-11.5米，突堤码头泊位前沿底面高程-12.0米，港池底面高程-9.2米。建设堆场、道路面积共计178 998平方米，面层为混凝土大板结构，其中有管网部分铺设高强混凝土联锁块。建设综合楼、流动机械库等生产辅助设施建筑面积共计13 132平方米。

【广州港出海航道工程一期工程通过验收】 广州港出海航道工程一期工程是国家“九五”重点建设项目。该工程分两个阶段进行建设，第一个阶段为预备工程阶段(伶仃西航道疏浚工程)，第二个阶段为正式工程阶段(一标、二标工程)。工程于1998年11月正式开工，于2000年9月完工。该工程完工后，可通航3.5万吨级散货船，提高了航道通航能力，增强了港口的市场竞争力。

广州港出海航道工程一期工程起自广州港黄埔西基调头区，经新沙航道、莲花山东航道、伶仃西航道和大海水道至珠江口桂山岛引水锚地，航道全长115千米，按通航3.5万吨级散货船舶的标准建设，设计底宽160米，设计底标高-11.5米。疏浚土方量4 023万立方米。配套航标工程主要包括在川鼻、大虎航道分别新设2座侧面标志，对莲花山东航道11座灯浮进行重设并调整位置，对广州港5#、9#、17#、29#、32#、37#灯浮的位置进行调整。2001年2月28日通过了国家验收，工程质量总评为优良。

水上交通安全
Maritime Traffic Safety

【综述】 2001年全国共发生运输船舶水上交通事故644件，沉船292艘，死亡失踪490人，直接经济损失19 087.3万元，分别比上年上升12.7%、上升43.8%、降低5.2%和上升115.1%。

2001年，交通系统认真贯彻落实中央领导对安全工作的重要批示和安全生产工作会议精神，认真开展了“水上运输安全管理年”活动，进行了水上交通安全专项整顿，召开了大型水运企业安全管理座谈会、全国乡镇船舶交通安全管理工作会议和全国水上通安全工作会议，切实解决水上交通安全生产工作中存在的重要问题和隐患，取得了较理想的效果，确保了死亡失踪人数的下降。

【船舶安全检查情况】 2001年，各沿海海事局、长江海事局及地方海事机构共实施船旗国监督检查海船11 912艘次，实施港口国监督检查外轮1 701艘次，具体情况如下：

在实施船旗国监督方面，共有11 912艘次中国籍海船接受了检查，滞留177艘次，滞留率为1.5%；检查中共发现各类缺陷69 880个，单船平均缺陷为5.87个，消防、救生方面的问题缺陷数分别为12 618个、12 881个，各占总缺陷的18.1%和18.4%。两项合计占总缺陷的36.5%，同上年相比检查艘数和总缺陷均有增加，单船平均缺陷增加0.86项。

在实施港口国监督方面，各海事局共对1 723次外轮进行了检查，其中1 284艘次船舶存在缺陷，共发现各类缺陷7 743个，单船平均缺陷数为4.49个。其中救生、消防方面的缺陷为2 276个，占总缺陷的29.39%。2001年度共滞留外轮106艘次，滞留率为6.15%，其中船舶被滞留5艘次以上的船旗国分别为巴拿马37艘、柬埔寨21艘和伯利兹13艘。

2001年度，有关海事局共对1 502艘次中国籍船舶实施了开航前检查，查出缺陷7 337项，滞留26艘次。其中检查后开往日本的705艘次，开往韩国的646艘次，“送鲜船”237艘次。

【2001年救助打捞工作概况】 2001年交通部救捞系统以“确保救捞体制改革工作顺利进行，把思想和行动统一到部党组的指导思想和工作部署上来，实现保证救助、保证安全、保证稳定三个目标”为工作指导思想，全面完成了救助值班、抢险救助、打捞清障、消除溢油污染等各项任务。全年共完成救助值班待命7 818艘/天；执行海上救助任务138次，其中执行海上人命搜寻救生任务53次，获救人员31人；救助各类遇险船舶97艘（其中外轮28艘），随船获救人员1 503人（其中外籍人员366人）；打捞沉船22艘(其中外轮1艘)。

【重大海洋交通事故】 1月6日14时，江苏省盐城市新光集团有限公司所有、射阳县海运公司经营的“苏射18”轮(总吨900，运煤船，船员12人)在江苏射阳河口南门沙水域（33°52′.0 N/120°33′.0 E，距岸1.7海里)处搁浅，由于海况恶劣(偏北风7～8级，阵风9级)，21时该船开始倾侧，其中有11名船员在分乘2艘救生筏逃生过程中9人死亡，2人失踪，1名船员在船上获救。21时30分船舶沉没。

3月15日7时20分，浙江省舟山个体货船“浙定39092号”(总吨24，船长17.1米，船宽3.55

米)，从沥港开往宁波途中，在南江口三星码头外300米处因货物移位沉没，船上17人(违章载客16人，船员1人)全部落水，其中5人生还，4人死亡，8人失踪。

6月23日23时10分，浙江省个体船舶“浙虞机36号”(总吨998，船员15人，本航次载地砖1 520吨)从广州开往辽宁途中遭遇2号台风正面吹袭，在25° 20′.0 N /119° 32′.0 E 处(距福建平潭岛西南10海里)沉没。船上人员全部落水，3人获救，死亡和失踪12人。

10月28日5时30分，山东龙口港通海运有限公司所属船舶“通惠”轮(滚装船，船长65.66米，船宽11.50米，总吨1 595，净吨893。船员23名，本航次载运车辆9台，其中6台为液化气罐车、随车司机9人)，从旅顺开往龙口，在38° 30′.0 N/120° 48′.0 E 处发生爆炸，随后在37° 52′.3 N /120° 52′.6 E 处沉没。事故中有5人获救，29人死亡，5人失踪。

【海事系统基本建设】 2001年度共安排海事系统基建项目43个，投资2.78亿元。

主要建设项目

海事业务用房：辽宁、福建、葫芦岛、营口鲅鱼圈、济南、蒲田、泉州、海沧、山东、深圳宝安海事局(处)业务用房的建设和装修及广东韶关培训中心建设。

工作船码头建设：厦门工作船码头，深圳蛇口工作船码头。

VTS建设：辽宁VTS，厦门VTS。

海事信息系统一期工程建设：各局局域网和海事广域网硬件设备已完成安装调试。

其他建设：河北秦皇岛海上溢油应急反应系统，上海外高桥监督航标基地，上海船员考试中心工程等工程项目建设。

航标测绘建设：包括广州仓头、汕头航标保养基地工程，青岛、宁波、广州三灶灯塔工基地和部分航标业务用房，改造或新建青岛大桥岛、老北山、大丰港、汕头遮浪等灯塔和灯桩，完成一些航标堆场、码头的修缮改造工程，对一些导标和浮标进行了技术改造。

船舶建造：包括上海1 000吨级海上巡视船，浙江45米级巡逻船，广东沿海测量船，福建及广西30米巡逻船，30米以下巡逻船共14艘，高速摩托艇2艘。

2001年基本建设工程竣工3.8万平方米，主要有上海海事大厦、外高桥监督航标基地、广州仓头航标码头、北方海区海上溢油应急系统工程、GMDSS船位报告系统；建成了上海1 000吨级海上巡视船。

建设项目执行情况

严格基建程序。从每个项目的立项、工程可行性研究、初步设计、开工报建等都严格按照基建程序；项目建设，严格实行招投标管理；对中标的勘察设计、施工、监理单位进行资质审查；严格控制建设项目的建设规模、标准和投资额。

为大力推行廉政合同制度，海事局规定，凡投资在50万元以上的在建项目，包括海事局批准的部分航测专项工程，都要求与施工、监理、船舶建设单位签定《廉政合同》。经检查，没有发现海事系统在建项目有违反国家及交通部有关基建、廉政规定的现象。

【海事信息系统工程建设】 2001年交通部海事局组织建设的海事信息系统一期工程取得了重大进展。

完成了直属海事系统主干网络及平台建设，开发了7个业务应用软件系统，并陆续投入试运行。主要包括部海事局网管中心和部机关局域网的硬件网络建设改造、20个直属海事局机关局域网的建设、通过租用中国电信的通信专线，实现了部海事局与20个直属海事局的广域网络连接；在应用软件的开发方面，完成了船舶管理、船员管理、通航管理、事故应急、行政办公和法规管理、公用系统、危险品管理等7个子系统应用软件调研、设计、开发、测试及选点试运行。针对有关海事业务特殊要求，先期开发了船舶登记管理软件，并正式运行；海员证管理软件和ISM审核管理软件也在有关直属局应用；开通部海事局和各直属局的内部电子邮件系统和部海事局机关工作人员因特网电子邮件系统。另外，实现了一期工程与中国船舶报告中心的通信接口和局财务远程查询软件的网络改造。

【海区测绘】 2001年，交通部海事局对沿海18个港口、76幅海图进行了复测和检测，测绘工作量

7 307.7平方千米，比上年增长9.6%，印刷出版港口航道图90幅，共计54 390印张；为长江口水域季节性测量出版双色海图21幅，24 320印张。全年共发行港口航道图39 067张，出版发行潮汐表4 500册，编辑《改正通告》24期，发行至全国160余家用户，发行量18 440册。其他航海图书资料4 060册。全海区海图优良率为96%，印图合格率为100%。

2001年还完成了天津港、青岛港、长江口、珠江口GPS平面基础控制网的改造工程。开始在上海筹建“中国电子海图制作中心”。完成了天津—大连—香港的电子海图海上试验。全海区共制作完成符合IHO S-57、S-52标准的电子海图103幅。利用技术优势，结合RBN—DGPS、VTS技术开发制作了一批新图种和专题电子海图，受到用户的欢迎。

海洋交通环境保护
Environmental Protection in Marine Traffic

【环保综合管理】 在党的十五届六中全会精神和“三个代表”重要理论指引下，21世纪的第一年，交通部加大了环境保护工作力度。在交通环境保护法制建设、环境管理、交通建设项目环评审查、执法检查、污染防治、环境监测科研、环保信息交流等方面作了大量工作，取得了比较好的效果，起到了保驾护航的作用，得到有关方面的肯定。

环境法制建设：2001年，交通部组织制定了《公路建设项目环境保护验收规定(讨论稿)》，组织编撰了交通部第一部《交通环境保护法规标准选编》，进一步完善了交通环境保护法规体系，更好地为交通环境保护管理、污染治理、监测科研、信息交流和交通工程建设服务。

交通建设项目环境管理：2001年，交通部共组织完成了41项(公路25项，水运16项)交通建设项目环境影响报告书的审查。交通部管项目环境影响评价执行率达到了95%以上，环保“三同时”的执行率也达到了90%以上；在理顺环评工作重点、使环评更加务实的同时，交通部加强了工厂设计、施工、验收过程的环境保护管理，使交通建设项目环境保护“三同时”更加落实、更有实效。

协调工作：2001年，交通部在协调有关部门和地方环境保护工作方面也做了许多有成效的工作。在协调《长江口深水航道二、三期工程环境影响报告书》审查过程中，与国家环保总局、农业部及上海市协调，达成了渔民损失赔偿与环评审查分开处理的意见。还成功地协调了上湄公河航道整治工程中国对环境影响报告书的审查，及时提出了国家意见，保证了工程的顺利进行。此外，成功地协调有关部门及地方，解决了洋山港环境影响评价报告书的审查。促进了交通事业的发展。

污染防治：2001年，全交通行业共投入污染防治资金30余亿元，年污水处理达到1 000余万吨，其中，港口处理船舶油污水300多万吨，回收污油3万吨；船舶垃圾3万余艘次，减轻了港口水域的污染。

环境监测：2001年，交通部组织完成了港口航道和公路环境监测、交通污染源监测、海事执法监测、溢油应急监测、交通建设项目环境监测和三峡流动污染源监测，并获得了监测数据近十万个，编制了交通环境质量年报。同时还组织交通部环保中心、长江海事局及重庆、宜昌、万县环境监测站完成了三峡流动污染源监测任务。完成对62艘客船，30艘货船，15艘客货船，27艘旅游船，69艘滚装船，63艘拖船的油污水和生活污水的监测。

环保执法检查：2001年，交通部和国家环保总局联合对重庆、贵州、内蒙、安徽、四川、天津和西藏7省市区的交通建设项目环境保护工作进行了检查和调研。发现交通行业干部职工的环境保护意识较强，多数交通建设项目的环境影响评价、环保“三同时”做得都比较好，四川、重庆、内蒙、贵州等地的工作做得很好。如四川、重庆公路边坡防护、贵州、安徽公路噪声防治，内蒙治沙、绿化做得有特色。但个别省市工作仍存在一些问题。如有的地方交通建设项目环境保护漏项，有的地方环保部门越权等。在日常工作中发现问题立即予以纠正。北京、山东、云南等地的漏项或环保审查程序上的问题，都予及时纠正。北京市把高速路建设所有的环评漏项全部补做了环评和环保“三同时”(如机场路、京开高速路、八达岭高速二期)；山东省环保部门也纠正了环保审查程序上的问题。

第七次部环境保护委员会会议：在2001年3月13日中央召开人口资源环境座谈会后，交通部于3月15日召开了部环境保护委员会第七次会议。会议由交通部环委会副主任刘功臣主持，部环委会主任洪善祥副部长作了重要讲话。会议学习了江总书记在中央环保座谈会上的讲话，总结了2000年交通环境保护工作，研究了2001年交通环境保护工作。

全国第一次交通建设项目环境保护工作会议：在西部大开发中，交通建设项目环境保护的任务日趋加重。为了加强交通建设项目环境保护的管理，总结经验，研究解决交通建设项目环境保护工作面临的任务和问题，布置“十五”环境保护工作，交通部于5月9～11日在云南召开了“全国第一次交通建设项目环境保护工作会议”。各省、自治区、直辖市，各港航单位、各交通企事业单位领导参加了会议，国家环保总局监督司也派领导参加了会议。会议收到了预期的效果。

“六五”世界环境日宣传：交通部利用“六五”世界环境日组织了交通环境保护宣传活动。洪善祥副部长在《中国交通报》、《中国水运报》和《交通环保》杂志上发表了文章；举办了环境保护知识竞赛；利用宣传媒体进行了较为广泛的宣传活动。

【船舶防污染管理】 法规建设：为加强船舶污染管理，2001年交通部在法规、标准和规章的制定方面作了大量工作。海事局组织制定了《围油栏技术条件》行业标准，并通过了交通部组织的评审，为规范围油栏的生产、使用；交通部启动了《船用吸油毡技术条件》标准的制定工作，用于规范船用吸油材料的生产、使用，海事局具体负责，2001年已完成征求意见稿；海事局制定发布了《水上油污染事故油样品取样程序规定》，规范了水上油污染事故调查过程中油样品取样程序，为海事管理机构处理污染事故提供准确依据。

污染事故：2001年共发生船舶污染事故58起，其中“大勇”轮污染事故属重大事故。

2001年4月17日，韩国籍散化船“大勇”轮载运2 300吨苯乙烯由日本驶往宁波，途径31°06′N/122°46′E 时与中国香港籍“大望”轮发生碰撞。致使约700吨苯乙烯泄漏入海。接报后，上海海事局立即组织力量赶赴出事海域进行海事调查及现场勘验，并根据现场采取了一系列安全与防污措施。由于措施及时，有效地控制了污染的扩散，减轻了污染损害。事故的清污费用和污染损害索赔正在按照程序进行。

溢油应急工作：北方海区船舶溢油应急示范工程竣工，并通过了海事局组织的验收；为了适应船舶防污染工作需要，组织专家编制了《溢油应急培训教材》，并由烟台海事局承办了首期溢油应急反应专项培训；为了落实OPRC90公约、《海洋环境保护法》和《中国海上船舶溢油应急计划》，海事局制定发布了《港口溢油应急计划编制指南》，用以指导港口、码头、装卸点溢油应急计划的编制和审批。

国际合作：在青岛举办了西北太平洋行动计划(NOWPAP)海洋污染防备反应第四次论坛，来自国际海事组织、联合国环境署和日本、韩国、俄罗斯的官员和专家参加了会议；经国务院批准、海事局就《中韩黄海油污防备反应协定》与韩国开展了第一次双边会谈，并在基本原则上达成了一致意见。

海洋交通科技
Science and Technology in Marine Traffic

【2001年通过鉴定验收的国家级科研项目】

(1) 波形挡边皮带式卸船机研制。该项目为“九五”国家重点企业技术开发项目，承担单位：上海港口机械制造厂。该项目依托广西防城港设备工程开展研制，采用了螺旋叶轮取料装置，垂直提升和水平输送共用一条波状挡边皮带，简化了整机结构。新机型具有结构紧凑、自重轻、能耗低、效率高的特点，总体性能达到国际先进水平。

(2) 散粮卸船工艺流程自动控制技术。该项目为“九五”国家重点企业技术开发项目，承担单位：交通部水运科学研究所。该项目依托广东省新沙国家储备粮库建设工程，在研究开发控制系统关键技术的基础上，完成功能完善、操作灵活的自控系统，实现了对200台套以上设备以及多达3 000条工艺流程的自动控制。专题研究达到了国际90年代先进水平，并取得了显著的经济效益和社会效益。

(3) 集装箱跨运车研制。“集装箱跨运车研制”是“九五”国家重点企业技术开发项目“集装箱港口技术装备研究开发”专题之一。该专题由常州矿山机械厂、交通部水运科学研究所、厦门港务集团公司共同承担。该项目研制的CK 40/4集装箱跨运车采用无平台式结构型式双传动系统，额定起重量(吊具下)为40吨，起升高度为9 100毫米，起升速度为18米/分钟。通过对机型结构主参数优化、动力及传动系统等研究，该机型总体技术达到国际90年代同类产品的水平。

(4) 煤炭计量系统研制。该项目为“九五”重大技术装备研制及国产化项目，承担单位：上海港煤炭装卸公司、交通部上海船舶运输科学研究所、交通部标准所。该项目成功地研制了全悬浮电子皮带秤及可用于实物检定的料斗秤。系统额定流量1 200吨／小时，皮带秤检定准确度15%。研究成果符合国际计量组织高精度计量系统标准，达到国际先进水平。

(5) 船舶网络化自动控制系统设备研制。该项目为国家技术创新项目，承担单位：上海市交通技术发展公司、交通部上海船舶运输科学研究所。该系统包括船舶主机遥控、监测报警、电站自动控制及船舶管理信息等子系统。系统基于现场总线控制技术，实现了船内全数字化通信，通用性好，过程控制分散到现场设备，可以按需要灵活组态，能满足不同类型船舶机舱监控的需要，达到了标准化、模块化、系列化的要求。该系统样机受到了好评，已承接了30多条船舶系统安装，合同额达2 000余万元，显示出了很好的市场前景。

(6) 1 750立方米/小时绞吸式挖泥船新技术装备研制。该项目为“九五”重大技术装备研制及国产化项目，承担单位：长江航道局、武汉交通科技大学。该项目包括4个研究内容：①空气助送泥技术研究；②易损件特种材料及应用新工艺研究；③疏浚作业仿真训练器研制；④疏浚作业优化系统开发研究。通过研制，开发了适用于挖泥船关键易损件如泵壳、绞刀的特种新材料、新工艺，使使用寿命提高到普通铸钢件的2倍以上，并研制出现场快速修复工艺。项目总体水平达到国际先进水平。

(7) 智能交通系统体系框架研究。该项目为“九五”国家重点科技攻关项目，承担单位：交通部公路科学研究所。该项目攻关目标是确定适合中国地面交通体系的智能交通系统体系框架，为国家进行智能交通系统规划、实施、管理、设计提供依据。项目共吸收交通部公路科学研究所、公安部交通管理局、建设部城市交通工程技术中心、建设部信息中心、铁道部科学研究院、国家基础地理信息中心等18家单位参加研究。通过研究，确定了中国智能交通系统的总体需求；提出了中国智能交通系统的定义和总体体系框架结构、物理结构；确定了中国智能交通系统标准化领域；分析了各种运输方式在系统中的作用及相互协调的方式；并对系统进行了技术经济评价。项目成果明确了中国智能交通系统的总体内容和各部分相互关系，保证了全国可兼容性和可操作性，是中国发展智能交通系统的指导性文件。

【2001年被国家经贸委列为国家技术创新项目介绍】

(1)“港口改、扩建关键技术研究”项目针对“十五”期间中国港口面临的发展与调整两大任务，尤其是大量散件杂货码头向专业化码头泊位改造，依托天津港开展泥沙工程技术、结构检测及承载力评估、轻型化门机等技术装备研究开发。项目承担单位为交通部水运工程科学研究所、天津港务局等，总投资为42 050万元，项目实施年限为2002年1月至2003年12月。

(2)“QLY25全液压港口轮胎起重机研制”项目由哈尔滨工程机械制造厂承担，研制开发最大额定起重量为25吨的新型港口轮胎起重机。总投资为520万元，项目实施年限为2001年8月至2002年12月。

(3)“2000型剪力梁岸边集装箱起重机研制”项目重点针对发展支线港口及老码头改造，研制开发适应老码头或内河码头的小轨距(10.5／16米)、自重轻、低轮压剪力梁轻型岸边集装箱起重机。总投资为3 500万元。项目实施年限为2001年8月至2002年12月。

(4)“集装箱双箱吊具研制”项目由常州市海江船舶安全设备厂承担，以研究开发现代集

(下转152页)

海洋盐业和盐化工

Marine Salt Industry and Salt Chemical Industry

【综述】 2001年，全国共产原盐3 454.75万吨，其中海盐2 206.74万吨（表1），海盐产量仍居世界第1位。海盐产量在1993～2000年连续8年高产情况下，2001年产量仅比历史最高水平（2000年）低157.61万吨，继续保持供大于求的局面。2001年各省海盐产量为：天津251.94万吨，河北467.84万吨，辽宁285.36万吨，江苏203.0万吨，山东870.0万吨，浙江47.77万吨，福建47.39万吨，广东12.99万吨，广西7.1万吨，海南13.35万吨。2001年海盐盐化工产品产量达50万吨。盐田生物产业有所发展。据统计，2001年全国海盐区工业增加值为20.82亿元，职工人数为13.5万人。

2001年在“中国已基本实现2000年消除碘缺乏病的阶段目标”的基础上，中国盐业为全国提供高质量的加碘盐693万吨。

表1　2001年全国海盐产量及盐田生产面积

单位：万吨，公顷

	海盐产量	其中加碘盐产量	盐田生产面积
全国海盐	2 206.74	289.79	338 017.76
北方盐区	2 078.14	202.65	306 874.41
辽　宁	285.36	56.58	53 060.47
山　东	870.00	63.00	92 962.00
河　北	467.84	39.51	79 010.38
天　津	251.94	9.41	36 182.56
江　苏	203.00	34.15	45 659.00
南方盐区	128.60	87.14	31 143.35
浙　江	47.77	21.35	8 760.00
福　建	47.39	17.35	8 965.27
广　东	12.99	26.13	7 101.42
广　西	7.10	13.67	2 778.45
海　南	13.35	8.64	3 538.21

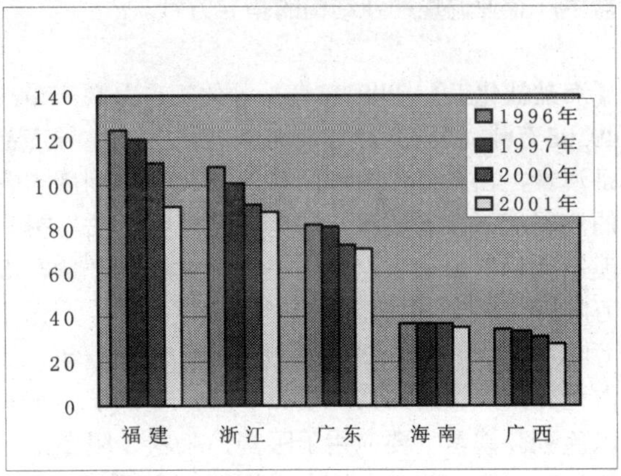

图1　南方海盐区盐田面积（平方千米）

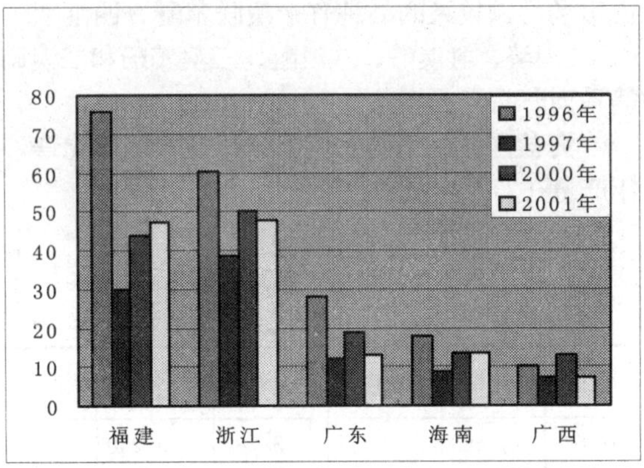

图2　南方海盐区海盐产量（万吨）

【海盐生产情况】 随着海盐生产技术水平的提高，海盐生产抗御降雨损失能力的增强，再加上2001年北方沿海气象条件仍然有利于海盐生产，2001年海盐产量2 206.74万吨，比历史最好水平的2000年产量降低6.92%。

连续几年的高产，使盐业产大于销的局面更加严峻。南方海盐区，因成本高和市场经济的调节作用，福建、浙江、广东等省大力进行产品结构调整，拆废、压缩小盐场，使南方海盐区的年产量由以前的220万吨，降至2001年的128.6万吨（图1、图2）。北方海盐区多数生产企业销路不畅，产品价格受市场经济的影响，造成海盐生产企业十分困难，部分企业严重亏损。海盐生产企业的滩田严重失修，企业发展后劲严重不足。为此，国家经贸委发出第3批《淘汰落后生产能力、工艺和产品的目录》，对设计生产能力5万吨/年以下北方海盐的生产装置和生产能力1万吨/年以下的南方海盐生产装置，进行淘汰，成为海盐生产企业调整产业结构的指导方针。

【海盐盐化工】 2001年海盐盐化工产品总产量约49.95万吨（表2）。目前海盐盐化工的主导产品是溴素，山东省沿海地区从80年代初，利用丰富的浅层地下卤水资源，采用“空气吹出法”提取溴素。目前山东省盐区仍是产溴大省，产量在5万吨/年以上。此工艺在其他海盐区推广，产量1万吨/年。中国溴产量已达6万～7万吨/年，约占世界溴产量的15%，居第3位，仅次于美国和以色列。溴素主要应用于医药，染料、阻燃剂，化学试剂等化学工业领域。中国溴系列产品有200余个品种，在制盐工业中已有60余个品种生产，占市场份额较大的品种有十溴联苯醚、四溴双酚A、二溴醛、氢溴酸、八溴醚、三溴苯酚和二溴磷等系列产品。

海盐区盐化工的大吨位产品是六水氯化镁，年产量在37万吨左右。

表2 2001年海盐区主要盐化工产品产量

单位：吨

地区	氯化钾	工业溴	氯化镁	无水硫酸钠	硫酸钾
辽宁	4 445	720	3 287	5 240	
山东		58 140	46 820		
河北	9 680	4 720	64 400		
天津	18 750	3 120	19 9700		
江苏	6 750	470	59 470		
合计	39 625	67 170	373 170	5 240	13 800

（果文会）

【盐田生物】 盐场中广阔的滩涂、水面（卤水）蕴藏着丰富的生物资源。沿海盐碱荒滩上生长着种类繁多的野生耐盐植物。据Aroson(1985)统计，全世界共有1 560种盐生植物，中国有400余种。盐生植物具有适应盐化环境的形态和特性。根据其对过量盐类的适应特点，可分为聚盐性植物和不透盐或抗盐植物，其适盐能力在海水浓度的百分之几到两倍不等，且长期处于自发生长状态，为我们提供了丰富的种质库。

盐田中存在的生物有细菌、浮游植物、浮游动物和底栖生物，如嗜盐菌、绿藻、蓝藻、硅藻、轮虫、卤虫、卤蝇幼体等。随着海水到卤水的盐浓度变化，盐田中生物群落的分布也在发生变化。盐田中的生物从形态上可分成3类，即动物、植物、微生物。在初级蒸发池，卤水浓度较低，含盐量只有3.5%～9%。这里生长着海草及硅藻、鞭毛藻、螺旋藻等低等植物。在中度蒸发池，卤水中含盐量达9%～18%，生长有绿藻、蓝藻、硅藻及属于蓝藻门的隐杆藻。卤虫，又名丰年虫，它是这一盐水域中特有的低等甲壳动物。高浓度的蒸发池，含盐量为18%～20%，有红色嗜盐菌及盐藻生存。

海盐生产盐田生物管理 1967～1972年美国J.S. 戴维斯建立了海盐生产盐田生物管理理论。在盐业生产中，人们利用盐田生物促进卤水蒸发、减少渗漏、净化卤水，以提高制卤效果，提高盐的质量和产量。盐田生物管理是海盐生产工艺中的重要环节，主要是监测并保持盐田生态系统的平衡。工作内容包括经常检测不同浓度卤水的物理化学性质，调查卤水中的生物生长状况，适时适度地调节营养物质，主要是氮和磷，使卤水中的生态保持平衡，以利于海盐生产；在中级卤水中保持适量的卤虫，抑制隐杆藻的生长，必要时用人工投放卤虫卵；注意控制蒸发池的大小和卤水深度，避免因波浪太大而损伤池底生物垫层，同时使太阳辐射能到达池底，促进底栖生物的生长。

盐田生物与海盐生产的关系 在盐业生产中，盐田生态过程是：纳潮海水养殖鱼虾，其排泄物可为藻类繁殖提供营养，藻垫的形成具有防渗的作用，藻类是卤虫极好的食物，卤虫可净化卤水，卤虫成虫是鱼虾极好的饵料，卤虫尸体是嗜盐菌的食物。卤虫在盐田生物管理中扮演重要的角色。由于卤虫的无选择滤食性特性，它能过滤掉水中的藻类和其他杂质，所形成的粪便沉积于盐池底部，使卤水得到净化，有机质和藻类的去除可以降低卤水的粘度，有利于降低原盐中的有机质含量和大结晶盐的形成。卤虫也可以为结晶池中的红色嗜盐菌提供必需的营养，红色嗜盐菌以卤虫尸体、碎片分解的蛋白质、营养素为食。红色嗜盐菌能使卤水着色，高浓度的红色嗜盐菌能提高卤水吸热能力，加快蒸发速度，提高盐的产量。嗜盐菌也有净化卤水的作用，从而提高盐的质量。保持盐田生态体系的平衡有利于海盐的生产。

盐田生物技术 盐田生物技术是以盐业生物资源、生物过程与生物技术结合，形成的交叉分支学科。国际上盐田生物技术研究始于20世纪70年代对卤虫的研究。中国80年代开始这个领域的研究。早期对盐田生物的研究主要与提高盐质和盐产量相联系，如培植藻垫、养殖卤虫减少卤水渗漏和净化卤水等。近年来，为跟踪该领域国际先进技术，开发高附加值的高新技术产品，盐田生物技术的研究主要集中在微藻养殖、开发盐藻胡萝卜素保健食品、螺旋藻保健食品、开发卤虫、轮虫等水产育苗饵料方面。

盐田生物技术包括：①研究各类盐生植物的习性，从中筛选出经济类的生物，并对其进行综合开发；对传统作物进行改造，并使之适于盐渍化土壤生长。②对分布在海水滩涂区间的盐场、虾场、养殖场、土地进行综合开发利用，实行养殖与栽培相结合，使养殖过剩的饵料、浮游生物及浮游动物的排泄物和尸体转化为农作物生长的有机肥料，既可净化海洋环境，提高海水利用率，又能增加农业产量。③向盐行业积极推广盐田生态管理，改进原有生产方式。采用生物分级调控制卤新工艺，全面净化卤水从而提高原盐质量、产量。④把生物技术引入传统盐业，利用盐场的资源与条件，开发高新技术产品。⑤利用盐田生物提取生物活性物质、海洋药物，开发新型保健功能食品、开发生物饵料等，还可利用生物工程使一些生产率较高的生物作为活性物质载体进行大量生产。80年代，盐业企业在发展原盐生产的同时，实行了“以盐为主，多种经营”的方针，海盐区利用滩涂水面，大力发展以对虾为主，包括鱼、贝、参、藻等多品种的海水规模养殖。部分盐场从育苗到养成，从加工到经营形成了完整的生产体系。孵化育苗、饵料加工、放养、收捕、冷藏、出口等技术、设施完备。解决了虾鱼贝混养、参虾混养、工厂化育苗、亲虾越冬、高产精养等关键技术问题，水产养殖给盐业企业带来重要变革。1986年后，养殖业的发展引发人们对盐田其他生物资源的开发。对卤虫的开发、繁殖逐渐兴起。

自1984年以来，盐田生物技术的研究不断深入并取得长足的发展。该领域的研究主要集中在中盐制盐工程技术研究院和一些盐业企业，现已完成6项国家科技攻关项目、12项部（市）级项目、7项国际合作项目和6项所级项目，获3项部级以上成果奖和2项国家专利，有些成果已转化为生产力，并取得了良好的经济效益和社会效益。已完成的研究有4个方面：

在生物技术管理方面，制盐研究院曾对沿海地区从南至北的几个代表性盐场的生态系统进行了调查，提出了为提高盐质和盐产量对盐田生态系统现状进行改造的建设性意见。在渤海湾和胶州湾地区的几个盐场成功地进行了优良品系卤虫的引种。

制盐研究院盐藻商业养殖、开发胡萝卜素系列产品已达到国内领先水平。目前已经较好地解决了盐藻户外养殖、采收及提取胡萝卜素的工艺难题。建成17 000平方米的养殖池及采收、加工车间。1992年在吉兰太盐场，应用此项技术建成12万平方米的天然胡萝卜素生产厂。目前已形成批量生产的产品有天然胡萝卜素晶体、油溶液、口服液、口含片、微胶囊、软胶囊等。保健型盐藻粉的开发已初现规模。小球藻、圆石藻、紫球藻、雨生红球藻等应用微藻的研发工作也取得积极进展。

在中国广阔的盐田和内陆盐湖中蕴藏着众多特性各异的卤虫品系。盐场除了捕捞加工卤虫卵外，有的盐田经过合理的调配使用，可用来养殖卤虫。试验结果表明，在1公顷盐池中移殖50克卤虫无节幼体，一年繁殖5～6代，可收获15～20千克卤虫卵和10 000～15 000千克卤虫。卤虫资源的合理开发利用将会促进水产育苗业的发展。

在饵料生物方面，制盐研究院从90年代初开始对中国16个省市的40余个内陆盐湖和沿海盐场的卤虫资源进行了调研，对各种品系的卤虫和卤虫卵的各项生物学特性进行了分析，建立了卤虫卵基因库。并在卤虫卵采收、加工和去休眠的研究方面作了大量的工作。近几年来又对轮虫和轮虫休眠卵进行了研究，轮虫休眠卵的生产和应用填补了国内空白，并达到世界领先水平。

近年来，盐业企业也建立了一些螺旋藻生产基地进行养殖和利用的研究。山东东营盐场、海南莺歌海盐场均建立了中试厂生产藻粉。盐行业开发的产品有螺旋藻胶囊、口服液、营养面条、米粉、螺旋藻盐等食品。

盐田生物产业　盐田生物产业为运用盐田生物技术对盐田（湖）、滩涂、盐水域及低盐耕地的生物资源进行研究开发活动，同时也包括对所开发的初级产品进行加工、转化的社会物质生产活动及部门。

实践证明，许多交叉学科只有综合出现时，才会开创出一个崭新的研究前景，盐田生物技术本身也正在与医学、营养学、制药精细化工及水产养殖等专业密切协作。而且今后的发展也会在与饵料、环境保护、医药、农业等产业结合上取得更大的进展。

盐藻　盐藻（*Dunaliella*），也称盐生杜氏藻。属绿藻门(Chlorophyta)团藻目(Vovocales)杜氏藻科（Dunaliellaceae）。盐藻为单细胞浮游微藻，细胞外无纤维素构成的细胞壁，仅被一层薄而富有弹性的膜包被，所以其细胞的形状和大小经常随周围环境特别是水渗透压的改变而发生很大变化。在显微镜下观察，其外型有球型、卵圆形、椭圆型、葫芦型、纺锤型等等。细胞前端是一对等长的鞭毛，细胞内有一个大的杯状叶绿体，叶绿体的体积占整个细胞体积的一半以上。在通常条件下，盐藻呈绿色，但在特定生长条件下，如高盐度、高光照及营养盐缺乏等条件诱导下，在叶绿体外缘、类囊体片层之间积累大量富含类胡萝卜素的中性脂质小体，因而细胞变成黄色、橙色或红色。

盐藻分布很广，在咸水湖、海水及盐池中都能够发现盐藻，甚至在接近淡水的环境中盐藻也能够生存。一般在日晒盐场盐浓度较高的蒸发池及结晶池中，盐藻是主要的初级生存者。

盐藻细胞中富含β-胡萝卜素、盐藻多糖、二萜等多种活性物质，还含有18种氨基酸、牛磺酸、多种维生素和矿物质。由于盐藻没有细胞壁，干燥的盐藻粉极易为动物和人体所消化吸收。盐藻有范围宽广的耐盐性，其对强烈的日光也有很强的适应能力。盐藻具有积累甘油、β-胡萝卜素的能力并含有丰富的藻体蛋白。优良品系的盐藻体内β-胡萝卜素的含量可达其藻体干重的10%，而且盐藻细胞内的β-胡萝卜素与人体血清中的β-胡萝卜素的顺、反式之比相同。盐藻不仅是天然生物中胡萝卜素含量最高的物种，也是可作为活性物质补充剂的优良海洋生物物种之一。

盐藻胡萝卜素　类胡萝卜素是一类存在于黄、橙（红）水果蔬菜中的色素。在自然界中人们已识别了600余种类胡萝卜素。其中β-胡萝卜素是人类营养中最重要的物质之一。盐藻是自然界中的体内胡萝卜素含量最高的生物物种。在国外，人工培育的盐藻品系优良，其体内胡萝卜素的含量可达到干基含量的12%，这是胡萝卜中胡萝卜素含量的数百倍。盐藻中的胡萝卜素主要以β-胡萝卜素为主，此外还有α-胡萝卜素、γ-胡萝卜素等，这些胡萝卜素的含量依杜氏藻的种类及生长条件不同而异。人们通常把β-胡萝卜素看成是维生素A原，然而许多试验表明，β-胡萝卜素的一些功能不同于维生素A原的作用。β-胡萝卜素能猝灭单线态氧以及作为抗氧剂而清除自由基。β-胡萝卜素猝灭单线态氧的功能已经用于治疗红细胞生成性原卟啉病，这是一种遗传性光敏性皮肤疾病。此外，β-胡萝卜素所具有的抗氧化和抗突变性质可降低一些癌症的发病率。

胡萝卜素是一种最重要的营养素，对人体具有良好的保健作用。其主要功能有：防癌抗癌，反转癌前病变，预防LDL氧化进而预防心脏病、中风、白内障，增强免疫系统，防止某些光敏性紊乱，增强细胞间的缝隙联结，在组织中增强抗氧化作用、猝灭单线态氧、缓解紧张反应、升白作用。

胡萝卜素的基本作用是清除氧自由基，也就是具有抗氧化作用。由于它的抗氧化、抗突变性，所以它能减少一些癌症的发病率，具有防癌作用。由于它能通过缝隙联结而抑制肿瘤的发展，所以具有抑制癌症的作用。由于它能预防脂质过氧化，从而降低了发生心脏病的危险。它增强免疫系统也增强了人体的抗病能力。

螺旋藻　螺旋藻有极高的营养价值。其体内含有极为丰富的蛋白质和人体所必需的全部必需氨基酸。还含有SOD、溶菌酶、牛磺酸、维生素和其他陆地生物和海洋生物所缺乏的藻胆色素，其营养组成十分均衡。螺旋藻被联合国粮农组织推荐为“21世纪人类最理想的保健食品”。螺旋藻应用范围十分广泛，可用于食品、饲料、精细化工及化妆品等，特别是作为一种保健食品对治疗或辅助治疗某些疾病，具有独特的功效。

卤虫　卤虫是一种世界性分布的耐盐生物，

它广泛地分布于日晒盐场和内陆盐湖中。由于其独特的抗渗透压能力，在高达20%的盐水中也能够存活，这是其他水生动物所无法比拟的。卤虫属滤食性水生动物，主要以水中的浮游藻类和有机碎屑为食。卤虫无节幼体体长大约500微米，成虫大约10毫米左右。卤虫卵由于其易保存、易孵化、营养价值高等特性，是海水育苗不可缺少的一种鲜活饵料，卤虫成虫也是水产养殖业所需要的一种重要的鲜活饵料。

轮虫　轮虫属小型浮游动物，长度在100～1 000微米之间，因身体前端旋转的头盘而得名。轮虫广泛分布于淡水、半咸水环境中，以细菌和单胞藻为食，属滤食性动物。轮虫是60年代日本人Ito首次将其作为真鲷的开口饵料应用于水产养殖中的。目前，世界上有60余种的海水鱼及18种的海产甲壳动物的幼苗以轮虫为开口饵料。由于轮虫具有个体小、增殖快、易培养、营养价值高且可被营养强化等特点，已成为水产育苗中不可缺少的开口鲜活饵料。　(张俊杰)

【盐业科研项目简介】

已完成项目

(1) 中国特殊卤虫品系的研究及进一步开发利用。该项目为中国与比利时国际科技合作项目，主要对中国内陆盐湖和沿海盐场的卤虫生物习性的鉴定、生态环境特征，卤虫卵和无节幼体的特性及在水产养殖业的试用性、休眠及孵化特性、营养组成等进行研究，在研究中发现了一个卤虫的新种，并对 9 种内蒙卤虫品系和 2 种西藏卤虫品系作了品系特性、遗传特性等方面的深入研究。择选出一种优良品种引种到盐池中，同当地品系比较，提高卤虫卵产量达50%，卤虫卵孵化率大于85%，杂质率小于1%。该项目已于2001年1月底完成。共发表论文 4 篇。

(2) 盐藻生物资源综合利用及其产业化研究。该项目是天津市科技发展计划项目，起止日期为1998～2001年，项目旨在利用广阔的沿海滩涂，对盐田生物资源进行合理的开发利用。研究盐藻的工业化培养、采收、处理、保存技术，并进行盐藻健康食品的研制。建成年产 2 吨食用级盐藻粉中试工厂。技术关键之一是要选出优良的藻种。中盐制盐研究院采用紫外线对原有藻种进行了遗传诱变试验，筛选出一株生长繁殖快、胡萝卜素含量高的藻种。通过大量的室内外试验，确定了其培养条件及营养盐配方。技术关键之二是盐藻的采收方法及设备的确定。由于藻体微小，其比重又与培养液比重接近，给藻体的采收带来很大困难。该院在原有的工作基础上进行了大量的调研和试验工作，确定了盐藻的离心分离采收法及具体技术参数。技术关键之三是干燥技术和设备的研究与确定。由于盐藻中胡萝卜素在干燥过程中极易氧化降解，故需选择适宜的干燥方法和设备。对真空冷冻干燥、真空低温干燥、喷雾干燥等方法进行了对比试验。盐藻采收率达到85%，盐藻粉中天然胡萝卜素含量大于 4 %，此项目于2001年10月鉴定验收，专家认为该项技术成果填补了国内空白，达到国际先进水平。利用盐藻粉生产的盐藻粉软胶囊，经功能试验表明其具有免疫调节、抗辐射和抑制肿瘤的保健功能。此生物制品为社会提高了一种新的健康食品资源，对改善和提高我国人民身体素质具有深远的意义。现已建成年产 2 吨食用级盐藻粉的中试工厂。生产的盐藻粉已出口日本。

(3) 海洋生物多糖新药——盐藻多糖复合物的研究。该项目为国家“九五”科技攻关项目，起止日期为1996～2000年。本项目的研究内容有三方面：①研究多糖复合物在盐藻细胞内的积累，通过室内不同条件盐藻培养试验，确定藻体富含多糖复合物的培养液的盐度、pH和氮、磷的合理配比，使盐藻粉干基盐藻多糖的含量达到了10%，并在300平方米培养池中进行完善、验证；②盐藻多糖复合物的提取、纯化和分级，确定提取液组成、固液比、提取温度、提取时间等技术参数，确定纯化、分级条件，使盐藻多糖提取率达到90%左右；③对盐藻多糖复合物进行理化特性、化学组成及其结构的研究，通过进行新药临床前的急毒、药效和药理试验证明多糖复合物基本无毒物。该项目于2000年9月通过中国生物工程开发中心验收。

(4) 微藻冷冻保存技术的研究及在水产养殖上的应用。为中国与希腊国际科技合作项目，该项目主要研究内容为：①藻种的采集和分离；养殖条件实验：大量培养不同种类的微藻，通过多样化的实验设计寻求最佳养殖条件和脂肪酸积累的最佳条件。②藻类的大规模培养。③冷冻保护剂的选择和最佳冷冻条件的确定。④饵料效果的实验。此项目于2000年12月底完成，发表论文2篇。

在研项目

(1) 盐田卤虫综合开发技术研究。此项目为天津市科技攻关重点项目，由中盐制盐工程技术研究院与天津长芦汉沽盐场有限责任公司和南开大学合作，起止日期为2001年6月至2003年12月。此项目主要研究卤虫的产卵机制和饵料、环境对卤虫产卵的调控作用，提出促进卤虫产卵的工艺技术；引进美国旧金山湾卤虫品系，此品系具有卵径小、耐低温、耐高盐等特性，适合于中国北方盐区的盐业生产和卤虫养殖。通过检测盐池中的卤虫种群组成、雌雄比、卵径的大小等来确定卤虫品系的竞争情况。在不同盐池中进行不同盐度、不同走水工艺对卤虫卵产量及原盐产量的影响实验，找出适合于卤虫生长的最佳盐池结构和工艺路线。在找出最佳盐池结构和工艺路线的基础上，在盐池中进行不同肥料、不同施肥时间、不同施肥数量以及不同饵料的投喂实验，检测盐池中的浮游藻类数量、卤虫密度、卤虫怀卵情况、卤虫卵产量、原盐产量、盐质等，找出最佳的养殖方案。研究卤虫卵的最佳收集、保存、去休眠和加工方法，生产高质量的卤虫卵产品，并建成年产30吨卤虫蛋白粉生产线。

(2) 加碘盐取样方法研究应用与完善。该项目为国家碘盐基金项目，起止期限为2001年1月至2002年12月。项目主要研究内容：研究计量标准型抽样方法用于加碘盐碘含量检测的取样，对碘含量双侧限含量指标的调研与检测，并设计双侧限取样方案及计算相关系数，使该取样方法具备以下特点：①科学、合理，能反映每批加碘盐中碘含量的均匀性、分散性；②正确反映碘量的水平和设定各个环节碘量要求；③符合碘含量质量指标要求，切合加碘盐生产实际；④方法适用性广等。

(3) 卤虫生物多样性，球卤虫资源状况和可持续开发潜力。为欧盟多边合作项目，由14个国家15所大学、科研机构共同合作，中盐制盐研究院承担的研究内容为：①确认卤虫产地，收集信息：统计内陆盐湖和沿海盐场的数目，对卤虫参考中心卤虫库和制盐研究院的卤虫基因库中现存的卤虫样品进行统计和分类，从原产地采集卤虫卵和成虫，整理卤虫产地的各种信息（离子组成、海拔高度、营养情况、物化因子的季节变化，特别是温度、盐度等）；②收集整理有关卤虫种类和品系的分类信息：种的描述，分类标准，方法评估；③采集中国境内新发现的卤虫品系，使用欧共体项目中统一的研究方法对有关卤虫品系特性信息进行更新和确认；④卤虫生物学测定（卵、卵壳、无节幼体）和形态测定（成虫形态和异速生长）；⑤卤虫.孵化和休眠特性；⑥卤虫营养组成（脂肪、脂肪酸、维生素），水产应用方面的营养代谢（高级不饱和脂肪酸的选择性分解代谢）；⑦卤虫生殖和生活史特性、杂交实验；⑧温度、盐度耐受性（幼体的成活率和生长率，繁殖情况）：用较高的温度对各个品系进行热刺激，评估其对环境的适应性；⑨中国孤雌生殖品系克隆的鉴定和描述；⑩孤雌生殖品系的选择和克隆培养；⑪对应不同的环境条件（温度、盐度等等）确认克隆基因型的不同表现；⑫采用同工酶技术研究品系内和品系间的遗传性变异，生境特性与杂和性的关系；⑬用DNA指纹和其他的方法如AFLP、RAPD、线粒体DNA研究品系内和品系间的遗传变异性：品系的种系亲缘关系评估；⑭中国卤虫品系生物多样性的一般评估：各品系和种之间的相似性和差异性，可能的进化史，对盐场生物学管理和生产的适用性；⑮对我国卤虫资源的可持续开发提出建议。

（中盐制盐工程技术研究院 靳志玲）

(上接第146页)

装箱双箱吊具设计制造关键技术为核心，依托上海港外高桥港务公司试用双箱吊具。总投资为800万元，项目实施年限为2002年1月至2003年10月。

(5)“公路、水路交通全行业统计与分析系统开发”项目由交通部科学研究院承担，计划通过研究制定公路、水路交通运输统计抽样调查技术方案及网络技术方案，并通过示范工程建设，为建立“公路、水路交通全行业统计与分析系统”提供技术支持。总投资为1 880万元，项目实施年限为2002年1月至2003年12月。

（交通部科教司技术管理处 李 奇）

海洋船舶业
Marine Shipbuilding Industry

综 述
Summary

2001年世界经济增长明显减退，国际船舶市场形势严峻，由于“9·11”事件等因素影响，世界经济又整体走低，但中国造船工业在生产，经营等各方面稳步前进。全国造船产量达390万吨，承接定单1 254万吨，新承接定单585万吨。其他各项经济指标基本达到预定目标，实现了“十五”计划的良好开端。

截至2001年，中国有各种规模造修船和配套企业近2 000家，职工近40万人，其中中国销售收入在500万元以上的企业共445家，职工24.29万人，销售收入365.68亿元，利税3.52亿元。其中海船造修厂98家，职工14万人，2001年全国有56家船厂在建造出口机动海船。

2001年中国造船产量达到390万吨，比2000年增长12.7%；承接新船订单585万吨，比2000年增长11.9%；手持船舶订单量达到1 254万吨，比2000年增长18.9%。

船舶建造
Shipbuilding

【中远首订VLCC】 2001年2月8日，中远集团向日本川崎重工业株式会社订购两艘30万吨级VLCC新船，分包给南通中远川崎船舶工程有限公司建造，这是国内航运企业首次订造VLCC。此船为国际标准的双壳船，总长333米，型宽60米，型深29.3米，设计吃水16.86米（夏季吃水20.85米），17个货油舱，可装3种不同的原油。主机为B＆W7S80MCMKVI，设计最大持续功率为22 650千瓦（71转/分钟），设计航速15.9节，续航能力为2万多海里，船员31人，入级美国船级社（ABS），建成后将交付大连远洋运输有限公司营运。首制船将于2001年9月开工，2002年12月交付使用。

【渤海造船厂接获3艘159 000吨原油轮订单】 3月10日中国船舶重工集团公司渤海造船厂为中国远洋运输（集团）总公司建造3艘159 000吨原油轮合同签字仪式在北京钓鱼台国宾馆举行。这是迄今为止中国船东向国内船厂订造的吨位最大的船舶，也是中国船东第一次在国内船厂订造，由国内设计，中国船级社检验的苏伊士型原油轮，首制船将于2003年9月交工。

【中国第一艘疏浚“航母”问世】 中国船舶工业集团第七〇八研究所受上海航道局委托，把一艘20年船龄，1979年从日本进口的泥舱容积为6 500立方米装有边抛架的耙吸式挖泥船设计改造成泥舱容积达9 000立方米的大型耙吸式挖泥船，该船自1月18日交付使用，成功地承担了长江口深水航道的疏浚任务。浙江龙山船厂承担并完成了该船的改造施工任务。

【中国首艘玻璃钢金枪鱼钓船下水】 由中国水产科学院设计、山东西港水产集团船舶修造厂建造的中国首艘大型玻璃钢延绳钓渔船“古德1”号，于2月22日在山东威海顺利下水。该船长29.18米，型宽5.4米，型深2.4米，功率为350马力(1马力=0.735千瓦)，是目前中国最长的玻璃钢延绳钓渔船，该船由大连易极远洋科技发展有限公司承接，用于捕捞远洋金枪鱼，为中国国际远洋捕捞队伍中第一条玻璃钢渔船。

【琼州海峡火车渡船建造项目启动】 中国海上铁路第一工程——琼州海峡火车渡船项目，由中国船舶工业第七〇八研究所完成研究和设计，粤海铁路有限责任公司与江南造船（集团）有限责任公司签订建造合同，按合同要求该船于2002年10月31日抵达海口进行联调和试验，从2003年起可乘火车由北京直达海南岛。

【福建上游公司仿古旅游船下水】 福建省上游船

船钢结构有限公司为大连大福海上旅游有限公司建造的仿古旅游船“大福凤”号，5月10日在福州下水。该船外形仿明代大福船，船上雕刻各种彩绘图案，古色古香，该船长38米，型宽8米，航速9海里/小时，载客150人。

【中国首制5 400标准箱集装箱船命名】 命名为“COSCO ANTWERP”号的5 400箱集装箱船，是当前世界第五代全集装箱船的主流船型之一。2000年4月20日南建中远川崎公司承建了这艘巨轮，2001年4月20日建成下水。8月下旬海试成功，建造质量和性能甚至优于日本船厂建造的同类船，此船总长280米，型宽39.8米，型深23.6米，续航能力2.2万海里，设计航速24.5节，美国ABS船级，全船分7个货舱，可适用于20英尺和40英尺集装箱的混装，并备有多个冷藏箱位和1～9类危险品箱位，总载重量6.891万吨，采用最先进的综合导航系统和卫星数据定位系统，全计算机控制，实现一人遥控，24小时无人值班。9月27日加盟中远集运船队欧洲航线，开始处女航，该船的建成填补了中国在建造超大型集装箱船领域的空白。

【国内首制双相不锈钢化学品/油船下水】 中国长江航运集团青山船厂建造出口比利时的中国第一艘采用双相不锈钢材料的18 500吨化学品/油品特种船VALERIE号于2001年9月28日在青山船厂下水。

该船是根据欧洲船舶建造标准以及德国劳氏船级社（GL）规范和IBC化学品船规则等设计、建造的无限航区及 E3 级冰区化学品船。船型特点为双底、双壳、单甲板，货舱采用双相不锈钢，带有垂直槽型舱壁，并采用可调桨、首侧推、半平衡舵、短首楼、五层上层建筑和甲板室，属单机、单桨艉机型运输船。全船总长164.34米，总舵容量2.29万立方米。

该船为IMO2型化学品船，全船设有16个整体重力液货舱和两个污液仓，可同时运载18种有毒、可燃液态危险化学品。整体货舱的双壳、双层底结构完全满足规范对破舱控制的要求，货舱臂材料为双相不锈钢，具有高强度和良好的抗腐蚀性能，是目前化学品船船型中具有领先水平的新型材料，货舱还配有惰化系统等安全设施，因此可载运对环境或安全有相当严重危险的货品共500余种，该船营运经济性好。

18 500吨不锈钢舱化学品/油船是中国首次采用双相不锈钢材料建造的船舶，该船的建造受到了国内外船东的广泛关注，市场前景广阔。

【中国首艘VLCC出坞】 11月1日，中国第一艘30万吨巨型油轮（VLCC），在大连新船重工有限责任公司出坞。此船为大连新船重工为伊朗国家油轮公司建造的5艘VLCC的首制船——“伊朗·德尔瓦”，为中国造船史翻开了崭新的一页。同日，大连新船重工为挪威DSD航运公司建造的11万吨成品油船下水仪式同时举行，该船总长244.6米，型宽42米，型深22.2米，下水过程中采用了滚珠式机械滑动新工艺代替传统润滑油滑动方式，实用、安全、环保。

【中国最大船厂开工造船】 11月18日，上海外高桥造船有限公司隆重举行为泰昌祥（香港）有限公司建造17.5万吨好望角型散货船开工仪式。标志着中国建设规模最大，技术设施最先进的大型现代船舶总装厂正式投产。17.5万吨好望角型散货船是当今世界上能进入法国敦克尔克港口的最大散货船，船长289米，两柱间长279米，型宽45米，型深24.5米，设计吃水16.5米，航速15节。

【中国首笔船舶出口买方信贷协议签署】 11月6日，中国进出口银行与挪威莫盖斯有限公司（Somargas Limited Norway）在京签署了贷款总额为6 250万美元、贷款期限为10年的出口买方信贷协议。这是中国对船舶出口提供的第一笔出口买方信贷。中国进出口银行行长羊子林，挪威王国奥斯陆市市长西蒙森先生，挪威王国驻华大使，中国外交部、外经贸部等有关人员出席签字仪式。

【中国建造世界先进水平滚装船】 中国首次为瑞典斯坦纳航运集团建造代表世界当代先进水平的12 300吨滚装船首制船，11月15日在大连造船厂被命名为“斯坦纳·先觉”号。该船高速化、高自动化、高重型化、高舱容量、高抗沉性、高安全性、高灵便型、高操纵性、高防化学幅射污染性和低噪音、低振动及冰区加强。其3 000米的车道可装载500辆卡车。具有从集装箱的运载车、小汽车、大卡车，到载重85吨的特殊用途车，以及可装载1～9类危险品的多功能装货能力。

【新港船厂建成中国第一艘水上清扫船】 11月21日，由天津新港船厂建造的中国第一艘水上清扫船“方通号”在天津下水，这艘小船填补了中国水上漂浮垃圾全自动清扫的空白。船长7.4米，宽2.6米，高2.9米。具有高效、节能、环保等特点可自动清扫水面污物，吊抓水下杂物，冲刷堤坡垃圾，浇灌河岸绿地以及收集储存垃圾，用于海河津河的清扫。

【船舶修理】 随着进出口贸易和船队的迅速发展，中国的修船业得到了快速发展，截至2001年，中国共有3 000吨级以上的修船坞约107座，总坞容量322万载重吨，相当于世界总量的5%。其中，万吨级以上修船坞66座、283万载重吨，包括10万吨级以上的修船坞8座、142万载重吨；现有船坞中，可承修大灵便型4万吨级以上的修船坞约21座、219.5万载重吨。其中，干船坞7座、100万载重吨，浮船坞14座、119.5万载重吨；2001年中国修船总产值45亿元，修船出口创汇3.6亿美元，修船艘数超过3 000艘，其中60%为外轮。

【上海外高桥造船公司在港获第一批出口船订单】泰昌祥轮船(香港)有限公司向中船集团公司所属上海外高桥造船有限公司订造的两艘17.5万吨散货船的签约仪式在香港举行，中船集团公司在香港举行招待酒会答谢香港船东多年来对内地船舶工业及中船集团公司的支持。

船舶工程建设
Ship Engineering Construction

【山海关船厂15万吨级船坞达到国际水平】由中国船舶工业第九设计院设计的山海关船厂15万吨级修造船坞，经两年多时间运行性能良好。该船坞总体设计创新意识强、设计周密、合理、科学、达国际先进水平。首次在大船坞中采用双侧虹吸灌水技术，代替了以往短廊道灌水，坞门灌水方法。在船坞设计中创造了无上拔力设计和开口铰座，从根本上消除了气动卧倒门存在的坞门铰链及其基础受很大拔力这一隐患。该船坞节省投资，安全可靠维护检修更方便。

【南通中远川崎建设项目通过竣工验收】 2月28日，江苏省发展计划委员会主持召开会议对南通中远川崎船舶工程有限公司造船建设工程项目进行了总体竣工验收。南通中远川崎造船建设项目工程于1995年12月底开工，1999年12月完工，历时4年，已建成30万吨干船坞一座，舾装码头一座，建成各类建筑物26座。总计建筑面积13万平方米，工艺设备5 139台套，均已通过质监、环保、消防、劳动安全与卫生等相关部门验收并全部投入使用。该项目工程质量过硬，生产布局合理，厂区道路宽敞、环境优美、管理有序、运行状态良好，显出一流造船企业面貌。

【大连造船厂大坞开工建造】 列入国家“高新工程”的“十五”重点建设项目——大连造船厂大坞建设工程目前开工。该船坞工程初前设计于4月4日通过专家评审组审查，工程项目于4月23日公开招标，中国港湾工程建设集团公司中标承建。大坞长250米，宽80米，最大起重能力600吨，大坞总体建成后，年造船能力将由现在的36万吨提高到80～100万吨，使百年老厂焕发青春。

【新世纪公司30万吨级干船坞竣工】 8月30日，江苏新世纪造船股份有限公司（原靖江造船厂）建造的30万吨船坞竣工，同时为丹麦和英国建造的两艘5吨级散货船，在新坞下水。开创了中国地方造船企业拥有大型干船坞和建造5万吨级船舶的先河。

【20万吨船坞接长项目开工】 为了提高竞争力，适应不断发展的市场需要，大连新船重工决定将20万吨船坞接长，使船坞总长由365米延长到540米，成为名副其实的“神州第一坞”，能满足大型油船和集装箱船在船坞中串联式组合的需要。该工程及相关配套工程完工后，该公司每年可建造VLCC两艘，15万吨级浮式生产储油轮(FPSO) 3艘，5618标准箱集装箱船1.5艘，大型钻井平台一座，年造船能力由60万载重吨提高到120万载重吨。

近海工程
Offshore Engineering

【国内最大浮式储油轮交工】 7月28日下午国内

首条15万吨海上浮式储油轮（FPSO）“渤海世纪”号在大连新船重工有限责任公司举行命名和交接仪式，此轮是大连新船公司为中国海洋石油总公司建造的，是秦皇岛32-6油田开发项目的关键装备，适用于浅海作业，可处理高粘度原油，年处理能力为450万吨。该船采用了国际上较先进的钢臂与单点系泊系统连接，并安装了目前世界上功率最大的海上动力发电机，具有抗强台风和海冰的能力。大连新船公司和中海石油总公司精诚合作，采用边设计，边施工建造的方法，创造了从签订合同到最后投产24个月的最新纪录，打破了世界上同类型船设计建造27个月的纪录。

【武船首次建成4 800马力平分供应船】 10月31日武昌船厂首次建造成功4 800马力平台供应船，名为“滨海253号”顺利离厂，该船为中海石油北方公司建造的多用途多功能工作船。能为海上石油钻井平台提供全方位服务。

船舶行业管理
Management of Shipbuilding Industry

【船舶工业行业管理工作会议召开】 4月2～4日中国船舶工业行业管理工作会议在江苏南京召开。这是中国船舶工业行业管理第一次全国性工作会议，它标志着中国船舶工业行业管理体系已基本形成。国防科工委主持会议，各省、市船舶工业主管部门以及各造船集团公司派人参加了会议，江苏省经委、中国船级社及国家有关部委人士出席了会议。

【沪东中华造船（集团）有限公司成立】 4月8日沪东造船集团，中华造船厂成功实现了重组，新的沪东中华造船（集团）有限公司正式成立。国防科工委主任刘积斌，中国船舶工业集团公司总经理陈小津，上海市副市长蒋以任为公司揭牌，同时该集团喜获第一笔订单，为中海集团总公司建造4＋1艘4 100箱集装箱船合同正式签字。

【中国船舶代理行业协会在京成立】 6月8日全国309家船舶代理企业，在北京成立了自己的行业协会——中国船舶代理行业协会。该协会是经民政部、交通部批准的，由从事国际海运船舶代理企业组成的行业组织，主要负责组织、协调海关、边防等有关政府职能部门对船舶和货物进行联合检验、检查，协助船舶方面办理各项申报手续。

【中国船舶工业行业协会第二届会员代表大会隆重召开】 8月30～31日，中国船舶工业行业协会第二届会员代表大会在北京召开，选举产生了新一届理事会和常务理事会，王荣生任常务理事会会长。

船舶科技
Shipbuilding Science and Technology

【沪东重机7L60MC柴油机通过鉴定】 沪东造船集团沪东重机股份有限公司生产的7L60MC MKV型柴油机通过技术鉴定，该型柴油机结构简单合理，易于维护保养，振动较小，主机单位马力成本较低，该型系列柴油机通过了ABS船级社认可及丹麦MBD公司和船厂的验收，可广泛用于10万吨级各类散货船、1 000标准箱级快速集装箱船。

【船用火灾报警控制器通过鉴定】 中船重工集团公司七二六研究所研制开发的JBC-TB-08/64系列船用火灾报警器通过产品设计鉴定。该产品满足舰船消防规范要求，功能设计齐全，可覆盖从8至64个火灾探测回路中任何回路数组成的船舶火灾报警系统，能与各种型号火灾探测器直接相匹配，性能稳定，操作方便，维修配套立足国内。

【新型测深仪研制成功】 一种可以兼作舰船导航和海道测量用的千米程测深仪——H/HCS004A型回声测深仪，研制成功并已小批量投产，此测深仪，用微机控制，可实现工作量程随水深自动转换，发射功率、脉宽、发射重复率等能随里程变化自动调整，集成度高，结构紧凑，体积小重量轻，可靠性高，使用方便，比前身H/HCS004型测深仪更先进。

【CH100/15型船用空压机通过鉴定】 重庆跃进机械厂自筹资金研制的CH100/15型船用空气压缩机通过有关部门鉴定。该压缩机采用H型对置活塞和新型曲轴偏心轮滑动机构。结构紧凑，充气时间短，可靠性高，维修成本低，应用前景良好。

【一新型船舶艉轴密封产品面世】 CWS(A)型船用水润滑及高速飞船艉轴密封装置目前面世，并得到中国船级社产品型式认可。该产品由四川明达船用密封有限公司及四川明达密封技术研制开发，已用于长江流域的集装箱等船上。

(宋美纹)

统 计 资 料
Statistical Data

表1 2001年中国现有30万吨级以上造船设施统计表

序	企业名称	船坞类型	主尺度（米）			最大能力（万吨）	备注
			长	宽	深		
1	上海外高桥造船有限责任公司	干船坞	480	106		50	2001年投产，2002年分段进坞
2	上海外高桥造船有限责任公司	干船坞	360	76		30	2001年投产，2002年分段进坞
3	大连造船重工有限责任公司	干船坞	400	90		30	建设中，预计2003年建成投产
4	沪东中华造船（集团）公司	干船坞	360	92	12.2	30	建设中，2001年底投产
5	靖江造船厂	干船坞	320	76	14	30	10万吨级船坞但能造30万吨级船
6	大连新船重工有限责任公司	干船坞	365	80	12.7	30	已承接建造VLCC船
7	中远川崎重工集团公司	干船坞	350	68	12.8	30	1999年底建成投产
8	烟台来佛士造船公司	干船坞	372	120	13.4	30	造船用

表2 2001年全国造船企业手持新船订单前10名

序号	单位名称	手持新船订单（万综合吨/艘）
1	大连新船重工有限责任公司	219.2
2	沪东中华造船（集团）公司	112.56
3	江苏新世纪造船股份有限公司	94.68
4	南通中远川崎船舶工程有限公司	81.14
5	辽宁渤海船舶重工有限责任公司	72.63
6	广州广船国际股份有限公司	68.89
7	大连造船重工责任有限公司	68.52
8	江苏江都船舶集团公司	68.2
9	江南造船（集团）有限公司	59.12
10	上海外高桥造船有限责任公司	52.5

表3 2001年全国造船企业造船完工量前10名

序号	单位名称	造船完工量（万综合吨/艘）
1	沪东中华造船（集团）公司	100.41
2	大连新船重工有限责任公司	54.32
3	江南造船（集团）有限公司	52.92
4	大连造船重工有限责任公司	23.6
5	上海造船厂	23.14
6	广州广船国际股份有限公司	17.3
7	南通中远川崎船舶工程有限公司	16.39
8	江苏扬子江船厂有限公司	8.9
9	国营芜湖造船厂	7.6
10	中商集团口岸船舶工业公司	7.03

表4 2001年全国造船企业承接新船订单前10名

序号	单位名称	承接新船订单（万综合吨/艘）
1	南通中远川崎船舶工程有限公司	64.75
2	沪东中华造船（集团）公司	56.54
3	江苏江都船舶集团公司	55.4
4	上海外高桥造船有限责任公司	52.5
5	辽宁渤海船舶重工有限责任公司	52.3
6	大连造船重工有限责任公司	40.3
7	广州广船国际股份有限公司	36.36
8	上海造船厂	27.24
9	浙江船厂	24.86
10	大连新船重工有限责任公司	20

表5 2001年全国造船企业出口交货值前10名

序号	单位名称	全年出口交货值（万元）
1	沪东中华造船（集团）公司	273 706
2	广州广船国际股份有限公司	145 029
3	大连造船重工有限责任公司	135 747
4	大连新船重工有限责任公司	98 350
5	江南造船（集团）有限公司	86 418
6	南通中远川崎船舶工程有限公司	75 718
7	上海造船厂	54 202
8	中国长江航运集团金陵船厂	42 180
9	烟台莱佛士造船有限公司	36 612
10	江苏扬子江船厂有限公司	34 540

表6 2001年全国造船企业造船工业总产值前10名

序号	单位名称	造船工业总产值（现价，万元）
1	沪东中华造船（集团）公司	412 428
2	江南造船（集团）有限公司	238 369
3	辽宁渤海船舶重工有限责任公司	197 022
4	大连造船重工有限责任公司	179 055
5	大连新船重工有限责任公司	147 735
6	国营武昌造船厂	146 730
7	广州广船国际股份有限公司	134 987
8	南通中远川崎船舶工程有限公司	104 139
9	上海造船厂	74 085
10	江苏新世纪造船有限公司	74 000

表7 2001年全国造船完工量、手持订单量、新承接订单量

序号	单位名称	造船产量（艘/万吨）	2001年手持订单（艘/万吨）	2001年新承接订单（艘/万吨）
1	江苏省	73/56.51	117/377	64/180
2	山东省	15/13.6	3/13.41	/15
3	福建省	5/3.46	37/48.62	2/14.7
4	浙江省	30/5	47/34.5	46/30.46
5	湖北省	8/2.58	8/5.9	11/4.06
6	辽宁省	7/0.56	10/0.36	8/0.26
7	重庆市	1/0.5		
8	广东省	4/0.3		
9	安徽省	4/2.31	6/4.5	2/2.75
10	中船重工	72/93	/390	71/138.5
11	中船集团	161/209.13	222/379.64	235/200
合计		380/386.95	450/1 254	439/585

（谭乃芬　宋美纹）

滨海旅游业
Coastal Tourism Industry

综　述
Summary

【概况】 2001年，中国的经济持续稳步发展，中国旅游业发展态势良好。旅游业在促进对外开放，推动国民经济增长，增加就业和消除贫困，提高人民生活质量等方面发挥了重要作用。2001年，中国的入境旅游、国内旅游、出境旅游全面发展。虽然中美撞机事件、美国“9·11”恐怖事件的发生，使中国的入境旅游遭受前所未有的打击，然而中国申办2008年奥运会成功、上海成功举行APEC会议以及中国加入世界贸易组织等事件，又使得中国的入境旅游业得到飞跃发展。

2001年4月，国务院专门下发了国发（2001）9号文件《关于进一步加快发展旅游业的通知》，对全国各地旅游业的发展提出了新的要求，进一步提高了旅游产业的地位。

2001年，全国各地继续积极开展旅游区(点)质量等级评定工作。截至2001年10月，全国已评定出AAAA级旅游区（点）230家，AAA级旅游区（点）108家，AA级旅游区（点）213家，A级旅游区（点）42家。旅游区（点）质量等级评定工作，进一步拓展了旅游行业管理范围，有效地树立起旅游部门的服务形象。

国家旅游局公布的2001年中国旅游业统计公报显示，2001年，中国全年入境旅游人数达到8 901万人次，旅游外汇收入达178亿美元；国内旅游人数达7.84亿人次，国内旅游收入达3 522亿元人民币。旅游业总收入相当于当年国内生产总值的5.2%，比上年提高了0.15个百分点。

2001年，全国各省、自治区、直辖市接待的入境旅游者总计为3 416.02万人次，而11个滨海省份共计接待入境旅游者为2 409.03万人次，占总数的70.5%。且11个滨海省份的接待量全部超过30万人次。

2001年，全国各省、自治区、直辖市接待的外国旅游者总计为1 630.06万人次，其中11个滨海省份共接待外国旅游者894.85万人次，占总数的55%。广东、上海、江苏、浙江、辽宁、山东、广西、福建、河北、天津等10个滨海省份接待量超过20万人次，其中广东省接待外国旅游者240.37万人次，居全国第一位。

2001年，旅游外汇收入超过1亿美元的省（自治区、直辖市）有22个，11个滨海省份全部囊括其中，而且前8位中除第2位北京外，其余全是滨海省份。广东省旅游外汇收入达44.84亿美元，继续居全国第一位。

【上海市旅游行业圆满完成APEC会议接待任务】 2001年10月15日，在经历了美国“9·11”恐怖事件后，亚太经合组织(APEC)2001年第四次高官会如期在上海国际会议中心举行。上海市旅游界全员投入，积极做好各项准备工作。上海市专门成立了APEC会议接待协调小组，负责协调和管理接待工作，并制订了《APEC会议住宿计划》，对上海市旅游宾馆饭店提出多项要求，同时在旅游行业推进强化英语和服务礼仪的培训工作。APEC会议期间，上海旅游行业约有2万名员工直接参加了会议的接待服务工作，包括提供住宿、餐饮、会务接待、国宾用车、工作午餐、宴请安排等多种服务。上海市旅游行业广大员工以其一流的服务、过硬的政治素质、严格的组织纪律以及吃苦耐劳的奉献精神，出色地完成了这一光荣而艰巨的任务，使与会中外贵宾对上海留下了深刻的印象。

【假日旅游】 2001年，假日旅游继续火爆，春节、“五一”、“十一”三个旅游黄金周，全国累计接待国内旅游者1.83亿人次，实现旅游收入736亿元，而且秩序环境一次比一次改善。假日旅游经济已经成为经济生活中的一个亮点，有力地促进了地方的经济繁荣。同时，由于国家重视假日旅游工作，尤其是假日旅游的安全工作，全国假日旅游统计预报系统进一步完善，预报覆盖面逐渐扩大，各种政策、措施逐步完善，2001年，全国假日旅游忙而不乱，实现了安全、秩序、效益的有效结合，假日旅游走上了健康有序的发展轨道。

滨海旅游
Coastal Tourism

【中国国际旅游交易会】 2001年11月8～11日，由国家旅游局、中国民航总局和云南省人民政府联合主办的2001中国国际旅游交易会在云南省昆明市举行。天津、辽宁、上海、江苏、浙江等沿海省区市都积极参加了这一交易会。上海旅游委及上海2010世博会申办办公室、各大旅游集团和部分国际旅行社、三星级以上宾馆、景点、航空公司、区县旅游局、免税店及电脑网络公司等29家单位参加了本次交易会。上海市借APEC会议成功举办的热效应，着力塑造上海都市旅游新形象，推出了以“上海旅游新热点——APEC之旅”为主打的都市旅游系列产品。

江苏展团在本次国际交易会上共租用了30个展台，整体设计重点突出江南水乡特色，布局清新明快。展区入口处为大型的江苏旅游景区灯箱配上高悬的红灯笼，十分引人注目；巨幅的电脑喷绘的江苏旅游风光画卷构图精美，色彩鲜艳，令众多参观者驻足欣赏并拍照留念。

海南省旅游局组织了由100余家企业共300余人组成的参展团参加了此次国际旅游交易会。整体搭建的海南展区充分展示了“生态岛、旅游岛、欢乐岛”的清新形象，刻意将海南展区变成一道“风景区”。同时，随团的表演队伍演出了具有浓郁海南特色的歌舞节目，吸引了众多参观者，取得了良好的宣传促销效果。

【首届天津国际妈祖文化旅游节】 2001年4月19日，首届“天津国际妈祖文化旅游节”在天津市古文化街天后宫拉开帷幕。全国政协副主席张克辉、国家旅游局副局长顾朝曦、天津市副市长王述祖以及著名红学家周汝昌、全国文联副主席冯骥才等海内外文化界、旅游界、工商界知名人士参加了开幕式。首届天津国际妈祖文化旅游节以天津市古文化街和海河作依托，融民俗、旅游、经贸活动为一体，对于弘扬妈祖文化，提高城市文化品位，进一步增进天津同全世界华人，特别是港澳台同胞的情感交流和广泛合作起到了积极的作用。开幕式上，分别来自福建莆田妈祖庙、台湾北港朝天宫法人财团、澳门妈祖阁以及天津市天后宫管理委员会的4名代表一齐将取自四地的水融入“四水合一”纪念瓶内，它充分体现出同根同源的文化积淀、同宗同文的一脉相承。首届天津国际妈祖文化旅游节为期4天，期间举行了舞龙会、庆云高跷、狮子会、旱船秧歌会、祥音法鼓等丰富多彩的文化、旅游、研讨及大型招商洽谈会等经贸活动。

【第四届津沽海会】 2001年7月，由天津市旅游发展委员会、塘沽区旅游局和天津市经济技术开发区共同主办的第四届津沽海会在天津海滨度假区隆重开幕，全国各地2万余名游客目睹了开幕式盛况。本届津沽海会上，高空跳伞、水上体育竞技、民间花会同时展开，海陆空艺术与技术之花同时绽放，令游客目不暇接。本届津沽海会历时9天，较前几届海会相比更加突出“海”的特色。除主会场天津海滨度假区外，还下设了北塘渔村风情旅游区、大沽炮台、驴驹河海滩等7个分会场，开展了赶海夏令营、趣味沙雕展、民族歌舞等项活动。

【2001年上海旅游节】 上海旅游节于2001年9月15日至10月7日举行。开幕式当天，来自海内外的19辆缤纷瑰丽的花车及14支管弦乐队、8支锣鼓队和20个风情各异的表演方阵在上海的主要街道上行进，欢乐场面此起彼伏直至夜晚。旅游节期间，四川北路欢乐月、都市森林狂欢节、大世界民俗文化节、南京路欢乐购物节、步行街文艺表演、松江沙雕节、静安龙舟赛、万名青少年单骑游上海等节目吸引了580万人次的中外游客与市民参与。

【上海市积极开拓入境旅游市场】 2001年，上海积极开拓入境旅游市场。2月14～28日，上海市组织代表团赴美国进行宣传促销，美国联合航空公司驻上海办事处、金茂、凯悦、希尔顿、香格里拉等沪上10余家饭店的外方总经理参加了本次活动。代表团在美国纽约、芝加哥、洛杉矶和旧金山举行了题为“SHANGHAI ROAD SHOW”的上海情况介绍会和旅游促销活动。

6月12～23日，上海市旅游委、上海市政府新闻办公室、国家旅游局驻法国办事处共同组织的上海城市形象及旅游宣传促销活动在法国的巴黎、尼斯、里昂3个城市展开。上海杂技团、上海民族乐团表演的特色节目以及旅游宣传资料、电脑演示片等在当地受到热烈欢迎。法国各大媒体纷纷对此次活动进行大力宣传。这次活动，让法国市民直接感受到上海丰富的人文资源、迷人的城市风貌、繁华的商业街市、东西方交融的海派文化以及欢乐的节庆活动。

8月，上海旅游委正式成为国际会议协会（ICCA）的一员。国际会议协会是世界上最具权威性的会议业协会组织，每年向会员提供即将举办的3万余个大、中、小型的会议档案，同时还以展台为窗口，将会员推荐给会议买家。上海市经济建设的蓬勃发展，为发展会展旅游奠定了基础。加入国际会议协会，使上海在争取承办国际性会议方面有了一条准确、有效的促销渠道。

针对日本女青年市场，上海国旅与日本最大的旅行社交通公社合作，共同推出了“女青年上海之旅”产品，在日本女青年中引起很大反响。上海城市规模大，景观多，现代化程度高，同时，上海治安好，购物方便，上海的旅游产品有特色，对日本女青年有很大的吸引力。

【2001江苏旅游万里行】 3月28日～4月6日，江苏省旅游局组织苏州、无锡、镇江、淮阴、徐州、常熟、启东、太仓等市旅游局及各地旅游企事业单位共60余人的促销团，对安徽、山东两省市场进行大型宣传促销活动。本次活动历时10天，行程3 000余千米，以乘坐大客车的形式，跨越安徽、山东、江苏3省。沿途在青岛、阜阳等5个城市举办了江苏旅游说明会和座谈会，在济南、合肥、泰安三地进行了大型广场展示活动，广泛宣传江苏的旅游产品和设施。5月20～30日，江苏旅游万里行“大篷车”又开始对江西、湖北的宣传促销活动。“大篷车”从南京出发，历时10天，行程3 000余千米，途经10余个大中城市，举办多次江苏旅游说明会和大型广场展示活动，散发江苏旅游宣传资料，取得了令人满意的效果。

【广西旅游大篷车】 2001年2月18～24日，广西壮族自治区人民政府组织全区14个地市和47个重点旅游县市的领导和旅游局长以及自治区旅游局、计委、财政厅、建设厅、宣传部、交通厅、经贸委、统计局、林业局等23个相关厅局领导、新闻媒体记者共200余人召开了广西全区旅游发展工作会议并举办“广西旅游大篷车新世纪巡礼”考察学习活动，会议与活动采取开会、考察学习、调研讨论与旅游大篷车宣传促销相结合的新形式同时进行。会议代表分乘20余辆客车，车的外观全部喷上或张贴广西各主要景点风光风情。大篷车载着会议代表先后考察了桂林市、柳州市、南宁市、钦州市、灵山县大芦村、防城港等地市区的旅游设施及旅游景区点，最后到达北海市考察了北海银滩国家旅游度假区和海底世界等景点并召开总结会议。在旅游大篷车经停的城市，随行的宣传队伍均在市民广场进行了旅游风光风情表演和宣传促销活动。大篷车所到之处均引起了全社会的关注，产生了轰动效应。

自1999年起，广西壮族自治区分别以汽车、火车和摩托车作为交通工具，组成由政府有关部门、旅游企事业单位、旅游团及媒体参加的“广西旅游大篷车”，行程数万里，足迹遍及19个省、市、自治区的23个中心城市、200余个景点，以各种生动活泼的形式进行旅游宣传促销，在国内外引起了极大的反响和轰动。这一新颖、独特的宣传促销活动，提升了广西的知名度，树立了广西的新形象，取得了很好的旅游经济效益和社会综合效益，多次受到国家旅游局的表扬和肯定。2001年12月27日，国家旅游局举办隆重授牌仪式，正式授予广西壮族自治区旅游局“旅游大篷车品牌”牌匾。

【第二届中国海南岛欢乐节】 2001年11月16～30日，由海南省人民政府和国家旅游局联合举办的第二届中国海南岛欢乐节在全岛展开。本届欢乐节进一步体现了国际性、娱乐性及参与性，充分展现了“热带海岛、欢乐海南”的主题。欢乐节期间，全岛主要旅游市县共举行系列活动34项，新推出一批游客参与性强的旅游项目。此外，海南省借举办欢乐节之机，大力推动会展旅游，吸引了几十个国际国内的会议在海南召开，为海南旅游增加了新的热点，开辟了国际国内旅游客源市场。

【第六届天涯海角国际婚庆节】 2001年11月28～30日，第六届天涯海角国际婚庆节在海南三亚的天涯海角举行。该届婚庆节由三亚市人民政府和全国妇联中国妇女儿童事业发展中心共同主办。

婚庆节活动包括相约三亚、天涯婚典、浪漫潜水、风情婚宴、情山夜话、亚龙戏海、美丽竞赛、南山祈福、鹿城巡游和东海狂欢等十大主题活动，来自国内外的200多对佳侣参加了这次婚庆活动。

旅游资源保护与开发
Protection and Development of Tourist Resources

【旅游规划】 2001年，天津市编制完成了“十五”旅游发展规划；河北省完成了《河北省旅游业发展总体规划》的初稿，预计2002年完成论证及评审工作；《福建省旅游发展总体规划》以其丰富的内容、科学的方法、翔实的资料、完整的体系得到了专家的好评；尽管山东省通过世界旅游组织选定丹麦的公司为其制作的旅游发展规划曾一度引起争议，经过多方征求意见及几次修改后，山东省的旅游发展规划也于2001年经评审通过，并得到国家旅游局的肯定；琼州海峡旅游度假区控制性规划于2001年9月出台，度假区建设目标是突出温泉海滨度假特色，以热带滨海观光长廊为纽带，以滨海温泉酒店、滨海温泉疗养院、滨海高尔夫、水上运动和大型热带主题公园为主要产品。

【天津市兴建意大利风情区】 2001年，被国家旅游局和国家计委列为“优先发展的旅游精品项目”榜首的天津市海河意大利风情区建设全面启动，预计到2002年底即可全部建成。天津市海河意式风情区占地面积约10万平方米，该地区曾是20世纪初意大利在天津租界地的中心区，也是中国历史名宅、名人故居的聚集地，具有宝贵的文化历史价值。意式风情区将包括3个区域，即商贸旅游区、意大利主流产品展示批发区和工业园区。区内部分路段设有轨电车、旅游马车和电瓶车，区内门牌、各种标识均采用意式设计，中、英、意3种文字标识，充满浓厚的异国情调。

【平津战役纪念馆“军威园”开园】 2001年10月18日，备受瞩目的天津市平津战役纪念馆“军威园”正式开园。“军威园”坐落在平津战役纪念馆西侧胜利花园内，占地面积7 000平方米。“军威园”的建设得到了海军的大力支持。海军向其捐赠了62丙型护卫艇、“轰五”飞机、多种型号舰炮、深弹发射炮及导弹、鱼雷、水雷等共计13件大型兵器展品。“军威园”陈列设计独具特色，把兵器展品与周围环境有机地结合在一起，展品布局合理，排列有序，四周护拦按船舷形式设计制作，园区中央还建有一座高21米，外型似指挥塔的钢制塔楼，使整个“军威园”像一艘巨大的“航空母舰”。

【北戴河集发农业观光园区成功开展农业旅游】 北戴河集发农业观光园区是集农业高新技术试验、示范、科普、旅游观赏为一体的生态旅游园区。该项目投资1 500万元，引进现代化智能温室，应用无土栽培、立体种植等现代农业技术，培育种植了大量的优良特色蔬菜、花卉品种，是当地发展现代农业的排头兵。依托繁荣的北戴河旅游市场，2001年集发农业观光园区接待游客65万人次，旅游收入1 200余万元，为当地农业结构调整做出了重要贡献。2001年，该项目被评为国家工农业旅游项目示范点候选单位。

【大连傅家庄亲水公园】 2001年，大连市对原大连傅家庄公园24万平方米的园地进行全面改造。改造方案参照国外现代海滨公园设计手法，结合大连城市的特点，设计成为一座水景公园，除了基础设施的改造外，公园主入口广场新建了雕塑及水景，新建了大型海水多功能游泳池及西小山大型叠水瀑布。改造后的公园于2001年7月中旬向游人开放，增加了游人参与性强的项目，吸引了大批游客。

【海南－越南海上旅游】 2001年4月15日，由海南省热岛风情国际旅行社经营的国内首条海上旅游定期邮轮航线海口－越南下龙湾定期航线正式开通。该邮轮每周一、三、五晚上7时从海口启航，次日早8时抵达越南下龙湾。乘坐邮轮赴越南旅游的游客不需办理护照，只需由旅行社代办出入境证件，手续方便快捷，深受游客欢迎。

【三亚、海口旅游圈启动】 2001年3月13日，三亚市政府分别与五指山、乐东、保亭、陵水、万宁、东方等周边6市县签订了政府部门合作协议，共同建设“三亚旅游圈”；9月13日，海口市与琼

其他海洋产业
Other Marine Industries

海水淡化与综合利用业
Seawater Multipurpose Use and Desalination Industry

【中国膜技术产业进入快速发展轨道】 经过近40年的努力，中国的膜技术产业取得了突破性进展，根据目前的产业现状及市场需求分析，中国膜技术产业已从投入期转入成长期，呈现出良好的发展势头。

1. 工业产值迅速增长

据初步统计，2001年中国膜工业总产值约30亿元，在1997年基础上翻了两番，其中反渗透膜产值约占50%，超滤膜和微滤膜产值各占10%左右，电渗析、气体分离膜和无机膜产值分别占5%左右，其他新膜产值占15%左右。膜工业总产值的年均增长速度在25%以上，远远高于美国、日本等发达国家的增长速度。根据目前市场需求分析，“十五 期间仍将保持高速增长。

2. 产业队伍初具规模

2001年，中国从事膜技术研究开发、设计、生产经营的单位有300余家，其中，电渗析技术开发和生产经营单位约50余家，反渗透技术开发和生产经营单位100余家，超滤技术开发和生产经营单位近100家，微滤技术开发和生产经营单位100余家，纳滤、渗透汽化、气体分离等膜技术开发和生产经营单位有30余家。

膜技术开发和经营单位主要集中在浙江、北京、江苏、上海、辽宁、天津等省市，这些省市的产值约占全国总产值的70%以上。近几年来，广东、广西、福建、湖北、山东等省市发展速度较快，其产值约占全国膜工业总产值的30%左右。

2001年，全国膜技术开发和产业化从业人员达万余人，形成了一支工程化能力较强的产业队伍，并通过培训和引进，已拥有一支颇具实力的技术人才队伍，其中包括院士、博士等高级技术人员千余人。

3. 一批大型项目相继建成

近几年来，一批大型膜应用工程相继建成投产，如国家海洋局杭州水处理技术开发中心承建的浙江省舟山市和山东省长岛县日产千吨级反渗透海水淡化系统，湖北省荆门石化厂日产12 000吨化工用水处理系统，广西玉柴股份公司承建的河北省沧州化工厂日产18 000吨苦咸水淡化系统等，这些大型项目的建成，标志着中国膜应用技术在海水淡化、苦咸水淡化和化工用水处理等方面的跨上了一个新台阶，大大提高了国际竞争能力，有力地促进了膜技术产业的发展。

4. 国家膜技术及其应用产业化专项启动

为加快膜技术产业发展适应中国经济建设和社会发展的需要，2001年国家把膜技术列入国家高技术产业化计划，正式实施“膜技术及其应用产业化 专项，通过该项目的实施，将建立一批大型的膜应用示范工程，形成一批膜组器产业化基地，大大提高中国膜产业的整体技术水平，缩短与国际先进水平的差距。该项目承担单位国家海洋局杭州水处理技术开发中心、南京化工大学、蓝星水处理公司等单位正在积极组织实施。

综上所述，中国膜技术产业快速发展的时机已经到来。同时，随着膜技术的不断进步，其应

山、澄迈、临高、儋州、文昌、琼海、定安等市县共同构建的“海口旅游圈”正式启动。“三亚旅游圈”、“海口旅游圈”旨在通过区域合作，实现资料共享，优势互补，针对市场科学地组合各地特色旅游产品，提升区域旅游产品品位，同时组织联合促销，以加强各市县旅游业的横向经济联系。

【博鳌亚洲论坛主会场开放】 2001年5月1日，博鳌亚洲论坛主会场正式对游客开放。为让游客了解博鳌亚洲论坛和博鳌水城，博鳌控股公司对博鳌亚洲论坛成立大会时的大部分场景进行了恢复，同时还向游客展示了博鳌水城的规划及相关资料。 （国家旅游局　王　军）

用已从给水处理迅速拓展到水资源开发和利用、城市中水回用、微污染水处理、工业废水资源化及特种分离等领域，这给膜技术产业带来了广阔的市场前景。 (郑根江)

【膜技术在海带及海洋水产品加工废水深度处理中的开发应用】 本项目是1999年国家海洋局科技兴海项目，由国家海洋局杭州水处理研究开发中心承担并于2001年12月完成。

传统的离心水洗重结晶法从海带废水中提取甘露醇，不仅收率低，而且耗能高，使得产业毫无经济效益可言。大量海藻加工企业将提碘后的海带浸泡水作为工业废水直接排放，不仅严重地污染了生态环境，而且使该废水中所含的宝贵的药用敷料——甘露醇白白地流失，造成资源的极大浪费。

国家海洋局杭州水处理研究开发中心开发的膜集成工艺提取甘露醇技术，采用新的絮凝剂和固液分离技术对海带浸泡水进行预处理，除去糖胶、有机物和悬浮物等杂质；使用电渗析脱除料液中的无机盐；用超滤作为反渗透的预处理手段，进一步净化海带浸泡水；最后用反渗透技术进行甘露醇浓缩。这样，甘露醇溶液可浓缩到3.5%～4%，而透过液不含甘露醇，废水回用率70%，既很好地保护了环境，又可循环利用资源，而且滤渣可进一步综合利用制取化肥、饲料等。用该技术制取1吨甘露醇可提高得率1%，生产成本降低2 000元，两年即可回收工程设备投资。

该项目适用于全国海藻加工企业制取甘露醇生产工艺的改造以及与之相类似的环保、食品、饮料、医药、化工、冶金等领域的分离提纯浓缩等过程的清洁生产工艺和废水资源化处理，具有广阔的市场和良好的应用前景。

(王亮梅 鲁学仁)

【有机物体系膜分离及膜材料成膜技术】 1999～2001年国家海洋局杭州水处理技术研究开发中心承担了国家自然科学基金项目“有机物体系膜分离及膜材料成膜技术”，取得了较大进展。

(1) 研究了PVB-CA共混溶液之间的相互作用，测定了共混膜对MTBE-甲醇混合物的分离性能，对共混现象及共混膜的基本性能有了进一步的认识。

(2) 开展AA-PMMA-BA三元共聚物材料及膜的分离性能影响的研究，通过适当调整共混比，可获得分离性能较为优良的共聚物及其分离膜。

(3) 继续进行了CTA中空纤维RO膜和VA-RO膜的改性工艺和膜的结构分析研究，不同处理条件获得的CTA中空纤维RO膜和CA-RO膜及SEM照片显示，膜经处理后，膜的皮层和多孔层消失，成为均相致密的膜，这说明RO膜经有机溶剂处理后对有机物体系具有分离性能的原因，通过对处理时间、处理温度、改性剂浓度的筛选和优化，获得了分离性能优良的渗透汽化膜。

(4) 开展稀有金属离子促进传递渗透汽化膜及苯/苯乙烷、烯烃/烷烃体系渗透汽化分离性能的研究。对不同载体及高分子材料（PVA、PVP、聚醚砜）进行了考察，研究了不同固载量对苯、环已烷、烯烃等的络合吸附。运用XRS、FTIR等来表征载体与高分子材料的固载作用机理及载体与被分离体系的络合作用。

【反渗透膜及膜组器技术产业化】 2001年底国家海洋局杭州水处理技术研究开发中心承担了“反渗透膜及膜组器技术产业化 课题研究，该项目为国家计委“十五”重点项目。其研究内容为采用自有技术成果，结合引进部分生产设备，建立多功能的反渗透复合膜组器生产线，并形成高性能膜组器生产基地。

【船用反渗透海水淡化装置】 该项目为2001年浙江省科技厅项目，由国家海洋局杭州水处理中心承担和完成。

船用反渗透海水淡化装置采用反渗透膜分离技术进行脱盐。为了确保反渗透性能的发挥，延长膜的使用寿命，本装置采用海水机械过滤、除浮油和微孔膜过滤作为海水预处理，能有效除去海水中的悬浮粒子，并且在装置停机时用产水自动清洗膜面系统，不需清洗设备即可进行化学清洗，海水淡化过程中不添加任何化学药品。在5.6兆帕压力下，反渗透膜的脱盐率达到99%，产水量在750～3 000升/日，水回收率4%～16%。产水符合国家规定的饮用水标准，可以直接饮用。船用反渗透海水淡化装置设计时充分考虑海水和船用的特殊性，从工艺到选材都力求完美。装置体积小，安全方便，适应性强，操作和维修简便。

中国海岸线长，享有充分主权的领海38.8万平方千米，随着海洋产品工程的实施，势必形成捕捞、生产加工、贸易为一体的远洋渔业格局，国内大功率机动鱼船的大部分将投入远洋及外海作业，船用反渗透淡化装置在这方面的应用，前途广阔。

此外，该装置的另一应用领域是部队。将该装置略加改进（如配备发电设备）就可以机动灵活地为在野外作战和值勤时的部队供应淡水。

第三大用户是为流动性大、分散于海岛、边远地区的地质、石油、矿产等作业点提供淡水。由于该淡化装置可以采用空投、飞机、火车、汽车等来输运，在应付天灾、未来战争、突发事件中的淡水供给中可发挥重要的作用。

【万吨级反渗透海水淡化示范工程】 2001年底国家海洋局杭州水处理技术研究开发中心以技术总负责承担“万吨级反渗透海水淡化示范工程”项目，负责工艺设计、成套、安装、调试、培训和部分设备及材料的提供。该项目为国家计委“十五”期间重点项目。 （王亮梅　鲁学仁）

【压力交换式能量回收器在反渗透海水淡化中的应用】 2001年4月国家海洋局杭州水处理中心在山东省长岛县小钦岛建成一座75立方米/日反渗透海水淡化装置，于2001年5月投入运行。该装置高压给水系统采用了柱塞泵和美国ERI公司的PX-25压力交换式能量回收器，充分利用反渗透系统排出的高压浓水的能量，使整个反渗透海水淡化系统的产水能耗大幅度降低。在系统水温15℃、操作压力5.5兆帕、回收率35%的运行条件下，每制取一吨淡水能耗仅为2.7～2.8千瓦·小时，创造了国内反渗透海水淡化产水能耗的新低。

【荆门石化500立方米/小时锅炉用水工程】 荆门石化500立方米/小时除盐水工程由中国石化股份有限公司湖北荆门分公司投资，国家海洋局杭州水处理中心承建。该工程主要为满足湖北荆门石化总厂的锅炉用水和化工工艺用水，预处理能力为740立方米/小时、反渗透产水500立方米/小时（全负荷）、离子交换出水500立方米/小时，它采用国际先进的反渗透技术和传统复床相结合的工艺，预处理和反渗透全部采用西门子PLC控制，实行计算机操作和监控，仪表部分全部由国家海洋局杭州水处理中心西斗门膜工业有限公司设计完成。厂房、公用建筑、工艺管道由西斗门膜工业有限公司和荆门石化总厂设计院共同设计。该项目于2000年6月开始设计，设计耗时8个月。2001年5月在全部设备到位的条件下开始施工，同年9月底完成全部设备和管道的安装，10月开始调试，11月8日完成验收，交付荆门石化总厂动力厂使用，经过半年实际运行考核，使用情况良好。 （陈志善　鲁学仁）

【用膜分离技术提取大豆低聚糖】 国家海洋局杭州水处理中心西斗门膜工业有限公司采用膜技术从大豆分离蛋白后的废液中直接回收大豆低聚糖获得成功。一个年产3 600吨大豆低聚糖的现代化高科技生产线，已于2001年底正式投入生产。采用膜分离技术从大豆分离蛋白后的废液中回收大豆低聚糖是一个全新的生产工艺，具有以下特点：

（1）集成膜分离过程确保产品质量。该工艺将膜分离过程有机地集成在一起。工艺流程为：料液预处理—电渗析脱盐—超滤净化—反渗透浓缩。电渗析可脱除料液中的无机盐；超滤可浓缩料液中的蛋白，进行蛋白回收，同时对料液进行高度净化，确保反渗透的进水条件和终端产品的质量；反渗透可去掉95%以上的水，透过液作为工艺用水。该工艺生产出的产品质量经有关单位证明已达到和超过国外某些企业产品。

（2）保护环境，变废为宝。大豆分离蛋白后的废液中除含有1%左右的低聚糖外，还含有大量的蛋白，这种废液不经处理直接排放，会严重污染环境。国内现有的大豆生产厂家都将废液直接排放，严重地污染环境，一些离城市较近的厂家，已被环境部门下令停产关闭。一个年回收3 600吨大豆低聚糖的大豆分离蛋白厂，日排放量在1 000立方米/日左右，经膜法获取低聚糖后95%的水可作为回用水，低聚糖日回收量可达10吨。社会效益、经济效益显著。

（3）设备国产化。该生产线除反渗透膜元件进口外，其余膜设备均为西斗门膜工业有限公司生产，做到了设备国产化，工艺设计先进，膜过程采用全自动控制，运行管理严格，确保系统运行稳定可靠。

(4) 项目投资起点高，回收快。实际生产已初步表明，采用该技术，每生产1吨低聚糖总费用在2万元以内，市场销售定位每吨为6～7万元，一个年产3 600吨的大豆低聚糖生产线投资仅为5 000万元，当年即可收回投资费用。

（王炳南　鲁学仁）

滨海矿产资源开发 Beach Mineral Resources Development

【海洋固体矿产资源（滨海砂矿）】 我国目前已发现的具有工业价值的滨海砂矿矿种有锆石、钛铁矿、独居石、磷钇矿、金红石、磁铁矿、石英石等12种。现已探明砂矿产区90余处，各类矿床191个（其中大型35个，中型51个，小型105个），矿点135个。

我国的滨海砂矿主要分布在海南、广东、广西、福建、台湾、山东和辽宁省，河北、江苏、浙江三省有少量矿点和异常区。根据地质背景和成矿条件可分为12个成矿远景区：

(1) 长兴岛—莱州湾金刚石成矿远景区；

(2) 莱州三山岛—威海一带砂金成矿远景区；

(3) 辽东半岛北黄海砂金成矿远景区；

(4) 山东半岛北黄海玻璃石英砂成矿远景区；

(5) 山东半岛南黄海锆石、建筑用砂成矿远景区；

(6) 闽南—粤东玻璃石英砂成矿远景区；

(7) 台湾西海岸稀有矿、稀土矿物（独居石）、锆石、钛铁矿、玻璃石英砂成矿远景区；

(8) 粤中陆丰—台山锡砂矿、褐钇铌钽成矿远景区；

(9) 粤西阳江—吴川稀有矿、稀土矿物砂矿成矿远景区；

(10) 广西珍珠湾—北海钛铁矿、锆石成矿远景区；

(11) 海南岛东海岸重矿物、稀有矿、稀土矿物成矿远景区；

(12) 桂东—琼西玻璃石英砂成矿远景区。

（青岛海洋地质研究所　王建华）

地方篇

Local Management

海 南 省
Hainan Province

综 述
Summary

【行政区划】 海南省的行政区划按全国人大七届一次会议的决定，辖区范围包括海南岛（含周围的岛屿）、西沙群岛、南沙群岛、中沙群岛的岛礁及其周围的海域。东濒南海与台湾省相望，东南和南面与菲律宾、文莱及马来西亚海域为邻，北以琼州海峡中水道与广东省和广西壮族自治区海域为界，西临北部湾与越南民主共和国海域相连。

海南省管辖地级市有2个，为海口市和三亚市。沿海县级市6个：琼山市、文昌市、琼海市、万宁市、儋州市、东方市。沿海县有5个：澄迈县、临高县、陵水黎族自治县、乐东黎族自治县、昌江黎族自治县。中部地区县6个，分别是定安县、屯昌县、琼中黎族自治县、五指山市、保亭黎族自治县、白沙黎族自治县。此外还设立洋浦经济开发区和西、南、中沙群岛办事处（表1）。

表1 2001年海南省沿海市县一览表

沿海地级市或开发区	沿海县级市	沿海县或办事处	沿海自治县
海口市 三亚市 洋浦经济开发区	琼山市 万宁市 文昌市 东方市 琼海市 儋州市	澄迈县 临高县 西南中沙办事处	陵水黎族自治县 乐东黎族自治县 昌江黎族自治县

海南省是全国海洋面积最大的省份，按《联合国海洋法公约》的规定和我国主张，海南省管辖的海域约200万平方千米。在广阔的所辖海域上分布着数百个岛、礁、滩和沙洲，面积最大的是海南岛，面积约3.39万平方千米，环岛岸线1 528千米，大小港湾有84处。其次是大洲岛，面积约4平方千米。

海南省省会设在海口市。海口市位于海南岛北部南渡江的出海口，与广东省海安港隔海相望，最近距离仅18海里。

三亚市是海南省新崛起的热带滨海旅游城市，位于海南岛的西南端，离省城海口市300余千米，具有气候优势，阳光、沙滩和海水的“3S”旅游特征突出。

曾母暗沙是我国最南端的领土，由西、南、中沙群岛办事处管理。海南省是一个热带海岛省，辽阔的西、南、中沙海域是西太平洋与印度洋的重要通道，海上交通便利，是联结世界的桥梁和纽带。

【自然环境概况】 海南省气候具有热带海洋气候的特征，全年暖热、雨量充沛，干湿季明显。常年风大，台风频繁，气候资源多样。2001年全省年平均气温23.5～26.6℃，比常年偏高0.4～0.9℃。年极端最高气温为34.6～40.2℃，年极端最低气温8.4～16.1℃，年降水量1 422.3～2 722.5毫米。年日照量时数为1 542.2～2 445.3小时。

2001年，海南省海域海洋水文状况未发生异常变化。海浪，除南沙群岛附近海域比2000年有所增大外，其他海区差异不大，海南岛近岸海域最大浪高3.3米，南沙群岛附近海域为5米。潮汐较2000年有所上升，年最高潮位176厘米，年平均潮位112厘米。海南省海域年平均表层海水温度略有提高，海南岛近岸平均为27.1℃。西沙群岛附近海域为28.3℃，南沙群岛附近海域为28.4℃，各海域表层海水水温平均升幅0.2～0.5℃。全省各海域年平均表层海水盐度变化不大。

2001年海南省海域水质总体优良，远海和近海海域水质均达到国家海水水质标准（GB3097-1997）中的一类标准，全部为清洁海域。近岸一类海水水质面积占近岸海域总面积的95％以上。但是部分地表水体受到城市（镇）生活污水和农业生产陆源污染的问题还较为突出，沿海超一类海水水质标准的海域主要集中在人口绸密且经济较为发达的城镇毗邻海域、开发程度较高的海湾、上游污染较重的入海口处的邻近海域等。

海南省海洋生态系特点明显。最为典型的为珊瑚礁生态系、红树林生态系和潟湖生态系。

珊瑚礁在海南岛沿岸和南海广阔海域均有分布。全省现有珊瑚礁面积占全国珊瑚礁总面积的98%以上，以西沙群岛、南沙群岛、中沙群岛海域中分布最多。海南省沿岸及周围海域珊瑚礁分布的面积、种类都不少。最新调查显示，珊瑚礁岸线长约400千米，有115种造礁石珊瑚和多种软珊瑚及柳珊瑚。

红树林是海南岛典型的生物海岸。调查发现全省现有红树林面积达4 300公顷，以琼山市东寨港和文昌市清澜港面积、种类为最大、最多。

海南的红树、半红树植物占全国红树植物种类的90%。林区生物多样性丰富，有哺乳类、鸟类、两栖类、爬行类、昆虫类、鱼类、海洋无脊椎动物等等。

珊瑚礁和红树林分布区形成的生态系海区，是目前海南省重点保护的区域。近几年来海南省采取积极的措施保护这两个生态系。2001年破坏珊瑚礁和红树林的违法事件明显减少。

海南省的潟湖主要分布在海南岛周围。主要的潟湖海湾有：清澜湾、万泉河口、小海、老爷海、黎安港、新村港、铁炉港、红沙港、新英湾及花场湾等。各潟湖目前生态状况基本良好，但潟湖区生态环境十分脆弱和敏感，盲目的围垦、无序的开发、密度过大的养殖、严重的陆源污染物、废水废物的排放等会影响潟湖的生态环境。潟湖生态面临的压力近几年来明显增大。

2001年，海南省陆域生态环境良好，全省森林总面积达172万公顷，森林覆盖率达52.3%。生物多样性总体保存较好，有些濒危种群还得到一定的恢复。

【海洋机构】 海南省各级海洋机构经历了十几年的变化，目前初步稳定。2001年省级海洋管理机构为海南省海洋与渔业厅，沿海各市县除海口市设立“国土海洋资源局”（正处级行政机构）执行市政府管理海洋的职能外，其余沿海各市县均由“海洋与渔业局”行使政府管理海洋的职能，管理海洋事务。人员编制除澄迈县为事业编制外其余各市县为行政编制。机构名称（表2）中，三亚市海洋与渔业局和洋浦经济开发区海洋与渔业局为正处级机构，其余为正科级机构。

表2 海南省沿海省、市、县级海洋机构一览表

厅级海洋管理机构	处级海洋管理机构	科级海洋管理机构
海南省海洋与渔业厅	海口市国土海洋资源局 三亚市海洋与渔业局 洋浦经济开发区海洋与渔业局	琼山市海洋与渔业局 文昌市海洋与渔业局 琼海市海洋与渔业局 东方市海洋与渔业局 万宁市海洋与渔业局 儋州市海洋与渔业局 临高县海洋与渔业局 澄迈县海洋与渔业局 陵水黎族自治县海洋与渔业局 乐东黎族自治县海洋与渔业局 昌江黎族自治县海洋与渔业局

【海洋经济与发展状况】 海南省海洋面积广阔，资源丰富。近几年来，由于各方面的重视海洋资源得到逐步的开发和利用。在海南房地产业走向低谷后，海洋产业迅速崛起，为海南经济发展注入新的活力。2001年海南省海洋经济总产值达208.89亿元，增加值达37.95亿元。其中海洋水产总产量为79.57万吨，总产值达85.45亿元，增加值34.25亿元；海洋油气工业总产值达26.96亿元，工业增加值为3.01亿元；滨海砂矿开采加工工业总产量为25.20万吨，工业总产值1.60亿元，工业增加值0.29亿元；海洋原盐产业为13.82万吨，工业总产值0.42亿元，工业增加值0.17亿元；海洋交通运输业全年货运量为2 018万吨，营运收入6.50亿元，增加值0.27亿元；滨海旅游业方面，接待旅游人数达1 103.32万人次，旅游收入为87.89亿元；修造船业工业总产值收入0.06亿元，工业增加值为0.02亿元。海洋经济特别是渔业的发展不但有力地促进海南经济的发展，而且增加了渔民的收入，同时对提高海南人民的生活质量做出了重要的贡献（详见表3）。

表3 2001年海南省海洋开发资料统计

统计项目		2001年
海洋捕捞产量（吨）	鱼类	584 643
	贝类	45 994
	虾蟹类	32 039
	其他	28 502
	合计	691 178
海洋养殖产量（吨）	鱼类	8 629
	贝类	19 232
	藻类	24 600
	虾蟹类	51 512
	合计	104 486
海洋货物运输量（万吨）	总量	2 018
	远洋运输量	0.0
海洋旅客运输量（万人次）	总量	633
沿海主要港口吞吐量（万吨）	洋浦	60.21
	海口	888.1
	八所	342.3
	三亚	71.16
	海口新港	563.8
海盐生产	面积（公顷）	4 026.9
	产量（吨）	138 269
滨海矿产量（吨）	总量	251 986
海洋油气产值	工业总产值（亿元）	26.96
	工业增加值（亿元）	3.01
滨海旅游	接待境外旅客（万人次）	41.4793
	接待境外游客收入（万美元）	10 602
滨海旅游接待能力	酒店（座）	259
	客房（间）	30 435
	床位（张）	57 896
海洋滩涂开发	可利用面积（公顷）	31 044
	已利用面积（公顷）	11 393

海洋资源开发与海洋经济
Development of Marine Resources and Marine Economy

【海洋渔业】 2001年，海南省海洋渔业产业发展快速，渔业经济的快速增长成为了全省新的经济增长点。全年海水产品产量79.57万吨，产值85.45亿元，其中海洋捕捞产量为69.12万吨，海水养殖产量10.45万吨，分别比上年增长15%和36%。渔业特产税收入增幅比地方一般财政收入增幅10.10%，高出18.1个百分点，全年水产品出口量2.19万吨，出口额5 888.8万美元，分别比上年增长1.8倍和1.56倍。渔民劳均和人均收入分别为10 722元和4 954元，同比增长4.3%和6.1%。2001年在农业增长的9.7个百分点中，渔业贡献了4.9个百分点，超过了50%，拉动国民经济增长2.1个百分点。渔业不仅在大农业中占据首要地位，也成为海南省国民经济的支柱产业之一。

2001年海洋渔业经济的发展出现了6个显著特点。一是沿海市县增长势头强劲。二是海洋捕捞生产结构不断优化，产量、产值稳定增长。三是海水养殖发展速度较快，对渔业产值增长贡献显著。四是渔业中以捕捞为主向海洋捕捞与海水养殖相结合调整进展顺利。2001年海洋捕捞产值与海水养殖产值的比例已由1998年的1∶0.37增加到1∶0.50。五是水产品交易市场活跃，平均价格上扬。六是加工出口水产品成倍增长。目前全省共有9家水产品加工业通过国家检验检疫机构卫生注册，其中有6家大型水产加工企业获得美国HACCP验证证书，3家渔业企业同时获准欧盟注册。水产品出口的国家由2000年的日本、美国、韩国、新加坡、德国、西班牙扩大到2001年的菲律宾、比利时、美国、法国、意大利、荷兰、加拿大、澳大利亚等国家。

海洋捕捞业 2001年全省海捕业生产稳定，产量产值都有长足的进步，全省海洋捕捞船只1.37万艘，21.46万吨，功率52.12万千瓦，其中赴远洋捕捞船4艘，全年捕捞产量69.1万吨，产值56.3亿元，分别比上年增长15%和16%。2001年全省海洋捕捞业能稳定发展，主要是在省委省政府的高度重视下，海洋与渔业部门采取了4项有力措施。第一，从海南的实际出发，在国家下达的海洋捕捞控制指标内，加快渔船的更新改造，引导渔船开发和利用本岛东部、南部80~200米水深的外海渔场及西、南、中沙渔场。第二，切实调整海洋捕捞的作业结构促进渔业资源和刺、钓业的发展。生产优质的刺网作业，当年产量达36.38万吨，钓业作业单产量7.65万吨，分别比上年增加23.6%和7.7%。以生产低质鱼的围网作业比去年增产1.3%，仅有6.55万吨。第三，继续推进渔具渔法改革。2001年主要推广三指改四指高目流刺网、南沙浮水大网目三重定置刺网，开展高水层拖网试验。同时，引进外省先进的捕捞技术。第四，继续拓展远洋渔业。2001年海南省海洋渔业总公司和海南魁北克海洋渔业有限公司继续投入南太平洋钓捕金枪鱼的生产，前者产量82吨，产值67.42万美元，营利0.05万美元；后者钓捕产量达534吨。

海水养殖业　2001年海水养殖发展势头强劲。养殖面积1.59万公顷，养殖产量10.45万吨，产值达17.08亿元。有以下特点：其一是养殖规模大，产量高，增长速度快。2001年海水养殖产量达10.45万吨，比上年增长36%，其中对虾产量达4.83万吨，较上年增长107%，平均单产2 625千克/公顷，大大高于全国平均水平。其二是新产品、新技术的推广进展快。当年仅南美白对虾淡化养殖新技术的推广面积就达200余公顷，遍布3市5县。其三是整治种苗场，保证种苗的质量。为了确保养殖产品的优化，出台了《水产种苗生产许可证暂行管理办法》。经过整顿，409家苗种场领到了生产许可证，从而有效地保证了养殖种苗向健康、优化的方向发展。其四是设施渔业的建设进度加快。2001年全省工厂化鲍鱼养殖水体达到18万立方米，高位池养虾2 703公顷，对虾工厂化育苗水体5.6万立方米。其五是加大病害防治体系建设。2001年全省选择42个病害测报点，对重点养殖品种进行病害防治和监测。

水产品加工运销业　2001年全省水产加工业发展逐步扩大规模，品种增多，质量提高，销售市场不断扩大。初步形成了包括冷藏包装、鱼片加工、对虾加工、鱼粉加工、藻类加工、干制品、腌制品、海洋药物及水产工艺品等的加工产业。2001年全省水产加工企业有139家，水产品年加工能力达23.4万吨，其中鱼虾类水产品加工企业共32家，专业制冰厂67家。2001年加工水产品20.7万吨，比2000年增长7.60%，加工品种达110余个，其中速冻加工产品32个，小包装干制品60个，藻类加工和保健药品种20余个。

【港口和海洋交通运输业】　2001年海南省港口和海洋运输业营运与上年相比变化不大。港口开发与上年持平，开通的渔港有42处，运输港口共开通24个，其中设口岸管理机构9个。国家一类口岸港口有5个，即海口港、洋浦港、八所港、三亚港和清澜港。二类口岸港口有4个，即海口新港、琼海市潭门港、陵水黎族自治县新村港、澄迈县马村港。全省港口泊位74个，其中万吨级泊位14个。2001年全省运输船只沿海257艘，远洋货轮1艘，沿海运输总吨位为16 496吨，远洋为4 430吨。2001年全省沿海港口货物吞吐量为2 015.472 9万吨，其中进口914.277 2万吨，出口1 101.195 7万吨。2001年全省海洋货物运输量达2 018万吨，客运量达633万人次，营运收入6.5亿元，增加值0.27亿元，利税总额达48.6万元。

【滨海海岛旅游业】　2001年全省滨海海岛旅游业发展较快。年末全省共有星级宾馆达177家，比上年增加12家，其中五星级6家，增加2家；四星级20家，增加11家；三星级67家，增加36家。滨海城市涉外酒店旅游接待能力大大加强，酒店达259家，年末职工人数达29 930人。客房30 435间，57 896个床位。全年接待游客达11 033 195人次，其中境内游客10 618 402人次，境外游客414 793人次。

【滨海矿产业】　2001年全省滨海砂矿业以丰富多样的砂矿资源为依托发展稳定。全年金属砂矿产量达111 986吨，非金属矿140 000吨，稀有金属砂矿111 986吨，钛铁矿89 238吨，金红石3 090吨，浩英石19 453吨，独居石205吨，总产量达25.20万吨，工业总产值1.60亿元，工业增加值达0.29亿元。

【海洋油气业】　海南省海洋石油天然气资源丰富，开采和加工业正在逐步掀起。2001年开采的气田主要是莺歌海崖13-1气田，开采前期工作紧张进行的有东方1-1气田。2001年全省海洋油气工业总产值达26.96亿元，工业增加值3.01亿元。其中海南省东方市海洋石油化工业东方富岛化肥厂产量54万吨，工业总产值60 997万元（当年价），工业增加值29 336万元。莺歌海崖13-1气田天然气总产值208 577万元，澄迈县福山凹陷油气田天然气、石油产值达4 577万元。

【海洋盐业】 海南省发展盐业有较有利的条件，2001年盐田总面积有4 110.22公顷，年原盐生产能力可达302 310吨。当年生产面积4 026.9公顷。海盐原盐生产138 269吨，工业总产值4 157.7万元，工业增加值1 789.3万元，利税总额282.9万元。海盐原盐产量比去年增长2.5%。

海洋公益事业
Marine Public Welfare Facilities

【概况】 2001年，海南省海洋公益事业重点是加强海洋环境预报服务和保护海洋生态环境的基本建设及开展监测预报任务。全面开展了全省珊瑚礁分布情况的调查、三亚珊瑚礁国家级自然保护区和大洲岛海洋生态国家级自然保护区建区十年保护情况评估的调查；实施特定海区及渔业水域的监测；基本完成海洋环境监测系统项目海南海区项目的建设；开展省辖海域及邻近海域24小时海洋环境预报和中长期海洋灾害预报。

【海洋环境监测】 2001年海南省海洋环境监测工作随着海域资源开发的增大不断深入开展。地处沿海岛屿、岛礁的秀英、永暑礁等8个海洋观测站认真履行工作职责，较好地完成每天定时定点观测海洋基本要素及发报观测结果的工作。海南省海洋监测中心认真完成重点海域水质监测、渔业水域环境监测和突发事件的监测工作，监测站位94个，监测项目36个，比上年增加了4个，包括重金属项目和两个沉积物项目。现场调查获得监测数据3 261个，分析测试数据2 919个，编制重点海域环境监测通报42份，渔业水域环境监测通报11份，应急监测报告6份。

【海南区海洋环境监测系统分项目建设】 海南区海洋环境监测系统分项目的建设是中国海洋环境监测系统的一个组成部分。该项目建设由国家海洋局海口中心站承担，2000年启动。2001年按照实施方案要求，先后完成了东方示范站的建设、三亚验潮井的大修工程；完成了6个海洋监测站（含2个污染监测实验室）的基础设施改造、配套仪器设备的配置和维修建设等任务。同时完成各种仪器设备的配置和维修建设等任务。此外还完成各种仪器设备、通信网络、安全装备的技术培训任务。

【海洋预报】 海南省海洋预报工作随着海洋经济的快速发展逐步发展起来。此项工作主要是由海南省海洋预报台承担。2001年主要是开展省所辖海域及邻近海域24小时海洋环境预报、发布海南省所辖海域及邻近海域的巨浪警报，同时还开展风暴潮预报、海洋灾害中长期预报和对各有关行业的预报服务工作。2001年共接收海洋、气象资料11 000份，检索卫星资料1 500份，分析天气图1 460份，制作发布各类海洋环境预报3 650份，完成中长期海洋环境预报36份。此外，为6个单位提供专项海洋环境预报服务。同时，还为搜救被美国大型侦察机撞毁的中国飞机驾驶员王伟烈士的行动提供海情环境预报5份；搜救渔民提供海区环境预报15份；其他专项预报20份。

【海洋自然保护区管理】 2001年底，海南省有各级海洋类保护区21个，其中自然保护区有16个。在3个国家级海洋自然保护区中，琼山市东寨港红树林国家级生态保护区由林业部门负责管理，其余2个由海洋部门管理。对海洋自然保护区管理除开展正常的巡视保护外，还开展了二项工作：一是对几个重点海洋自然保护区进行海域环境部分要素的监测，为制定新的管理目标奠定基础。二是开展了对三亚珊瑚礁国家级自然保护区和大洲岛海洋生态国家级自然保护区建区十年保护情况进行调查评估。

海洋环境保护
Marine Environmental Protection

【概况】 2001年海南省海洋环境生态保护工作在沿海各级人民政府的重视和职能部门的帮助下，围绕海洋资源开发逐步完善海洋环境保护的制度建设，并依法强化海洋生态、资源的监督管理，主要体现在如下3个方面：

首先是加强保护海洋环境的制度建设。2001年省海洋主管部门组织起草了《海南省海洋工程建设项目海洋环境保护管理程序》、《海南省海洋工程建设项目环境影响的报告书审核程序》、《海南省海洋倾废管理规定》、《海南省海洋自然保护区科学研究教学实习及适度开展活动审批程序》和《海南省涉海项目审批审核事项工作制度》等涉及海洋环境保护监督管理的规范性文件。这些制度的批准和实施对海洋环境保护发挥重要作用。为了使涉海工程建设项目的海洋环境管理工作逐步规范化，依据有关规定，全省建立了涉海工程项目海洋环境保护情况登记制度，对项目的海洋环境保护措施执行情况进行动态管理，全年对15项涉海项目依法履行了海洋环境保护审查手续。

其次是加大执法力度，打击破坏海洋环境和海洋生态的违法行为。2001年全省除按计划完成省辖区海域14航次的航空执法外还分别在4月、5月和6月进行3次检查执法，有力打击破坏海洋生态环境的违法行为。①4月份查处文昌市铺前湾海岸选矿废水严重污染海洋，造成附近海域养殖鱼、贝类和江篱等大量死亡的事件。②5月份查处海口振东区贤村原外贸仓库处的一家非法加工珊瑚窝点，当场查封活体珊瑚92块，成品珊瑚36件，半成品珊瑚52件，珊瑚近20吨。③6月份在全省范围内组织有565人次参加的打击破坏珊瑚资源和国家重点保护水生野生动物违法行为的联合执法检查行动。检查机场、旅游景点、酒店、市场、收购点、工艺加工点、商店、码头、摊位共计368家，共查获违法经营珊瑚礁和国家重点保护水生野生动物及其制品的55家，占检查总数的15%，当场处罚共计3 600元，没收珊瑚活体2块，珊瑚制品106件，摧毁以珊瑚为原料的小石灰窟11座，查获和放生了一大批国家一级和二级保护水生野生动物。

再次是加强海洋污染的防治，控制和改善海洋环境。2001年省政府批准下发了《海南省海洋赤潮防治工作方案》，对今后赤潮防治工作做出规划安排和应采取的措施。最近3年，重点对海口湾、三亚湾、清澜湾、新村湾、新英湾、小海等海洋环境形势较为严峻的海域进行综合整治，同时，对老爷海和个别海水养殖区发生死鱼现象的海水养殖区进行整治。目前老爷海的海洋生态环境“下滑”现象已得到初步控制。

海洋灾害与防御
Marine Disasters and Prevention

【概况】 2001年海南省海洋灾害主要有：受0103台风“榴莲”、0110号热带风暴“天兔”和0114号热带风暴“菲特”的影响，全省渔民渔船及海上作业遭受严重损失；部分海域发生局部赤潮，鱼类寄生虫病等对养殖渔业造成损失。在防御海洋灾害方面，2001年全省主要做了3项工作。一是建立健全全省三级渔业防风机构，及时传送热带气旋、台风、风暴潮警报。对海上发生的灾难，积极密切地配合海上搜救中心、部队、边防等有关部门做好海上救助工作。2001年全省救助渔船19艘、救助各类人员503人，挽回经济损失800余万元。2001年4月，按照省委省政府的紧急部署，组织渔船1 000余艘、8 000余人，渔政船及舰艇112艘次1 098人次协助搜寻“海空卫士”王伟同志。二是加强海洋环境的监测，及时发布各有关海区环境通报，为防御海洋灾害提供科学依据。三是加强对排放污水的监控，预防沿岸和养殖区海水富营养化。

2001年3月1～17日，海南省三亚市红沙港发生由甲藻科角藻属叉角藻带爆发性增生引发赤潮。19～22日赤潮消亡过程中，由于死亡藻体被微生物分解消耗水中大量氧气，导致养殖区内养殖的经济鱼类因极度缺氧窒息死亡。养殖区内120～130个鱼排受不同程度的损失。

2001年5月底，海南省三亚市六道湾海域发生由小瓜虫、白肌虫或卵形鞭毛虫等寄生虫感染养殖区内养殖的经济鱼类，约150吨的军曹鱼死亡。2001年2月中旬，海南省文昌市铺前湾发生由滨海开采钛铁矿洗矿废水直接排入海污染养殖区，造成大量鱼、贝、藻类死亡的事件。

【巨浪和风暴潮灾害】 2001年2月17日，琼临高12124号渔船航行时被风浪击沉，失踪10人，直接经济损失25万元。3月18日，琼洋浦23033号渔船被风浪击沉，直接经济损失25万元。7月1日受3号台风“榴莲”的袭击，琼籍海轮“金海鸥”号沉没，造成2人死亡，1人失踪，直接经济损失330万元。7月24日，琼琼海05088号渔船被风浪击沉，直接经济损失25万元。8月10日受第10号热带风暴“天兔”突然袭击，全省150艘渔船不同程度受损，其中5艘沉没，1艘失去联系，1名渔民抢救无效死亡，19名落海渔民失踪，直接经济损失750万元。11月8日琼琼海03009号渔船受23号台风“玲玲”袭击沉没，直接经济损失25万元。11月

17日，琼临高12122号渔船被风浪击沉，直接经济损失13万元。2001年度全省由热带气旋或冷空气影响产生巨浪导致海损事件造成直接经济损失1 211万元。

2001年，海南岛出现增水50厘米以上风暴潮2次，均超警戒水位。其中一次由台风“榴莲”引发，7月2日秀英增水60厘米；另一次由热带风暴“菲特”引发，8月29日、8月30日海口和清澜分别增水57厘米、69厘米，“菲特”造成海口最高潮位262厘米，离警戒水位28厘米。由于潮洪共同作用，造成海口市部分地区被淹。

海洋科技与教育
Marine Science & Technology and Marine Education

【概况】 2001年海南省继续坚持实施“科技兴渔”的战略，认真调研立项，强化科研、新技术推广和科技教育，不断提高海洋产业的技术含量。尤其是渔业科研和教育特点突出，成绩显著。全年全省海洋科研立项8项，共1 377万元。其中国家项目5个，省属项目3个。

为突出重点抓好海洋先导产业渔业的发展，2001年海洋与渔业部门共投入750余万元实施农业百项新技术水产项目。养殖方面，以鲍鱼、对虾、罗非鱼的种质改良种苗繁育为重点，继续推广近海浮绳式网箱养鱼模式和南美白对虾淡化养殖技术，抓好鲍鱼养殖的技术改进，如近海吊养技术的研究，推进点带石斑鱼育苗技术的产业化等。在捕捞方面，积极引导渔民更新改造渔船，继续进行变水层拖网试验，重点推广外海渔船制冰与海水淡化应用技术、深水渔场刺网技术，开展传统围网网具材料与结构的改革应用和加工技术研究。2001年在已验收结题的项目中，由琼海市海洋与渔业局承担的《南沙渔场大网目三重刺网试捕》获2001年度海南省科技成果转化三等奖；由海南省水产研究所承担的《引进南美白对虾原种亲本和种苗繁育》项目获海南省年度百项农业新技术推广三等奖。

2001年全省重点通过院校培养、办短期培训班、技术讲座、“9+1”渔业职业教育班教育（即初中毕业后准备回乡务渔的学生在校学习一年渔业知识）等形式开展海洋与渔业教育。2001年海南大学引进水产专业硕士研究员1名，招收水产养殖专业本科生55名，当年水产养殖专业本科毕业生50名。海南省三亚海洋学校2001年中专毕业生52名，其中海洋旅游专业23名，养殖专业29名。海南省农业技术学校（中专）2001年招收水产养殖专业1个班，学生40名；当年该校毕业水产养殖专业学员40人。全年海南省共计办各类型的短期培训班418期，教育培训渔民7.81万人次，2 003名初中毕业生参加“9+1”渔业职业培训班的学习。此外海南省海洋与渔业厅还与海南省电视台合作举办渔业技术电视讲座30讲，90学时。

海洋国际合作与交流
Marine International Cooperation and Interflow

【概况】 2001年海南海洋与渔业部门在海洋环境保护、海水养殖、水产品加工等方面积极开展对外合作和交流。1月5日，美国康奈狄格州立大学环境研究所Robert J.Carley所长、教授和Shili Liu博士应邀来省海洋与渔业厅讲学。主要内容是介绍美国康奈狄格州长岛湾环境研究项目，包括自80年代以来该湾及其陆地、海域环境研究监测调查、整治、污水处理等方面的管理与技术情况及美国在海洋环境方面的工作情况。海南省海洋与渔业厅、省国土环境资源厅及有关单位的领导、海洋环保管理人员和专业技术人员共30余人参加了听讲。

3月17日，与海南省结为友好省县的日本兵库县选派县立水产试验场的技术员中桐荣先生来海南考察水产增养殖业及水产品加工情况。中桐荣先生访问了海南省海洋与渔业厅、海南省水产研究所、海南省水产技术推广站、海南省水产总公司、陵水县水产服务中心、三亚市农业局等，并先后到海南省热带海水水产良种繁育中心、海南省热带淡水水产良种场、海南果蔬食品配送有限公司、陵水县新村港海水网箱养殖基地、三亚康禾公司林旺高位池养虾场、三亚市渔业贸易公司龙坡鲍鱼养殖场，海口市东门市场、三亚渔港等地考察。

7月15日，由新加坡佳通公司投资的海南好士敦海洋生物科技产业养殖示范项目正式签订协议并开始实施。计划建设养殖示范基地667公顷，总投资1亿美元，分3年建成。

5月14日，农业部国际贸促会农业行业分会和国家渔业局市场与经济信息处以及美国海洋展览公司总裁等组成的考察组一行 6 人对海南省渔业加工和水产养殖业进行考察。先后考察了海南加华鱼片加工、海洋生物制药生产线、海南果蔬食品配送有限公司、陵水浮绳式养鱼和高位池养虾的部分网箱和池塘、省热带淡水水产良种场等水产养殖和加工情况。

6月5日，海南省水产研究所的朱海作为2001年度海南省外派研修生，到与海南省结为友好姐妹省县的日本兵库县县立水产试验场进行为期10个月的水产技术研修。

海洋立法与管理
Marine Legislation and Management

【概况】 2001年海南省加强了地方海洋立法和海洋管理工作，并取得了明显的成效。2001年9月30日，海南省人民政府颁布了《海南省海域使用管理办法》。为促进这一办法的实施，省海洋主管部门先后完成了《海南省海域使用金征收管理办法》和《海南省海域使用金征收项目标准》的送审稿，此外，还修订了海南省海域使用管理程序。

根据国家海洋局的部署和海南省海域使用的实际，在强化海域管理方面重点抓了 3 项工作。一是抓好海域使用管理示范区的建设。2001年海口市和三亚市两个国家级海域管理示范区及文昌市海域使用省级示范区，已先后完成了海域使用项目确权、登记、规范海域使用审批程序、海域使用证的发放等工作，并建立了海域使用项目数据库、管理信息系统和试行海域使用集约化管理。二是依法做好用海项目的审核工作。2001年全省依据《中华人民共和国海域使用管理法》和《海南省海域使用管理办法》审批使用海域面积233.3公顷，发放海域使用证95本，增收海域使用金368 990元。三是全面开展海域使用普查登记工作。2001年全省沿海市县海域使用项目的登记工作已初步完成。

(陈家博)

广西壮族自治区
Guangxi Zhuangzu Autonomous Region

综 述
Summary

【地理概况】 广西壮族自治区是中国惟一的沿海少数民族自治省份，也是中国西部大开发战略西部12个省份中惟一的一个沿海省份，是大西南最便捷的出海通道。

广西地处云贵高原东南边缘，地势大体呈西北高，东南低，由西北向东南倾斜。四周被山地围绕，呈盆地状，有“广西盆地”之称。

广西海岸线东起合浦的洗米河口(粤桂交界处的英罗港)，西至中越边界的北仑河口，全长1 595千米。海岸类型分冲积平原海岸和台地海岸两种。海岸迂回曲折，多溺谷、港湾。沿海有岛屿697个，总面积84平方千米，岛屿岸线长600余千米。沿海滩涂面积1 005平方千米，其中，软质沙滩约占90%。浅海面积6 488平方千米，海底平缓，岸礁少，风浪小。

【海洋资源】 广西浅海滩涂辽阔，海洋水产资源丰富。海岸线长度1 595千米，浅海面积6 488平方千米，滩涂面积1 005平方千米，海水可养殖面积319.5平方千米。沿海有渔港32个，其中列为国家重点渔港13个。海洋鱼类有500余种，浅海滩涂栖有海洋生物150种，其中经济价值较高的50余种。闻名中外的“南珠”盛产于此。北部湾还有丰富的天然气资源，开发前景广阔。此外，海洋化工和海洋能源开发的潜能和价值也较大。广西海洋旅游资源也得天独厚，有亚热带情韵的滨海风光，古朴浓郁的渔家民族风情和独特的中越边关风情等。

【人口、土地与经济状况】 2001年末，广西全自治区总人口4 788万人，其中沿海地区552.31万人，占全区总人口的11.54%；沿海地区土地面积为20 361平方千米，占全区总数的0.87%。

2001年，广西国民经济持续平稳增长，完成国内生产总值2 231.19亿元，比上年增长8.83%。其中第一产业562.52亿元，比上年增长4.4%；第二产业791.85亿元，比上年增长5.9%；第三产业876.82亿元，比上年增长14.8%。沿海地区国内生产总值330.17亿元，占全区的14.80%。全区人均国内生产总值为4 668元，沿海地区人均国内生产总值为7 006元，高于全区水平。

海洋资源开发与海洋经济

【海洋开发与经济发展状况】 2001年，广西海洋经济呈现快速发展势头，海洋开发力度增大。全区海洋产业总产值145.93亿元，比上年增长24.31%。海洋水产产值当年104.68亿元，占海洋产业总产值的71.7%；海洋港口运输业4.2亿元，占总产值的2.9%；滨海旅游26亿元，占总产值的17%；滨海砂矿306万元，占总产值的0.02%。

海洋水产 2001年，广西海洋水产业平稳发展，全年海洋水产总产值104.68亿元，海洋捕捞产量89.31万吨，基本与上年持平。其中水产产值47 743.4万元，比上年有较大幅度增加。海洋开发利用程度为历年最高，全年海域使用面积达33 513公顷，其中海水养殖面积为24 641公顷。

海洋盐业 产值略有增加，但仍为负增加值。

港口与运输业 2001年，沿海港口建设完成投资18 136万元。主要的建设项目有防城港9号、10号泊位工程，北海水陆联运客运站，钦州港二期工程和钦州港进港航道。

沿海主要港口完成货物吞吐量1 812.8万吨，比上年增长2.55%。其中，防城港完成货物吞吐量1 003.21万吨，再创历史新高，比上年增长9.16%；钦州港完成货物吞吐量181.25万吨，比上年增长29.74%；北海港完成货物吞吐量251.86万吨，比上年下降4.96%。

沿海运输船舶257艘、4.53万载重吨、2 799

客位，分别为2000年的100.39％、116.15％和91.32％，完成客运量40万人、旅客周转量4 790万人千米、货运量132万吨、货物周转量46 256万吨千米，分别为2000年的133.33％、113.97％、130.69％和155.5％。沿海客运以沿海港口城市与海南海口间陆岛运输为主。沿海客运量、旅客周转量分别比2000年大幅增长33.33％和13.97％。

远洋运输船舶215艘、9.4万载重吨、1 611客位，分别为2000年的89.21％、85.61％和194.1％。完成客运量6万人次、旅客周转量1 843万人千米、货运量109万吨、货物周转量61 611万吨千米，分别为2000年的100％、116.06％。

（赵 瑛 李之宁）

【滨海旅游业】 2001年，广西北海、防城港、钦州三个滨海城市共接待海外旅游者7.37万人次，比上年增长9.2％；旅游外汇收入1 417.81万美元，比上年增长0.6％；国内旅游人数608.75万人次，同比增长8.2％；国内旅游收入24.83亿元人民币，比上年增长0.8％；旅游总收入26.00亿元人民币，比上年增长0.7％。

旅游规划方面。2001年，北海市对银滩旅游区建设规划方案进行国际征集和方案评审工作，经广泛听取社会各界意见，以美国方案为蓝本，吸收其他方案的优点进行了修改，并呈报自治区人民政府批准实施；聘请香港贝尔高林设计公司对北海外沙海鲜岛进行全新规划设计，着重体现南亚和欧式风格，项目建成后将成为广西最大的海鲜集散地和中国最具特色的海鲜美食城；委托上海同济规划院开展涠洲岛旅游总体规划工作；邀请中国地质大学配合涠洲岛管委会申报国家地质公园。防城港市完成了《防城港市旅游业发展规划》的评审和修改工作；另外，《江山半岛景区旅游资源开发与自然环境保护项目规划》、《十万大山森林公园旅游资源开发与自然环境保护项目规划》也都通过专家评审，并由市政府上报自治区计委，申请西部国债。为配合广西边境公路大会战和自治区边境公路旅游规划的编制，邀请有关专家对防城港市边境公路旅游景点进行考察，并将有较高开发价值的峒中温泉、竹山等旅游景点纳入自治区边境公路旅游规划中。钦州市钦州港区、灵山县分别完成了《钦州港七十二泾旅游度假区总体规划》和《灵山大芦村规划》，并通过了评审；邀请深圳社会科学院旅游研究中心规划设计的旅游项目《钦州港七十二泾“欢乐岛”》已完成，通过了专家评审并已进入了实施性建设阶段；浦北龙门至五黄岭风景区的旅游公路规划工作也已编制完毕；灵山大芦村旅游区和钦北区王岗山风景区的可研报告也已通过评审。

【旅游景区（点）开发建设】 2001年，北海市投资1 800万元的银滩度假村已接待游客；计划投资1 300万元的涠洲岛火山公园，已完成投资280万元；计划投资3 600万元的金品农业观光项目，已完成投资500万元；银滩公园共投资120余万元，完成公园内主要道路的绿化改造，更新了路灯，设立了“天下第一滩”的石雕。防城港市上思县修建十万大山国家森林公园至汪东的旅游公路，已完成了路基建设；该公园还积极招商引资，与钦州市的客商签约并投资500万元建设云雾山庄度假村。钦州市钦州港区投入资金搞好仙岛公园的绿化工程，种植了2余公顷的观赏性植物，铺设约8 000平方米的草地，改善了仙岛公园的旅游环境；在大芦村旅游区铺设了路面，建造了厕所，刻制了30余幅木楹联。

【旅游市场宣传促销】 2001年，北海市组织旅游企业参加大连、昆明、温州、成都、贵阳、广东、香港等地的旅游交易会、“旅游大篷车”或其他形式的促销活动；邀请香港无线电视台、河南卫视台等拍摄北海旅游专题节目；在《中国旅游报》、《民族画报》、《广西日报》等报刊设北海旅游专版；编印了《北海旅游指南》、《北海之旅》、《美丽的涠洲岛》、《北海欢迎您》等宣传画册和折页；拍摄了《美丽的珍珠城——北海》、《北海旅游巡礼》录像带、VCD光盘，编制了《中国优秀旅游城市——北海》多媒体光盘。防城港市组织旅游企业参加了成都国内旅游交易会和防城港旅游推介会、昆明国际旅游交易会、广西人游广西“旅游大篷车”等宣传促销活动；策划和制作了《防城港之旅》多片光碟。协助中央电视台、广东电视台《中越边境旅游》防城港旅游专辑专题片的拍摄工作。钦州市4月27日由市政府组织有关部门及旅游系统200余人举办了声势浩大的“广西人游钦州”旅游宣传促销活动，有旅游图片和特色旅游商品展览、散发旅游宣传资料、乘车巡游考察等内容，活动邀请了南宁各大媒体、各旅行社总经理对钦州旅游资源进行了实地考察。另外，钦州电视台与广西电视台联合摄作了反映钦州风光的专题片，多次在广西电视台、钦州电视台播放。

【旅游节庆活动】 北海市在2001年在元旦凌晨举办“迎接21世纪第一缕曙光”活动，上午在火车站广场举行中国“体育健身游”（北海）开年仪式及彩车游行、支持北京申奥万人健步行和长跑比赛；2月23日，配合全区旅游发展工作会议，举办“北海旅游之春”大型交响音乐会；10月，举办“2001北海国庆旅游欢乐周”和“新时代广场杯”首届北海外沙海鲜美食节；防城港市举办了首届中越边境旅游节。钦州市4月份在麻兰岛、大环半岛、三娘湾、七十二泾滨海景区开展了具有海边特色的“渔家乐”活动，主题内容有拖网围网捕鱼、捉“三沙”、篝火烧烤晚会、海边垂钓等；5月份针对大芦村独有的“古、朴、奇、特”的特点，推出了古文化、古建筑、古榕树的“三古”游活动，开展了八音迎客、族老敬茶、“岭头”同乐、贵人乘轿等项目；5～6月，推出了体验性、参与性强的生态旅游活动和以“土、特、绿”为基调的地方特色食品。10月2日，举办“十五的月亮十六圆——相约麻兰岛”活动，由钦南区组织一台具有浓厚滨海特色的歌舞演出，同时还举办烧烤联谊活动。

【旅游市场经营管理】 2001年，北海市按照国家和自治区的部署，狠抓旅游市场秩序整治，严格对旅行社门市部的审批和管理，统一团队行程表、游客意见反馈表、组团合同，全年共开展旅游市场检查193次，处理旅游投诉15件，查处违规旅行社 5 家，查处违规导游46人次。防城港市整治和规范中越边境旅游市场，打击“野马”导游“追客”、“抢客”等违规行为。钦州市于4月对钦州港区旅游船只进行了一次大规模的检查，实行四统一管理，即：统一停泊，统一线路，统一营运，统一价格，进一步规范了旅游船队的经营管理；9月，对全市旅行社、旅游饭店和旅游码头进行检查整顿，对无证经营旅行社业务的单位和个人予以严肃处理，对不符合要求的旅游定点接待单位要求限期整改，对导游人员实行持证上岗，对无证游船经营旅游观光等行为进行了严厉查处，同时，检查旅游安全工作。 （廖燕玲）

海洋公益事业
Marine Public Welfare Facilities

【海洋环境观测】 2001年，国家海洋局北海中心海洋站12月更名为国家海洋局北海海洋环境监测中心，下设北海海洋环境监测站（北海海洋站更名）、涠洲海洋环境监测站（涠洲岛海洋站更名）以及防城港海洋站。年内，提供北海、涠洲、防城港每天的海洋水文、气象实时报资料和月报资料。完成表层海水温度月报资料72份，潮汐月报资料72份、海浪月报资料24份和风月报资料48份。该年度测报错情率0.01%，没有出现测报业务事故。

【海洋生态保护】 2001年12月，国家海洋局涠洲海洋生态站挂牌成立。该站以珊瑚礁生态监测和生态研究为主，主要职责是：开展对涠洲岛、斜阳岛毗连海域的海洋生态环境监测、监视、按Reefchock的珊瑚礁监测方法和标准，长期开展涠洲岛珊瑚健康调查工作，建立珊瑚礁生态监测资料库；收集和整理有关资料，积极参与当地成立涠洲岛珊瑚礁生态自然保护区的选划、申报工作；负责海洋生态环境保护的宣传教育和科普工作；协助接待国内外珊瑚礁生态研究单位和团体。涠洲海洋生态站将为保护涠

表1 广西沿海地区行政区划一览表(2001年末)

地级市名称	县级区名称	县、县级市名称
北 海 市	海城区、银海区、铁山港区	合浦县
防城港市	防城区、港口区	东兴市、上思县
钦 州 市	钦南区、钦北区	灵山县、浦北县

表2　2001年广西沿海地区国内生产总值及工、农业生产总值一览表

单位：亿元

地区名称	国内生产总值				工业总产值（当年价）	农业总产值（当年价）
	合　计	第一产业	第二产业	第三产业		
	1	2	3	4	5	6
全区合计	2 231.19	562.52	791.85	876.82	1 903.14	872.90
北 海 市	123.44	37.39	33.87	51.28	98.30	68.59
#合浦县	49.65	20.96	13.85	14.85	41.70	37.27
防城港市	62.65	20.14	17.80	24.41	43.39	32.32
#东兴市	12.98	3.47	1.98	7.53	5.11	5.73
钦 州 市	144.09	72.59	27.66	43.85	73.43	116.79
沿海合计	330.18	130.12	79.33	119.84	215.13	217.70

表3　2001年末广西沿海市县人口及从业人员情况一览表

地 区 名 称	年末总人口	农 业 人 口	非 农 业 人 口	社 会 从 业 人 员	单位职工人数
	1	2	3	4	5
沿海合计	340.53	261.47	79.06	200.84	21.16
北 海 市	144.71	103.51	41.20	83.03	10.18
#合浦县	92.33	74.35	17.98	50.02	4.27
防城港市	77.75	58.49	19.26	41.61	5.86
#东兴市	10.04	7.44	2.6	6.05	0.80
钦 州 市	118.07	99.47	18.60	76.2	5.12
全　区	4 788	3 912	846	2 578	310

说明：1栏=2栏+3栏

表4　2001年广西海洋开发资料统计一览表

单位：公顷

沿 海 地 名	滩涂总面积	滩涂可利用面积	滩涂已利用面积			
				养 殖	种 植	其他
北 海 市	48 667	33 334	13 334	14 933		
#合浦县				6 188		106
防城港市	24 110	20 795	14 846	11 307	2 319	1 220
#东兴市	3 500	2 000	1 033	1 023		10
钦 州 市	20 000	14 800	11 658	11 558	100	
#钦南区	17 182.6	13 000	11 558	11 458	100	
#钦港区	2 817.4	1 800	100	100		
全区沿海合计	899 596.6	62 119	33 513	24 641	2 319	1 220

（杨　菲）

洲岛宝贵的珊瑚资源及生态系统，建立正常的海洋生态环境保护秩序提供科学决策依据和保障！

海洋灾害与防御
Marine Disasters and Prevention

【海洋灾害】 03、04号台风 7月2日凌晨，第3号台风“榴莲”在广东省湛江市沿海登陆后进入北部湾海面。上午9时通过北海市，下午2时前后在钦州犀牛脚沿海再次登陆，随后西偏北穿过上思、宁明、龙州等县，台风风力8～11级，阵风12级。第3号台风影响未过，7月6日8时，第4号台风“尤特”在广东省海丰到惠阳沿海登陆，以后一直向偏西方向移动，于7月7日凌晨进入广西区梧州市，后经藤县、平南、武宣、来宾、马山、都安、田阳、百色一线。受第3号、4号台风影响，广西沿海地区和郁江流域普降暴雨、部分地区出现大暴雨和特大暴雨，引发了特大洪涝灾害，给广西区造成惨重损失，受灾尤为严重的是南宁、贵港市和左右江流域。全区11个地市70个县（市、区）受灾，受灾人口1 649.6万，成灾人口897.7万，死亡24人。据统计造成经济损失155.75亿元。其中，房屋倒塌13.812万间，严重损坏房屋44万间；农作物受灾面积103.3万公顷，成灾面积63.5万公顷，绝收23.5万公顷；死亡大牲畜2.5万头，水产养殖损失69 050公顷，24.14万吨；交通道路中断2 242条，毁坏公路基（面）7 763千米，南昆铁路中断80小时，南宁、北海机场停航1天；损坏输电线路4 218.8千米，损坏通讯线路2 362千米；损坏大型水库1座，中型水库8座，小型水库174座；损坏堤防2 064处292.9千米，堤防决口1 067处59.8千米，损坏护岸1 857处，损坏水闸902座，冲毁塘坝5 722座，损坏灌溉设施9 083处，损坏水文测站13个；全停产工矿企业2 214个；受灾中小学3万余所，毁坏校舍79万平方米。

07、14号风暴 7月25日～7月27日，第7号热带风暴“玉兔”，8月28日～9月5日，第14号热带风暴“菲特”影响广西沿海地区，因风力不大，没有造成明显的灾害，经济损失不大。

【赤潮】 5月13日，在涠洲岛南油码头以西约5海里处发生赤潮，海上出现带状赤红色海水，宽约几米至三四十米，长约2千米。赤潮海水随风海流向涠洲岛西北方向发展，影响涠洲岛西北部沿岸约20平方千米海域。13日下午5时，在涠洲岛西南滴水村艇部（海滩），岸边海水呈绛红色、腥甜味、油腻感、出现不少死鱼，经现场海水样品分析，无机氮超过一类水质标准11倍，活性磷酸盐超过一类海水水质标准222倍，COD超标194倍，pH值及营养盐均超标，现场鱼类麻木、死亡。赤潮海水于14日在涠洲岛北面海域消失。这次赤潮影响范围内没有海水养殖场所，故造成损失的主要是海洋经济鱼类。

【海洋环境预报】 2001年，广西海洋预报台预报重点是围绕防灾减灾做好对台风风暴潮预警报工作。通过广西卫视台、北海市电视台、邮政968信息等媒体，发报广西沿海、北部湾和周边的海浪、潮汐、海温等预报服务。向广西区海洋局、区防汛指挥部以及各沿海市防汛办提供风暴潮预报。在台风期间，对关系到防灾减灾关键的风暴潮和大风浪都及时、准确地预报，基本做到无错漏，为广西区沿海市县的经济活动和防灾减灾提供了及时、可靠的信息。

海洋科技与教育
Marine Science & Technology and Marine Education

【海洋科学研究与开发】 2001年，广西实施海洋科技项目共13项，项目总投资7 000余万元，投入科研经费340万元，研究内容涉及南美白对虾秋冬反季节养殖技术开发、大獭蛤工厂化育苗及人工养殖技术研究、南珠深海养殖及深加工技术开发等方面。

【“九五”国家科技攻关计划】 “马氏珠母贝多倍体优良快速繁育体系”由广西海洋研究所承担的国家科技攻关项目。项目要求建立一个完善有效的马氏珠母贝多倍体优良品种快速繁育体系，即首先诱导产生三倍体珠母贝，再以三倍体珠母贝的繁殖群体，用正常的二倍体珠母贝同四倍体珠母贝交配用于海水珍珠养殖生产需要的三倍体珠母贝优良品种。该项研究建立了大量生产三倍体优良品种的种体技术，研究了诱导马氏珠母贝四倍体的3种方法和技术，并获得了成活的四倍体马氏珠母贝幼贝，同时应用三倍体马氏珠母贝进行育珠试验，试验结果商品珠率达93.7%，优质珠率达43%。

【科技兴海—科技创新计划】 2001年，广西沿海组织重点实施的“北海珍珠、文蛤养殖与加工产品开发”、“对虾高产技术开发”等项目成效显著。北海市已先后建立了营盘千亩南珠科技示范基地和铁山港南珠科技园，科技示范户平均每万插核贝收珠比一般养殖户提高60%。北海东方创美公司推出的名门闺秀珍珠御粉、珍珠美白三步曲美容化妆品系列产品，在产品质量改进方面取得突破性进展。以南珠为原料，辅以高效嫩肤成份“细胞幼化因子”研制成的新型珍珠御粉，2001年总销售收入达1 500万元，利税580万元。在2001年9月项目成果鉴定会上，与会专家一致认为项目的技术水平达到国内领先水平。另外，北海珍珠总公司成功开发新一代珍珠明目滴眼液，完成了产品的升级换代，取得了较大的经济效益，2001年珍珠明目滴眼液销售收入达1 050万元，利税185万元。销售收入和利税分别比上年增长20.6%和19.4%。

创新计划项目《广西大面积对虾高产养殖示范及其技术服务体系的建立》和《广西沿海咸酸田改造及对虾高产养殖模式技术示范推广》，已投入资金250余万元，实施半精养33公顷，每公顷产量超过4 500千克；土池高产养殖40公顷，每公顷产量超过2 250千克；示范名符其实的万元田，带动财政增收230万元；举办各种培训班52次，培训人员6 200人次，培养养虾技术骨干300万人，让虾农基本掌握对虾养殖及病害综合防治操作规程，进一步提高了广西虾农养殖技术水平。

【海洋科技教育活动】 2001年，多次邀请中国科学院海洋研究所、中国水科院南海水产研究所、中山大学生物学院、湛江海洋大学、广西海洋研究所等科研院所著名专家教授授课。同时还努力内引外联，与国内著名对虾饲料厂家合作，聘请有经验的养殖专家能手深入项目实施地举办现场技术培训，开展送科技下乡活动，因地制宜向广大虾农传授养虾实用技术。共举办各种培训班52次，培训人员2万余人次，发放养殖技术资料10 000余份，培养养殖技术骨干500余人次。内容丰富、形式多样的技术培训，收到了良好的社会效果，使广大虾农能熟悉掌握对虾高产养殖及病害综合防治基本操作程序，促进了广西沿海对虾养殖技术水平的提高，为对虾养殖业的发展提供了可靠的技术支撑。　(伍启清)

【海洋国际合作与交流】 **中国海南部海洋生物多样性保护项目立项考察和评估**　在国家海洋局牵头组织下，香港科技大学、国家海洋局第三海洋研究所的专家从联合国开发计划署(UNDP)争取到经费，从2000年底开始，进行了“中国海南部海洋生物多样性保护项目”立项考察和评估。项目专家组和国家海洋局对分布于广西、海南、福建和浙江省的9个示范区进行了考察和评估，初步确定了广西山口红树林生态自然保护区(含涠洲岛斜阳岛珊瑚生态系)在内的5个示范区为将来项目实施的区域。其中，对广西的考察和评估活动先后进行了3次。通过考察、咨询和座谈，考察组对广西海洋生物多样性及其保护情况有了基本的认识，认为广西的红树林、珊瑚礁等生态系统生物多样性独特而丰富，具有得到国际组织援助、开展全球性保护活动的可行性。

美国国家海洋大气局援助广西开展珊瑚礁监测培训　美国国家海洋大气局根据中国和美国在海洋与海岸带综合管理方面开展合作与交流的协议和2000年6月在中国广西南宁市召开的协调组会议上达成的共识，为表示对北部湾广西海洋生态环境综合管理建设的关注，通过全球珊瑚礁监测网络(GCRMN)向广西海洋局提供1.2万美元的援助，以帮助广西开展珊瑚礁健康调查技术培训。技术培训分3个阶段：一是潜水员培训，二是珊瑚礁健康调查技术培训，三是珊瑚礁锚系浮标安装与使用培训。分别请台湾的潜水师、香港的珊瑚礁健康调查专家、美国的珊瑚礁锚系浮标发明者进行授课与训练。来自广西海洋界的9名学员通过了考试，掌握了培训的知识与技能。

赴美国参加海岸带综合管理地理信息系统培训　2001年6月18～28日，国家海洋信息中心、广西海洋局和广西海洋研究所的4位同志赴美国参加海洋地理信息系统(GIS)应用培训。此次培训是根据中美长期海洋与海岸带综合管理使用协议所进行的使用与交流的一部分，也是为今后广西正式开展北部湾海洋生态管理与决策支持信息系统项目培训技术和管理人员。本次培训的组织单位为国家海洋局，在美国的接待单位为美国国家海洋大气局下的海洋服务局

赴泰国参加珊瑚礁健康调查培训 2001年11月24日至12月1日，应泰国珊瑚礁健康调查组织(Reef Check Tailand)邀请，广西海洋局派出3位同志赴泰国参加珊瑚礁健康调查培训。该培训由国际珊瑚礁健康调查组织提供资助，由Reef Check Tailand负责具体实施。学员来自中国、越南、柬埔寨、缅甸、泰国、马来西亚、印度尼西亚和菲律宾8个国家，共20人。教员来自泰国普吉海洋生物研究中心及其他国家的专家。培训分课堂讲授和实践两部分。要求掌握的主要知识和技能是与珊瑚健康调查有关的海洋鱼类知识、珊瑚礁知识、无脊椎动物知识、海洋底质分类知识、珊瑚礁健康调查方法和基本要求等。中国派出的3名参加培训的同志，较好地掌握了Reef Check的方法与技巧，将在中国广西珊瑚礁自然保护区建区调查和今后的珊瑚礁监测和管理工作中发挥作用。　(刘　斌)

海洋立法与管理
Marine Legislation and Management

【海洋立法】 2001年，广西继续开展《广西壮族自治区海域使用管理条例》立法工作，调整了立法小组成员，将《条例》(征求意见稿)印发自治区直有关20余个部门和沿海三市征求意见，根据各单位提出的意见对《条例》(征求意见稿)进行修改并送自治区政府法规室审查，配合自治区政府法规室和自治区人大分别到外省开展了两次立法调研。

在2001年国家开展的《海域使用管理法》立法工作中，广西先后三次接待了全国人大环资委、法律委、国务院法制办和国家海洋局对该区考察海域使用管理和《海域使用管理法》立法调研工作。广西认真做好考察调研的前期准备工作，编写了海域使用管理汇报材料，精心安排考察调研日程，组织开好现场会和座谈会，对《海域使用管理法(草案)》提出了修改意见，并结合考察情况向到广西考察调研的有关领导作了详细汇报，使考察调研活动达到了预期效果。国家海洋局专门致函自治区人民政府，肯定了广西的工作。

【海洋管理机构】 2001年，根据国家和自治区的部署，广西开展了市、县机关机构改革。在原海洋管理机构的基础上，北海、钦州、防城港市、合浦县、东兴市、防城区、港口区分别成立了海洋局，钦州市钦南区成立了海洋分局，全区海洋管理力量得到进一步加强。

【海洋功能区划】 2001年，广西组织大比例尺海洋功能区划核心编写组对《广西大比例尺海洋功能区划报告》进行了6次讨论，组织编写组全体成员进行了两次评审，组织有关专家赴沿海三市开展了一次调研，先后完成了《报告》第二稿、第三稿、第四稿和征求意见稿，《广西大比例尺海洋功能区划登记表》也已编写了三稿，并印发沿海三市政府和区直有关部门征求意见。根据反馈意见对《报告》、《登记表》和区划图进行了修改，于11月初完成送审稿，并于12月下旬上报自治区人民政府审批。

根据《自治区人民政府关于印发广西大比例尺海洋功能区划工作实施方案的通知》(桂政发[1999]101号)精神，除编制广西大比例尺海洋功能区划外，沿海三市也开展编制当地大比例尺海洋功能区划，其中钦州市大比例尺海洋功能区划于2001年通过专家评审。

【海域使用管理】 2001年，全区认真贯彻执行海域使用管理两项制度，开展海域使用项目清理，查清用海现状，组织审核海域使用申请并上报审批，全年全区共核发海域使用证881本，海域使用确权面积2 380.8公顷，征收海域使用金420.76万元。

【海域使用清理整顿】 为了解决海域使用家底不清、涉海纠纷严重等问题，为《中华人民共和国海域使用管理法》的出台实施创造良好环境，广西于2001年3月召开了海域使用清理整顿工作会议，研究布置海域使用清理整顿工作任务，要求沿海三市对本辖区内海域使用情况进行普查、测量面积，对各种用海类型造册登记，全面掌握所辖海域的使用状况。在此基础上，审查海域使用

项目是否符合国家法规，协调处理海域使用权属纠纷，勘定界址，核实面积，发证确权，复核验收，建档立卷，依法征收海域使用金。会后，广西海洋局印发了《全区海域使用清理整顿工作会议纪要》和“海域使用清理整顿工作用表”等配套材料，进一步明确了工作要求、工作程序和工作方法。全区沿海各海洋局(办)按照自治区的要求，结合本地实际，全面开展了海域使用清理整顿工作。其中钦州市采取拉网式的调查方式，边清理边对无争议用海项目发放海域使用证和征收海域使用金，清理整顿的进度很快，效果很好。广西海洋局还于2001年8～10月开展了海域使用项目调查工作，为征收海域使用金和建立海域使用管理信息系统作准备，共调查了1 762个用海项目，海域使用面积11 507.5公顷，其中填海造地883.3公顷，围海筑塘养殖1 246.15公顷，开放式养殖用海8 241.4公顷，其余用海方式有港池、旅游、工厂等。

【海域使用金征收管理专项调研】 为了全面掌握海域使用金征收使用情况，进一步规范海域使用金征收管理工作，依照《国家海域使用管理暂行规定》和《广西壮族自治区海域使用管理办法》的规定，广西于2001年5月对沿海9个市、县(区)的海域使用金征缴和使用情况进行了比较深入细致的调研。在调研中，既听取财政部门和海洋管理部门关于海域使用金上缴入库和使用情况汇报，又检查核对了海域使用金专用收据和账本数据，基本掌握了海域使用金的征收管理和使用状况。

调研结果表明，1995年至2001年4月，全区共核发海域使用证2 797本，海域使用确权面积11 323公顷，各市、县(区)海洋管理部门代征代缴海域使用金共9 586 747元；市、县(区)财政返还海洋管理部门用于海域开发建设、保护和管理的经费共2 757 837元，平均占全区征收总额的28%，占市、县(区)应留成总额4 793 373元的57%；没有发现市、县(区)海洋局(办)在使用专用收据和账本方面的违法违规行为。调研组还针对调研中发现的问题，提出了改进海域使用金征收管理工作的建议。

【海域使用管理配套政策建设】 为了规范海域使用金的征收、使用和管理，广西财政厅、广西海洋局制定了《广西壮族自治区海域使用金征收管理暂行办法》、《广西壮族自治区海域使用金征缴入库目标责任制试行办法》。其中《广西壮族自治区海域使用金征收管理暂行办法》经多次讨论定稿后已送区财政厅、中国人民银行和财政部驻广西专员办会签，于2001年12月联合下文执行。

【海域使用管理可行性论证】 根据国家有关规定，广西认真搞好海域使用可行性论证工作，先后为钦州港航道工程、码头建设、临海工业区的用海，北海、防城的围海填海项目做好论证工作，组织多次论证会，为每个用海项目提供科学决策与参考性的意见。同时，逐步建立了一套比较完善的论证制度。2001年，组织对《钦州市犀牛脚镇西寮江科技对虾养殖基地》、《钦州港进港航道扩建金鼓江西侧填海工程》、《广西天昌投资有限责任公司鹰岭作业区油气库罐区项目》等项目的海域使用可行性进行了评审和审批。

【防城港市海域使用管理示范区建设】 为推进海域使用管理规范化建设，促进海域使用管理立法进程，在第一批海域使用管理示范区取得成功经验的基础上，财政部、国家海洋局在全国沿海省市选划了第二批海域使用管理示范区，广西防城港市是其中之一。为完成防城港市示范区建设任务，防城港市成立了示范区领导小组，制定了示范区工作方案并上报国家海洋局根据防城港市的实际，选定示范区建设的任务是以建设防城港市海域使用管理GIS为重点，全面推进示范区海域使用管理工作。在防城港市及各区、市海洋部门的努力下，示范区建设的各项任务全面开展，防城港市海域使用管理GIS系统已基本建成，并进行了多次展示，示范区大比例尺海洋功能区划工作已接近完成，海域使用清理整顿、海域使用确权发证、海监队伍建设等各项工作也取得了较大进展。

【广西近岸海域联合执法】 为了检查自治区国土资源厅与南海分局联合上报自治区人民政府《关于加强广西沿岸海域管理、促进用海秩序好转的报告》(桂国土资报[2000]18号)六点意见的落实情况，巩固2000年“广西近岸海域联合执法大检查”活动的成果，加大《中华人民共和国海洋环境保护法》、《广西壮族自治区海域使用管理办法》的实施力度，为《中华人民共和国海域使用管理法》的出台实施创造良好的条件，进一步促进广西沿海地区海域使用管理工作的深入开展，促进海洋管理向规范化方向发展，根据自治区人民政府的要求，自治区国土资源厅与国家海洋局南海分局于2001年10月19～25日联合开展了“2001年广西近岸海域联合执法大检查”。检查结果表明，沿海三市政府对2000年查出的问题进行了认真查处，用海秩序有了很大好转。如北海市已组织拆除了廉州湾的渔箔，钦州市拆毁了茅尾海中乱围乱筑的养殖塘数百亩，合浦县也拆除了廉州湾北部违法修筑的养殖塘近千亩。但近岸海域在海洋环境保护、海域使用管理等方面还存在一些违法违规现象，海域使用的无序、无度、无偿现象还不同程度地存在，海洋环境和资源还受到不同程度地损坏，国家海洋收益流失仍比较严重。如2000年执法检查中发现的北海银滩海水浴场、合浦中堂围海筑塘养殖无证用海等一些违法问题尚未得到处理，茅尾海内非法抽砂淘矿现象还比较严重，钦州港、防城港的一些填海项目没有按规定办理海域使用审批手续。

【海洋监察管理】 2000年底以来，钦州市茅尾海康中围标准海堤外和合浦县西场标准海堤外非法围塘较为严重，严重破坏了海洋环境和海洋资源，直接影响了堤闸的排涝泻洪，威胁堤防设施和人民生命财产安全。钦州市和合浦县采取有力措施，分别组织对康中围53余公顷和西场堤围外86余公顷非法养殖塘进行了全面清理拆除。在拆除行动中，共出动执法人员1 000余人次，动用机械设备20余台次，共拆除养殖塘40多口、133余公顷。此次行动彻底消除了事故隐患，对群众起到了很好的教育作用，钦州市海洋局还将拆除行动制成VCD宣传片，大大增强了影响力。

防城港东湾和西湾为港口发展区，一些单位和个人不按功能区划要求，进行大面积养殖活动，影响港口的发展与生产。海洋与其他部门相配合，清理和取缔非法养殖用海33余公顷，有效地维持港口的生产秩序。同时，广西海洋局还对防城港市的违法填海造地行为进行了查处。

【海洋开发规划试点工作】 钦州市是全国海洋开发规划试点之一。为完成国家下达的任务，为全国海洋开发规划提供实践经验，广西海洋局和钦州市海洋局认真开展海洋开发规划的前期准备工作。目前各项工作均正在顺利进行中。(黄飞波)

广 东 省
Guangdong Province

综 述
Summary

【概况】 广东省位于中国大陆南部，邻接南海，陆地面积17.79万平方千米，海域和海岸呈条状自东北向西南展布，基本位于北回归线以南，属热带、南亚热带季风气候区。全省海域面积41.93万平方千米，其中内水面积4.89万平方千米，领海面积1.64万平方千米，200海里专属经济区面积35.40万平方千米，海岸线长3 368.1千米，占全国海岸线总长的1/5。拥有大小海岛1 431个（含东沙群岛），其中面积在500平方米以上的海岛有759个，海岛总面积0.16万平方千米，岛岸线长2 428.7千米。

海洋资源开发与海洋经济
Development of Marine Resources and Marine Economy

【海洋经济】 2001年，广东省海洋产业总产值达1 750.19亿元，比2000年增长15.6%；海洋产业增加值828.5亿元，比2000年增长14.3%，占全省GDP的7.8%；海洋水产业总产值402.1亿元，增长19.8%；海洋交通运输业为186.8亿元，增长15%；滨海旅游业为559亿元，增长25%；海洋油气业为210亿元，减少9.9%；滨海电业为361亿元，增长29.3%；盐业为0.56亿元，与2000年持平；海洋砂矿业为0.77亿元，增长25.8%；造船业为38.3亿元，增长0.8%；海洋药业为1.23亿元，增长10%。

表1　广东省海洋开发资料一览表

统计项目		数额
海洋捕捞产量（吨）	鱼类	1 430 772
	虾蟹类	218 057
	贝类	171 454
	藻类	5 199
	其他	54 744
海水养殖产量（吨）	鱼类	230 732
	虾蟹类	130 444
	贝类	1 394 081
	藻类	20 009
	其他	15 209
海洋运输	货运量（万吨）	19 891.53
	货物周转量(万吨·千米)	41 302 646.7
	客运量（万人）	1 282.4
	客运周转量(万吨·千米)	68 860
滨海旅游	营业收入（万元）	5 595 144.77
	接待国外游人次数(人次)	11 940 767
海滨砂矿	总产量（万吨）	70 233
	工业总产值（万元）	7 708.71
海盐生产	总面积（公顷）	7 101.42
	产量（吨）	130 744
	工业总产值（万元）	5 160.82

【海洋渔业】 2001年水产品总产值390亿元，比2000年增长4.4%。渔业总产量达到609.7万吨，增长2.2%。其中海洋捕捞188万吨，比上年减少1.8%；海水养殖179.1万吨，比上年增长了6%。利用海域面积20.28万公顷，养殖面积占可养殖海域面积的26%。其中利用浅海面积0.15万公顷，利用滩涂面积9.97万公顷，利用港湾面积10.16万公顷。建成一批以对虾、珍珠、贝类、网箱养鱼、咸淡水养鱼为主的养殖基地，初步形成了以增养殖为主，捕捞、增养殖共同发展的局面。渔民人均纯收入5 980元，劳均纯收入13 000元，分别是全省农民人均纯收入、劳均纯收入的1.6倍和2.1倍。

【海洋交通运输业】 2001年广东沿海地区已建有港口65个，大小泊位992个，其中万吨级泊位108个，港口货物吞吐量达17 190万吨，海洋交通运输总产值达186.8亿元，初步形成了以广州、深圳、珠海、汕头、湛江等枢纽港为主，大、中、小型港口布局趋向合理的港口群。全省港口密度在全国沿海各省区中名列前茅。

【其他涉海行业】 2001年广东全省滨海旅游业总收入达559亿元。2001年全省海洋工业产值611.35亿元，主要是海上油气开采、滨海发电和盐田的生产等。

海洋科技与教育
Marine Science & Technology and Marine Education

【科技创新体系】 2001年，广东省海洋与渔业部门积极争取各有关部门的支持，开始构建广东省海洋科技创新体系，加快科技兴海步伐。以湛江海洋大学为基地的“广东省海洋开发研究中心”已经开始运作，广东海洋与水产信息库已初步建立，省级重点实验室开始筹建。以大亚湾水产试验中心为基础的“广东省海洋生物重点开放实验室”和以南海海洋研究所和湛江海洋大学为基础的“广东省海洋药物重点实验室”已经建成。

【项目申报】 为了多方面争取科技投入，广东省海洋与渔业部门积极向上级有关单位报送计划，争取各有关部门的经费支持。2001年共申报“红鳍笛鲷生态系统种苗培育技术研究”等15项、成果推广计划项目“鳄鱼、鳗鱼海洋生物制品开发”1项、社会发展攻关项目“外海升降式抗风浪网箱的研制与养殖技术”等2项；申报农业部引进国际先进农业科学技术项目“驼背鲈Cromileptes altivelis引种繁育及规模化养殖技术”1项。

【科技项目的管理】 为了加强对重大“科技兴海”项目的管理，保证项目的顺利实施；项目启动后，广东省海洋与渔业部门建立了项目检查制度，每年组织专家对项目执行情况进行检查和评估，由专家提交评估报告，以此为依据，安排第二年度的经费计划。截止2001年10月，“科技兴海”8大项目的自查工作已经完成。从自查报告来看，各个项目都在按计划实施，进展情况良好。在自查的基础上，广东省海洋与渔业部门组织专家对8大项目进行了现场检查，并撰写了评估报告。

【科技成果管理】 2001年，广东省海洋与渔业部门在建立了第一份科技成果奖励档案的基础上，编辑出版了《广东省海洋与渔业科技成果简介》（1995～2000）；初步建立了信息化科技成果管理系统。对于各项目承担单位完成的科研项目，按照国家科委《科学技术成果鉴定办法》的规定，组织专家进行鉴定或验收。2001年对“双工况保险技术及SWX系列保鲜设备”项目主持了技术鉴定，并发给鉴定证书；对“石斑鱼人工育苗试验”等5个项目进行了验收。

【科普工作】 为配合广东省每年6月的“科技进步月”活动，广东省海洋与渔业部门组织专家下乡，举办技术讲座，普及科学知识。2001年6月20～22日，广东省海洋与渔业部门组织南海海洋研究所、南海水产研究所的3位专家下乡，在汕尾市城区举行了3场专题讲座，分别就“对虾养殖与病害防治技术”、“鲍鱼的养殖与病害防治技术”、“网箱养鱼技术”等专题进行了讲解与答疑，发放各种有关技术资料共800份，有250余名养殖生产者参加了讲座。继2000年成功举办首届中学生暑期海滨夏令营活动后，2001年7月，广东省海洋与渔业部门牵头在深圳大鹏湾东山珍珠养殖场与有关单位联合举办了第二届中学生暑期海滨夏令营活动，来自广州、南海、东莞等地近800名中学生参加了夏令营活动。

【编制有关规划】 为了《科技兴海规划》的顺利实施，广东省海洋与渔业部门在重大科技兴海项目进行招标的基础上，加大力度抓好海洋生物资源综合开发技术、海岸带区域水资源开发和保护技术、海洋工程技术、海洋能源及矿产开发应用新技术、滨海旅游资源的开发技术、海域资源和环境评估技术、海洋监测及海洋灾害预报预警技术、海洋污染防治与生态保护技术以及其他海洋高新技术的研究与开发。为了编制《广东省高新技术产业“十五”计划》中“海洋与渔业”专题，广东省海洋与渔业部门组织有关专家对该计划中海洋与渔业方面的内容进行研究，召开专家座谈会，对《计划》初稿进行修改和补充，提出了省“十五”期间重点支持和鼓励发展的海洋与渔业高新技术项目，重点就建设6大科技兴海示范基地、3个区域性海洋与水产试验中心等提出具体意见。

海洋国际合作与交流
Marine International Cooperation and Interflow

【外事交流】 2001年广东省海洋与渔业部门共接待美国、日本、越南等国和台湾省、香港特别行政区来广东省考察海洋水产团组共13批，接待了美国、丹麦等国驻华使馆农业官员的访问，扩大了广东省海洋与渔业在国际的影响，增进了与国际间的交流。

为落实广东省人大关于实施人工鱼礁建设议案，广东省海洋与渔业部门分别组织了赴美国、日本的考察团，邀请省政府、省人大、省财政厅有关人员参团出访，实地考察了这些国家人工鱼礁建设情况，掌握了大量的第一手资料，取得了许多好的经验和做法，为全面实施人工鱼礁建设奠定了基础。

【南部海域项目】 由全球环境基金资助的中国南部海域生物多样性保护项目（简称“中国南部海域项目”），旨在保护中国东南沿海热带和亚热带水域中具有全球意义的海岸带和海洋生物多样性。2001年2月15～17日，联合国环球环基金南中国海海洋生物多样性技援项目专家MR. COSSLET、钱培元和周秋麟等来广东省考察，对广东备选示范区（广东内伶仃福田国家级自然保护区、大亚湾自然保护区、惠东港口海龟保护站等地）进行考察和评估，为将来确定最终示范区提供依据；广东省海洋资源保护方面和国际组织的合作进入了新的阶段。

海洋公益事业
Marine Public Welfare Facilities

【广东省海洋与渔业环境监测中心】 为提高中心的专业检测水平和管理水平，更好地为社会和生产、管理服务，2001年7月，该中心对检测人员进行上岗培训考核，对所有考核合格人员颁发了检测人员上岗证，并于2001年8月，向广东省质量技术监督局提出计量认证初次评审申请。省技术监督局委派的计量认证评审组对实验室进行现场检查考核，认为监测中心的机构设置、组织管理、环境条件、仪器设备、量值溯源、人员素质、质量体系运作，能满足向社会提供公证数据的要求，符合计量认证技术规范的规定，同意监测中心通过计量认证初次评审。该中心成为首家通过计量认证的省级渔业环境监测机构。

【广东省渔业质量监督检验中心】 2001年4月，广东省机构编制委员会批准了在广东省海洋与渔业环境监测中心加挂省渔业质量监督检验中心牌子，赋予相应职能。挂牌后，中心逐步开展了工作，并首次与广东省出入境检验检疫局合作，帮助该省在美国注册的水产品出口企业按美国FDA的要求建立产品原材料的质量控制体系，努力提高广东水产品的国际竞争力。

【人工鱼礁建设】 广东省九届人大四次会议通过了《关于建设人工鱼礁保护海洋渔业资源环境》的议案，广东省海洋与渔业局在全省沿海地区调研的基础上，编写了调研报告，成立了人工鱼礁建设领导小组，起草了《关于建设人工鱼礁保护海洋资源环境议案的办理方案报告》。

【海洋捕捞产量评估】 为了掌握南海捕捞产量的实际情况，验证广东省海洋捕捞产量统计的准确程度，为渔业管理提供决策支持，广东省开展了海洋捕捞产量抽样调查评估工作。2001年在广东全省主要沿海市进行分片分类对生产渔船捕捞产量和效益抽样调查，此项工作将持续到2002年12月。通过沿海地区定点捕捞产量抽样调查的统计分析，掌握比较符合实际的基础数据，为制定渔业经济政策与渔业发展规划、实施限额捕捞制度和渔业管理等提供决策支持。

【海洋自然保护区】 2001年，广东完成了《珠江口中华白海豚自然保护区建设总体规划》和《珠江口中华白海豚自然保护区综合科学考察报告》，并通过了专家评审，使珠江口中华白海豚自然保护区升格为国家级自然保护区起到重要作用。

【海洋与渔业环境监测】 2001年，广东编制了

《广东省海洋与渔业环境监测2001年实施方案》。对省内重点海水养殖区、重点陆源排污口邻近海域、重点海水浴场的水质进行了常规监测。为沿岸海水养殖业的合理布局、养殖密度及规模的控制提供科学依据和服务，为监督陆源污染排海提供技术支持，为当地旅游业及社会公众提供服务，同时为海水浴场的管理提供依据。按计划对重点海水养殖区珠海桂山湾、饶平柘林湾、南澳深澳湾、大亚湾、神泉湾、深圳湾、大鹏湾、海陵湾、阳江闸坡海水浴场、深圳大梅沙、小梅沙海水浴场和重点陆源排污口邻近海域茂名澳内海进行了常规监测调查。重点监测区域环境质量初步评估表明：珠江口近岸海域的水质较差，主要超标要素为无机氮和磷酸盐；各重点海水养殖区的海水水质基本达到海水养殖水质标准的要求。

【海洋渔业资源动态监测】 2001年，广东开展渔民对休渔制度看法抽样调查和休渔结束后对3年来渔业资源的动态进行总体评估，提交了《2000年广东省海洋渔业资源状况分析》、《广东省2001年伏季休渔效果评估报告》和《渔民对休鱼制度看法抽样调查的统计分析》，为管理部门及时了解掌握资源动态情况和调整休渔措施提供依据。为适应新时期渔业资源动态监测工作的需要，广东全省的23个资源动态监测点实现资源监测数据信息传输数字化，达到及时有效掌握渔业资源变动情况的目的，为分析评估海洋渔业资源状况提供有力的技术支持。

海洋立法与管理
Marine Legislation and Management

【海洋立法】 2001年，广东省坚持以“广东特色，国际接轨，科学可行，全国领先”为目标，紧密结合实际，起草了《广东省渔业管理条例》、《广东省人工鱼礁管理规定》。《渔业管理条例》系统提出了养殖业管理的主要制度，确立了人工增殖放流的管理制度。《人工鱼礁管理规定》填补了国内的立法空白。

【海洋综合管理与开发】 2001年，广东在全省共颁发海域使用证800本，发证面积1.1万公顷。主要工作包括：①规范海砂开采管理，把珠江口几家采砂公司组织起来，成立采砂协会，实行统一管理，并组建自身监督机制；实施海砂开采整顿工作，取缔无证开采，打击走私和越界开采，研究加强海砂开采的管理措施，制定有关管理办法。②积极与有关部门配合，突破大型填海项目审批。③抓好海域使用管理示范区的工作，2001年广东省惠州市、饶平县和台山市被国家海洋局和财政部列为全国第二批海域使用示范区，按照国家海洋局对示范区提出的要求，协助示范区成立领导机构和制订有关实施方案，组织人员学习培训。④全面展开港湾整治，圆满完成闽粤海域勘界工作。

【海洋监察执法】 2001年，广东省继续强化海洋监察工作，积极开拓海洋执法新领域，主要工作有以下4个方面：一是继续开展海洋监察员培训工作，举办海洋监察员资格培训班3期，培训海洋监察员158名，使广东省海洋监察员总数增加到362名；二是建立海洋监察工作统计与报告制度，各支队按要求上报海洋监察执法工作动态共53份，省总队编发海洋执法通报6期；三是大力开展海洋管理法律法规宣传活动，仅《海域使用管理法》宣传周活动，就印发宣传资料5 500余份，张贴标语近6 000张，悬挂横幅80余幅，召开座谈会30余次，参加宣传周活动人数达3 500人次；四是开展查处违规用海、非法开采海砂、破坏海洋生态环境的巡航执法行动共152次，查处案件191宗。

统 计 资 料
Statistical Data

表2 2001年广东省沿海国内生产总值（现行价）一览表

单位：亿元

地区 \ 项目	国内生产总值	第一产业	第二产业	第三产业
全省总数	10 556.47	1 004.53	5 303.98	4 247.96
沿海市县合计	8 263.50	615.89	3 906.94	3 740.67
广州市区	2 449.00	67.14	978.81	1 403.05
番禺市				
深圳市区	1 954.65	18.11	1055.67	880.87
珠海市区	366.60	15.15	202.80	148.65
斗门县				
汕头市区	231.84	6.32	100.72	124.80
潮阳市	132.95	22.81	54.02	56.12
澄海市	86.00	14.17	43.90	27.93
南澳县	5.73	1.87	1.84	2.02
惠州市区	142.98	2.83	100.44	39.71
惠东县	98.47	21.75	50.16	26.56
惠阳市	130.24	17.68	69.31	43.25
汕尾市区	30.59	8.65	9.29	12.65
海丰县	74.79	18.50	22.43	33.86
陆丰县	41.11	17.01	12.35	11.75
东莞市区	578.93	31.56	315.30	232.07
中山市区	362.51	25.02	206.94	130.55
江门市区	156.51	2.53	72.59	81.39
新会市	125.42	18.53	61.66	45.23
台山市	115.93	19.10	52.26	44.57
恩平市	46.25	9.32	16.95	19.98
阳江市区	45.67	15.31	16.44	13.92
阳东县	36.19	15.48	11.32	9.39
阳西县	27.91	13.79	6.54	7.58
湛江市区	215.50	17.18	114.81	83.51
徐闻县	28.97	16.68	4.01	8.28
遂溪县	46.65	22.98	10.68	12.99
廉江市	63.28	25.42	14.68	23.18
吴川市	30.97	8.68	10.08	12.21
雷州市	51.24	24.67	8.34	18.23
茂名市区	164.10	18.50	89.83	55.77
电白县	84.69	30.61	25.76	28.32
潮州市区	45.05	1.13	20.70	23.22
饶平县	62.17	20.23	20.57	21.37
揭阳市区	75.54	5.57	47.40	22.57
揭东县	106.81	20.16	60.34	26.31
惠来县	48.26	21.45	18.00	8.81

表3 2001年广东省沿海工农业总产值一览表

单位：亿元

项目 地区	工业			农业		
	总产值(现价)	总产值(不变价)	增加值	总产值(现行价)	总产值(不变价)	增加值
全省总数	18 540.48		4 732.41	1 722.35	1 030.73	1 004.53
沿海市县合计		13 466.13		1 021.46	628.76	615.89
广州市区		2 655.21		118.70	61.43	67.14
番禺市				32.71		
深圳市区		3 507.53		7.58	12.50	18.11
珠海市区		949.54		17.20	13.92	15.15
斗门县						
汕头市区		306.21		9.69	4.56	6.32
潮阳市		241.78		41.63	21.29	22.81
澄海市		201.22		26.70	13.98	14.17
南澳县		5.77		7.61	4.69	1.87
惠州市区		752.15		4.89	2.44	2.83
惠东县		120.24		32.95	17.37	21.75
惠阳市		201.59		28.64	13.45	17.68
汕尾市区		26.98		13.48	10.75	8.65
海丰县		65.77		30.77	10.12	18.50
陆丰县		32.98		31.35	20.59	17.01
东莞市区		1 091.12		55.93	27.72	31.56
中山市区		1 046.70		38.42	30.00	25.02
江门市区		354.70		5.25	2.86	2.53
新会市		338.85		35.03	20.66	18.53
台山市		306.46		42.29	24.64	19.10
恩平市		65.00		16.98	9.05	9.32
阳江市区		63.60		13.63	17.28	15.31
阳东县		28.60		23.44	13.45	15.48
阳西县		19.81		23.60	16.47	13.79
湛江市区		141.72		26.07	18.06	17.18
徐闻县		6.93		25.89	21.54	16.68
遂溪县		26.65		36.38	25.39	22.98
廉江市		42.61		45.07	30.72	25.42
吴川市		36.65		14.18	10.23	8.68
雷州市		17.06		40.16	30.34	24.67
茂名市区		190.80		13.42	21.69	18.50
电白县		61.86		46.85	37.71	30.61
潮州市区		80.30		1.99	1.20	1.13
饶平县		68.23		39.38	20.92	20.23
揭阳市区		159.15		8.89	5.70	5.57
揭东县		194.22		31.25	17.40	20.16
惠来县		58.14		33.46	18.64	21.45

表4 2001年广东省沿海人口、从业人员一览表

单位：万人

项目 地区	年末总人口	农业人口	非农业(人口)	从业人员	职工总数
全省总数	7 565.33	5 174.02	2 391.31	4 058.63	787.36
沿海市县合计	3 757.86	2 322.77	1 435.09		484.75
广州市区	576.97	161.49	415.48		131.31
番禺市					16.12
深圳市区	132.04	26.19	105.85		94.88
珠海市区	75.93	22.85	53.08		23.93
斗门县	0.00				3.03
汕头市区	119.57	25.49	94.08		20.89
潮阳市	251.36	208.39	42.97		5.60
澄海市	83.39	65.90	17.49		3.41
南澳县	7.26	4.58	2.68		0.64
惠州市区	38.60	19.57	19.03		18.41
惠东县	69.72	49.01	20.71		5.08
惠阳市	63.15	41.24	21.91		11.65
汕尾市区	44.73	25.37	19.36		3.91
海丰县	74.96	55.35	19.61		2.61
陆丰县	150.55	118.70	31.85		4.09
东莞市区	153.89	113.52	40.37		16.42
中山市区	134.83	92.14	42.69		14.23
江门市区	43.86	9.31	34.55		10.10
新会市	87.30	59.76	27.54		7.91
台山市	99.76	64.23	35.53		4.63
恩平市	46.80	29.76	17.04		2.87
阳江市区	54.91	23.82	31.09		6.04
阳东县	51.50	43.90	7.60		2.99
阳西县	46.73	36.70	10.03		1.88
湛江市区	141.95	78.21	63.74		15.61
徐闻县	66.81	53.41	13.40		3.66
遂溪县	95.85	77.49	18.36		4.35
廉江市	148.65	122.77	25.88		5.63
吴川市	99.56	79.42	20.14		3.24
雷州市	147.89	123.04	24.85		5.77
茂名市区	71.90	38.14	33.76		8.50
电白县	156.32	133.43	22.89		5.45
潮州市区	34.36	7.83	26.53		5.21
饶平县	95.09	74.90	20.19		2.93
揭阳市区	64.66	43.47	21.19		5.10
揭东县	119.85	104.69	15.16		2.70
惠来县	107.16	88.70	18.46		3.97

（广东省海洋与渔业局办公室　罗蒲清）

福 建 省
Fujian Province

综 述
Summary

【概况】 福建省位于中国东南沿海，拥有200米等深线海域面积13.6万平方千米，比全省陆地面积大12%左右。大陆海岸线北起福鼎沙埕港，南至诏安宫口港，总长3 324千米，居全国第二，直线长度535千米，曲折率达1∶6.21。沿海有大小港湾125处，深水港湾22处。其中沙埕港、三沙湾、罗源湾、兴化湾、湄洲湾、厦门港、东山湾等7处为天然深水良港，能直接满足5万吨级以上船舶自由进出港，约占全国深水港湾的1/6。全省有大潮高潮时面积大于500平方米的岛屿1 546个，居全国第二，岛屿岸线总长度2 804.40千米，岛屿总面积1 400.13平方千米，有人居住的岛屿101个，人口约136余万。全省滩涂面积为2 068平方千米。沿海从北至南主要有赛江、闽江、晋江、九龙江等河流入海。

表1 2001年福建省沿海市县一览表

设区市名称	县级行政单位名称
福州市	马尾区 福清市 长乐市 连江县 罗源县 平潭县
厦门市	思明区 开元区 鼓浪屿区 杏林 湖里区 集美区 同安区
莆田市	涵江区 莆田县 仙游县
泉州市	丰泽区 洛江区 泉港区 石狮市 晋江市 南安市 惠安县 金门县
漳州市	龙文区 龙海市 云霄县 诏安县 漳浦县 东山县
宁德市	蕉城区 福安市 福鼎市 霞浦县

注：2002年开始隶属莆田市进行新的规划。

海洋是福建国土的“半壁江山”，拥有“渔、港、景、油、能”5大优势资源。福建省近海有海洋生物3 312余种，其中鱼类752种，发展海洋水产业具有得天独厚的条件。海岸带和近海海域蕴藏着大量矿产资源。已发现的矿产有60余种，有工业利用价值的20余种，矿产地300余处。海峡油气资源丰富，据调查油气资源总量2.9亿吨。全省沿海风能资源丰富，并有利用潮汐、波浪、海流、温差发电的广阔前景。沿海风光秀丽，气候宜人，拥有丰富多彩的自然和人文旅游资源，是天然的渡假和旅游胜地，海洋开发的前景十分广阔。

福建沿海地区2001年末人口2 630万，占福建省总人口3 440万人的76.45%。

2001年是福建省实施“十五”计划和现代化建设第三步战略部署的起始年。全省各级政府在中共中央、国务院和中共福建省委的领导下，精心组织实施“十五”计划纲要，认真抓好增强经济发展后劲课题调研和相关政策的落实，保持了国民经济发展的好势头。2001年沿海地区的国内生产总值为3 737.91亿元，占全省国内生产总值4 253.68亿元的87.87%。

【海洋综合经济实力】 在福建省委、省政府“建设海洋经济强省”一系列重大决策的推动下，2001年福建省海洋经济获得快速发展，海洋综合经济实力迅速提升。海洋产业总产值达1 194亿元，其中，增加值520亿元，同比增长12.85%，占全省GDP的比重上升到12.2%，海洋经济成为福建省经济发展的一个重要产业。

福建省海洋渔业、海洋运输业、滨海旅游业在全国海洋产业中占有重要地位。2001年，全省海洋水产品产量达542万吨，居全国第三位，人均占有量152千克，居全国首位；海洋运输业总产值达287.6亿元，港口货物吞吐量8 250万吨，厦门、福州港居全国十大集装箱码头行列；滨海旅游业总收入达290亿元。

2001年，福建省海洋产业结构调整加快，全省海洋产业增加值中，海洋水产业占47.8%，海洋运输业占25.8%，滨海旅游业占20.9%，全省海洋三次产业增加值比例由1995年的38.3∶15.4∶46.3调整为28∶17∶55。

海洋产业外向型经济进一步拓展，2001年，海洋水产业出口创汇5.49亿美元，滨海旅游业外汇收入达9.42亿美元。

【海洋科技水平不断提高】 福建省海洋科技力量较强，全省拥有7家海洋科研、教学、设计单位，有中高级职称的海洋科技人员数量居全国前列，在厦门的海洋科技人才规模仅次于青岛居全国第二。海洋生物工程技术、海洋药物、海洋功能食品技术、先进捕捞技术、集约养殖技术、水产品精深加工技术广泛应用于生产，科技进步对海洋经济增长的贡献率达到50%。

海洋资源开发与海洋经济
Development of Marine Resources and Marine Economy

【海洋水产资源开发】 福建省海域辽阔，海岸线漫长曲折，港湾滩涂面积大，海洋生物资源丰富。2001年，全省各地围绕省委、省政府“增强经济发展后劲”、“建设海洋经济强省”的战略部署，立足于调整结构、开拓市场和增强后劲，使水产业继续保持良好的发展势头。2001年全省水产业总产值达653.15亿元，比上年增长13.5%；水产业增加值达367.84亿元，比上年增加41.46亿元，增长12.7%，占全省国民生产总值的8.6%。水产品养殖结构进一步优化，名、优、新品种得到较快发展，增加了渔（农）民收入。渔业第一产业产值达330.5亿元，占大农业产值的31.15%；全省渔民人均纯收入达4 716元，比上年增长4.1%。全省水产品总产量达542.49万吨，比上年增长2.8%，水产品人均占有量可达152千克，继续居全国第一位。水产品产量的增加为福建省人民提供了充裕的优质蛋白，优化了食物结构。

海洋捕捞方面，优化近海捕捞作业结构，积极拓展远洋渔业。对资源破坏严重的作业方式进行调整和限制，压缩拖网作业，鼓励发展轻型、节能、高效的作业。全年共发展鱿鱼敷网、外海刺钓、笼捕等轻型高效作业200余艘，外派远洋渔船190艘，产量8.24万吨，比上年增长3万余吨，远洋渔业产量为历年最高；大洋性远洋渔业项目发展步伐加快，第一艘大洋性鱿鱼钓船已投入西南大西洋生产，新建2艘超低温金枪鱼钓船已基本完工，全省大洋性远洋渔船达到18艘。

水产品加工方面，以加入WTO为动力，加快推进水产加工业向精深化方向发展，增强产品市场

表2 2001年福建省海洋开发资料统计

项目			2001年
水产品产量			542.49
海水产品产量（万吨）	鱼类		170.50
	贝类		237.55
	虾蟹类		35.06
	藻类		34.56
	其他		4.14
	合计		481.82
海洋捕捞产量(万吨)			209.21
海水养殖产量(万吨)			272.61
海水养殖面积(万公顷)			13.43
渔区年人均收入(元)			4 716
渔业总产值(亿元，当年价)			330.52
沿海主要港口货物吞吐量（万吨）	福州港务局		2 962
	厦门港务局		2 099
	泉州港务局		2 102
	湄州港务局		
	宁德港务局		
	漳州港务局		
	合计		8 278.42
海洋旅客运输量(万人)			286
造船产量(吨)			
船舶工业总产值(亿元)			20.51
原盐生产产量(万吨)			
滨海旅游（人次）	境外	外国人	46.52
		香港同胞	59.80
		澳门同胞	7.75
		台湾同胞	49.40
		合计	163.48
	国内（万人次）		3 322
全省旅游接待能力	旅游星级涉外饭店		258
	客房（间）		26 531
	床位（张）		50 480

竞争力。特别是在烤鳗等加工产品面临国际市场价格降幅近10%的巨大压力下，实行多元化开发精深加工品的策略，推动加工业持续、健康发展。全年水产品加工产值达111.96亿元，比上年增长4.53%；出口创汇达5.49亿美元。实施水产龙头企业战略，评选首批水产龙头企业41家，当年实现产值53亿元，促进了渔业产业结构调整和产业链升级。2001年，全省有37家企业的58个产品获得省部级名牌产品，3个商标荣获省著名商标，28家企业通过了国际质量体系认证。与此同时，大宗水产品由粗放加工向规模、集约型加工转变，冻鱿鱼和冻罗非鱼加工系列、盐渍海带全自动生产线以及半盐干、酒糟大黄鱼制品等加工能力得到较大提高。

【海洋运输与港口建设】 2001年，虽然世界经济增长明显放缓，但由于国家继续实施积极的财政政策，国民经济保持较好的增长势头，促进了海洋货物运输继续稳步发展。全年完成海洋货物运输量3 601万吨、424.01亿吨千米，分别比上年增长12.6%和19.2%。其中沿海货运增长迅猛，全年完成货运量2 892万吨、308.9亿吨千米，比上年增长18.0%和28.5%。海洋货运在不断扩大的运输市场上虽然仍占有十分重要的地位，但其面临的诸多问题如运力结构性过剩、船龄趋于老化、船舶更新速度慢等比较突出。海洋旅客运输因受行驶速度慢、设备老化、中转环节多等因素制约，在日益激烈的运输市场竞争中，处于劣势。全年完成海洋旅客运输量286万人、3 971万人千米，分别比上年下降43.9%和48.0%。

2001年全省沿海港口完成货物吞吐量8 278.42万吨，比上年增长19.2%，其中外贸货物吞吐量完成3 296.29万吨，比上年增长18.7%。全省沿海港口国际标准集装箱吞吐量完成196.76万标准箱，比上年增长18.0%，其中内贸集装箱吞吐量完成25.86万标准箱，比上年增长61.7%。集装箱运输的迅速发展有力地促进了全省对外贸易和国内商品流通。

【旅游资源开发】 2001年，全省接待入境旅游者163.48万人次，比上年增长1.3%，其中外国人46.52万人次，增长8.4%；香港同胞59.80万人次，增长6.3%；澳门同胞7.75万人次，增长5.6%；台湾同胞49.40万人次，增长3.4%。旅游外汇收入94 201.99万美元，增长5.4%。接待国内游客3 322万人次，增长12.9%；国内旅游收入267.70亿元，增长16.0%。旅游总收入345.67亿元，增长13.4%。

沿海旅游资源得到进一步开发。福建省旅游开发总公司投资2 500万元对青芝山旅游资源进行再开发，同时开发黄岐畚箕山，推出遥望马祖、快艇游海、海上观日等项目，并向游客开放300余米长的战备防空洞。连江晓澳镇与《郑成功》摄制组合资兴建占地约13.33公顷、总投资980万元、集滨海度假、农业观光、影视剧制作于一体的影视城，主要建筑物有福州码头、厦门街、荷兰总督府、跑马场等，将再现明末清初闽台两地的社会风貌，与之配套的设施还有郑成功指挥船、荷兰战船及水上游乐场、花果观赏园等。

【船舶工业】 2001年全省船舶工业增长速度较快。全省船舶工业完成工业总产值20.51亿元，比上年增长23%，其中省船舶工业集团公司系统完成工业总产值98 821万元，比上年增长49%；实现产品产量17艘、10.42万吨，分别比上年增长126%和13%；销售收入31 184万元，比上年增长38%，出口创汇3 070万美元，与上年基本持平。2001年科技创新取得新进展。福建省船舶工业集团公司所属马尾造船厂、东南造船厂分别通过ISO9000质量体系认证，实现与国际管理体系的接轨。马尾造船厂生产的820TEU集装箱货船获得省级优秀新产品二等奖。省船舶与海洋工程设计院“仿古旅游客船”系列产品技术信息服务体系，申报省科技厅2001年科技兴贸行动计划项目。上游船舶钢结构公司在开发新产品，保证如期交船上迈出新步伐。船舶技校努力创新，克服困难，扩大招生力度，注意提高学员全面素质，取得新成绩。龙海国安船厂业有限公司开发的FRP-30型高速艇被鉴定为国内先进水平。双福船业公司成功建造出口新加坡28米拖船，实现地方船业建造机动工程船零的突破。

【盐业资源开发】 福建是中国南方海盐生产基地，尤以生产的食盐质量优异，产品富含矿物质，晶体颗粒洁白、细腻、均匀、杂质少，产品素以“细、白、干”闻名省内外，生产方式采用手工操作，纯自然生产条件。远销日本、新加坡、韩国、菲律宾、马来西亚等国家和香港特别行政区。福建省盐产品主要分为食用盐（含农、牧、渔用盐）和工业用盐，其中食用盐为主导产品。盐品种有日晒盐、精制盐、加碘盐、强钙精盐、低钠盐、调味盐、大颗粒工业盐等。近年来，由于福建省村办小盐场点多面广、生产规模小、技术设备落后、劳动生产率低及工业盐品质差和价格等原因，造成产品市场竞争能力较差，面临转产改制的困境。但是，随着福建省盐业产业和产品结构调整力度的加大，以及先进工艺技术的应用，必将促进盐业整体素质和经济运行质量与效益的提高。

【滨海矿产资源开发】 福建省沿海滨海石英砂、花岗石材、叶蜡石及高岭土等是滨海具有优势的矿产。地热、矿泉水分布点多，具有良好的开发前景，具有一定的发展潜力。改革开放以来，石材生产逐步从手工为主转变为以机械生产为主，板材加工业从无到有，从小到大，遍布沿海各地，年产量居全国第一位。石雕业发展迅速，传统工艺配上现代技术，增加了品种，提高了产品档次。高岭土和叶蜡石是福建省陶瓷工业的主要原料，近10年来，福建省陶瓷工业就是依托高岭土和叶蜡石而得到迅速发展。滨海砂产品有10余种，主要分布在平潭、惠安、晋江、漳浦、东山和诏安等沿海地区，已在玻璃、水泥、冶金、机械、石化等工业得到广泛应用。精选玻璃砂、水泥标准砂、铸造型砂、各类海砂产量基本满足本省的需要并外销省外或出口。在福州、漳州等地地热资源陆续被发现和探明，为大规模开采提供了条件。地热资源也得到较好的开发，每年地热和矿泉水两项产值超亿元。

【沿海防护林建设和滩涂围垦】 全省沿海县（市、区、管委会）全部达到原国家林业部颁发的县级沿海防护林体系工程建设标准。现在沿海地区初步建成带网片、多林种、乔灌草、林果竹结合，生态、社会、经济3大效益兼顾的防灾减灾生物防御体系，沿海防护林体系为改善生态环境、防灾减灾发挥了重要的作用，沿海地区大面积荒山已不复存在，与昔日荒山秃岭相比，生态环境大为改善，为吸引外资、加快改革开放步伐和社会经济发展起到了促进作用。

到2001年，共完成造林18 933公顷，其中，重点骨干工程完成4 753公顷，占计划的101%，8个国债项目共完成项目造林8 073公顷，占任务的112%。

滩涂围垦是沿海地区经济发展的重要资源。2001年编制全省滩涂围垦总体规划。全年全省有11处围垦堵口合拢，面积达1 500公顷。

【海洋能资源开发】 福建省是全国利用潮汐能最早的省份之一。20世纪80年代，福建省在平潭兴建幸福洋试验潮汐电站，1989年4台机组投产发电，由于发电与养殖未协调好和其他原因，未能正常发电和发挥应有的经济效益。但潮汐电站工程的设计是可行的，并积累了经验。90年代，在平潭幸福洋试验潮汐电站设计研建的基础上，又完成了连江大官坂“万千瓦级潮汐电站”的可行性研究成果。同时，省计委委托省工程咨询总公司完成了《福鼎市八尺门潮汐电站预可行性研究报告》的评估工作，并正式报告了省计委立项。根据福建省现有工作基础，已具备研建万千瓦级潮汐电站的条件。

福建省风能资源开发利用目前还处于试验阶段，虽然没有形成较大规模和较好的社会效益，但为下阶段风能开发工作积累了一定的经验。福建省目前具有一定规模的风电场工程仅有平潭莲花、东山岛风力发电试验站。风能开发因技术的原因和国产设备不过关因素，近十几年没有大的发展。虽然如此，平潭莲花山和东山岛风力发电试验站的投入运营为福建省今后开发风力资源、培训建设和管理人才积累了一定经验。随着沿海突出部和岛屿开发的深入和经济的发展，福建省风能资源的利用将再次提到议事日程上来。

海洋公益事业
Marine Public Welfare Facilities

【建设海洋监测网络】 为了适应福建省沿海经济发展和海洋开发需要，合理开发海洋资源，有效保护海洋环境及防灾减灾，实现对福建省沿海海洋经济可持续发展，实现海洋经济强省目标，经福建省编委批准，原福建省海岸带渔业资源和环境监测管理中心更名为福建省海洋环境与渔业资源监测中心，隶属福建省海洋与渔业局，由福建省海洋与渔业局和国家海洋局东海分局共同建设管理。同时，在原国家海洋局厦门海洋预报台基础上由国家海洋局东海分局和福建省海洋与渔业局以共同组建的形式成立“福建省厦门海洋环境监测中心”和“福建省闽东海洋环境监测中心”。福建省厦门海洋环境监测中心辖东山、厦门、崇武、平潭（漳浦、莆田待建）海洋环境监测站。福建省闽东海洋环境监测中心辖北茭、三沙、北礵（待建）海洋环境监测站。海洋环境监测中心（站）按照国家和福建省海洋经济建设、海洋综合管理的需要，在国家海洋局东海分局和福建省海洋与渔业局的领导下，对所辖海域进行定点、连续、准确、长期动态监测，实时数据通信，为海洋管理部门履行海洋行政管理职能提供技术支持，为福建省海洋经济发展提供环境信息服务。

为了系统地开展海洋与渔业环境监测工作，掌握与海洋产业和人民生活密切相关区域的海洋和渔业环境状况，为沿海的海洋与社会经济发展及海洋与渔业管理提供直接服务，宁德市编委已同意成立“宁德市海洋与渔业环境监测站”。

【海洋自然保护区】 至2001年，全省已建立各类海洋自然保护区 9 个。其中：国家级 3 个，省级 5 个，市级 1 个，总面积6.5万公顷。2001年还筹建宁德海洋生态特别保护区和平潭中国鲎保护区，保护对象涉及典型港湾、生态、海岛生态、红树林、厚壳贻贝、中华白海豚、尖刀蛏等珍稀海洋生物物种。沿海市、县加强海洋自然保护区建设与管理取得了明显成效，保护区的环境状况得到了明显改善。

【编制海洋生态保护规划】 福建省生态保护规划编制工作正式启动，这是福建省第一次将海洋生态保护工作列入海洋综合管理和规划之中，为今后全面实施海洋生态环境、资源保护与管理提供科学依据，为建设生态省做好前期规划工作。

海 洋 环 境 保 护
Marine Environmental Protection

【全面开展海洋环境监测】 开展全省海洋环境监测，监测区域重点布设在近岸海域、重点增养殖区、陆源排污口邻近海域和重点海水浴场等。全省共布设水质基本站位85个（其中国控点25个），沉积物基本站位43个（其中国控点15个），生物质量监测站12个，监测和观测的内容有水文气象要素观测、水质监测、沉积物监测、生物质量监测等。全省在8月和11月各进行了一次海洋环境监测，监测动用船只 7 艘，航程4 000余海里，参加监测的技术人员80余人。按照《2001年海洋环境监测工作方案》和《2001年福建省海洋环境监测实施方案》的规定，完成水文气象要素观测85个，观测数据680组；水质测站85个，监测数据2 760组；沉积物测站43个，监测数据430组；生物质量测站12个，监测数据180组。监测结果表明：2001年福建省近岸海域、港湾和河口邻近海域水体环境污染状况依然没有改善。主要污染物是：无机氮和活性磷酸盐等；海洋表层沉积物质量总体良好；海洋生物（贝类）符合国家水产品卫生标准，个别港湾缢蛏、牡蛎、泥蚶体内石油烃残留量略有超标。海洋污染物主要来源于闽江、九龙江、晋江、木兰溪等11条经流携带入海的大量污染物以及城镇生活污水、工业废水和农业污水。沙埕港、福宁港、三都湾、罗源湾、福清湾、兴化湾、湄洲湾、厦门湾、东山湾、诏安湾除了受陆源排污影响外，水产养殖区密度大、投饵不当和船舶排放含油污水等，加重了港湾污染。

【海洋赤潮监视监测工作全面展开】 福建省海洋与渔业局下发《关于做好赤潮观测和监测工作的通知》，要求沿海市、县海洋与渔业主管部门要因地制宜，结合实际，充分利用现有的海洋环境和渔业环境监测单位、海监、渔政、水产技术推广、渔船、养殖户和赤潮监视志愿者等构成全海域趋势性赤潮监视监测网络，增加赤潮监视监测能力，全面开展赤潮监视监测工作。

海 洋 灾 害 与 防 御
Marine Disasters and Prevention

【综述】 **海洋赤潮** 2001年福建省海域共监测到赤潮 6 起，主要集中在闽东和厦门西海域，引起赤潮的生物主要是原甲藻、夜光藻、裸甲藻和硅藻。由于海洋行政主管部门及时组织跟踪监测和通报，减少了赤潮造成的损失，防止了人畜中毒事故的发生。

强台风暴潮 福建省是国内风暴潮灾害最严重的省份之一。2001年福建省沿海共发生4次风暴潮灾害，其中“飞燕”和“尤特”2次风暴潮造成重大灾害。死亡129人，800万人受灾，21万公顷农田被淹，损坏护岸工程120千米，沉损船只6 430艘，损毁房屋9.4万间，直接经济损失58亿元，其中海洋养殖损失23亿元，是海水养殖损失有统计数字以来最严重的一年。

【海洋溢油】 2001年发生溢油事件3起。

(1) 2001年1月27日，南京宏油船运公司所属的“隆铂6号”油轮，载有5 360吨0号柴油，在平潭县东庠岛附近海域触礁沉没，柴油泄漏。事故发生后，仅收回柴油1 800余吨。溢油对海洋环境、渔业资源和水产养殖造成损害。

(2) 2001年9月20日，温州乐清运输公司所属“运鸿”轮装载8 600吨柴油，在厦门正南6海里处与希腊籍集装箱出港船“爱丁堡”轮发生碰撞，造成“运鸿”船下沉。由于处理及时，除油轮自用油部分泄漏外，没有发生大量泄油。

(3) 2001年9月30日，中海海盛（南海）股份有限公司“金海顺”轮装载4 439吨0号柴油，在霞浦县西洋岛附近触礁沉没，部分柴油泄漏，对附近海域海洋环境和渔业资源造成损害。

海洋科技与教育
Marine Science & Technology and Marine Education

【海洋科技和海洋教育】 2001年福建省的海洋科技工作得到了较快的发展，在某些领域还取得了突破性的进展。首先加大了对海洋科技人才的培养力度，通过科技项目的扶持引导，进一步激励了海洋科技人员的工作积极性和主动性，涌现了一批海洋优势学科带头人。其次，加大了海洋科技普及工作力度，在各涉海产业和沿海群众中提高了海洋科技意识。此外开展了海洋各职业技术教育，提高了海洋各产业中劳动者素质。省政府加大海洋科技专项投入，集中力量解决海洋资源开发中的技术难点，促进海洋开发产业化和海洋产业升级。例如福建省海洋科技人员应用现代生物的转基因技术、染色体倍性操作技术结合经典的遗传育种技术，新培育出青石斑鱼、牙鲆、双斑东方豚、刺参、南美白对虾、牡蛎三倍体等一批高健康、生长快、品质优的水产增养殖苗种。通过海洋科技攻关，福建省海洋渔业、海洋港口及交通运输、海洋化工、滨海旅游、海洋矿业及海洋药物、海洋功能食品开发、海洋能利用等各方面都取得了较大的发展，使海洋在全省经济建设和社会发展中的战略地位日益提高，已成为全省国民经济的一个重要组成部分。

福建省是中国海洋教育力量较强的省份之一。全省主要海洋教学单位有厦门大学海洋学院、厦门大学亚热带海洋研究所、集美大学水产学院、集美大学航海学院等。

海洋国际合作与交流
Marine International Cooperation and Interflow

【综述】 2001年福建省充分利用对外开放前沿的有利条件，采取有力措施，积极推进海洋国际合作与技术交流。全省共迎来境外海洋与渔业来访团组14个43人次，共组织海洋与渔业系统内11个批次40余人分赴欧美、日本考察、交流、培训。

通过交流，增进了福建省海洋与渔业的对外交流和经贸合作。在当年9月份举办的“第五届中国投资贸易洽谈会”上，福建省签约的海洋与渔业项目有20项，总投资7 240万美元，吸引外资达6 635万美元。投资项目涵盖了水产养殖、加工、水产苗种基地和海洋科技馆建设等诸多领域，全年新办海洋与渔业三资企业39家，总投资12 726万美元，合同利用外资11 223万美元，项目规模和档次有所提高。至2001年底，全省共兴办海洋与渔业三资企业797家，合同利用外资10.32亿美元。

海洋立法与管理
Marine Legislation and Management

长期以来，由于福建省没有海洋综合管理机构，海域管理长期处于“无序、无度、无偿”的状况。省海洋与渔业局成立后，根据温家宝副总理有关海洋工作的指示精神，突出抓立法、管理和规划等重点工作，推进了福建省海域管理的有序化进程，海域使用“三无”现状初步得到改变。

一是加快立法与规划。福建省首部海洋综合管理规章《福建省海域使用管理办法》及其相配套的《福建省海域使用金征收管理暂行规定》，经省政府批准于6月1日正式颁布实施；海域使用申报审批程序、铺设海底电缆申报审批管理工作办法等一系列配套制度及办事程序开始试行。完成了《福建省大比例尺海洋功能区划》、《福建省海洋经济十五规划和2010年远景目标纲要》、《福建省“十五”期间群众渔港投资建设规划》等规划编制工作，并着手编制《福建省海洋生态环境保护规划》。《福建省海洋经济十五规划和2010年远景目标纲要》的编制受到国家海洋局的充分肯定，认为该规划实现了“由海洋主管部门牵头负责编制”，“把海洋产业利用规划扩大到海洋经济发展规划”，“海洋经济指标由只反映主要海洋产业扩大到全面核算、反映海洋全部产业”的“三大突破”。

二是强化海域管理。全面实施各类用海的调查登记，并基本完成部分重点县养殖用海的确权发证工作；海域使用管理的范围已从单一的水产养殖行业扩展到海砂开采、港口、海底电缆管道、围垦等方面；通过抓海域使用管理试点，总结经验，在全省范围内大力推进海域使用证和有偿使用两项制度的落实；闽粤海域勘界工作在国家海洋局的具体指导、协调下已圆满完成，两省人民政府签定了海域划界协议书，为福建省与广东交界海域的海洋开发和沿海的社会安定稳定打下了基础，也为全国划界和闽浙线的划界积累了经验；全省各级大比例尺海洋功能区划进展顺利，省级区划经省政府批准已正式实施，市级区划已全面完成评审验收，县级区划大部分也已基本完成。

三是整治保护海洋环境，维护海洋生态平衡。首先，建立健全海洋环境监测网络。积极申报台湾海峡海洋环境动态监测及信息服务系统项目，做好“数字海洋”建设的前期筹备工作；启动福建省海洋环境与渔业资源监测中心功能，并在厦门海洋预报台的基础上，与国家海洋局共建福建省海洋预报台，同时与国家海洋局东海分局在全省沿海共建3个海洋环境监测中心、7个海洋环境监测站。其次，全面实施海洋环境与渔业资源监测预报。在全省近岸海域和重点河口、港湾、海水浴场等区域设置100余个站位，开展水文、水质、海洋生物监测，并在福建人民广播电台和《厦门时报》开展水文气象预报，在省电视台开展水文气象预报和海洋环境质量通报；编制完成了《2000年福建省海洋环境质量公报》，为各级领导和海洋经济部门开展海洋经济宏观管理提供决策依据；组织赤潮监视、监测和预报，减少了赤潮对渔业经济造成的影响。其三，开展海洋及渔业环境污染事件的调查处理。及时在污染的发生海域开展取样调查，并采取了防范措施，减少污染对渔业经济造成的损失，对多起海洋与渔业环境污染事件进行调查和理赔。其四，依据《海洋环境保护法》赋予的职责，积极组织和参与6个海洋工程、海岸工程建设项目海洋环境评价的审批和审核。其五，大力开展海洋自然保护区建设与管理工作。筹建一批新的自然保护区，保护具有典型性、代表性的海洋生态系统和珍稀水生野生动植物；对海洋生物多样性状况进行调查，完善并收集相关资料。

福建省海域使用管理工作起步晚、进步快，全国政协委员组团来福建省进行专题考察，以周铁农副主席为团长的考察团对福建省海域管理所取得的成效给予了较高的评价。

（福建省海洋与渔业局办公室）

统 计 资 料

Statistical Data

表3 2001年福建省沿海人口及单位从业人员数

单位：人

地 区	年末总人口	其中：农业人口	单位从业人员数
福 州 市		4 208 914	720 131
福 清 市	1 200 764	1 036 889	82 008
长 乐 市	667 756	579 940	39 526
闽 侯 县	613 845	541 411	34 690
连 江 县	617 376	550 008	21 597
罗 源 县	253 350	219 855	13 856
平 潭 县	386 867	343 697	16 709
厦 门 市	1 343 599	646 296	511 415
莆 田 市	3 005 364	2 649 410	216 277
莆 田 县	1 631 106	1 532 761	81 460
仙 游 县	1 003 544	916 070	39 524
泉 州 市	6 570 799	5 633 624	651 066
泉州市辖区	952 745	622 875	225 329
石 狮 市	298 522	202 970	50 014
晋 江 市	1 019 950	884 502	141 993
南 安 市	1 477 124	1 361 456	63 433
惠 安 县	917 263	841 973	69 933
漳 州 市	4 519 585	3 742 576	291 258
龙 海 市	781 230	676 321	47 160
云 霄 县	411 779	348 686	20 883
漳 浦 县	805 059	729 105	39 324
诏 安 县	569 740	506 160	21 230
东 山 县	202 814	132 254	15 440
宁 德 市	3 246 930	2 747 649	158 417
宁德市辖区	414 636	323 337	35 304
福 安 市	601 599	490 719	30 732
福 鼎 市	561 073	471 062	19 238
霞 浦 县	512 848	446 507	20 562

表4 2001年福建省沿海地区国内生产总值

单位：亿元

地区	国内生产总值			
		第一产业	第二产业	第三产业
福州	1 074.23	132.64	505.63	435.95
福清市	207.07	30.65	118.19	58.23
长乐市	85.47	15.53	45.54	24.41
闽侯市	75.83	12.74	44.23	18.86
连江县	73.07	26.16	19.81	27.10
罗源县	32.85	10.43	15.37	7.05
平潭县	27.92	10.09	3.47	14.36
厦门	558.33	22.03	296.68	239.62
莆田	220.13	37.42	109.08	73.64
莆田县	76.65	17.58	38.80	20.27
仙游县	49.39	9.19	21.93	18.28
泉州	1 125.10	81.71	594.38	449.01
石狮市	102.23	5.17	55.44	41.62
晋江市	303.55	11.10	168.08	124.37
南安市	159.41	14.13	84.28	61.00
惠安市	144.71	16.90	80.91	46.90
漳州	523.89	119.41	208.43	196.05
龙海市	103.17	20.22	49.66	33.28
云霄县	34.68	9.72	11.68	13.28
漳浦县	74.27	18.40	28.42	27.46
诏安县	46.96	16.00	17.02	13.95
东山县	37.08	11.34	13.29	12.45
宁德	236.23	66.62	85.73	83.87
蕉城区	41.31	9.07	12.17	20.07
福安市	49.79	11.14	23.40	15.26
福鼎市	39.54	10.46	15.95	13.13
霞浦县	37.46	14.16	10.59	12.71

表5 2001年福建省沿海地区工农业总产值

单位：万元

地 区	“规模以上”工业总产值	农业总产值
福 州	7 874 438	2 153 911
福清市	2 022 357	509 380
长乐市	807 450	246 235
闽侯市	755 851	201 132
连江县	63 366	401 866
罗源县	83 838	174 901
平潭县	10 202	176 719
厦门市	8 032 877	355 665
莆田市	1 485 507	604 332
莆田县	653 016	278 997
仙游县	174 219	154 895
泉州市	5 649 182	1 385 036
石狮市	396 181	105 124
晋江市	1 606 560	185 278
南安市	598 344	225 591
惠安市	594 228	294 894
漳州市	1 863 224	2 060 353
龙海市	557 574	342 727
云霄县	24 509	162 132
漳浦县	291 558	347 129
诏安县	54 211	257 098
东山县	110 223	194 955
宁德市	541 954	1 105 509
蕉城区	39 943	165 671
福安市	241 996	182 829
福鼎市	103 431	173 934
霞浦县	27 486	240 101

表6 2001年福建省沿海省市（含市、县级）海洋机构

序 号	海 洋 机 构
1	福建省海洋与渔业局
2	厦门水产局
3	厦门市同安区水产局
4	厦门市湖里区家林水局
5	厦门市杏林区农业局
6	福州市水产局
7	福州市马尾区农村发展局
8	长乐市水产局
9	福清市水产局
10	连江县海洋与水产局
11	平潭县海洋与水产局
12	泉州市水产局
13	晋江市水产局
14	石狮市渔业办公室
15	洛江区农水局
16	南安市水产局
17	丰泽区水产管理中心
18	惠安县水产局
19	漳州市水产局
20	诏安县海洋与水产局
21	漳浦县水产局
22	龙海市水产局
23	云霄县海洋与水产局
24	东山县水产局
25	莆田市水产局
26	莆田市涵江区水产局
27	仙游县农业局
28	莆田县水产局
29	宁德市海洋与水产局
30	宁德市蕉城区海洋与水产局
31	福安市海洋与水产局
32	福鼎市海洋与水产局
33	霞浦县海洋与水产局

厦　门　市
Xiamen City

综　述
Summary

【概况】 厦门市位于台湾海峡西侧、福建省南部、九龙江入海处，地理位置24°24′～24°55′N，117°53′～118°25′E。厦门市南北长57千米，东西宽68千米，陆地面积1 565平方千米，海域面积约390平方千米，海岸线长度约234千米，有大小岛屿31个，人口134万。厦门市下辖鼓浪屿、思明、开元、湖里、集美、杏林、同安7个区。厦门海岸地貌具有海岸曲折、湾中有湾、湾中有岛的特征。厦门气候属南亚热带海洋性季风气候类型，湿热同季，日照充足，年平均气温20～22℃，年平均降水量900～2 000毫米，年平均风速3.4米/秒，年平均水温21.3℃，每年平均有5～6次台风影响该区。厦门海域潮汐类型属于正规半日潮，平均高潮位5.68米，平均潮差3.98米。

厦门自然条件优越，海洋资源丰富，各类海洋生物近2 000种，其中有经济价值的常见鱼类157种，软体动物89种，甲壳类动物127种，藻类139种，拥有国家一类保护动物中华白海豚和文昌鱼。厦门港口资源丰富，拥有深水岸线27千米，可建40个万吨级以上的深水泊位。厦门滨海旅游资源丰富，拥有鼓浪屿—万石山国家级风景名胜区等一批自然景观和人文景观。厦门市海洋科技力量雄厚，海洋科技实力较强，为厦门发展海洋经济创造了良好的条件。

厦门海域地处东海至南海、东北亚至东南亚的海上交通要冲，区位优势十分重要。2000年，厦门市充分发挥对外开放优势，大力发展海洋经济，取得了良好的经济效益。以港口为依托大力发展外向型经济，实施“科技兴市”、“以海兴城”战略。2001年厦门国内生产总值558.3亿元，人均国内生产总值4.1万元，其中海洋产业产值占国内生产总值比重约为21%；港口货物吞吐量达129.32万标箱，进入世界集装箱大港50强行列；全市接待境外游客57.30万人次，创汇3.11亿美元，接待国内游客851.45万人次。

海洋资源开发与海洋经济
Development of Marine Resources and Marine Economy

改革开放以来，厦门市充分发挥对外开放优势，以港口为依托，大力开发海洋资源，海洋经济得到了长足的发展。目前，厦门市已形成以临海型城市经济为主体，包括港口航运业、滨海旅游业、海洋水产业和海洋高新技术产业4大体系的海洋经济。海洋经济已成为全市国民经济的重要组成部分。

表1　2001年厦门市海洋开发资料统计

项　目 ＼ 年　份		2001年
海洋捕捞产量（吨）	鱼　类	21 452
	贝　类	538
	虾　类	2 772
	其　他	2
	合　计	24 764
海水养殖产量（吨）	鱼　类	4 800
	贝　类	144 103
	藻　类	1 395
	虾蟹类	3 438
	其　他	-
	合　计	153 736
海水养殖面积（公顷）	贝　类	8 160
	藻　类	906
	鱼　类	400
	虾蟹类	2 682
	其他海产品养殖	12 148

【港口航运业】 厦门港口丰富，拥有深水岸线27千米，可建40个1～10万吨级的深水泊位。2001年厦门港口货物吞吐量2 099万吨，比2000年增长6.8%。集装箱吞吐量完成129.32万标准箱，居全省第一、全国第六位，比上年增长19.2%。对台试点直航完成35.3万标准箱，占全港集装箱吞吐量的27%。

【滨海旅游业】 厦门气候宜人，海洋水文气象条件良好，海水清洁，山海风光秀丽，海岛清幽，有众多优美迷人的岛屿和礁石等自然景观，沙滩连绵，林木葱茏，景色优美，使厦门成为以海岛风光为特色的中国东南沿海重要的旅游城市和旅游口岸。厦门市滨海旅游以深入开展创建中国优秀旅游城市活动为中心，进一步实施“政府主导型”战略，强化旅游行业管理，多渠道增加旅游投入，加强旅游设施建设，提高旅游服务质量，进一步开拓国际国内旅游市场，努力克服东南亚金融危机所带来的负面影响，使创建“中国优秀旅游城市”活动取得显著的成绩。旅游客源市场保持了稳中有升的态势。国家旅游局正式授予厦门市首批“中国优秀旅游城市”称号。同时，全市旅游经济工作也取得较好成绩。2001年，在入境旅游方面，全年接待海外旅游者57.30万人次，比上年增长2.5%；创汇3.11亿美元，比上年上升3.7%。在国内旅游方面，全年接待国内旅游者851.45万人次，比上年增长15.8%。入境旅游、国内旅游两方面合计，接待旅游者908.75万人次，比上年增长14.9%。

【海洋水产业】 2001年，厦门水产业围绕“增加渔业收入，保持渔（农）村稳定”为中心，狠抓“科技兴渔”产业化和基础设施工程建设，培育新的经济增长点，促进了水产业生产发展。

2001年全市水产品总量为20.28万吨，比上年增长10.18%，其中海洋捕捞2.48万吨，比上年增长6.95%；海水养殖15.37万吨，比上年增长9.56%。在水产品总量中，海洋捕捞、海水养殖、淡水产品所占比重分别为12%、76%、12%。

【海洋新技术产业】 经过改革开放20余年以来的迅速发展，厦门的临海工业转向海洋新技术产业，目前已形成了以海洋资源为原料的工矿企业、依托海运的加工工业以及为海洋开发服务的加工工业三大类型。拥有海洋医药、生物工程、石油化工、港口火力发电、修造船、港口机械、港口钢铁、海洋精细化工、建材、渔业机械、通讯导航设备、盐化工等门类较为齐全的产业，形成了一批在全国同行业、同类产品中具有重要地位的大中型骨干企业和龙头产品，如聚酯切片及化纤、叉车、鲎试剂、鱼肝油、平板玻璃等，成为与海洋相关联的城市经济的重要支柱产业。

（许金练）

海洋立法与管理
Marine Legislation and Management

【综述】 2001年，厦门市海洋立法和管理工作以实施《中华人民共和国海洋环境保护法》、《厦门市海域使用管理规定》和《厦门市海域功能区划》等法律、法规为中心，狠抓海域使用管理和海域有偿使用制度、海洋环境监督管理两条主线，加大厦门海洋管理监察执法力度，促进了厦门海洋综合管理工作上新台阶。

【西海域综合整治】 厦门西海域主导功能是港口航运功能并兼海上旅游功能。为发挥主导功能，针对该海域存在的水产养殖影响和航道淤积日趋严重的问题，厦门市委、市政府高度重视，明确由市政府海洋管理办公室负责牵头，组织有关人员开展西海域综合整治的前期调研工作，完成了整治规划、整治思路以及整治领导机构的筹备工作。

2001年，厦门市开始启动西海域综合整治与利用工程，组织研究、编写西海域综合整治与开发总体思路，做好启动项目的前期工作。

(1) 制定《西海域综合整治与利用建设总体思路》（建议稿）（以下简称总体思路）。根据市委、市政府对西海域的整治与利用的重要指示和部署，按照“一环数片、众星拱月”、“一线两环”、“城在海上、海在城中”的城市格局和构筑生态型海湾城市框架的基本要求，海管办会同市计委、市建委、市规划局、市环保局等单位广泛收集现有资料，征求有关专家和部门的意见，并通过走访、召开座谈会、情况介绍会等形式深入调查研究，收集分析与综合各方面的意见、建议，几易其稿，初步完成了《西海域综合整治与开发总体思路》（建议稿），9月2日向市领导专题汇报，并根据市领导意见进行修改补充。

(2)组织市工程咨询中心编制了《西海域综合整治与开发建设总体规划大纲》。

(3)组织开展“厦门大桥周边海域、滩涂综合整治规划研究”，并于11月1日对研究报告进行专家评审。目前课题组正根据评审意见修改补充研究报告。

(4)完成厦门大桥东侧海域浅地层剖面探测和测量钻探验证工作。

(5)组织开展西海域滩涂综合整治与防护林建设规划研究，已完成研究报告初稿，并召开了专家征求意见会。

(6)制定了“西海域水产养殖整治清除方案”，待市政府批准后，参与组织实施工作。

(7)开展西海域浅海、滩涂水产养殖普查登记工作。

【涉海法律、法规】 厦门市海管办积极参与制定各项涉海法规、规章，先后对《厦门市文昌鱼自然保护区管理规定》、《厦门市海域环境保护规定》、《厦门市浅海滩涂增养殖管理规定》、《国家海域使用管理法》、《厦门市港口岸线管理规定》、《福建省海洋环境保护条例》、《国家海底电缆管道保护规定》等法律、法规提出了修改意见，并就加强厦门市海域整治工作，起草制定了《厦门市海域设施拆迁管理办法（草案）》，征求了各有关部门的意见。在促进和完善国家与该市涉海法规体系建设的同时，也尽可能地避免了相关法规、规章与市海域使用管理规定相抵触，使之更符合厦门市海洋管理的实际。

【无居民海岛管理】 厦门市海管办在认真研究国家、地方有关海岛管理的法律、法规的同时，根据《中华人民共和国海洋环境保护法》、《厦门市海域使用管理规定》等法律、法规及市政府赋予市海管办对厦门岛屿实行规划、监督、管理的职责，市海管办制定并于2001年6月18日在《厦门日报》发布了《厦门市人民政府海洋管理办公室关于加强厦门海域无居民海岛管理的通告》，并起草制定了《厦门市无居民海岛管理办法（规章草稿）》及相应的海岛利用项目登记办法，目前已完成17家市直单位和各区政府的征求意见和修改完善工作，并上报市政府审批，力争2002年第一季度由市政府颁布，以初步建立厦门市无居民海岛管理体制，为促进厦门海域无居民海岛的管理走上规范化、法制化打下基础。

海管办的无居民海岛管理工作得到国家海洋局、省海洋与渔业局和厦门市各界的肯定与好评。国家海洋局海域管理司派人专程来厦调研，并于11月底在厦门召开了全国无居民海岛立法工作座谈会；省海洋与渔业局将厦门市的“通告”和登记办法转发全省各地市，要求各地市参照厦门的经验和做法，全面加强海岛管理工作；市的主要新闻媒体对厦门市海管办的海域管理宣传报道达十余篇（集）；部分人大代表、政协委员和专家也给予了较高的评价。

【海域使用证制度和海域有偿使用制度】 2001年，厦门市海管办共办理受理海域使用申请和用海咨询项目33项，其中已由市政府批准的用海项目11项，用海面积155余万平方米，正在办理和受理咨询的用海项目29项。完成了5个用海项目的海域使用核查验收，并按规定办理了缴（免）海域使用费，全年缴纳海域使用费250余万元。在办理、受理用海项目的过程中，按照《厦门市海域功能区划》所确定的用海原则和海域使用功能，严格遵守《厦门市海域使用管理规定》和“两公开、一监督”办事制度的程序和要求，强调服务意识，对每一用海项目的申请材料进行认真的审查，在规定的时限内完成现场踏勘和项目审核工作，汇总申报材料上报市政府，及时完成各用海项目海域使用审核和报批工作。

【海域使用登记工作】 2001年厦门市海管办海域使用管理工作主要包括：一是开展码头用海登记确权工作，已有25个用海单位接通知后前来登记咨询，23个用海单位进行了申报，涉及码头泊位50余个，用海面积70万平方米。包括港务集团所属用海项目等近40个码头已完成初审、会审工作，同益码头等35个项目在《厦门日报》上发布了拟确权公告。二是养殖项目的海域使用登记工作经与市水产局共同积极筹备，工作方案已经市政府下发执行。目前，市各区正积极建立专门机构，制定工作方案，开始了有关登记工作。三是会同国家海洋局厦门管区全面开展海底电缆管线的登记工作，已发放登记通知11份，已申报7家单位8条管线，部分项目初审工作正在进行。预计，除水产养殖项目使用登记2002年6月底前完成外，其他用海项目年底前可基本完成普查登记工作。

【海域使用可行性论证制度】 海域使用可行性论证制度是海域使用审批工作的一项重要配套制度，是提高海域使用管理水平的一个重要手段。厦门海管办2001年依据国家和市有关海洋管理法规、规章，结合海域管理的实际，研究制定《厦门市海域可行性论证暂行管理办法》，并印发执行。建立了海域使用论证初审确定论证工作等级与内容，论证报告编写大纲报备、论证报告书（表）评审批复等工作程序和内容，使海域使用论证工作走上了科学化、规范化的轨道。2001年先后完成了“海沧大道与岸线综合整治工程”、“环岛路墩上一五通段工程”、“火烧屿交通码头工程”、“东渡港区猴屿西航道工程”、“第一码头至同益码头岸线整治工程”、“海沧岸壁整治工程”、“鹭甬石油码头陆域工程”、“海上110码头”、“海沧10号泊位”、“东渡18号泊位”、“海事局专用码头”、“象屿保税区二期”等项目论证报告书（表）的评审和批复工作。

【海洋管理监察】 2001年，厦门市海管办组织海上巡航221次，岸线巡查184次，查处违法违章案件28起，制作调查笔录59份，立案调查28起，受理当事人陈述申辩2次，作出终结案件26件，当事人已履行行政执法19件，未履行6件，向法院申请强制执法6件，法院已执行3件，正在执行1件，中止执行2件，处罚款11.854万元，有效地维护了厦门海域正常的用海秩序。

一是加大非法使用海域、占用海域的查处力度。重点查处非法填、围海和野蛮施工等违法违章行为12起；及时处理了污染海域环境的行为11起。

二是认真履行“督促各涉海部门履行各自职责”和“协调海上综合执法”的职能，继续开展“海上执法统一抓，问题处理再分家”的海上综合执法。加强行业执法队伍的协作，努力发挥海上综合执法的填平补齐作用。2001年共组织海上综合执法38次，出动执法船（艇）117航（次），参加人员915人（次），检查船只142艘，查处违法违章船只92艘。对厦门海域三无船舶、海上营运的旅游船舶及占用航道影响通航环境的非法水产养殖设施进行专项整治，取得较好效果。

三是针对春运期间，鳗苗捕捞区捕捞设施越界作业的状况，组织涉海单位开展鳗苗捕捞区综合执法，并在鳗苗捕捞季节，对厦门海域捕捞鳗苗情况进行了检查，及时制止了个别捕捞鳗苗挤占航道的行为。

四是综合执法的参加单位由原来的7家增加到10家，组织了“五一”、“十一”黄金周等海上旅游综合执法行动，有效地保障了节日期间海上旅游的安全。

五是组织了对“三无”船舶以及影响西海域通航环境的捕捞设施进行综合执法，开展了市水上交通安全专项整治，向马銮外湾养殖户送达《厦门市人民政府关于开展水上交通安全专项整顿的通告》和告知书，共送达1 100份，并对养殖情况全面调查记录，为将来西海域综合整治工作打好坚实的基础。

六是具体实施了打击电、炸、毒鱼的“平海”“定海”和“安海”联合行动。协调各有关部门从抓源头、治根本，采取陆上查、海上堵的陆海并举联合行动方式，共组织10次综合执法，出动执法船艇46航（次），执法车辆45辆次，执法人员347人（次），查处非法电鱼拖网26个，其中没收19个，督促群众自动销毁电鱼工具7个，上报省协助查处南安籍暴力抗法电船1艘。目前，全市300余艘电鱼船的电鱼工具已基本自动拆卸和销毁，遏制了电、炸、毒鱼等海上违法行为。2001年厦门有关涉海部门为保障港口航运畅通，通过海上联合执法形式，组织了多次海上清障行动，共清除挤占航道的设施1 200余处，有效维护了海上通航秩序，基本上保障了航道的畅通。

【海洋管理公众参与】 厦门市海管办积极参与办理好人大、政协议案、提案，及时处理群众来电、来信，自觉接受上级机关、人民群众的检查、监督。

(1) 认真办理省政协提案2件，市人大议案3件，市政协提案5件。一是领导高度重视，亲自抓，召开办理专题会议，制定详细计划；二是议案、提案办理实行责任制，将办理工作具体落实到处室及经办人员并明确办理的时间和质量要求；三是深入基层、调查研究，采取走出去，请进来，召开面对面座谈会，与人大代表、政协委员沟通，联系，主动征求各提案人的意见建议；四是用较为详实、准确的数据，针对历史和现实情况，给人大代表、政协委员逐一进行答复。对此，人大代表、政协委员都较为满意。

(2) 及时处理上级机关领导批示及人民群众来电、来信。全年共处理领导批示件、人民群众来信来电25件。

【海洋宣传教育】 厦门海管办始终把海洋宣传教育工作纳入日常工作议程，专门制订全年宣传教育工作计划及月工作安排，有计划、有步骤地围绕贯彻实施《中华人民共和国海洋环境保护法》、《厦门市海域使用管理规定》、《厦门市海域功能区划》这个中心，按照厦门市“十五”关于西海域整治利用的计划，以加强厦门海域使用普查登记、厦门无居民海岛的管理及突出以赤潮监测为重点，建立健全海洋环境综合监测体系，针对全面开展海洋环境综合监测等“海洋环保监督管理”职能落实的热点、难点问题，开展了海洋宣传教育工作。2001年共编发《厦门海洋管理》信息24期计5 800份，向《要事快报》、《特区快讯》、《中国海洋报》、《海洋工作信息》、《东海海洋信息》等刊物投稿195篇。整理印发清理整治西海域通航环境的非水产养殖等海洋管理的宣传材料1 360份，分发到每个养殖户手中，并将有关材料分别用闽南语、普通话录音，在西海域进行广播宣传；制作完成“蓝色国土、海上卫士”厦门海洋管理专题片及编辑、印制《厦门涉海法规汇编》500本；组织《厦门日报》、厦门电视台二套记者专门对“厦门无居民海岛管理”进行跟踪报道；联系《人民日报》、《厦门日报》、《中国企业报》、《厦门晚报》、厦门电视台一套、二套、有线电视综合台等新闻媒体等18批86人次采访厦门海洋综合管理的动态，进行全方位的宣传报道。截止目前，中央、省、市、各级报刊、广播、电视信息刊物刊登报道了厦门海洋管理信息达205条（次）之多。国际海事组织、国家海洋局对厦门海洋综合管理都给予高度评价和充分肯定。

海洋国际合作与交流
Marine International Cooperation and Interflow

【第二轮厦门海岸带综合管理示范项目】 2001年7月30日，厦门市人民政府与国际海事组织（IMO）/东亚海域环境管理合作机构（PEMSEA）签署了合作协议，标志着中国厦门第二轮海岸带综合管理示范项目正式启动。厦门市政府张昌平常务副市长、PEMSEA组织区域项目主任蔡程瑛博士分别代表厦门市政府和国际海事组织在协议书上签字。厦门市市长朱亚衍、厦门大学教授洪华生以及国家海洋局国际合作司、厦门大学、厦门市海管办、外事办等有关方面的负责人出席了签字仪式。

厦门市政府十分重视海洋综合管理工作，把实现海洋经济的可持续发展作为政府工作的一项重要工作目标。早在1994就与PEMSEA组织进行了第一轮海岸带综合管理示范项目的合作，在国际合作项目的推动下，厦门市政府通过自身多年的努力，建立了国家法律体系下的地方性海洋法律框架、海洋综合管理体制与协调机制、海洋综合管理的科学支撑体系、海洋综合执法机制等，形成了“立法先行、集中协调、科学支撑、综合执法、管海一盘棋”的厦门海洋综合管理模式。得益于政府对海洋综合管理工作的重视，厦门市的海洋经济得到快速、持续发展，与此同时，厦门市在实现经济高速发展、人口快速增加的同时，基本保持了海域环境的总体水平。厦门在海洋综合管理方面所取得的经验和成就，引起国际海事组织等有关国际组织和东亚各国的高度关注，在许多国际会议上，厦门海洋管理模式受到普遍推崇。PEMSEA组织每年都组织多个国家的地方政府官员和海洋管理人员专程来到厦门，考察学习厦门海洋综合管理经验。在2000年7月举行的“东亚海洋环境保护与管理计划”第七次指导委员会议上，厦门模式还被作为由国家海洋局、环渤海三省一市政府共同签署的“渤海环境保护宣言”的参照经验。

为推进厦门市的海洋综合管理向更高层次迈进，同时让更多的国家和地区分享厦门的经验，共同提高海岸带综合管理能力，厦门市政府和PEMSEA组织决定合作实施第二轮厦门海岸带综合管理示范项目。据悉，在实施第二轮厦门海岸带综合管理示范项目期间，厦门市政府将围绕海湾型、生态型城市建设的总目标，就九龙江河口环境治理、西海域综合整治、环境投资、ISO14001认证等工作制订并实施第二轮海岸带综合管理行动计划，并与国家海洋局、厦门大学合作，共建“厦门海岸带可持续发展国际培训中心”，对来自PEMSEA示范区、平行区的地方政府官员与海洋管理人员、中国各沿海省市海洋管理人员和厦门市各涉海部门管理人员进行培训。此外，作为第二轮示范项目的一项重要工作内容，2002年度“东亚海域环境管理地方政府区域性网络”年会将在厦门召开。

【厦门海岸带可持续发展国际培训中心】 2001年11月24日，第二轮国际合作项目重要内容厦门市政府与国家海洋局、厦门大学合作共建的“厦门海岸带可持续发展国际培训中心”正式挂牌，该中心同时被 PEMSEA 指定为海洋综合管理区域培训中心，将对来自 PEMSEA 各示范区、中国各沿海省、市和厦门市的有关管理人员进行培训，并开始培训了来自东亚8个国家25人的首批PEMSEA海洋管理的官员。厦门海岸带可持续发展国际培训中心的建立和运作，将加强东亚各国之间、中国沿海省市之间在海洋综合管理领域的交流与合作，让国内外更多的地区分享厦门和PEMSEA各示范区的有益经验，共同提高海岸带综合管理能力，实现可持续发展。同时，也会推动厦门市的海洋综合管理工作向更高层次迈进，加快厦门市建设生态型海湾城市和教育之城的步伐。

海洋科技与教育
Marine Science & Technology and Marine Education

【综述】 厦门市海洋科技教育力量雄厚，拥有一批国家、省、市级海洋科研、教育机构。2001年厦门市不断加强管理与科学的有效结合，建立了海洋综合管理的科学支撑体系，为厦门海洋经济和海洋综合管理提供持续有力的支持。与此同时，厦门海洋科研院校得到长足发展，科研成果不断涌现，为厦门市输送了大量涉海专门人才。

【海洋管理调研与规划】 厦门市海管办加强与海洋管理有效结合的科学调研。现已完成和正在进行的有：《厦门市海域权属和勘界调查与政策研究》、《厦门岛东部沙滩监测及保护对策》、《厦门市东北部海岸开发总体布局》、《厦门文昌鱼资源调查研究》、《厦门市沙滩、海岸等滨海旅游资源保护的研究》及有关海域功能区划调整的各专项调研课题等。与此同时，加强了陆、海规划的衔接和协调。组织编制了重点区域的海域、岸线、滩涂的控制性详细规划；正在组织编制《厦门岛东南部海域使用规划》、《厦门岛东北部岸线控制性详细规划》、《厦门市沿海滩涂整治与防护林建设规划》、《厦门大桥周边海域环境综合整治规划》等。

【GIS、GPS、RS三位一体技术方法】 为强化海洋综合管理，厦门市海管办在完成“厦门市海域功能区划地理信息系统（GIS）”各类海域管理信息录入和建库工作以及对全球卫星定位系统（GPS）进行专门使用培训的基础上，完成GIS、GPS结合工作；利用卫星遥感技术（RS）建立市海域使用管理影像数据库，建库工作基本完成，并实现与GIS结合应用。GIS、GPS、RS的建立和应用结合使海域使用管理手段得到极大的增强，技术水平具有国内先进水平。

【海洋珍稀物种国家级自然保护区建设与管理】 2000年4月经国务院批准建立“海洋珍稀物种国家级自然保护区”以来，2001年具体负责物种保护的部门开展了“厦门文昌鱼自然保护区资源及开发利用调查研究”工作，并在保护区沿岸设立了11座花岗岩界碑；中华白海豚保护区开展了人工投饵喂养试验，加大了宣传力度，建设了三座中华白海豚艺术雕塑。同时对海洋和海岸工程建设项目加强了监管。

【厦门文昌鱼自然保护区】 2001年，厦门市海管办加强厦门文昌鱼自然保护区规划管理。一是组织编制了文昌鱼保护区建设规划并开展“厦门文昌鱼资源调查研究”；二是11月初组织召开“厦门文昌鱼自然保护区资源调查及开发利用研究阶段性报告”评审会，并积极支持厦门一中厦门文昌鱼项目科研小组开展文昌鱼研究；三是12月底前完成保护区界标、宣传牌等设置工作；四是提出了厦门海洋生态保护建设规划建议。

【海洋研究机构和海洋院校】 厦门市现有国家海洋局第三海洋研究所、厦门大学海洋与环境学院、福建省海洋研究所、福建省水产研究所、集美大学水产学院、航海学院、厦门市水产研究所、厦门市港口职业学校、厦门市工业学校、厦门市旅游职业学校、厦门集美水产学校等海洋研究机构和海洋院校，海洋科技和教育实力居于全国前列，为厦门的海洋经济、海洋科研、海洋管理提供了人才和教育保障。2001年厦门市拥有涉海专业人才1 000余人，高级人才超过200人，涉海专业大、中专毕业生有2 300余名。

（黄超群　周鲁闽）

海洋环境保护
Marine Environmental Protection

【综述】 厦门市紧紧围绕经济建设这个中心，在抓好海洋资源开发和利用的同时，加强了海洋环境和生态资源的保护，加大了执法力度，取得了明显成效。2001～2002年城市污水处理率达到89%；城市生活垃圾处理率达到95.46%；共审核和核准海岸、海洋工程建设项目23个，批准使用海域面积869万平方米；组织清除挤占航道的捕捞设施1 200余处；查处海洋环保和海域使用行政案件47件，罚款金额21.5万元；共批准海洋倾废许可证32份，倾倒疏浚物36.08立方米。

厦门市2001年8月由市政府办公厅批转了《关于加强厦门海域赤潮预防控制治理工作的意见》，并由市海管办具体组织实施；落实《中华人民共和国海洋环境保护法》赋于海洋行政主管部门负责海洋环境的监督管理，组织海洋环境的调查、监测、监视、评价等职能职责，组织开展了厦门海洋环境综合监测工作，编制了2001年海洋环境质量公报。

厦门在全市范围内开展了禁止销售和使用含磷洗涤剂，禁止销售和使用甲胺磷、氧化乐果等高毒剧毒农药，禁止使用泡沫快餐用具等行动，取得显著效果。

厦门认真抓好九龙江流域综合整治和西海域禁止水产养殖综合整治前期工作，联合九龙江流域三市组织编制了《九龙江流域（厦门段）水环境与生态保护规划》，完成了《福建省九龙江流域水污染防治与生态保护管理办法（试行）》的起草和上报工作；编制了西海域规划大纲，开展了西海域水产养殖状况的执法调查，提出了西海域综合整治的总体思路，开展了禁止西海域水产养殖的综合整治工作。

厦门首次开展了海域外来物种入侵和防治对策的调查研究工作，基本查清了有害外来物种互花米草和莎筛贝等具体生长位置和范围，提出了防治对策，并具体组织实施治理工作。

海洋公益事业
Marine Public Welfare Facilities

【海洋环境监测监视网络】 2001年成立了国家海洋局厦门海洋环境监测中心站，完善了中心实验室，配置了海洋环境监测仪器、设备，启动了厦门海域趋势性水质监测、海水浴场水质监测以及赤潮、溢油等应急监测项目。国家海洋局第三海洋研究所、福建省海洋研究所、福建省海洋与渔业环境监测站、厦门海洋管区、厦门市水产研究所等监测、监视机构均投入了海洋环境的监测、监视工作，形成了比较完善的厦门海洋环境综合监测网络。厦门海洋环境监测、监视和海洋环境预报系统的进一步完善，为加强厦门海洋综合管理、减少海洋灾害损失、合理开发利用海洋资源提供了科学依据。

【海洋环境质量公报】 厦门首次发布了《2001年厦门海洋环境质量公报》。该公报由概述、入海污染物、海水环境质量、海洋生物质量、海水浴场水质、海洋污染及灾害事件、海洋珍稀物种自然保护区建设、厦门海域有害外来物种等9项内容组成，真实客观地反映了厦门近岸海域的海洋环境质量状况。公报的发布为各级政府和有关部门制定海洋开发利用和保护决策提供了科学的依据，也为市民和公众了解厦门海洋环境质量提供了途径，使大家都来关心和爱护厦门的海洋。

【海洋环境预报】 2001年共发布日常海洋环境预报4 698份，内容包括潮时预报、表层海水水温预报、厦门邻近海域的海浪预报以及每月两次大潮预报。

【赤潮防治管理】 厦门市政府办公厅2001年8月批转了市海管办“关于加强厦门海域赤潮预防控制治理工作的意见”，要求各区和有关部门按此意见抓好落实。该意见明确了建立赤潮灾害应急响应系统和建立综合监测网络与管理机制的要求和有关部门的责任，明确了赤潮预防控制治理办公室设在市海洋行政主管部门内。

海洋灾害与防御
Marine Disasters and Prevention

【风暴潮】 2001年厦门海域台风过程超过50厘米的风暴增水有5次，其中有2次导致台风过程最高潮位超过警戒水位。

第16号“百合”台风对厦门市影响较大，除带来暴雨外，引起的风暴潮较大，潮位较高，造成市部分低洼地段最大积水深达70厘米左右。受海水顶托而积水，导致鱼虾池和海水育苗池受淹，渔业损失较重。台风引起的风暴潮造成水产养殖损失472.9公顷，420吨；损坏堤防1处0.02千米，损坏护岸10处，冲毁塘坝2座。全市直接经济损失达1.793亿元。

【溢油】 2001年，厦门海域发生重大油轮沉没事故1起。2001年9月20日0时30分左右，浙江省“运鸿号”油轮与荷兰籍“爱丁堡”轮擦撞，在厦门海域距鼓浪屿4海里处沉没。“运鸿号”沉船事件是厦门港有史以来最大的一起沉船事故，也是建国以来最大的港口锚地油轮倾覆事件。船上载有轻柴油8 600余吨。所幸事故发生后，船上10个货舱的柴油都没有泄漏，少量溢油都是机舱中的燃油，没有造成海域污染事件。

【厦门海域赤潮】 2001年厦门海域共发现赤潮4次，分别为：

5月26日，厦门员当湖发现呈微红色赤潮，赤潮生物种类为条藻。

6月18～23日，厦门西海域（118° 02′ E，24° 32′ N）出现大面积赤潮，颜色为暗红色，呈大片状分布，面积为45平方千米。赤潮优势生物种为角毛藻，密度为2.5×10^{6}个/升。

6月29日，西海域海沧大桥以南、员当湖排水口以西、猴屿以北、海沧以东海域，面积约5平方千米，颜色为褐色，呈块分布，赤潮生物优种为中肋骨条藻，密度为5×10^{6}个/升。

7月3～10日，赤潮发生在海沧大桥以北、厦门大桥以西海域，面积为40平方千米，密度为4.5×10^{6}个/升。

以上4次赤潮属均无毒赤潮。

【厦门海域有害外来物种】 厦门海域已发现的主要有害外来物种有互花米草和沙筛贝。互花米草主要分布在东屿湾和海沧海堤外侧一线，约占海域面积3 655平方米。沙筛贝主要生长在马銮湾内湾。互花米草对滩涂破坏严重，沙筛贝对海水养殖造成不良影响。 （张煦荣）

浙　江　省
Zhejiang Province

综　述
Summary

【自然地理】 浙江省位于中国东南沿海长江三角洲南翼，118° 00′ ~123° 00′ E、27° 12′ ~31° 31′ N之间。东濒东海，南接福建，西与福建、江西、安徽相连，北与上海、江苏接壤。境内最大的河流为钱塘江，因江流曲折，又称“浙江”，省以江名，简称为“浙”。

浙江省东西和南北的直线距离各为450千米左右。全省陆域面积10.18万平方千米，是中国面积最小的省份之一。陆域国土中，山地和丘陵占70.4％，平原和盆地占23.2％，河流和湖泊占6.4%，故有“七山一水二分田”之说。浙江海域广阔，岛屿星罗棋布。海岸线总长6 486千米，内海面积为3.09万平方千米，领海面积1.15万平方千米。浙江省是中国海岛最多的省份，根据海岛资源综合调查，陆域面积在500平方米以上的海岛有3 061个，分布在5个市、24个县（市、区）。其中陆域面积在10平方千米以上的有28个，合计面积为1 358.1平方千米，占全省海岛总面积的79.3%。

【行政区划】 至2001年底，浙江省行政区划分设为杭州、宁波、温州、嘉兴、湖州、绍兴、金华、衢州、舟山、台州、丽水11个地级市或副省级城市，下辖38个县、24个县级市和26个市辖区。其中，与海相接的地级或副省级市有杭州、宁波、温州、嘉兴、绍兴、舟山、台州等7个；沿海县及县级市、区有33个。其中舟山市及所辖的嵊泗县、岱山县、定海区、普陀区以及温州市的洞头县均由海岛组成，台州市的玉环县大部分为海岛。

【海洋资源】 浙江海岸线曲折绵长，海域岛礁众多，底质细软平坦，冷暖海流交替消长，海水营养盐丰富，自然资源集聚种类繁多。主要海洋资源有深水岸线资源、海洋渔业资源、东海陆架油气资源、潮间带滩涂资源、海洋旅游资源和海洋能源资源。全省共有在常规工作条件下可建万吨级以上泊位的深水岸线290.4千米，其中岸线前沿水深达到可建10万吨级以上泊位的有106.8千米。浙江的深水岸线资源具有地处中国沿海中部、出海航道及锚地优越等特点，有良好的开发前景。浙江海域历来是中国最大的渔场，渔业资源的蕴藏量在205万吨以上，年可捕量在105万吨以上。浙江沿海的海洋生物有1 700余种，大部分为鱼类及药用生物。东海陆架盆地是一个有着良好开发前景的油气资源区，正在勘探开发之中。已探明油气田3处，含油气构造6处，含CO_2气构造1处。

（方康保）

【人口与经济】 2001年，浙江省年末总人数4 519.84万人，其中沿海地区年末总人数2 118.73万人，占全省总人数的46.87%。全省国内生产总值6 748.15亿元，比上年增长11.8%，居全国省市第4位，其中沿海地区国内生产总值5 242.32亿元，比上年增长5.9%，占全省的77.7%。2001

表1　2001年浙江省沿海市、县人口、从业人员及国内生产总值一览表

单位：万人、亿元

市、县名称	年末总人口	农业人口	非农业人口	单位从业人员	国内生产总值	第一产业	第二产业	第三产业
全省合计	4 519.84	3 473.63	1 046.21	372.4	6 748.15	695.15	3 459.75	2 593.25
沿海合计	2 118.73	1 829.3	289.43	246.99	5 242.32	414.59	2 839.56	1 988.17
杭州市区	379.49	186.23	193.26	69.78	1 195.17	58.25	583.09	553.83

续 表

市、县名称	年末总人口	农业人口	非农业人口	单位从业人员	国内生产总值	第一产业	第二产业	第三产业
萧山市	114.58	88.56	26.02	7.42	276.03	24.52	159.51	92
宁波市区	126.13	45.44	80.69	32.08	581.31	13.07	288.98	279.26
余姚市	82.8	67.16	15.64	4.4	163.83	19.31	93.67	50.85
慈溪市	100.84	86.25	14.59	4.75	184.02	15.23	108.24	60.55
奉化市	48.82	39.24	9.58	2.47	62.87	9.14	32.83	20.9
象山县	53.05	43.34	9.71	7.3	82.02	19.48	41.04	21.5
宁海县	58.43	51.82	6.61	2.17	68.58	11.69	38.29	18.6
鄞县	73.28	59.24	14.04	4.29	170.06	12.42	115.87	41.77
温州市区	131.36	75.02	56.34	23.78	388.39	6.78	224.15	157.46
瑞安市	111.49	93.58	17.91	5.99	149.61	10.08	84.65	54.88
乐清市	115.5	104.56	10.94	4.34	162.53	11.47	96.32	54.74
洞头县	12.55	11.12	1.43	0.74	10.22	2.99	2.49	4.74
平阳县	84.06	70.75	13.31	6.58	77.79	6.23	44.15	27.41
苍南县	122.3	100.24	22.06	5.96	89.06	9.8	48.13	31.13
平湖市	48.3	37.7	10.6	2.8	89.58	9.15	55.37	25.06
海宁市	64.05	49.42	14.63	3.78	135.67	11.57	80.77	43.33
海盐县	36.54	28.7	7.84	3.48	67.12	8.42	40.94	17.76
绍兴市区	59.92	28.82	31.1	9.13	127.74	7.3	54.85	65.59
上虞市	77.49	63.77	13.72	4.73	147.6	17.66	86.86	43.08
绍兴县	72.42	61.72	10.7	3.24	204.351	3.08	131.19	60.08
舟山市区	68.65	45.65	23	8.62	86.95	17.8	33.19	35.96
岱山县	20.81	16.61	4.2	1.21	23.97	9.66	6.4	7.91
嵊泗县	8.44	6.02	2.42	0.84	15.76	5.59	3.58	6.59
台州市区	143.9	116.4	27.5	12.69	283.35	20.62	176.39	86.34
温岭市	114.09	97.4	16.69	5.45	195.09	26.16	101.99	66.94
临海市	110.15	96.52	13.63	5.71	91.46	14.26	47.98	29.22
玉环县	39.03	21.84	17.19	2.02	87.32	14.66	48.86	23.8
三门县	40.06	36.18	3.88	1.24	24.87	8.2	9.78	6.89

年浙江省沿海市、县人口、从业人员及国内生产总值情况如表1所示。 （应 晓）

海洋资源开发与海洋经济 Development of Marine Resources and Marine Economy

【概况】 2001年，浙江省有关部门继续认真贯彻落实省委、省政府1998年5月召开的全省海洋经济工作会议和省政府2月份召开的全省海洋与渔业工作会议精神，加强对海洋经济工作的领导，进一步完善海洋综合开发和综合管理的机制，积极推动海洋经济的发展。据统计，2001年全省海洋产业总产值达到8 281 890万元，海洋产业增加值达到3 163 214万元，分别比上年增长25.4％和22.3％。 （方康保 应 晓）

【港口海运】 2001年，浙江省水运基础设施建设沿海地区完成投资1.4亿元，完成舟山港老塘山一期扩建工程，新增吞吐能力35万吨（含2万TEU）；新建改建陆岛交通码头2座、车渡3座，新增吞吐能力31万吨、51万人次、9万辆次。沿海主要港口完成货物吞吐量1.95亿吨，比上年增长11.7％。其中，外贸吞吐量6 444万吨，集装箱吞吐量137万TEU，分别增长0.7％和34.3％。2001年，拥有沿海运输船舶2 863艘、299.6万净载重吨位，比上年净增17.73％。沿海运输船舶平均载重吨位1 046.65吨，比上年提高了78吨。沿海水运生产继续稳定增长，完成水路货物运输6 680.1万吨、744.25亿吨千米，分别比上年增长19.24％和20.82％。客运1 748万人（次）、64 701万人千米。

【台州市港口统一更名为台州港】 2月9日，交通部以〔2001〕58号文批准台州市港口统一更名为台州港，由海门港区、健跳港区、大麦屿港区3个港区组成。这对加快理顺港口管理体制，实现台州市提出的“开发大港口”具有重要的作用。将使台州港3个港区纳入统一规划，统一开发，统一建设之中，将使3个港区的优势得到互补，港口的竞争力得到提高。

【温州港七里港区投产国际航线开通】 3月31日上午10点30分，中国远洋运输集团集装箱公司1.6万吨级的“阳江河”货轮，徐徐离开温州港七里港区，驶上了至新加坡、雅加达国际集装箱航线。至此，七里港区正式开辟了国际集装箱班轮航线。这标志着温州七里港区正式投入试运行，结束了温州港没有干线国际班轮直接挂港的历史。该航线直接承接温州外贸出口至欧洲、地中海、中东、南非、西南亚港口的国际集装箱货物，所有上述西行货柜均可在新加坡安排中转世界各地，使温州的外贸客户和出口厂家在家门口直接安排货物运输。该航线周班运作，周六开航。温州港七里港区一期工程是省重点工程。工程建设规模为2.5万吨级煤炭卸船泊位1个（兼顾3.5万吨级浅吃水轮靠泊），1.5万吨级和1 000吨位多用途泊位各1个，500吨级煤炭装船泊位2个，以及相应的附属配套设施，设计年吞吐能力为359万吨。工程总投资为3.834亿元，计划建设工期为4年。目前主体码头5个泊位、1个港作泊位和东部港区3.3万平方米堆场及陆域配套设施已基本建成并投入试运行。

【乍浦港成为国家一类外贸口岸】 3月29日，乍浦港一类口岸对外开放国家验收组在浙江省嘉兴市宣布：同意乍浦港作为一类口岸正式对外开放。这标志着孙中山先生所规划的“东方大港”——乍浦港，从此走向世界，浙江省北部地区有了外贸口岸，这是浙江省第5个对外开放的港口。乍浦港作为一类口岸，为杭嘉湖地区提供了一个更为便捷、经济的进出口通道，将从根本上改变嘉兴市外贸物质绕道中转环节多、长运距、高损耗的状况。通过乍嘉苏航道、318国道和正在建设中的乍嘉苏高速公路，乍浦港的经济腹地可扩展到经济发达的江苏省南部地区及安徽省南部地区。通过沪杭高速公路和六平申航道，乍浦港可为日趋繁忙的上海港分流外贸物资，加快长江三角洲地区及浙江省的外贸物资流通速度，提高经济效益。乍浦港是浙北地区惟一的出海口，全港岸线长达70千米，分为乍浦、独山、海盐3个港区，现有各类码头泊位16个，其中万吨级泊位6个，实际年吞吐能力达1 500万吨。2000年，全港货物吞吐量905万吨，其中外贸物资吞吐量完成53万吨。港口已与日本、美国、澳大利亚、俄罗斯、东南亚等十几个国家和地区的港口建立了运输往来。

【国际水运企业看好宁波】 2001年4月17日，对外贸易经济合作部批准以色列以星轮船公司在宁波市设立外商独资船务公司，至此，在甬从事国际航运业的境外企业已增加到31家。境外航运企业看好宁波，除了因其拥有得天独厚的集内河港、河口港、海峡港于一体的深水良港资源和拥有大、中、小泊位相配套，水水、水陆、水铁、水空相衔接的多功能、多层次综合性港口外，还因其坚持“以港兴市，以市促港”的发展战略，实施改革开放的政策等保障了境外企业进入宁波的良好环境。目前，宁波市共有境外航运企业办事处25家，境外航商融资（中国）航运企业分公司6家。一些境外航运大公司，如丹麦的马士基航运有限公司、英国的铁行渣华、韩国的韩进海运、美国的总统轮船有限公司、法国的达飞轮船船务有限公司、日本的邮船等纷纷在宁波设立了办事处、分公司。境外航运业加盟宁波，有效地补充了宁波市水运业的经营成分，拓展了宁波航运业辐射面和经营范围，促进了该市水运业的发展。目前全市已有7家船舶代理企业、20家海运集团装箱中转站从事国际航运业务，同时提升了宁波航运业的国际地位。

【宁波港生产再创佳绩】 2001年宁波港完成货物吞吐量12 852.3万吨，同比增长11.3%，继续位居中国大陆沿海港口第二位；集装箱吞吐量突破百万标箱大关，达到121.3万标箱，同比增长34.4%，增幅列中国主要沿海港口第一位。各大基础货源稳定增长。进口铁矿中转业务继续增长。2001年先后开辟了酒泉、北台和安阳钢厂的铁矿中转业务，进一步拓展了港口的货源市场；新开通了到南京钢厂、上钢一厂等江海联运直达运输，使二程船直达运输比重进一步提高，货主得到了实惠。继续强化品牌意识，狠抓服务质量，不断完善分钢厂、分矿种堆存办法，积极为货主创造各种便利条件。原油运输在进口总量大幅度下降、成品油销路不畅的情况下，坚持服务多厂家、中转多货主、作业多方式的经营宗旨，对重点企业、重点油船实行动态跟踪，及时掌握有关信息和提出对策措施，确保了到港油轮的顺利接卸。煤炭运输加强与货主的沟通，开辟了俄罗斯进口煤炭和淮南煤炭等到宁波港中转业务，拓展了新的货源腹地。杂货运输也有一定幅度增长，尤其是液化产品接卸取得了较大突破。

【宁波港务局与香港和记国际港口集团合资】 6月8日，宁波港务局与香港和记黄埔港口集团下属的和记港宁波有限公司正式签约，成立宁波国际集装箱码头有限公司，总投资达20亿元人民币。其中中方占合资公司股权51%，香港方占49%；合资范围为宁波港北仑二期900米集装箱码头、相配套的引桥、港区陆域及陆域内的固定建筑物、机械设备、配套设施等，合资期限50年。合资公司将发挥合资双方在集装箱运输市场、码头管理和资金等方面的优势，使现有3个集装箱泊位吞吐能力有进一步的提高。并逐步使宁波港北仑港区成为具有世界先进水平的集装箱枢纽港。8月28日，宁波北仑国际集装箱码头有限公司正式挂牌。

【浙江远洋运输的新发展】 2001年11月2日，浙江省交通厅正式将浙远公司移交省政府新组建的省交通投资集团有限公司。2001年，受全球经济衰退和美国“911”事件影响，进出口贸易下滑，国际航运市场疲软。浙远公司按照“立足航运主业，船岸共同发展”的经营方针，加大揽货力度，合理调配运力，狠抓安全管理和增收节支，较好地完成了各项经营指标。完成货运量256.8万吨，周转量69亿吨海里，集装箱运量3.05万吨标准箱，除集装箱运量外，分别比上年增长36.8%和24.2%。

【浙江海事局公布沿海主要公共航路、锚地】 为保障海上交通安全，促进海洋资源综合开发利用，依据《中华人民共和国海上交通安全法》有关规定，综合考虑海洋自然条件、助航设施配置、历史航海实践等诸多因素，浙江海事局于2001年12月14日以《公告》形式首次公布了浙江沿海主要公共航路178条、锚地83处。船舶在公布的航路、锚地内航行和锚泊，应严格遵守航行规则和海事机关公布的特别规定。任何单位与个人不得在已公布的浙江沿海主要公共航路和锚地内构筑设施、养殖、设置碍航物或定网捕捞。从事影响海上交通安全的活动，需事先得到海事机关批准。公告发布前非法设置的固定网具等碍航物，其所有人必须在2002年底前全部清理完毕；经有关主管部门批准的，其所有人最迟至使用批件届满前清除完毕；逾期未清除的，将视作无主设施强行清除。此举为规范浙江沿海通航环境管理，维护通航秩序畅通，保障海上人命财产安全奠定了坚实的基础。 （齐潮生）

【海洋渔业】 受《中韩渔业协定》实施的严重影响，2001年，浙江省海洋渔业开始出现重大调整，海洋捕捞产量和效益明显下滑，捕捞渔民转产转业步伐加快。2001年全省海洋水产品总产量406.96万吨，比上年减产0.85%；海洋水产业总产值504.64亿元，比上年增长7.77%。全省海洋渔业人口96.42万人，渔业专业劳动力34.39万人（其中海洋捕捞劳力19.41万人，海水养殖劳力6.83万人），渔业兼业劳动力10.22万人；海洋渔村人均收入5 838元，比上年减少67元。

海洋捕捞 2001年，浙江省海洋捕捞生产渔船35 693艘，比上年减少847艘；实现国内捕捞产量310.97万吨，比上年减产8.26万吨，减幅2.59%，渔获物以虾类（67.41万吨）、带鱼(59.48万吨)、鱿鱼(18.59万吨)、蟹类(14.84万吨）、鲳鱼（13.26万吨）、鲐鲹鱼（12.54万吨）、小黄鱼（7.71万吨）等为主。远洋渔业继续稳步发展，先后有454艘渔船（其中直接捕捞渔船442艘）、1.5万余名渔民在北太平洋、西南大西洋、南太平洋等海域生产，远洋捕捞产量达到18.34万吨，比上年减少9.83%。

海水养殖 2001年海水养殖依然保持了持续发展的势头，全年新增养殖面积0.64万公顷，使海水养殖总面积达到11.27万公顷，同比增长6.01%；实现养殖产量77.66万吨，同比增长9.55%；新增养殖劳力4 628人，同比增长7.27%。深水抗风浪网箱养殖发展迅速，一年内发展253只（相当于1.5万只常规网箱的养殖规模），在定海长峙、普陀佛渡、岱山秀山、象山鱼山、椒江大陈等地建起了初具规模的深水网箱养殖基地。常规网箱首次突破10万只大关，规模达到10.84万只。以普陀、象山为主的三疣梭子蟹养殖成为新热点，养殖产量达到1.67万吨，成为浙江海水养殖的名牌特色产品。

水产品加工出口 至2001年，全省共有水产加工企业1 672家，拥有水产冷库1 076座，年水产品加工能力超过140万吨。2001年水产加工品产量92.7万吨，水产品加工率达到39%，加工产值97.68亿元；水产品及其加工品畅销全国各地，远销日本、韩国、美国和西欧以及台湾省和香港、澳门特别行政区，2001年全省出口水产品约27万吨、创汇7亿美元，创历史新高，居全国第二位，其中一般贸易居全国第一。

渔港建设 根据省委、省政府关于“用3～4年时间完成20～30个重点渔港改扩建，使80%的渔船能安全就近避风”的要求，浙江省研究制定了全省“十五”渔港建设规划，确定了在“十五”前3年完成22个重点渔港改扩建目标。2001年有21个渔港已开始项目前期工作，其中嵊泗中心渔港、温岭钓浜渔港、苍南巴曹渔港、苍南炎亭渔港已开工建设。

渔业法制建设 为加强水产种苗管理，保护和合理利用水产种质资源，提高水产种苗质量，促进水产增养殖健康发展，浙江省研究制定了《浙江省水产种苗管理办法》，经省人民政府第52次常务会议审议通过，以省政府第128号令正式公布，自2001年6月1日起施行。为减轻海洋捕捞强度，提高捕捞渔民素质，规范海洋捕捞行为，促进渔业安全生产，根据省政府有关文件要求，省海洋与渔业局研究制定了《浙江省海洋捕捞行业就业准入若干规定（试行）》，于2001年12月31日正式颁布试行。 （纪志康 商玉坤）

【支持海洋渔业结构调整的政策措施】 2001年6月31日，继2000年《中日渔业协定》实施后，《中韩渔业协定》正式生效实施，这对浙江省海洋捕捞业带来了重大的影响，浙江省常年在韩方管辖水域和过渡水域生产的近12 000艘捕捞渔船中，有90%要从原作业渔场退出，每年要损失约45万吨的捕捞产量和25亿元的捕捞产值，影响渔民收入10亿元，同时还将引发渔事纠纷和涉外事件。这些困难和问题引起了浙江省委、省政府领导的高度重视，省委书记、省长亲临沿海渔区调查研究，作出决策，召开专题会议，于年初和年中出台了两个政策性文件，以扶持资金来衡量，“十五”前3年，省级财政每年安排近2亿元的专项资金，用于促进渔业结构调整和捕捞渔民转产转业。其中4 000万元用以扶持水产养殖业，500

万元用于扶持水产苗种培育，500万元用于远洋渔业发展，4 000万元用于建设高标准渔港，1 000万元用于旧渔船淘汰补助，8 800万元用于转移支付沿海部分市县因实施双边渔业协定减收的渔业税和农业特产税。同时每年向捕捞渔民减收各类渔业费5 000万元。为促进浙江省捕捞渔民转产转业、加快渔业结构调整、缓解渔区社会矛盾创造了有利条件。

【渔船淘汰报废和捕捞渔民转产转业】 2001年全省淘汰报废渔船785艘（其中拆解报废663艘，转产122艘），上缴有效捕捞许可证78本、功率指标3 880千瓦，并按《浙江省海洋捕捞渔船报废和转产转业专项资金管理办法》给予了专项补助；转产转业海洋捕捞渔民4 450人，实施减船减人计划取得阶段性成果。11月18日，浙江省在舟山组织了“报废渔船拆解现场会”，现场一次性拆解旧渔船22艘（其中4艘上排清理后作人工鱼礁礁体沉海），在国内外产生较大反响，被《中国渔业报》评为2001年度中国渔业十大新闻之一。

【人工鱼礁建设和海洋渔业资源保护】 结合近海渔场整治和废旧渔船淘汰工作的开展，浙江省人工鱼礁建设项目正式启动，7月中旬首批在南麂列岛附近海域投放了3 020空立方米的人工鱼礁。通过广泛宣传发动，加强海陆检查力度，以查禁电脉冲惊虾仪为重点的打击使用非法渔具、保护海洋渔业资源工作取得明显成效，全年共收缴查获电脉冲惊虾仪3 900余台（套），并在沿海渔区初步形成了使用违禁渔具可耻、保护海洋渔业资源光荣的良好氛围。　（纪志康）

【浙江省首届渔业博览会】 9月13～16日，“浙江省首届渔业博览会”在宁波市隆重举行，来自境外6个国家和地区、国内8个省市270家参展商、5大类600余个品种和产品参加了博览会。期间还举办了浙江省优质水产品评选、优秀水产品营销大户的推荐命名和浙江渔业论坛等活动，总体上达到了宣传浙江渔业成就、弘扬浙江渔文化、拓展浙江水产品市场，促进渔业经贸合作与科技交流的目的。　（纪志康　商玉坤）

【海洋旅游】 “九五”以来，浙江省各旅游管理部门加大旅游资源开发的力度，海洋旅游业有了较快的发展。浙江省各地旅游管理部门在海洋旅游业开发建设中，对各类旅游资源进行了选择性、创意性、综合性开发，使海洋旅游业出现了一批独具特色、有影响、上规模的旅游产品，如海宁、萧山国际观潮节，舟山国际沙雕节，平湖九龙山、象山松兰山省级旅游度假区，平阳南麂岛海洋生态旅游、洞头岛渔家乐民俗风情节，舟山桃花岛武侠传奇旅游节等，为浙江海洋旅游业发展注入了新的发展动力。据统计，2001年，浙江省海洋旅游业实现产值1 501 973万元，增加值803 588万元，分别比上年增长22.45%和54.79%。其中，滨海城市国际旅游外汇收入19 233万美元。　（方康保　应　晓）

【海洋盐业】 2001年全省产盐47万吨，销售食盐、小工业盐75万吨，创年销盐量历史纪录。其中省内出场41万吨，省外调入各类盐产品34万吨。全省盐业市场整顿和规范工作成效显著，依法治盐跃上新台阶，盐业结构调整取得新进展，食盐专营措施进一步完善。

整顿和规范盐业市场秩序取得阶段性成果。2001年2月3日晚中央电视台《焦点访谈》栏目对河北省黄骅市私盐问题进行了曝光后，全国盐业系统掀起了自实行食盐专营以来首次大规模、持久性的打击非法经营、加工食盐专项行动。根据国务院和浙江省政府有关整顿和规范市场经济秩序工作的要求，浙江省盐务局开展了声势浩大的盐业市场秩序整治工作。截止年底，全省共捣毁各类制售假冒小包装碘盐窝点和私盐窝点39个，查获各类盐产品4 246.1吨，16名盐业违法犯罪分子被依法判刑，有效地维护了盐业市场秩序。同时，省盐务局举办了两期由300余名盐政执人员参加的法律法规知识培训班。

盐业结构调整成效显著。2001年，浙江省盐务局继续实施积极的盐业结构调整政策。年初把盐田废转补助金提高到每公顷1 500元，全年共计废转盐田308.59公顷，主要转产为海水养殖业。同时，核拨盐业专项资金130万元。继续推进食盐品种包装改革。纸盒小包装精制盐在全省顺利上市，销售小包装精制盐1.4万吨，复合彩色小包装成为碘盐主导包装，约占口食碘盐量的70%。食盐专营企业通过改革、改制，进一步分离非盐经营，压缩、分流人员，实现减员增效。据统计，全省盐业系统职工总数已从原来的5 172人下降到了3 489人，亏损面从30%下降到10%左右。

扩大与国外盐业的交流。2001年全省盐业系统组织了20余名各市、县、区盐业机构领导干部分4批分别对德国、法国、澳大利亚、日本等国家的盐业企业进行参观考察、技术交流，为适应中国加入WTO的新形势，开展与国外盐业的技术合作创造了条件。

质量管理上了新台阶。全省盐业系统认真组织实施《浙盐质量升级实施意见》，召开全省盐业质量管理工作会议，宣贯《制盐工业主要产品取样方法》国家标准，加大质量抽检力度，严肃查处路桥区、开化县两个盐业公司发生的盐品质量事故。为适应全省效益农业迅速发展的需要，浙江省盐务局制订了《腌制用盐》地方标准，并由省质量技术监督局批准发布，2002年2月1日起实施。同时，建立了82个质检室，形成了覆盖全省产、销、分装、加工、中转各环节的盐业质量监督检测网络，有效地确保了合格碘盐的供应。

（娄 栋）

【东海油气勘探与开发】 2001年，东海油气勘探与开发主要围绕进一步探明储量，组织了勘探工作。共完成了残雪二井、平湖六井等4口勘探井，向国家储委提交了370余亿立方米的探明储量，从而使春晓油气田的累计探明储量超过了800亿立方米，完全满足了春晓气田一期工程计划用储量的要求。

勘探工作 全年共完成4口勘探井：丽水36-1-3井，井深3 000米，终孔地层为古新统，未获油气；天外天三井，井深3 760米，终孔地层为始新统平湖组，经测试，获油23.1立方米/日，天然气68.3万立方米/日；残雪二井，井深3 600米，终孔地层为始新统平湖组，经测试获油137.03立方米/日，天然气11.25万立方米/日；平湖六井，井深3 850米，终孔地层为始新统平湖组，测试了4个层位，二层见油气。第一层(P8层)获油407.15立方米/日，天然气90.92万立方米/日，第二层(H4层)获油37.82立方米/日。该井是东海油气勘探到目前为止日产油气量最高的井。

开发工作 (1) 平湖油气田二期工程已获国家批准。计划在八角亭构造钻5口井（1口油井，4口气井），修造1座井口平台，铺设2条联接平湖油气主平台的管线，长7.5千米，动用天然气储量为35亿立方米，预算资金为18亿元人民币。

(2) 春晓油气田ODP报告已送国家发展计划委员会。计划打开发井33口，建中心平台1座，井平台4座（残雪、春晓、断桥、天外天），产量25亿立方米/年，动用储量650亿立方米，投资88亿元人民币，开发期25年。 （王洲平）

【海洋矿产开发】 浙江省海洋矿产资源已发现并开发利用的除海洋石油、天然气外，仅有海砂资源和海底蛎壳资源及海岛上的建筑石料资源。海砂资源主要分布在舟山、宁波及温州洞头等地的海域，蛎壳资源主要分布于乐清湾、洞头附近浅海底部，建筑石料资源主要分布于舟山、洞头等地海岛。

蛎壳资源曾经少量开发，主要用于烧制石灰。2000年已全部停采。

海砂资源开发经国土资源部批准并颁发采矿许可证的采砂企业有舟山向往石桥采砂装运工程有限公司等4家。舟山向往石桥采砂装运工程有限公司为中日合资企业，申请在舟山册子岛东部与里钓山之间海域和长白山以北海域开采海砂，采砂海域面积5.35平方千米，年采海砂1 000万吨，开采时限2年，采矿许可证有效期从1998年8月至2001年7月。因海砂质量及海洋潮流影响等原因，2001年该企业未在上述规定的海域开采海砂，但在其他海域开采海砂759万吨。舟山巨能实业有限公司为股份制企业，申请在舟山西蟹崎西南和摘箬山以南海域1.1148平方千米范围海域内开采海砂，年生产规模300万吨，采矿许可证有效期从2000年4月至2002年4月。2001年该企业开采海砂228万吨。宁波经济技术开发区宁波港物资公司系国有企业，申请在宁波与舟山之间金塘水道东部海域0.5388平方千米范围海域内开采海砂，年生产规模500万吨，采矿许可证有效期从2000年6月至2002年6月。2001年该企业生产海砂18万吨。舟心市瑞昌采砂有限公司为个人集资的股份制企业，申请在舟山崎头洋海域1.197平方千米范围海域内开采海砂，年生产规模200万吨。该企业2001年实际生产海砂190万吨。

建筑石料生产主要集中在舟山、大榭、洞头等地海岛。2001年上述地区共生产花岗岩194万吨，凝灰岩534万吨。其中舟山群岛生产花岗岩

表2 浙江省海洋开发情况统计

统计项目		2001年
海洋捕捞产量（万吨）	合计	329.30
	鱼类	219.78
	贝类	26.08
	藻类	0.15
	虾蟹类	82.25
	其他	1.04
海水养殖产量（万吨）	合计	77.66
	鱼类	3.18
	贝类	65.57
	藻类	2.68
	虾蟹类	6.23
海洋水产业总产值（亿元）	合计	504.64
	海洋渔业	224.56
	其中：捕捞业	147.81
	养殖业	76.75
	水产品加工业	97.09
	渔具等修造业	22.30
	水产品批发业	129.79
	渔业服务业	30.90
海洋运输情况	沿海货运（万吨）	6 369
	远洋货运（万吨）	311
	沿海客运（万人）	1 748
沿海主要港口货物吞吐量（万吨）	合计	1.95
	乍浦港	1 019
	宁波港	12 852
	舟山港	3 281
	台州港	1 024
	温州港	1 314
滨海城市国际旅游情况	接待境外游客人天数（人·天）	726 928
	国际旅游外汇收入（万美元）	19 233
海盐生产情况	面积（公顷）	8 700
	产量（万吨）	47.7
	工业总产值(不变价，万元)	13 790
潮汐、风能发电情况	潮汐电站数量（个）	2
	年发电量（千瓦·小时）	6 066 000
	风能电站数量（个）	4
	年发电量（千瓦·小时）	209 318
沿海滩涂开发利用情况（公顷）	可利用面积	54 236
	已利用面积（其中养殖用）	43 517 (38 165)
滨海城市旅游接待能力	饭店个数（个）	278
	客房数（间）	26 815
	床位数（张）	48 370

192万吨，凝灰岩523万吨；大榭岛生产凝灰岩11万吨；洞头县生产花岗岩2.1万吨，凝灰岩3.7万吨。（魏夕生）

【海洋修造船业】 2001年，浙江省修造船合计13 792艘，其中造船623艘，修船13 169艘，造船综合吨位25.66万吨，实现工业总产值371 379万元，比上年增长73%，实现工业增加值96 572万元，比上年增长3倍多。当前浙江船舶工业还存在技术基础比较落后，缺乏应有的位置和必要的投入等问题，一定程度上制约了船舶工业的发展。

（方康保 应 晓）

海洋灾害与防御
Marine Disasters and Prevention

【台风暴潮】 2001年台风对浙江省影响较早，但无台风登陆浙江，直接影响的也较少，造成灾情不大。6月24日2号台风在福建登陆穿过浙江省，对浙江省造成直接影响。虽然汛期在西太平洋生成的台风个数接近常年，但有的在浙江以南沿海登陆，有的在海上北上，仅8号台风（桃芝）减弱成低气压。19号台风（利奇马）外围影响浙江省，造成温州、台州等部分地区局部灾害。8月3～5日，由于受菲律宾以东洋面上的热带云团在台湾以东洋面上加强为热带低压影响，西移进入浙江省境内并逐渐减弱，受其影响，浙南普降暴雨，局部大暴雨。

2001年第2号台风（飞燕）于6月20日14时在菲律宾以东的洋面上生成，6月22日2时发展为强热带风暴，14时加强为台风，中心气压970百帕，近中心最大风力有12级。2号台风于23日晚10时20分在福建省福清登陆，24日5时，中心位置已进入浙江省境内，经过泰顺、文成、青田、永嘉、仙居、天台、新昌、奉化、鄞县、镇海等地，于24日14时进入杭州湾，中心位置为北纬30.4度，东径121.7度，中心气压990百帕。此后，该台风（飞燕）逐渐远离浙江省，强度继续减弱。受这次台风影响，浙江省普遍降雨，局部雨量中到大，局部暴雨。受2号台风影响，加大了梅雨期降雨量，6月24～26日杭嘉湖、萧绍、温黄平原及东苕溪、分水江和一些小流域出现较严重的汛情。

2001年第8号台风（桃芝）于7月30日降为强

热带风暴，并于31日凌晨1时45分在福建省连江登陆，登陆时近中心最大风速30米/秒，5点中心位置为北纬26.7度，东经119.5度，减弱为热带风暴。低压中心7月31日下午进入浙江省境内。受该低气压环流和弱冷空气的共同影响，浙江省普降中到大雨，局部地区降了暴雨到大暴雨。

2001年第19号强热带风暴“利奇马”自9月22日在菲律宾以东洋面上生成，24日上午加强为台风，26日18时30分在台湾东南部登陆，减弱为强热带风暴，逐渐向闽北浙南沿海北上，30日2时减弱为低气压。受其影响，浙江省沿海温州、台州、宁波、舟山4市普降大到暴雨，苍南、乐清、路桥、黄岩出现特大暴雨。自27日8时至30日6时，飞云江、鳌江、灵江流域累计降雨超过100毫米，宁波普遍超过50毫米，绍兴、杭州、嘉兴东部30～50毫米。特大暴雨造成河道、水库水位猛涨，受潮水顶托，排涝受阻，苍南县江南平原普遍超危机水位，温州温瑞平原、台州温黄平原局部超警戒水位。由于局部地区暴雨集中，苍南部分乡镇一度被洪水围困，2万余群众紧急转移，1.33余万公顷农田受淹，路桥、黄岩和宁海部分农田受淹。

【标准海塘建设】 2001年浙江省标准海塘建设进入了续建配套的阶段，并逐步开展了建后的管理工作。由于1998～2000年度舟山和宁波市建成的标准海塘在2000年的12、14号台风袭击中经受了考验，发挥了显著的防台减灾效益，深受群众欢迎，但未加固达标的老海塘损毁严重，形成了鲜明对比。为此，千里标准海塘基本建成后，各地纷纷要求追加标准海塘建设计划，进一步提高沿海地区较重要海塘的防御能力。为满足沿海人民的需求，浙江省委、省政府决定对部分较重要海塘进行续建，下达了2001年标准海塘续建计划47条141.993千米，其中：舟山市42.99千米，台州市36.44千米，温州市41.18千米，杭州市2.83千米，嘉兴市12.13千米。同时，沿海各地狠抓沿塘水闸的配套加固，以形成塘闸整体防御能力。

至2001年12月31日止，浙江省已建成标准海塘1 160千米，其中：由浙江省下达建设计划的标准海塘已建成835千米（台州256千米、温州194千米、舟山202千米和钱塘江非险段183千米），宁波市计划单列完成325千米。累计完成土方3 145万立方米、石方3 271万立方米、混凝土459万立方米，投资50余亿元。

浙江省千里标准海塘建设的主要成效体现在：一是提高了沿海海塘的防台御潮能力。经过几年建设，浙江省大陆和海岛多数重要闭合区基本闭合，对于保护沿海地区生产力发展，推动促进沿海经济社会全面发展起到了重要作用。二是标准海塘建设综合经济效益显著。标准海塘在发挥防台御潮作用的同时，改善了沿海城镇投资环境，推进了农村产业结构调整优化，改进了沿海农民生产生活条件，推动了海洋经济和旅游业发展，改善了沿海生态环境。三是探索了水利建设新路子，创造出了海塘建设精神。在政府引导下，依靠社会力量，运用市场机制，筹巨资，短时间、高质量地建成千里标准海塘，在浙江省历史上是前所未有的。海塘建设的经验，为其他大规模水利建设提供了有益的借鉴。更为可贵的是，在千里标准海塘建设过程中创造的“海塘精神”，正激励着浙江省人民加快水利建设，有力地推动着浙江省的经济建设和现代化进程。千里标准海塘建设取得巨大成果，浙江省政府于2001年10月29日在杭州召开电视电话会议，隆重表彰千里海塘建设先进集体和个人，其中先进集体11个，先进个人145名。（沈水土）

【赤潮灾害防灾减灾工作】 2001年是赤潮多发年，浙江省近岸和近海海域共监视监测到大小赤潮22次，累计面积约7 000平方千米，造成直接经济损失2 000余万元。但由于防范工作及时有效，赤潮灾害损失大大低于往年。

2001年浙江海域主要赤潮有：4月7日，平湖油气田附近，面积2平方千米；4月9日，南麂列岛附近，0.6平方千米；4月9日，平湖油气田附近，面积10平方千米；4月15日，嵊泗列岛外海，9平方千米；4月21日，南麂列岛附近，20平方千米；5月10～7日，舟山中街山列岛，2 400平方千米，尖叶原甲藻、具齿原甲藻；5月12日，舟山虾峙门，具齿原甲藻；5月12日，渔山－檀头附近海域，小面积；5月13日，马鞍列岛，1 000平方千米；5月15～21日，南麂列岛附近，400平方千米，具齿原甲藻；5月15～20日，大陈岛附近，具齿原甲藻；5月19～21日，象山港薛岙、黄墩港附近，40平方千米，具齿原甲藻；5月21～23日，苍南县大渔湾，100平方千米，具齿原甲藻；5月22日，舟山中街山列岛，50平方千米；6月8～11日，苍南近海，400平方千米左右；6月15日，韭山列岛海域，5平方千米；6月15日，台州列岛，1 100平方千米，原甲藻；6月16～18日，舟山中街山列岛，1 400平方千米；6月18日，台州东矶列岛附近，1 000平方千米；7月1日，大陈岛附近，50平方千米；8月1日，嵊泗列岛，数十平方千米。

为了加强赤潮防灾减灾工作，浙江省海洋与渔业行政主管部门确立了“第一发现、第一监测、第一通报”的工作目标，采取了一系列预警和防范措施。主要做法是：建立赤潮灾害应急响应体系，制定《浙江省海洋与渔业系统赤潮防灾减灾工作预案》，向社会公众公布赤潮信息报告电话，并发放《浙江省赤潮监视监测辅助记录表》，动员在海上从事生产活动的渔民群众参与志愿监测；及时组织现场取样分析，获取赤潮生物种类、生物密度等主要参数，鉴别其毒性，监视其发展动向及时通报监测信息，指导渔民采取起捕、沉降网箱等措施减少损失；以象山港为试点，开展赤潮敏感因子定期、定点监测，及时掌握引发赤潮的环境因素的消长动态，为开展赤潮预警预测打下了一定的基础；建立健全赤潮防灾减灾信息传递制度，全年共向省政府、省委呈报赤潮专报信息7期，给沿海市、县发通报18期，对缓解灾情、减轻灾害损失起了积极作用。

（傅国君）

海洋公益事业
Marine Public Welfare Facilities

【深水网箱研发】 2001年，全国规模最大的深水网箱养殖基地——定海区长峙深水网箱高效养殖产业化基地建成，同时建成了以深水网箱技术开发为先导的嵊泗绿华高科技生态养殖示范园区和大陈岛海洋高科技养殖园区，普陀佛渡、岱山秀山、象山渔山等地也建起了初具规模的深水网箱养殖基地。浙江海洋学院中标国家“863”深水网箱高科技研究项目，并形成了研究、设计、生产、安装、销售、维修、服务于一体的集团队伍，保持着领先优势。舟山海洋科技有限公司研制的HDPE网箱，在福建连江经受“飞燕”台风的考验，罗源湾内的传统网箱在该次台风袭击下损失35 000箱，直接经济损失2亿余元，而在湾口的HDPE网箱和箱内所养的鱼类安然无恙。杭州飞鹰船艇公司和浙江省海洋水产研究所联合研制的碟型网箱升降自如，操作比较方便，箱体坚固，受到试验点用户的好评。专家鉴定后认为，浙江省3种柱型、碟型网箱均居国内领先，其中，浙江海洋学院研制的圆柱型网箱部分达到国际领先水平。截止2001年年底，在全国已下水的300余只深水网箱中，浙江省研制的深水网箱达265只，浙江省深水网箱的发展规模已跃居全国首位。省领导张德江、柴松岳、周国富、章猛进等充分肯定了深水网箱研发工作。“深水网箱研发工作取得突破性进展”被评为2001年浙江省十大科技新闻。

【海洋高科技园区和联合实验室建设】 为发挥全国4个著名渔场之一的舟山渔场的品牌优势，由普陀区人民政府、浙江工业大学、浙江海洋学院合作，建立了全国第二个（除山东荣成）、浙江省首个面积达700余公顷、规划投资10亿元的海洋高科技园区——浙江省普陀海洋高科技园区。2001年，园区孵化器大楼峻工使用，目前已有数家企业入园。

由中国科学院兰州化学物理研究所和浙江省研究机构、企业共同出资，组建了甲壳素研究与开发联合实验室，以甲壳素高值化和产业化为目标，推进甲壳素系列产品的技术升级。

【海洋遥感技术获得长足发展】 浙江省海洋遥感技术已在国民经济与社会发展急需的方面得到了很好应用。国家海洋局第二海洋研究所潘德炉院士领导的研究小组，在利用卫星资料开展海洋叶绿素、海表温度等以及赤潮等污染监测应用方面取得了丰硕成果，为中国海洋环境监测的高技术应用提供了新的手段。嵊泗县利用“海洋遥感预报海渔况技术”，科学有效地指导渔民出海捕捞。

【海水综合利用见成效】 浙江省积极开展海水淡化与海水综合利用技术的研究开发与应用示范。国家海洋局杭州水处理技术开发中心的研究成果已接近国际先进水平。2001年，该中心在山东省长岛县建设的千吨级海水淡化工程已经完成投产，目前，山东威海的海水淡化工程正在顺利进展之中。嵊泗日产1 000吨海水淡化装置顺利投产运营，目前正与国家海洋局天津海水淡化与综合利用研究所合作，进行大生活用水（冲厕用水）技术及其应用技术攻关。

【具自主产权的海洋新药上市】 中国第一只海洋生物治疗健忘症的中药新药——喜恩开胶囊，由杭州杭康生物药业有限公司研制成功并上市，首期达到了年产3 000万粒的生产能力，深受患者欢迎，市场销售情况良好。该药的研发走出了一条以中国传统中医药理论开发海洋药物的新路。 （张建荣 刘 建）

【海洋环境监测预报体系建设】 作为全省海洋环境监测和观测预报系统的核心组成部分——浙江省海洋监测预报中心（海洋预报部分）经过3年的筹建，至年底已基本建成，8月1日开始试预报，9月15日起已在“浙江农网”上正式对外发布海洋预报，12月上旬省机构编制委员会下发了《关于省海洋监测预报中心职能和编制问题的批复》（浙编[2001]98号），确定该中心事业编制32人，明确了该中心负责全省海洋环境监测与海洋预报的职责。12月29日，该中心正式挂牌成立。

结合市、县机构改革，积极推动全省海洋与渔业环境监测预报体系建设。至年底，累计已有宁波、温州、嵊泗、岱山、慈溪、象山港、玉环、洞头等市、县或重点港湾海洋环境预报台（站）已建成或基本建成。 （朱华潭）

【海洋防灾减灾工作】 组织完成了年度海洋灾害趋势预测，提出“2001年浙江省主要海洋灾害趋势预测”。组织省海洋监测预报中心、宁波市、温州市海洋预报台对影响浙江省的“飞燕”、“尤特”、“桃芝”、“百合”、“海燕”等5个热带风暴引起的风暴潮和巨浪进行了预报，参与省防汛减灾会商。搞好赤潮灾害的监视监测和信息发布工作。完成全省沿海防潮警戒水位核定工作。在前几年组织完成沿海市防潮警戒水位核定工作后，编制完成了全省沿海防潮警戒水位核定报告，通过专家评审和省有关部门验收，并经省防汛指挥部批准，以浙防汛〔2001〕53号文公布使用，结束了浙江省沿海无统一防潮警戒潮位的历史，对全省沿海防潮减灾、城市建设和经济发展发挥了重要作用。 （朱华潭等）

海洋国际合作与交流
Marine International Cooperation and Interflow

【水海产品出口】 2001年，浙江省累计出口水海产品48 558万美元，比2000年增长0.53%。出口的主要产品有：活鱼2 612万美元，比上年增长103.6%；冻鱼、冻鱼片12 102.8吨，出口金额17 440万美元，分别比上年增长69.26%和10.06%；鲜、冻对虾163.97吨，比上年增长1.69%，出口金额1 791万美元，比上年增长-29.47%；冻虾仁2 911.88吨，比上年增长-7.69%，出口金额11 109万美元，比上年增长-29.46%；其他水海产品6 322.39吨，出口金额15 605万美元，分别比上年增长35.29%和21.13%。浙江省水海产品出口的主要市场是韩国20 097万美元、日本16 119万美元、西班牙5 071万美元、美国2 965万美元、意大利1 500万美元。舟山市仍是浙江省水海产品的重点出口地区，2001年出口水海产品33 912万美元，比2000年下降2.9%，占全省水海产品出口总额的69.84%，其主要的出口水海产品是冻鱼（片）、烤鳗、冻虾仁、冻梭子蟹和鱿鱼干。

【涉海企业利用外资】 2001年，浙江省共批准涉海企业利用外资项目6个，其中养殖业项目4个，捕捞业项目2个，投资总额3 179.2万美元，合同外资金额1 768万美元。从投资方式看，有合资项目5个，分别是杭州卢福细胞工程有限公司、绍兴阿科普生物保健品有限公司、宁波隆丰远洋渔业有限公司、宁波双金水产养殖有限公司和宁波美科食品有限公司；独资项目1个，即舟山盛汇大成港开发有限公司。截止2001年底，浙江省累计批准涉海外商投资企业27家，投资总额10 456.65万美元，合同外资金额5 103万美元。其中有合资企业20家，合作企业2家，独资企业5家。 （程世昌）

【涉海企业国际投资与合作】 2001年浙江省批准涉海企业赴境外投资项目1个，即利比里亚渔业企业有限公司，投资总额95万美元。该企业是由舟山海口港成贸易有限公司出资95万美元设立的独资企业。截至2001年底，浙江省累计批准涉海企业赴境外渔业合作项目16个，投资总额4 734万美元，其中中方投资3 709万美元。浙江省舟山市是该省开展国际渔业合作项目的重点地区。2001年舟山市的舟山远洋渔业（有限）总公司等5家渔业生产企业派遣60艘渔船，支付合作（入渔）费400万美元，在印尼、阿根廷和缅甸等国从事渔业捕捞，捕捞总产量39 517吨，总产值19 597万元。（程世昌）

【国际劳务合作】 2001年，浙江省外派渔工、海员劳务近3 000人次，渔工主要派往台湾省，海员主要派往香港。2001年末在外渔工、海员899人，其中渔工劳务711人，包括对台远洋渔工318人、对台近海渔工353人、对日渔工88人、对摩洛哥渔工12人。2001年12月开始，浙江省有关部门认真贯彻外经贸部、国台办、公安部等6部委联合下发的《关于全面暂停对台渔工劳务合作业务的通知》要求，除继续执行未完成的合同外，已全面暂停对台远洋、近海渔工劳务合作业务。

（程世昌 阮根夫）

海洋立法与管理
Marine Legislation and Management

【机构沿革】 2001年，浙江省沿海市、县政府机构改革基本完成。宁波、舟山、台州、温州等省辖市和计划单列市及其所辖沿海县（市、区）分别成立了海洋与渔业行政管理机构，嘉兴、绍兴等省辖市及其沿海县（市、区）也分别在有关政府部门设立了海洋管理机构。至此，浙江省从省到县的海洋行政管理体系已基本形成。

（方康保）

【海域使用管理】 海域使用调查、确权发证工作稳步推进。至年底，海域使用调查登记工作除个别县（市）未全面完成外，其他各县（市、区）均按《浙江省海域使用管理办法》（省政府令第98号）规定的管辖范围完成了海域使用调查登记工作。根据省政府法制办会同省海洋与渔业局和省交通厅联合下发的《关于交通运输类用海项目实行海域使用统一管理的通知》（浙府法发[2000]43号）精神，2001年各地又全面开展交通航运和海水养殖类用海的调查登记工作，为下一步核发海域使用证打下了良好基础。据统计，2001年全省登记用海项目3 300余个，登记用海面积53 000余公顷，发证1 200余本，确权海域使用面积1.4万公顷。至此全省已累计登记海域使用项目6 300余个，面积约12万余公顷，累计发证1 684本，确权海域面积17.4万公顷。

海域使用金征收工作启动。根据《国家海域使用管理暂行规定》（[93]财综字第73号）和《浙江省海域使用管理办法》（省政府令第98号），浙江省海洋与渔业局会同省财政、物价部门，经多次调研论证，多方协调沟通，形成了有关方案，报省政府批准。省人民政府于5月9日发布了《浙江省海域使用金征收管理暂行办法》（浙政发[2001]31号），推动了浙江省海域有偿使用工作，已有部分县（市）开展海域使用金的征收工作。

《浙江省海洋功能区划》修编完成。浙江省海洋功能区划修编工作自1999年下半年开始，至2000年底，已基本完成4个重点海域（杭州湾、三门湾、乐清湾、象山港）的《专题区划报告》和总报告提纲。在此基础上，2001年上半年完成了总报告初稿，形成了《浙江省海洋功能区划报告》、《浙江省重点海域海洋功能区划专题报告》（杭州湾、三门湾、乐清湾）和《浙江省海洋功能区划》文本、登记表、图集等成果。2001年11月6日通过专家委员会评审，随后通过了国家海洋局的审核。11月23日，经省海洋功能区划工作领导小组同意报请省政府批准实施。12月31日，省政府下达了《关于印发浙江省海洋功能区划的通知》（浙政发[2001]83号），标志着浙江省省、市、县三级海洋功能区划体系已经基本形成，为开展海域使用管理提供了基本依据。修编后的《浙江省海洋功能区划》的海域范围主要为浙江省管辖的内海和领海，面积分别为3.09万平方千米和1.15万平方千米，此外还包括部分与海洋开发密切相关的依托陆域和东海油气田所在的区域。浙江省海洋功能区类型分为5个大类、4个级别，共划出609个功能区。其中开发利用类417个，治理保护类47个，自然保护类40个，保留类61个，特殊功能类44个。

海域行政区域勘界工作开始起步。海域勘界工作按照国家海洋局的总体部署，浙江省海洋与渔业行政主管部门成立了海域勘界工作小组，落实专人负责此项工作，着手开展浙沪、浙闽两条省际海域行政区域界线的调研工作。在苍南、嵊泗、嘉兴海洋及有关部门的配合下，开展了资料收集、现场勘察、组织座谈等工作，为省际海域勘界提供了非常宝贵的材料。（朱家立等）

【海洋执法监察】 举行首次海洋与渔业联合执法大检查——碧海行动。为维护国家海洋与渔业法律尊严，维护正常的海洋与渔业经济秩序，维护国家海洋权益，6月11～25日，浙江省海洋与渔业局在中国海监东海总队B-3808飞机的配合下，组织省海洋与渔业特编船队的7艘执法船，对全省实施伏季休渔、禁用电脉冲惊虾仪和海域使用、海砂开采、海洋倾废等情况开展联合执法大检查，共查处海洋违法案件5起。通过开展海洋与渔业联合执法大检查，宣传了海洋与渔业法律法规，展示了海洋与渔业执法队伍的风采，提高了海监与渔政执法队伍的知名度，查处了海洋与渔业违法事件，为今后继续开展海洋与渔业联合执法检查探索了路子，积累了经验。

组建统一的海洋与渔业综合执法机构。根据省政府《关于加快海洋渔业结构调整切实减轻渔民负担的若干政策意见》（浙政发[2001]53号），浙江省海洋与渔业行政主管部门拟订了《浙江省海洋与渔业执法队伍机构设置及人员编制配备实施意见》。本着“精简、统一、效能”的原则，拟将原有的海洋监察、渔政执法、渔港监督、渔业无线电管理等执法职能进行归并，组建为统一的海洋与渔业综合行政执法机构，经费纳入各级财政预算。此方案已于年底报省机构编制委员会审批。（纪志康　方康保）

【海洋资源与环境管理】 继续加强海洋开发管理专用资金管理。全年安排海洋开发与管理项目38项，重点安排海洋管理项目，如水产养殖区赤潮缓解和防治对策研究、浙江省海洋功能区划信息管理系统建设、浙江沿海风暴潮数值预报模式开发与应用、部分市县海洋环境监测预报中心建设。新建三门县蛇蟠岛和乐清市蒲岐镇2个“蓝色工程”示范区，并按照“蓝色工程”示范区管理办法开始着手编制规划。

加强海洋与渔业资源环境保护工作。组织开展了《浙江省海洋生态环境保护管理办法》、《浙江省海洋生态环境保护与建设规划》的起草工作。积极落实《浙江省海洋环境质量公报（报告）编制办法》，推进沿海市逐步开展此项工作。组织实施2001年浙江省海洋环境监测工作，编印了《20世纪末浙江省海洋环境质量报告（公报）》和《2000年浙江省海洋环境质量报告（公报）》，发布了6期浙江省重点海水养殖区海水质量通报。及时做好海洋与渔业水域污损事件的应急监视监测工作。会同有关部门及时做好岱山县海域发生的东海平湖油气田输油管道漏油污染事件、舟山市普陀区桃花岛货轮冲滩溢油事故的应急处理工作。参与审核了上海国际航运中心洋山深水港、平湖油气田二期开发、嵊泗县洋山大岙新区围海等6个海洋（海岸）工程建设项目的环境影响报告书。

强化海洋自然保护区管理工作。南麂列岛国家级海洋自然保护区初步列入全球环境基金“中国南部沿海生物多样性管理项目”国别项目，争取到了国家财政部、国家环保总局的国家级自然保护区专项资金。配合有关部门开展了宁波韭山列岛海洋资源保护区的省级申报工作，目前各类报告正在修改、补充完善之中。舟山市定海区五峙山鸟岛保护区升级报批工作业已完成。在上年实地考察和科学论证的基础上，经多方协调，9月份省政府正式下文，同意五峙山列岛升级为省级鸟类自然保护区，保护对象为鸟类资源和鸟类赖以生存的海洋生态环境。当地政府正在抓紧成立保护区管理机构，启动保护区总体规划编制。

（张元和等）

【海洋宣传工作】 为了贯彻实施好《海域使用管理法》，在12月29日《海域使用管理法》全国统一宣传日，举办了浙江省贯彻实施《海域使用管理法》座谈会，省委周国富副书记、省人大李志雄副主任等省领导参加会议并作了重要讲话，省各有关部门领导或代表及新闻记者50余人参加了会议。宁波、舟山、台州、温州等大部分沿海市、县也就贯彻实施《海域使用管理法》开展了一系列的宣传活动。12月18日，省海洋与渔业局还召开了全省《海域使用管理法》宣传贯彻工作会议，在认真学习《海域使用管理法》的同时，专题部署了《海域使用管理法》的宣传工作。（方康保）

【全省海洋与渔业工作会议】 2月6～7日，浙江

（下转第250页）

宁 波 市
Ningbo City

综 述
Summary

【概况】 宁波是全国历史文化名城、首批优秀旅游城市、环保模范城市，以“文薮之帮”、“东方大港”、“服装名城”等美称享誉海内外。宁波是中国进一步对外开放的计划单列市。全市下辖余姚、慈溪、奉化3个县级市，象山、宁海、鄞县3个县，市区设海曙、江东、江北、镇海、北仑5个区。全市陆域面积9 365平方千米、海域面积9 758平方千米，总人口543万人。

宁波历史悠久，具有7 000年历史的河姆渡文化遗址证明宁波是世界上水稻种植最早的地区之一，是中华文化的摇篮。公元821年，明州州治迁到三江口，并筑内城，标志着宁波建城之始。明洪武十四年（公元1381年）取“海定则波宁”之义，改称“宁波”，一直沿用至今。

宁波自古物阜民丰，改革开放以来，更是突飞猛进。2001年，全市实现海洋经济产业产值272.96亿元，比上年增长6.8%；全市海洋产业增加值达137.68亿元，比上年上升了13.73个百分点。2001年全市实现国内生产总值1 312.69 亿元，完成财政收入194.3亿元，分别比上年增长11.47%和31.27%，经济总量占浙江省的1/5。在全国15个副省级城市中，国内生产总值居第7位，地方财政收入居第3位。

进入21世纪，宁波正在积极实施“新世纪工程”，包括港口、交通、临港工业、信息化、城市化、科教、对外开放、农业水利、文化、人民生活等10个方面的重大基础项目，总投资超过1 000亿元，其中“十五”期间将完成700余亿元。届时，宁波这个现代化国际港口城市，必将如一颗耀眼的新星，在东海之滨熠熠生辉。

（赵世养）

表1 宁波市沿海市（县）一览表

沿海县级市	沿海（区）县
慈溪市、余姚市、奉化市	镇海区、北仑区、象山县、宁海县、鄞县

海洋资源开发与海洋经济
Development of Marine Resources and Marine Economy

【海洋渔业】 2001年，宁波市实现水产品85.21万吨，比上年增加3.6万吨，增幅为4.4%。其中：海洋捕捞为57.13万吨，比上年减少0.47万吨，同比下降0.08%，首次实现了农业部提出的海洋捕捞零增长目标；海水养殖为21.74万吨，比上年增加3.51万吨，增长19.25%。2001年全市实现渔业产值58.75亿元，比上年增长7.9%。其中：海洋捕捞25.31亿元，海水养殖25.11亿元，分别比上年增长-2.29%和15.93%。海水养殖产值逼近海洋捕捞产值。水产品出口3.36万吨，同比增长25.24%。在农产品出口增幅趋缓的形势下，宁波市水产品出口仍然保持了较强的增长态势。

中日、中韩渔业协定相继签署生效，捕捞空间大为缩小，给沿海捕捞渔区造成较大压力。宁波市审时度势，加大渔业结构调整力度，及时引导部分捕捞渔民转产转业，退捕从养、退捕从运、退捕从加。全年海洋捕捞专业劳动力减少693人，海水养殖专业劳动力则增加2 544人，其他专业劳动力亦有不同程度增加。2001年，全市继续加大水产养殖开发力度，水产养殖面积首次突破百万亩大关。在大力发展海水养殖中，注重技术创新，致力提高养殖效益。全年新开发深水抗风浪网箱70余只，为浙江省最大规模。2001年，宁波市还在宁海县明港和越溪两个乡镇进行了海水封闭内循环生态养殖试点，取得了明显效益，产生了示范效应，使宁波池塘养虾高产技术继续保持省内领先水平。

2001年，全市8大重点水产品批发交易市场共成交水产品55.08万吨，交易额40.47亿元，分别比上年增长21.85%和17.65%。

2001年全市人均收入为8 181元，同比增加319元，增长4%。其中渔民人均收入8 350元，同比增长3.7%，与往年相比收入增幅趋缓。

（赵世养）

【奉化桐照渔港被农业部批准为国家一级群众渔港】 根据桐照渔业发展的实际情况，2001年9月农业部委派的渔港工程专家对奉化桐照港址进行了实地考察。10月25日，农业部以农办渔[2001]85号文正式批准，奉化桐照港址条件及渔业经济发展水平符合国家一级群众渔港建设标准，同意将奉化桐照渔港调整为国家一级群众渔港。

【宁波海水良种场项目获农业部批准】 根据《全国养殖业良种工程建设规划》，农业部同意在象山县小蔚庄建设宁波海水良种场项目，重点培育大黄鱼、鲈鱼、黑鲷等亲鱼，以提高宁波市水产养殖品种质量，发展高产优质水产品养殖，增加渔民收入。

【首届浙江渔业博览会在甬成功举办】 由浙江省海洋与渔业局和宁波市人民政府主办、宁波市海洋与渔业局承办的首届浙江省渔业博览会于9月13～16日在宁波天马会展中心隆重举行。副省长章猛进、市长张蔚文以及农业部、省局领导和来自国内外的4 700名专家客商和数万市民参加了此次盛会。来自6个国家和地区及国内8个省市的270家商客参展，设展位320个。宁波市有59个企事业单位参展，设展位60个，获金奖10个、银奖7个、优秀产品20个，省营销大户10人。宁波市海洋与渔业局获本届渔博会最佳组织奖（第一名）。

（张士锋　许利君）

【海洋运输】 北仑深水良港的开发，是宁波经济发展的突出优势。宁波港这个颇受国内外港口专家关注的中国港口明珠，2001年货物吞吐量达12 658万吨，比上年增长8%以上，居中国大陆沿海港口第二位，集装箱年吞吐量达到121.27万标准箱，比上年增长34%以上，增幅连续3年位居全国大陆沿海主要集装箱港口首位，向国际集装箱干线港迈出了重要一步。海洋运输带动了外向型经济的发展。2001年，全市进出口贸易额达88.92亿美元，比上年增长17.9%，其中出口62.4亿美元，同比增幅20.8%，高于全国平均14个百分点。

以港口为中心的集疏运网络日臻完善。为加快建设现代化国际港口城市，提升城市竞争力，交通部、浙江省和宁波市不断加大港口集疏运网络建设的投入，使宁波港初步形成了高速公路、铁路、水水中转，航空等全方位立体型的集疏运网络。直达码头前沿的港区铁路，通过萧甬线与全国铁路网相连；沿海国道主干线、沪杭甬高速公路至北仑港区的延伸段，北仑港区至宁波的汽车专用公路，宁镇骆一级公路，329国道以及甬江隧道、常洪隧道和招宝山大桥等构成了四通八达的港区公路网，并与全国公路网融为一体。目前，宁波港沿海内支线不仅与省内及沿海港口紧紧相连，并通过江海联运，贯通了长江水系，直接覆盖整个华东地区及经济发达的长江流域，对外与80余个国家和地区的500余个港口有了贸易运输往来。这个集疏运网络还在不断延伸，杭州湾跨海大桥工程和铁路甬台温工程前期工作正在抓紧进行，宁波至金华及杭（杭州）宁（南京）等地的高速公路和杭甬运河宁波段改造工程正在建设之中。宁波港已逐步形成1个机场、1条运河、2条铁路、4条高速公路为骨架的集疏运网络。

（赵世养）

海洋立法与管理
Marine Legislation and Management

【“宁波市海洋与水产局”更名为“宁波市海洋与渔业局”】 2001年12月30日“宁波市海洋与水产局”正式更名为“宁波市海洋与渔业局”。宁波市海洋与渔业局设6个职能处室：办公室（政策法规处）、计划财务处、海域管理处、海洋资源环境保护处、渔业处（科技教育处）、经贸处。

【宁波市被批准为国家海域使用管理示范区】 2001年1月31日，宁波市被财政部和国家海洋局批准为第二批海域使用管理示范区之一。通过近一年海域使用管理示范区的创建，为国家海域使用管理立法工作等提供了许多合理使用海域的成功经验，得到了国家海洋局的充分肯定。

【宁波市海洋功能区划颁布实施】 宁波市人民政府于4月8日印发了《关于公布施行宁波市海洋功能区划的通知》（甬政发［2001］45号），正式公布施行《宁波市海洋功能区划》。根据宁波市所辖海域的自然属性和地理条件，《宁波市海洋功能区划》科学地划定了各个海域的主导功能和功能顺序，为海洋管理部门指导海洋开发利用与保护、协调开发利用活动中的各种关系、实施海域综合管理、保护海洋环境，提供了科学依据，使宁波市海洋功能更趋合理、完善，更好地为全市国民经济服务。 (张士锋 许利君)

【贯彻实施海域使用金征收制度】 为规范宁波市海域使用金征收管理，贯彻实施《浙江省海域使用金征收暂行办法》（浙政发[2001]31号），2001年宁波市发布了《关于贯彻实施浙江省海域使用金征收管理暂行办法的通知》（甬政发[2001]124号），使宁波市海域使用管理更加有序、规范，为海域法的出台和实施奠定了基础。

(黄 源 许利君)

海洋环境保护
Marine Environmental Protection

【赤潮灾害与防治】 随着海水污染的加剧，水中所含营养物质增多，导致了赤潮的发生。2001年宁波市近岸和近海海域共记录到赤潮3起：5月13～15日，渔山、檀头山附近海域发现红褐色呈片状分布的小面积赤潮，赤潮生物为具齿原甲藻；5月18～21日，象山港薛岙、黄墩港附近海域发现红褐色、局部沿岸呈片状、网箱区呈带状分布的赤潮，面积约30～40平方千米，赤潮生物为具齿原甲藻；5月21日，象山港港口横山码头附近海域发现红褐色呈条带状分布的赤潮，面积约20～30平方千米。

2001年4月24日，宁波市人民政府办公厅转发了市海洋与渔业局编制的《宁波市赤潮防治工作预案》。根据工作预案，由宁波市海洋与水产局牵头成立了赤潮防治小组办公室。在赤潮多发期，宁波市正式开通赤潮预报专线电话，及时发布《赤潮情况通报》、《宁波市赤潮监视监测简报》。 (涂金珠 许利君)

【首次发布宁波市海洋环境质量公报】 3月20日，宁波市海洋与渔业局正式向社会发布2000年度宁波市海洋环境质量公报。该公报根据宁波市海洋环境监测数据资料，对所属近岸海域的海洋环境质量状况作出了分析评价，突出了水产养殖区、海洋旅游度假区、海洋开发区等重点海域的海洋环境质量状况，并就解决海洋环境问题提出了对策和建议。 (张士锋 许利君)

【宁波市象山港海洋环境容量及污染物排放总量控制研究】 6月20日，由宁波市海洋与水产局主持编制的“宁波市象山港海洋环境容量及污染物排放总量控制研究工作大纲”通过专家评审，该项目预期在2003年6月底完成。通过研究象山港的环境容量，从而科学地确定该海域污染物应负荷的最大允许限度，从总量上控制来自各排放源的污染物负荷量，科学、合理地运用海洋自净能力，改善、保护海洋环境，达到防止海洋环境污染，走可持续开发海洋资源道路。

(涂金珠 许利君)

海洋科技与教育
Marine Science & Technology and Marine Education

【象山港科技兴海示范园区】 2001年象山港科技兴海示范园区被列为宁波市十大农业示范园区。市政府在2001年农业科技示范园区建设专项资金中安排250万元重点扶持示范区内的科技兴海技术攻关以及基础设施建设等项目。象山港科技兴海工作初见成效。

【种苗科技含量逐年提高，繁育品种不断增加】 种苗是渔业的基础，到2001年全市已形成30余家有一定规模的水产育苗基地，每年生产各种虾苗20余亿尾、蟹苗5亿只、鱼苗1 500余万尾，基本满足了宁波市养殖生产的苗种需求，带动了宁波市和周边地区水产养殖业的发展。为了推动养殖品种结构的调整，宁波市先后引进试养了美国红鱼、俄罗斯鲟、南美白对虾、南美蓝对虾等十几个养殖品种。海水养殖鱼虾蟹贝藻种类达30余种。水产良种化工作已经启动，象山港水产良种繁育中心已如期建成投产。

【养殖技术不断进步，养殖模式实现重大突破】 在科技进步的推动下，全市海水养殖规模不断扩大，到2001年已有养殖面积4.3万公顷，居全省首位，养殖模式发生了根本性变化。一是海水池塘养殖走出了一条有宁波特色的稳产高效的虾贝混养、鱼虾贝立体养殖和多茬养殖的新路子，海水池塘封闭式内循环对虾养殖试点每公顷达11 250

千克。二是宁波市首创了低坝高网养殖技术，滩涂开发面积超过2.66万公顷，为宁波市的“渔业增效、渔民增收”作出了贡献。三是养殖领域不断扩大。技术的创新、养殖模式的突破使“耕海牧渔”成为现实。目前宁波市网箱养鱼、延绳式养蛎、浮流式紫菜养殖发展迅猛。海水网箱养鱼发展到了6.7万只，深水抗风浪网箱已发展到80余只。四是开发了工厂化养殖示范点。五是海水品种淡水养，淡水品种海水养成效显著，海水网箱养殖河鳗获得成功。

【现代技术广泛应用，捕捞和加工能力显著提高】 随着科技的进步，世界各国都把尖端的技术应用于捕捞业。宁波市也加快了海洋捕捞技术改造，先后试验、推广疏目拖网、深水流网、金枪鱼钓和灯光鱿钓等多种作业技术；应用微冻保鲜、隔热鱼舱、活水鱼箱等现代化保鲜设备，使鱼货质量明显提高；通过对网具、灯具的改革，以及一系列综合增产技术的引进和助渔导航设备的应用，提高了捕捞效益。远洋渔业发展加快，远洋渔业生产海域从北太平洋，延伸至西南大西洋公海，产量达到2.18万吨，产值1.43亿元，成为宁波市渔业经济新的增长点。在养殖、捕捞生产发展的同时，先后引进了烤鳗、鱿鱼、鱼糜制品、机制紫菜等先进生产技术和湿法渔粉、单体结冻、脱水、风干等先进生产设备，改变了单一冰冻水产品的加工模式，水产品加工能力、质量水平得到显著提高，还研制开发了鱼油降脂丸、鲨鱼肝肽等海洋药物产品。全市已有15家企业获得欧盟及美国注册，这些企业依靠科技进步、质量管理，在激烈的市场竞争中创出信誉和牌子，企业实力逐步增强。 (钱嘉达 许利君)

统 计 资 料
Statistical Data

表2 宁波市海洋机构一览表

单位名称	建立时间	在职人员（人）
宁波市海洋与渔业局	1998年3月建立、2001年12月更名为市海洋与渔业局	92
慈溪市海洋与渔业局	2001年12月	24
余姚市海洋与渔业局	2001年12月	17
奉化市海洋与渔业局	2001年12月	42
象山县海洋与渔业局	2001年12月	65
宁海县海洋与渔业局	2001年12月	36
鄞县海洋与渔业局	2001年12月	24

表3 2001年宁波及各县（市）、区人口及从业人员情况一览表

单位：万人

市区县	年末总人口	农业人口	非农业人口	单位从业人口	职工人数
全　市	543.34	392.48	150.86	57.46	56.94
市　区	126.13	45.45	80.68	32.08	32.70
余姚市	82.79	67.15	15.64	4.4	4.30
慈溪市	100.83	86.24	14.59	4.75	4.67
奉化市	48.81	39.23	9.58	2.47	2.53
象山县	53.04	43.34	9.70	7.3	6.28
宁海县	58.42	51.81	6.61	2.17	2.18
鄞　县	73.28	59.25	14.03	4.29	4.28

表4 2001年宁波及各县（市）、区国内生产总值、工农业总产值（现行价）一览表

单位：亿元

市区县	国内生产总值				工 业		农 业	
	合 计	第一产业	第二产业	第三产业	总产值	增加值	总产值	增加值
全 市	1 312.69	100.34	718.91	493.43	1 629.66	651.87	156.42	100.33
市 区	581.32	13.07	288.98	279.26	751.58	254.80	19.98	13.07
余姚市	163.84	19.31	93.67	50.85	164.10	87.73	27.81	19.30
慈溪市	184.02	15.23	108.24	60.55	200.55	100.03	21.78	15.22
奉化市	62.87	9.14	32.83	20.90	78.50	30.88	14.57	9.13
象山县	82.02	19.48	41.04	21.50	72.21	35.92	37.38	19.47
宁海县	68.57	11.69	38.29	18.60	77.87	33.59	16.92	11.68
鄞 县	170.06	12.42	115.87	41.77	284.85	108.91	17.94	12.42

表5 2001年宁波市海洋开发资料统计一览表

统 计 项 目		数 额
海洋捕捞产量（万吨）	鱼 类	40.9164
	贝 类	4.4043
	虾蟹类	11.5837
	其 他	0.2274
	合 计	57.1318
海水养殖产量（万吨）	鱼 类	1.4325
	贝 类	17.7619
	虾蟹类	2.0605
	藻 类	0.4864
	合 计	21.7413
沿海港口货物吞吐量	总量（万吨）	12 852.3
	其中集装箱吞吐量（万标箱）	121.3
海盐生产	产量（万吨）	10.5
	产值（万元）	3839
沿海修造船	产值（万元）	44 236
滨海旅游	收入（万元）	653 319
	涉外旅馆数（个）	103
	境外旅游人数（人）	160 901
水产品加工	总量（万吨）	35.67
	产值（万元）	142 708.68
沿海石油加工	产值（万元）	641 970.75
浅海滩涂开发	新开发面积（公顷）	4 285

舟 山 市
Zhoushan City

综 述
Summary

【概述】 由1 390个岛屿和3 306座礁组成的舟山群岛是中国惟一的地级海岛市，座落于浙江省东北部，辖区范围东西长182千米，南北宽169千米，总面积2.22万平方千米，其中海域面积2.08万平方千米，陆地面积1 440.12平方千米（包括滩涂面积189.19平方千米）；辖定海、普陀两区和岱山、嵊泗两县。2001年政府行政机构改革，将4个街道129个居民区、63个乡镇774个行政村，拆扩并成9个街道129个居民区、36个乡镇729个行政村。年末全市户籍人口98.1万人，比上年减少3 090人，人口自然增长率-0.03‰。据第五次人口普查资料显示，全市人口分居在103个岛屿上。

2001年，舟山市综合经济实力增强，海洋产值比重增加。在江泽民总书记“开发海洋，振兴舟山”题词10年后的今天，舟山的社会、经济获得较快发展。2001年财政金融形势稳定，固定资产投资加大，公益性重大项目全面启动。国内生产总值达到126.69亿元，比上年增长10.26%，其中第一产业增加值33.05亿元，第二产业增加值43.18亿元，第三产业增加值50.47亿元，分别比上年增长0.6%、17.21%和12.08%。工业生产增势强劲，主导地位进一步突出。全年完成工业总产值154.94亿元，比上年增长25.5%，拉动全市经济增长4.9个百分点，贡献率达到41.9%；财政收入12.4亿元，比上年增长15.13%；固定资产投资额55.72亿元，比上年增长32.1%。全市实现人均国内生产总值12 894元，比上年增长10.44%。随着海洋开发意识的加强，海洋产业发展速度加快。据统计，2001年海洋产业总产值达到208.52亿元，比上年增长27.25%，海洋产业增加值达到73.77亿元，占国内生产总值57.6%。随着渔业结构调整，海洋产业结构更趋向合理化，海洋一、二、三产业增加值构成比由上年的52.72：16.39：30.89调整为33.86：28.01：38.13，结构更趋合理。

海岛旅游发展迅速，港口运输稳中有升。全市拥有46家旅行社、1 500名从业人员，旅游涉外饭店49家，全年接待国内外游客550.16万人，旅游经济收入21.42亿元，其中创汇3 374万美元。岛际交通网络拓宽，2001年新增客渡15艘、117客位，共拥有客渡轮船151艘、26 885客位、295车位，货物总运力887艘、60.45万载重吨。全年旅客运输量7 579万人（其中水运1 479万人），货物运输量3 101万吨（其中水运1 795万吨），分别比上年增长0.8%和5.23%。港口货物吞吐量3 281.02万吨，比上年增长2.88%，位列全国沿海港口吞吐量第9位。

控制海洋捕捞能力，兴起海水养殖热潮。2001年10月，舟山市面对中韩渔业协定生效后传统渔业作业空间缩小和近海渔业资源贫乏的困难，召开全市渔业结构调整动员大会，出台渔业结构调整的若干政策，促进了传统渔业向近岸和远洋“两头”发展，渔民转产转业从事海水养殖和水产加工业的人数迅速增加。2001年，海水养殖从业人员（包括兼业）由上年6 311人增至13 011人，水产加工业人员由上年5 594人增至5 776人。养殖面积由上年6 753公顷增至8 257公顷，各类网箱养殖达1.23万只，其中深水网箱90只，养殖产量由上年51 891吨增至63 427吨。机动渔船10 777艘、远洋渔船335艘，分别比上年减少133艘和增加36艘。舟山渔民开始走出国门，赴西非、南美、西南大西洋、北太平洋及印度洋等海域参加国际海洋资源开发和国际渔业竞争。2001年海洋捕捞能力得到控制，海洋捕捞产量与产值出现负增长，产量由上年129.30万吨降至122.45万吨，海洋水产品产值由上年的65.35亿元降至60.41亿元。

海洋管理机构不断完善，海洋综合管理能力得到加强。2001年9月，舟山市委、市政府实施《舟山市机构改革方案》，海洋局与水产局合并组建海洋与渔业局。11月，定海区海洋与渔业局成立，至此，舟山市及两县、两区海洋管理机构全部建立，渔政队伍的部分力量充实到海洋监察队伍中。按照《中华人民共和国海域使用管理法》和《中华人民共和国海洋环境保护法》综合管理海洋事务、合理开发海洋资源在该市展开。

2001年，有9个海洋开发管理项目被列入浙江省海洋开发管理专用资金项目，补助资金108万元；定海区长峙乡、普陀区桃花镇、岱山县高亭镇和嵊泗县嵊山镇4个浙江省“蓝色工程”示范区通过了省级评审；舟山市再次被国家财政部、国家海洋局列为全国海域使用管理示范区。至年底，已发放国家海域使用权证书295本，确权海域使用面积4 233公顷。第二批全国海域使用管理示范区和浙江省“蓝色工程”示范区建设的深入开展，推进了舟山海洋环境保护力度和海洋资源合理开发进度，促进了舟山海洋经济的快速发展。

（何仁义）

海洋资源开发与海洋经济
Development of Marine Resources and Marine Economy

【鱼种人工放流】 为保护和改善海洋资源，维护海洋生态平衡，使舟山传统的岱衢洋生物种群尽快得以恢复，岱山县政府于2001年6月22日，组织该县海洋局等有关部门在岱衢洋大西寨岛以北（中心位置30° 14′ N、122° 28′ E）实施了大黄鱼、对虾、梭子蟹等5个品种的鱼种人工放流。放流量达750万尾（只），总计经费预算50万元。

（傅伟达　李世杰）

【海洋捕捞】 2001年末，舟山拥有机动渔船10 658艘，比上年减少1.23%。其中，200马力以上钢质渔船3 845艘，比上年增加17.17%，总吨位和总功率为847 909吨位和1 990 913马力，分别比上年增加6.22%和4.42%。6月30日，中韩渔业协定生效后，大批渔船被迫撤出韩方一侧海域，捕捞生产受到严重冲击，捕捞产量自1989年以来首次出现负增长，年捕捞产量仅120.26万吨，比上年减少4.67%。在年捕捞产量超10万吨的4大重要作业中，除帆涨网作业因船只增加而略增产外（增幅2.12%），对拖作业、拖虾作业和定置涨网作业分别减产8.71%、12.99%和22.26%；在年捕捞产量3万吨以上规模的主要品种中，除带鱼、蟹类分别增产2.56%和5.12%外，小黄鱼、虾类、头足类分别减产41.45%、11.82%和14.78%。

（楼加金）

【海水养殖】 2001年是舟山市海水养殖“十五”发展规划实施的第一年，各级政府扶持海水养殖发展的力度进一步加大，养殖业发展势头明显增强，养殖基地建设初具规模，基础设施得到较大改善。

养殖面积明显增加 2001年舟山市海水养殖面积8 257公顷，产量6.34万吨，比上年6 753公顷和5.19万吨增长22.3%和22.2%。其中，浅海养殖1 062公顷，产量2.46万吨，增长63.7%和16%；滩涂养殖2 929.1公顷，产量0.81万吨，增长4.7%和26.6%；围塘养殖4 265.6公顷，产量3.07万吨，增长29.0%和62.3%。养殖品种有南美白对虾、中国对虾、日本对虾、刀额新对虾、梭子蟹、青蟹、大黄鱼、美国红鱼、鮸状黄姑鱼、鲈鱼、黑鲷、贻贝、蛏子、海湾扇贝、泥蚶、泥螺、文蛤、毛蚶、杂色蛤、青蛤、彩虹明樱蛤等20余种。其中，南美白对虾系第二年推广养殖，面积达794.3公顷，产量650吨。

浅海深水网箱试养兴起 2001年，舟山市渔业主管部门为拓展舟山浅海养殖，开展了深水网箱鱼类养殖，并对长涂钉咀门海域、佛渡双屿港海域、朱家尖东南海域等18个定点海区进行了水文调查，测得一系列水文数据。2001年，嵊泗县从美国引进飞蝶式深水网箱（周长72米，能自动升降）2只，试养于嵊泗绿华海域，连同2000年普陀区从挪威引进的4只深水网箱（周长50米，试养于普陀佛渡海域），全市共6只进口深水网箱，以及84只国产深水网箱（周长48米）下海试养美国红鱼、鮸状黄姑鱼、真鲷、鲈鱼、大黄鱼等。经过试养证实，深水网箱所养殖的鱼类较之普通网箱同种鱼类生长快、鱼体色泽亮、活力强，其肉质优于传统网箱所养鱼类，且越冬成活率高于普通网箱。但深水网箱抗海流能力较差，特别当流速大于0.8米/秒时，网衣飘移较大，箱内养殖空间明显减少；此外，网衣抗生物附着能力不强，网衣更换劳动强度较大。

梭子蟹养殖发展迅猛 梭子蟹养殖是舟山的特色养殖，由于养殖成活率较高，2001年增幅显著，养殖面积达到2 699.7公顷，产量达10 201.5吨，较之2000年分别增长35%和70%。养殖方式除围塘养殖、沙池暂养外，浅海笼养发展较快，该年全市养殖蟹笼达到38.6万只，是梭子蟹养殖户历年来取得效益最好的一年，每个劳力年收益超过20万元，最高的超过400万元，一般的也有4万～5万元。

（舒云华）

【养殖育苗】 2001年，舟山市进行海水育苗生产的厂家有12家，育苗总水体1.02万立方米，共育出虾苗11.13亿尾，鱼类苗种24万尾，梭子蟹530万只。此外，贻贝自然海区半人工采苗600吨。在育出的虾类苗种中，中国对虾苗3.51亿尾，长毛对虾苗3.27亿尾，南美白对虾1.998亿尾，日本对虾苗1.57亿尾，刀额新对虾苗0.778亿尾。全年海水养殖育苗总产值797万元，生产总成本509.2万元，净利287.8万元。（舒云华）

【大黄鱼人工养殖取得成功】 由舟山市水产研究所等单位承担的浙江省重大科研项目“舟山大黄鱼全人工养殖技术研究”，经3年实施，培育出3～7厘米规格大黄鱼鱼苗205万尾，育成率达到58.1%。保活捕自自然海区的岱衢族大黄鱼亲鱼11尾，在200立方米水体中育出3厘米以上鱼苗30余万尾。直接推广发展大黄鱼土池养殖160公顷。5月31日，该项目通过省级鉴定和验收，其主要技术达到国内领先水平。2001年全市养殖大黄鱼144.53公顷，计250余万尾。（孙汉振）

【海岛旅游开发】 2001年，舟山旅游经济呈现良好发展势头。全年接待国内外旅游者550.16万人次，同比增长19.7%，旅游经济收入21.42万元，同比增长18.8%，占全市GDP17%。其中，接待国内旅游者542.96万人次，同比增长20%，国内旅游收入18.64亿元，同比增长19.7%；接待境外旅游者7.19万人次，同比增长17.6%，其中外国人3.74万人次，港澳同胞1.57万人次，台湾同胞1.88万人次，平均逗留时间2.5天；旅游创汇3 360万美元，同比增长13%，其中旅游商品性外汇收入1 296万美元，劳务性外汇收入2 064万美元。

2001年，全市有46家旅行社（包括国际旅行社1家），从业人员达1 500人；有旅游涉外饭店49家，客房3 481间，其中星级饭店32家（三星级饭店7家，二星级饭店24家，一星级饭店1家），客房年平均利用率61%；全年营业额2.94亿元，上缴利税2 100万元。

休闲渔业成为海岛旅游新亮点 普陀区着力打造“休闲渔业”旅游新品牌，桃花岛塔湾金沙旅游公司新造6艘帆船，推出“洗海浴、踩沙滩、乘渔船、扯风帆、拔渔网、吃海鲜”等特色旅游项目。蚂蚁岛利用休渔期开设“当一天渔民”旅游项目；六横镇以“渔夫乐园”为品牌，开发建设龙头跳景区、海上人家、悬山岛景区等项目，将养殖基地、荒芜小岛、海礁风光等有机组合成海洋旅游特色产品。9月16日，六横镇举行了“首届开捕节”庆典活动，吸引游客近万人。

嵊泗景区2001年由嵊泗万宝大酒店投资80余万元扩大“海上人家”经营规模，新增游艇等游乐设施。开辟花鸟远东第一大灯塔、山海奇观、海上牧场（枸杞贻贝养殖基地）、绿华锚地等海上观光旅游线。五龙田岙村投资10万元，利用其特殊的地形地貌和古乡古色风景建造凉亭、道路等基础设施，开办“渔家乐”特色旅游基地。

开展景区（点）质量等级评定 按照1999年6月14日国家质量技术监督局批准发布的《旅游区（点）质量等级的划分与评定》标准，舟山市于2000年10月开展景区质量等级评定。2001年1月1日经国家旅游局评审批准，舟山普陀山国家级风景旅游区正式被命名为全国首批“AAAA”级风景旅游区（4A为旅游区最高等级）。2001年底，朱家尖旅游区通过浙江省旅游局3A级初评，定海马岙、小沙旅游区被国家旅游局列入1A级国家旅游区。

【全国公路自行车赛在嵊泗举办】 2001年8月5～8日，在嵊泗县举办“嵊泗环岛杯”全国公路自行车赛，这是继2000年举办首届全国航海大赛后，嵊泗县承办的又一次全国性赛事活动。全国11个省市代表队，81名男女运动员参加比赛。中央电视台、上海卫视、浙江卫视等十几家国内知名媒体全方位报道本次赛事活动。（崔立红）

【舟山市建造首艘大洋性金枪鱼钓船】 浙江扬帆船舶集团有限公司自行设计建造的大洋性500吨超低温保鲜金枪鱼延绳钓船于2001年2月16日正式交付使用。该船长56.4米，宽8.71米，型深3.75米。采用驾驶室集控，机舱无人值守技术装置，被列为国家重大装备国产化创新研制项目，适航Ⅰ类航区，鱼货保鲜舱室温能保持在-55℃以下。该船其主要技术和经济指标均达到国外同类产品水平。

【舟山首次制造出口船舶】 2001年10月8日，由浙江扬帆船舶集团有限公司建造的“BORNHOLM”号多用途集装箱船驶离该公司舾装码头。这是该公司首次承建德国劳氏船级社的批量（5艘）出口船只之一，船长99.953米，型宽16米，型深7.6

米，载重4 350标准吨，是迄今为止舟山船舶工业建造的吨位最大、技术要求最高的出口船舶。

（方万年）

【海洋盐业】 2001年，舟山盐业继续围绕深化食盐专营这一中心任务，以贯彻落实国家经贸委《关于开展打击非法加工经营食盐专项行动的紧急通知》为契机，开展盐业专项整治，规范盐业市场，深入开展“盐业质量年”活动。按照《浙江省食盐批发企业行为规范》的要求，坚持“质量第一、优质高产”的方针，组织全市55个盐场，实行放销“三到场”（即：场村长、滩长、放销员到场）和“五检查”（即：预化质量、加碘机、缝包机、磅秤、合格证检查）制度。该年实际生产面积4 020.78公顷，产盐24.96万吨，比2000年减少1.24万吨，完成浙江省年度盐业计划18万吨的138.66%；销售各类盐产品21.95万吨，完成省年度计划21.30万吨的103%，其中碘食盐18.19万吨，出口日本140吨。对原盐质量按照GB5461-2000食用盐新国标，采用GB／T8618-2001制盐工业主要产品取样方法进行质量评估，国标一级品率为51.92%，平均氯化钠含量为92.26%，平均白度63.20度。

2001年，盐业结构调整稳步推进，碘盐生产和销售稳定增长。全市共有187.13公顷废盐田转产，盐田规模效应和劳动生产率得到提高。多品种盐的开发取得进展，先后开发生产低钠盐、高级自然晶盐等多品种盐243.61吨，加工生产销售碘盐6.54万吨，比2000年增加0.83万吨，经卫生防疫部门检验均符合国家标准。

（朱新平 陆国良）

【海水淡化】 2001年6月7日，嵊泗县日产1 000吨反渗透海水淡化工程配套系统全部完成，成功调试出水，并进入试运行阶段。8月23日，嵊泗县城建局组织有关专家对该工程进行了现场验收，认为基本符合设计要求。12月20日，该工程进入连续运行阶段，运行情况良好。（张海斌）

海洋公益事业
Marine Public Welfare Facilities

【全省首家“鱼虾蟹贝医院”成立】 9月27日，舟山市“鱼虾蟹贝医院”成立，浙江省海洋与渔业局局长夏阿国、市委书记王辉忠、市长张家盟到场剪彩祝贺。这所专为海水养殖服务的医院设在舟山市防疫站。该院拥有毒理实验室和微生物实验室，拥有高效液相色谱仪、离子色谱仪、生化分析仪、原子吸收仪等设备，先期开展的269项检测项目均通过国家认证。该院主要服务于养殖区域水质、养殖饲料、养殖产品病害因素、养殖产品质量及养殖中突发病害的检验检测及养殖卫生咨询。

（邬振元）

【海岛交通】 2001年岛际交通投入5 760万元，建成码头6座。其中岱山县共投入1 518万元，主要完成了秀山兰山交通码头建设以及高亭客运码头2号、3号泊位改造；普陀区投入交通建设资金2 340万元，完成了六横龙山车渡码头、沈家门车渡码头、台门客运码头扩建等工程。重点工程定海客运码头和普陀沈家门车渡码头已于2001年完工交付使用，质量等级均为优良。2001年，新增客渡运船15艘、1 177客位，强制报废客渡运船22艘、3 847客位。货运船舶强制报废5万余吨后，总计净增17艘、1 889载重吨。至年末，全市拥有客渡运船151艘、26 885客位、295车位。货运总运力887艘、604 493载重吨。完成水上旅客运输量1 479万人次，货物运输量1 795万吨。新辟航线5条，其中4条为快速客运航线，基本完成了旅游“金三角”地区20客位快艇的更新改造工作，使舟山交通经济圈进一步拓展。

（傅国强）

【大陆连岛工程建设】 舟山市连岛工程是舟山连接大陆的岛陆交通主干线。工程起于329国道鸭蛋山西端的舟山岛岑港，西至宁波与沿海高速公路相接，全线建设里程48千米，先后连接里钓岛、富翅岛、册子岛、金塘岛等岛屿。大桥道路采用一级公路标准建设，路基宽22.5米，双向4车道，工程静态投资74亿元人民币。2001年底，连接舟山岛与里钓岛的岑港大桥主体工程顺利完成。该桥长792米，主桥采用预应力混泥土T型形式，桥梁通航等级为300吨，通航净高17.5米，通航净宽2×40米；连接里钓岛与富翅岛的响礁门大桥下部构造已经完成，上部构造已完成主桥连续梁浇筑4 000立方米，累计完成投资1.622亿元，比原计划（75%）超额完成4%。该桥长941米，主桥采用预应力混凝土连续结构，桥梁通航等级500吨，通航净高21米，通航净宽135米。连接富翅岛与册子岛的桃天门大桥于3月28日动工，年度完成A、B主塔的基桩及承台施工，累计完成投资6 500万元，比原计划（20%）超额完成3%。该桥长888米，桥梁采用混合式双塔斜拉桥形式，主跨580米，桥梁通航等级为2 000吨，通航净高32米，通航净宽280米。大陆连岛工程的建成，必将为舟山经济实现新跨越注入新的动力。(林　静)

【海岛通信】 2001年，舟山通信业从海岛实际出发，在市场竞争中加强电信、移动、联通3公司间合作，加大通信投资额度，积极发展海岛通信事业，整体服务水平继续提高，全年完成业务收入5.689亿元。年末城乡固定电话（含小灵通）用户29.68万户，比上年增长30.9%；全市移动电话用户27.75万户，比上年增长55.7%。全市电话普及率（含移动电话、小灵通）由上年的每百人41.2部提高到58.5部。数据网络服务业务发展较快，年末数据通信基础用户1 220户，国际互联网络用户4.51万户，分别比上年增长15.2%和3.6倍。

舟山电信分公司全年完成业务收入2.53亿元，新扩（新建）交换设备4.5万门，市农话用户净增5.07万户；完成2期PHS（公众无线电话系统）工程建设，发展小灵通用户近2万户；发展宽带用户1 000户，163/169拨号业务用户2.71万户，安装IC卡公用电话1 317部。在全市2县2区新建多个接入层SDH传输环，完成全市接入层SDH传输网管系统安装和DCN网与九七系统并网工程；完成全市交换机计费实时联机采集工程和电子工单系统建设；建成市党政机关计算机信息网络系统；完成定海城区光缆物理网扩容和宽带明管暗线改造工程；完成普陀山-东极微波传输工程和嵊泗-定海PDH改造工程。舟山电信基本实现交换、传输、电力等各个专业的全面集中监控和管理。1月，定海电话区建成。5月，宽带网开通。6月，省市重点工程——舟山市第二长途电信枢纽楼开工。

舟山移动分公司全年完成业务收入2.37亿元，发展用户12.85万户，用户总数近18万户，全市长途来话接通率63%，无线接通率99.9%。年内完成GSM网络第九期建设工程，新增交换容量15万门，新建基站46个、直放站4个，新增载频312个；开通舟山G2交换机，相继开通和扩容部分城区、风景区的基站和微蜂窝；完成GPRS二期工程，对移动通信无线系统、客服平台交换机进行软件升级。实现了中国移动通信网络在城区、重要经济大岛、经济发达乡镇、沿海渔场、旅游景区、主要航道的连续覆盖和在星级酒店、大型商场、办公大楼的无缝覆盖。

舟山联通分公司全年完成业务收入7 890万元，发展用户7.28万户，用户总数9万余户，无线接通率89.24%。全年新建线路146千米，新立杆路85千米。与舟山广电合作利用有线电视网开展宽带网建设；完成舟山本岛-岱山-大衢-嵊泗的SDH微波第二路由建设；开通舟山-宁波海底光缆2.5G波分设备。7月，开始建设CDMA网络，至10月完成一期工程，新建基站32个；全年完成CDMA网2.1期增补基地15个、直放站10个建设；完成数据ATM、VOIP的升级、扩容，17911智能网设备的安装、测试与开通，CC08128模交换机的扩容安装。截至年底，网上寻呼用户8.25万户，GSM网基站120个，移动交换设备容量13万门，HLR容量增至20万门，无线信号人口覆盖率达87%。

5月，吉通网络通信股份有限公司舟山分公司工业，主要经营IP电话、网络接入等业务。

(王志宏　孙岱象　邵炜恺)

【海岛供电】 2001年，舟山市电力系统开展“电力市场整顿与优质服务年”活动，定海、普陀、岱山、嵊泗4个县城供电营业厅全部达到国家级示范窗口标准，市电网六横、金塘、虾峙、岑港、展茅5个乡镇（海岛）供电营业所达到省级示范窗口标准。舟山电网继续保持安全稳定运行，全年完成发电量12.68亿千瓦小时，售电量7.83亿千瓦小时，电力销售收入7.02亿元，分别比2000年增长8.92%、15.68%、9.69%，实现利税总额1.17亿元，新增电力用户1.3万户，完成一户一表改造0.9万户，总供电量11.86亿千瓦小时，比2000年增长13.54%；年人均占有电量1 006千瓦小时，比2000年增长13.20%。通过联网线路向浙江省电网输送电量3.11亿千瓦小时。年末，发电装机容量达25.56万千瓦，其中汽轮发电机组容量22.35万千瓦，柴油发电机组容量3.18万千瓦，风力发电机组容量0.03万千瓦，110千伏变电所3座，35千伏变电所24座，总容量55.72万千伏安，35千伏及以上输电线路52条，总长度512.55千米，海底电力电缆198.35千米。

舟山本岛电网向岱山岛供电　2001年，投资8 700万元继续实施完成上年动工兴建的岱山岛至舟山本岛110千伏交流双回路电力联网工程。3月16日，联网工程跨海立塔架线正式动工，输电线路全长21.33千米，共建铁塔36基，双回路架设。其中海上跨越线路9.6千米，陆地线路11.72千米，最高铁塔175米。9月26日，输电线路全部架通，次日，线路试送电成功。12月31日，舟山本岛电网正式向岱山岛供电，由此，岱山电网平均电价下降0.17元/千瓦小时。

海岛发电机组增容与改造 为确保大衢岛供电，2001年1月投资300万元，对大衢电厂进行2×1 250千瓦柴油发电机扩建。7月至9月底，二台机组先后竣工发电。是年，大衢电厂完成对原6台柴油发电机组电气部分的彻底改造，保证了机组正常运行。为满足马迹山港设备调试用电需求，2001年3月下旬，在泗礁电厂进行2×5 000千瓦柴油发电机组增容与扩建。工程共投资1 346万元，由嵊泗电力公司负责施工安装。7月底，扩建工程竣工投运，并向马迹山码头专线供电。

城镇配电网络建设和农村电网改造初见成效 2001年，全市新建并投运110千伏变电所1座，35千伏变电所3座。架设和改造配电线路80.4千米，城区新增公用变压器50台，容量12 500千伏安。农村电网改造、农电体制改革和城乡居民生活用电同网同价工作力度加大，至年底，全市已完成同网同价村90个，农步同价村65个，减轻农民负担200余万元，促进了农村经济发展。（唐定康）

海洋环境保护
Marine Environmental Protection

【岱山县海洋环境监测站授牌成立】 2001年6月21日，中国第一家由国家海洋局同地方政府共建的县级海洋环境监测站——岱山海洋环境监测站（岱山县海洋预报台）举行签字仪式，并正式授牌成立。该站依托宁波海洋预报台长涂海洋站的现代设备与技术要素，安装海洋自动监测系统，建立无人值守的工作模式，并纳入中国海洋环境监测系统。实行以国家海洋局宁波海洋预报台管理为主，岱山县人民政府协同管理的领导体制，承担岱山县人民政府和上级业务部门下达的海洋环境监测预报任务，实现对岱山县沿海定点、长期、连续的海洋环境监测和实时数据传输，提供及时准确的海洋环境预报，为岱山县海洋资源开发利用、海洋生态环境保护等提供技术支撑和服务。（何仁义）

【海洋预报】 2001年，舟山市海洋预报工作全面步入正轨，继嵊泗县2000年12月1日开始海洋预报之后，岱山县于2001年6月1日开始对全县主要港口、海区的潮位、海浪信息进行预报。舟山市海洋局也从7月1日起开始了全市主要岛屿、海区的潮位和海浪预报。至此，舟山的海洋预报体系基本形成，在全年5个台风及强热带风暴影响舟山期间，向该市各级政府及有关部门及时提供了潮汐和海浪预报信息，为防台减灾促进舟山经济发展起到了应有作用。

【鸟岛自然保护区】 通过几年努力，舟山市定海区五峙山鸟岛自然保护区的基础设施条件得到较大改善，并申报省级自然保护区。经过专家们多次现场考察、验证，2001年9月，浙江省政府批准其为省级自然保护区。至此，五峙山岛成为该省惟一的海岛型省级鸟岛自然保护区。该保护区总面积为500公顷，其中核心保护区面积为20公顷，缓冲区面积为130公顷，实验区面积为350公顷。目前，该保护区将在充分保护生态环境的基础上，力争建成鸟类科研、旅游及休闲基地，成为舟山旅游业的一个新亮点。（翁良才）

海洋灾害与防御
Marine Disasters and Prevention

【防台防汛】 2001年舟山市未发生有影响的热带风暴、台风。在防御台风工作上，重点制订了县区、乡镇的“防台防汛方案”，并编制完成了“县级范围和县级以上城镇洪水风险图”。建设水文遥测系统1个中心站、4个雨量站、1个潮位站。实行市防办计算机中心与4个县区防办实现计算机联网。购置了气象卫星云图接收系统，开发了相应软件支持系统。（周中楠）

【围堤建设】 2001年，全市建设设计重现期为50年、工程等级为Ⅲ级的海塘18条，长38.27千米；建设设计重现期为20年，工程等级为Ⅳ级的海塘6条，长4.72千米。（毛广明 陈开平）

表1　2001年标准海塘建设情况一览表

设计标准	县(区)	定海区	普陀区	岱山县	嵊泗县	市本级
50年一遇设计重现标准	条数(条)	6	2	6	2	2
	长度(千米)	12.22	7.9	12.1	2.5	3.55
20年一遇设计重现标准	条数(条)	2	4			
	长度(千米)	1.82	2.9			
合　计	条数(条)	8	6	6	2	2
	长度(千米)	14.04	10.8	12.1	2.5	3.55

海洋科技与教育
Marine Science & Technology and Marine Education

【舟山科技】 2001年舟山市投入科技三项经费278.35万元，投入新产品开发经费200万元，争取到上级科技补助经费368万元。组织实施市级以上各类科技计划项目193项。18项科技项目通过市级以上科技主管部门组织的鉴定、评审和验收。4项科技成果获浙江省政府科技进步奖，24项科技成果获舟山市政府科技进步奖。认定登记技术合同117项，成交金额861万元。建立了12个特色渔农业产业科技示范基地。2001年8月，舟山市政府批准成立“舟山市水产养殖技术研究开发中心”，主攻水产养殖的饵料研究与开发。随之，有10家企业相继建立技术研究发展中心，以科技为先导发展海洋经济的氛围越来越高。普陀区、岱山县、嵊泗县成为全国科技进步先进县（区）。

6月，浙江省委、省政府召开全省农业科学技术大会，舟山市8位农业科技人员在会上受表彰和奖励。其中：浙江省海洋水产研究所徐君卓获得“浙江省农业科技突出贡献者”称号，奖励人民币20万元；浙江省海洋水产研究所宋海棠、浙江海洋学院吴常文、舟山市农科所叶阿宝、舟山市水产研究所倪梦麟、舟山市普陀区科委李碧清、嵊泗县中兴水产品有限公司郑根仕、岱山县水产局董彭年等7位同志获得“浙江省农业科技先进工作者”称号，各奖励人民币1万元。

表2　2001年舟山市科技计划项目表

单位：项

项目类别	项目数量	分行业				项目类别	项目数量	分行业			
		工业	农业	渔业	其他			工业	农业	渔业	其他
合　计	348	145	68	97	38	新产品	46	46			
国家级：小计	4	2		2		市级：小计	112	38	27	32	15
创新基金	1	1				重点项目	9	3	1	5	
星火计划	3	1		2		科技项目	64	22	13	14	15
省级：小计	77	55	6	13	3	星火项目	10		4	6	
重大项目	1			1		结转项目	29	13	9	7	
重点项目	4		1	2	1	县级：小计	155	50	35	50	20
科研项目	2	1		1		科技项目	114	43	2	33	17
高新技术贴息计划	6	6				星火项目	21	3	7	11	
科技兴海	6			5	1	结转项目	20	4	7	6	3
星火项目	12	2	5	4	1						

注：新产品中含2001年经贸委系统省级新产品试制计划项目20项。

【浙江省首家海洋高科技园区在普陀启动】 4月，普陀区政府与浙江工业大学在杭州签订“共建普陀海洋高科技园区”协议。7月，《浙江省舟山市普陀区海洋高科技园区规划》在杭州通过省科技厅组织的专家评审。11月，投资10亿元、面积666.67余公顷的浙江省首家海洋高科技园区——“浙江省普陀海洋高科技园区”全面启动。普陀海洋高科技园区分核心区、示范区、辐射区3大部分。其中核心区包括勾山、沈家门海洋生物加工区、六横围塘网箱养殖区、朱家尖梭子蟹精养区。

【舟山深水网箱研制项目被列入“863”计划】 11月，由浙江海洋学院等单位承担的《深海抗风浪网箱研制》项目被国家科技部列入“863”高科技研究计划。这是舟山市第一个列入“863”计划的项目。该项目总投入5 000万元以上，科技投入200余万元。主要任务是：研制适合中国各地气候、海况条件的多种类型抗风浪深水网箱；建立中国深水网箱设备国产化生产加工基地；兴建国内最大深水网箱养殖科技示范基地（园区）及培育浙江省乃至中国深水网箱养殖技术工程中心。目前，该项目已研制成功，并在舟山等部分地区推广试行。 （孙汉振）

【舟山教育】 2001年，舟山教育经费总投入54 901万元，其中财政预算内教育经费投入30 131万元。投资近2亿元的南海实验学校落成，9月1日开学，首期招生1 800人。浙江省第一所全免费寄宿制义务教育学校——舟山市千荷实验学校8月23日奠基；为市民提供终身教育的舟山蓉浦学院于12月30日挂牌成立；舟山市与定海区教育局经7年合署办公后于9月分离；舟山海洋渔业公司子弟学校经38年企业办学后成建制划转归市教育局。全市中小学信息技术教育得到进一步强化，建有电脑房158间，拥有计算机8 573台，达到国家和省级现代教育技术学校的有20所。舟山教育网被评为“浙江省特色网站”。全市初中毕业生升入高中段学校的比例达到79.94%，高中教育档次提升，学校规模大幅度提高，舟山职业技术学校等3所学校分别被评为浙江省一级、二级重点职业中学。全市高考万人上五线比例为全省第二，上一线比例居浙江省首位。《中国教育报》“世纪初年看教育”报道组专程采访舟山，连续6期推出介绍该市海洋教育、国防教育、信息技术教育、办学体制改革诸方面文章，引起较大反响。

2001年，3所高等学校在校生5 624人；5所普通中专在校生2 920人；74所普通中学（初中58所，高中16所）在校生共57 962人（初中44 226人，高中13 736人）；有职业中学9所，在校生7 703人；普通小学145所，在校生共60 673人；有幼儿园206所，在园幼儿共21 216人；有特殊教育学校2所，在校生85人；有各类成人学校(不含成人高校)68所，在校生共2 575人。全市各级各类学校教职工共12 486人，其中专任教师9 434人。

【中小学海洋教育】 2001年，舟山市教育局编写《海洋教育读本》（小学版），以小学五、六年级学生为对象，将海洋教育纳入学校的社会实践课程。普陀区虾峙中心小学、勾山中心小学、普陀山学校、莱园镇第一小学等研究开发了校本课程。5月初，海洋教育成果赴上海参加国家海洋开发成果展览。5月底，在全市中小学生中开展了海洋文化、劳技、美术作品大奖赛。6月1日，在定海海山公园举办了中小学海洋教育成果展览。是年，定海四中“以‘海洋风情’为主线的乡土美术教学的研究与实践”获浙江省“九五”教科规划重大研究成果二等奖，虾峙中心小学的“海岛小学‘面向未来’课程改革实验与研究”获浙江省基础教育科研优秀成果三等奖。

【涉海学校】 **浙江海洋学院** 浙江海洋学院是一所以海洋为特色，海洋科学、水产、船舶与海洋工程为重点的多学科相结合的省属本科院校。该校占地面积21.68万平方米，建筑面积近13万平方米，藏书45.11万册，固定资产值1.4亿元。设工程学院、渔业学院、海洋科学与技术学院等10个学院（校）、4个直属系（所）；设海洋技术、海洋科学、船舶与海洋工程等17个本科专业和若干专科专业。是年，在校生4 785名，招生1 624人，毕业生630人，毕业生当年就业率达到78.3%。教职工782名，其中专任教师378名，高级职称人员109名。学校承担了29项重大课题的研究与开发，由该校牵头的浙江省第一个海洋类高科技项目《深海抗风浪网箱养殖研究》列为国家科技部“863”科技研究计划。是年4月中国科学院院士、著名物理学家冯士筰受聘出任浙江海洋学院院长；6月，浙江海洋水产研究所成建制进入；11月，占地26.67公顷，投资5亿余元的扩建工程奠基动工。

舟山航海学校 舟山航海学校占地4.53公顷，建筑面积20 997平方米，教学设备达1 800万元。在册学生1 177人，秋季招生330名，毕业生349人，其中66名应届毕业生外派到香港金山轮船有限公司、香港OOCL公司、香港太古轮船有限公司、德国俞文兴公司等多家船业公司求职，58名毕业生参加成人高考并被录取。学校开设了船舶驾驶、轮机管理、驾轮合一、饭店服务与管理、电子商务、水产养殖、食品加工等7个专业。是年，该校通过浙江省一级重点职业技术学校评估。船舶驾驶专业被评为浙江省职业技术学校示范专业。该校还与青岛远洋船员学院合作成立大专函授点，进行船舶驾驶和轮机管理两专业大专学历教育。 （李浩军）

【科普宣传】 2001年9月22日至10月20日，舟山市科协举行为期一个月的新世纪科普宣传月暨首届学术论坛活动。宣传月期间，舟山市科协组织科技、医疗专家分别下海岛，开展科技服务。除设摊进行咨询和义诊外，还就环境保护、蔬菜栽培、水产养殖等为200余位专业户作了专题讲座。科技人员还到种、养殖基地，为专业户进行面对面的服务、指导。9月22日在定海开展了以“科学、文明、发展”为主题的科普一条街活动。有26个单位191名科技人员参加了科技咨询和医疗义诊活动，展出科普画板198块、实物标本29件、发放各种科普书籍、资料10 191份。舟山市土木建筑学会制作了舟山新城模型，市珠算协会组织了幼儿、小学生的珠算心算演示。丰富多彩的活动吸引了5 000余居民和中小学生观看、咨询。同时，邀请上海海运学院宗蓓华教授作“上海国际航运中心建设和舟山港口发展”的报告，报告对大家关注的舟山港口发展问题阐述了观点，激起了500余名到会人员的浓厚兴趣。

为推进乡镇“三个代表”教育，促进渔农业产业结构调整，舟山市科协编撰了9种实用性较强的科技书刊，于3月15日举办科技书刊赠送仪式，向4个县（区）和市属4个街道赠送科技书刊达1万余册。全年组织科技、医务人员下乡158人次，发送科技书籍2 500册，科技资料10 500份，开展科技咨询1 800人次，义务诊疗1 200人次。农林系统的4个学会还开展了百名科技人员进百家活动，直接在农家传授科技知识，帮助农民调整产业结构，受到农民欢迎。2001年农函大教育火旺。全年共招收农函大146班，学员6 826人，比上年增加30班1 717人。评定、晋升农技人员255人，累计总数6 811人，其中农民高级技师105人，中级职称2 860人，初级职称3 846人。

（钟来琪）

海洋国际合作与交流
Marine International Cooperation and Interflow

【第三届中国舟山国际沙雕节】 2001年9月16日至10月31日在朱家尖南沙举办第三届中国舟山国际沙雕节，本届沙雕节以“欧洲文明起源”为主题，由中国人民友好协会、国家旅游局、中国国际文化交流中心和舟山市人民政府主办，普陀区人民政府和荷兰英纳克公司承办，并有“十里的阳光”、“阳光、沙滩”大型文艺演出、国际航空跳伞大赛、高空走钢丝等配套活动，吸引海内外游客达12万人次，旅游相关收入8 300万元。

（崔立红）

【远洋捕捞】 2001年舟山渔业在国外入渔条件及管理限制严苛、发展难度较大的情况下，舟山市委、市府重温了朱镕基总理关于“舟山渔业要面向世界，大力发展远洋渔业”的指示精神，认真分析远洋渔业面临的困难和发展趋势，提出了“积极稳妥地发展远洋渔业，重点开发公海大洋性远洋捕捞项目”的发展思路，远洋渔业在困难中得到了稳定的发展。除部属企业舟山海洋渔业公司外，地方渔业远洋生产船中已有80%由群众渔业股份制经营，并挂靠几家具有远洋渔业资格证书的公司。是年，全市共有远洋渔船335艘，产量12.15万吨，产值7.98亿元，除渔船比上年增加12.04%外，产量和产值比上年减少9.06%和20.28%。远洋捕捞作业主要在西非、南美、南太平洋、北太平洋和印度洋等海域，年产量分别占全国远洋产量的13%和全省的82.88%。

（夏献荣）

【国际友好往来】 2001年，舟山外事工作以经济建设为中心，实施“请进来，走出去”的战略，加强外事工作归口管理，积极开展对外友好交流活动。全年邀请外国人来舟山46批64人次；接待重要外宾、华侨和港澳同胞代表团60批321人次；处理涉外事件10起。2月23～24日以主席林加者先生为团长的法国华侨华人代表团；5月8～9日以主席王心仁先生为团长的美国纽约三江公所代表团一行37人；4月26～29日以村田胜正为团长的日本气仙沼市研修生接收企业代表团一行7人；9月3～5日以副郡守柳定铉为团长的韩国江华郡友好访问团一行10人；9月12～16日以泰国总理顾问宋差先生为团长的泰国代表团一行6人；9月26～29日以副市长须藤治为团长的日本气仙沼市政府代表团一行7人等代表团来舟山进行友好访问与考察，舟山市领导王辉忠、傅元安、唐一军、刘爱世等与代表团进行亲切会见与交谈。2001年7月10～25日以市委书记王辉忠为团长的舟山友好访问团一行7人，对美国里士满市进行友好访问，并重点走访知名华侨方惠成先生、洪才贤先生及东华社、北加州苏浙同乡会和纽约三江公所等重点人士和侨团。是年，全市因公出国（境）146批547人次，国际海员12批318人次。主要出访国家和地区为美国、日本、韩国、澳大利亚、西欧以及香港特别行政区。出访团组以企业经贸团组为主，主要赴国外参展、洽谈贸易、考察项目等。

赴日本水产加工技术研修是舟山与日本气仙沼市之间开展的实质性交流项目。5月，第4批62名研修生离开舟山赴气仙沼市进行为期1年的研修。6月，舟山市政府召开第3批赴日研修生总结表彰大会。

2001年，舟山侨务工作以在海外有较大影响的侨团、华侨、新移民为重点对象，深入宣传贯彻修改后的《中华人民共和国归侨侨眷权益法》及实施办法，积极拓展海外联谊活动，做好对外宣传和为侨服务工作，引导侨港胞关心支持家乡建设，全年共接收侨港胞捐赠折合人民币692.4万元；新办侨资企业5家，协议利用外资2 106.84美元。为表彰港胞王福元先生支持舟山教育事业所作的贡献和美籍华人方惠成先生对舟山对外交流、社会发展所作的贡献，7月27日舟山市第三届人民代表大会常务委员会第三十五次会议决定，授予王福元、方惠成先生“舟山市荣誉市民”称号。 （陈国强）

海洋立法与管理
Marine Legislation and Management

【海洋管理机构改革】 2001年9月6日，根据舟山市委、市政府《关于印发〈中共浙江省委、浙江省人民政府关于舟山市机构改革方案的通知〉的通知》（舟委发〔2001〕45号），不再保留舟山市水产局和舟山市海洋局，组建舟山市海洋与渔业局。10月15日，舟山市海洋局办公迁至环城南路469号（原水产大楼）。新组建的海洋与渔业局行政核编39人，设局长1名，副局长3名，科级干部17名。核定8个行政处室，保留原海洋局资源开发处和海洋综合管理处。并调整了职能配置，新增了海洋环境监测管理与渔业生态环境保护及渔业污染事故调查处理，200海里专属经济区海洋与渔业资源的行政管理等职能；强化了全市海域使用管理和海洋环境保护、海洋资源开发的职能等。

是年，随着行政机构改革深入，定海区海洋与渔业局成立，嵊泗县、岱山县、普陀区海洋局从计经委系统分离，并入原水产局，组建海洋与渔业局，下设海洋综合管理科。至此，舟山市及县、区级海洋行政机构全部建立，并全面开展《中华人民共和国海域使用管理法》的宣传、海域使用项目调查和用海项目确权登记工作。

（何仁义）

【出台渔船报废制度】 为切实保护海洋渔业资源，压缩海洋捕捞强度，加强对渔船安全和质量管理，舟山市制定的渔船报废制度于2001年10月出台。该制度对船舶报废年限作如下规定：钢质渔船，船长小于45米的报废船龄为25年；船长大于45米小于60米的报废船龄为28年；船长大于60米的报废船龄为32年。木质渔船，船长小于12米的报废船龄为15年；船长大于12米小于24米的报废船龄为18年；船长大于或等于24米小于60米的报废船龄为22年；船长大于或等于60米的报废船龄为32年。玻璃钢渔业船舶报废船龄为30年。同时规定对钢质捕捞渔船船龄19年以上、木质渔船船龄14年以上、辅助渔船改为捕捞船只等渔船一律禁止买卖。

2001年11月18日，舟山市对已报废的渔船在启帆船厂举行现场拆解，当场拆解渔船17艘，淘汰22艘，国家农业部渔业局、省海洋与渔业局领导到场验收。此举受到国内外媒体普遍关注，并

作了广泛报道。该新闻事件被《中国渔业报》评为2001年全国渔业十大新闻之一。　(邬振元)

【舟山市再次列为全国海域使用管理示范区】 舟山市自1997年开始列为第一批全国海域使用管理示范区，经过3年多的创新与实践，于2000年底通过了国家财政部、国家海洋局联合组织的海域使用管理示范区验收。

随着国家经济结构的战略性调整，舟山市政府为探索海域使用权市场管理模式，优化海域使用结构，逐步完善海域使用申请、审批制度和海域有偿使用制度，成立了分管副市长为组长、市政府副秘书长、海洋局长、财政局副局长为副组长，市属各涉海部门领导和县（区）政府分管领导为成员的示范区工作领导小组，并在市海洋局设立领导小组办公室。为尽快启动示范区工作，舟山市还拟就了示范区工作实施方案，有计划、有步骤地开展了舟山海域使用管理示范区工作。截止2001年底，全市发放海域使用证书295本，计确权使用海域面积4 235.42公顷，其中，水产加工业39本，26.69公顷；货运业18本，12.35公顷；油品业33本，89.93公顷；制盐业7本，3.87公顷；拆修造船53本，59.79公顷；电缆管道9本，3.24公顷；旅游娱乐8本，250.8公顷；排污倾废2本，96.16公顷；矿砂（石）开采72本，658.32公顷；填海造陆12本，792.18公顷；海水养殖8本，392.01公顷；燃料行业7本，26.90公顷；小渔港1本，3.91公顷；海洋捕捞17本，770.6公顷；其他公益性用海9本，5.52公顷。

(何仁义)

【“蓝色工程”示范区通过评审】 2001年8月5～6日，浙江省海洋与渔业局在定海召开了长峙、桃花、高亭、嵊山4个《浙江省“蓝色工程”示范区建设规划》评审会。来自该省海洋、经济和科研部门的10余位专家听取了《示范区规划》的编撰报告和示范区工作汇报，在分析认证的基础上，顺利通过了评审。

定海区长峙乡、岱山县高亭镇、普陀区桃花镇和嵊泗县嵊山镇4个省级“蓝色工程”示范区，几年来按照《浙江省“蓝色工程”示范区建设意见》的要求，根据各自的自然条件、资源及区位差异等特点，筹建管理机构，编制发展规划，努力探索示范区管理和建设工作经验，起到了促进海洋经济发展的示范作用。　(翁良才)

【海底电缆保护与管理】 舟山群岛位于长江、钱塘江、甬江入海口外缘，全市98万余人口分住在103个岛屿上。岛间的通讯、供电及部分岛屿的供水都是通过海底管线（道）来完成的。近年来，舟山海域从事海上作业及过往船只的密度逐年增长，海底管线锚损事故时有发生，给舟山社会经济发展、人民群众生活及国防安全建设带来严重威胁。2000年6月19日舟山市政协三届四次会议提出建议成立海缆护卫队，加强海底电缆管理。为此，海底电缆的保护与管理引起了舟山市政府和社会各界的高度重视。

2000年12月15日，舟山市海洋局与舟山市电力公司协商解决方案，在加大宣传力度的基础上，电力公司出资300余万元，并于2001年3月起动实施。8月完成海底电缆水线标志和警示标志牌调研考查、图纸设计、工程核算以及各登陆点GPS定位制图等工作，并根据海底电缆所在海域船只通航密度及地形情况划定保护区域、申办海域使用权证，9月开始制作警示标志牌，11月实施安装并开始启用。这项工作的落实，既可以昼夜警示过往船只在海缆附近的违规行为，又能有效地抑制海底电缆锚损事故发生。　(高长龙)

【开展盐业专项整治活动】 2001年，为进一步规范盐业市场，贯彻落实国家经贸委《关于开展打击非法加工经营食盐专项行动的紧急通知》精神，舟山市成立盐业专项整治领导小组，出动宣传车2辆、盐政缉私艇1艘，进行盐业法律法规的宣传，集中力量打击中、高级卤水贩卖、贩买，重点整顿水产品加工市场用盐。严格执行食盐生产定点许可证，食盐批发、零售许可证和食盐运输准运证制度。是年，共查处各类盐业违法案件165起，查获私盐240.40吨，卤水320吨，收缴罚没款8.3万元。　(朱新平　陆国良)

统 计 资 料

Statistical Data

表3 舟山市基本情况一览表

县、区	辖区内				年末人口（万人）						全社会从业人员数（万人）			
	乡镇数		岛屿数	区域面积（平方千米）	2000年			2001年			2000年		2001年	
	2000年	2001年			合计	农业人口	非农业人口	合计	农业人口	非农业人口	合计	其中职工数	合计	其中职工数
定海区	21	16	127.5	1 444	36.35	23.72	12.63	36.45	23.15	13.30	31.37	4.94	30.73	4.93
普陀区	18	14	454.5	6 728	32.46	23.14	9.32	32.40	21.50	9.90	17.51	4.15	17.09	4.14
岱山县	11	8	404	5 220	21.10	17.00	4.10	20.81	17.61	4.20	10.47	1.26	10.40	1.25
嵊泗县	13	7	404	8 824	8.50	6.20	2.30	8.44	6.02	2.42	4.86	0.89	4.82	0.89
合计	63	45	1390	22 216	98.41	70.06	28.35	98.1	68.28	29.82	64.21	11.24	63.04	11.22

表4 舟山市海洋开发资料统计

统计项目			2000年	2001年
海洋捕捞产量（万吨）		鱼类	81.20	80.13
		贝类	8.77	9.47
		虾蟹类	36.06	32.69
		其他	0.13	0.17
		合计	126.16	122.46
海水养殖	产量（万吨）	鱼类	0.18	0.38
		贝类	3.69	4.44
		藻类	0.30	0.19
		虾蟹类	1.02	1.33
		合计	5.19	6.34
	面积（公顷）		6753	8257
沿海港口		货物吞吐量（万吨）	3 189.12	3 281.02
		旅客运输量（万人次）	1 560	1 479
		旅客周转量（万人·千米）		55 786
		货物运输量（万吨）	1 679	1 795
		货物周转量（万吨·千米）	1 164 924	1 222 137
海盐生产		面积（公顷）	61 712	61312
		产量（万吨）	26.20	24.95
盐加工		产量（万吨）	5.71	6.54
滨海旅游人数		国内（万人次）	453.6	542.96
		境外（人次）	61180	71954
国内外旅游收入		国内（亿元）	18.13	18.62
		境外（万美元）	2970	3374
滨海城市旅游接待能力		涉外饭店个数	41	47
		客房数（间）	3480	3519
		床位数（张）	6920	6934
水产品加工		总量（万吨）	26.92	18.63
		产值（万元）	318 689	4 53195
		增加值（万元）	57626	92926
滨海矿砂开采量（万吨）		石料	917.90	793.05
		砂	79.34	735.17
海洋能源		风能发电（千瓦小时）	143 675	206 560

表5 舟山市沿海县（区）国内生产总值、工农业总产值一览表

单位：亿元

市区县	年份	国内生产总值				工业		农业	
		合计	第一产业	第二产业	第三产业	总产值	增加值	总产值	增加值
全市合计	2000	114.02	33.03	37.91	43.08	177.75	37.91	74.52	33.03
	2001	126.69	33.05	43.17	50.47	192.47	34.32	73.81	33.05
定海区	2000	43.31	5.03	18.69	19.59	80.61	18.69	10.11	5.03
	2001	47.51	5.24	20.93	21.33	89.84	18.69	10.54	5.24
普陀区	2000	37.27	12.89	12.32	12.06	54.34	10.32	32.00	12.89
	2001	42.02	12.80	14.57	14.65	66.04	12.34	31.50	12.80
岱山县	2000	21.77	9.53	5.33	6.91	23.21	5.33	21.83	9.53
	2001	23.97	9.66	6.40	7.91	27.01	4.40	22.05	10.15
嵊泗县	2000	14.34	5.34	3.30	5.70	13.61	3.30	10.38	5.34
	2001	15.76	5.59	3.58	6.59	15.16	2.39	10.91	5.60

表6 舟山市海洋产值统计一览表

单位：万元

产业	2000年			2001年		
	总产值		增加值	总产值		增加值
	产值额	比重(%)		产值额	比重(%)	
捕捞渔业	653 500.00	40.16	31 8821.00	518 429.26	24.86	241 613.68
海水养殖	68 741.64	4.22		84 660.80	4.06	26 016.77
渔业机械及渔具制造业	3 886.00	0.24	971.00	6 946.00	0.33	2 409.40
砂石开采业	13 140.00	0.81	5 998.15	10 829.10	0.52	5 122.00
盐及盐加工业	9 970.70	0.61	3 388.80	10 290.00	0.49	9 625.00
水产饲料业	11 488.00	0.71	2 545.00	1 032.01	0.05	258.00
水产加工业	307 201.00	18.88	55 081.00	453 195.00	21.73	131 427.00
食品饮料业	68 460.00	4.21	8616.00	9 594.00	0.46	3 590.00
医药制造业	18 702.20	1.15	5 100.00	13 070.78	0.63	3 564.54
船舶修造业	78 032.00	4.79	16 386.00	132 422.20	6.35	4 768.00
海洋能源	-			12.29		2.46
海水利用	-			45.00		9.00
海洋工程建筑	-			11 243.00	0.54	4 213.00
水产品批发业	7 810.00	0.48	5 622.00	-		
海洋化工	6 526.00		1 377.24	-		
其他产品制造业	6 526.00	0.40	1 377.24	12 412.62	0.60	4 768.00
港口运输业	135 000.00	8.29	72 083.00	189 598.00	9.10	81 856.00
渔业服务业	2 580.00	0.16	1 200.00	289 466.00	13.88	54 112.05

续表

产业	2000年			2001年		
	总产值		增加值	总产值		增加值
	产值额	比重(%)		产值额	比重(%)	
综合技术服务业	36 485.11	2.24	2 800.79	80 971.42	3.89	15 893.68
旅游外汇收入	24 585.96	1.51		27 925.24	1.34	16 383.47
国内旅游收入	181 300.00	11.14		186 235.00	8.93	94 979.85
其他海洋服务业	–			46 805.00	2.24	30 888.00
合计	1 627 408.60	100	499 989.98	2 085 182.72	100	731 499.90

注：1. 滨海工业及相当部分涉海服务业及渔业机械仪器制造业产值在行业总产值中无法提炼，故产值偏小；

2. 旅游外汇收入按中国银行当年底中间价折算成人民币（2000年为 1∶8.2781，2001年为1∶8.2765）。

表7 2001年渔农业主要产品产量

产品名称		计量单位	产量	比上年增长（%）
水产品产量	虾类	吨	258 314	-11.8
	带鱼	吨	215 706	2.6
	蟹类	吨	81 807	5.1
	鲐鲹鱼	吨	30 477	90.2
	马面鱼	吨	672	3.8倍
	鱿鱼	吨	84 849	-20.6
	大小黄鱼	吨	33 766	-40.9
	鲳鱼	吨	26 086	25.5
	马鲛鱼	吨	2 497	-6.6
	墨鱼	吨	831	23.8
	鳀鱼	吨	15 151	-45.6
农产品产量	粮食	吨	75 462	-6.5
	其中：谷物	吨	56 576	-6.5
	其中：早稻	吨	3 506	-56.9
	晚稻	吨	49 140	3.2
	棉花	吨	397	42.3
	油菜籽	吨	4 798	-11.9
	茶叶	吨	133	-14.2
	水果	吨	75 855	33.0
	蔬菜	吨	206 983	8.5
	肉类	吨	12 913	6.2
	牛奶	吨	1 420	85.4
	禽蛋	吨	6 768	-6.1

表8 2001年工业主要产品产量

产品名称	计量单位	产量	比上年增长（%）
发电量	万千瓦小时	127 883	8.9
自来水生产量	万吨	4 266	8.6
水产加工品	吨	309 288	15.4
食用植物油	吨	28 218	93.8
罐头	吨	2 035	23.5
啤酒	吨	50 887	20.7
黄酒	吨	21 364	-8.3
软饮料	吨	11 981	0.9
服装	万件	1 142	-23.5
玩具	万元	12 536	24.9
塑料制品	吨	19 923	12.8
纺、针织设备	吨	4 633	52.5
民用钢质船舶	综合吨	25 559	161.0
蓄电池	千伏安小时	111 105	184.6
微电机	万只	12 606	28.5
螺杆	吨	42 697	66.3
石英晶体	万只	5 192	-35.8
混合液化气	万立方米	495	15.4

（何仁义）

上 海 市
Shanghai City

综 述
Summary

【概况】 上海市位于31°14′N、121°29′E，地处长江三角洲前缘，东濒东海、南临杭州湾、西接江苏、浙江两省，北界长江入海口，位于中国南北海岸中部，交通便利，腹地广阔，地理位置优越，是一个良好的江海港口。

上海全市面积6 340.5平方千米，南北长约120千米，东西宽约100千米。其中陆地面积6 218.65平方千米，水域面积121.85平方千米。上海市江海岸线总长度449.66千米。有大于500平方米的海岛13个，总面积为1 339平方千米。

表1 上海市沿海区县一览表

年 份	沿 海 区 县
2001年	宝山区、浦东新区、南汇区、奉贤区、金山区、崇明县

上海地区属亚热带轻季风气候，四季分明，气候暖湿，雨量充沛，年平均气温15.0～15.3℃，年平均水温17.0～17.4℃，年平均降雨量1 083毫米。

2001年，上海实现了“十五”计划的良好开局，全年实现国内生产总值4 950.8亿元，比2000年增长10.2%，连续10年保持两位数增长；人均国内生产总值达到3.73万元，按当年汇率计算，达到4 500美元。地方财政收入完成620.2亿元，比2000年增长24.6%。

2001年，上海市实现外贸出口276.3亿美元，比2000年增长9%，高于全国增幅2.2个百分点。出口产品结构进一步优化，全年高新技术产品和机电产品出口分别比2000年增长12.9%和17%，占上海市外贸出口总额的比重分别达到19.6%和51.4%。

2001年，上海市吸引外商直接投资合同金额73.7亿美元，比2000年增长15.4%，创历史新高；外商直接投资到位资金43.9亿美元，比2000年增长39%。

表2 2001年上海市及沿海区县人口及从业人员情况一览表

市区县	年末总人口（万人）			从业人员（万人）	
	合计	农业人口	非农业人口	合计	职工人数
上海市	1 327.14	328.07	999.07	752.26	375.37
宝山区	82.96	17.59	65.37	34.34	5.69
浦东新区	168.60	28.70	139.90	49.36	12.23
南汇县	69.05	49.84	19.21	50.51	4.82
奉贤县	50.50	35.44	15.06	34.09	4.33
金山区	52.91	33.55	19.36	31.83	4.41
崇明县	64.72	49.49	15.23	37.18	3.62

2001年，上海市与西部省市签定经济技术合作项目277个，总金额143.5亿元。新增各地来沪投资企业4 034家（包括自然人），注册资本总额267亿元，其中注册资本1亿元以上的有38家。

2001年，上海市城市环境治理和生态建设取得新进展。苏州河整治一期工程成效显著，水体生态系统逐渐恢复。推进以优化能源结构和机动车尾气治理为重点的大气治理工程，启动实施以生活垃圾无害化为重点的固体废弃物处置项目，吴淞和桃浦工业区环境综合整治有了新进展。2001年新建绿地1 258公顷，延中绿地等一批大型城市生态景观绿地相继建成，市区人均公共绿地面积提高到5.5平方米。

上海市海洋产业主要包括海洋交通运输业、修造船业、海洋水产业、滨海旅游业和海洋油气业等。主要海洋产业总产值2001年为625.5亿元，比2000年增长3.99%。

海洋资源开发与海洋经济
Development of Marine Resources and Marine Economy

【海洋渔业】 2001年，上海市海洋水产业总产值为14.44亿元，比2000年增长10.2%。其中海洋捕捞为10.75亿元，海洋养殖为1.60亿元，海洋水产加工为2.09亿元。

2001年，上海市拥有各类海洋机动渔船867艘，总吨位10.21万吨。海洋捕捞产量为10.23万吨，其中东海为4.30万吨，南海为0.14万吨，其他海域为5.78万吨。

2001年，海水养殖面积7.32平方千米，产量2 635吨，均为滩涂养殖。其中虾蟹类养殖面积7.11平方千米，产量2 568吨；其他类养殖面积0.21平方千米，产量67吨。

2001年，全市拥有海洋水产加工企业13个，海水产品加工能力57 147吨，海水产品加工总量17 261吨。

表3 2001年上海市开发资料统计表

统计项目		2001年
海洋捕捞产量（万吨）	鱼类	5.10
	贝类	2.83
	虾蟹类	2.22
	其他类	0.07
	合计	10.23
海水养殖产量（万吨）	虾蟹类	0.26
	其他类	0.01
	合计	0.27
海洋货物运输量（万吨）	沿海	15 551.9
	远洋	8 154.7
海洋旅客运输量（万人次）		1 109.2
上海港货物吞吐量（万吨）		22 099
境外来沪旅游人数（万人次）		204.3

【海洋运输】 2001年，上海港货物吞吐量完成22 099万吨，比2000年增长8.1%。至2001年底，上海港成为除中国香港外中国大陆第一个年集装箱吞吐量超600万标准箱的特大型港口。上海港经营着13条上海至美国、欧洲、澳大利亚、东南亚、日本等国家和中国香港特别行政区的国际集装箱班轮航线，航班密度每月达到1 032班。

“九五”期间，上海港投资44.3亿元新建、改建集装箱码头，添置大型装卸机械，其中外高桥一期、二期工程新建改建6个集装箱泊位，年吞吐量增加150万标准箱；在建的外高桥三期、四期工程有6个集装箱泊位，可新增能力220万标准箱。同时努力提高装卸效率，单机每小时最高作业量达50.9自然箱，单船每小时最高作业量达213.9自然箱，最高日接卸量突破2.5万标准箱，在全国各港口中独占鳌头。

【修造船业】 2001年，上海船舶工业公司系统共建造船舶89艘、185万吨，吨位比2000年增长52.0%，约占全国造船产量的47%。全年完成工业总产值94.8亿元，比2000年增长11.0%。实现销售产值100.6亿元，比2000年增长7.3%。

（管永华）

海洋公益事业
Marine Public Welfare Facilities

【海洋预报服务】 2001年，上海市海洋环境预报台通过上海电视台发布南黄海、东海区海浪预报365份，东海区表层海温预报36份；通过上海人民广播电台发布南黄海、东海区海浪预报730份，东海区表层海温预报72份；发布热带气旋巨浪警报110份。并对0102（飞燕）、0108（桃芝）、0111（帕布）、0121（海燕）向市政府部门和防汛部门等发布风暴潮警报8份，风暴潮消息20份，发送传真210份，平均预报误差达到9.8厘米，准确、及时的预报为有关防汛职能部门的指挥决策提供了科学依据。

在2001年的APEC会议期间，上海市还组织主要力量对海洋环境作了跟踪预报，会议前期正逢0121（海燕）台风和冷空气共同影响，外高桥增水80厘米，给防汛带来了很大的压力，及时对0121（海燕）台风的风暴潮过程作了短期预报和中期趋势预测，给防汛决策提供了可靠的依据。事后证明，预报基本准确，24小时的平均误差为7厘米，72小时的平均误差为16厘米。每天二次给上级单位及上海海事局、上海海上武警发了海洋环境预报，使APEC会议安排有了可靠的决策依据。

（龚茂珣）

表4 2001年上海市及沿海区县工农业总产值、国内生产总值（现行价）

单位：亿元

市区县	工业		农业		国内生产总值			
	总产值	增加值	总产值	增加值	合计	第一产业	第二产业	第三产业
上海市	7 269.17	2 128.26	227.61	85.50	4 950.84	85.50	2 355.53	2 509.81
宝山区	702.42	226.00	12.30	3.22	131.23	3.36	64.22	63.65
浦东新区	1 961.90	463.18	13.36	6.06	345.19	6.06	162.33	176.80
南汇区	225.60	60.25	33.30	12.61	136.67	12.61	75.63	48.43
奉贤区	223.91	61.03	25.90	8.52	96.80	8.52	56.17	32.11
金山区	332.23	89.06	18.57	6.87	84.01	6.78	40.79	36.44
崇明县	65.09	19.70	33.39	13.93	57.83	13.86	22.09	21.88

（管永华）

海洋环境保护
Marine Environmental Protection

【海洋环境监测】 上海海域包括长江口和杭州湾北岸海域。2001年上海海洋环境监测全年共进行了3个水期的监测，上海市海洋局分别于5、8、11月份，对上海长江口及邻近海域进行了海洋环境监测、生态监测，共设监测站位71个，进行水质、沉积物、生物（生态）、水文气象等52个项目的监测，共获监测数据10 135个。同时，对海洋自然保护区、海洋倾倒区也加强了监视监测。

海洋环境监测表明：上海近岸海域属于污染海域，特别是西区、南区和竹园排污口以及吴淞口、金山附近海域污染严重，主要污染物质为无机氮、无机磷、重金属和油类等，无机氮超过四类海水水质标准；上海近海海域是轻度污染海域，而上海外海海域则属于较清洁海域。

生态监测表明：长江口内浮游植物生物量较低，而口外则较高；浮游动物在长江口海域表现为丰富的浮游动物生态类群，生物量较高；底栖生物在排污口附近种类较少，长江口外海域种类多样性增大，基本反映了该海域的环境质量现状。

对崇明东滩鸟类保护区，九段沙湿地自然保护区和金山三岛自然保护区附近海域的自然生态环境的监测结果表明，上海市海洋自然保护区内生物种类较丰富，生物多样性较好；同时航空遥感监视监测表明，保护区内保护状况良好，未发现明显的人为破坏活动。

黄浦江支流蕴藻浜航道整治工程是上海市的重点工程，工程疏浚量近100万立方米，疏浚泥成分污染严重。由于只能向海洋倾倒，污染严重的疏浚泥可能会对吴淞口北倾倒区附近海域环境造成一定影响。为此，疏浚作业期间，每两周进行一次吴淞口北倾倒区的动态跟踪监测，每月编写一份监测报告。通过监测评估表明，该倾倒区海域受长江径流的影响，迁移稀释作用明显，蕴藻浜航道疏浚泥倾倒对周围海域的水质和沉积物环境影响不大，对长江口邻近海域的生态环境影响也不大。

【海洋石油勘探环境保护】 2001年东海区海洋石油勘探开发的海洋环境保护工作依据国家的有关法律法规的规定施行管理，东海区的海洋钻井平台的勘探作业共285天，海洋采油平台的作业共为365天，共计650天。勘探作业的泥浆为1 085立方米，钻屑为1 285立方米，排放含油污水93立方米（$<10\times10^{-6}$符合规定排放标准），产生垃圾和不可燃包装材料为147.4立方米，垃圾运回陆地处理。采油作业产原油产量776 065立方米，采出水排放入海量677 238.4立方米，排放入海油量1 345千克；可燃包装材料垃圾64立方米，不可燃包装材料44立方米，均运回陆地处理。生活垃圾161立方米。批准了“天外天三井”、“残雪二井”和“丽水35-1-3”海洋石油平台钻井作业的“溢油应急计划”报告，并对三井位作业的平台实施海洋环境保护监督管理。对在东海区作业的“东海平湖”

和“勘探三号”平台实施了登检工作。

海洋灾害与防御
Marine Disasters and Prevention

【赤潮】 上海海域赤潮多发区位于长江口外海域。其主要原因是由于长江口海域的营养盐、有机物、油类及重金属等污染，无机氮、总磷达到严重污染程度，整个海域水体呈富营养化，给赤潮的发生提供了充分的物质条件；同时，在其他诱导因子如重金属（Fe、Mn）、维生素的作用下，使某些赤潮生物种群过量繁殖，形成赤潮。

2001年，上海市海洋局根据上海长江口外赤潮多发海域环境特点，有针对性地加大了飞机遥感监视的密度，并在加强飞机遥感监视的基础上，出动“中国海监”船只多艘，对赤潮发生区域的海洋环境状况、赤潮生物种类和毒素等进行了多航次的监测分析。同时，与有关涉海企事业单位联系，鼓励参加志愿监视监测赤潮的活动，建立的专群相结合赤潮监视监测网络发挥了积极的作用。

2001年度利用飞机遥感、船舶现场监测以及自愿者报告等手段，共发现赤潮10起（见表5），累计赤潮面积约1 400平方千米。2001年5月10日上午在长江口附近海域发现面积约1 000平方千米的赤潮后，启动应急监视监测程序，组织东海监测中心立即赶赴赤潮发生海域进行监测，并采取相应的防治措施。同时，派出飞机、船只协助中央电视台焦点访谈节目摄制组制作了海空联合监视监测长江口海域的赤潮现场跟踪报道专题片，于5月15日在中央电视台播出，对加强赤潮防治工作的宣传起到了积极的作用。

表5 赤潮统计表

序号	发生时间	面积	颜色	形状	发现者
1	4月15日	2平方千米	褐红色	条带状	中国海监飞机
2	4月15日	6 000米长	褐红色	条带状	中国海监飞机
3	4月16日	15平方千米	红色	团块状	中国海监飞机
4	5月10～17日	1 000平方千米	鲜红色	不规则状	志愿观测者
5	5月11日	数十平方千米	褐色	片状	上海市海洋局
6	5月17日	大面积	褐色		志愿观测者
7	6月17日	近百平方千米	褐色		中国海监飞机
8	7月1日	数百平方米	褐色、暗红色	带状分布	上海市海洋局
9	7月17日	350余平方千米	橙色		志愿观测者
10	8月1日	数十平方千米	褐色	带状	上海市海洋局

（戚建人）

海洋科技与教育
Marine Science & Technology and Marine Education

【中国海洋有害赤潮学术研讨会】 2001年3月29日至4月2日，由华东师范大学河口海岸国家重点实验室主持召开了“中国海洋有害赤潮学术研讨会”，来自国内有关海洋单位和香港特别行政区的有关专家和代表出席了会议。

【海峡两岸地理学术研讨会】 2001年8月13～15日，由华东师范大学河口海岸国家重点实验室主持召开了“海峡两岸地理学术研讨会”，来自美国及中国台湾省、香港特别行政区和国内几十所大学的有关专家和代表出席了会议。

【东方科技论坛第十八次研讨会“南水北调对长江河口生态环境的影响”】 2001年8月13～15日，由华东师范大学河口海岸国家重点实验室主持召开了“东方科技论坛第十八次研讨会‘南水北调对长江河口生态环境的影响’”，来自国内有关单位的专家和代表出席了会议。

表6　2001年一些主要科研项目

序号	项目名称	任务来源	完成单位	获奖等级
1	南极中山站高空大气综合观测系统	科技部	中国极地研究所	国家海洋局一等奖
2	上海潮滩沉积作用和演变规律研究		华东师范大学	上海市科技进步二等奖
3	东海区主要捕捞品种渔业资源动态研究	农业部	东海水产研究所	上海市二等奖
4	海洋渔业遥感信息服务系统技术和示范试验	科技部	东海水产研究所	中国科学院二等奖
5	上海沿海化工区（漕泾-柘林）岸滩演变研究		华东师范大学	上海市三等奖
6	海洋产业与上海的可持续发展	上海市科协	华东师范大学	上海市三等奖
7	中国大中型气田勘探开发评价	科技部	上海海洋石油局	中国石化集团三等奖

海洋国际合作与交流
Marine International Cooperation and Interflow

【全球海洋有害赤潮生态学和海洋研究科学指导委员会工作会议】 2001年4月3～8日，由华东师范大学主持召开了“全球海洋有害赤潮生态学和海洋研究科学指导委员会工作会议”，来自中国、美国、荷兰、法国、西班牙、英国、墨西哥、意大利、德国等国家的有关专家出席了会议。

【中国-挪威极地科学国际研讨会】 2001年7月30日至8月3日，由中国极地研究所主持召开了“中国-挪威极地科学国际研讨会”，会议得到了两国政府的高度重视。会议共有21名外宾参加，交流论文55篇，提出了18项极地科学合作研究的意向。

【中-韩双边学术研讨会】 2001年8月1～5日，由华东师范大学主持召开了“中-韩双边学术研讨会”，来自中国、韩国的有关专家出席了会议。

【中-日极地冰川学国际研讨会】 2001年9月12～16日，由中国极地研究所主持召开了“中-日极地冰川学国际研讨会”，与会外宾14人。会议促进了中国极地研究所与日本国立极地研究所的科技合作，增进了两国冰川学家间学术交流。

【中-荷河口泥沙运动和地质过程学术研讨会】 2001年9月26～28日，由华东师范大学主持召开了“中-荷河口泥沙运动和地质过程学术研讨会”，来自中国、荷兰的有关专家出席了会议。

【中韩极地生物学双边联合讨论会】 2001年9月16～19日，由中国极地研究所主持召开了“中韩极地生物学双边联合讨论会”，韩国海洋研究所极地研究中心13名科学家与会，交流双边在极地生物学若干科学主题研究的进展，提出了6个方面的合作意向，为发展实质性的中韩双边极地生物学合作计划奠定了坚实的基础。

海洋立法与管理
Marine Legislation and Management

【海洋立法】 随着社会的发展和法制的不断健

全，依法行政是今后国家行政管理机关行政工作的基准和原则，法制工作越来越重视。2001年上海市海洋局法制工作主要有以下内容：

一是为配合《中华人民共和国海域使用管理法》的出台，在国务院和全国人大就《中华人民共和国海域使用管理法（草案）》征求上海市方面意见时，积极与上海市政府法制办等有关部门和人员进行沟通，说明《中华人民共和国海域使用管理法》出台的必要性和成熟度。

二是草拟了《上海市海洋功能区划管理办法（草案）》，向上海市政府法制办、上海市建委法规处等有关部门上报了《上海市海洋功能区划管理办法》、《上海市海域使用管理办法》和《上海市海洋观测预报管理办法》等规章的立法建议。其中《上海市海洋功能区划管理办法》被列入今年上海市正式的立法调研项目。

三是根据上海市海洋功能区划、海域使用管理立法计划的要求，2001年7月11～16日，组织上海市府法制办、上海市建委法规处等单位赴青岛、烟台两地进行海洋功能区划、海域使用管理的立法调研。调研取得良好的效果。参加人员听取了青岛、烟台市在海洋功能区划、海域使用管理以及立法方面的成功经验和具体做法。

四是参加了《中华人民共和国海域使用管理法》的宣传准备工作及上海市人大、上海市政府法制办、国家海洋局东海分局组织的有关法律法规的学习、培训。

【规划编写】 上海市政府非常重视“十五”规划的编写工作。为了写好“十五”规划，上海市海洋局在资料的收集、规划文本的草拟和编写上做了大量的工作，具体如下：

一是按照市政府和市计委的要求和部署，完成了《上海市海洋资源保护、开发和利用“十五”计划和2010年规划》、《上海市海洋生态环境建设规划》、《卫星技术在海洋领域应用的“十五”计划和2015年规划》、《上海市海洋信息“十五”规划的编写》等5个规划的修改、完善工作。

二是根据国家科技部、国家海洋局、国家计委和上海市科委的要求，组织东海监测中心、上海海洋预报台等有关单位完成了《上海市科技兴海“十五”计划和2010年规划》的编写工作。

【海域使用管理】 积极推进上海市海域使用证的发放工作。组织开展对上海市石油化工股份有限公司的三项海域使用的论证、呈报、审核工作，目前正在由国家海洋局报国务院批准。组织开展对上海化学工业区有限公司码头的海域使用论证工作。积极参加国家海洋局组织的《海域使用管理法》的学习。开展上海市海域使用证申请的咨询工作。会同上海市民政局、华东师范大学做好崇明北支海域勘界的前期工作，积极争取经费到位。

【上海市大比例尺海洋功能区划批准实施】 组织了《上海市大比例尺海洋功能区划报告（初稿）》领导小组组长单位初审会议；将《上海市大比例尺海洋功能区划报告（送审稿）》送28家有关单位征求修改意见，并将修改意见收集整理后反馈课题组；组织了《上海市大比例尺海洋功能区划报告（评审稿）》评审暨验收会议，将评审验收意见报国家海洋局。根据验收和评审意见，在组织了《上海市大比例尺海洋功能区划报告》的修改后，上报国家海洋局审核。在国家海洋局审核原则同意后，2001年12月4日，上海市人民政府同意《上海市人民政府关于同意市海洋局、市计委制订的上海市大比例尺海洋功能区划的批复》（沪府〔2001〕49号）批准实施。

【海洋自然保护区管理】 依据《上海市金山三岛海洋生态自然保护区管理办法》，配合金山区政府，进行了《金山三岛海洋生态自然保护区规划方案》的编写。两次组织上海市人大环资委、上海市建委政策法规处、中国海监东海总队，对上海市金山三岛海洋生态自然保护区进行了调研考察及例行执法监察。并以《关于上海市金山三岛海洋生态自然保护区调研考察的情况报告》（沪海综[2001]126号）向上海市建委报告，提出了保护区存在的问题和解决的办法。并积极争取经费的到位，同时，此项工作得到了国家海洋局环保司领导的支持。 （管永华）

【海底电缆管道管理】 2001年，共受理并批准26件海底电缆、管道的路由申请、铺设施工、修理施工作业申请，具体为：

(1)中国海底电缆建设公司的中美光缆N1段故障修理施工申请和中美光缆W1段故障修理施工申请；

(2) 中英海底系统有限公司的中美海底光缆(C-US)N1和W1上海段改道路由延长施工申请和更换施工船只申请；

(3) 中英海底系统有限公司的亚太光缆2号（APCN2）在上海侧电缆安装施工延期申请、紧急维修申请、更换施工船舶申请、增加施工船舶申请（4次）；

(4) 中英海底系统有限公司电缆施工船Maersk Repeater在东海水域海试的申请；

(5) 嵊泗县电力公司上海至嵊泗供电工程海底电力电缆路由申请和铺设施工申请；

(6) 上海石油天然气总公司的东海平湖油气田岱山油管道修复作业申请及修复作业延期申请；

(7) 中英海底系统有限公司的C2C海底光缆系统3B1＆3A3段在上海侧电缆路由清障和扫海申请；

(8) 中英海底系统有限公司的C2C海底光缆系统3B1＆3A3段在上海侧电缆铺设增加施工船申请（两次）及施工延期申请；

(9) 中英海底系统有限公司的中日光缆紧急维修申请；

(10) 中国海底电缆建设公司的环球光缆P3段故障修理施工申请（两次）；

(11) 中国海底电缆建设公司的中日光缆故障修理施工申请及修理施工延期申请；

(12) 中美光缆W1段上海侧紧急抢修施工申请。

上述申请获批准后，均在《中国海洋报》发布了管理公告，计26期。

2001年2月8日，按照国家海洋局要求，东海分局在上海主持召开了“C2C海底光缆（中国侧）路由协调会暨桌面研究报告评审会”，并顺利完成了有关的路由协调工作。同时，按照国家海洋局对中国网络通信有限公司C2C光缆（中国管辖海域）路由调查的批复要求，完成了该路由调查资料的保密审查工作。

2001年3月、4月和11月，东海分局三次在上海主持召开了“东海大桥桥轴线与海底电（光）缆交越问题协调会”，协调设计方案中的东海大桥桥轴线与上海至嵊泗供电工程海底动力电力电缆、C2C海光缆、中日海光缆、FLAG海光缆在海上交越问题。通过协调，促使有关单位就交越问题达成了一致意见。

上海至嵊泗供电工程海底电缆铺设施工已于2001年6月结束，此条电缆已在东海分局登记注册，并在《中国海洋报》发布了公告。

2001年9月25日，东海分局与浙江省海洋与渔业局在上海主持召开了“上海石化册子岛原油储运工程海底管道路由协调会”，就该路由的合理性、可行性进行了充分协调。通过会议的热烈讨论，最终各部门就该管道路由的可行性达成了共识。有关的会议纪要也及时进行了印发。

（叶 敏）

【海洋倾废管理】 2001年上海海域共签发废弃物倾倒普通许可证211份，倾倒三类疏浚物2 615.86万立方米、废弃物119.94万吨和骨灰1 010盒。使用的倾倒区为：吴淞口北倾倒区、长江口鸭窝沙北疏浚物倾倒区、长江口骨灰倾倒区、长江口深水航道专用倾倒区、金山疏浚物临时倾倒区5个倾倒区。其中长江口深水航道一期工程的疏浚物倾倒量为1 990万立方米，吴淞口北倾倒区685.55万立方米，鸭窝沙北倾倒区2万立方米，金山疏浚物临时倾倒区4.94万立方米。在倾倒作业中查处了9起违章违规行为并进行了处罚，共处罚款16.4万元，发出警告一份。

为了加强对倾倒区的管理，及时准确地了解和掌握海洋倾倒区的环境现状及对周围海域环境、资源的影响，2001年度对吴淞口北海洋倾倒区和长江口深水航道专用倾倒区进行了监测。通过监测表明，吴淞口北海洋倾倒区海域受长江径流的影响，迁移稀释作用明显，限量倾倒和加强海洋倾倒的有效管理使倾倒对长江口邻近海域的生态环境影响不大；长江口深水航道专用倾倒区的环境状况较好，倾倒活动对附近海域水质、底质环境影响不大，合理控制倾倒频率和倾倒量，可以继续使用。

为更好地贯彻落实《海洋环境保护法》，完善海洋倾废管理体制，2001年11月21日组织召开了上海地区倾废疏浚单位座谈会，与会代表对上海海洋局的倾废管理工作给予高度评价，并提出许多有建设性的建议和想法，加强了海洋行政管理部门与企业之间的联系与沟通，提高倾废管理水平。

（戚建人）

【海洋执法】 2001年，上海市海洋局进一步加强了上海市近岸海域的执法监察工作，“中国海监”船舶共出动21航次巡视154天计885.6小时，航程8 500余海里；“中国海监”飞机飞行19架次；陆上执法检查派出车辆212次、445人次，行程近5 400千米，完成的主要工作有：

1. 深化海洋环保执法监察，保护海洋环境

(1) 2001年，依法查处了12起违法倾废案件，其中，警告1起，罚款9起，罚款总额合计人民币17.2万元，2起正在处理之中，维持了正常的海洋倾废秩序。

(2) 对“勘探三号”作业平台和“平湖油气田”生产平台进行了专项检查，对检查中发现的试油前未向主管部门报告和消油剂未能及时配备到位等问题，环保部门已要求其限期改正。

(3) 组织了对本市某单位未经许可擅自在金山三岛海洋自然保护区放生蛇类事件的专项调查，向金山区人民政府通报了调查结果。

此外，在航空监察中发现的1起船舶排污案件，依据《海洋环境保护法》的规定移送上海海事行政主管部门处理；对受理的举报案件做到件件有结果。

2. 开展APEC会议国际海底光缆路由专项执法监察工作

针对中美等光缆屡次中断的状况，于2001年3月下旬参加了上海国际海底光缆第三次联合行动；2001年4月份、6月份组织开展了海空协同专项执法行动。在APEC会议召开前后，组织开展了海底光缆海空协同专项执法行动。发现并依法劝告或强制110余艘次渔船驶离了路由区，对其中的3艘次渔船实施登船检查。特别是为APEC会议期间光缆的安全畅通，一是于2001年10月9～12日赴浙江海岛在查证属实的基础上，依法对涉嫌违规的三艘渔船分别给予了罚款4 000元、5 000元和6 000元的处罚；二是加强值班，每天及时向上海市政府汇报执法情况，随时保持与市府有关部门的联络，处理可能发生的紧急情况，取得了较好的效果。对此，时任常务副市长陈良宇表扬了市海洋局的专项执法工作，上海市通信管理局发来专函给予了高度评价。

3. 涉外海洋执法监察

(1) 依据涉外海洋科学研究、铺设海底电缆管道等的规定，对经中国政府批准、在中国管辖海域进行涉外海洋科研调查、海底光缆维修、平湖油气田管道铺设及维修等施工作业的9国25艘外国船舶实行了严格的船位报告制度，共接收并处理船位报告448份，接收活动情况报告54次。

(2)2001年6月11日，在美国“R/VMELVILLE”船结束“东海海水与海底作用声学实验”靠泊上海港时，对其实施了登临检查。

(3) 2001年7月12日～8月1日和8月9～19日，安排海洋监察员对从事海底光缆铺设施工的巴拿马籍“FUXING”轮进行了随航监督。

(4) 2001年9月14日和21日，对同济大学与日方合作的“东亚沿岸性介形类古生物演化学研究项目”的野外调查进行了随船检查。

4. 狠抓执法队伍业务素质

(1) 举办了中国海监第五支队和航空监察室共38人参加的海洋监察员上岗资格培训班。

(2) 63名海洋监察员参加并通过了上海市府法制办举办的行政执法人员岗位培训，并进行了学习《海域使用管理法》的岗位培训。

2001年，海监队伍坚持依法行政的原则，秉公执法，廉洁自律，未发生一起败诉案件，得到了国家海洋局纪委和中国海监总队组成的监察组的好评。 (蒋博文)

(上接第223页)

省政府在杭州召开了全省海洋与渔业工作会议。会议在回顾总结“九五”时期海洋与渔业工作的基础上，重点部署了“十五”时期海洋与渔业工作。要求加快海洋与渔业强省建设，到2005年，全省海洋产业产值和增加值分别达到1 200亿元和600亿元，年均递增15%，占全省国内生产总值的比重达到6%左右；海洋一、二、三次产业结构比例达到43：22：35；海洋经济总量和主要技术经济指标位居全国沿海省市区前列。会议还讨论通过了《浙江省“十五”海洋工作意见》和《浙江省渔业“十五”计划》。会后省政府下发了《关于加快渔业经济发展的通知》（浙政发[2001]15号），出台了新的扶持海洋与渔业经济发展的政策。省长柴松岳为会议发来贺电，省委副书记周国富、副省长章猛进到会并作了重要讲话，国家海洋局和农业部渔业局有关领导也应邀参加会议并讲了话。 (方康保)

江　苏　省
Jiangsu Province

综　述
Summary

【自然概况】 江苏省位于中国大陆东部沿海中心，陆域范围介于116°18′～121°57′E，30°45′～35°20′N之间，地处长江、淮河下游，东濒黄海，西连安徽，北接山东，南与浙江和上海毗邻。全省土地面积10.26万平方千米，占全国土地面积1.06%。江苏海域北起南黄海海州湾外的平岛（35°08.4′N），南至长江口北支的苏沪分界线(31°37.0′N)，海域面积约3.75万平方千米，占全省土地面积37%。海岸线954千米。全省有各类岛屿16个，岛屿岸线长68千米，面积68平方千米。在江苏沿海中部，分布有全国首屈一指的海底沙脊群——辐射状沙洲，面积约1 268.38平方千米。

海域类型 江苏海岸按物质组成可分为砂质海岸、基岩海岸和淤泥质海岸3类。连云港市所在的海州湾基岩港湾与砂质海滩，是宝贵的海滨旅游资源。基岩港湾海岸提供了建设综合性大型海港的条件，宜于发展海洋经济，扩大对外开放。岸外水域与岛屿，适宜于发展海水养殖与海珍品养殖。占江苏海岸90%的淤泥质海岸主要集中于盐城、南通两市，适于养殖、围垦及发展滨海农牧业。围垦成陆后则是江苏最大的后备土地资源。辐射状沙洲沙脊间潮汐通道相对稳定，宜于建设大型海港。另外江苏近海有基岩岛屿13座和岩礁11座，主要分布在连云港附近。

气候条件 江苏海岸地处中国沿海岸带之中部，属南北气候交汇区域，具有南北气流以及海洋、大陆性气候双重影响的气候特征。灌溉总渠以北属暖温带气候，总渠以南属北亚热带湿润季风气候。由于具有过渡性的特点，生物种类多样，陆上植物以及潮间带与近海生物，既有温暖带种，又有亚热带种，且有利于作物与养殖品种的驯化。开发利用方式与资源种类的南北差异，形成不同岸段产业结构的差异与生物多样性。

海洋资源 江苏海洋资源种类繁多，拥有港航、土地、生物、旅游、盐化工和油气资源。资源的密度指数在全国11个沿海省市区中位于第2，丰度指数居全国第6，资源综合指数位居全国第4。根据多年的调查，江苏沿海有港航资源10多处。沿岸和近海海涂面积约5 100平方千米。南黄海石油地质储量约70亿吨。近海和潮间带有浮游植物288种，潮间带和底栖动物309种，游泳动物174种（鱼类150种）。

【行政区划】 2001年是江苏行政区划变更较大的一年。经国务院批准，全面实施了南京、无锡、苏州、淮安、扬州、连云港6个地级市市区的行政区划调整工作。全省大规模的乡镇行政区划调整基本结束，全年全省共撤并乡镇120个。至年底，全省计有13个地级市、30个县、28个县级市、50个市辖区、1 202个镇、144个乡。其中，沿海有3个地级市、5个县级市、2个市辖区和9个市辖县（表1）。

表1　2001年江苏省沿海市县一览表

沿海地级市	沿海县	县级市	市辖区
连云港市	赣榆县、东海县、灌南县、灌云县		连云区、云台区
盐城市	响水县、滨海县、射阳县	大丰市、东台市	
南通市	如东县、海安县	启东市、通州市、海门市	

海洋资源开发与海洋经济
Development of Marine Resources and Marine Economy

【概况】 自1996年江苏省委、省政府作出发展海洋经济、建设“海上苏东”工程的重大决策以来，全省海洋经济步入了新的发展阶段，沿海各级海洋管理部门思想认识统一，组织机构基本健全，发展基础日渐壮大，基础设施不断完善。

“九五”期间，全省海洋经济年均增长24.6%。2001年是“十五”开局第一年，全省海洋产业产值达到400亿元，其中海洋渔业125.2亿元，盐业5.7亿元，医药业4.3亿元，化工业30亿元，交通运输业48.4亿元，造船业13.1亿元，滨海旅游业91.2亿元，滩涂种植业81.8亿元。各行业均有较快发展，海洋渔业结构调整步伐加快，通过推广潮间带的滩涂贝类围拦养殖、高涂蓄水养殖及浅海域贝类、紫菜养殖，养殖区域从潮上带养殖为主向潮间带和浅海海域拓展。2001年，江苏确定完善沿海基础设施体系为“十五”建设的重中之重，将对东陇海铁路徐州—连云港段进行电气化改造，建成新长江苏铁路、宁启铁路、连徐铁路、汾灌、宁靖盐高速公路，开工建设沿海高速公路、苏通长江大桥、狼山港三期和连云港庙岭三期工程；加快大丰港建设，按五级航道标准整治大丰港疏港航道，整治航道40千米。

【海洋渔业】 针对200海里专属经济区制度实施后出现的新形势，沿海各地积极采取应对措施，大力调整海洋渔业结构，科学保护和合理利用渔业资源，积极推广围拦养殖、虾贝鱼混养等高效养殖技术，加强养殖管理，突出发展海水养殖业和加工业，增强了渔业的竞争力。2001年，全省海水养殖面积达14.36万公顷，比上年增长17.69％；海水养殖产量30.14万吨，增长21.2%；海洋渔业产值125.2亿元,增长9.4%。沿海地区贝类、紫菜、水产种苗、特种水产养殖等优势产业发展加快，特色明显。全年出口水产品4.53万吨，创汇1亿余美元。

为适应中日、中韩渔业协定生效后江苏渔业面临的新形势，全省重点实施了海洋捕捞减船转产计划。2001年，全省加大了试点力度，在全省沿海6个市、县选择了18艘渔船进行减船转产试点，其中10艘转为海水养殖，放养贝类、紫菜等面积0.147万公顷；6艘转收海鲜，共投入资金70万元，安置渔民56人，获毛利18万元；2艘转为其他作业，投入资金30万元，获效益10万元。组织渔政、渔监、船检等机构进行联合执法，加大对“三无”渔船的查处力度，对超期渔船实施强行报废，对证照不齐、安全性能达不到出海要求的船只清理出海洋捕捞行列；对生产力水平低、长期亏损的海洋捕捞渔船引导去从事海水养殖或内河运输。全省共减渔船1 400余艘，4.6万千瓦，转产渔民6 000余名。

表2 2001年江苏省海洋开发资料统计

海洋水产业	总产值（万元）	1 251 550
海洋捕捞	产量（吨）	639 658
海水养殖	面积（公顷）	143 780
	产量（吨）	301 356
海洋货物运输量（万吨）	总　量	1 553
	其中远洋	535
主要港口货物吞吐量（万吨）	连云港	3 058
	射阳港	284
制盐工业	盐田总面积(公顷)	83 607
	海盐产量（万吨）	205.2
	总产值（万元）	57 050.2
海洋化工	总产值（亿元）	15.06
海洋生物制药	总产值（亿元）	4.30
沿海造船工业	总产值（亿元）	13.11
	职工数（人）	3 782
沿海城市国际旅游外汇收入（万美元）		6 910
滨海城市旅游接待能力	旅行社个数	772
	接待入境人数	82 201

【沿海滩涂开发】 正式启动新一轮百万亩滩涂开发工程，组织新围滩涂项目3个，共新围滩涂2 200公顷，开发已围滩地近1.33万公顷，新增滩涂养殖面积4 000公顷。滩涂开发招商引资力度加大，2001年沿海市县滩涂开发共吸引外地开发资金2亿元。充分利用沿海滩涂草地资源，大力调整养殖结构，积极发展食草畜禽，人工种草养畜基地已达到1.12万公顷，其中新增面积0.46万公顷，肉用羊年出栏925万余只，约占全省总出栏量的一半。立足改善沿海生态环境，坚持生态效益与经济效益相结合的原则，大力发展植树造林，完成沿海防护林体系建设3.03万公顷，其中建设速生丰产林0.58万公顷。

【海洋交通运输】 2001年，海洋交通运输业以建设内河主枢纽港和上海国际航行中心北翼组合港口为目标，切实加强沿海港口码头基础设施建设。连云港港口庙岭三期集装箱泊位工程、7万吨航道疏浚及34号码头扩建工程建设进展顺利。连云港全年港口吞吐量完成3 058万吨，比上年增加12.9 %；集装箱运箱完成15.8万标箱，增长31.2%。南通市完成了7个万吨级深水泊位的升级改造，其中3个提高到5万吨级，使南通成为长江沿线第一个拥有5万吨级码头的港口。全年货物吞吐量3 511万吨，集装箱吞吐量18.35万标箱。大丰港两个5 000吨级码头工程总投资3.2亿元，已投入1.56亿元，其中2001年投入2 400万元；2万平方米的导航灯塔平台吹填工程全部竣工，灯塔工程主体工程开始施工。完成港区总体规划设计与分区规划设计方案的评审；年内争取到省计划投资2 000万元；国家海事局专项投资298万元；吸引中远置业集团和汇丽集团8 000万元项目进港区开发建设。

【滨海旅游业】 2001年，江苏滨海旅游业发展迅速，沿海三市接待游客首次突破千万人次大关，达到1 041.6万人次，实现旅游收入86.1亿元，分别增长7.9%和5.3%，创历史最好水平。接待国际游客82 201人次，沿海三市拥有旅行社总数达772个。花果山、孔望山、宿城、海头湾海滨浴场、丹顶鹤和麋鹿自然保护区、狼山等旅游点在国内和国际的知名度逐渐提高。连云港市根据丰富的古代历史文化遗迹和优质的海水资源特点，大力发展假日旅游，成功举办第五届“连云港之夏”活动。先后投入1 700万元完善景区服务功能，连岛、高公岛景区分别被评为国家AAA级和AA景区。盐城以发展沿海滩涂湿地生态旅游带为主导方向，以两个国家级自然保护区划为重点，新建了一批集休闲、观赏、娱乐等为一体的多功能海滨旅游景点。南通市发挥地处江海交汇的区位优势，举办“南通人游南通”、启东圆陀角“迎千年曙光”等系列活动，吸引了众多的国内外游客。

【临海工业】 船舶修造船业骨干企业产值、销售收入与上年同期相比均有较大增幅，南通中远川崎船舶工程有限公司建造的一艘5 450标准集装箱船，在世界上处于领先水平，填补了国内建造大型集装箱船的空白。海洋化工业发展加快，省海洋化工工程技术中心加快产品开发步伐，经济效益良好。海洋医药业有新发展，推出一批海洋医药新产品。9月，利用海洋药物开发的神经再生因子通过专家论证；“第六要素”等海洋药物和保健品销售形势喜人。原盐生产克服特大自然灾害，经济效益保持了持续增长。省级用于海洋开发专项资金达到400万元，对海洋医药、化工、食品工业的有关项目进行贴息。

【基础设施】 江苏省有关部门和沿海三市政府根据省政府下发的《江苏省沿海地区2001～2003年公路、水利、输电设施建设方案》，积极组织实施，沿海地区基础设施建设步伐明显加快。续建项目徐连、汾灌、宁靖盐和徐宿高速公路进展顺利，在建里程达到907千米，占全省在建里程的60%；总投资448.7亿元，2001年底已累计完成投资109.5亿元。国家计委批准立项苏通长江公路大桥建设项目。泰东河先期实施新通杨运河6.4万千米河段，主体工程年内完成。沿海堤防达标工程完成投资5.9亿元。沿海电网18个项目按计划进度建设。

【港口经济洽谈会】 2001年9月，南通市成功举办首届港口经济洽谈会，并开展港口经济成果展示，工业新品精品、旅游产品和名特优新农产品展示展销，中国首制第五代大型集装箱船“中远·安特卫普”号命名仪式等活动。国际港口协会会长染谷昭夫及美国、哥伦比亚、埃及、荷兰、毛里求斯驻华使馆官员，以及来自25个国家和地区的近600名国内外来宾应邀出席了主体活动。签约利用外资项目117个，总投资7.5亿美元，协议利用外资5.9亿美元，出口成交额9 992万美元，新签对外承包工程和劳务合作项目86个，合同额3 276万美元。

海洋公益事业
Marine Public Welfare Facilities

【环境监测】 2001年，江苏各级海洋环境监督管理机构以《海洋环境保护法》、《水污染防治法》等法律法规为依据，以维护和促进海洋经济的可持续发展为目标，结合实际，围绕海洋环境质量监测和海洋赤潮监测两个重点，积极开展海洋环境保护工作，组织开展并完成了江苏省近岸海域重点增养殖区、重点陆源排污口及邻近海域、吕四渔场近岸海域的监测工作。趋势性监测方面，在沿海从海州湾到长江口共设立28个站点开展沿海趋势监测；重点海域监测方面，在南通沿海设立20个站位对重点增养殖区进行区域性监测，在吕四渔场设立6个站点对重点渔场进行监测。同时对陆源污染排海河口、海滨浴场定期开展了水质监测工作。首次发布了《2001年江苏省海洋环境质量公报》，公报显示：2001年江苏省近岸和近海海域海洋环境质量总体状况良好，大部分为一、二类海水水质区。渔场和重点增养殖区水质良好；滩涂贝类重金属含量均未超标；海滨浴场主要污染指标大肠杆菌未出现超标现象。2001年江苏省海洋与渔业局下发了《关于加强赤潮防治工作的意见》，积极筹划赤潮灾害应急响应体系，建立专群相结合的监测监视队伍。2001年，组织海监、渔政人员对沿海污染排海企业进行了深入细致的调查摸底工作，并根据各地调查掌握的情况，派出海监渔政联合工作组，对沿海3市的典型污染企业进行调查处理，收到了很好的效果。在体系建设上，拟定了以江苏省海洋环境监测中心为主、市设中心站为辅、县设监测站为基础的监测网络体系建设方案，2001年8月份省政府批准成立了江苏省海洋环境监测中心。

【江苏海域海底光缆维护】 为切实加强对国际海底光缆的保护工作，在上海召开的APEC领导人会议期间，江苏省海洋与渔业局下发了《关于切实加强国际海底光缆保护工作的紧急通知》。各级海洋与渔业行政主管部门及其所属的海监、渔政管理机构积极配合当地电信部门做好国际海底光缆的保护工作，对渔民进行宣传教育，加强对帆张网、拖网渔船的管理，将管理要求及时传达到船头。全省组织海上执法船队十几批次，加强海上执法巡查和海底光缆维护，重点是海底光缆周边的检查，充分发挥渔政海监船的护缆作用，确保上海APEC领导人会议期间的通信畅通，受到了组委会的表彰与奖励。

海洋科技与教育
Marine Science & Technology and Marine Education

【概况】 2001年，江苏省继续深入实施“科技兴海”战略，各地以项目为载体，以科研、推广单位为依托，试验和推广了适合本地浅海涂特点的新品种、新技术，加强了示范区建设，逐步改变了长期以来形成的滩涂占而不养、吃资源饭的状况，有效地提高了浅海滩涂开发利用水平。在贝类养殖方面，示范推广了潮间带滩涂围栏养贝技术，推动了全省贝类养殖的的发展。藻类养殖通过推广紫菜冷藏网技术和加工新技术，提高紫菜品质量；对虾养殖通过试验循环水养虾技术和推广两茬虾、卤水勾兑井水、虾池混养等技术，大幅度提高了虾池综合经济效益。省海水增养殖技术与种苗中心、省海洋药物研究开发中心、省海洋化工工程技术研究中心以及省海洋食品研究开发中心等科研单位，加强对海洋渔业、医药、化工等重点领域的科技攻关，取得了一批科研成果。

【科技成果推广】 “池塘循环海水高效养殖技术”项目，取得平均产15 675千克/公顷、最高22 200千克/公顷的产量，公顷产值79.5万元，公顷效益52.8万元的好成绩。该技术较好地协调了发展渔业与环境保护之间的关系，对江苏省南美白对虾的养殖起到了极大的推动作用，并在淡水及半咸水养殖中得到推广应用。“条斑紫菜养殖加工出口产业链开发”和“紫菜栽培种质更新”项目的实施，使紫菜产业发展取得了历史性的突破。建立了国内领先的紫菜细胞育种技术和种质制备操作规范；培育了3个长叶条斑紫菜新品系，推广栽培达70万张网，辐射栽培105万张网，全省的良种覆盖率达到30%以上。“海水优良品种高效养殖技术”，通过虾蛏混养，实现生态互补，优化了养殖结构，提高了养殖效益，为对虾发生暴发性病害后的海水池塘养殖找到了新的模式。目前，全省黄颡鱼、河豚、南美白对虾、缢蛏等品种已从零星养殖发展到规模化生产。

【海洋科技教育机构】 江苏海洋教育与科研具有良好的基础和优势，其规模、水平均居全国沿海前列，具有学校多、教育层次全、学科门类完整、师资与科研力量雄厚、应用型学科突出等特点。相关主要教育科研机构包括：河海大学，南京师范大学，南京大学，南京农业大学，苏州大学，扬州大学，南京中医药大学，中国药科大学，淮海工学院，赣榆职业技术学校，南通农业学校，南通航运职业技术学院等高校；

以及中国科学院南京地理与湖泊研究所，江苏省海洋水产研究所，南京水利科学研究院，连云港矿山设计院海洋化工研究中心，江苏省海洋食品研究中心，江苏省海洋药物研究中心等科研院所。

海洋国际合作与交流
Marine International Cooperation and Interflow

【远洋渔业】 1987年江苏省远洋渔业公司派出6条8154型拖网渔船到伊朗进行合作捕捞，标志着江苏省远洋渔业进入开创阶段，经过多年的努力，开发了12个合作项目，派出远洋渔船229艘次，船员3 100人次，赴10余个国家开展远洋渔业合作，累计捕鱼6.1万吨，创汇8 300万美元。这12个项目分布于伊朗、摩洛哥、菲律宾、贝劳、印度尼西亚、尼日利亚、缅甸、毛里塔利亚、塞内加尔、几内亚、阿根廷、关岛等国家和地区。作业的方式包括拖网、流网、张网、延绳钓、鱿鱼钓等。2001年进行合作的国家和地区有摩洛哥、毛里塔利亚、贝劳、关岛、几内亚、缅甸、印度尼西亚和阿根廷，全省在外渔船59艘，年产量1.86万吨，产值1.2亿元。

【外事外贸】 进一步扩大了对外交流与合作，全年完成出国考察团组18批，62人次。出访了日本、韩国、法国、意大利、荷兰、美国、澳大利亚、新西兰、纳米比亚等国家。与这些国家的海洋与渔业管理部门、企业、科研机构进行交流，考察了先进的生产技术、管理方法以及优良品种。接待来自日本、新西兰、德国、黎巴嫩等国家和地区的外宾6批、11人次。增加了沟通，促进国际社会对江苏海洋与渔业的了解。

海洋立法与管理
Marine Legislation and Management

【概况】 2001年，江苏海洋综合管理工作取得突破。海洋国土的宣传力度加大，全社会特别是沿海各级领导干部、涉海部门的海洋意识显著增强，海洋开发与管理越来越引起各级政府和部门的重视。沿海市、县在机构改革中都强化了海洋行政机构的设置，逐步配备了海洋管理人员，海洋管理机构得到明显加强。组织编制了大比例尺海洋功能区划，取得丰硕成果。海域使用管理工作进一步推进，明确了海域使用审批的程序和权限，开展了海域普查登记，全面启动实施海域使用许可和有偿使用两项制度。海域使用管理示范区建设力度加大，继盐城被确定为国家级海域使用管理示范区后，连云港市被确定作为省级海域使用管理示范区建设，参照国家级示范区要求进行管理。海洋监察工作有所加强，海洋环境保护工作得到了强化，海洋开发逐步向规范化、有序化推进。

【宣传贯彻《海域使用管理法》】 在《中华人民共和国海域使用管理法》颁布后半月内和施行日前一周内，全省各地大张旗鼓地开展了形式多样、富有成效的《海域使用管理法》宣传活动，省海洋与渔业局为此专门制定下发了开展《海域使用管理法》宣传活动方案。11月4日，省人大农业和农村工作委员会、省政府法制办、省委宣传部和省海洋与渔业局联合召开了宣传贯彻《海域使用管理法》座谈会，新华日报、江苏电视台等新闻媒体都编发了《海域使用管理法》宣传专题。沿海各地运用电视、报刊、广播、文艺表演、知识竞赛等多种宣传渠道，集中宣传、介绍《海域使用管理法》，发放法律文本、宣传材料，张贴标语，向沿海地区广大公众普及海域法基本知识，使《海域使用管理法》在沿海市、县、乡（镇）、村家喻户晓。在“海域使用管理法全国宣传日”即法律正式施行日，省、市、县各级海洋主管部门举行了《海域使用管理法》知识咨询宣传活动，重要地段悬挂横幅，宣传活动达到高潮。

【海域使用管理】 经报请省政府同意，省海洋与渔业局授权启用了“江苏省人民政府海域使用专用章”，明确了专用章使用范围。同时，省海洋与渔业局与省财政厅广泛调查研究，多方面征求意见，研究起草了《江苏省海域使用金征收管理暂行办法》，联合印制了海域使用金专用收据。协调了海域使用证和水产养殖证“两证”的关系，规范用海程序，做到“两证”齐全，保障用海者在物权和事权两方面的权益。布置开展了海域使用普查登记工作，基本摸清了海域使用的现状。加大对海域使用管理示范区建设的组织、指导力度，盐城市被列入全国第二批海域使用管理示范区建设后，及时成立了由分管市长为组长的示范区领导小组，制定和完善了相关制度，省海洋与渔业局分别就示范区的范围、任务和措施等提出了具体的实施意见，从组织领导、管理制度、海域使用登记、大比例尺海洋功能区划、海域使用证颁发、海域使用金征收、海洋监察和海域管理信息系统等8个方面加强建设，示范区建设水平显著提高。2001年中旬，连云港市被国家海洋局批准作为省级海域使用管理示范区建设，参照国家级示范区要求进行管理。在海域使用管理示范区的带动下，全省海域使用许可和有偿使用两项制度全面启动实施。

【颁发海域使用证】 2001年下半年，启东市连兴港水产开发有限责任公司向省海洋与渔业局申领海域使用证。省海洋与渔业局按照规定的程序进行了认真的审核，在有关新闻媒介上刊发了用海公告，条件符合后报经省政府批准，省海洋与渔业局向其颁发了《海域使用管理法》出台以后全省第一张规范的海域使用证，征收了海域使用金。为了扩大第一张证的影响，江苏省海洋与渔业局专门在启东举行了现场发证仪式，收到了良好效果。

【编制全省大比例尺海洋功能区划】 海洋功能区划是合理开发利用海洋、科学管理海洋的重要前提，是海洋管理的一项大型的基础性工作。针对全省大比例尺海洋功能区划工作相对滞后的状况，省政府对这项工作非常重视，省政府专门建立了由18个省有关部门组成的联席会议制度，多次召开会议专题研究部署全省海洋功能区划工作，落实人员、经费等。联席会议办公单位省海洋与渔业局承担了区划大量的组织协调工作，制订了工作方案，组织有关专家成立了技术指导组和区划编写组，先后组织制定了“区划实施方案”、“框架性意见”、“区划二级提纲”和“联席会议议事规则”，举办了区划培训班，2次筹备联席会议，6次组织有关专家赴沿海市、县指导，4次召开联络员会议协调有关技术问题，并且主持召开了有两位院士参加的技术评审会。作为区划联席会议成员单位的省有关部门对区划工作也给予了大力支持，无偿或低偿提供了大量的基础资料。沿海各市县密切配合、积极响应、上下联动，参照省里的组织形式，由市、县（市）政府负责同志牵头，成立了领导班子和工作小组，明确责任，落实任务。各地参加区划编制工作的同志做了大量艰苦而细致的工作，保证了江苏省大比例尺海洋功能区划工作的顺利进行。经过一年多时间的辛勤劳动，全省海洋功能区划工作取得了丰硕成果，包括《江苏省海洋功能区划》，《江苏省大比例尺海洋功能区划报告》，信息量约400兆的全省尺度的《江苏省大比例尺海洋功能区划图》（电子版），《江苏省海洋功能区登记表》，38套（本、份）基础资料汇编。在技术上严格遵循《国家海洋功能区划技术导则》，在区划图的绘制上注重利用江苏省先进的技术条件和工作成果，采用了国土部门每年更新的数字化的土地利用资料，最大比例尺可到1：10000，工作底图是经南京师范大学解读的卫星遥感影响图和军用地形图，成果图件的制作采用最先进的地理信息技术和卫星定位技术，在功能区的划定上充分尊重了沿海市县和省有关部门的意见，在有关组织程序上完全符合国家海洋局的要求，区划成果得到了国内有关海洋专家的肯定，并顺利通过国家海洋局的审核和省政府常务会议的审定。

（江苏省海洋与渔业局 钱林峰）

统 计 资 料
Statistical Data

表3 江苏省沿海市及县（市、区）海洋机构一览表

机构名称	主管部门	机构级别	成立时间
江苏省海洋与渔业局	江苏省政府	厅 级	2000年
连云港市海洋与渔业局	连云港市政府	处 级	2001年
赣榆县海洋与渔业局	赣榆县政府	科 级	2002年
东海县海洋与渔业局	东海县政府	科 级	2002年
连云区海洋与渔业局	连云区政府	科 级	2002年
灌南县海洋局	灌南县政府	科 级	2002年
灌云县海洋与渔业局	灌云县政府	科 级	2002年
盐城市海洋与渔业局	盐城市政府	处 级	2001年
响水县海洋与渔业局	响水县政府	科 级	2002年
滨海县海洋局	滨海县政府	科 级	2002年
射阳县海洋与渔业局	射阳县政府	科 级	2002年
大丰市滩涂海洋与渔业局	大丰市政府	科 级	2002年
东台市海洋与渔业局	东台市政府	科 级	2002年
南通市海洋与渔业局	南通市政府	处 级	2001年
启东市海洋与渔业局	启东市政府	科 级	2002年
如东县海洋与渔业局	如东县政府	科 级	2002年
通州市海洋与渔业局	通州市政府	科 级	2002年
海门市海洋与渔业局	海门市政府	科 级	2002年
海安县海洋与渔业局	海安县政府	科 级	2002年

表4 江苏省沿海市、县人口及从业人员情况一览表

单位：万人

地区名称	年末总人口	农业人口	非农业人口	从业人员	职工人数
连云港市区	63.86	11.71	52.15	28.83	13.99
赣 榆 县	105.83	88.15	17.68	48.09	3.64
灌 南 县	71.67	61.75	9.92	36.40	2.84
灌 云 县	104.88	83.95	20.93	46.05	4.69
东 海 县	113.40	93.41	19.99	56.54	4.47
盐城市区	63.93	23.46	40.47	25.35	12.16
滨 海 县	107.30	84.51	22.79	37.81	3.38
射 阳 县	105.30	83.16	22.14	39.83	7.55
大 丰 市	74.07	55.31	18.76	38.18	5.58
东 台 市	116.80	88.23	28.57	51.83	5.94
响 水 县	56.79	43.45	13.34	20.94	3.16
南通市区	79.54	25.71	53.83	39.96	20.14
通 州 市	130.19	94.32	35.87	67.76	5.99
启 东 市	115.67	90.73	24.94	75.47	6.85
海 门 市	103.13	66.29	36.84	62.08	5.70
海 安 县	97.76	63.31	34.45	50.07	5.52
如 东 县	110.89	70.13	40.76	60.58	6.11

（下转第265页）

山 东 省
Shandong Province

综 述
Summary

【概况】 2001年，山东沿海的滨州地区改为滨州市。至此，山东沿海7个市、地全部设市。

全省有县级以上海洋科研单位39个，其中隶属于国家部委的7个；海洋科技人员1万余名。滨州地区改为滨州市后，滨州地区海洋与水产局随之改为滨州市海洋与渔业局；滨州市所辖无棣县、沾化县海洋与水产局也改为海洋与渔业局。

表1 山东省沿海市县一览表

沿海市地	沿海县级市	沿 海 县
青岛市	胶州、即墨、胶南	
烟台市	莱阳、海阳、蓬莱、龙口、招远、莱州	长岛
威海市	荣成、文登、乳山	
潍坊市	寿光、昌邑	
日照市		
东营市		垦利、广饶、利津
滨州市		无棣、沾化

2001年，山东省海洋经济持续发展。海洋产业总产值达到1 278.41亿元，海洋产业增加值633.14亿元。海洋渔业在资源衰退、渔场缩减、市场不景气的情况下，转变增长方式，提高发展质量。2001年，海水产品总产量达到583.1万吨，海洋渔业总产值711.35亿元。其中海洋捕捞产量278万吨，实现负增长；海水养殖产量305万吨，增长6.3%。海洋石油工业稳步发展。2001年海洋石油产量达294.8万吨，产值39.26亿元。滨海旅游业发展迅速。2001年滨海旅游总收入达到286.49亿元。海洋交通运输业、造船业、海盐业等传统海洋产业也取得较大发展。

2001年是提出建设“海上山东”十周年，在全省开展了“海上山东”建设十周年宣传活动，提出各种宣传专版、新栏目，整个宣传活动搞的有声有色。 (钟世瑀)

表2 山东省沿海市、县（市、区）海洋机构一览表

沿海市海洋机构	沿海县、市、区海洋机构
青岛市海洋与渔业局	城阳区海洋与渔业局
	崂山区海洋与渔业局
	胶州市海洋与渔业局
	即墨市海洋与渔业局
	胶南市海洋与渔业局
烟台市海洋与渔业局	莱山区海洋与渔业局
	蓬莱市海洋与渔业局
	龙口市海洋与渔业局
	长岛县海洋与渔业局
	芝罘区海洋与渔业局
	福山区海洋与渔业局
	莱州市海洋与渔业局
	招远市海洋与渔业局
	牟平区海洋与渔业局
	海阳市海洋与渔业局
	莱阳市海洋与渔业局
威海市海洋与渔业局	环翠区海洋与渔业局
	荣成市海洋与渔业局
	文登市海洋与渔业局
	乳山市海洋与渔业局
潍坊市海洋与渔业局	寒亭区海洋与渔业局
	寿光市海洋与渔业局
	昌邑市海洋与渔业局
东营市海洋与渔业局	东营区海洋与渔业局
	河口区海洋与渔业局
	广饶县海洋与渔业局
	垦利县海洋与渔业局
	利津县海洋与渔业局
滨州市海洋与渔业局	无棣县海洋与渔业局
	沾化县海洋与渔业局

海洋资源开发与海洋经济
Development of Marine Resources and Marine Economy

【海洋渔业】 2001年，山东省海洋捕捞业以渔民增收、渔业增效和渔区稳定为目标，积极应对因中日、中韩渔业协定实施对捕捞业带来的负面影响，大力推进产业结构调整，严格控制近海捕捞强度，鼓励发展远洋渔业，保持了捕捞业的稳定。海洋捕捞总产量278万吨，比上年减少30万

吨，下降10%。年末海洋机动渔船总数为43 569艘，比上年减少1 721艘；总功率153万千瓦，比上年增加11万千瓦。远洋渔船183艘，总功率13万千瓦，远洋渔业总产量14万吨，比上年增加1万吨，国外经营总收入7 020万美元。近海捕捞产量继续保持负增长。自农业部提出实施海洋捕捞产量零增长的决策以来，山东省严格控制近海捕捞强度，调整和限制对资源破坏严重的作业方式，制定和出台了一系列优惠政策和措施，积极鼓励捕捞渔民从事养殖业和其他非渔作业。海洋捕捞连续两年负增长。远洋渔业向大洋性远洋渔业生产进军。针对世界一些沿岸国普遍加强了对本国渔业资源保护的现状，及时调整远洋渔业发展方向，把大洋性远洋渔业生产列为远洋渔业发展的重点，有计划的发展了一批公海鱿鱼钓、金枪鱼钓渔船，开辟国际渔场，开发公海渔业资源，取得成效。继续进行近海渔业资源增殖放流。为尽快恢复近海资源，2001年除继续保留在南部近海放流对虾、乌贼，在莱州湾放流海蜇等以外，还进行了真鲷、日本对虾、牙鲆等品种的放流，为增加近海渔业资源起到积极作用。2001年6月30日，中韩渔业协定正式生效，全省5 500余艘大功率渔船作业渔场受到限制，下半年转入近海渔场生产，对近海资源和从事近海捕捞的小功率渔船带来严重冲击。

2001年海水养殖业向着优质、精养、高效方向发展。以对虾、扇贝养殖为主，浅海、滩涂养殖“二次创业”取得新成效。对虾、扇贝养殖品种结构调整取得历史性突破。对虾养殖开始由以中国对虾为主，向以日本对虾、南美白对虾为主转变，日本对虾、南美白对虾养殖面积已占整个养虾面积的50%以上。南美白对虾在去年零星养殖的基础上，今年发展到0.67万公顷，并且由沿海向内陆推进。全省对虾养殖产量达2.7万吨。扇贝养殖基本实现了由栉孔扇贝为主向海湾扇贝、虾夷扇贝为主转变，海湾扇贝养殖面积已占扇贝养殖面积的80%以上，全省扇贝养殖产量63.5万吨。“耕滩牧贝”，向养护与增养殖结合、强化管理的方向转变，管护、开发区域不断向外拓展，部分海域由-1.5米移至-3米水域。“设施渔业”正成为养殖结构调整的最大“亮点”，海水鱼工厂化养殖发展迅猛，全省养殖面积达60余万平方米，大菱鲆工厂化养殖迅速崛起，养殖大棚达800余个，养殖面积28余万平方米。海水网箱养鱼规模不断扩大，档次进一步提高。全省海水网箱养鱼发展到7万箱，深海网箱20个。海珍品养殖持续升温。以海参、鲍鱼为主的海珍品增养殖，工厂化、围堰、沉箱养殖等模式不断完善，规模不断扩大。据不完全统计，全省海参、鲍鱼存养量分别为3.84亿头和2.38亿头。生态渔业引起普遍重视并取得新进展，各地进行海底投石，大搞人工造礁，积极营造“海底森林”，实行贝藻间养，促进了海区生态状况的改善。

2001年，山东省水产品加工与流通业积极适应“入世”新形式，转移工作重点，围绕技术创新、市场开发、产品质量开展了一系列的工作，有利地促进了渔业经济的发展。水产品市场产销稳定，增长快速，对外贸易总量达146.4万吨，进出口总额21.02亿美元，同比增长27.4%和31.6%。创汇额占全省农业的32%。主要抓了3个方面的工作：一是实施“精深加工”战略，狠抓技术创新，产品不断上档次、上水平，有利地促进了精深加工产品出口贸易的增长。二是积极扩大内需，努力拓展国内外市场。2001年与国内外客商签定经济技术与贸易合同、协议350余个，内资合同、协议金额达3亿余元，外资合同协议金额达1.8亿美元，国际贸易进出口额达1.5亿余美元，成功地开拓了国内外市场，促进了渔业经济的发展。三是加强质量管理，争创名牌产品。为全面提高行业质量管理水平，积极开展标准化工作，发布了《加强水产品质量安全监督管理、标准化工作意见》、《山东省渔业标准化“十五”规划》，成立了山东省水产标准化工作专业委员会。实施名牌战略，组织发动企业参加全国农业博览会名牌产品的认定工作，使全省渔业系统的97个产品获奖，共获奖牌53个。加强了质量监督和市场“打假”工作，将6大类56个水产品列入了全省定期质量监督检查计划，3类产品列入市场专项监督检查，并对11个市地80个单位的100余个产品进行了监督检查。

（杨宝清　庄丽禾　孙兆胜）

【海洋盐业及盐化工业】 山东省盐生产工艺和科学技术为国内先进水平，大中型企业盐田结构趋于合理，直接生产作业基本实现机械化。2001年海盐产量900余万吨，年销售量达900余万吨，均占全国的1/4以上。2001年实现工业总产值25.3亿元(不含氯碱和纯碱工业)。海盐化工业实施大企业集团带动战略，走联合创新、集团化、规模化发展之路，获得迅速发展。盐化生产能力和实际产量均达到20万吨以上。制溴技术和管理水平居国内领先地位。溴素生产能力6.5万吨，2001年生产5.8万吨，产量和市场占有率均为全国的。(赵玉科)

【滨海旅游业】 2001年，山东省涉海旅游共接待海外游客54.76万人次，旅游外汇收入2.97亿美元，接待国内游客3 457万人次，旅游收入224.58亿元。全省及各沿海城市政府继续加大工作力度，并相继出台一批政府文件。3月份省政府召开的全省旅游发展工作会议，将旅游业正式定位为国民经济主导产业，在全国率先确立了旅游业的主导产业地位。山东省人民政府出台了鲁政发[2001]103号文件，提出了进一步加快发展旅游业的政策和措施，并提出大力培育近海客运市场，积极发展海上旅游；出台了《关于大力加强旅行社建设的意见》，提出要积极扩大旅行社行业规模，推动旅行社成熟发展等，各市相继出台了贯彻意见。省政府与世界旅游组织合作，聘请中外专家编制的《山东省旅游发展总体规划》，经省政府、国家旅游局正式批准实施，该规划对发展海滨旅游做出了具体规划。

2001年，全省新增旅行社373家，总数达1 050家，其中，国际旅行社53家，国内旅行社997家。全省星级饭店规模迅速扩大，新增星级饭店120家，星级饭店新增客房6 032间，床位11 852张，固定资产37.8亿元。总数达346家，增长50%。其中五星级饭店6家；四星级饭店24家；三星级饭店125家；二星级饭店158家；一星级饭店35家。(孔榕榕)

【海洋油气业】 2001年胜利浅海新增探明含油面积7.7平方千米，探明石油地质储量1 759万吨；新增控制含油面积15.5万平方千米，控制石油地质储量2 405万吨；新增预测含油面积14.4平方千米，预测石油地质储量3 471万吨。

截至2001年底，浅海地区共计探明含油面积153.5平方千米，石油地质储量40 368万吨；控制含油面积33.8平方千米，石油地质储量9 795万吨；预测含油面积93.6平方千米，石油地质储量15 814万吨；探明石油可采储量7 596.9万吨。探明溶解气地质储量175.21亿立方米。

海上油田全年生产原油213.6万吨，实际交油208.84万吨，为年计划的100.8%。天然气交气量完成8 272万立方米，为年计划的118%；新建产能12万吨；油田注水75.35万立方米；新探明石油地质储量1 744万吨。全年完钻探井及评价井11口，试油10口，获工业油流9口。完钻交井16口，完成钻井进尺28 532米，交井资料全准率、工程质量合格率为100%。全年建成平台8座，铺设输油管线2条，注水管线10条，敷设海底电缆3条。完成孤六联孤岛首站直径377毫米外输管线施工。组织海上第一口气井CBG5投产。(王亚宁)

海洋公益事业
Marine Public Welfare Facilities

【海洋环境监测】 山东省海洋与渔业厅组织完成了全省近岸海域环境趋势性监测工作和小清河口海域专项监测工作；各市根据工作计划，完成了海水重点养殖区、重点陆源排污口、海水浴场等重点海域的专项监测工作。研究制定了《山东省海洋环境质量公报编制工作方案》，落实了技术承担单位，成立了公报编制审定委员会和编写委员会。

海洋与渔业环境监测体系建设取得较大突破。根据《山东省海洋环境监测体系建设方案》，积极推动海洋环境监测体系建设。沿海7市中有5个市相继建立了海洋与渔业环境监测站；省政府批准成立了山东省淡水渔业环境监测中心。

在第二次污染基线调查成果的基础上，组织编写发布了《山东省海洋环境现状及污染防治对策》；在连续3年对小清河口及其近岸海域环境监测的基础上，编制发布了《小清河口海域环境质量现状调查与评价》和《关于小清河口和近岸海域环境质量的通报》，提出了净化小清河、治理莱州湾的对策和建议，为各级政府领导环境管理提供了决策依据。

【海洋预报】 山东省海洋预报台每天通过山东卫视向社会发布海浪预报、中长期预报和风暴潮预警报，为政府防灾减灾和涉海部门决策提供了科学的依据。

海洋预报台的管理制度进行了改革，使海洋

预报信息更快地传输到有关部门。

海洋环境保护
Marine Environmental Protection

【海洋与海岸工程环境影响评价工作】 根据《海洋环境保护法》和《建设项目环境保护管理条理》有关规定，制定了《山东省海洋与海岸工程建设项目环境影响评价管理暂行办法》。组织有关市地积极介入一些大型海岸海洋工程的环评事务。首次独立开展了海洋工程环评管理，对龙口矿务局北皂煤矿海域扩大区煤炭开采项目，进行了环评大纲审批，环评报告评审和批复工作。

【海洋与渔业污染事故查处】 2001年全省查处海洋与渔业污染事故47起。

【渤海综合整治莱州湾示范项目】 举办“莱州湾污染物总量控制制度”培训班，对环莱州湾3市项目管理人员进行了技术培训。完成了项目外野勘测调查和环境剖面分析工作，制定了《莱州湾污染物总量控制示范项目建议书》。

【自然保护区选划建设】 积极开展海洋自然保护区的选划工作，2001年省政府批准建立了“青岛大公岛海洋生态省级自然保护区”。配合省环保局编制了《全省生态建设规划》，提出了全省海洋自然保护区建设目标。

【海洋与渔业环保培训】 派员参加菲律宾国际海岸带环境管理高级培训班。编写了《海洋与渔业环保法律汇编》、《渔业环保概论》，举办了全省渔业环保培训班，全省16个市、70余个县(市、区)100余人参加了培训。通过培训，加强了环保队伍的建设，提高了执法、监测技术水平。

（魏 玉）

海洋灾害与防御
Marine Disasters and Prevention

【概况】 2001年山东省海洋渔业共发生海损事故93起，死亡失踪渔民77人，直接经济损失597.6万元。在减灾防灾方面，认真落实安全防范领导负责制和工作责任制，逐级签订安全生产责任书，下达安全控制指标，实施安全生产目标量化管理，建立有效的监督管理与制约防范机制，完善安全防范措施，加强安全生产与预防灾害监督检查，积极开展行之有效的安全生产宣传教育与培训，严格执行24小时安全值班与领导带班、通讯联络制度，做好大警报传递工作，加强以渔政船为主要力量的海难救助队伍建设，积极开展海上遇险救助。最大限度地防止和减少了海洋渔业遭受自然灾害与其他海损事故造成的损失。

（渔政处 船检局）

海洋科技与教育
Marine Science & Technology and Marine Education

【概况】 山东省拥有雄厚的海洋与渔业科技力量，在海洋与渔业科学研究的许多领域居国内领先地位，有些达到国际先进水平。

为了加快“海上山东”建设，山东省委、省政府把科技兴海作为一项重大战略措施来抓。2001年，山东省重点进行了海洋农牧化的研究与开发以及海洋化工、海洋药物的开发技术研究，取得了很好的成效，促进了海洋科技成果的产业化，推动了海洋高新技术产业的发展，培植了一批海洋新兴产业的龙头和骨干。2001年全省海洋产业产值1 278亿元，年增加值633亿元，科技进步贡献率达45%。

2001年，省科学技术发展计划、农业良种产业化计划和农业科技成果重点推广计划共计安排海洋水产增养殖、加工技术研究开发，海洋药物、海洋化工、海洋环境服务技术研究开发等项目48项，直接投入科研经费1 300余万元；全省取得海洋科技成果70余项，其中60项达到国内外先进水平。共有8项科研成果获得2001年山东省科技进步奖，其中获得二等奖2项，三等奖6项。

（薛久明）

【海洋油气技术进步】 全年共组织科研攻关项目30项，完成12项，有7项获局级科技进步奖，5项获局级科技进步推广奖。井组采油平台模块整体安装技术更趋成熟，每座平台节约资金近60万元，缩短工期10天左右。滩涂浅海地区高精度地震勘探技术成为海洋资源开发技术主题项目研究课题。通过该课题的研究，将形成一套适合于滩浅海特点的高精度地震资料采集与处理技术，应用此项技术，能够较好地完成多种复杂地表和地下地质构造条件下的采集任务，获得高信誉和高品质的地震野外数据。　　　　　　　　　　　　　　（王亚宁）

海洋国际合作与交流
Marine International Cooperation and Interflow

【概况】 2001年，山东省海洋与渔业对外合作进展顺利，4月，莫桑比克渔业部长穆滕巴先生率团来考察，双方就在莫国开展对虾养殖、捕捞以及其他方面的渔业经贸合作事宜进行了深入探讨。6月韩国全罗南道副知事赵宝勋先生率团来山东省参加中国山东—东北亚地方政府首脑经济发展研讨会期间，就山东与全罗南道在渔业养殖、加工、互派考察团以及渔业科技信息交流等方面达成了协议。另外日本福冈鱼市场每年一次组团来华访问。2001年，山东省国际鲜销渔业发展迅猛，鲜活水产品直销日本市场取得了成功经验。年销售额已占日本福冈鱼市场国内外鱼货销售总额的11%，成为日本最大的产地鱼市场的主要运销客户。到2001年底，渔业引进外资举办合资企业960余家，利用外资额 5亿多美元，出口水产品22.65万吨，创汇4.83亿美元。2001年全省出口水产品总量75万吨，创汇14亿美元，占全省大农业的32%以上。　　　　（张　锋）

海洋立法与管理
Marine Legislation and Management

【海域使用审批管理】 山东省海洋与渔业厅组织开展了大型用海项目普查工作。组织沿海 7 市，用了 2 个多月的时间，对全省港口码头、电厂、旅游、围填海工程使用海域的基本情况进行了普查，登记各类工业、工程、旅游用海和200公顷以上海水养殖、盐业用海项目170余项。在普查的基础上，对各类用海项目做了科学分析，建立了档案，为海域使用审批打下了坚实的基础。

以港口为重点，集中突破。山东省港口码头使用海域不仅面积较大，而且历史较长，省海洋与渔业厅发出了《关于交通航运港口码头用海办理海域使用证的通知》，并与烟台、日照、东营等市海洋与渔业局密切配合，连续 3 次深入岚山港、东营港、龙口港、蓬莱港、烟台港和日照港等省部级港口企业，具体了解港口海域使用现状、港口经营效益和企业对海域使用管理的态度。经过耐心细致的工作，使省航运管理局和省航运集团转变了认识，配合着手解决省属港口企业用海问题。岚山港码头已填海项目和港池海域使用、胜利油田海港码头海域使用均已申请办理了海域使用证，交纳了海域使用金。另外还有1个航道用海项目、1个锚地用海域项目向省政府提交了申请。省级港口码头企业用海纳入海域使用管理有了很大进展，取得了实质性突破。

全省加大了对非渔业用海项目的海域使用管理。各地在海水养殖海域使用管理取得较大发展的基础上，加大了对非养殖用海的管理，一批工业用海和围海、填海、旅游用海项目纳入管理轨道。一年来，全省新审批发放海域使用证360余个，其中非渔业项目占80%。目前，全省已累计审批办理海域使用证4 800余本，依法确权海域使用面积17.3余万公顷。

【海域使用金征收管理】 2001年全力推进海域有偿使用制度，截至年底，已征收了两笔海域使用金，实现了省级财政海域使用金入库和省海洋与渔业厅直接征收海域使用金零的突破。

为了加大对沿海各地海域使用金征收管理工作的监督，省财政厅会同省海洋与渔业厅向沿海各市财政、海洋管理部门发出了关于开展海域使用金大检查工作的通知。并联合组织两个检查组，对烟台、日照和东营 3 市及所属的10个县市区进行了抽查。通过抽查，3 市又有近300万元海域使用金缴入财政专户。

【海底电缆管道管理】 海底电缆管道铺设审批工作取得突破，论证、审批和监督管理工作正式启动。

山东省海洋与渔业厅向沿海市县区和有关用海、涉海部门和单位重新印发了国务院《铺设海底电缆管道管理规定》和国家海洋局《铺设海底电缆管道管理规定实施办法》，进一步明确了责任。在组织完成全省管辖海域内的海底电缆、管道铺设调查的基础上，按照审批权限，省厅与国家海洋局北海分局多次协调，依法组织对日照市木浆有限公司污水排海管道路由调查、勘测报告和海域使用可行性报告进行了论证，审批了其管道路由，颁发了施工许可证，并在沿海省率先以省海洋与渔业厅名义，在中国海洋报发布了公告，首次履行了海底电缆管道管理的省级行政审批职能。

【海域使用管理示范区】 烟台、青岛两市被纳入财政部、国家海洋局第二批国家海域使用管理示范区，在国家海洋局支持下，确定日照市和东营市作为省级海域使用管理示范区。通过加强指导和督促管理，各示范区工作进展顺利，较好地完成了年度示范任务。

【海岛开发保护管理】 长岛县国家海岛开发保护管理试点工作全面完成。通过两年的试点，已建立了无居民岛资料档案库，并按照要求编制了无居民海岛开发保护规定，制定了无居民岛开发保护政策。

【大比例尺海洋功能区划编制】 省海洋功能区划编制组加快了工作进度，全面完成了《山东省大比例尺海洋功能区划》报告，编绘了区划图，初步建立起海洋功能区划管理信息系统。全省和沿海7市大比例尺海洋功能区划于12月21日通过了国家海洋局组织的专家评审，区划成果整体水平达到国内领先、国际先进水平。

【海域管理业务培训】 11月20～22日，省海洋与渔业厅邀请国家海洋局海域管理司、国家海域使用管理技术总站等单位的专家，在潍坊市举办了全省海域使用管理培训班，重点对《海域使用管理法》、《海域使用管理技术规范》、《海域勘界管理办法》和《海域勘界技术规程》等进行了强化培训。沿海市海域管理科（处）长和业务骨干、沿海县（市、区）分管局长、海域管理科（站）长，以及部分海洋工程技术单位和海洋监察队伍的90余名学员参加了培训，收到了很好效果。

【海域使用管理监督检查】 省海洋与渔业厅上半年开展了一次海域使用管理检查，重点检查了日照和东营两个市。下半年借助与省财政厅共同开展全省海域使用金征收管理检查的机会，开展了一次海域使用审批管理工作检查，督促纠正了越权审批、坐支海域使用金等行为。 （徐国强）

（山东省海洋与渔业厅 钟世蔼 李明文 刘东朴 马永兴）

统 计 资 料
Statistical Data

表3 2001年山东省沿海地区人口及从业人员情况

单位：亿元

地区名称	年末总人口	农业人口	非农业人口	从业人员	职工人数
烟台市辖区	162.8	82.2	80.5	46.6	25.6
龙口市	62.5	47.8	14.7	34.6	9.6
莱阳市	89.0	74.7	14.3	5.3	5.0
莱州市	86.9	73.3	13.6	6.8	6.6
蓬莱市	48.4	40.7	7.7	3.5	3.5
招远市	57.5	47.1	10.4	23.9	6.2
海阳市	68.5	60.5	8.0	34.7	3.3
长岛县	4.5	2.9	1.6	1.8	0.7
烟台市合计	580.1	429.3	150.8	157.2	60.5
东营市辖区	75.7	23.2	52.5	24.8	24.4
垦利县	21.1	14.4	6.7	1.4	1.3
利津县	29.2	23.5	5.7	1.3	1.3
广饶县	47.4	38.6	8.8	2.5	2.4
东营市合计	173.4	99.7	73.7	30.0	29.4
日照市	276.8	209.0	67.8	14.7	17.1
日照市合计	276.8	209.0	67.8	14.7	17.1
威海市辖区	53.3	23.2	30.1	26.5	15.2
文登市	66	53.5	12.5	37.4	6.8

续 表

地区名称	年末总人口			从业人员	
		农业人口	非农业人口		职工人数
荣成市	67.9	51.6	16.3	3.0	6.1
乳山市	60	52.2	7.8	33.2	5.4
威海市合计	247.2	180.5	66.7	127.1	33.5
滨州市辖区	281.4	238.2	43.2	119.4	18.6
无棣县	43.2	38.4	4.8	21.2	2.4
沾化县	38.3	34.7	3.6	20.7	1.5
滨州市合计	362.9	311.3	51.6	161.3	22.5
青岛市辖区	237.7	67.2	170.5	64.8	75.1
胶州市	76.0	61.5	14.5	10.5	11.3
即墨市	106.9	93.8	13.1	7.8	8.7
胶南市	83.7	70.3	13.4	6.8	7.4
青岛市合计	504.3	292.8	211.5	89.9	102.5
潍坊市辖区	130.7	61.3	69.4	24.4	23.4
寿光市	106.1	85.3	20.8	5.4	5
昌邑市	68.3	55.9	12.4	3.8	3.8
潍坊市合计	845.9	641.2	204.7	61.7	60.2
沿海合计	2 990.6	2 163.8	826.8	641.9	325.7

表4 2001年山东省沿海地区国内生产总值

单位：亿元

地 区 名 称*	国 内 生 产 总 值	工 业 总 产 值	农 业 总 产 值
烟台市辖区	188.59	352.08	31.77
龙口市	140.98	287.45	27.91
莱阳市	80.05	166.79	25.23
莱州市	125.01	191.00	38.94
蓬莱市	81.90	157.00	28.23
招远市	95.00	228.67	12.48
海阳市	50.00	68.20	30.34
长岛县	10.45	2.46	9.93
烟台市合计	771.98	1 453.61	204.83
东营市辖区	32.81	412.92	14.30
垦利县	21.32	42.57	8.72
利津县	25.42	42.16	13.38
广饶县	52.79	102.02	19
东营市合计	501.50	599.67	36.40
日照市	234.30	114.13	86.52
日照市合计	234.30	114.13	86.52
威海市辖区	168.33	302.17	22.00
文登市	166.97	377.86	35.89
荣成市	196.80	399.39	60.06
乳山市	95.00	188.59	30.29
威海市合计	627.10	1 263.97	148.24
滨州市辖区	242.29	223.47	85
无棣县	35.68	33.32	14.36
沾化县	28.56	10.55	13.81
滨州市合计	306.53	267.34	113.17
青岛市辖区	700.75	1 283.80	41.94

续 表

地 区 名 称*	国内生产总值	工业总产值	农业总产值
胶州市	124.93	227.54	35.65
即墨市	132.95	185.84	43.56
胶南市	132.24	220.66	43.69
青岛市合计	1 090.87	1 917.84	164.84
潍坊市辖区	197.24	207.12	24.99
寿光市	116.90	105.80	52.50
昌邑市	63.90	127.00	31.00
潍坊市合计	802.00	740.70	288.40
沿海合计	4 334.28	6 357.26	1 042.40

注：地区名称系指沿海省、市、区、县名称；沿海城市仅统计市区数据；沿海城市和沿海县除分别统计合计值外，并统计分城市和分县数据。

（史更新）

（上接第257页）

表5 江苏省沿海国内生产总值、工农业总产值一览表

单位：亿元

市县名称	国内生产总值				工业		农业	
	合 计	第一产业	第二产业	第三产业	总产值	增加值	总产值	增加值
南 通 市	190.20	4.36	113.64	72.20	292.14	101.07	10.40	436
通 州 市	130.11	20.55	61.05	48.51	113.34	52.12	38.24	20.55
启 东 市	132.51	28.27	55.53	48.71	98.21	48.88	56.89	28.27
海 门 市	132.92	18.48	64.43	50.01	105.49	58.58	34.23	18.48
海 安 县	74.70	19.28	28.71	26.71	55.16	23.22	32.15	19.28
如 东 县	84.08	19.28	28.71	26.71	59.20	24.00	42.40	26.87
盐 城 市	77.08	5.21	35.38	36.49	90.03	28.11	10.43	5.21
东 台 市	85.00	25.80	32.61	26.59	82.73	32.65	77.61	25.80
大 丰 市	105.05	35.24	37.68	32.13	79.43	29.66	58.41	35.24
响 水 县	24.15	9.97	6.08	8.10	14.43	5.05	22.18	9.97
滨 海 县	41.70	16.30	12.30	13.10	11.47	10.30	33.82	16.30
射 阳 县	77.75	25.52	30.16	22.07	60.71	27.55	55.86	25.52
连云港市	112.97	6.61	64.74	41.62	112.18	101.07	10.43	6.61
赣 榆 县	66.86	21.68	27.93	17.25	44.48	24.94	42.40	21.68
灌 云 县	49.53	16.93	13.88	18.72	30.16	11.72	32.01	16.93
灌 南 县	24.29	10.24	7.39	6.66	13.95	6.15	19.82	10.24
东 海 县	62.42	22.65	22.67	17.10	43.73	19.82	41.75	22.65

青 岛 市
Qingdao City

综 述
Summary

【概况】 青岛市地处山东半岛南部华北经济区和华东经济区的结合地带，位于119° 30′ ~121° 00′ E，35° 35′ ~37° 09′ N，三面环海，与朝鲜、韩国、日本隔海相望，是中国重要港口和上海与天津之间最大的经济中心城市，山东省沿黄流域最大的出海口和信息、金融、货物集散中心之一。截至2001年底，全市总面积为10 654平方千米，人口710.49万人，比上年增长了0.54%。青岛为海滨丘陵城市，地势东高西低，海岸线总长为862.64千米，其中大陆岸线730.64千米，占山东省岸线的1/4强，沿海分布49处港湾和69个岛屿，管辖海洋面积1.38万平方千米。青岛沿海属正规半日潮港，每个太阳日有2次高潮和2次低潮。青岛是中国重要的海洋科研基地，包括19位两院院士在内的全国50%以上的海洋科学家云集于此。2001年底，全市共有耕地46.74万公顷，沿海滩涂3.8万公顷，浅海水面5.8万公顷。青岛海区港湾众多，岸线曲折，滩涂广阔，水质肥沃，是多种水生物繁衍生息的场所，具有很高的经济价值和开发利用潜力。

2001年，青岛市海洋产业经济进一步发展，主要海洋产业总产值达324.7亿元，比上年增长20.3%；完成海洋产业增加值153亿元，比上年增长22.8%，海洋产业增加值占全市国内生产总值的11.6%。2001年，全市海水产品产量123.5万吨，实现海洋渔业总产值119.2亿元，比上年增长16.6%，占海洋产业总产值的36.7%，居于海洋产业的主导地位；盐及盐化工业继续保持稳定增长的趋势，主要盐化工产品产量达到70万吨，实现工业总产值18.6亿元，同比增长28%；修造船业全年完成工业总产值9.4亿元，同比增长80%，完成造船综合吨达5.8万吨；交通运输业发展迅速，北方航运中心初具规模，完成货物吞吐量10 398万吨，成为具有综合竞争优势的国际亿吨大港，全年完成营业收入43.9亿元，同比增长28%；滨海旅游业全年接待国内外游客共1 551.3万人次，完成营业总收入117.6亿元，同比增长4.17%。海洋药物及保健品制造业发展较快，全市实现产值16亿元。

表1 青岛市沿海区（市）及其海洋管理机构

区（市）名称	海洋管理机构
青岛市	青岛市海洋与渔业局
胶南市	胶南市海洋与渔业局
胶州市	胶州市海洋与渔业局
即墨市	即墨市海洋与渔业局
崂山区	崂山区海洋与渔业局
城阳区	城阳区海洋与渔业局
黄岛区	黄岛区海洋与渔业局

海洋资源开发与海洋经济
Development of Marine Resources and Marine Economy

【海洋渔业】 2001年，青岛市海洋与渔业部门按照党的十五届六中全会和中央、省、市农村工作会议精神以及青岛市海洋渔业工作会议确定的目标任务，进一步解放思想、开拓进取，使全市海洋渔业工作较上年相比又有了很大进步。渔业产业结构进一步优化，“两高一优”渔业发展迅猛，全市完成水产品总产量128.9万吨，实现水产品总产值79.3亿元，分别比上年增长1.9%和6.2%，在全国15个副省级城市中居第2位；实现渔业增加值44.4亿元，比上年增长13.3%，渔业增加值占全市大农业增加值的30.6%，增幅程度居大农业各业之首；全市水产品出口29万吨，出口创汇6.3亿美元，分别比上年增长26%和37%，在全国15个副省级城市中居第1位，其中水产品出口创汇在全市大农业中位居首位。

水产养殖 通过进一步调整水产养殖生产结构，推动了以网箱养鱼和海珍品养殖为代表的第

表2 青岛市沿海区、市人口及从业人员情况一览表

单位：万人

年份	2000					2001				
统计项目	年末总人口数	农业人口	非农业人口	从业人员	职工人数	年末总人口数	农业人口	非农业人口	从业人员	职工人数
青岛市	234.7	67.3	167.4	136.0	76.7	237.7	67.2	170.5	64.8	75.1
胶州市	75.8	61.5	14.3	43.0	10.9	76.0	61.5	14.5	10.5	11.3
即墨市	106.6	94.6	12.0	59.5	8.2	106.9	93.8	13.1	7.8	8.7
胶南市	83.6	70.9	12.7	35.8	7.4	83.7	70.3	13.4	6.8	7.4

表3 青岛市国内生产总值、工农业总产值一览表

单位：亿元

区市名称	年份	国内生产总值				工业		农业	
		合计	第一产业	第二产业	第三产业	总产值	增加值	总产值	增加值
青岛市	2000	628.87	21.01	324.93	282.93	997.88	257.35	39.81	21.01
	2001	700.75	21.80	357.69	321.26	1 283.80	357.69	41.94	21.80
胶州市	2000	103.30	18.58	51.95	32.77	114.43	28.01	33.54	18.58
	2001	124.93	19.10	66.32	39.51	227.54	66.32	35.65	19.10
即墨市	2000	109.81	22.70	47.29	39.82	71.00	17.99	41.63	22.70
	2001	132.95	23.34	60.78	48.83	185.84	60.78	43.56	23.34
胶南市	2000	109.10	23.81	54.32	30.97	106.45	31.30	40.94	23.81
	2001	132.24	24.59	69.70	37.95	220.66	69.70	43.69	24.59

四次养殖浪潮的快速发展，特别是工厂化养虾等渔业设施取得重大突破，示范点公顷产对虾超过30 000千克。截至2001年底，全市水产养殖面积达5.95万公顷，产量82.7万吨，分别比上年增加7.4%和6%。其中，海水养殖面积4.25万公顷，产量77.4万吨，分别比上年增长6.39%和5.6%；淡水养殖面积1.7万公顷，产量5.3万吨，分别比上年增加8.5%和5.7%。网箱养殖发展到2.5万箱，比上年增长了25%。全浮式和沉浮式抗风浪网箱试验取得了较大进展，为大面积推广积累了经验。工厂化养鱼面积5万余平方米，大菱鲆工厂化养殖已达30万尾。对虾养殖继续保持恢复性增长，全市对虾养殖面积0.76万公顷，其中日本对虾、南美白对虾和南美蓝对虾占71%；对虾产量7 300吨，比上年增长了23%。扇贝养殖面积0.29万公顷，产量13.4万吨，与上年基本持平。杂色蛤养殖面积1.57万公顷，产量36.6万吨，比上年增长8.5%。海珍品养殖发展较快，鲍鱼产量1 396吨，海参产量306吨，分别比上年增长了38%和15%。

海洋捕捞 海洋捕捞实现了持续和健康发展，远洋渔业走上了规范化发展轨道。停止审批新增从事国内捕捞的渔船，严格控制近海捕捞强度，编制了《青岛市“十五”期间远洋渔业发展计划建议书》，进一步加快了远洋渔业发展步伐。一年来，青岛市狠抓渔业资源保护工作，加强休渔期管理，积极引导捕捞渔船的转产转业，进一步降低了海洋捕捞强度，海洋捕捞产量比上年同期降低了4.2%，实现了“负增长”的预期目标。全年投入捕捞船只11 237艘，总功率24.15万千瓦。全年捕捞产量46.2万吨，其中鱼类22万吨，虾蟹类11万吨，贝类11.3万吨，其他类19万吨。

水产加工及进出口贸易　水产加工能力进一步提高，全市水产加工企业近400家，加工产量32万吨，实现产值36亿元，再创历史新高。青岛市水产品已远销世界近60个国家和地区，出口量和出口创汇额大幅度增长，成为国内最大的水产品出口创汇基地。2001年，青岛市水产品进出口总量达到77万吨，比上年增长了26%，占山东省的52.5%，占全国的18%；水产口进出口贸易额11.1亿美元，占山东省的52.8%，占全国的18.3%。其中水产品出口量达到29万吨，比上年增长了26%；创汇额6.3亿美元，比上年增长了37%，占全省的45%，全国的15%。

基础设施建设　基础设施建设进一步加强。2001年水产基础建设项目立项资金超亿元，其中包括总投资1 000万元，农业部下达的建造300吨级渔政船项目投资计划。水产苗种基地建设发展较快。全市育苗厂已达117家，育苗水体达10万余立方米，育苗量400亿粒（尾、头），育苗能力达到600余单位家，苗种生产能力显著增强，部分品种除能满足本地需求外，还可向外地供应。青岛市水产养殖病害防治中心和青岛市渔业环境监测中心挂牌成立并正式运转，贝类净化与质检中心建成并投入试生产，贝类净化厂建设进展顺利。即墨女岛修扩建工程周戈庄渔港码头已完工并交付使用，国家级海湾扇贝良种场和积米崖渔港修扩建工程也于年内动工建设。

【港口建设与海洋运输】　青岛港口建设继续坚持“以港兴市，以市促港”的原则，全面推进“实施一大转移、发展两大中心、建设八大工程、带动十大关联产业”的发展战略，重点建设了一批现代化水平较高的集装箱、矿石、原油、煤炭、混装码头及多用途码头，成功完成了老港区码头的改造。以大型集装箱泊位为主的前湾港三期工程进展顺利，前湾港被国家批准为一类开放口岸，青岛港已跨入亿吨大港的行列。青岛港成为具有综合优势的国际亿吨大港后，进一步加强内外资源整合和质量与企业管理，年内先后在香港和西安等地成功地举办了招商推介会，并在青岛港网站开辟了招商引资专栏，利用网络招商，全年实际利用外资1 586.5万美元，实际利用内资12.13亿元。截至年底，青岛港已拥有码头长度10.147千米，商用泊位49个，大型机械560台，总资产达亿元；完成吞吐量10 398万吨，比上年增长20.4%。其中，外贸吞吐量7 016万吨，比上年增长21.7%，居全国沿海港口第2位；旅客吞吐量3.5万人，港口总收入22.68亿元，比上年增长21.1%。港口经济效益保持了持续、快速、稳定发展。9月，青岛港务局荣获“全国质量管理奖”，成为全国5家获此奖的企业之一；青岛港ISO9001：2000质量管理体系和青岛港ISO14001环境管理体系分别通过了中国质量协会和中国环境科学院环境管理体系认证中心审核验收。在此基础上全市的海洋运输也取得了迅猛发展，北方航运中心初具规模。2001年，青岛港完成货物吞吐量过亿吨，其中集装箱吞吐量达263.9万标准箱，增长24.55%，以青岛远洋运输公司为代表的海运企业全年共完成营业收入26.45亿元，完成货运量3 464万吨，货运周转量达3 279.7亿吨公里，是上年同期的18倍。海洋交通运输业全年共完成营运收入43.9亿元，同比增长28%，进一步推动了海洋产业的快速发展。中共中央政治局委员、国务院副总理吴邦国，中共中央政治局委员、全国人大常委会副委员长姜春云，中共中央政治局委员、山东省委书记吴官正于年内先后视察了青岛港，对港口建设和发展给予了充分肯定和鼓励。

【船舶修造业】　青岛市船舶修造业坚持“发挥优势、加大投入、扩大规模、修造并举”的方针，以市场为导向，以修船和制造集装箱船、游艇等为重点，加快新产品的开发，实现了由传统造船模式向现代造船模式的转变。2001年，青岛市修造船业在加快海西湾大型船舶修造基地建设的同时，依靠技术优势，积极拓展国外市场，增强竞争力，全年共造船26艘，修船348艘，造船综合吨达57 629吨，完成工业总产值9.4亿元，工业增加值3.39亿元，实现利税总额0.32亿元。其中青岛北海船厂全年实现工业总产值3.8亿元，比上年增长20%；实现销售收入3.6亿元，比上年增长22%；出口创汇3 861万美元，比上年增长31%；超额完成利润计划并创历史最好水平。

【海洋旅游】 2001年，青岛市海洋旅游业以山、海、城为特色，以滨海观光旅游为基础，坚持国内旅游与国际旅游并重的发展原则，积极推出避暑、游乐度假等特色旅游，建设了由团岛至崂山头的海湾游览线和主岔道、田横岛、崂山、石老人、薛家岛 、琅琊台等旅游区。抓住2008年奥运海上帆船比赛的发展机遇，加大旅游投入，开展了由团岛至石老人国内最长的滨海走廊的建设论证工作，进一步完善了以“中国青岛国际啤酒节”和“青岛海洋节”两大节庆为重点，月月有活动、季季有高潮的旅游节庆活动格局。作为省内资源最为丰富的旅游网站的开通运营，给世界提供了一个了解青岛、认识青岛的现代化窗口，昭示了青岛愈加开放的姿态，有力地促进了青岛海洋旅游业的发展。截至2001年底，青岛市共接待国内外游客1 551万人次，旅游总收入117.6亿元，其中接待国外游客32.3万人次，外汇收入1.78亿美元；国内游客1 519万人次，国内旅游收入达102.8亿元，海洋旅游业已成为青岛市海洋产业的重要组成部分。

【盐业生产】 青岛市共有盐田10 627公顷，海洋盐业企业11个，职工15 000余人。2001年，青岛市盐业在“注重效益、控制制盐规模、扩大海水养殖、盘活地产”的总体思路下，加大了盐业生产结构调整力度，积极推广盐田生物技术，提高原盐单产，并根据市场需求适度调整原盐生产能力，扩大精制碘盐生产规模，不断满足人民生活需求，适当扩大盐区海水养殖面积，提高养殖技术，发展高效养殖，利用盐区盐碱地地价低廉的优势，逐步发展机械、化工、建材建筑和仓储等项目，促进第二、三产业的发展，优化盐区生产结构。进一步完善食盐专营工作体制和盐业行政管理体制，严格执行准运证制度，规范购盐渠道，健全市、乡、村三级销售网络，成功实现了青岛盐务管理办公室对各市、区级盐务管理办公室的垂直和直接领导。继续加大盐政稽查监管工作力度，严厉打击各种涉盐违法事件，维护人民的切身利益。年内，联合工商、卫生、技术监督、公安等部门协同执法19次，共查处盐业违法案件935起（其中受理违法举报103起），查处率达100%。盐化工业根据市场需求，进一步扩大纯碱生产规模，开发低盐重质碱，稳定烧碱年产量，调整开发了聚氯乙烯、氯化钾、工业溴、氯化镁、芳烃氯化物等产品。2001年，全市原盐产量43万吨，工业总产值18.6亿元，工业增加值 6亿元，实现利税总额2亿元，全年主要盐化工产品产量达70万吨。

表4　青岛市海洋开发资料

统计项目		2000年	2001年
海洋捕捞产量（万吨）	鱼类	23.83	21.59
	贝类	10.96	11.33
	藻类	0.06	0.02
	虾蟹类	11.37	10.96
	合计	48.18	46.17
海水养殖产量（万吨）	鱼类	0.95	1.95
	贝类	70.13	72.13
	藻类	1.19	1.79
	虾蟹类	0.99	1.43
	合计	73.29	77.37
海洋货物运输量（万吨）	沿海	529.3	662.7
	远洋	2 498.7	2 801.3
海洋旅客运输量（万人次）		614.5	697.8
青岛港货物吞吐量（万吨）		8 636	10 398
海盐生产面积及产量	面积(公顷)	84.1	8815
	产量(万吨)	44.2	43.0
海盐化工产量（万吨）		66.4	69.9
海水捕捞产量（万吨）		48.18	46.17
滨海城市国际旅游收入(万元)		118 163.8	147 333.0
滨海城市旅游接待能力	饭店个数	89	95
	客房数（间）	11 610	13 230
	床位数（张）	20 097	24 699
浅海滩涂开发利用情况（公顷）	总面积	37 600	37 600
	已利用面积	21 372	24 110
滨海旅游人数（万人次）	国内	1 300	1 519
	国外	26	32.3

【海洋药物与保健品生产】 2001年，以海洋天然活性物质开发为代表的海洋药物产业和海洋保健品开发热潮方兴未艾。国风药业、三九集团、国大生物等为代表的一批知名企业集团纷纷下海参与海洋药物领域的开发，在开发区开工建设规模

化工业园区，其中由国风药业集团投资7亿元建立的集海洋药物、生物工程、现代中成药研发和生产于一体的国风生物海洋药业工业园，占地面积高达67公顷，一期工程完工并投入试生产；同时总投资达9 000万元，建筑面积6 000余平方米的国大生物工业园生产厂房目前已通过国家药检局GMP认证验收，重组链激酶、鲑鱼降钙素两大海洋药物产品将在这里实现产业化；由国内知名制药企业三九集团与青岛海大联合开发的三九生物药业园规划方案目前已基本落实，将投资20亿元建设100公顷的大型产业园区，积极转化国内外海洋药物科研成果，整合海洋生物制药资源，力争将开发区的工业园建成中国海洋生物制品生产基地和技术中心。与此同时，青岛市海洋药物和保健品科研工作一直稳居全国前列。以青岛海洋大学、中国科学院海洋研究所、国家海洋局第一海洋研究所等为主的一批科研机构，在海洋天然产物开发、海洋活性物质研究、药物合成等领域形成了“集团军”。青岛海洋大学在原有实验室基础上组建的海洋药物重点实验室已初步建设完毕，加强了实验室的实验手段的科技竞争能力，提高了实验室的科技创新能力，为海洋药物的科学研究工作提供了良好的支撑环境。2001年海洋药物的科技成果转让经费达到2 000万元，为实验室成果的直接产业化提供了有利保障。由管华诗院士主持研究的2个国家一类新药“新型抗艾滋病海洋药物-911”和“抗心脑血管疾病海洋生物新药D-聚甘酯”成果作价入股与山东中鲁远洋渔业股份有限公司组建的“中鲁海大爱华海洋药业有限公司”，目前已进入正常运营阶段。

海洋公益事业
Marine Public Welfare Facilities

【第三届中国青岛海洋节】 第三届中国青岛海洋节由国家海洋局、青岛市政府共同主办，2001年7月14～22日举行。此次海洋节以“拥抱海洋世纪，共铸蓝色辉煌”和“海洋与奥运”为主题；进一步明确海洋节作为“科技节”的定位，主要突出海洋科技特色，努力将海洋节办成青岛对外宣传的“城市名片”。本届海洋节共包括开幕式、海洋科技博览会暨国际论坛、体育赛事、文化活动、科技与经贸系列活动、海洋美食与购物及闭幕式等8个板块、36项主要活动内容。开幕式在位于石老人国家旅游度假区内的石老人海滨举行，将中央电视台“同一首歌”文艺演出与海上摩托艇表演和千人畅游大海活动结合在一起，山东卫视、青岛电视台进行了现场直播，并在中央电视台两次录播。节日期间，举办的2001年中国海洋科技博览会暨海洋科技与经济发展国际论坛以其参会人员层次和论文学术价值水平高，成为近年来青岛市举办的最高层次的国际性会议；体育赛事板块举办了第39届OP帆船世界锦标赛、全国沙滩排球巡回赛等9项体育赛事；海滨旅游板块推出“海上看青岛”、“海岛之旅”、“海港之旅”和中苑海上广场观光、度假及休闲活动；文化系列活动组织开展了96场社区文化活动，还举办了著名歌手演唱会、海洋丽人评选、歌手大赛、书画摄影比赛等活动；科技经贸系列活动举办了2001青年海洋科学论坛、青岛海洋节人才交流大会、第三届全国海珍品养殖研讨会、山东省海洋产业可持续发展研讨会、中国青岛海洋产业技术成果及项目查询、洽谈与交易活动、海洋科普宣传日、大型科普展“回顾与展望”等活动；闭幕式在青岛市人民会堂举办了“东方之花”大型歌舞晚会。本届海洋节的宣传与青岛城市形象宣传相结合，中央电视台和香港凤凰卫视台在黄金时间向海内外连续播放了海洋节盛况。

【2001海洋科技与经济发展国际论坛】 2001海洋科技与经济发展国际论坛于7月15～16日在青岛海天大酒店举行，由国务院发展研究中心、国土资源部、中国科学院、中国科学技术协会、国家环保总局、国家海洋局、联合国教科文组织驻北京办事处、国家自然科学基金委员会、中国海洋学会和青岛市人民政府10家单位联合主办，青岛市人民政府调查研究室等单位承办。该论坛是近几年来青岛市举办的最高层次的国际性会议之一。论坛成立了组委会，全国人大常委会副委员长、中国科协主席周光召担任主任委员，副主任委员有国务院发展研究中心副主任鲁志强，科学技术部副部长程津培，国土资源部副部长蒋承崧，国家海洋局局长王曙光，国家环保总局副局长汪纪戎，国家自然科学基金委员会副主任朱作言，中国科学院副秘书长邓麦村，中国海洋学会理事高从阶，联合国科教文组织驻华代表处代表林川真

纪；秘书长为青岛市政府副市长周嘉宾、马论业。论坛主题是“海洋科技与经济发展”。论坛先后举办了主题报告会、院士论坛、国外专家演讲、学术交流会等活动。参加本次论坛的国内代表76人，国外代表34人，其中国内外院士共34人。论坛共收到国内外提交论文81篇，其中国家有关部委的主题报告7篇，院士论文13篇，体现了国内外海洋科研领域的一些最新研究成果。中央电视台、山东卫视台和青岛电视台及国内各大报刊向国内外报道了论坛盛况。

【第十一届青岛国际啤酒节】 第十一届青岛国际啤酒节于2001年8月18日至9月2日在位于石老人国家旅游度假区内的青岛国际啤酒城内举行。由中国国际贸易促进委员会、中国国际商会、中国人民对外友好协会、国务院侨务办公室、中国国家轻工联合会和青岛市政府联合主办。主题口号为“青岛与世界干杯”，吉祥物为卡通蛇“乐乐”。此次啤酒节共安排了开幕式、花车艺术巡游、啤酒节开幕大型文艺晚会、品酒饮酒活动、文体系列活动和闭幕式等7大板块内容。全国人大副委员长吴阶平、全国政协副主席马文瑞、中国外交学会会长梅兆臣、澳大利亚前总理霍克、韩国驻青总领事琴秉穆，以及来自17个国家和地区的49个外宾代表团、11个华侨代表团参加了开幕式。澳大利亚前总理霍克在开幕式上发表了热情洋溢的演说并与市领导一起参加了花车艺术巡游首游式。山东电视台和香港凤凰卫视台将开幕式及相关活动向国内外作了现场直播，《人民日报》、新华社、中央电视台、中央人民广播电台、台湾东风卫视台、韩国KBS电视台、德国巴伐利亚电视台和美国《侨报》等50余家中外媒体的近300位记者参与报道了本届啤酒节盛况。

【启动2008年奥运项目建设论证及相关工作】 2001年7月13日晚10时10分，当国际奥委会主席萨马兰奇在莫斯科举行的国际奥委会第112次全会上宣布北京获得2008年奥运会承办权的同时，青岛作为北京申办奥运会的惟一伙伴城市与北京同时赢得成功。为了圆满完成青岛市承办奥运项目的各项任务，2001年7月20日市政府召开承办奥运专题会议，副省长、市长杜世成作了重要指示。会后，市建委迅速成立专门调研小组着手2008年奥运会项目建设基本思路的起草工作，结合本市“十五”计划及2010年远景目标，提前规划建设。该项工作围绕加快青岛城市建设步伐，全民办奥运的主题，突出了“绿色奥运、水上奥运、经营城市、经营奥运”的宗旨，初步提出了“突出重点、以点带面，整体提升、全面推动、承办奥运、重点经营”的基本思路，形成了“点、线、面”的有机结合。建设项目主要包括奥运场馆及周边建设、城市道路交通建设、城市绿化、城市综合开发和建设数字化城市等内容。奥运项目建设论证工作的启动和实施对于提高青岛的城市地位和知名度，拉动经济快速增长和增强市民的参与意识等起到积极的推动作用。

海洋环境保护
Marine Environmental Protection

【海洋环境监测与城市污水处理】 认真贯彻《海洋环境保护法》。2001年青岛市在全市沿海地区开展了声势浩大、形式多样的宣传活动，并在全市海洋与渔业系统组织了多次法律培训班，增强了全市海洋环境保护的法制观念，为青岛市海洋环境保护工作的进一步开展奠定了思想基础。为更好地掌握青岛市近岸重点海域环境质量状况及变化趋势，制定了《青岛市重点海域海洋环境监测方案》，推行了市县两级海洋环境监测工作，在胶州湾及青岛近岸重点海域共布设74个水质测站、30个沉积物测站、21个生物环境测站和10个生物质量测站，其中在胶州湾重点海域共布设18个水质和沉积物测站、10个生物环境测站和4个生物质量测站，在5月和9月开展了两次水文、化学、生物、沉积物环境和贝类残毒监测，根据监测资料编写了《胶州湾重点海域环境监测调查与评价》，为海域环境保护提供了管理决策和科学依据。严格控制海域污染，在对近岸海域水质状况综合调研的基础上，积极采取措施，加强对胶州湾近岸海域的使用管理，严格控制胶州湾渔港及渔船排污，有效控制网箱养鱼及海水养殖的环境污染，做到了海洋开发和海洋生态保护协调发展。完善和规范海洋环境保护工作程序。严格执行工程用海环境影响评价制度，审核了城阳污水处理厂、部队游泳场、青岛港液体化工码头、青岛轮渡公司薛家岛轮渡码头等近20项工程建设项目环境影响评价工作，完成了前海海砂开采渔业资源损失评估及环境影响评价工作，严把审核、审批关，防止工程用海海洋污染事故发生。制订了《奥运会比赛海区及邻近海域环境保障工作方案》，取得了奥运会海上赛区的监督监测权。拟定了《青岛市海洋赤潮防灾减灾工作方案》，成立了全市海洋赤潮防灾减灾工作领导小组和办公室，开展了赤潮贝毒监测、预警报和赤潮应急跟踪监测监视，赤潮防灾减灾工作正式启动。制订了《青岛市渔业水域污染事故调查处理程序》，严格规范污染事故调查处理程序。完成了青岛双桃精细化工（集团）有限公司渔业水域污染事故和轮渡公司安子码头渔业水域污染事故的调查处理，公平公正地调解了渔业损失赔偿纠纷。成立了大公岛海洋岛屿生态系统自然保护区筹建委员会，制订了大公岛岛陆规划及海域开发区划，向省政府申报成立省级自然保护区。申请市政府批准，建立了灵山岛海珍品种保护区，并开展了有关筹建工作。

海洋科技与教育
Marine Science & Technology and Marine Education

【概况】 青岛市是中国主要的海洋科研教育机构集中地和中国进行海洋科研、教学和国际学术交流的基地，海洋科技密集度居全国之首，素有“海洋科技城”之称。青岛的海洋科技研究开发机构约占全国总数的1/3以上。截至2001年底，青岛市共有中国科学院海洋研究所、国家海洋局第一海洋研究所、中国水产科学研究院黄海水产研究所、中国化工新材料总公司海洋化工研究院、青岛海洋地质研究所、山东省社会科学院海洋经济研究所和山东省海洋药物科学研究所等各类海洋科技开发研究机构17所，其中国家级、省级13所，另有与海洋专业相关的高等院校4所，其中青岛海洋大学为全国最大的海洋综合性大学。青岛的海洋科技研究开发机构拥有的海洋科技研究开发与教学方面高级专家、学者，占全国总数的50%以上，其中，中国科学院院士、中国工程院院士共19名，占全市全部24名院士的近80%。2001年，青岛市承担了国家近海赤潮发生的生态学、海洋学机制集预测防治等课题的研究，总经费3 000万元。至此，国家重大基础研究发展规划项目的6个海洋领域项目，有5个项目的首席科学家和主持单位在青岛。在国家批准的第一批高技术研究发展计划（“863”计划）海洋领域课题中，青岛市承担了135项，获得近9 000万元拨款支持。2001年，青岛市在研的国家重大基础研究发展规划项目（“973”）主要有海水重要养殖生物病害发生和抗病力的基础研究，中国边缘海的形成演化及重要资源的关键问题研究，中国近海赤潮发生的生态学、海洋学机制及预测防治研究和东黄海生态系统动力学与生物资源可持续利用研究等。

海洋立法与管理
Marine Legislation and Management

【海洋管理法规体系建设】 为使海洋管理纳入法制化轨道，推进海洋管理科学化进程，青岛市把建立和完善海洋法规体系作为一项重要工作来抓，取得了显著成效。2001年，青岛市组织起草了《青岛市渔业无线电管理暂行规定》和《青岛市水产苗种管理规定》，并将该两部规章列入了青岛市政府立法计划的送审项目；制定了《青岛市海洋与渔业系统2001～2005年法制宣传教育和依法治理工作规则》，同时，针对目前海洋管理工作实际及存在的主要问题，认真组织开展了调研工作，掌握了第一手资料，为进一步加强海洋立法工作和健全海洋管理法规体系提供了有力的保障。

【海域使用管理工作】 海域使用两项制度进展顺利，确权管理工作进一步加强。组织开展了对《青岛市海域使用管理条例》等法规贯彻实施情况的检查活动，特别是对渔业养殖用海的海域使用确权发证情况进行了认真调研，组织召开了全市海域确权发证政策研讨会，并针对存在的问题进行研讨，提出了解决方案。向市政府法制办提交了《实施〈青岛市海域使用管理条例〉情况报告》，下发了《关于加强海域确权发证工作的通知》，进一步规范了全市海域使用管理，确保了渔业养殖用海确权管理工作的顺利进行。年内，全市47个海岸工程项目已办结海域使用手续35个，累计办理海域使用证532个，确权发证率达到95%。建立了海域使用管理信息系统，并开始编制《海域使用规划》，进一步提高了管理的科学性。完成了国家级海域使用管理示范区建区任务，海域使用管理工作继续走在全国前列。

【海洋执法监察工作】 加强对行政执法队伍的自身建设。年内对300名海洋监察员分4次组织进行了上岗资格培训，提高了海洋与渔业执法人员的业务素质和执法水平。认真组织“四五”普法工作，进行海洋法律法规宣传，在全市海洋与渔业系统开展了“法律知识学习活动”，尤其是在《海域使用管理法》即将实施之际专门制定了海域法宣传方案，开展了一系列形式多样的法律宣传活动，使海洋法制观念深入人心。加大执法监察力度。先后于6月和11月两次在全市范围内组织了大规模的海域使用情况大检查，共查出非法养殖单位15个，非法填海造地单位2个，未经批准擅自动工的海岸工作项目5处，执法人员对责任单位进行了查处，并责令限期整改。依法查处了浙临322号船、庐山1号船、苏连海机218号船、苏连海机219、苏连海机999船、皖采14号船等采砂船在青岛市前海非法采砂案件，对有关责任者作出了相应处罚。搞好行政执法监督工作，组织了苏连海机219船、苏连海机999号船涉嫌非法挖砂、破坏海洋环境和海洋生态系统一案行政处罚听证会，依法受理了对银海大世界非法改变海域使用用途行政处罚案的行政复议申请，充分听取当事人对案件事实理由的陈述，确保执法的公平公正性，维护当事人的合法权益。

（青岛市海洋与渔业局　孙云潭　韩德智）

天 津 市
Tianjin City

综 述
Summary

【概述】行政区划 天津市地处渤海湾西岸，海河水系与蓟运河水系的尾闾，是海陆交互作用强烈的地区。地理坐标38°34′～40°15′N，116°43′～118°04′E。南北长189千米，东西宽117千米，周长900千米，总面积11 919.7平方千米。天津市下辖18个区县，其中沿海区有塘沽区、汉沽区和大港区，面积约2 200平方千米。海岸线长约153千米，陆界长700余千米，滩涂370平方千米，按现行规定，管理海域面积3 000平方千米。

自然概况 天津市东临渤海湾，西接北京，南北与河北省接邻，地处华北平原的东北部，海河流域下游。天津市腹地广阔，是华北、西北广大地区的最近的出海口，是欧亚大陆桥中国境内距离最短的东部起点。

天津夏季受海洋影响，冬季受内陆作用，四季分明，属于海洋型海陆过渡气候，冬冷少雪，夏热多雨，春秋气候温和，多风少雨，具有明显的暖温带半湿润季风性气候特点。天津海洋资源主要有盐业、天然气、石油和鱼类等。（王春荣）

表1 天津市沿海地区人口及从业人员情况一览表

单位：万人

沿海市区	年份	年末总计人口	农业人口	非农业人口	职工人数
天津市	2000	912.00	379.50	532.50	201.80
	2001	913.98	378.76	535.22	192.30
塘沽区	2000	46.50	6.40	40.10	12.70
	2001	46.84	6.38	40.46	39.55
汉沽区	2000	16.80	4.50	12.30	4.20
	2001	16.79	4.49	12.30	3.77
大港区	2000	33.10	10.20	22.90	13.40
	2001	33.51	10.25	23.26	12.25

（张敬国）

【海洋机构】 在天津市机构改革中，根据中共天津市委办公厅津党办发[2000]56号文批复天津市海洋局职能配置、内设机构和人员编制的规定，设置天津市海洋局（天津市海洋局同时加挂国家海洋局天津海洋管理办公室的牌子）。天津市海洋局是主管全市海洋行政事务的市政府职能部门，由天津市规划和国土资源局管理。天津市海洋局内设4个处室即办公室、发展计划处、海域管理处和海洋环境处。下属事业单位有：天津古海岸与湿地国家级自然保护区管理处、天津市海洋监察大队和天津市海洋预报台。

【主要工作】 2001年，天津市海洋局通过有效的立法、规划、管理，依法全面履行海域使用、海洋环境保护和海洋执法监察的行政管理职责，进一步建立适应社会主义市场经济的海洋管理秩序，推进天津市海洋事业跨越式发展。

按照天津市委书记张立昌提出的“要做好海洋这篇文章”的要求，天津市海洋局进行了深入研究讨论，统一了思想。提出了“12235”的整体工作思路，即：一个引导，两个基础，两个重点领域，三个提高和五项重点工作。具体讲就是以规划引导年度计划，计划保证规划的实施；以数据信息和工作制度为基础；以海域管理和海洋环境保护为两个重点领域。提高海洋工作在全社会影响度、海洋工作为经济发展服务的力度。

建立国家级海域使用管理示范区，维护天津市海洋权益，推进海域使用管理工作深入开展。利用国家在天津市建立海域使用管理示范区的契机，狠抓海域使用管理。经天津市申请，2001年3月经国家海洋局、国家财政部正式批准天津市塘沽区为第二批国家海域使用综合管理示范区。结合塘沽区海岸线长（最长92千米）、海域使用率高的特点，通过大规模的海域使用普查登记，核发海域使用证，掌握海域使用的第一手资料，规范塘沽区的海域使用和开发秩序，带动天津市海域使用管理上水平。天津市海洋局、市财政局共同制定了《塘沽海域使用管理示范区工作方案》

并成立了示范区领导机构，4月国家海洋局批准天津市塘沽示范区工作方案，5月全面启动示范区工作。截止年底，海域使用普查登记取得了阶段性成果，共有24个用海单位进行了海域使用登记工作，用海项目41个，涉及到码头、航道、锚地、围填海、渔业、旅游、盐业、拆船、石油开发、环保项目等几乎所有的用海类型，海域使用面积约183平方千米，示范区登记率达到100%。并初步完成海域使用勘测核定工作、内业绘图和汇总工作。

配合《中华人民共和国海域使用管理法》（以下简称《海域法》）颁布实施，大张旗鼓开展宣传。天津市海洋局按照国家海洋局和市政府的要求，拟定宣传贯彻《海域法》实施方案上报规划和国土资源局、市政府，分别在市人大、滨海新区、规划和国土资源局系统面向各级领导和涉海单位组织开展宣讲，涉及各级领导、涉海单位和有关管理人员300余人。同时按照国家海洋局的统一要求，制定了有关法律集中宣传日的活动计划并组织实施。12月29日《海域法》集中宣传日活动由天津市副市长王德惠在天津市电视台卫视频道发表电视讲话。

以收取海域使用金为重点，对重点涉海单位进行走访、调研，逐步解决遗留的海域使用及围海造陆的老大难问题，为《海域法》正式实施和海域有偿使用打下基础。

按照国家海洋局的统一部署，积极做好海域行政堪界的前期准备工作。天津市海洋局年初就开始做堪界的准备工作，成立了天津市海域勘界领导小组，王德惠副市长任组长，市政府陈质枫副秘书长、市海洋局张海河局长任副组长的勘界领导小组。

加大执法监察力度，宣传贯彻《海洋环境保护法》和《海域法》，推动海域管理和海洋环境保护工作的开展。《海洋环境保护法》赋予天津市海洋局“组织、管理海洋环境监测”的职责。按照《天津市海洋环境监测工作方案》，适时掌握了近岸重点、热点海域的环境质量动态。2001年5、8、10月组织外业调查，共布设水质监测站20个，沉积物测站10个，生物测站3个。对重点海域、排污河口、倾废区以及水产养殖区的海水、沉积物、生物体中的COD、营养盐、油类和重金属进行检测，完成监测质量评估，编制《2001年天津市海洋环境质量年报》和《2001年天津市海洋环境公报》。加强海洋倾废管理，严格签发倾倒许可证，确保倾废船只倾倒到位率达到100%，杜绝违法倾倒事件的发生；编制并组织实施《2002年天津市海洋环境监测方案》。

结合近年来天津市海域赤潮发生频繁的现象，建立了“天津市海洋灾害应急监测网”，由天津市海洋局牵头成立了“市赤潮防灾减灾领导小组”，负责赤潮防治的日常工作。拟定了“天津市赤潮监测监视工作管理制度”。启动海洋灾害应急监测响应系统，开展赤潮监测，发布赤潮通报，作好赤潮灾害的防治工作。发布天津市和渤海湾海洋预报和海洋灾害警报。

为落实《海洋环境保护法》和配合国家《海域法》出台，10月底开展了海洋环境和海域使用情况联合大检查活动，邀请市人大、市政协和有关新闻单位参加。一方面查处违法行为，一方面向涉海单位和个人分发宣传材料，宣讲海域法和海洋环保法的主要内容，普遍提高公众和用海单位的法律意识。

加强与全球环境基金会组织合作，正式实施东亚海渤海环境项目，2001年2月成立天津市实施东亚海渤海环境项目管理办公室，编制了项目建议书，组织有关单位付诸实施。

以保护为主线，主动服务推进海洋自然保护区的建设与管理。落实《天津古海岸与湿地自然保护区管理办法》，推进保护区管理体制建设，根据保护区特点，着手建立以保护区管理处为主导，县乡村三级辅助管理体制；结合天津古海岸与湿地自然保护区范围大、管理人员少的实际，8月，提出建立保护区监理所的方案和建立上古林贝壳堤展示中心的方案，报市政府有关部门并加快实施。同时加强巡查，注重网络建设，抓住典型事例，加大查处力度。

将保护区管理的关口前移，主动与有关部门协调沟通，变事后处罚为事先管理，变被动处理为主动服务，切实保护天津市这一不可再生的自然资源。9月，制定了《关于进一步加强天津古海岸与湿地国家级自然保护区管理的意见》，提出了依法严格管理保护的措施，在保护的核心区、缓冲区、实验区都做出相应规定，在保护区统一规划指导下，有计划地进行适度开发活动。将保护区管理的关口前移，对凡是涉及计划项目审批、规划设计、外经外事、环境保护、施工建设等，应事先加强与自然保护区管理部门沟通与协调，对法规允许的有益活动应严格履行相关的论证和报批程序，同时加强对保护区的监察执法力度，发现违反保护区相关法规和制度的单位和个人，严肃处理。

加强国际合作，促进中美海洋类自然保护区合作关系向深入发展，积极争取美国菲力普斯石油公司支持海洋环保建设资金，9月，在美方赞助保护区标志碑建设的同时，组织中小学生开展“热爱家乡、保护湿地”的主题活动，邀请天津市副市长杨栋梁和社会各界共同参加揭幕活动，在社会上引起强烈反响。中央电视台、天津电视台和有关报刊给予了相关报道，为今后进一步合作打下基础。

以机构改革为契机，加强海洋管理体系和机关建设。落实天津市海洋局 8 项行政审批制度，制定实施办法，公开办事规则，简化审批程序，转变职能，改进作风，提高效率，树立良好形象，提高海洋管理工作的科学化、规范化水平。

按照《海域法》和海洋事业发展形势的要求，加强海洋执法队伍机构建设。为加快组建中国海监天津总队。2 月，向天津市编委正式提出组建海监总队的方案，为正处级全额拨款事业单位，依照国家公务员管理。市编办就成立中国海监天津总队的必要性和重要性开展了深入细致的调研工作，取得了积极的效果。10月向天津市编委提出共建海洋环境监测预报中心的方案。在国家海洋局北海分局塘沽海洋站基础上共建天津市海洋环境监测预报中心。

加强塘沽、汉沽、大港滨海 3 区海洋管理体系建设。塘沽、汉沽、大港滨海 3 区均没有海洋管理机构，各区相应的海洋工作都由区科委代管，市海洋局加强与各区政府的协调与沟通，在此次机构改革中滨海 3 区均成立海洋局，在区属范围内管辖各自海域，使天津市真正建立起市区两级海洋管理体系。

按照天津市委、市政府的要求，在“三定”方案的基础上，6月，天津市海洋局实施机构改革。明确部门职责，在全局实行全员双向选择，机关处级以上干部竞争上岗。两周内完成报名、推荐、定岗、公示、考察、任免等工作，为工作的顺利开展打下了基础。

加强信息宣传工作。围绕海洋重点工作和天津市海洋局中心工作，制定了“2001年宣传工作要点和加强宣传信息工作的意见”。进一步加大信息宣传力度，取得了明显成效。

【海洋经济】 8月召开天津市海洋统计工作会议，对2000年海洋统计数据进行了分析。天津市 6 年来的海洋经济统计数据显示，海洋产业呈现快速增长态势。海洋产业增加值比1995年增长了1.45倍，高出同期全市国内生产总值的增长幅度近 1 倍。随着海洋产业经济的发展，在全市经济总体格局中海洋经济将会占据越来越重要的位置。 （王春荣）

表2 天津市海洋开发资料统计

统计项目		2000年	2001年
海洋捕捞产量（万吨）	鱼类	1.034	1.438
	贝类	1.609	1.567
	虾蟹类	0.843	0.692
	合计	3.509	3.697
海洋养殖产量（万吨）	鱼类	0.098	0.186
	鱼蟹类	0.376	0.483
	合计	0.474	0.669
海洋货物运输量（万吨）	沿海	0.00	0.00
	远洋	4 218.0	4 927.8
海洋旅客运输量（万人次）		47.2	38.1
天津港货物吞吐量（万吨）		9 566.30	11 369.0
海盐生产	面积（公顷）	37 185.0	36 182.0
	产量（万吨）	250.0	251.9
海盐化工产量（万吨）	氯化镁	16.51	19.97
海洋石油产量（万吨）		425.90	636.1
滨海旅游人数（万人次）	国外	35.62	42.14

表3　2001年天津市沿海地区国内生产总值、工农业总产值一览表

单位：亿元

市、区	年份	国内生产总值				工业		农业	
		合计	第一产业	第二产业	第三产业	总产值	增加值	总产值	增加值
天津市	2000	1 639.36	73.54	820.17	745.65	3 080.74	728.10	156.30	78.56
	2001	1 826.67	78.56	891.51	856.60	2 940.44		169.51	
塘沽区	2000	409.21	1.50	272.10	135.61	665.13	271.70	2.49	1.32
	2001	503.67	1.55	335.40	166.72	788.91		3.06	
汉沽区	2000	21.67	2.42	11.93	7.32	30.05	9.36	5.65	2.60
	2001	23.18	2.60	12.64	7.94	35.99		6.13	
大港区	2000	99.49	0.57	84.22	14.70	292.04	62.05	0.58	1.13
	2001	106.85	0.93	87.54	18.38	295.98		2.24	

海洋资源开发与海洋经济
Development of Marine Resources and Marine Economy

【综述】 天津市海洋经济继2000年开始回升以来，2001年持续稳定发展。2001年全市海洋产业总产值完成197.8亿元（注：新增海洋化工统计数据，以下比值为同统计口径比较值），较上年增长了22.5%，完成增加值124.4亿元，同比增长23.5%。其中，海洋化工、滨海旅游和交通港口在继上年增长的基础上，又有较大幅度增长。海洋化工总产值完成38.3亿元，比上年增长55.7%，滨海国际旅游总产值完成23.3亿元，同比增长26%，交通港口同比增长15.7%。修造船业在结束连续3年负增长的基础上，完成总产值约4亿元，增加值0.26亿元，初步扭亏为盈。

交通港口运输服务　全年完成产值44.26亿元，增加值24.7亿元，其中天津港完成增加值16.2亿元。天津港全年共完成货物吞吐量11 369万吨，国际集装箱吞吐量完成201.1万标箱。

石油天然气　2001年天津原油产量970.29万吨、天然气6.2亿立方米。石油天然气共完成总产值75.5亿元，较2000年增加13.9%。

滨海旅游　2001年接待入境游客47.2万人次，旅游外汇收入达到2.8亿美元，较上年增加了21.7%。

海洋水产　2001年，海洋水产在稳定近海捕捞产量的基础上，继续加强海水养殖，海水养殖产量在2000年增长的基础上，呈现持续增长的态势。海洋捕捞产量达3.7万吨，海水养殖产量6 690吨。其中海水养殖产量较2000年增长41.1%。海洋水产完成总产值7.03亿元。

海盐业　2001年天津市海盐产量251.9万吨，海盐总产值达到4.9亿元，产量、产值与2000年持平。

修造船　2001年，天津修造船业呈现转机，结束了自1999年以来连续3年的负增长，2001年完成产值约4亿元，增加值0.26亿元，初步扭亏为盈。

海洋化工　2001年，天津市海洋化工企业生产纯碱75.3万吨，烧碱43.8万吨，PVC产量29.5万吨。海洋化工总产值完成38.3亿元，占全市海洋产业总产值的19%，海洋化工已经成为天津市海洋产业的支柱产业。

石油化工是天津市的特色海洋产业，在天津市海洋经济中占有重要地位，2001年石油化工统计总产值为69.4亿元，石油化工总产值占全市海洋产业总产值的26%。　（张敬国）

海洋科技与教育
Marine Science & Technology and Marine Education

【塘沽海洋高新技术开发区】 天津塘沽海洋高新技术开发区成立于1992年6月，1995年1月经国务院正式批准晋升为国家级高新技术开发区，是我国惟一的以发展海洋高科技产业为主的国家级海洋高新区。1999年8月，经国家科技

部、国家计委等5部委联合批准，塘沽海洋高新技术开发区成为全国科技兴海海洋精细化工示范基地。

塘沽海洋高新技术开发区建区10年来，坚持以海洋科技为特色，经济总量获得了长足发展。截止目前，海洋高新区共批准设立企业1 609家，其中外资企业422家，吸引投资总额10.6亿美元，吸引协议外资额7.77亿美元，直接利用外资额5.06亿美元。3.38平方千米的土地实现了“七通一平”，累计出让土地面积200万平方米，实现税收12亿元，实现社会总产值143亿元，年递增率分别为67%和45%。目前，高新区经初审认定的高新技术企业43家，年产值超过7亿元，占年社会总产值的26.9%。高新区创业中心已累计孵化高新技术产业和民营科技企业42家，16家企业通过了高新技术企业认定，取得科技成果4项。海洋高新区共培育出183家海洋高新技术和产品开发企业，涉及行业领域广泛。其中，利用盐藻海藻提取医疗保健品胡萝卜素，从海水中提取无机盐须晶、硼酸镁、阻燃型氢氧化镁等产品和工艺填补了国家在该领域的空白。 (张国立)

【天津科技大学海洋科学与工程学院】 天津科技大学（原天津轻工业学院）海洋科学与工程学院成立于2001年5月，现有本科专业为海洋科学、化学工程与工艺、海洋技术、环境科学。海洋科学与工程学院其前身为盐业工程系，是国内惟一的制盐工业高等技术人才培养的基地，有近50年的办学历史。在海水运动、海洋化学及资源开发利用、海岸带水文地质、盐田生物、水盐体系相图、无机分离、结晶等学术领域形成了鲜明的学科特色和实力。1995年至今共完成和承担的教学科研研究项目92项。其中，国家级6项、省部级11项。

该院十分重视学科梯队的建设，特别聘请了中国工程院院士郑绵平教授、中国科学院院士冯士筰教授作为海洋科学学科的学术带头人。2001年该院海洋科学学科已被确立为天津市重点发展学科，重点发展领域为咸水及半咸水（卤水）化学资源利用、盐藻基因分离和构建转基因藻、藻类生物活性物质、生物制品开发、水产养殖动物营养与饲料学、海洋环境保护和生态学等。

该院地处天津市塘沽区紧邻天津经济技术开发区和海洋高科技园区，天津经济技术开发区已经无偿划拨土地46.67公顷用于学院建设。2003年将完成一期工程10万平方米建筑面积的任务；2005年完成全部校园建设。届时一座崭新的环境优美、设施先进、功能齐全、可持续发展的天津科技大学海洋科学与工程学院将耸立在渤海之滨，为我国培养海洋科学领域高科技人才做出贡献。

(孙之南)

海洋灾害与防御
Marine Disasters and Prevention

【召开“20世纪末天津市海洋环境灾害公报”发布会】 2001年7月17日天津市海洋局召开了《20世纪末天津市海洋环境灾害公报》发布会。依据新修订的《海洋环保法》，首次发布了《20世纪末天津市海洋环境灾害公报》，公布了天津市近10年发生的风暴潮、赤潮灾害的情况。全市30余个部门和新闻单位出席了发布会。

【组建“天津市海洋灾害应急监测网”】 为了完善天津市海洋灾害应急监测监视工作，形成反应快速、措施得力的运行体制，经市政府同意，建立了“天津市海洋灾害应急监测网”，成立了“天津市赤潮防灾减灾领导小组”及“天津市赤潮防灾减灾联络小组”，拟定了“天津市赤潮监测监视工作管理制度”。

【海洋预报工作】 加强预报台的管理，确保预报台工作正常运转。与气象局影视中心签定海洋预报节目带制作播出协议，确保海洋预报顺利播出。

海洋公益事业
Marine Public Welfare Facilities

【海洋环境监测预测】 天津市海洋局按照《2001年天津市海洋环境监测工作方案》，组织进行了5、8、10月海洋环境监测工作，海上作业30天，5月和10月分别完成水文和水质18个站次，监测项目共25项，其中水文项目10项，取得数据530个；水质项目15项，取得数据795个。8月增加了4个沉积物和3个生物站位的监测，取得底质监测数据16个，完成了监测报告。2001年共进行赤潮应急监测4次，设站位16个，取得水质、生物、水文、气象数据98个。

经请示国家海洋局和协调国家海洋局北海分局同意，天津市拟在塘沽海洋站基础上组建天津市海洋环境监测总站。

海洋环境保护
Marine Environmental Protection

【渤海综合整治规划项目】 天津市海洋局结合国家海洋局的整体部署和对天津市的具体要求，确定了“天津海域生态环境恢复及其综合治理工程”项目，并在2001年7月30日前完成了项目建议书编制工作，上报国家海洋局。

【规范行政审批事项和程序】 按照规范、高效的原则，依据相关法律、法规，制定了海洋环境的4项行政审批制度审批程序，并编制了行政审批流程图。

【海洋倾废管理工作】 海洋倾废行政审批和执法检查工作。2001年共办理倾倒普通许可证39个，其中，疏浚物许可证31个，倾倒量764万立方米，骨灰播撒许可证8个，播撒骨灰609具。登船检查102人次，检查疏浚船舶91船次，对9条自航式疏浚船舶进行了年检。

【海洋临时倾倒区选划】 2001年4月国家海洋局在天津港组织倾倒区选划协调会。会后，依据专家和水产局、海事局等行政主管部门意见，国家海洋局正式批准天津市可以启用B、C区，作为10万吨级深水航道项目的临时倾倒区。9月一期工程胜利完工，二期工程已开始启动。

【海洋综合执法检查】 为了贯彻落实《海洋环境保护法》，宣传《海域使用管理法》，进一步强化海洋行政管理职能，提高海洋监测监视和执法管理水平，摸清天津海域的海洋资源开发和环境保护状况，更好地履行国家赋予海洋行政主管部门的职责，2001年10月30～31日天津市海洋局对市153千米海岸线和近岸海域进行了较为全面的监察、监视行动。市人大和市政协领导及天津日报、天津电视台、中国海洋报、今晚报、每日新报、天津电台的记者应邀参加了执法行动。重点检查入海河口9处、港口3处、58千米海盐场保护区、海上临时倾倒区、天津碱厂石灰埝污水排海区、天津港污水处理厂、海滨浴场、大港油田滩海采油区、天马拆船厂等，现场进行了照相、录像取证工作，取得调查笔录16份，发现了一些污染海洋环境、破坏海洋资源的违法行为，及时进行了纠正。 (薛艳晨)

海洋立法与管理
Marine Legislation and Management

【天津市海域使用管理塘沽示范区建设工作】 根据国家海洋局、财政部海办发[2001]4号文件，天津市塘沽区成为第二批国家级海域使用管理示范区。为此，天津市海洋局会同天津市财政局制定了《天津市海域使用管理塘沽示范区工作方案》，成立了海域使用管理塘沽示范区办公室，并于2001年7月正式启动了天津市海域使用管理塘沽示范区的普查登记工作。示范区建设工作分为两个阶段，第一阶段是普查登记阶段，从7月底开始到9月底结束，历时2个月；第二阶段是勘测核定阶段，从10月初开始到年底结束。经过全面调查，共登记并核定用海项目57项，总面积16 000公顷，涉及用海单位32个，登记率达到100%。应纳入海域使用管理范围的海域使用项目36项，总面积14 200公顷，涉及用海单位19个，其中，填海造陆项目2项，使用海域面积165公顷；养殖用海8项，使用海域面积139.6公顷；进排水口6个，使用海域面积2.8公顷；港池用海10项，使用海域面积497公顷；旅游用海1项，使用海域面积0.19公顷；其他用海9项，使用海域面积13 406公顷。这次塘沽示范区建设工作对天津市塘沽区的海域使用现状进行了全面的清查，将塘沽区所有的用海项目均纳入到海域使用管理的范围中来，基本摸清了塘沽区海域使用的底数，为全面贯彻《海域使用法》，进一步加强海域使用管理提供了先决条件。

【天津市海域勘界准备工作】 2001年，天津市开始着手进行海域勘界的准备工作。依据国家海洋局的统一安排和天津市的实际情况，天津市海洋局拟订了《天津市海域勘界工作方案》。2001年9月6日，该方案得到天津市人民政府津政办函[2001]

32号文件的正式批准，确定组建以王德惠副市长为组长，陈质枫（天津市政府办公厅副秘书长）、张海河（天津市海洋局局长）为副组长，天津市民政局、天津市计委等部门为成员的天津市海域勘界领导小组；同时组建天津市海域勘界领导小组办公室和天津市海域勘界工作组。办公室设在天津市海洋局并已正式开展工作。

（王　磊）

自然保护区管理
Management of Nature Reserves

【基础设施建设】 3月18日，保护区管理处依据《天津古海岸与湿地国家级自然保护区管理办法》，加强对保护基础设施建设，完成主标志碑建设。同时完成100个界碑的建设工作。

11月26日，保护区管理处组织有关环境保护、考古、环境地学等学科的专家召开了建立古海岸遗迹展示中心论证会。（高晓云）

【国际合作与交流】 5月19日，保护区管理处接待姊妹保护区美国弗吉尼亚州切斯比克湾国家河口研究保护区代表团来津访问交流，姊妹保护区双方进行了学术交流和实地考察并达成了进一步合作意向。美方在10天访问中，对中方给予的热情接待和精心安排表示感谢。9月7日，由美中环境基金会策划支持、菲利普斯中国有限公司赞助，天津市海洋局和天津古海岸与湿地国家级自然保护区管理处共同主办的“热爱家乡保护湿地今日行动启动仪式”在天津古海岸与湿地国家级自然保护区的宁河县“七里海”湿地保护区举行。天津市副市长杨栋梁、国家海洋局环保司副司长林山青、天津市海洋局局长张海河、天津市外事办公室、中共宁河县委书记、宁河县县长、美国菲利普斯石油公司副总裁庄明先生、菲利普斯中国有限公司总裁赖仁思先生、美中环境基金会副总裁谌仲良先生以及市环保局、林业局、海洋局、市科协、国家海洋信息中心的有关领导和中小学生260余人参加了活动。小学生代表做了“争取做环境保护的小卫士，保护人类共同赖以生存的家园——地球而奋斗”的发言。同学们与领导和外宾在“热爱家乡保护湿地今日行动”的旗帜上签名，共表争做环境保护卫士的决心。

副市长杨栋梁和庄明先生共同为天津古海岸与湿地国家级自然保护区标志碑揭幕。仪式后学生和嘉宾在全国十佳环保青年带领下做了别开生面的环保游戏并参观了保护区。

【保护区确定为市科普教育基地】 8月14日，市科委、市教委、市科协组织有关专家对“天津古海岸与湿地国家级自然保护区申请建立科普教育基地”的申请报告进行了评审，一致认为天津古海岸与湿地国家级自然保护区具备建立天津市科普教育基地的条件，被确定为天津市科普教育基地。

【加强执法监察】 8月21日，津晋高速公路建设施工进入位于津南区巨葛庄贝壳堤保护区，在缓冲区内打桥桩20棵。保护区管理处根据《天津古海岸与湿地国家级自然保护区管理办法》的规定，经与建设施工单位协商，由施工单位出资12万元建设宣传牌，作为破坏保护对象的一种补偿。

8月30日，沧州—天津—燕山原油管道配套工程天津段输油管线在八米河与津南铁路交汇处穿越天津古海岸与湿地国家级自然保护区的第二道贝壳堤，穿越长度1 000米。依照《天津古海岸与湿地国家级自然保护区管理办法》的有关规定，考虑工程项目的实际情况，本着以“保护为主，保护为经济建设服务”的原则，由施工建设单位出资17万元制作宣传警示牌，作为对破坏保护对象的一种补偿。

【天津市人大领导视察保护区】 10月10日，天津市人大副主任李振东率市人大城建环保委和农村工作委部分人大代表一行40余人视察了天津古海岸与湿地国家级自然保护区大港上古林贝壳堤核心区。天津市海洋局副局长孙连友向市人大领导做了汇报。人大领导对保护区的建设和管理给予了充分肯定，并提出加强和改进保护区工作的建设性意见。代表们建议要加大投入，建立一个以反映天津地区海陆变迁为主要内容的集科研、科普、保护为一体的主题公园，提高天津市的海洋文化品位。市政府副秘书长陈质枫和市海洋局、市环保局和大港区等单位领导陪同视察。（高晓云）

河 北 省
Hebei Province

综 述
Summary

【概况】 河北省沿海地区有秦皇岛、唐山、沧州3市；抚宁、昌黎、乐亭、滦南、唐海、海兴6县和丰南、黄骅两个县级市；山海关区、海港区、北戴河区、山海关经济技术开发区、京唐港经济技术开发区、南堡经济技术开发区、黄骅港经济技术开发区和中捷、南大港2个县级农场。

河北省大陆岸线长487千米，海岛132个，海岛岸线长199千米。河北省海岸线主要由基岩质、砂质和淤泥质海岸构成。海岸线平直，浪差小，风浪一般在3级以下，气候属暖温带半湿润大陆性季风气候。河北省海岸带总面积11 379.88平方千米，其中陆地面积3 756.8平方千米，潮间带面积1 167.9平方千米，浅海面积6 455.6平方千米。

河北省海洋管理机构健全。河北省海洋局做为主管全省海洋事务的正厅级单位，承担着对毗邻海域海洋资源进行规划、管理、保护与合理利用的职能。沿海市、县二级均设有海洋管理部门。中国海监河北省总队下辖秦皇岛、唐山、沧州3个支队，负责河北省毗邻海域的海洋监察工作。

河北省委、省政府高度重视海洋经济发展，2001年6月，“河北省海洋经济发展规划”经省政府批准，作为“十五”国民经济发展规划的重点专项规划之一下发实施。2001年，河北省主要海洋产业产值达到172亿元，比上年增长24.6%。三次产业所占比例分别为28.4%、20.6%和51%，呈现“三、一、二”的发展模式，表明河北省海洋经济正处于产业结构升级的重要时期。海洋科技贡献率由1995年的35%提高到2001年的40%，有力地推动了海洋经济发展。

2001年是实施“十五”计划的第一年，也是河北省海洋事业上台阶、上水平，开创新局面的第一年。为确保在新世纪开好局、起好步，根据国家海洋局和“十五”时期河北省国土资源管理工作的指导思想、主要目标和任务，在省委、省政府和国家海洋局的正确领导下，深入贯彻落实

表1 河北省沿海市县一览表

沿海市	沿海县级市、县及县级单位
秦皇岛市	山海关区、山海关开发区、海港区、北戴河区、抚宁县、昌黎县
唐山市	丰南市、滦南县、乐亭县、唐海县、京唐港经济技术开发区、南堡经济技术开发区
沧州市	黄骅市、海兴县、中捷友谊农场、南大港农场、黄骅港经济技术开发区

表2 河北省沿海市县海洋机构一览表

省及沿海市	沿海县（市）区	海洋管理机构
河北省		河北省国土资源厅(海洋局)
秦皇岛市		秦皇岛市海洋经济局
唐山市		唐山市海洋局
沧州市		沧州市海洋局
	山海关区	山海关区海洋局
	山海关开发区	山海关开发区海洋局
	海港区	海港区海洋局
	北戴河区	北戴河区海洋局
	昌黎县	昌黎县海洋局
	抚宁县	抚宁县海洋局
	乐亭县	乐亭县海洋局
	滦南县	滦南县海洋局
	唐海县	唐海县海洋局
	丰南市	丰南市海洋局
	黄骅市	黄骅市海洋局
	海兴县	海兴县海洋局
	中捷友谊农场	中捷友谊农场海洋局
	南大港农场	南大港农场海洋局

表3 河北省沿海市县人口及从业人员情况

单位：万人

地区名称	年末总人口			从业人员	
		农业人口	非农业人口		职工人数
秦皇岛市	268.19	190.14	78.05	145.98	35.08
唐山市	700.10	506.30	193.90	115.50	89.40
沧州市	673.55	558.74	114.71	323.70	39.50
昌黎县	54.86	41.69	13.17		3.33
抚宁县	51.15	45.69	5.46		3.27
滦南县	57.00	52.00	5.00	29.30	7.80
乐亭县	49.30	43.20	6.10	3.80	3.50
唐海县	13.60	12.40	1.20	8.70	5.50
丰南市	51.70	41.30	10.40	28.00	3.90
黄骅市	40.72	34.79	5.93	14.01	
海兴县	21.00	18.61	2.39		

表4 河北省沿海市县国内生产总值一览表

单位：亿元

沿海市县	国内生产总值			
	合计	第一产业	第二产业	第三产业
秦皇岛市	307	40	109	158
昌黎县	36.1	14.1	10.6	11.4
抚宁县	36.5	8.3	17.8	10.4
唐山市	1 006.44	179.4	514.3	312.74
乐亭县	74.24	20.32	33.38	20.54
滦南县	67.79	29.09	17.44	21.26
唐海县	24.1	5.4	11.6	7.1
丰南市	102.5	25.4	45.2	31.9
沧州市	487.4	85.1	243.2	159.1
黄骅市	51.1	4.81	30.55	15.74
海兴县	8.13	1.7	4.14	2.29
合计	2 201.3	413.62	1 037.21	750.47

党中央、国务院关于海洋管理的方针、政策和法律法规，坚持“严而又严”和服务全省经济建设的工作方针，突出重点，开拓创新，工作中努力做到思想认识高起点、谋划工作高站位、工作要求高标准、管理措施高水平，使各项工作均取得了良好进展。

海洋资源开发与海洋经济
Development of Marine Resources and Marine Economy

【综述】 “九五”以来，河北省进一步加大“两环开放带动”战略的实施力度，加强了环渤海产业带的培育，围绕港口和港城，加速了以集疏运通道为主的基础设施建设，有力地推动了海洋资源的开发，促进了海洋经济的发展。已初步形成了以滨海旅游业、海洋水产业、海洋交通运输业、海盐及盐化工业、修造船业为主导产业的海洋产业体系，海水综合利用和海洋服务业等新兴海洋产业也正在起步。

表5 河北省海洋开发资料统计

统计项目		2001年
海洋捕捞产量（万吨）	鱼类	16.9
	虾蟹类	7.73
	贝类	3.65
	其他	2.7
	合计	30.98
海水养殖产量（万吨）	鱼类	1.08
	虾蟹类	1.41
	贝类	17.13
	其他	0.01
	合计	19.63
海盐生产	面积（公顷）	82 443
	产量（万吨）	467.84
沿海主要港口货物吞吐量（万吨）	秦皇岛港	11302
	新开河港	68
	京唐港	1102
	黄骅港	55.7
	合计	12 527.7
滨海城市国际旅游收入（万美元）	秦皇岛市	6 234
	唐山市	1 168
	沧州市	84
	合计	7 486
滨海城市国内旅游收入（亿元）	秦皇岛市	34
	唐山市	17
	沧州市	6
	合计	57

海洋交通运输业 在“围绕港口和港城建设，培育沿海产业带”的思想指导下，交通运输业在摆脱了“九五”期间低迷状态后，自2000年开始，又呈现出迅猛发展的良好态势，有力地带动了沿海地区经济的发展。2001年，河北省海洋交通运输业产值24.1亿元，比上年增长24%；港口吞吐量达到1.3亿吨，比上年增长16.1%。秦皇岛港吞吐量取得历史性突破，超过1亿吨，与22个国家和地区的80多个港口通航，货物运输由单一的煤炭、原盐发展到水泥、钢材等十几种货物。作为西煤外运的第二条大通道的黄骅港正在加紧建设，一期工程2个5万吨和1个3.5万吨级泊位，年吞吐能力可达3 000万吨，2001年底投入简易运营，预计2002年可进出3.5万吨的船舶。作为北方最优良的深水港址，曹妃甸深水码头已于2001年初通过预可研专家评审，即将进入施工阶段。曹妃甸深水码头建成后，将与天津港等周边港口实现优势互补，成为北方航运中心和中国北方洲际集装箱运输的集散中心。

海洋渔业 2001年，河北省海洋水产业总产值42.22亿元，比“九五”初增长58%；海洋渔业水产品产量为50.61万吨，其中捕捞30.98万吨，养殖19.63万吨，两者比率由1996年的77∶23提高到2001年的61∶39。自“九五”初期以来，养殖业保持平均25.2%的增长速度，呈现出良好的发展势头。海洋水产业生产结构日趋合理，正呈现由捕捞向养殖转变、数量型向效益型转变的良好趋势。建立了8个不同类型的海水养殖示范区，海水名特优养殖初具规模；河豚鱼养殖成为全国最大的生产基地；海育淡养的河蟹养殖面积达1.33万公顷，成为全国5大产区之一；美国红鱼、海湾扇贝、大菱鲆、太平洋牡蛎等新养殖品种在河北省安家落户。通过对海水养殖、水产品综合利用等重点领域进行科技攻关和科技创新、示范、推广，提高了海洋水产业的科技含量和开发规模，改变了海水养殖结构品种单一的局面，形成了鱼、虾、蟹、贝、藻多品种养殖、全面发展的格局。沿海水产冷冻加工厂达134家，年加工海产品能力6.3万吨，产值8.8亿元。秦皇岛贝类加工、海兴的鱼粉加工已成为地方的特色产业。

海盐与盐化工业 河北省具有丰富的海盐资源，盐产量仅次于山东，居全国第二位。2001年盐田总面积8.24万公顷，生产面积7.9万公顷，海盐产量467万吨，工业总产值6.64亿元。从海盐生产条件来看，河北省在全国沿海省市中具有明显优势。海盐深加工产品有再制精盐、自然精盐、粉洗盐等几个品种，发展潜力巨大；盐化工业有烧碱、纯碱、氯化钾、工业溴等10余种产品。

滨海旅游业 2001年，河北省滨海国际游客达17.86万人次，创汇7 486万美元，比上年增长4.8%；国内游客1 298万人次，收入57亿元，比上年增长22.8%，高于“九五”期间9.2%的平均增速。旅游业已成为河北省海洋经济发展的支柱产业。秦皇岛市作为河北省的重点旅游城市，近年来，面向国际、国内两个市场，因地制宜，充分发挥旅游资源优势和潜力，突出特色，取得了良好效果。

海域使用管理
Management of Sea Area Use

【海域使用普查登记】 2001年3月23日，河北省国土资源厅召开了全省海域使用管理工作会议，全面部署海域使用普查登记工作。此次普查登记范围为河北省所辖海岸线到12海里之间的海域，涉及在该省管辖范围内使用海域从事开发利用活动的所有单位和个人。沿海3市对此项工作非常重视，沧州市还成立了以主管副市长为组长的普查登记工作领导小组，召集有关部门研究制定工作方案，并通过报纸、电视等新闻媒介宣传普查登记工作的重要意义。本次普查登记工作历时7个月，登记用海类型10项，全省统计海域利用面积4.86万公顷、登记面积4.86万公顷、确权面积0.69万公顷、确权发证238本。其中国有企业利用面积2.07万公顷，确权面积0.27万公顷；集体、联合体、中外合资利用面积1.97万公顷，确权面积0.25万公顷；个人利用面积0.82万公顷，确权面积0.17万公顷。

表6 2001年河北省海域使用管理情况统计

月份	用海类型	发放海域使用证份数	确权面积（公顷）	征收海域使用金额（万元）
1月	养殖	2	65	0
	其他	2	30.27	0
2月	矿产	1	33.33	3.75
	其他	2	74.43	6.13
3月	养殖	1	20	0.9
	港口	1	665.15	198
	其他	1	49.9	3.74
4月	养殖	2	20.67	0.93
	矿产	8	25.12	8.00
5月	养殖	1	8	0.36
6月	养殖	6	189.27	5.68
7月	旅游	2	66	0
8月	养殖	3	98.33	4.02
9月	养殖	5	115	9.89
10月	养殖	1	20	0.9
11月	养殖	2	25.3	1.14
12月	养殖	1	33	0.99
	填海	2	283.87	1232
合计		43	1 822.64	1 476.43

【海域使用管理示范区建设】 秦皇岛市和唐山市均成立了以主管副市长为组长的示范区工作领导小组，唐山市沿海县（市）也成立了示范区建设领导小组。秦皇岛市政府制定出台了《秦皇岛市第二批海域使用管理示范区实施方案》，确定了制定海洋功能区划、建立海域使用管理信息系统、规范港口用海、全面推行养殖发证、加强海监队伍建设、推行两项制度等6项建设目标。秦皇岛市还积极协助国家海洋局，圆满完成了国务院法制办及全国人大在秦皇岛的《海域管理法》立法调研工作。唐山市制定了《海域使用审批工作程序》，并将《唐山市海域使用管理办法》列为2002年立法项目；在全省率先建立了海域使用管理信息系统。唐山市还对无居民海岛的管理进行了有益的探索。2001年，示范区海域使用证登记率达100%，发证率达90%以上，海域使用金征收率达50%以上。

【海域勘界】 2001年3月29日，河北省国土资源厅筹备召开了省海域勘界协调小组会议，对国家提出的划界方案给予了确认，并报经省政府同意将意见向国家海洋局进行了反馈。5月份，经对河北和辽宁两省勘界协议草案进行认真审核，省国土资源厅代省政府起草了反馈意见上报国家海洋局。在进一步协商的基础上，8月两省省政府领导分别在海域勘界协议书上签字，报国务院审批。至此，冀辽线海域勘界任务基本完成。

根据国家海洋局的意向计划安排，为争取下一步工作的主动，厅海域处先期开展了冀津南线和北线的实地勘查工作，收集了部分相关资料，初步了解和掌握了界线周边陆海区域的开发现状、历史沿革和矛盾焦点等基本情况，为2002年正式启动两线勘界工作奠定了基础。

【海洋功能区划】 海洋功能区划是海域使用管理的基础依据，在前期工作的基础上，海域处组织区划技术组专家，将47个部门对海洋功能区划（征求意见稿）提出的90余条意见，进行了认真的研究分析和技术处理。经多次修改，完成了河北省海洋功能区划文本、区划报告、图、表的编写与绘制，并提交了12个专业报告和6个专题报告，对河北省海域及近岸陆域划分了496个功能区。6月10日召开了“河北省海洋功能区划评审会”，聘请了由3名院士任组长的专家评审组，对河北省海洋功能区划成果进行审议。与会专家认为此项成果达到了国内同类工作的领先水平和国际先进水平，对河北省的工作给予了较高的评价。应邀参加评审会的国家海洋局领导对河北省功能区划的工作路线、方法、分类体系与指标等方面的创新等也给予了充分肯定。经国家海洋局审查通过后，河北省海洋功能区划于11月2日经省政府批准实施。

【海域使用权属制度和有偿使用制度建设】 一是为黄骅港务局办理了一期建设工程海域使用证，确权面积664.67公顷，征收海域使用金198万元，实现了国有大型企业国家重点工程建设项目海域使用管理工作零的突破。二是在黄骅电厂建设过程中，及时与企业和相关主管部门进行沟通，宣传海域使用管理的有关规定，深入现场调查，指出可能出现的问题，指导企业积极开展填海工程海域使用可行性论证，进行了确权发证，征收海域使用金180万元。三是对秦皇岛港油码头加固工程、煤二期码头扩建工程及301码头扩建、堆场建设工程进行了海域使用可行性论证，进行了确权发证，征收海域使用金2 632万元。

为转变资源管理和利用方式，推进海洋资源管理的市场化建设，对海域使用权市场进行积极探索，2001年10月18日，河北省首次海域使用权公开招标会在唐山乐亭县举行。共有30余户养殖户参加了此次拍卖竞标，拍卖滩涂8公顷，使用期3年，竞标金额达15万元。

海洋环境保护
Marine Environmental Protection

【地质（海洋）环境科普宣传教育】 为增强全社会保护地质（海洋）环境意识，以纪念“世界地球日”为契机，河北省首次以新闻发布会和组织大型宣传活动的形式，在全省再次掀起地质（海洋）环境科普宣传高潮。省人大、省政协、省政府和有关部门领导出席了新闻发布会并作重要讲话，河北省厅和11个市纷纷在4月22日当天选择繁华广场、风景名胜区，以“地质遗产保护”为主题开展了形式多样的科普宣传活动。据不完全统计，河北省共印发地质环境、海洋环境质量公报1 300份，发放4月22日国土资源报专刊4 000余份，宣传手册及传单17.6万份，制作展牌200余块，出动宣传车50余辆，为加强地质环境、海洋环境保护创造了良好的社会氛围。

【地质、海洋自然保护区建设】 为有效保护珍贵的地质遗迹和海洋生态环境，维护生物多样性，指导张家口阳原泥河湾完成了晋升申报国家级保护区的技术材料申报和现场考察工作，协助秦皇岛柳江保护区制定现场保护方案和查处措施，乐亭石臼坨诸岛海洋自然保护区建立省级保护区可行性论证报告通过专家评审。根据各市推荐拟建地质公园意见，会同秦皇岛和保定地矿局开展申报地质公园的科学考察和规划报告编制及申报工作。2001年12月20日，经国土资源部正式批准，秦皇岛柳江、涞源白石山、阜平天生桥成为河北省首批国家地质公园，填补了省内空白。

【海洋环境保护】 《河北省海洋污染基线调查报

告》于2001年1月3日在石家庄通过了河北省国土资源厅领导的验收和有关专家的技术评审。该成果为全省制定海洋环境保护规划和沿海各级政府制定海洋经济发展规划提供了基础依据。

河北省第一部《2000年河北省海洋环境质量公报》于2001年4月向社会发布，填补了省内空白。《公报》发布内容分为概述、排海污水与污染物、海水环境质量、海洋沉积物质量、海洋生物质量、海洋灾害、海洋污染损害事件、海洋自然保护区和海洋环境保护与管理等9个方面，该项工作受到了国家海洋局和省政府领导及省直有关部门、沿海地方政府的好评。

河北省国土资源厅与省减灾委员会联合向省直涉海有关部门和沿海各级海洋管理部门下发了《河北省2001年海洋灾害预测意见》文件，为沿海地区防灾减灾提供了依据。

编制完成了“河北省2001年度海洋环境监测实施方案”，近岸海域趋势性监测站位达到25个，增加了海水浴场、养殖区、重点陆域排污口等专项监测内容，建立了海洋环境暑期周报制度。

河北省承担的渤海海洋环境综合整治“秦皇岛海岸防护工程”示范项目和国际全球基金资助的东亚海项目“秦皇岛旅游资源保护和整治”项目的编制、申报工作已完成，其项目已列入国家海洋局项目计划。

河北省国土资源厅于2001年7月10日在秦皇岛举办“河北省海洋环境监测预报技术培训班”，这是河北省第一次组织这样的活动。培训班邀请国家海洋局有关领导和专家到会，讲授了海洋法规、海洋环境保护、海洋赤潮防治技术等方面的知识，参加培训的各级海洋管理部门工作人员，对海洋环境保护工作的认识和业务知识有了一定提高。

河北省人大环资委于2001年7月22～31日组织7家新闻媒体的记者，对河北省海洋环境及陆域排污情况进行现场调查，新闻媒体对有关污染海洋环境的企业单位进行了暴光和公开批评，这次活动对提高涉海企业和社会公众海洋环境保护意识产生了深刻的影响。

河北省国土资源厅副厅长王海敏及有关处室于2001年1月5日在石家庄与北海分局副局长刘宇中及一行，就共建河北省海洋环境监测总站进行了座谈，初步达成共识，拟订协议。

国家海洋局环保司有关领导于2001年3月中旬对河北省海洋类型保护区的建设和管理保护区工作进行了实地调研，基本摸清了河北省海洋保护区建设和管理的现状，这次调研也为河北省促进管理上台阶打下了基础。

河北省国土资源厅有关处室于4～5月期间联合执法，依法查处了在昌黎黄金海岸国家级自然保护区核心区内违法建筑案件，拆除了违章建筑40余处，恢复了保护区生态环境原貌。

国家海洋局环保司副司长林山青及国家海洋环境监测中心的有关人员于2001年10月15日赴河北省，在石家庄与省国土资源厅的领导就海洋环境保护、管理进行座谈，对今后海洋管理工作交换了意见，并达成了共识。

河北省环保局于11月2日主持召开了“乐亭石臼坨诸岛省级海洋自然保护区专家评审会”，经质疑和现场考察，保护区可行性论证报告通过专家评审，一致同意建立省级海洋自然保护区，保护区可行性论证报告经修改后上报省政府批准。

河北省百科全书编委会于12月22日在河北大学召开了“《河北省百科全书》编纂工作全面启动会议”。海洋分编是《百科全书》13个分编之一。河北省国土资源厅已成立海洋分编组织机构和编写技术组，将于2002年正式启动工作。

(杨淑梅　杨黎军　生金栋)

辽 宁 省
Liaoning Province

综 述
Summary

【自然概况】 辽宁省位于中国大陆海岸线最北端，濒临黄海和渤海。西衔河北省，东与朝鲜半岛隔江相望。土地面积14.75万平方千米，2001年人口4 147万人。全省海岸线长2 920千米，其中大陆岸线长2 292.4千米，岛屿岸线长627.6千米。在黄海和渤海的近岸海域中，有面积在500平方米以上的海岛266个，其中有人居住的海岛30个，岛屿面积191.5平方千米，岛上有居民9.7万余人。全省管辖的近岸海域面积达6.8万平方千米，滩涂面积2.7万平方千米。辽东湾和海洋岛两大渔场面积600余万公顷，在全省海洋渔业资源开发中具有重大意义。沿海6市土地面积57 672平方千米，占全省土地面积39%。

【行政区划】 辽宁省共有14个地级市，17个县级市，27个县，56个区。其中沿海地级市有6个，即大连、丹东、锦州、营口、盘锦、葫芦岛；沿海县级市有7个，即东港、庄河、普兰店、盖州、瓦房店、凌海、兴城；有长海、盘山、大洼、绥中等4个沿海县；有金州、甘井子、旅顺口、老边、鲅鱼圈、龙港等6个沿海区。

表1 辽宁省沿海行政区划表

省辖市	县级市	县	区
大 连	庄河、普兰店、瓦房店	长 海	金州、甘井子、旅顺口
丹 东	东 港		
锦 州	凌 海		
营 口	盖 州		老边、鲅鱼圈
盘 锦		盘山、大洼	
葫芦岛	兴 城	绥 中	龙港、连山

注：大连市为经济计划单列市。

表2 2001年沿海地区人口及从业人员情况

单位：万人

地区名称	年末总人口	农业人口	非农业人口
辽 宁	4 147.04	2 229.01	1 918.03
大 连	270.68	58.87	211.81
丹 东	76.18	15.94	60.24
锦 州	84.40	15.47	68.93
营 口	67.29	15.82	51.47
盘 锦	55.65	6.71	48.94
葫芦岛	92.65	44.37	48.28
瓦房店	102.72	71.17	31.55
普兰店	82.69	65.01	17.68
庄 河	89.61	72.99	16.62
东 港	63.83	52.68	11.15
凌 海	62.05	52.4	9.65
盖 州	88.46	70.23	18.23
兴 城	54.8	42.29	12.51
沿海市合计	1 191.01	583.95	607.06
长 海	8.92	6.38	2.54
大 洼	39.02	30.33	8.69
盘 山	28.27	24.55	3.72
绥 中	61.87	53.04	8.83
沿海县合计	138.08	114.3	23.78

大连市 位于辽东半岛南端，东临黄海，西滨渤海，全市土地面积12 574平方千米，人口551.5万人。辖瓦房店市、普兰店市、庄河市、长海县、中山区、西岗区、沙河口区、甘井子区、旅顺口区、金州区。大陆海岸线长1 906千米。

丹东市 位于辽宁省东南部，濒临黄海，北接吉林省，东隔鸭绿江与朝鲜民主主义共和国相望。全市土地面积15 222平方千米，人口240.9万人。辖东港市、凤城市、宽甸满族自治县、元宝区、振安区、振兴区。其中东港为沿海县级市，大陆海岸线长93千米。

锦州市 南接渤海的辽东湾。全市土地面积10 301平方千米，人口306.4万人。辖凌海市、北宁市、义县、黑山县、古塔区、凌河区、太河区。其中凌海市为沿海市。大陆海岸线长97.7千米。

营口市 西临渤海的辽东湾。全市土地面积5 402平方千米，人口226.2万人。辖大石桥市、盖州市、站前区、西市区、老边区、鲅鱼圈区，其中盖州市、老边区、鲅鱼圈区为沿海县（市、区）。大陆海岸线长96千米

盘锦市 位于辽宁省西南部，全市土地总面积4 071平方千米，人口122.1万人。辖盘山县、大洼县、兴隆台区、双台子区。辽河油田、双台子河口国家级自然保护区座落其中。大陆海岸线长118千米。

葫芦岛市 位于渤海辽东湾的西岸，西与河北省相接。全市土地面积10 415平方千米，人口268.6万人。辖兴城市、绥中县、建昌县、连山区、南票区、龙港区。其中兴城市、绥中县、龙港区为沿海县(市、区)。大陆海岸线长237千米。

【海洋管理机构】 辽宁省海洋与渔业厅是主管全省海洋事务和渔业行政的省政府组成部门。内设办公室（政策法规处）、计划财务处、科技教育处、海域管理处、海洋环境保护处、渔政处（渔港监督管理处）、渔业处、机关党委（人事处）等。2001年，省辖沿海6个市分别成立了海洋与渔业局，负责管理市辖海域的海洋事务。具体设置是：大连市海洋与渔业局内设海域处和环保处；丹东市海洋与渔业局内设海洋科；锦州市海洋与渔业局内设海洋处；营口市海洋与渔业局内设海洋科；盘锦市海洋与渔业局内设海域环保科；葫芦岛市海洋与渔业局内设海域科和环保科。

【海洋经济发展】 辽宁省海岸线绵长，近岸海域辽阔，海洋资源丰富，拥有巨大的开发潜力和广阔的发展前景。改革开放以来，辽宁的滨海区位优势得到了充分发挥，全省海洋经济实力逐步增强，海洋产业连年保持着快速的发展势头。2001年，全省海洋经济总产值完成580亿元，增加值完成360亿元，分别比上年增加16%和16.1%。当前海洋产业仍以传统产业为主，主要是海洋水产业，其次是滨海旅游业、修造船业、海洋化工业、海洋交通运输业、海洋油气业等。

表3 辽宁省海洋管理机构表

沿海地市	沿海县（市、区）
大连市海洋与渔业局	长海县海洋与渔业局、瓦房店市海洋与渔业局、普兰店市海洋与渔业局、旅顺口区海洋与渔业局、庄河市海洋与渔业局、甘井子区海洋与渔业局、金州区海洋与渔业局、开发区社会事业管理局
丹东市海洋与渔业局	东港市海洋与渔业局
锦州市海洋与渔业局	锦州市经济技术开发区农业发展局、凌海市海洋与渔业局
营口市海洋与渔业局	盖州市海洋与渔业局、老边区海洋与渔业局、鲅鱼圈区海洋与渔业局
盘锦市海洋与渔业局	大洼县海洋与渔业局、盘山县海洋与渔业局
葫芦岛市海洋与渔业局	兴城市海洋与渔业局、绥中县海洋与渔业局、龙港区科委海洋办公室、连山区科委海洋办公室

海洋资源开发与海洋经济
Development of Marine Resources and Marine Economy

【海洋水产】 辽宁濒临黄、渤二海，著名的辽东湾、海洋岛两大渔场水产资源丰富。2001年全省坚持以养殖为主，捕捞、加工并举的渔业发展方针，大力调整渔业产业结构，不断提高渔业经济运行质量。渔业总产值实现322亿元，增加值170亿元，分别比上年增长15.4%和13.3%。水产品产量达到350万吨，比上年增长3.6%。渔民人均收入6 200元，比上年增长7%。养殖与捕捞的比例由上年的57：43调整到58：42，渔业一、二、三产业产值由上年的66：19：15调整到61：20：19。

海水养殖 海水养殖在辽宁水产业中占有举足轻重的地位。2001年，不断加快养殖业发展步伐。以鲍鱼、海参、对虾、扇贝等海珍品和大菱鲆、牙鲆等为主的名特优新品种产量大幅提高。鲍鱼产量300吨，比上年增长53.5%。扇贝养殖产量19万吨，比上年增长6%。全省底播增殖鲍鱼、海参等海珍品面积5.44余万公顷，比上年增

长31.2%。对虾养殖业取得重大突破。按照对虾养殖业“一年示范，二年推广，三年恢复”的思路，大力拓宽养殖领域，创新养殖方式，使全省对虾养殖由滩涂向陆地、由海水向淡水、由粗养向精养、由土池向工厂化大棚养殖全面拓展。全省对虾产量1.5万吨，比上年增加30%。特别是通过品种创新，引进推广南美白对虾，为全省实现对虾健康养殖探索出一条新路。养殖品种结构进一步优化，一批名特优新品种迅速发展，产品结构日趋合理。

海洋捕捞 2001年，辽宁捕捞产量继续保持“零增长”，捕捞产量149.6万吨。远洋渔业呈现快速增长势头，远洋渔轮增加到328艘，产量16万吨。黄海北部对虾增殖放流在苗源不足的情况下，放流对虾苗5.2亿尾，比上年增加1亿尾，回捕产量265吨，产值1 000万元。

水产加工 2001年，辽宁水产加工业发展迅速。加工品种增多、规模扩大、产量提高、市场拓宽，龙头企业带动地区经济能力增强。水产加工企业达到485家，加工品种达到114个。

【港口建设与海洋运输】 辽宁宜港岸线资源丰富，适宜建港的大陆岸线约1 000余千米，其中深水岸线400千米，中水岸线300千米，浅水岸线300千米。经勘察有优良商港港址38处，其中可建设10～30万吨级深水泊位的港址11处；1～5万吨级深水泊位的港址14处；可建设万吨级以下泊位的港址13处，目前全省已建成商港12个。有渔港港址资源77处，已开发利用的20处，可建二级渔港的港址37处。已形成以大连为中心，营口、锦州、丹东为枢纽，旅顺、葫芦岛、绥中、盘锦、庄河、瓦房店等为网络，中小结合、层次分明、功能齐全、分布合理的海洋交通运输布局。2001年船舶运输生产由于受到国际大环境及船舶状况等因素影响，生产完成情况稍有下滑。全年沿海客运量588万人，旅客周转量7.74亿人千米，分别为上年的97%和77%。沿海货运量1 153万吨，货物周转量100.8亿吨千米，分别为上年的67%和80%。远洋货运市场已连续几年呈上升趋势，全年货运量1 495万吨，货物周转量507亿吨千米，均为上年的114%。

2001年全省港口经济运行情况良好，全年完成货物吞吐量1.48亿吨，为上年的109%；集装箱吞吐量149万标箱，为上年的122%；外贸货运量4 734万吨，为上年的94%；旅客吞吐量790万人，为上年的106%。其中，沿海港口吞吐量1.48亿吨，滚装汽车77.5万辆；内河港口吞吐量18万吨。2001年末，拥有生产性码头泊位267个，码头长度3.55万米，港口综合通过能力12 559万吨。其中，公用码头泊位213个，码头长度3.03万米，综合通过能力10 565万吨。

大连港 大连港务局全民在册职工总数1.93万人，拥有生产泊位73个，其中万吨级以上泊位39个，另有万吨级浮筒泊位3个；港作船舶46艘。

2001年港口吞吐量实现历史性跨越，一举突破亿吨大关，达到10 047万吨，比上年增长10.6%，成为中国大陆继上海、宁波、广州、天津、秦皇岛、青岛港之后的第七个亿吨大港，为把大连市建设成为区域性航运中心奠定了坚实的基础。集装箱运输共完成121.7万标准箱，比上年增长20.4%。酝酿多年、对港口长远发展至关重要的大窑湾二期、20万吨级矿石码头相继开工建设，大连湾港区30万平方米填海区域配套工程、大连湾铁路工程、新港5×10万立方米中转油库工程等竣工投产，全年基本建设和技术改造投资达6.81亿元，为历年最高。港口信息化建设稳步推进，生产经营系统计算机管理已在全局13个单位推广应用，与口岸各部门及铁路、民航等都建立了信息合作关系，电子数据交换服务对大连口岸船务公司、船务代理的覆盖率已达100%。物流业务逐步展开，大窑湾国际物流园区项目已完成预可研报告，与中海合作的冷藏储运公司打开了大连到海南运送农产品的“绿色通道”。精神文明建设也取得很大成绩，大连市总工会向全市推广了港务局建设先进型企业的经验，港务局党委被授予辽宁省红旗党委荣誉称号，荣获全国交通系统先进集体、创建文明行业先进单位称号。2001年3月，在北京召开的国家高技术计划（“863”计划）十五周年总结表彰大会上，国家科技部授予大连港务局“863计划CIMS应用示范企业”称号。

营口港 营口港务局紧紧围绕“A25201”（吞吐量2 500万吨，集装箱20万标准箱，利润100万元）的全年奋斗目标，强化管理，深化改革，优质服务，港口各项工作均取得了突破性成果。2001年全港完成货物吞吐量2 520万吨，比上年增加251.8万吨，增长11.1%。其中，外贸完成

991.9万吨，增加11.7万吨，增长1.2%；内贸完成1 516万吨，增加279.4万吨，增长22.6%。集装箱完成21.1万标准箱，比上年增加5.4万标准箱，增长34.5%，其中外贸完成3.3万标准箱，内贸完成17.8万标准箱。

2001年，为适应现代港口企业的发展趋势，港务局在深化企业改革、转换企业经营机制、建立现代企业制度上进行了积极探索和大胆实践，取得了可喜的成绩。疏港路改扩建工程如期全线通车，为港口货物安全快速进出港提供了有力保证；中国入世后首家港口概念股——营口港务股份有限公司A股股票在上交所正式发行；科教兴港和信息化建设加快步伐；思想政治工作及企业文化建设不断加强。2001年，港务局荣获了全国综合治理先进单位、全国思想政治工作优秀企业、“九五”全国交通系统战备先进单位、“九五”全国应急交通保障先进单位、辽宁省“三五普法”先进单位、营口市红旗单位、营口市科技先进单位等多项荣誉称号。

锦州港 锦州港位于辽东湾内，是中国纬度最高的海港，是渤海西北部400千米海岸线惟一对外开放的国际商港，是中国东北中部和西部、内蒙东部、华北北部乃至蒙古国、俄罗斯远东地区陆域距离最近的进出海口。锦州港是辽宁省重点发展的北方区域性枢纽港。

锦州港1986年开工建设，1990年正式通航，同年被国家批准为一类开放商港。经过10余年的建设，锦州港现有码头10个，其中3个为5万吨级，可停靠12万吨油轮和6万吨散杂货轮。具备了油品和化工品装卸、仓储、运输，内外贸集装箱和各类件杂货、大宗散杂货的装卸、仓储、灌装、运输等多种功能。锦州港现有陆域300万平方米，可利用规划用地1 200万平方米，可利用码头岸线12 804米，锦州港是东北港口群中可利用陆域面积最大的港口。2001年，锦州港在全国沿海45个主要港口中的排名从1994年的第38位上升至第22位。现已利用GPS系统指挥船舶进出港；微机管理信息系统已开通，实现了港口内外联网和无纸化办公。2001年锦州港完成吞吐量1 110万吨，比上年增长了10.4%。其中外贸货466万吨；集装箱完成17 375标准箱，增长126%。

2001年，锦州港与大成集团和年丰投资（香港）有限公司合资组建了锦州元成生化科技有限公司，与中海集团建立了以资产为纽带的港航联盟，促成国铁投资100万元改建高桥镇站铁路专用线，与香港富地石油有限公司拟合资组建锦港新世纪油码头公司等。这些项目的成功运作，为公司拓展新的经济增长点和实现可持续发展创造了条件。2001年完成工程投资1.4亿元，实现集装箱专用泊位、3 000吨级工作船码头、5 000吨级油品化工泊位顺利投产。为实现“十五”期间“再造一个锦州港”的宏伟目标，完成了第五港池3万吨级油品化工泊位、5万吨级油品泊位立项申报工作，两个泊位的工可正在批复之中。完成二港池7号散杂货泊位的工可研和初步设计批复工作；完成港口平面规划总调整；同时，加大配套建设的投入。全年共投入4 200万元用于码头配套和设备购置。投入1 600余万元购置集装箱岸桥，为集装箱加速发展打下基础；投资2 200万元购入3 700马力全回转拖轮，为港口实现全天候船舶进出创造了条件；此外还购置安装了铁路轨道衡、叉车等设备，进一步完善了港口功能。

丹东港 截至2001年末，全局职工2 200人，总资产达5亿元。现有大东港区和浪头港区，拥有生产性专用泊位11个，其中万吨以上深水泊位5个。全港区有仓库1.4万平方米，堆场总面积61.8万平方米，铁路专用线9 259延长米。拥有各类大型现代化装卸机械及车辆107台（件），最大起重能力45吨。各种港作船舶11艘，拖轮最大功率1 764千瓦。丹东港现已同日本、韩国、朝鲜、印度及香港特别行政区等20余个国家或地区的70余个港口开辟了散杂货、集装箱和客运航线。2001年，港口吞吐量、集装箱吞吐量和旅客吞吐量等主要生产指标均创历史最高记录。全港吞吐量首次突破500万吨，达到542万吨，比上年增长11.4%。集装箱吞吐量完成4.47万标准箱。旅客吞吐量完成8.5万人次，增长17.2%。

2001年，在资金紧张的情况下，投入资金4 600余万元，完成了客滚码头建设、进港道路改造、货场修建等18项港口基建工程和21个设备购置项目，使港口综合能力得到进一步提升。为应对入世挑战，增强丹东港的竞争力，局属7个单位和局机关11个部门开展了ISO9001：2000版质量管理体系认证工作，规范了港口管理及服务行为。并对原港口总体布局规划进行了完善调整，编制了《丹东港总体布局补充规划》，为大东港区二期工程的实施提供了前提条件。委托交通部水规院编制了《丹东港大东港区二期工程预可行性研究报告》，为丹东港的跨越式发展奠定坚实基础。

【盐与盐化工】 辽宁是全国海盐重要产区之一，近年来加大了对盐田基本建设投资力度，加快企业技术改造，使盐的产量和质量有了很大提高。2001年，全省盐田总面积57 766公顷，盐业生产面积53 060公顷，生产原盐252.8万吨，为上年的91.3%，利税总额5 003万元。辽宁省认真贯彻国务院“食盐实行专营，工业盐实行计划管理”的要求，加强了对盐业市场的管理。全省精制盐及碘盐小包装生产能力不断提高，全省基本实现了食用碘盐的目标。

盐化工方面，2001年全省生产氯化钾4 445吨，工业溴720吨，无水硫酸钠5 235吨，氯化镁32 871吨。

【海洋矿产开发】 辽宁海洋矿产资源比较丰富，主要有石油、天然气、煤、铁、硫、钾、盐、锰结核、滨海砂矿等。石油天然气资源主要分布在辽东湾和渤海湾，其特点是油气资源储量丰富，储油构造特别是盖层条件良好。据初步测算，石油资源量6～7.5亿吨，天然气1 000亿立方米，开发潜力很大。已探明石油储量1.25亿吨，天然气135亿立方米。目前较大的油田有辽河油田、绥中36-1油田等。2001年，海洋油气总产值实现24 212万元。其中原油产量25.1万吨，产值20 446万元；天然气产量10 026立方米，产值3 766万元。

滨海砂矿主要品种有金刚石、沙金、锆英石、独居石、石榴子石、型砂、砂砾等。其中沙金在鸭绿江口发现多处矿点分布，地质条件好，有较好的开发远景。金刚石砂矿主要矿点在长兴岛沿海地段。绥中县滨海砂矿储量有2亿余立方米。

【滨海旅游】 辽宁海岸类型多样，怪石嶙峋、焦林错落、秀峰异洞、水质清澈，天然海水浴场众多。海蚀景观主要分布在黄海北部的金州、旅顺沿岸，辽东湾东岸的盖州及西岸的兴城、绥中一带。著名的有金州区海滨喀斯特地貌景观，大连市南部的蚀洞，锦州的笔架山，兴城的菊花岛及绥中的姜女坟等。滨海湿地自然景观主要分布在辽东湾顶部、辽河入海口及鸭绿江至大洋河口的平原淤泥海岸地带。这一带地势低洼、河网密布、芦苇丛生、鱼虾繁茂，有丹顶鹤等鸟类14目35种。辽宁天然海水浴场72处，海岸线长149.6千米，占全省海岸线总长的6%，开发潜力较大的有

表4 辽宁省海洋开发资料统计

统计项目		2001年
海洋捕捞产量（万吨）	鱼类	73.5
	贝类	20.7
	藻类	2.2
	虾蟹类	34.3
	其他	14.2
	合计	144.9
海水养殖产量（万吨）	鱼类	3.5
	贝类	121.1
	藻类	32.5
	虾蟹类	3.3
	其他	0.4
	合计	160.8
海洋货物运输量（万吨）	沿海	1 153
	远洋	1 495
	合计	2 648
沿海主要港口货物吞吐量（万吨）	大连港	10 047
	丹东港	542
	锦州港	1 110
	营口港	2 508
	旅顺新港	420
	葫芦岛港	60
	合计	14 687
海盐生产	面积（公顷）	53 060
	产量（万吨）	252.8
滨海国际旅游人数（万人次）		43.2
滨海城市国际旅游收入(万元)		273 314
滨海城市旅游接待能力	饭店个数	160
	客房个数	19 787
	床位数	35 656
海盐化工产量（吨）	氯化钾	4 445
	工业溴	720
	氯化镁	32 871
	无水硫酸钠	5 235
浅海滩涂开发利用情况（公顷）	总面积	206 667
	已利用面积	102 792

金州、旅顺、盖州、鲅鱼圈、瓦房店、兴城和绥中等地。近几年来，各级政府十分重视和积极开发旅游资源，不断加强滨海旅游区建设，发展全省滨海旅游业。2001年，全省滨海城市接待国际游客506 216人次。其中外国游客432 187人次，港澳同胞30 364人次，台湾同胞43 665人次。国际旅游收入33 070.3万美元。

表5　2001年沿海地区国内生产总值

单位：亿元

地区名称	国内生产总值	第一产业	第二产业	第三产业
全省合计	5 033.08	544.44	2 440.55	2 048.09
沿海市县	2 121.60	226.27	1 039.82	855.51
沿海市合计	2 022.44	178.48	1 015.28	828.68
大　连	933.12	41.62	411.71	479.79
丹　东	89.76	2.09	33.90	53.77
锦　州	111.17	6.49	50.61	54.07
营　口	72.58	8.94	34.60	29.04
盘　锦	240.90	2.18	196.38	42.34
葫芦岛	108.73	7.36	61.28	40.09
瓦房店	96.01	19.10	53.53	23.38
普兰店	92.01	20.50	56.10	15.41
庄　河	90.00	22.13	45.15	22.72
东　港	77.65	18.05	29.50	30.10
凌　海	33.02	11.91	10.61	10.50
盖　州	44.13	11.75	18.82	13.56
兴　城	33.36	6.36	13.09	13.91
沿海县合计	99.16	47.79	24.54	26.83
长海县	11.84	8.47	0.76	2.61
大洼县	29.64	15.87	7.55	6.22
盘山县	28.23	12.15	9.55	6.53
绥中县	29.45	11.30	6.68	11.47

表6　2001年沿海城市工农业总产值

单位：亿元

地区名称	工业总产值	工业增加值	农业总产值	农业增加值
全省合计	4 480.32	2 190.12	1 045.7	544.44
沿海市县	3 031.94	938.92	285.55	226.27
沿海市合计	2 937.49	917.78	193.27	178.48
大　连	1 003.56	370.47		41.62
丹　东	73.74	31.56		2.09
锦　州	150.59	41.42		6.49
营　口	112.28	29.06		8.94
盘　锦	352.43	183.02		2.18
葫芦岛	212.29	54.86		7.36
瓦房店	261.26	51.39	34.15	19.10
普兰店	306.72	52.06	35.00	20.50
庄　河	190.80	39.76	39.07	22.13
东　港	114.31	25.36	29.79	18.05
凌　海	46.03	9.16	22.22	11.91
盖　州	90.64	17.72	20.75	11.75
兴　城	22.84	11.94	12.29	6.36
沿海县合计	94.45	21.14	92.28	47.79
长海县	1.59	0.29	15.62	8.47
大洼县	36.20	6.33	29.31	15.87
盘山县	35.02	8.69	25.07	12.15
绥中县	23.64	5.83	22.28	11.30

海洋公益事业
Marine Public Welfare Facilities

【海洋环境观测、监测】 辽宁海洋科技力量比较雄厚，初步形成一支具有相当规模的海洋观测、监测的科技队伍。开展海洋环境及灾害观测、监测服务业务的主要是国家海洋环境监测部门、气象部门、沿海海洋站、港口和军事等有关部门。沿海气象台（站）、中心海洋站主要承担海洋气象与海区环境观测监测、预报预警业务；各涉海单位和军事部门等依据需要开展相关服务业务。辽宁沿海现有东港、小长山、老虎滩、温坨子、鲅鱼圈、葫芦岛、芷锚湾等7个海洋站，还有分散在各部门的基本站和辅助站。纳入“全国验潮站网”的有丹东、大东港、小长山、海洋岛、芷锚湾等13个验潮站。鲅鱼圈测冰雷达站实施了对辽东湾的冰情监测。

【海洋预报、预警与公益服务】 辽宁省海洋预报台从1998年元月开始，每天向全省发布海洋气象信息，2001年总计发布3 600余项预报产品，深受全省人民及海洋工作者欢迎，收视率达11%。鲅鱼圈测冰雷达站，在冬季及时向国家海洋预报中心及有关部门通报辽东湾冰情。大连海上搜救中心成立以来，担负着全省海域内紧急搜救任务，被称为渔民的保护神。

海洋科技与教育
Marine Science & Technology and Marine Education

【科技兴渔】 辽宁省拥有雄厚的科技力量。全省共有海洋水产研究所22家，教育单位3个，省属海洋水产研究所1个。共有科技人员679名，其中具有高级职称的85人。全省水产技术推广单位69家，389人，其中具有高级职称的39人。在海洋与渔业科学研究的许多领域居国内领先水平，有的达到国际先进水平。

2001年辽宁省海洋科技投入为415万元。渔业科技以种苗繁育为突破口，为养殖业的发展提供了强有力的技术支撑。对虾健康养殖技术功关取得阶段性成果，滩涂贝类工厂化育苗品种不断增加。全年共完成科技项目23项，其中由大连水产学院完成的“鲍鱼多倍体育种技术”项目获得省政府科技进步二等奖；由辽宁省海洋水产研究所完成的“文蛤工厂化育苗技术研究”项目获得省政府科技进步二等奖；由辽宁师范大学及大连市甘井子区政府联合完成的“甲壳素对海带高产优质技术及机理的研究”项目获得省政府科技进步三等奖。依靠科技新增产值42 043万元，新增利税18 438万元。

海洋国际合作
Marine International Cooperation

【外向型渔业】 2001年，辽宁省渔业不断增加水产品出口量，创汇能力不断增强，全年出口水产品35.5万吨，创汇5.9亿美元，分别比上年增长13.1%和20.4%，已拓宽到49个国家和地区。新增“三资”企业26家，全年实际利用外资3 400万美元。

海洋立法与管理
Marine Legislation and Management

【海洋综合管理】 在海洋综合管理方面，辽宁省紧紧围绕强化海域使用管理，强化海洋环境保护，强化海上执法监察三项基本职能，不断加大管理工作力度，积极为海洋经济服务，大力推进了“海上辽宁”建设步伐。

2001年，辽宁海域使用管理始终贯彻“打基础，抓突破”的指导方针，以落实两项制度为核心，海域使用管理工作稳步推进，取得了明显成效。第一，深入开展海域确权管理。重点在港口、渔业、石油勘探开发、围海填海等方面加强管理。经过全省各级海洋管理部门共同努力，各港口单位对海域确权制度有了新的认识。营口港扩建工程办理了海域使用手续。海上石油勘探开发对海洋资源环境影响较大，经过努力，石油勘探开发用海已步入规范化管理轨道。在海砂用海管理上，坚持严格的论证审查制度，绥中六股河口海砂开采经过市、县海洋管理部门初审，省海洋管理部门组织了现场调查，国家海洋局组织了海域使用可行性论证，协调了有关用海的关系，办理了海域使用手续。第二，加大海域使用金征收力度。省海洋管理部门会同财政部门就海域使用金征收标准进行了调研，拟定了海域使用金征收管理办法。同时，对各市的海域使用金收缴工作提出了严格收缴程序，规范征收使用的要求。全省海域使用金征收呈现了良好的势头。2001年，全省征收海域使用金2 700万元，其中，省本级征收147万元。第三，抓好海域使用示范区建设。在总结第一批全国海域管理示范区的基础上，2001年，葫芦岛市、大连市作为全国第二批海域使用管理示范区，在管理内容上有了新的突破，带动了全省海域使用管理工作向纵深发展。葫芦岛市作为全国第一批海域使用管理示范区，2001年继续努力，市海洋管理部门联合财政部门对海域使用金征收情况进行了检查，规范了海域使用金收缴工作。建立了全市海域使用管理系统，该系统内容丰富，信息量大，直观反映了辖区内海域使用管理现状。大连市在对海域实行规范化管理的基础上，又将海域使用管理信息系统建设作为示范区工作的重点内容，现已基本建设完毕。此外，大连市还在海域使用监察、海域使用金收缴、海域确权发证方面加大了管理力度。第四，完善大比例尺海洋功能区划。2001年，丹东、锦州、营口、盘锦、葫芦岛5市已经完成全部区划成果，报当地政府审批。在各市区划的基础上，着手编制辽宁省大比例尺海洋功能区划，征求意见、拟定管理办法、编写区划文本等工作已经完成。第五，开展海域勘界工作。完成了辽-冀海域勘界试点工作，县际海域勘界筹备工作起步。2001年，国家海洋局公布辽-冀勘界草案后，为保证涉界双方顺利签署协议，辽宁省、葫芦岛市、绥中县各级政府及海洋管理部门做了大量工作：认真听取涉界地区政府和海洋部门意见，反复宣传勘界的意义和目的，解释勘界的方法和依据，使涉界地区政府最终上报了意见；认真修改勘界协议书，做到尊重现实。省政府多次听取勘界情况汇报，重视支持勘界工作，使勘界协调工作进展顺利。海域勘界资料整理归档工作非常重要。2001年底前，辽-冀海域勘界的所有资料均整理完毕。

2001年，在海洋环境管理上，按照高起点开局，跨越式发展的要求，重点抓了4个方面的工作：第一，积极做好渤海综合整治项目的前期准备工作。按照国家海洋局的统一部署，辽宁省把这项工作作为一件大事来抓。参与编制《渤海综合整治“十五”能力建设项目建议书》；组织提出辽宁省海域重点治理示范工程项目。按照国家要求，根据辽宁省海洋环境质量状况，确定辽东湾及其辽河口、双台子河口和锦州湾为治理重点，组织完成了《辽东湾生态管理与整治示范项目建议书》，并到沿海各市通报情况，征求意见，于8月底将该建议书正式上报国家海洋局。做好东亚海渤海环境管理计划项目工作。根据国际海事组织“东亚海域环境管理伙伴关系计划办公室”和国家海洋局项目办的要求，辽宁省负责实施“大连西海岸污染防治计划”和“辽宁双台子河口生态环境管理计划”示范项目，2001年主要是组建项目领导小组，建立了协调机制，组织编写了《辽宁双台子河口生态环境管理计划项目建议书》和《大连市西海岸污染防治管理计划项目建议书》，并于9月初上报国家项目办；把渤海整治项目的进展情况，向省计委做了通报，取得理解和支持，向环保局报送了一批生态养殖示范项目，纳入到“碧海行动”计划中，向省海洋经济研究会通报了渤海整治工作进展情况。第二，组织开展海洋环境监测工作。辽宁省把海洋环境监测作为海洋环境保护的基础性工作来抓。在2000年对监测工作尝试的基础上，2001年首次组织地方开展监测工作，并从此建立起连续定点的海洋环境监测数据资料。根据国家海洋局《全国2001年海洋环境监测工作计划》要求，辽宁省认真组织落实，较好地完成了工作任务。省海洋管理部门同省海洋环境监测预报总站，经过反复研究，认真论证，对于趋势性监测，在51个国控点基础上，又加密了20个省控点；对于专项监测，选择了一些有代表性、显示度高的海域；对于应急监测，重点开展了赤潮的监测试点。制定了《辽宁省2001年海洋环境监测实施计划》。辽宁省海洋管理部门委托国家海洋局海洋环境保护研究所、北海分局大连中心海洋站、辽宁省海洋渔业监测站、丹东、东港两市海洋水产部门、辽宁省海洋环境监测预报总站承担了全部工作任务。共出动船只19航次，航程530余海里，车辆21台次，行程4 000余海里，参加监测人员300人次，海上监测22天，野外化验41天，室内化验48天，趋势性监测调查站位71个，专项监测调查站位62个，获取有效数据2 500余个。凡数据准确、可比、可用的，给予经费支持，实行全过程跟踪，掌握实情。第三，做好海洋预报和海洋灾害预警报工作。继续发挥省海洋预报台的载体作用，特别是针对近些年来辽宁省赤潮频发的势态，加大了赤潮防治预警报工作力度，取得了较好开端。继续做好常规性海洋预报工作。发挥好国家海洋局北海分局大连中心海洋站、沈阳区域气象中心和辽宁电视台的作用，每天正常播发全省海洋预报，召开了预报台成立4年以来第一次海洋预报工作会议，总结了工作，研究提出了进一步做好预报工作意见；加强海洋赤潮防治工作。根据国家海洋局《关于加强海洋赤潮预防控制治理工作的意见》精神和国家海洋局北海分局《黄渤海赤潮防灾减灾工作规划》的要求，组织制定了具体的实施方案，指导赤潮防治工作。为了进一步掌握赤潮防治工作规律性，更好地为渔业养殖生产服务，省海洋管理部门和国家海洋局北海分局联合开展了黄海北部养殖区赤潮监测预测试点工作，建立了组织，制定了方案，成立了临时实验室，组织了10个航次的现场调查，使用大小船只26艘次，车辆50余次，分析赤潮生物、水质样品675个。建立了“辽宁赤潮信息专报”制度，共发布5期专报，使各级领导和有关部门能够及时了解赤潮动态，引起了省政府领导同志的关注，盘锦和葫芦岛市海洋部门也能够及时报告赤潮发生情况，并在有关报刊上发表报道了有关赤潮防治的知识，提高了公众的环保意识。第四，加强海洋环保监督管理工作。认真贯彻执行“一法两条例”及配套规章制度，坚持依法行政，严格管理，规范服务。做好海洋倾废的监督管理工作。在选划的基础上，抓好旅顺军港疏浚工程的监督管理工作。本着既为军队服务、保证国防建设的需要，又坚持程序、标准，保护好海洋环境的原则，深入现场，监督检查，宣传政策，办理了手续。完成了营口港、锦州港和小平岛军港航道工程疏浚物临时性海洋倾倒区的选划工作；做好海岸工程环境影响报告书审核工作。通过行政审核联席会议制度，对海洋工程建设项目环境影响报告书进行集体审核，提出审核意见；做好海洋石油勘探开发环境保护管理工作；重视并做好海洋生态保护工作。

2001年，辽宁省海洋监察工作紧紧围绕海洋经济开发活动中的权益、资源、环境和可持续发展为中心，理清思路，夯实基础，规范执法，文明执法，努力为全省海洋与渔业经济的发展保驾护航，开创了海洋监察工作新局面。第一，推进海监机构建设。2001年，组建了大连、锦州两个海监直属队，确定了两艘海监船只。为了加强各市、县海监机构建设，省海监部门积极地为各市、县提供有关机构建设方面文件和有关资料，下发了《关于海监机构及职责有关文件的通知》，与省编委办公室联合下发了《关于加强海洋执法监察工作的通知》，要求各市、县加快海监机构建设步伐，启用中国海监标志、字样和执法文书。目前大连、营口市支队已正式组建，丹东、锦州、盘锦、葫芦岛市支队正待当地机构编制部门批准。第二，强化海监队伍建设。为了尽快开展海洋执法监察工作，建设一支高素质的海洋监察员队伍，2001年，重点加强了人员培训工作。选派10名同志参加北海总队的监察员培训；选派4名同志参加国家海洋局的海监管理干部培训；选派1名懂外语的同志参加国家海洋局的涉外执法培训。与北海总队举办了辽宁省海洋监察员上岗资格培训班，培训海洋监察员112名。2001年共培训监察员125名，并经国家颁发了海洋监察证，目前辽宁省海洋监察员已达227名。第三，开展海监着装工作。根据国家有关规定，结合辽宁省海域使用管理示范区建设的实际，在全国率先对辽宁省总队及直属队、大连、葫芦岛市及所属县、区海监人员统一着装。目前，辽宁省海监着装人员已达226人，保证了执法工作的需要。第四，进行海监制度建设。为了适应形势发展需要，先后制定了《辽宁省海洋监察员管理及年度考核办法》、《辽宁省海洋监察员守则》、《辽宁省海洋执法监察通报制度》、《辽宁省海洋违法案件查处工作程序》等规章制度。这些规章制度的建立将有效地保证执法人员公正、公开、公平执法，有利于建立一支业务精，纪律严，作风好，效率高的执法队伍。第五，积极开展执法监察活动。为了使海洋资源得到合理地开发利用，维护国家海域所有权和海域使用权人的合法权益，2001年，开展了一系列的海洋执法监察和海洋巡航监视工作。配合渔政部门加强辽东湾海蜇捕捞管理。实施“海陆空”相衔接的执法活动，联系海监飞机对全海区进行大范围监察，进行空中巡航监视。中国海监飞机B3808出航3次，飞行时间达10小时，对违捕船只起到了巨大的威慑作用；组织了渤海和黄海北部海域例行巡航监视。通过15个航次的空中巡查，先后发现了营口市、东港市外围海域赤潮区域，进行了空中拍照，并通知当地海洋管理部门采取相应措施，避免或减少损失。对重点港口倾废情况进行专项检查，对倾倒不到位、记录不准确等问题，提出了警告，给予了纠正。进行了海域使用执法检查。配合海域法宣传，执法过程中向用海户宣讲海域法，共行程4 000千米，深入沿海市12县（区）40余个乡村和用海单位，张贴宣传口号2 000份，向用海单位发放海域法小册子1 000份。通过执法检查，掌握了海域使用情况，促进用海单位依法办理海域使用手续。　（朱莉丽　傅　欣）

大 连 市
Dalian City

综 述
Summary

【概况】 大连是中国北方重要的港口、工业、贸易和旅游城市。全市辖6个区、3个县级市和1个海岛县，总面积12 573.85平方千米，人口554.6万人，其中农业人口274.4万人。

大连位于辽东半岛南端，介于北纬38°43′～40°12′、东经120°58′～123°31′之间。西北濒临渤海，东南面向黄海，与山东半岛隔海相对，共扼渤海湾；北面背依东北大陆，腹地辽阔。海、陆、空交通发达，十分便利。

大连市矿产资源种类繁多，已发现56种，其中金刚石质地优良，储量居亚洲之首、世界第十。大连是中国北方的重要水产品、水果和水稻产地。海洋资源丰富，海岸线长1 906千米，其中陆岸线长1 288千米，岛岸线长618千米，岛屿226个，领海基线以内属大连管理的可开发利用的海域面积为2.3万平方千米。海岸和滩涂类型齐全，比例协调，功能多样。宜港岸线占辽宁省宜港岸线总长的70%。南部海岸和东部海岸有利于建设港口及发展旅游和海水养殖业；西部渤海海岸，不仅宜于晒盐，也是海滨砂砾的集散地，宜于开拓海滨浴场、发展旅游业。沿海有海洋生物3大类209科414种，鱼、虾、贝、藻等种类繁多，特别是海珍品在国内外享有盛誉。大连是中国4大产盐基地之一，宜盐滩涂18.8万公顷，占辽宁省宜盐滩涂面积的50.8%，巨大的原盐资源潜力，为发展盐化工提供了基础条件。全市共有潮汐电站站址20余处，其中4处属于三类资源。

表1 大连市沿海区市县及其海洋机构情况

区市县名称	海洋管理机构
长海县	长海县海洋与渔业局
金州区	金州区海洋与渔业局
甘井子区	甘井子区海洋与渔业局
旅顺口区	旅顺口区海洋与渔业局
庄河市	庄河市海洋与渔业局
瓦房店市	瓦房店市海洋与渔业局
普兰店市	普兰店市海洋与渔业局

大连是中国重要的工业基地之一，尤其是涉海工业的发展在国内外享有一定的知名度。具有90余年历史的大连造船厂的主导产品，如远洋船舶及主机、集装箱起重运输机械等在国际市场上有一定的竞争力。大连港是中国最大的综合国际商港之一，拥有煤炭、原油、木材、集装箱、管道运输等多种码头。

表2 大连市沿海区市县人口及从业人员情况

单位：万人

区市县	年末总人口数	农业人口数	非农业人口数	全社会从业人数	职工人数
大连市	554.6	274.4	280.2	270.1	85.5
长海县	8.9	6.4	2.5	4.0	0.5
金州区	65.9	34.6	31.3	21.9	3.3
甘井子区	54.6	13.3	41.3	15.6	1.6
旅顺口区	20.8	10.6	10.2	10.5	1.8
庄河市	89.6	73.0	16.6	31.7	3.1
瓦房店市	102.7	71.2	31.5	42.1	3.2
普兰店市	82.7	65.0	17.7	38.7	2.5

2001年，大连市认真实践江泽民同志"三个代表的重要思想，积极贯彻落实中央关于扩大内需、促进发展的一系列方针政策和市第九次党代会精神，以率先基本实现现代化为目标，全面实施国际化、信息化、科教兴市和协调发展4大战略，继续保持了国民经济和各项社会事业持续、快速、健康发展的良好态势。全市完成国内生产总值1 235.6亿元，比上年增长11.8%。其中，第一产业增加值111.4亿元，增长5.2%；第二产业增加值574.2亿元，增长12.5%；第三产业增加值550亿元，增长12.6%。三次产业构成比例为9∶46.5∶44.5。人均国内生产总值2 700美元，比上年增加253美元。2001年农业总产值达202.5

亿元，比上年增长5%，生产粮食121.4万吨、蔬菜209万吨、水果64.7万吨、水产品212.8万吨。完成工业增加值520.8亿元，比上年增长11.8%。完成外贸自营进出口总额112.4亿美元，比上年增长5%，其中出口60.3亿美元，增长10.2%；出口商品供货总值509.7亿元，增长10.6%；新批外商投资企业723家，实际利用外资14.5亿美元。

海洋资源开发与海洋经济 Development of Marine Resources and Marine Economy

【港口、运输业】 **大连港** 2001年大连港有生产泊位73个，其中万吨级以上泊位39个，另有万吨级浮筒泊位3个；铁路专用线161千米，输油管线93.1千米，码头岸线2.48万米；生产用仓库28.6万平方米，堆场196万平方米；圆筒仓2座，容积13.7万立方米；储油罐155.6万立方米；港作船舶46艘；铁路机车16台，总功率15 068千瓦；装卸机械810台，其中生产用装卸机械505台。全民所有制在册职工19 309人。

表3 大连市海洋开发资料统计

项目		数量
海洋捕捞产量（万吨）	鱼类	55.0
	贝类	10.8
	虾蟹类	15.5
	其他	5.0
	合计	86.3
海水增养殖产量（万吨）	鱼类	1.1
	贝类	91.1
	虾蟹类	0.6
	藻类	32.5
	其他	0.5
	合计	125.8
港口旅客吞吐量（万人次）		767
港口货物吞吐量（亿吨）		1.05
海洋货物运输量（万吨）		2 586
盐业产量（万吨）		170
滨海旅游人数（万人次）	国内	1 300
	国外	43.3

港口生产和建设取得突破性进展 港口货物吞吐量超过1亿吨，达到1.01亿吨，实现历史性跨越，成为世界上为数不多的亿吨大港之一；集装箱运输继续保持较快的增速，共完成121.7万标准箱，比上年增长20.4%。基本建设和技术改造投资达6.81亿元，为历年最大，酝酿多年、对港口长远发展至关重要的大窑湾二期工程以及20万吨级矿石码头开工建设，大连湾港区30万平方米填海区域配套、大连湾铁路工程、新港50万立方米中转油库工程等竣工投产。

港口信息化建设稳步推进 生产经营计算机管理系统已在港务局13个单位推广应用，与口岸各部门及铁路、民航等部门全面建立信息合作关系，电子数据交换服务对大连口岸船公司、船舶代理的覆盖率达100%。

物流业务逐步展开 大窑湾国际物流园区项目预可行性研究报告完成，与中海合作的冷藏储运公司打开大连到海南运送农产品的“绿色通道”。

地方港口和企业码头 2001年，大连市纳入行业管理的地方港口和企业码头有35家，拥有各类生产泊位101个，其中万吨级以上深水泊位16个；年货物吞吐能力3 000万吨。全年实现货物吞吐量2 970万吨，旅客吞吐量304.9万人次，进出港车辆35.8万台次，分别比上年增长27.7%、38.6%和13.6%。10月，隶属辽渔集团的大连湾新港港务公司投资1 016万元兴建的万吨级泊位正式投入使用，使该港口年吞吐能力由600万吨增至1 000万吨。

海运 2001年由于各路交通竞争加剧，全地区海运客运量和货运量均比上年有不同程度下降，客运量583万人次，货运量2 586万吨，降幅分别为2.5%和12.5%。其中，市交通部门分别下降5.9%和13.6%，但该市非交通部门海运企业的客运量和货运量均大幅度增长，增幅分别达32.8%和近3倍。海上旅游成为新的效益增长点。市交通部门投入旅游运输船舶114艘、2 416客位，完成客运量54.6万人次，比上年增长8%；实现营业额1 143万元，增长10%。

【船舶建造业】 **大连造船厂** 2001年，大连造船厂加强计划管理，完善生产技术准备，深入推进转换造船生产管理模式，使造船主要实物量生产

表4 大连市沿海区市县国内生产总值、工农业总产值(当年价)一览表

单位：亿元

区市县	国内生产总值				工业总产值	农业总产值
	合 计	第一产业	第二产业	第三产业		
大连市	1 235.6	111.4	574.2	550.0	1 103.9*	202.5
长海县	11.8	7.9	0.8	3.1	1.6	15.6
金州区	153.0	15.4	93.9	43.7	375.1	34.6
甘井子区	114.0	6.6	55.1	52.3	143.5	12.4
旅顺口区	48.3	7.9	25.5	14.9	63.6	16.6
庄河市	90.0	22.1	45.2	22.7	190.8	39.1
瓦房店市	96.0	19.1	53.5	23.4	261.2	34.2
普兰店市	92.0	20.5	56.1	15.4	294.7	35.0

* 为规模以上企业完成总产值。

创历史最高水平。其中：分段制作1 078个，比上年增长34.2％；分段涂装1 080个，增长32.5％；分段吊装1 034个，增长28.6％；钢料加工完成8.2万吨，增长60.9％；管子制作完成3 022吨，增长66.6％。全年完成工作总产值22亿元，比上年增长15.8％。

大连新船重工有限责任公司 2001年，大连新船重工有限责任公司通过深化内部改革、调整产品结构和推行项目管理等，全面完成了生产经营任务。工业总产值、造船完工量、承接合同量、出口交货值等经济指标，继续位居全国同行业前列。其中，手持船舶订单12艘、219.2万载重吨、62亿元，列全国首位；修船生产继续保持强劲发展势头，总产值2.3亿元，比上年增长64.3％，闯入全国6强行列；承接修船合同12艘、2.28亿元，再创历史新高；各项实物量生产均有较大幅度的提高，钢料加工、构架制作、分段制作和分段涂装等，分别比上年增长24.8％、15.7％、3.4％和18.3％，其中钢料加工突破13万吨，刷新历史最高纪录。

【海洋渔业】 2001年，大连市海洋渔业，面向国内外两个市场，加快产业产品结构调整，继续保持了较好的发展态势。完成地方水产品产量212万吨，实现水产品产值95亿元，渔业总产值181亿元，分别比上年增长3.4％、9.1％和16.3％。

陆地工厂化养殖又有新突破 海水陆地工厂化养殖面积新增10万平方米，一年发展是前6年的40％，总规模达到25万平方米；海上养鱼网箱新增3 000个，总规模达到8 000个。共收获人工养殖海水鱼4 800吨，创产值4亿元，比上年分别增长78％和65％。

海底底播增殖快速发展 新增海底底播面积1.7万公顷，其中虾夷扇贝1.3万公顷，刺参0.3万公顷，鲍鱼、魁蚶500公顷，象拔蚌166.7公顷，总规模达到5.3万公顷，收获扇贝、鲍鱼、刺参等海珍品4.5万吨，比上年增长13％。通过结构调整，带动了海水增养殖业增产增收。

远洋渔业整体实力进一步壮大 新增远洋渔船62艘，全市在境外作业的远洋渔船达到232艘，其中大洋性金枪鱼钓、鱿鱼钓船已发展到48艘，比上年增加10艘。完成远洋渔业产量12.5万吨，创产值7.8亿元，实现利润5 500万元，分别比上年增长25％、13％和12％；国内近海8 000余艘中等渔船全部配备保鲜、保活装置，增加了产品附加值。

水产品加工能力不断增强 全市投入2.1亿元，新改（扩）建精深水产品加工厂40座，新增年产值5 000万元以上加工龙头企业3个。水产品加工质量体系建设进一步加强，全市已有80家企业取得HACCP认证，占全国同等企业的40％，其中有45家还取得欧盟注册，进一步提升了水产品加工质量和水平。在中国国际农业博览会上，大连市12家企业的21种参展产品获名牌产品奖。

水产品贸易持续增长 出口水产品10大系列100余种，总计26万吨，创汇4.6亿美元，分别比上年增长8%和15%。产品出口45个国家和地区，其中扇贝、杂色蛤、裙带菜等单项品种创汇额超1 000万美元的达10个，名列国内首位，继续保持地方产品出口创汇的独特优势。招商引资力度加大，实际利用外资3 285万美元，吸引内资3亿余人民币，新建外商投资渔业企业15个。

渔业安全生产专项整治效果明显 从2001年5月1日开始，集中4个月时间，对全市渔业安全生产进行了专项整治，面对面教育渔民、船主及家属2万余人次，培训职务船员5 238人，普通船员6 913人，乡（镇）渔业安全专管员492人。开展了4次渔业安全大检查，深入渔港130余座，检查各类渔船7 637艘，查处有各类问题的渔船1 325艘，区别不同情况限期整改，全市渔业安全基础工作得到加强，5月份以后未发生重大海损事故。

【滨海旅游业】 2001年，大连市接待海外旅游者43.3人次，旅游创汇3.04亿美元，比上年增长30.3%，两项指标分别占全省总数的65.7%和58.6%，在东北地区均排名第一，在全国各大城市中分别列第14位和第8位，均比上年增进1个位次。接待国内旅游者1 300万人次，比上年增加100万人次。实现旅游总收入110亿元，比上年增长22.7%，占全省总数的35.4%，提高4.4个百分点；占全市国内生产总值的9%，提高0.9个百分点。

一批旅游基础设施建成 2001年，大连市又有一批档次高、参与性强的旅游大项目建成并投入运营。其中包括金石滩国家旅游度假区的模特艺术中心、金石国际会议中心、中华武馆、黄金海岸、海滨浴场、婚礼殿堂等；旅顺口区的旅顺博物馆分馆、蛇博物馆、水上人间等；星海湾区域的市民健身中心、国际网球中心、穹幕电影院等；市内4区及金州区的成园温泉山庄、野生动物园、四维影院、热带雨林馆、三山岛度假区、旅游工艺品大市场、金州阿尔滨嬉水乐园、金龙寺公园等；经济技术开发区的渔人码头、大黑山高尔夫球场等。这些项目的建成，对促进大连旅游业的发展起到很好的作用。

海内外旅游市场拓展有成效 国内促销继续借助旅游大篷车开展活动，年内启动3次，共签订游客招徕协议101万人次，旅游综合效益6.2亿元。旅游大蓬车活动开展2年来，累计到25个省、80余个城市宣传促销，行程2.5万千米，招徕客人500万人次。海外促销的重点是在巩固日本、韩国和香港、澳门特别行政区的市场的同时，加速开发俄罗斯、东南亚及台湾省市场，并逐步开发欧美市场。年内共派出10余个促销团赴主要客源地开展活动，共招徕游客43.3万人次。其中：日本游客人数仍为最多，达19.6万人次；韩国、美国和加拿大游客增幅最大，分别比上年增长32.1%和31.5%。

“海上看大连”二期规划完成 “海上看大连”二期规划是2001年大连市政府为民办的19件实事之一，主要是规划西线开辟老虎滩至旅顺龙王塘港、东线开辟金石滩至长海的海上旅游航线。市交通局航管部门协调海事部门、当地政府及相关港航企业，完成航线确定、船舶准备及港口配套设施建设。8月8日和22日，金石滩至长海、老虎滩至旅顺龙王塘港航线先后通航，共新增航线68海里，使“海上看大连”总航线延长至98海里；新投入运营船舶7艘、680客位，使总运营船舶达到151艘、2 875客位。全年“海上看大连”航线共完成客运量54.5万人次，实现营运收入1 143万元。

海洋公益事业
Marine Public Welfare Facilities

【海洋环境污染与治理】 2001年全市废水排放量4.5亿吨，比上年减少3.2%。其中工业废水3.18亿吨。废水处理装置344套，全年工业废水达标排放量3.1亿吨，达标排放率97.48%。

2001年大连市近岸海域未发生大面积赤潮，部分海域石油类、活性磷酸盐污染有所减轻。海域水质中主要污染物为无机氮，主要污染海域是大连湾。南部沿海、大窑湾、小窑湾、红土堆子湾、庄河和长海海域水质良好，各项监测指标年均值符合国家二类海水标准。大连湾海域无机氮污染较重，年均值超国家二类海水水质2.9倍。该海域二类功能区无机氮年均值0.350毫克/升，超标0.2倍。三类功能区无机氮年均值0.416毫克/升，超标0.1倍。四类功能区无机氮年均值1.38毫克/升，超标1.8倍。大连湾污染源控制区无机氮年均值1.79毫克/升，超国家海水四类标准2.6倍，其他监测项目年均值全部符合相应功能区海水标准。其他海域中金州湾和旅顺海域石油类超过国家二类海水标准，金普湾、普兰店湾和复州湾海域悬浮物年均值超过国家二类海水标准。

继续进行“蓝天碧海绿地”工程的近岸养殖物清理。完成大连湾近岸海域养殖清理工作，基本完成南部沿海距岸1 000米以内的养殖物清理工作。近海海域清理养殖浮筏7 810台，其中，市区南部自然博物馆——海之韵广场近岸1 000米以内海域清理养殖浮筏5 160台，金石滩度假区清理650台，大连港区清理2 000台。

海洋立法与管理
Marine Legislation and Management

【海域示范区管理】 2001年大连市被确定为第二批国家级海域使用管理示范区，市政府成立了“大连市海域使用管理示范区工作领导小组”，制定工作方案；市办公厅文件将“大连市海域使用管理示范区工作实施方案”下发到各区、市、县人民政府，市政府各委办局、各直属机构。工作方案明确了海域使用管理示范区建设目标、主要任务，并提出了保障措施。甘井子区、旅顺口区、金州区、瓦房店市、普兰店市、庄河市、长海县都成立了领导小组，并制定了“工作方案”。为及时总结推广经验，带动全市示范区工作的顺利开展，将长海县做为示范区点。

【完善了海域使用管理的政策法规】 为使海域管理步入规范化、法制化轨道，年内起草、制定了《大连市海域使用权转让、出租管理实施意见》，加强对海域出租、转让行为管理，规范和制止擅自出租海域行为；与国家海洋局海洋环境保护研究所共同制定了《大连市海域使用分等定级与收费标准研究方案》，进一步调整和规范征收海域使用金的标准，使海域使用金的征收更趋于科学；制定了《大连市海域使用申请审批程序》，加强对海域使用的申请、审批、报批管理，规范发放海域使用证和征收海域使用金的审批程序；编制了《大连海王九岛海洋景观和大连老偏岛玉皇顶海洋生态自然保护区管理办法》，加强对这两个自然保护区的管理。

【完成了海洋功能区划和发展规划】 年内，完成了“大连市大比例尺海洋功能区划”的汇总工作，并通过了市级审定。全市7个区市县的大比例尺海洋功能区划都已经完成，填补了大连市海洋使用管理工作中的一项空白。发布实施了“十五”海洋开发与建设报告，对大连市今后10～15年的海洋产业发展与产业结构调整将会起到指导性作用。

【推行海域使用证和海域有偿使用制度】 首次系统进行了海域使用普查登记。全市对用海单位（个人）名称、用海面积、使用性质、用海时间、办证与否进行了登记，市县两级共登记用海面积10.0万公顷，登记率达100%，并建立了全市海域使用管理信息系统。市直管海域按“养殖用海、工程用海、旅游用海”3个用海类别划分，编制了《直管海域用海单位（个人）基本情况明细表》，全面掌握了岸线内用海单位的海域使用情况。全市对应发海域使用证的单位（个人），依法办理了海域使用证，实际发证面积7.9万公顷，占应发证面积的91.8%。共征收海域使用金2 129.3万元，占应收费总额的58%。

【加强海洋行政执法管理】 市、县两级海洋管理部门制定和完善了行政执法责任制，做到分工明确、责任到人，建立了年终考核制度和执法公示制度。全市海洋监察执法人员由2000年的50人增加到105人，新增的县乡海洋监察执法人员全部经过严格的培训、考核，海洋监察执法人员已经全部持证着装上岗。6月经市编委批准，大连市海洋监察大队正式更名为“中国海监大连市支队”。加强岸线巡查严密布控重点监视，2001年共出动监察572人次，巡查221次，巡检单位162家，并重点对一些填海工程设点监视，对违章事件和违规者进行了行政处理和处罚，用海秩序有了明显好转。

2001年底，大连市政府机构改革，原市海洋局与市水产局合并，组建大连市海洋与渔业局，承担全市海洋行政管理的职责。 （翟 兵）

香港特别行政区
Hong Kong Special Administrative Region

综 述
Summary

【概况】 香港位于中国东南端，是全球经济发展最迅速的东亚地区枢纽。地域范围包括香港岛、九龙半岛、新界及多达235个离岛。陆地与海域面积分别约为1 098平方千米和1 800 平方千米。香港三面环海，海岸线约长870千米。2001年全港总人口697.5万，整体人口密度达6 480人/平方千米。

2001年初，香港整体出口货物仍有轻微增长，可是随着全球经济下滑以及美国“9·11”恐怖袭击事件的影响，香港经济显著放缓。2001年本地生产总值实质增长只有0.1%，较2000年的10.5%大为下降，失业率亦由第一季的4.5%攀升至第四季的6.1%。在多项不利因素影响下，2001年的香港经济环境艰难严峻。然而香港位于珠江三角洲入口，乃通往中国大门的有利位置，并位于亚洲及欧洲之间的国际时区，因此，香港仍是全球最重要的金融、贸易、商业和通讯中心之一。香港是世界第九大贸易实体、世界第十大银行中心（以对外银行交易量计算）、第七大外汇交易市场（以成交额计算）及亚洲第三大股票市场（以资本市值计算），拥有全球最繁忙的货柜（集装箱）港（以吞吐量计算），以及世界最繁忙的国际机场之一（以乘客量和国际货物处理量计算）。香港更被公认为全球最自由及最具竞争力的经济体系之一。美国传统基金会连续第八年评定香港为世界上最自由的经济体系之一。美国卡托研究所及其他国家50个独立研究所也把香港列为世界最自由的经济体系。此外，驻瑞士的世界经济论坛选出香港为亚洲第三个最具竞争力的经济体系（全球则排行第13位）。

2001年全港的有形贸易总值达35 510亿港元，约为本地生产总值的280%。本地生产总值及对外要素收入流动净值的本地居民生产总值达12 990亿港元。按人口平均计算，全年的人均本地生产实质总值为193 121港元(按当时市价计算)，高踞亚洲前列，仅次于日本。

海洋资源开发与海洋经济
Development of Marine Resources and Marine Economy

【海洋水产】 **海洋捕捞** 海鱼是香港主要原产品之一。2001年的海鱼捕获量为173 970吨，批发总值约为17亿港元（表1）。扣除在香港以外地方出售的渔获量，全年供本地食用的渔获量共有59 880吨，约为全年香港海鲜消耗量的31%。全港共有5 100艘渔船，其中约2 750艘为舢舨和非机动渔船，而机动渔船则占2 350艘。在渔船上作业的本地渔民及内地过港渔工分别有11 560人和4 560人。

本地渔船主要以拖网方法捕渔，所得渔获量占总海鱼捕获量的84%，经拖网所捕捞的渔获量共有146 140吨。除拖网外，本地普遍的捕渔方法还包括围网、刺网和延绳钓等。中国政府于2001年6月在南海实施为期两个月的休渔期，期间约有1 400艘本地渔船受到影响，香港特别行政区政府(以下简称港府)渔农自然护理署（以下简称渔护署）动用鱼类统营处贷款基金向受影响渔民提供低息贷款，并为渔民开办在职训练课程，以提升渔民操作渔船的技能。

表 1 2001年香港海鱼捕捞情况概览

总海鱼捕获量（吨）	173 970
总批发市值（亿港元）	17
拖网渔获量（吨）	146 140
供本地食用渔获量（吨）	59 880

水产养殖 香港的水产养殖种类包括海鱼、内陆淡水鱼及蚝只(牡蛎)养殖。在海鱼养殖方面，2001年全港共有26个指定的海鱼养殖区，约有1 320名渔民从事海鱼养殖业工作。养殖场通常设立于背风的沿岸地区，主要以悬于浮排的网箱饲养海鱼，养鱼种类包括芝麻斑、火点、红鲔及红鱼等。海鱼养殖业全年的活鱼供应量达2 470吨，占本地活海鱼需求量的9%，产值约1.36亿港元（表2）。

表2　2001年香港水产养殖情况概览

总海鱼养殖量（吨）	2 470
总批发市值(亿港元)	1.36
从事海鱼养殖业人数(人)	1 320
塘鱼总产量（吨）	2 550

本地养蚝业集中于新界西北部的后海湾，总产量达115吨。由于蚝苗数量不断下降，蚝民近年已从内地购入幼蚝，再以浮排养殖方法饲养蚝只，约需6～12个月便可将蚝只出售。

随着都市化的发展，香港的淡水鱼养殖业日渐式微，现时全港鱼塘占地约1 060公顷，主要集中在新界西北部地区。香港的鱼塘可分为淡水及半咸淡水两类，约有95%的鱼塘以混养方式饲养多种淡水鱼类，如大头(鳙鱼)、鲤鱼、鲩鱼、罗非鱼及乌头(鲻鱼)等。而余下5%的鱼塘则饲养单一种肉食性鱼类，例如生鱼(鳢鱼)及塘虱(鲶鱼)等。2001年塘鱼总产量为2 550吨，约占本地淡水鱼消耗量的6%。

渔业发展　为使香港渔业得以持续发展，港府拟于2002年引入“捕鱼牌照制度”，规定所有在本港水域内捕鱼的船只，必须持有有效捕鱼牌照，以便控制本港的捕鱼活动。此外，渔护署就“香港水域渔业资源及捕鱼作业顾问研究”所建议的管理措施制定执行细则。为协助渔民前往更远水域捕渔，渔护署委托顾问研究本地发展远洋渔业的可行性，该研究报告已于2001年底完成。此外，渔护署正进行多项有关水产养殖的研究，向养渔户提供技术支援，并与海鱼养殖协会合作，在赤潮出现时统筹迁移鱼排及做出相应的补救措施。

【港口运输】　2001年，在香港注册的船舶数量增长至653艘，吨位达1 370万总吨，较2000年上升32%。2001年全年抵港与离港船舶约有43万航次，远洋船只和内河客货船分别有7.4万和36万航次抵达及离开香港各港口（表3）。2001年内，进入香港的远洋船约37 110航次。每天平均接近100艘远洋轮船在港口内作业，而进出港口的远洋船和内河船多达600航次。港内船只周转效率之高，为亚洲之冠。在货柜码头靠泊的货柜船，例行周转时间约为10小时以内，而停泊在浮标装卸货物的普通船只，平均留港期仅为1.8天。这些船舶全年共处理约1 780万个标准集装箱，装卸货物超逾1.7亿吨，为全球最繁忙的货柜港。现仍在兴建的九号货柜码头预计于2004年建成，该码头占地70公顷，可提供6个泊位及每年260万个标准货柜单位的处理量。

客运方面。香港各港口船舶共运载旅客约2 000万人次，而全年经由两个公众客运码头往返内地及澳门的旅客超过1 700万人次。以抵港与离港船舶的数量、货物吞吐量及出入境旅客流量而言，香港是世界上最繁忙的港口之一。

表3　2001年香港港口客货运输情况概览

进出船只	远洋轮船	抵港	37 110
		离港	36 650
	内河客船及货船	抵港	177 390
		离港	177 970
进出口货柜(万个)	经货柜码头	卸货	537.6
		装货	590.9
	不经货柜码头	卸货	345.7
		装货	302.2
进出口货物(百万吨)	远洋轮船	卸货	88.5
		装货	42.2
	内河货船	卸货	22.0
		装货	25.6
经水路出入境旅客人数(万人次)		抵港	977.9
		离港	1 023.8

为应付日渐频繁的港口需求，海事处计划于2002年全面提升船舶航行监察系统，以加强船只航行安全，并提高航运效率。此外，海事处还计划将海上救援中心迁往航行监察中心旁边，以加强处理海上事故的效率。为了推动本港物流业的发展，物流发展督导委员会及香港物流发展局于2001年成立，负责策划及推行物流发展的相关措施。

【滨海旅游】　2001年内，访港旅客人数达1 373万人次，较2000年的1 306万人次增加约5.1%。2001年访港的中国内地游客达445万人次，占访港旅客总数的32.4%，较2000年增加约17.5%。港府为拓展香港旅游业，进行了多项旅游景点改善计划，其中多个项目以海洋资源为主题，例如尖沙咀海滨大道的重建工作、香港仔渔人码头的建设工程、鲤鱼门步行路径及铜锣湾避风塘的环境改善工程等，皆可提高滨海旅游的吸引力，并提供多个购物及品尝海鲜的好去处。此外大屿山竹篙湾的迪士尼主题公园、天水围的国际湿地公园以及海洋公园的海洋奇观将会成为香港的旅游新景点。为了满足旅游业的发展需求，港府现正研究在前启德机场跑道旁兴建邮轮码头的可行性。

海洋公益事业
Marine Public Welfare Facilities

【海洋监察及预报】 香港特别行政区政府环境保护署（以下简称环保署）于本港海域（包括海湾及避风塘）共设有93个水质监测站及69个海床沉积物采样站，另设有82个内陆水域水质抽样站。这些监测站监察水体的物理及化学性质和微生物数量等水质状况，并以年报及互联网网页定期公布调查结果。

此外，环保署定期监察香港41个宪报公布泳滩，以含菌量界定泳滩等级作为水质指标。泳季期间，该署还每星期向传媒发放一次泳滩水质的调查报告以供市民查阅。2001年的监察结果显示，共有21个被评为“良好”级别(即每100毫升海水含有平均少于24个大肠杆菌量)的泳滩。而被评为“一般”级别(即每100毫升海水含有25～180个大肠杆菌量)的则有13个，凡被列为“良好”及“一般”级别的泳滩，皆符合港府所制定的水质指标，适宜游泳。虽然2001年6月降雨量较正常超出40％，符合水质指标的泳滩比率仅从2000年的85％微降至83％。全港尚有5个和2个泳滩被分别评为“欠佳”和“极差”级别。

香港沿岸水质污染严重，容易出现红潮(赤潮)，港府于1983年已成立了一个红潮报告网络，以监测红潮的出现。1999年7月，港府还成立了“红潮跨部门工作小组”，多个政府部门包括渔护署、食物环境卫生署、卫生署、康乐及文化事务署、环保署、天文台、政府化验所、海事处和新闻处合作管理红潮及藻华的有关事宜。渔护署和环保署为了加强监察红潮及管理措施，已展开一项严密的浮游藻类监察计划，以侦测有害藻类的出现(详情见海洋灾害及防御篇的红潮部份)。

【海洋天气预报】 香港天文台负责提供气象、辐射监测及有关地球科学的服务。此外，天文台还为国际航空提供气象资料及设施。全港共有67处地点设有天气观测员及自动气象站，以监测各地区之天气变化。天文台也参与世界气象组织之下的志愿观测船舶計划，观察海上天气情况。此外，天文台还通过世界气象组织所管理的全球电讯网络、欧洲中期天气预报中心、日本气象厅的地球同步气象卫星和中国风云二号卫星接收信息，为市民及渔民提供天气预报、水文及海洋气象、热带气旋及潮汐时间表等资料。市民可通过互动电话系统、“打电话问天气”录音热线、传真及互联网查询天气情况及其他气象数据，网站也提供了文字及声音版本，使视障人士能更方便浏览天文台网页。如遇恶劣天气，天文台还通过媒体发报有关强季风、热带气旋、暴雨及雷暴等警告讯号。2001年期间，多达2 000万人次使用“打电话问天气”电话查询服务，并有100万人次经互动系统查询天气状况。

此外，天文台还为航运界提供南海和东海等区域的天气预报。热带气旋警告由海岸无线电台通过中频航行专用电报(NAVTEX)，向区内航行的船舶广播。1992年开始，若有热带气旋集结于赤道至30° N 和100° ～125° E之间时，天文台即会为国际海事组织(IMO)的全球海上遇险和安全系统(GMDSS)发出警报，这些报告将会每天8次通过国际海事卫星向公海中航行的船只广播。

【海洋环境保护】 污水处理 随着城市发展，香港每日产生逾220万立方米的污水，这批污水经由一套完善的污水处理系统处理。这个系统包括总长超过1 320千米的污水处理网络及约200座污水处理厂，提供基本(隔筛)至二级(生物)的污水处理服务，处理后的污水将会经过深海管道排放入香港以南水域稀释。全港约95％的人口使用该公共污水收集系统，收集和处理超过98％的污水。

为了向市民提供现代化的污水处理服务，港府通过“净化海港计划”及“全港污水收集系统复修和改善计划”以改善维多利亚港的水质，第一期建造工程已顺利完成。该计划先将由九龙和港岛东北部收集到的污水经深层污水隧道系统输送到昂船洲污水处理厂进行化学处理，处理后的污水经过一条长1.7千米的海底排放管道，排放到维多利亚港西面海域。该条最深达150米、长约23.6千米的深层污水输送隧道的钻挖工程在2000

年11月竣工，并于2001年12月进行平顶仪式后投入服务，余下的各项计划预计于2008年底前完成。港府已接纳国际专家小组的建议，展开有关的跟踪研究，例如试验生物曝气过滤处理技术，把污水处理系统提升至第三级的处理水平。

此外，港府通过全港污水收集系统复修和改善计划，逐步更新16个集水区的污水收集系统网络和污水处理设施。港府已投入200亿港元，来解决海港污染问题。污水处理系统经改善后，维多利亚港的大肠杆菌含量，由2000年平均每100毫升含7 000个的水平下降至2001年的6 400个。此外，环保署获拨款7 000万元，于2001年3月开始使用“生物除污法”治理遗臭了十几年的沙田城门河，该署利用氧化剂消减臭味，并挖掉河床淤泥，以改善河道和吐露港水质。

漂浮垃圾及海上倾倒废物 为了解决漂浮垃圾的问题，海事处利用7艘政府船只和65艘由承办商提供的船只收集海港漂浮垃圾，2001年内所收集到的漂浮垃圾共12 054吨。政府在繁忙地点加设多个垃圾收集站，并加强教育宣传运动。而多个民间团体如香港海洋环境保护协会、香港地球之友和思汇都曾举办海岸清洁活动。香港国际海洋生物协会全年从各海岸收集到的垃圾共重29 210吨，用来盛载该批垃圾的胶袋数量多达2 160个。

香港近年发展工程很多，大量淤泥由海床挖出。2001年内所产生的淤泥达6 700万立方米，这些淤泥并不适宜用填海方式处理，只可按许可证规定倾卸入淤泥卸置区内，环保署只向设有自动监测系统的船只签发许可证，以便记录所有卸物入海活动。此外，环保署经常派员到海上巡逻，控制非法倾物，全年共有12宗非法倾物入海的定罪个案。

海岸公园及海岸保护区 香港位于华南海岸珠江口的亚热带地区。西面水域受珠江淡水影响，盐度较低，东面海域则拥有海洋特色，不同的水域受海南海流、珠江水流及黑潮海流等相互影响。海洋性及河口性的生态系统，再加上季风和季节性的冷暖水流调节，孕育出种类繁多的海洋生物，其中最少有150个品种具有渔业价值。然而近年香港海洋环境每况愈下，海洋生态备受威胁。导致本港海洋环境恶化的主要原因包括水质污染、沿岸发展工程、过量捕捞及采用破坏性捕鱼方法等。为了保护香港海洋生态及资源，香港政府于1995年颁布《海岸公园条例》，并于1996年开始设立海岸公园及海岸保护区，作为保护现有海洋环境及生态的重要措施之一。全港现有4个海岸公园(沙洲及龙鼓洲、海下湾、印洲塘和东平洲海岸公园)及1个海岸保护区(鹤咀海岸保护区)，约占沿岸水域2 430公顷。2001年11月16日成立的东平洲海岸公园面积约有270公顷。由于东平洲的亚妈湾及亚爷湾的珊瑚种类较多，生态价值亦较高，港府将这两个地点划为海岸公园的核心区以加强保护区内珊瑚。为了保护范围内的生态及环境，所有在海岸公园和保护区内的活动均受限制。由于鹤咀海岸保护区的保护价值甚高，故此区内活动管制也较严格。

湿地保护 香港位于候鸟南迁北徙的东亚-澳大利亚迁飞路线之间，每年有数以百万计的候鸟，来回于西伯利亚及中国东北的繁殖地和澳大利亚的越冬地。这些候鸟途经香港，以米埔和后海湾内湾湿地作为提供食物及栖地之中途补给站。因此在香港发现的雀鸟品种中，约有72%在米埔出现。而全球多种濒危的雀鸟也可在米埔找到，例如黑脸琵鹭、小青脚鹬及东方白鹳等。全球约有25%的黑脸琵鹭在香港越冬，2001年1月期间共发现有145只黑脸琵鹭于米埔出现，为历年1月份之最。根据《拉姆萨尔公约》，港府已于1995年将1 500公顷的米埔及后海湾内湾划定为拉姆萨尔湿地(RAMSAR site)。2002年2月，米埔和后海湾内湾为全中国21片拉姆萨尔湿地之一。该片湿地不仅是多种候鸟的栖息地，也是孕育多种海洋生物的重要生境。为了更有效管理米埔和保护其资源，港府于1997年完成了一份管理计划，把米埔湿地分为5个区域：核心区、生物多样化管理区、公众参观区、资源善用区和私人土地区，由世界自然(香港)基金会(以下简称自然基金会)与渔护署紧密合作管理。香港观鸟会、长春社等环保团体也共同参与保护米埔湿地的活动。

此外，港府于天水围北部64公顷的湿地缓冲区兴建了一座湿地公园，并将其提升为一个集教育及旅游用途于一身的世界级景点。湿地公园工程分两期进行，第一期包括一个5 000平方米的园林地区及展览馆，第二期将包括一个占地6 000平方米的访客中心及一个户外公园。第一期工程已于2000年12月竣工并开放予市民参观(图1)，第二期工程将于2005年完工，预计每年可接待40万名游客。

图1　天水围湿地公园第一期展览馆

另一片位于西北部的塱原湿地，为本港现存最大片的淡水湿地，乃多种鸟类的栖息之所。九广铁路公司(以下简称九铁)曾计划于塱原湿地兴建高架桥，以连接上水至落马洲西北铁路支线，该计划备受多个环保组织及民间团体反对，环保署于2000年10月否决了九广铁路落马洲塱原支线环境评估报告，深受各界支持。九铁遂于2001年9月公布新方案，在塱原湿地兴建隧道以替代高架桥。根据估计，新方案仍会造成10公顷的净湿地损失，而钻挖隧道更可能导致地下水流失，对鱼塘及湿地生态构成影响，九铁将沿用原有缓解措施，以加强落马洲28公顷的鱼塘管理作为补偿。多个环保组织均对该补偿措施表示失望，并会密切留意事态发展。

继落马洲支线后另一项具有威胁性的湿地工程也备受争议，渠务署于6月提交的新田西排水渠工程方案，将会贯穿和占用米埔自然保护区，此举会对新界西北部的米埔湿地缓冲区的生态环境造成深远影响，自然基金会现正跟踪有关计划的发展。

人工鱼礁计划　香港天然鱼苗繁殖区已几乎被水质污染、资源过度开发、挖沙及填海工程等破坏。1998年的一个调查研究显示，在17个主要捕鱼品种中，共有12个被滥捕。为使本港渔业能持续发展，渔护署已于1996年展开了一项耗资1亿元、为期5年的铺设人工鱼礁计划。该计划共分两个阶段实施。第一期计划已于1999年完成，并成功将20艘经过处理的旧船、216座轮胎鱼礁、131座混凝土鱼礁和8座矿石鱼礁沉放于海下湾和印洲塘2个海岸公园内。2001年的调查结果显示，有多种无脊椎动物和鱼苗迅速在人工鱼礁内聚居，并发现有多达135种鱼类于海下湾和印洲塘海岸公园的人工鱼礁区内觅食、栖息和繁殖，其中包括多种高价鱼类如石斑鱼和青衣(猪齿鱼)等。第二期计划已于2001年初展开，在海岸公园范围以外的牛尾海和大滩海敷设人工鱼礁，并将该海域划定为禁止捕鱼区。此外，渔护署于2001年10月试验在海下湾和印洲塘海岸公园的人工鱼礁区内投放鱼苗，以增加本港渔业资源。

【海洋生物资源保护】　海豚　香港水域发现有不少于15种海洋哺乳类动物，其中印度太平洋驼背豚（Sousa chinensis，即中华白海豚)和江豚(Neophocaena phocaenoides)为本地原产海洋哺乳类动物。中华白海豚较广为人知，被港府列为回归中国的吉祥物。中华白海豚广泛分布于印度洋及西太平洋沿岸水域。在中国境内，中华白海豚栖息于少数主要河口，如珠江、九龙江和长江口水域，整个香港和珠江口的种群数量达1 000余头，其中有88～145头经常出没于香港西面水域，包括沙洲及龙鼓洲一带。然而新机场的兴建，导致中华白海豚的栖息地减少；再加上各项填海及挖沙工程，导致水质污染；频密的航运等皆严重威胁中华白海豚的生境。港府进行了一系列保护中华白海豚的措施如改善水质、设置人工鱼礁、制订和执行《野生动物保护条例》、设立沙洲和龙鼓洲海岸公园等，并研究在大屿山西南和索古群岛一带设立另一个海岸公园的可行性。此外，为减低任何海岸发展工程对中华白海豚的影响，所有具潜在危机的发展计划，均须经由渔护署评估组审核。2001年1月举行的“中华白海豚国际工作坊”综合了来自本地、内地和海外的科学家、政府代表及多个环保团体的意见，协调了不同机构的保护工作。

另一种原居于本地的海洋哺乳类动物为江豚，初步估计最少有150头经常在香港东面水域出没。渔护署与海洋公园鲸豚保护基金合作，进行对中华白海豚和江豚的研究。此外，为了向公众推广海豚保护的信息，香港海洋环境保护协会、香港地球之友、绿色力量及长春社等多个环保组织肩负起向公众推广保护海豚及海洋环保等教育工作。

海龟 在香港水域出没的海龟有4种，其中只有绿海龟(Chelonia mydas)在香港海域产卵繁殖。绿海龟属于高度濒危品种，南丫岛深湾的沙滩是香港惟一已知的产卵地，也是南中国海现存少数的海龟产卵地之一。港府已于1999年根据《野生动物保护条例》把南丫岛深湾列为限制地区，于每年的6月1日至10月31日海龟的繁殖期间，禁止未持有许可证人士进入沙滩的范围内。港府现正考虑把该区划为海岸公园或海岸保护区，重点保护海龟的生境。2000年9月，渔护署在石澳大浪湾捡走一批合计107只绿海龟卵，当中20只成功孵化的小海龟被植入附有独立编号的微型晶片及合金标志，并于2001年10月28日送返海洋，以便长期追踪研究。

珊瑚 约有50种石珊瑚聚居于香港东面水域内，当中以块状、壳状及层状的珊瑚为主。香港西面水域，也发现有多达35种珊瑚聚居，部分品种具有较高的环境适应能力。然而本地珊瑚现正面临水质污染、非法采捕及全球暖化等问题所威胁。2001年3月，在坪洲大利岛上发现有大批死珊瑚。为了保护香港的珊瑚，港府实行了一系列改善水质措施，并已修订有关法例以保护本地珊瑚品种，其中包括《动植物濒危物种保护条例》，任何人士必须领有牌照，才可以拥有受保护的珊瑚（包括鲜活或已死的样本，但骨骼除外）。此外，所有在海岸公园及海岸保护区的珊瑚亦受到《海岸公园条例》所保护。

为了对本地珊瑚的种类及分布有更深入了解，渔护署与珊瑚普查基金会于2001年合作进行了一个为期两个月的香港珊瑚普查活动。该活动由来自政府、各大专院校、环保团体及其他民间组织的潜水员分工参与。普查结果以宣传单、传媒、研讨会和互联网等途径发放，并向市民推广保护珊瑚的信息。根据调查所得，港府已在珊瑚覆盖率较高的海域上设置浮标，提醒船只不要在该处停泊，以加强保护珊瑚群落。

其他生物 2001年12月11日，香港海关与渔护署于油麻地公众货运码头4个标准货柜内，搜获逾9 000只亚洲龟，是历来破获的最大批走私龟只。由于大部分存活的龟只都染病或受伤，渔护署立即把该批共7 500只活龟转交嘉道理农场暂时托管和治理。12种被确认的亚洲龟种中，有11种为易危或濒危物种，其中潮龟更被《濒危野生动植物物种国际贸易公约》列为高度濒危的淡水龟种。在渔护署和世界自然保育联盟核下组织——“Turtle Survival Alliance”的支持及多间航空公司和众多义务工作人员的协助下，这项历来最大规模的龟只拯救行动最终得以顺利完成，逾4 200只活龟被运往美国或欧洲的保育中心。然而非法捕猎和贸易尚未被取缔，亚洲龟和其他野生动物所面临的危机仍未结束。

海洋灾害与防御
Marine Disasters and Prevention

【红潮（赤潮）】 2001年内，香港共记录40宗红潮（赤潮）发现报告。第1宗红潮于1月被发现。大部分红潮均出现于东部水域，包括吐露港和赤门海峡、大鹏湾和牛尾海。海水污染是导致红潮的原因之一，香港每日产生超逾200万吨污水，污水中的氮和磷等营养物加速微藻生长，导致藻华或红潮发生，根据过去10年的浮游植物研究数据显示，一般的浮游植物总量密度均有显著增加。香港水域内出现的红潮大部分都是无毒的，一般不会对海洋生物造成严重危害。只有在大量微藻积聚下，海水缺氧才会导致海洋生物死亡。港府就红潮的管理及预防，展开了多项工作，包括成立了一个“红潮跨部门工作小组”，加强各政府部门间的协调。例如渔护署负责红潮的监察工作，该署人员不仅使用肉眼侦测红潮，还每月定期从多个监测站和各泳滩，采集水质和浮游植物样本，监察浮游植物的种类；并设置电脑化的红潮监察信息系统，以提高监测的效率；再配合外展调查队，以便及早向养鱼户发出预警报告。在红潮发生时，指导养鱼户采取适当的预防措施，以减少对海鱼养殖的影响。食物环境卫生署则负责抽取在市面上的海产以作化验，并向公众提供有关的卫生指引。而康乐和文化事务署则负责处理受红潮影响的泳滩的有关事宜。

【暴雨及台风】 香港属于亚热带气候，约有半年时间气候温和。2001年是较为温暖及多雨的一年，全年平均气温约为23.6℃，而所记录的总雨量达3 091.8毫米，是有纪录以来第四高的温度及降雨量。天文台于3月25日发出首次黄色暴雨警告。4月9日更出现落雹现象。6月持续狂风暴雨，记录到最高月降雨量为1 083.6毫米。2001年间，天文台共发出了9次红色暴雨警告信号，而全年惟一的黑色暴雨警告信号则于9月1日发出。

此外，天文台2001年悬挂了6次热带气旋警告信号，首个一号戒备信号于6月悬挂，该台风飞燕(编号0102)是2001年首个在西北太平洋形成的台风，并为香港带来狂风雷暴，天文台因而发出黄色暴雨警告信号。另一个热带风暴榴连(编号0103)于6月底吹袭香港，它是2001年首个需要悬挂三号强风信号的热带气旋，榴连在4日内由一低压区增强为一台风。榴连吹袭期间，有市民报告在石澳和东龙洲之间的蓝塘海峡出现了水龙卷现象。台风尤特(编号0104)和玉兔(编号0107)同于7月间吹袭香港。尤特是一个环流广阔的台风，在多个地方造成严重破坏。尤特在登陆广东40余小时后才消散，是近30年来较为罕见的现象。玉兔是2001年7月第2个需要悬挂八号风球的台风，这是继1966年后，首次于7月内悬挂了2次八号暴风或烈风信号。热带风暴菲特(编号 0114)于8月底吹袭香港，天文台悬挂起一号戒备信号，菲特的外围雨带为香港带来大雨，黄色暴雨警告信号因而生效。9月期间吹袭香港的台风百合(编号0116)，是近年最不寻常的热带气旋之一。它的寿命长达15天，期间增强及减弱了4次，并不规则地改变了移动路径达5次。百合影响香港期间，天文台发出了三号强风信号。全年的风暴共导致3人死亡和12人受伤。

为了提供准确的热带气旋数据，香港天文台不仅每小时接收从卫星拍到的卫星云图，还用气象雷达测定风暴的中心位置。天文台在大老山的多普勒气象雷达可观测到香港500千米范围以内的热带气旋。此外，天文台设有多部测潮器，不分昼夜监测热带气旋所引起的海平面上升情况。并每天3次将载有无线电探空仪的气球发放天空，以测量高空天气资料。天文台经常与广东省气象局交换天气雷达图像，并从黄茅洲、沱泞列岛及内、外伶仃岛上的自动气象站收集资料，以掌握热带气旋等灾害性天气迫近香港情况。每当有热带气旋集结在香港800千米的范围内，天文台会透过传媒、互联网和电话录音与查询系统发出热带气旋警告，并报告台风的最新位置、中心未来动向、境内风力、雨量和水位，提醒市民采取必要的预防措施。

【挖沙工程】 土木工程署于2001年5月在其中一个宪报公告的海上采沙区——蒲台岛以西海域展开吸沙工程，以供竹篙湾迪士尼公园填海工程之用。工程进行期间，土木工程署于蒲台岛区内设立水质监测站，并定期派员视察珊瑚的健康状况。然而工程进行了不足两周，已发现蒲台岛附近水域珊瑚遭沉积物所覆盖。在发现沉积物对珊瑚构成影响后，该署立即停止该区所有挖沙工程，并对事件展开研究。多个环保团体包括自然基金会和地球之友等皆质疑该署未有提交水质评估报告便施工的做法。事件继而引起其他绿色团体、环境咨询委员会及渔业咨询委员会的高度关注。

海洋科技与教育
Marine Science & Technology and Marine Education

【概况】 香港海洋科技发展与研究主要由多个政府部门及教育机构推动进行。渔护署进行了多个与海洋科学有关的研究项目，其中包括红潮监测、湿地保护、人工鱼礁及水产养殖研究计划等。水产养殖项目中，除了不断发展高效率的饲养技术和人工饲料配方外，还进行了适应性的发展研究，向养鱼户提供更具销售潜力及生长理想的品种，例如龙趸幼鱼。“香港水域渔业资源及捕鱼作业”顾问研究建议在吐露港及牛尾海成立渔业保护区，并铺设人工鱼礁及投放鱼苗。渔护署于2000年中分别于赤角海事管制区及吉澳渔业研究站的人工鱼礁区内投放青斑及老鼠斑等高价鱼苗，并研究其成效。为了促进渔业的可持续发展，渔护署已聘请了顾问公司研究发展远洋捕鱼的可行性，该研究报告已于2001年底完成。此外，该署于1999年开展了一个为期两年的顾问研究，利用5种本地海洋生物对8种水质参数(包括溶解氧、悬浮物、氨、镉、铜、锌、氰及酚)的不同反应及耐受性，以制定一套适用于本地的渔业及海洋生态的生物指标评估标准。其他政府部门也参与不同的海洋科学研究项目，如环保署进行有关水质污染的研究，以制定污水处理策略。土木工程署也进行了多项水力研究，评估大型海岸工程对海港水流的影响，并采用先进的电脑水力模型，评估大型填海工程对海洋水流、泥沙流移及波浪状况的影响，研究结果将应用于填海工程规划、海事结构设计及航道设计。天文台则负责有关水文气象、海洋学、海洋气象等海洋科学的研究。

香港各大专院校均有进行海洋科学研究，并培育有关领域的科技人才。香港现有两所附属于大学的海岸实验室，分别为香港中文大学的海洋科学研究中心(前称海洋科学实验室)及香港大学的太古海洋科学研究所。香港中文大学海洋科学研究中心隶属于生物系，因兴建科学园的道路工程关系，位于旧址的研究中心需要拆卸，并迁往科学园傍。新兴建的研究中心已于2001年落成(图2)，设有养殖室及多个室外养殖池，主要研究海洋生物技术、海产养殖、海洋生态及保护等课题。另一所海岸实验室是位于鹤咀的香港大学太古海洋科学研究所，该研究所隶属于生态学及生物多样性学系，主要从事海洋生物分类及生态等研究课题。此外，香港大学的地球科学系也有进行海洋地质学方面的研究。海洋生物学是香港科技大学生物系研究重点之一，研究范围包括海洋生物发育、毒理学及生物科技等课题。其海岸与大气研究中心也从事气象、海岸工程及遥感等研究，该大学的海岸海洋实验室将于2002年竣工。香港理工大学设有航运学系，为香港航运业进行有关研究并训练人才。海洋环境研究是香港城市大学生物和化学系的研究重点，该大学的海岸污染和环保研究中心主要研究海洋生态、污染和毒理学等课题。香港浸会大学生物系和自然资源与废物管理研究中心也进行有关海洋环境监测和毒理学研究。香港公开大学的科技学院也设有多项海洋环境研究课题，如红潮和海水污染等。

海洋教育的普及化，对于保护现有的海洋环境和生态与海洋生物资源的保护有深远的意义。多个政府部门、环保团体和民间组织经常举办一些饶富趣味的活动、展览及讲座给中小学生和市民大众参与，用以宣扬海洋保护信息。2001年期间，渔护署曾举办多项有关活动，包括世界湿地日(2月2日)庆祝活动及湿地巡回展览；与大埔环保协进会联合举办的湿地摄影和绘画比赛；在西贡狮子会自然教育中心举行的香港海洋资源和渔业展览海洋生态讲座；“香港海洋奇珍”照片展览及位于长沙湾总署的濒危物种资源中心启用等等。渔护署还提供海鱼奖学基金，资助有意于本港从事海渔业或鱼类统销业人士，修读与海渔业有关的专业教育和训练课程。环保署也设立环境及自然保护基金，以资助与环保和自然保护有关的教育、研究计划及活动等。

图2 香港中文大学海洋科学研究中心外观

鲸豚保护基金也举办了多次野外观豚活动、红树林植树日、教育日营与鲸豚保护日等活动。香港海洋公园教育部通过水族馆及有关设施的导览活动，向市民大众介绍海洋生物的知识。自然基金会也经常安排学校、团体和公众人士到米埔参与湿地保育、基围收虾、户外考察和导览等活动。自然基金会已制作了多套环境教育教材分发各学校。位于海下湾海岸公园的赛马会汇丰世界自然(香港)基金会海洋生物中心已于2001年9月动工兴建，预计一年后落成。海洋环境保护协会推行了多项有关保护海洋的活动，包括由优质教育基金资助，提供教师和中学生参与的海洋生态考察活动和“孩子与海洋2001”的大型图片展览会等。观鸟会也定期到米埔举办湿地观鸟活动和制作香港环境资料概览等。此外，长春社也通过社区及学校探访、摊位展览、湿地嘉年华、通识教育课程辅导工作坊和环保行2001(后海湾湿地之旅)等活动，并定期印制有关环境保护的宣传单和小册子，让更多市民认识保护生态资源的重要性。地球之友也举办生态导游活动，并将联系7个团体于2002年初合办一项名为“绿行者”的绿色导游培训计划，为香港教师和学生提供一个自然教育训练的机会。香港科学馆通过部份互动展品与现场导览，向市民大众介绍海洋和水文气象等知识。绿色力量与中华电力有限公司在龙鼓滩合建的白海豚资源中心提供海洋生态知识予大众市民。中国极地博物馆基金一直致力推动香港和中国内地的科学考察和合作，并积极向市民大众宣传海洋环境与保护地球的关系及重要性。野生动物保护基金会于2001年举办了数次专题研讨会，向公众宣传生态保护观念。

海洋国际合作
Marine International Cooperation

【国际航运组织】 香港以“中国香港”名义，以联系会员身份参与国际海事组织的各项活动。2001年，香港参加了国际海事组织与联合国贸易和发展会议在瑞士日内瓦举行的外交会议1次和在伦敦参与了国际海事组织会议共9次。所参与的国际海事组织事务包括海员培训和发证标准、散装货船安全、无线电通讯、海洋防污、修订《国际海运危险货物规则》和《高速船安全守则》等事宜。香港作为国际海事组织与国际民用航空组织搜救联席工作小组成员，负责香港及南海水域范围以内所发生的海上遇险事故的搜救工作。海事处的海上救援协调中心不仅负责不同救援队伍的协调工作，还为渔民协会、游艇会和广东省的航运从业人员和公众举办安全研讨会。2001年，该中心共处理了216宗船舶紧急求助个案，其中76宗必须展开搜救行动，总共有165人获救。海事处还履行国际公约所订立的义务，调查香港水域任何涉及船舶的严重海上事故，2001年间，经海事处调查的事故共有7宗。海事处继续参与《亚太地区港口国监督谅解备忘录》的工作，香港作为《东京谅解备忘录》港口国监督委员会主席，领导修订工作小组及技术合作计划咨询小组的工作，派专家到亚太地区与当地的港口国监督人员交流检验技术要领。2001年6月，香港派员到韩国参与港口国监督人员研讨会，并发表文章。2001年期间，海事处对抵港船舶进行了890次港口国监督检查，并发现当中约77.9%的船舶未合标准。

【海洋科学和环保合作】 2001年，香港与多个中国内地部门合作解决水质污染问题。港府继续与广东省政府合作参与中国国家海洋局第二次全国海洋污染基线调查；并与深圳环境保护局进行了一项对大鹏湾的污染调查，以找出污染的源头及化学物质类别。2000年成立的粤港持续发展与环保合作小组辖下的珠江三角洲地区水质保护专题小组致力合作改善粤港两地水质污染问题，小组拟定了粤港联合实施方案，计划在15年内把污染负荷量降至可接受水平。于1998年底成立的专家组，负责研究中华白海豚的保护工作，计划包括改善东江水质，并促进港方与厦门有关部门交换中华白海豚的数据和管理经验等。此外，香港2001年参与“全国海洋环境监测网”，与国家海洋局进行磋商，并开展了有关的筹备工作。为了有效地处理区内油污污染问题，香港、深圳、广州、珠海及澳门等地方港口已建立起一套信息网络，以便其中任何一个港口出现重大溢油事故时可立即互通消息，本港海事处污染控制小组联同其他地区港口、相关部门及本地石油公司，于2001年10月举行了一次跨界海上溢油应急演习，加强各区在出现严重油污事故时的合作。

“国际珊瑚礁考察”是一项由多国海洋科学家、环保团体及业余潜水员合作参与的全球性大型环境普查活动，旨在勘察世界各地珊瑚礁状况，渔护署与珊瑚普查基金会于2001年合作统筹了为期两个月的香港区珊瑚群落普查活动，该活动由来自政府、各大专院校、环保团体及其他民间组织的潜水员参与，普查结果以传媒、研讨会及互联网等途径发放。

【国际海洋会议】 香港中文大学海洋科学研究中心主办的“Postgraduate Conference on Marine Biology and Biotechnology”于2001年6月举行。香港城市大学生物及化学系也于6月中主办了第三届“International Conference on Marine Pollution and Toxicology”。此外，香港大学也于10月主办了一个探讨1977～2001年间南海海洋环境转变的“Hong Kong Workshop's Reunion Conference”会议。

海洋管理与立法
Marine Management and Legislation

【海洋管理】 香港水域的管理工作由多个政府部门分工负责。新成立的环境食物局负责协调整体环保政策，辖下有食物环境卫生署(以下简称食环署)、环保署及渔护署等部门。环保署负责执行环保政策和法规、审查环保规划和评估等工作。渔护署主要管理渔业及推行有关研究，并负责自然保育的工作，包括推广自然教育、管理海岸公园、划定重要生态保护区、保护野生生物和执行有关法例等。就海岸公园的使用和管理方面，该署已于2001年3月举行第5轮的海岸公园游客联络小组会议，以便市民讨论和提供意见。

此外，渔护署还负责对海洋环境构成影响的发展工程项目作出评估和检讨。海事处负责管理港口，确保船舶在香港水域内安全航行。为了提高航运活动的效率，海事处实行了多项措施，如综合海上交通管理、海港巡逻、监察航行船只、设置海上浮标和执行主要国际海事公约等。此外，海事处还负责清理海港内的漂浮垃圾和油污，并执行有关法律。土木工程署负责策划、设计、兴建及保养公众海事设施，其中包括码头、航标、防波堤和航道等。2001年期间，该署已完成了多个码头的建造工程。除了建筑工程外，土木工程署还负责管理淤泥卸置設施和避风塘、停泊区和海鱼养殖区内的疏浚工程。渠务署则负责设计、建造和维修污水处理设施。此外，渔护署、食环署、卫生署、康乐和文化事务署、环保署、天文台、政府化验所、海事处和新闻处组成了“红潮跨部门工作小组”，负责监察和警告红潮的出现。

【海洋立法】 港府制定了多条法律以保护海洋环境及资源。《海岸公园条例》划定具生态价值的地区为海岸公园或保护区，所有活动在该范围内均受到限制，以保护该区的海洋生物。在无许可证下，一切捕鱼活动(包括钓鱼等)和标本收集都属违法。珊瑚的出入口也受《动植物濒危物种保护条例》所限制，任何人士必须领有牌照，才可以拥有受保护的珊瑚。具高度生态价值的生境及其野生动物，皆受《野生动物保护条例》所保护。例如米埔内后海湾拉姆萨尔湿地和邻近的沼泽区，以及南丫岛深湾等地区已被列入条例内的“限制进入地区”，限制一般市民随意进入。而《渔业保护条例》则管制捕鱼方法，防止具破坏性的捕鱼活动进行。任何涉及海床、浅滩、鱼类养殖区或鱼塘的发展工程项目，皆受《环境影响评估条例》所规定，必须进行渔业影响评估。香港的海洋环境管理，也由以上条例所监管。

(香港中文大学 蔡国豪 朱嘉濠)

2002

中国海洋年鉴

海洋管理篇

Marine Management

CHINA

OCEAN YEARBOOK

海洋综合管理
Integrated Marine Management

【海洋法制建设】 出台了《海域使用管理法》。2001年是海域使用立法工作中关键性的一年。国家海洋局组织有关专家成立了海域使用管理立法调研小组，编写了立法汇报及有关问题说明等一系列材料；配合国务院和全国人大、政协开展了多次海域使用管理调研工作。通过有关方面的共同努力，《海域使用管理法》于2001年10月27日经九届全国人大常委会第二十四次会议审议通过，并将于2002年1月1日起生效施行。

国家海洋局“十五”海洋立法规划。2001年上半年，结合国家海洋局“十五”计划工作的开展，贯彻国土资源部的文件精神，国家海洋局组织编制了《“十五”海洋立法规划》，并及时上报国土资源部；同时，按照国务院法制办的要求，及时组织报送了国家海洋局2002年拟出台的法规和部门规章名单。

海洋环境保护配套法规。2001年，国家海洋局完成了《海洋工程建设项目环境保护管理条例》（送审稿）的编制，组织专家修改完善《海洋工程与海岸工程的概念界定》和《海洋工程环境影响评价的特点分析》等有关论证材料。同时，完成了《海洋倾废管理条例》修订稿初稿以及《海洋环境资料管理规定》（征求意见稿）和《海洋观测预报管理条例》（送审稿）。组织编制了《海洋赤潮信息管理暂行规定》、《海洋标准制修订管理办法》、《海洋石油平台废弃管理暂行规定》、《海洋倾倒区管理暂行规定》和《海洋油气田开发生产环境影响回顾性评估暂行规定》等规章。

【海洋规划】 海洋工作“十五”计划。根据《国民经济和社会发展第十个五年计划纲要》，在国家海洋局各业务部门、局属各单位及沿海省（自治区、直辖市）海洋管理机构提供编写材料的基础上，国家海洋局组织编写完成了纲要（草案），经过反复修改、征求意见，2001年4月，国家海洋局印发了《海洋工作“十五”计划纲要》。《海洋工作“十五”计划纲要》确定了“十五”期间海洋工作的基本指导思想，即“高举邓小平理论的伟大旗帜，认真贯彻党的十五届五中全会精神，按照国民经济和社会发展第十个五年计划纲要的总体要求，围绕推动海洋经济可持续发展的主题，以满足社会经济发展对海洋资源不断增长的需要为基本出发点，把开发海洋资源、维护海洋权益、强化海域管理、保证海洋安全、保护海洋环境作为主线，建立和完善海洋规划、海洋法律、海洋管理、海洋科技和公益服务体系，实现海洋工作全面、快速、协调发展，为建设海洋强国奠定初步基础”。该纲要将对“十五”期间海洋工作起到宏观指导作用。

全国海洋经济发展规划。为落实温家宝副总理在全国国土资源厅局长会议上关于“海洋局要协同国家计委做好海洋经济发展规划，并监督实施”的指示精神，在国家计委指导下，国家海洋局扎实地开展了《全国海洋经济发展规划》（以下简称《规划》）的各项准备工作。2001年6月29日，国家计委、国家海洋局联合印发了《国家计委、国家海洋局关于开展全国海洋经济发展规划编制工作的通知》。8月2日，国家计委、国家海洋局在京召开了《全国海洋经济发展规划》编制组会议。国务院涉海部门，沿海省（自治区、直辖市）、计划单列市成员单位出席了会议，会议审议了《规划》编写提纲、部署了下一步工作安排。8月27日，印发了《国家计委办公厅、国家海洋局办公室关于印发全国海洋经济发展规划编制工作领导小组、规划编制组及规划编制组办公室成员名单的通知》，国家计委刘江副主任出任规划编制工作领导小组组长，国家海洋局王曙光局长担任副组长，国务院各涉海部门、沿海省（自治区、直辖市）有关领导为规划编制工作领导小组成员。9月12日，印发了《国家计委办公厅、国家海洋局办公室关于印发全国海洋经济发展规划编制组会议纪要和全国海洋经济发展规划编写提纲的通知》。在《规划》编制组各成员单位提供编写材料的基础上，经过反复修改、讨论，编写完成了《规划》（征求意见稿），12月31日，印发了〈国家计委办公厅、国家海洋局办公室关于征求对《全国海洋经济发展规划》（征求意见稿）的意见的函〉，进一步征求各编制组成员单位的意见。

渤海综合整治规划。在2000年工作的基础上，国家海洋局组织编制完成了《渤海综合整治“十五”能力建设项目建议书》，在经过多次修改、完善并征求环渤海三省一市海洋机构意见的基础上，6月下旬，在京召开了《渤海综合整治“十五”能力建设项目建议书》专家评审会。15名院士出席了会议并一致认为，该项目建议书所涉及的建设内容目标明确、技术路线合理、设计方案基本可行，建议国家主管部门尽快对该项目立项。同时，组织环渤海三省一市海洋机构开展了《渤海综合整治“十五”重点治理示范工程项目建议书》编制工作。8月，《渤海综合整治“十五”能力建议项目建议书》上报国家计委。9月，国家计委委托中国国际工程咨询公司对《渤海综合整治“十五”能力建议项目建议书》进行评估。12月，中国国际工程咨询公司在青岛、大连进行了专项调研。

海洋开发规划工作。国家海洋局通过对浙江、福建、广东、海南等省海洋开发规划执行情况的调研，完成了全国海洋开发规划第一阶段执行情况总结报告；编写了《国内外海洋规划技术方法研究》，为今后规划编制提供技术路线和可借鉴的经验。

海洋卫星规划工作取得重大进展。“十五”期间发射海洋一号第二颗海洋卫星已列入国防科工委计划，“十五”期间发射海洋二号卫星。国家海洋局现正开展海洋二号卫星需求分析论证，提出了海洋二号卫星的初步需求和使用要求，为中国今后十年海洋系列卫星的发展奠定基础。

（国家海洋局办公室）

【海洋渔业管理】 2001年我国海洋渔业管理工作在人员少、工作任务重、管理区域广、社会影响大、管理条件欠理想的背景下，海洋渔业资源保护、继续贯彻执行伏季休鱼政策、全面清理“三无”与“三证不齐”渔船、搞好海洋捕捞业转产转业诸多方面仍取得了较为显著的成绩。

（1）2001年，新修订的《中华人民共和国渔业法》生效实施后，对渔业资源这一关系国计民生、渔业生产基础的生物资源的保护提出了更高的要求，配合新修订的渔业法的贯彻实施，渔业管理部门相继制定了与之配套的渔业法规，从完善捕捞许可制度、加强渔船管理着手，起草了《渔业捕捞许可管理规定》和《渔业船舶报废规定》。从严格控制捕捞生产力、打击违规作业入手，保护渔业资源。另外，积极参与了《中华人民共和国海域使用管理法》的制定工作。除加强渔业资源保护外，还加大了对水产养殖、水生野生动植物和渔业水域生态环境保护力度。农业部修订了《黄渤海、东海、南海区渔业资源增殖保护费征收使用暂行办法》等规章。

（2）《中韩渔业协定》于2001年6月30日生效实施，中国大量渔船从韩国专属经济区水域退出转向近海生产，使近海渔业资源面临更大的压力。为了规范双方渔业生产活动，贯彻执行《中韩渔业协定》，制定发布了《中韩渔业协定暂定措施水域和过渡水域管理暂行办法》、《中华人民共和国专属经济区管理水域大韩民国渔船入渔程序规则》。修订了《中华人民共和国专属经济区管理水域日本国渔船入渔程序规则》。根据渔港管理需要，起草了《中华人民共和国渔港管理条例》。同时，加强对协定执行情况的监督管理和专属经济区巡航检查，中国渔政指挥中心继续统一组织和调配中国渔政执法船队在我管辖水域内进行巡航执法，依法维护国家权益和我国渔船生产作业秩序，保证协定的顺利执行，并对外国渔船实施监督。

（3）大力清理、整顿“三无”（无渔业捕捞许可证书、无渔业船舶登记证书、无渔业船舶检验证书）和“三证不齐”（持有上述三种证书中的一种或两种）渔船工作全面启动并取得阶段性成果。2001年各级渔业管理部门的通力合作，针对2001年海洋渔船普查反映出的“三无”和“三证不齐”渔船大量存在和对渔业资源造成严重破坏的不良影响，从2001年2月初至10月底，沿海各地按照“纳入管理、区别对待”的原则，对2000年渔船普查登记在册的“三无”和“三证不齐”渔船进行了清理整顿。经核实，2000年全国渔船普查登记在册的“三无”和“三证不齐”捕捞渔船总数为10.42万艘，其中“三无”渔船5.56万艘，“三证不齐”渔船4.86万艘，到2001年10月底，已清理整顿7.39万艘，完成了应清理整顿总数的71%，其中“三无”渔船3.38万艘，“三证不齐”渔船4.02万艘，随着工作的深入，其余“三无”与“三证不齐”渔船也将相继清理。通过这一工作的开展，使盲目造船、无证捕捞等违规情况得到有效遏制，进一步掌握了全国海洋捕捞渔船的基本情况，锻炼了渔业行政执法队伍，增进了渔政、渔港监督和渔船检验3个机构的协调和配合。

(4) 继续实施全面伏季休渔制度。为加强资源保护，国家继续实施伏季休鱼制度，并根据实际情况作了部分调整。2001年，是我国实施伏季休渔制度的第7年，伏季休鱼工作取得成效，特别是对提高捕捞规格、提升阶段性捕捞效益，有现实意义。如带鱼、黄鱼、鲅鱼等一些主要经济鱼类的资源量有所增加，种群结构得到改善；伏季休渔相对节省部分生产成本，渔获产量增加等。2001年沿海11个省(自治区、直辖市)和香港、澳门特别行政区共11.8万艘休渔渔船按规定停港休渔2～3个月，没有发生大的违规现象。鉴于伏季休渔制度的长期性和艰巨性，农业部于2001年10月9日在杭州召开了首次全国伏季休渔工作总结暨表彰大会，表彰了60个全国伏季休渔工作先进单位和201名全国伏季休渔工作先进个人。浙江省现场拆除旧船，均表明了各地政府和渔业管理部门决心采取各类措施，压缩盲目增加的渔船数量，控制海洋捕捞强度，为实施限额捕捞制度，切实养护和合理利用渔业资源的决心和信心。通过7年来伏季休渔的实践，渔民对资源养护、捕捞经济提升途径有了新的认识，逐步从“要我休渔”向“我要休渔”转变。

另外，沿海捕捞渔民转产转业管理工作初现端倪。如江苏省渔业管理部门开始规划捕捞渔民转产转业，浙江省政府对拆船后渔民的就业、生活也提出指导性意见，推动全省沿海捕捞业转产转业。

(5) 2001年我国海洋渔业管理仍存在一定的问题，较为突出的是：捕捞能力仍大比例地高于资源承受能力，特别是《中韩渔业协定》生效后，捕捞作业区面积进一步缩小，资源争夺更趋激烈，捕捞能力的压缩，因涉及到民生问题、社会问题，管理力度较小；部分渔民法制观念淡薄，有法不依，酷渔滥捕；受利益驱动，一些地区执法部门执法不严，管理不到位；管理力量不足；管理人员素质有待提高；“三无”和“三证不齐”捕捞渔船清理整顿工作进度不平衡，个别地方清理整顿工作进展较慢，大型和小型“三无”和“三证不齐”渔船的清理整顿进度也不平衡；伏季休渔制度仍属权益之计，难以治本；资源保护需多途径实施，除减少捕捞能力外，发挥科技作用、增殖放流、治理污染等有利措施尚未具体落实。　(中国水产科学院 刘大安)

【海洋交通管理】 保护通航环境确保通航安全 2001年，全国直属海事系统认真贯彻落实全国通航与搜救工作会议的精神，围绕通航管理和通航环境“变面貌”的目标，结合“水上运输安全管理年活动”，认真开展海区、水域的巡航工作，严格执法、科学管理，使通航秩序明显好转，巡航工作质量明显提高。既锻炼了队伍，又树立了海事工作的权威。圆满地完成了2001年制订的巡航工作任务。

2001年全年共完成海区巡航17 293次，累计巡航时间26 988小时，累计巡航里程达192 490海里，参加巡航人数达38 747人次，纠正违章3 616次，处理异常情况达147次，参与救助达106次，沿海港区巡航123 098次，累计巡航时间150 297小时，累计巡航里程达574 140海里，参加巡航人数达160 438人次，纠正违章25 350次，处理异常情况达844次，参与救助达573次；各海区及水域，通过巡航加强了现场监督和执法力度，通过严格管理依法行政，使各辖区内的通航秩序与通航环境得到了根本性的转变。

海事法制建设 2001年，交通部海事局协助国务院法制办完成了《内河交通安全管理条例》的修改草案，该条例有望在2002年出台；完成并上报交通部批准的规章有《海事行政处罚规定》(修订)、《水上交通事故统计规则》(修订)和《滚装船舶安全监督管理规则》(制定)；完成了《船舶载运危险货物安全监督管理规则》(送审稿)、《中华人民共和国船舶法》和《防治船舶污染环境管理条例》的起草和修订草案。

处理来自全国人大、全国政协、国务院、有关部委等部门的法律、法规、规章和提案征求意见90余件(次)。

受理海事系统行政复议案件2件，指导行政复议案件1件，并结合海事系统行政执法的实际情况，举办了1次直属海事系统行政复议、行政诉讼案例分析研讨会。

根据国务院、交通部行政审批领导小组的要求，依据国际公约、我国的法律、法规和规章，对海事系统行政审批项目进行了清理。结果是上报25项，保留23项，取消2项。

完成了海事系统《海事法规汇编》(1949～1999年内部版)和《海事法规汇编》(2000年)的汇编、出版、发行。

为进一步贯彻落实“依法治国”基本方略，把全国海事系统执法队伍建设成“政治坚定、业务精通、纪律严明、作风优良”的队伍，树立“公正、廉洁、高效、文明”的海事机构形象，海事局决定在全国海事系统推行统一政务公开和执法监督管理，颁布了《在全国海事系统推行统一政务公开的实施意见》、《中国海事系统政务公开指南》和《海事行政执法监督实施办法》等文件。

召开了交通部航海安全标准技术委员会第一次全体委员大会，制定了委员会章程，布置2001年委员会工作安排及近期工作目标，还审查通过了《围油栏技术条件》部颁标准。

完成了《川江滚装船检验规范》、《船载航行数据记录及技术条件和检验程序(国内船舶试行)》的制定；处理了近20项船检免除申请；召开了海事系统船检技术法规工作会议。

加强管理，保证VTS正常运行 根据《中华人民共和国船舶交通管理系统安全监督管理规则》和《船舶交通管理系统运行管理考核办法》的要求，2001年，全国各VTS中心，实现了“VTS辖区水域内不发生重大水上交通责任事故”和“提高港口运营效率，为地方经济发展服务”的目标，为确保海上人命和财产安全，保护辖区水域环境，提高水域综合处理能力发挥作用。

据统计，全国18个VTS中心全年跟踪船舶431 949艘次，实施助航服务45 017艘次，实施交通组织70 138艘次，纠正违章4 529艘次，避免险情811艘次，协助搜救799次。确保船舶安全准时进出港口，提高港口运营效率，使航运企业赢得可观效益，其社会效益更是不可估量。

随着经济发展而带来的通航密度增大及管理力度的要求，对VTS提出了更高的目标。为适应航运业发展的需要，海事局及时调整工作方向，要求各VTS中心认真落实《船舶交通管理系统运行管理考核办法》和《船舶交通管理系统设备运行考核办法》。天津、成山角、上海三个VTS中心已上了IALA人“世界VTS指南”网页，这标志着中国的VTS运行管理向国际化方向迈进。

船舶监督管理 2001年，全国各海事管理机构认真实施船舶安全检查工作，根据中国沿海船舶技术状况较差、船公司管理不善等情况，2001年5月，中华人民共和国海事局制定了《重点船舶跟踪管理规定》，建立了重点船舶跟踪管理制度，并于8月1日公布了第一批需要重点跟踪的船舶名单(即黑名单)。该名单的公布在一些中、小公司中引起了一定的震动，有些公司已把脱“黑”和减少“上单率”作为重点工作对待，公司管理层和船员思想认识有所提高。

通过各海事部门和有关航运公司的共同努力，2001年中国国际航行船舶已全面脱离了世界主要港口国监督管理地区的“黑名单”。为了防止出现反弹情况，各海事部门在继续抓好中国籍船舶的开航前检查工作方面做了大量的工作。在7月召开的大中型企业安全生产座谈会上，交通部对降低滞留率工作方面抓得比较好的单位和个人给予了表彰、进一步增强开航前的检查工作。

船舶检验技术管理 2001年交通部海事局，在加强对船舶检验行业的管理、规范船舶检验机构和从业人员的行为方面主要采取了以下措施：

(1) 船舶检验机构的管理。2001年交通部印发《中华人民共和国船舶检验机构资质认可与管理规则》，该规则将船舶检验机构分为A、B两类。A类可以从事包括国际航行船舶在内的船舶海上设施、集装箱和相关产品的图纸审查、法定检验及签发相应证书；B类船舶检验机构可以从事除国际航行船舶以外的船舶及其相关产品的图纸审查、法定检验及签发相应证书。该规则对船舶检验机构的检验业务条件、管理体系、人员的数量和资历、检验网点提出了要求，明确了资质认可程序和对船舶检验机构的监督管理。

(2) 船舶检验人员的管理。2001年4月交通部印发了《中华人民共和国验船人员适任考试、发证规则》，要求验船人员必须按规定取得相应类别、专业和等级的适任证书后，方可从事相应范围内的船舶检验工作，并承担相应的技术责任。还规定了验船人员的专业、类别和等级，申报条件、考试和培训、证书及监督管理方面的要求。

(3) 加强对客滚船、油船、液化气船和危险品运输船的检验管理，对部分船舶的吨位进行复核。

海区航标管理　2001年交通部海事局直接管理维护的各类航标2 299座，其中灯塔154座、灯桩659座、导标225座、立标56座、灯浮标1 026座、雷达应答器101座、DGPS台站20座、其他航标58座。全年完成航标维护工作量707 888天，航标正常率达到99.93％，航标维护正常率达到99.98％。RBN-DGPS信号可利用率达到99.45％，达到或超过了部颁标准。

2001年交通部下达了《关于调整部分航标区行政管理关系的通知》(交海发[2001]108号)，决定将大连航标区、营口航标处、秦皇岛航标处、烟台航标区、青岛航标区成建制划归天津海事局；将连云港航标区、镇海航标区成建制划归上海海事局；将湛江航标区成建制划归广东海事局；在北海航道处和湛江航标区防城航标站的基础上，组建北海航标处，划归广东海事局，负责广西壮族自治区行政区划内海区航标的维护管理。调整后的航标区(处)，统一称航标处。

根据交通部的要求，海事局树立全局观念，团结协作，于2001年6月30日前顺利地完成了相关航标区的机构、人员、航标和资产的划转和交接工作。交接各类航标1 026座，人员1 792人，资产4.86亿元。

2001年，交通部海事局和各海区航标管理部门加强了对港口航标配布、应急设标、应急抢修的管理，研究探讨建立经常性航标效能调查和对突发事件的应急反应制度；对全国沿海101座雷达应答器的效能和使用性能进行了调查和综合测试，调整了部分雷达应答器的位置，改进和提高了效能；对秦皇岛港、山东登州水道、琼州海峡中水道等重要的港口和航道的航标进行了调整；对厦门港“鸿运”号沉船应急设标53次，为保障通航安全和海域环境保护做出了贡献。

2001年大力推进新技术在航标上的应用。经过一年的试运行，沿海无线电指向标/差分全球定位系统(NRB-DGPS)三期7个台站于2002年1月1日正式对外开放。至此，中国海事局拥有了一套自主管理、能够覆盖整个中国沿海水域的、为广大用户提供无偿服务的、高精度无线电导航系统。2001年海区航标遥测遥控系统完成了初步设计，正式开始建设；航标管理信息系统一期工程通过验收，开始试运行：全海区已经在重要航段的灯浮标上，安装使用了140余座LED新光源灯，提高了夜间目视效果。截止到2001年底，太阳能、波浪能和风能在目视航标上的应用率已经达到37.9％。烟台老北山、镇海普陀山、广州小蒲台、海南观音角等8座灯塔和一批灯桩完成了技术改造，提高了航标的助航效能。

2001年中国海事局代表中国参加了国际航标协会(IALA)的26、27次理事会。各海区选派技术骨干分别参加了IALA运行、工程委员会15、16次会议、IA以航标电池/灯光研讨会、全球导航卫星系统(GNSS)研讨会、远东无线电导航服务(FERNS)理事会第十次会议、韩国NAVAIDS2001航标技术研讨会等国际会议。与香港海事处就内地与香港水域航海图书资料交换事宜举行了会谈。开通了中国海区航标网页并链接到IALA和IHO网页上，成为中国官方海区航标机构在IALA、IHO注册的网页。通过对外技术交流，中国海事局的对外影响日益扩大。

(交通部科教司技术管理处　李　奇)

海域管理
Management of Sea Area

海域使用管理
Management of Sea Area Use

【《海域使用管理法》出台】 2001年是海域使用立法工作中关键性的一年。国家海洋局组织有关专家成立了海域使用管理立法调研小组，对沿海地方海洋管理机构建设及养殖证发放、渔民负担等情况进行了统计和研究，编写了立法汇报及有关问题说明等一系列材料，为立法工作提供了大量翔实的论证材料。同时，通过大量的调查研究和协调，最终解决了海陆管理分界线、海域使用论证等诸多长期困扰和阻碍立法工作的焦点问题。

积极配合国务院和全国人大、政协开展了多次海域使用管理调研工作，调研范围涉及辽宁、河北、江苏、上海、浙江、广东、福建、广西、海南等9个沿海省市。在其影响和带动下，一大批人大常委和委员成为了海域使用立法工作的支持者和宣传者。多次组织地方海洋管理机构召开海域立法工作座谈会，充分听取意见，统一部署，形成全国支持海域法的有利氛围。

通过有关方面的共同努力，2001年10月27日，《中华人民共和国海域使用管理法》最终以128票赞成、3票弃权的高票经九届全国人大常委会第二十四次会议审议通过，于2002年1月1日起生效施行。

【地方海域使用管理立法】 在抓好海域使用管理立法工作的同时，国家海洋局注意推动地方海域管理的立法工作，福建省政府分别在2001年5月和11月颁布实施了《福建省海域使用管理办法》和《福建省海域使用金征收管理暂行办法》，《海南省海域使用管理办法》也在2001年10月由海南省政府发布施行。至此，全国除上海以外，已经全部颁布了海域使用地方性法规和规章，海域使用管理法规体系基本建设完成。

【海域使用管理示范区建设】 为了带动全国海域使用管理工作的全面发展，2001年1月国家海洋局和财政部联合下发了《关于第二批海域使用管理示范区的建设意见》，确定了辽宁省大连市等17个第二批海域使用管理示范区，并根据山东、江苏、广东等省要求扩大示范区建设范围的请示，批复成立了4个省级示范区。至2001年底，示范区在制度建设、调查登记、确权发证、有偿使用、招标拍卖、海域论证和信息系统建设等各个方面都取得了成功的经验，对海域立法及当地的海域使用管理工作提供了实践依据。

【海域使用管理配套制度】 为了规范海域使用管理的相关技术工作，2001年初，以国家海洋局海域司的名义下发了《海域使用管理技术规范》（试行本），为进一步的修改和上升为国家标准做了大量准备工作；海域法出台后，及时草拟了《海域使用金征收管理条例》、《海域使用申请审批管理办法》、《海域使用登记管理办法》、《填海管理办法》等文件，拟于2001年底征求沿海地方政府和有关部门的意见；根据海域法要求，拟定和修改了《海域使用论证资质管理规定》和《海域使用论证管理办法》，并拟于2001年底前召开海域使用论证资质审定会议，评审新的海域使用论证资质单位。

据不完全统计，2001年全国共审批海域使用证5 000余本，缴纳海域使用金约7 000万元。

【海域使用管理宣传】 在《中国海洋报》上开辟了“海域使用管理”专栏，截至2001年底，已经发行了40余期，刊登文章百余篇，成为交流经验、分析问题、表扬先进、曝光违法案件的阵地。2001年初创办的《海域管理工作通讯》，发送到沿海省、自治区、直辖市及各示范区海洋、财政部门等单位，反映良好。同时以举办培训班和支持地方培训活动等多种途径加强了对各级海域使用管理人员的业务能力培养。

【海洋功能区划】 全国海洋功能区划编制工作：

经过多次协商，组织成立了国家海洋局牵头、国家计委等12个部门参加的领导小组、国家计委等14个部门参加的技术指导组，并组建了国家海洋局海洋发展战略研究所牵头、国家计委国土开发与地区经济研究所等12个单位参加的编制组。组织专家到国务院有关部门、重要用海单位及沿海8个省市进行了20余次调研，收集了国家“十五”计划及8个重点专项规划、12个部门的行业规划、沿海11个省市的“十五”计划及部分省市的海洋经济发展规划，召开了各种形式座谈会16次。在认真对这些材料进行消化吸收的基础上，编制完成了《全国海洋功能区划》。目前，全国海洋功能区划已经技术指导组会议和领导小组会议审议通过，正在征求18个部门及沿海11个省市人民政府的意见，拟于2001年底前上报国务院批准实施。

地方海洋功能区划编制工作:沿海各省、自治区、直辖市人民政府成立了省政府主要领导牵头、涉海部门参加的领导小组，保证了海洋功能区划编制工作组织到位、人员到位和资金到位。全国50多家科研院所、各省市县1 000余家涉海管理机构参与了编制工作，累计投入资金4 000余万元。截至2001年底，沿海11个省市、31个地市、46个县（市）基本完成了海洋功能区划编制工作，其中河北、天津、江苏、上海、浙江、福建、广东7省市海洋功能区划已经或即将由省级人民政府批准，辽宁、山东、广西、海南4省区已完成协调论证和审核工作，9个地市、8个县（市）海洋功能区划已批准。

【海域勘界】 在充分调查研究的基础上，经认真研究和反复修改，制定了辽冀和闽粤界线方案，经过多方面征求意见和大量协调工作，两条试点线的4个省政府已于2001年8月31日分别签署了海域界线协议，圆满完成了海域勘界的试点任务。同时，完成了大量的报告、资料的编写出版和信息系统建设等成果，制定了《省际间海域勘界政策研究》、《海域勘界管理办法》和《海域勘界档案管理办法》，并对《海域勘界技术规程》进行了重新修订。

为了组织好全国海域勘界工作，组织成立了海域勘界背景资料调查组，分别对各省际间海域界线区域进行了调访，走访了省、市、县海洋、民政、国土、测绘等有关部门和单位，召开各类会议40余次，参加人员包括部门领导和群众共计360余人。在大量研究调研以及试点工作的基础上，制定了全面勘界的总体方案和详细的经费预算，正在向国务院报批。

【海底电缆管道的管理和立法】 2001年初成立了调研组，开展了海底电缆管道破坏与保护的现场调研以及对有关部委及企业的走访，编写了详细的调研报告；在此基础上拟定了《海底电缆管道保护规定》，征求了12个部门、有关单位以及沿海省市的意见，现已上报国家海洋局审议；为了进一步加强对海底电缆管道的管理，组织专家编写完成了《铺设海底电缆管道管理规定》修订文本——《海底电缆管道管理条例》（草案）的调研、论证及编写工作；在电缆管道的常规管理方面，完成了C2C光缆上海段和香港段、FLAG光缆和东亚二号光缆的路由调查和铺设施工的审批以及相关的协调工作；同时为国家海洋局下属单位争得了5 000余万元的合同额。

【无居民海岛立法和管理】 根据“国土资源部2001年立法工作安排”及各部门提出的意见，及时调整工作思路，组织起草了《无居民海岛及其周围海域生态保护规定》。2001年7月印发了《关于加强无居民海岛及其周围海域管理工作的若干意见》，推动了浙江、福建、广东和海南等海岛较多的省开展了实质性的无居民海岛管理工作，厦门、舟山等市已制定了无居民海岛管理法规或规范性文件。通过中央电视台、中央人民广播电台、新华通讯社、中国海洋报、北京青年报、厦门电视台和日报等多家国家和地方新闻媒体进行了广泛报道，宣传了无居民海岛立法管理工作的重要性，使政府各部门及社会各界认识到海洋管理部门在海岛管理工作中的地位和作用。

【海洋工程资质管理】 经过努力，实现了海洋工程设计资质由专项上升到行业，海洋工程勘察资质成为惟一保留的专业勘察标准的目标；完成了海洋工程勘察设计收费标准的修改并已上报国家计委；组织了第二届优秀海洋工程勘察设计项目评选活动。同时，积极开拓业务领域，逐步建立注册海洋工程师制度，并报建设部。目前，“建立注册海洋工程师执业制度立项报告”已获建设部和全国注册工程师管理委员会认可并将于近期发布。

【海砂开采管理】 开展了海砂开采普查登记工作和监督执法大检查，共查处违法开采海砂10余例；完成了中房集团海外公司和舟山瑞昌公司等14个单位开采海砂海域使用审批工作，已交局海域使用金120多万元，地方征收了400余万元；完成了对十几家企业海砂开采的动态监测工作；完成了“中国海域海砂资源平面分布图”的绘制以及“海砂禁采区选划”工作，2001年底将组织专家对选划出的海砂禁采区进行评估。

【海洋开发规划】 通过对浙江、福建、广东、海南等省海洋开发规划执行情况的调研，完成了全国海洋开发规划第一阶段执行情况总结报告；编写了《国内外海洋规划技术方法研究》，为今后规划编制提供技术路线和可借鉴的经验。

【海岸带立法前期研究】 组织开展了以立法为目的的辽宁海岸保护管理行动，编写了《辽宁海岸开发保护现状与存在问题研究报告》，起草了《关于加强辽宁海岸保护与管理工作的若干意见》。在此基础上，组织专家起草了《关于进一步加强海岸保护与管理工作的若干意见》，拟修改完善后，以国家海洋局规范性文件形式发布施行。

【加快海域管理政务信息化进程】 2001年10月，国家海洋局海域司印发了《海域管理信息系统建设技术规程》，进一步加强和规范了信息系统建设工作。同时，在海域使用管理、海洋功能区划、海域勘界等不同工作领域开展了专项信息系统建设，其中海域使用管理信息系统已在17个示范区全部安装运行，全国海洋功能区划信息系统总体框架设计和数据中心建设工作已基本完成，辽宁等沿海10个省级及浙江沿海市县级海洋功能区划管理信息系统均已建设完成，海域勘界信息系统在试点工作中也发挥了重要作用。（国家海洋局海域管理司）

海区海域使用管理
Management of Sea Area Use in Marine Regions

【北海区海域使用管理】

(1) 开创海洋石油、天然气开发海域使用管理工作局面。根据《海域使用管理暂行规定》，海域使用管理的大部分工作在地方海洋行政管理部门。北海分局将工作切入点放在对海洋石油、天然气开发海域使用管理上。在协调好与地方海洋行政管理部门关系的基础上，向国家海洋局争取授权，经国家海洋局同意，在渤海实施海洋石油、天然气开发海域使用管理工作。为推进此项工作的开展，北海分局制定了工作计划和工作程序，与中海石油（中国）有限公司天津分公司联系，在做了大量的宣传工作的基础上，敦促其办理有关海域使用手续，曾多次派人赴天津分公司就海域使用手续办理的具体事宜进行技术指导。通过锲而不舍地努力，天津分公司首先向北海分局提交了埕岛西等8个油田的海域使用申请表和海域使用可行性论证表。北海分局根据有关规定对其用海面积进行了进一步的勘查核定和论证。至此，渤海石油、天然气开发海域使用管理工作有了突破性进展，为下一步国家对海洋石油、天然气开发海域使用的直接管理积累了宝贵的经验，获得了国家海洋局的好评。

(2) 开展了海上石油平台、海底输油管道海域使用可行性论证管理工作。海上石油平台、海底电缆管道海域使用可行性论证是海域使用可行性论证的空白。为了推进这项工作，北海分局在与美国能源公司（EDC）的接触中，积极宣传海域使用管理的有关规定，阐明海洋石油开发必须按照国家的规定办理海域使用手续，海域使用可行性论证是办理海域使用手续的必然环节。经过多方面的工作，EDC公司委托青岛环海工程勘察研究院进行了埕岛西A区块海域采油平台及海底输油管道工程海域使用可行性论证。根据EDC的申请，2001年1月9日，北海分局成功地组织并主持了“埕岛西A区块海域采油平台及海底输油管道工程海域使用可行性论证报告书”的专家评审会，形成了客观、公正的专家评审意见。

(3) 对北海区三省一市海域使用管理情况进行了检查。北海分局组织力量对北海区三省一市海域使用管理情况进行了检查。检查的同时，要求三省一市海洋行政管理部门上报2000年度海域使用管理情况，在此基础上发布了北海区2000年海域使用管理情况通报。通报表扬了北海区三省一市在海域使用管理中做出的成绩，指出了工作中存在的问题，发挥了北海分局作为海区海洋行政管理部门的作用。

(4) 基本实现了海区海域使用证统一管理。2001年5月，根据国家海洋局的委托，北海分局负责北海区的海域使用证的发放管理工作，为了做好这项工作，并以此为契机，进一步掌握北海区的海域使用管理情况，北海分局拟订了《北海区海域使用证管理细则》（征求意见稿），印发到北海区三省一市及两个计划单列市海洋主管部门征求意见，根据他们反馈的意见做了进一步的修改，并将该管理细则于2001年5月10日发布实施。率先实现了海区海域使用证统一管理，并依据此细则向大连和天津发放海域使用证1 010套。

(5) 组织了海域使用管理宣传工作。根据国家海洋局的统一部署，2001年要加强海域使用管理的宣传工作，以促进立法。北海分局拟订了《北海分局海域使用管理宣传工作方案》，建立了北海分局的宣传网络，积极组织宣传稿件。组织向国家海洋局及海洋报社投稿24篇，完成了全年宣传任务。

(6) 协助国家海洋局积极推进立法。2001年3月，根据国家海洋局的指示精神，为了推进海域使用管理立法进程，北海分局承担了国家海洋局下达的《海域使用管理图册》(以下简称《图册》)编制任务。北海分局做了大量的调访和资料收集等工作，在此基础上，完成图册初稿。经多次征求国家海洋局意见，并经反复修改，《图册》按时完成。《图册》图文并茂，生动直观，真实地反映中国海域使用管理的现状、存在的问题、立法的必要性及可行性等内容，对促进海域使用立法起到了积极的作用。

(7) 开展了海砂开采管理及跟踪监测管理工作。北海分局组织对北海区 4 家获得海域使用证的采砂企业进行了跟踪管理。根据国家海洋局的批复，北海分局及时下达了跟踪监测任务，并与营口远东实业有限公司、青岛博青建材有限公司及海阳交通工程公司洽谈了有关海砂开采跟踪监测事宜，跟踪监测结果及时上报了国家海洋局。多次敦促海砂开采企业缴纳海域使用金，办理海域使用有关手续。

(8) 监督指导地方实施海域使用管理。针对胶州湾乱围乱填海域现象，北海分局向青岛市政协提交了“加强海域使用管理，杜绝胶州湾无序填海现象”的书面提案，引起了青岛市人民政府的高度重视。青岛市人大、政协就此事到北海分局进行了调研。根据青岛市人民政府督察办公室的请求，北海分局组织力量摸清了胶州湾无序填海状况，并提交市府督察办公室，为青岛市的海域使用管理做出了努力。

海底电缆管道管理

(1) 编制完成了《北海区海底电缆管道图册》。2001年3月，为了全面掌握北海区海底电缆管道的分布状况，加大对其保护和管理力度，北海分局组织编制了《北海区海底电缆管道图册》。为了使图册资料详细准确，深入到海底电缆管道所有单位做了大量的调访和资料收集工作。对收集到的资料进行整理并多次核实，对呈报的电缆管道路由资料可能不准确的，责令电缆管道所有者重新进行现场定位并将准确的路由报北海分局。《北海区海底电缆管道图册》经 4 次调整修改印刷成册。

(2) 签发海底电缆管道铺设施工许可证 2 份。2001年2月21日，根据中国海洋石油总公司（中国）有限公司天津分公司的申请，经过审查，为其办理了绥中36-1油田二期工程部分平台间海底电缆管道延期铺设施工备案手续，签发了海底电缆管道铺设施工许可证。

2001年3月7日，对中海石油（中国）有限公司秦皇岛32-6作业公司有关人员进行了铺设海底电缆管道管理方面的政策和技术指导，并根据申请，对有关资料进行了审查，颁发了秦皇岛32-6油田开发工程海底电缆管道铺设施工许可证。为加强对铺设海底电缆管道的管理，派人赴秦皇岛32-6油田，对其施工现场进行了监督检查，使海底电缆管道铺设管理工作进入到全程。

(3) 注册登记海底电缆管道12条。2001年3月9日，对绥中36-1油田二期开发工程2000年所铺设的海底电缆管道进行了竣工备案，注册登记海底电缆 2 条，海底管道 7 条。

2001年10月9日，对渤西油田群联合开发海上 2 条上岸管线和 1 条平台间管线进行了备案注册。

(4) 严格管理、热情服务。菲利普斯中国有限公司是蓬莱19-3油田开发的外资企业，由于初次接触海底电缆管道铺设工作，对有关的管理程序不甚了解。北海分局在对该公司的管理过程中，不是强硬地要求企业做这做那，而是向渤海项目组的有关人员详细介绍了铺设海底电缆管道管理及海域使用管理有关规定，说明了有关申请、备案手续及审批程序，并向该公司提供了有关文字资料。菲利普斯中国有限公司对北海分局的管理和服务给予了充分的肯定，表示坚决服从管理，严格遵守中国的法律法规，按照要求办理有关手续。

大比例尺海洋功能区划　根据国家海洋局的工作安排，北海分局承担了渤海中部大比例尺海洋功能区划工作。编制的区划工作方案报国家海洋局认可后将工作任务下达给了北海监测中心具体实施。在项目实施过程中，北海分局与国家海洋局有关业务部门保持密切联系，及时了解上级部门对这项工作的要求，适时调整工作方案，积极到军事、渔业、交通、规划、石油、海洋等有关部门收集区划所需资料，及时解决工作中的有关技术问题。

海域勘界　2001年4月根据国家海洋局海域勘界办公室的要求，提交了“北海分局辽-冀海域勘界试点工作情况总结”，为国家海洋局下一步开展海域勘界工作积累了经验；另外根据勘界办公室的要求，北海分局组织北海分局监测中心、北海分局信息中心对辽-冀线海域勘界资料进行了整理归档。　　(国家海洋局北海分局)

【东海区海域使用管理】　2001年4月24～25日，东海分局在江苏省南京市主持召开了首次东海区海域使用管理工作座谈会。国家海洋局海域管理司副司长孙书贤到会指导，江苏、浙江、福建、上海、宁波、厦门等省市海洋行政主管部门的领导和海域管理处负责人及江苏、浙江、福建3省第2批海域使用管理示范区的领导参加了会议。会议认真交流了各省市、各示范区海域使用管理工作情况和2001年工作计划，讨论并通过了《2001年东海区海域使用管理工作方案》。会议还确立了海区海域使用管理工作联系制度，规定今后每年召开一次海区海域使用管理工作会议。

海底电缆、管道管理　2001年1～11月，东海分局共受理并批准23件海底电缆、管道的路由申请、铺设施工、修理施工作业申请。具体有：

(1) 中国海底电缆建设公司的中美光缆N1段故障修理施工申请和中美光缆W1段故障修理施工申请；

(2) 中英海底系统有限公司的中美海底光缆(C-US)N1和W1上海段改道路由延长施工申请和更换施工船只申请；

(3) 中英海底系统有限公司的亚太光缆2号(APCN2)在上海侧电缆安装施工延期申请、紧急维修申请、更换施工船舶申请、增加施工船舶申请(4次)；

(4) 中英海底系统有限公司电缆施工船Maersk Repeater在东海水域海试的申请；

(5) 嵊泗县电力公司上海至嵊泗供电工程海底电力电缆路由申请和铺设施工申请；

(6) 上海石油天然气总公司的东海平湖油气田岱山油管道修复作业申请及修复作业延期申请；

(7) 中英海底系统有限公司的C2C海底光缆系统3B1＆3A3段在上海侧电缆路由清障和扫海申请；

(8) 中英海底系统有限公司的C2C海底光缆系统3B1＆3A3段在上海侧电缆铺设增加施工船申请(2次)；

(9) 中英海底系统有限公司的中日光缆紧急维修申请；

(10) 中国海底电缆建设公司的环球光缆P3段故障修理施工申请(2次)；

(11) 中国海底电缆建设公司的中日光缆故障修理施工申请。

上述申请获批准后，均在《中国海洋报》发布了管理公告，计23期。

2001年2月8日，按照国家海洋局要求，东海分局在上海主持召开了“C2C海底光缆(中国侧)路由协调会暨桌面研究报告评审会”，并顺利完成了有关的路由协调工作。同时，按照国家海洋局对中国网络通信有限公司C2C光缆(中国管辖海域)路由调查的批复要求，完成了该路由调查资料的保密审查工作。

2001年3月和4月，2次在上海主持召开了“上海至嵊泗供电工程海底电缆铺设施工协调会”，重点协调大陆-嵊泗供电工程海底电缆与计划中的芦洋大桥在海上的交越问题以及芦洋大桥与C2C海底光缆（中国侧）路由的交越问题。通过协调，促使有关单位就交越问题达成了一致意见，并签定书面协议。上海至嵊泗供电工程海底电缆铺设施工已于6月结束，此条电缆已在东海分局登记注册，并在《中国海洋报》发布了公告。

9月25日，东海分局与浙江省海洋与渔业局在上海主持召开了“上海石化册子岛原油储运工程海底管道路由协调会”，就该路由的合理性、可行性进行了充分协调，最终各部门就该管道路由的可行性达成了共识。

海砂开采使用海域管理 根据国家海洋局海域管理司的委托，东海分局分别在浙江和福建组织召开了“舟山崎头洋海域海砂开采使用海域可行性论证报告专家评审会”、“莆田市南日岛海砂开采使用海域论证报告专家评审会”和“厦门市同安湾海域海砂开采区海域使用论证报告专家评审会”。会议取得的成果（调整采砂区域、采砂单位之间矛盾协调），为国家海洋局审批这3个海砂开采项目的海域使用提供了科学依据。

（国家海洋局东海分局）

【南海区海域使用管理】 推进海域使用“两化”建设 为了推进海域使用管理工作制度化和规范化的建设，南海分局积极配合并督促地方加大海域使用管理力度，以多种形式广泛宣传海域使用管理工作，有针对性地为地方培训海域使用管理人员120余名。积极促进地方的立法工作，制定3省（区）海域使用证管理规定，及时了解、检查和推动省（区）海域使用管理示范区建设，由此极大地促进了两项制度在南海区稳步推进。2001年，南海区共发放海域使用权证书1 920本，批准使用海域面积13 100公顷，征收海域使用金1 532万元，创历年最高水平；文冲船厂、菠萝庙船厂均办理了海域使用证，实现了广州市工业用海办证零的突破；多次对湛江市的沙湾整治工程和填海建码头项目实施监管，督促湛江港务局办理了海域使用手续，初步改变了南海区港口码头用海管理的落后局面；为检查广西沿海3市贯彻落实2000年广西壮族自治区人民政府批转广西国土资源厅和南海分局《关于加强广西沿岸海域管理，促进用海秩序好转的报告》的“六点意见”的落实情况，宣传海域使用管理工作，南海分局会同广西国土资源厅等再度开展广西近岸海域联合执法大检查，巩固和扩大了2000年此项工作取得的成果。

海砂开采管理 严格把好海砂开采申请的初审关，组织召开海砂开采海域使用论证报告专家评审会3次；对经批准进行海砂开采地3家公司的采砂区实施定期动态监测；针对金颐发公司海砂开采区水深出现异常现象，及时组织专家召开专题研讨会，并会同广东省海洋与渔业局主动向国家海洋局海域司提出了该区限量开采及封闭局部开采区的处理意见。

海底光缆管理 严格审批海底光缆建设项目，针对“东亚2号光缆”、“FLAG光缆”、“北亚光缆”、“中国联通海口——徐闻海底光缆”和“粤海铁路琼州海峡海底光缆”，先后4次分别组织召开光缆路由协调会暨桌面报告评审会，有效协调各涉海部门的关系，为解决用海矛盾和合理开发利用海洋发挥了积极的作用。

海域勘界 完成闽粤勘界试点工作总结。

学习宣传《海域使用管理法》 认真贯彻国家海洋局的部署，利用各种形式做好《海域使用管理法》宣传工作；在广西北海市组织三省（区）海域使用管理部门共62人进行集中办班学习；分别在广州市海洋与水产局、海监七支队举办学习讲座。通过学习和宣传，依法管海、用海的责任感和海域属国家所有的国土意识进一步深入人心。 （国家海洋局南海分局 李仲钦）

海洋执法监察工作
Ocean Supervision and Law-Enforcement Work

【综述】 2001年，中国海监总队紧紧围绕国家海洋局2001年10项重点工作，在加强中国海监队伍建设的同时，依法加大了海洋执法检查力度，在海洋权益、海域使用、海洋环境保护等方面开展了综合和专项执法检查行动，有力地打击了各类海洋违法、违规行为，有效地维护了国家海洋权益和海域开发利用的正常秩序，保护了海洋环境。

执法检查力度不断加大 2001年，中国海监各级机构围绕海域使用管理、海洋环境保护、海洋权益维护等领域，加大海上执法监察力度。全年出动海监飞机198架次，出动海监船舶178艘次。

在维护海洋权益方面，共检查涉外海洋科学研究项目13次，发现一些中外科研单位由于缺乏对中国有关法律、法规的了解或依法开展涉外海洋科学研究活动的意识淡薄，未按规定索要和提供调查所获原始资料、样品的情况较多；检查铺设海底电缆管道项目57个，检查次数累计156次，发现违规行为56起。主要是由于渔船在海底通讯光缆路由两侧“安全区”内违规作业等原因，引起海底国际光缆损坏中断事件时有发生，造成了较大的经济损失。

在海洋环境保护方面，共检查各类海洋工程项目151次，发现违法违规行为37起。主要是海上石油平台未按规定使用化学消油剂，对海洋造成二次污染以及含油污水处理不符合标准等；检查倾倒区34个，倾废项目212个，其中登船检查1 002次，随船检查638次。发现违法、违规行为132起，多数为无证倾倒、不按许可证倾倒和不按规定记录倾倒；检查生态环境保护项目20个，发现违法、违规行为106起，主要是在保护区内捕捞、采集海洋生物，采砂、开矿等。

在海域使用方面，重点加强了对围海、填海、用海项目和海砂开采活动的执法检查，共检查各类用海项目1 148次，发现违规行为132起；组织专项海砂开采检查行动138起，发现无证开采公司26家、采砂船368艘次，越界采砂船68艘次，越界开采公司16家。

此外，2001年中国沿海共发生赤潮77起，中国海监对其中的46起进行了监视。为配合伏季休渔制度的实施，中国海监还重点对南海、辽东湾和黄海北部进行了巡航监视。

2001年，随着各项执法检查力度的加大，查获的违法、违规案件明显增多。为维护法律尊严，确保执法检查行动的效果，中国海监有重点地加大了案件处罚力度，采取措施，促进了处罚决定的执行，结案率较2000年有所提高。

全年共检查各类项目963个，累计3 416次，发现违法、违规行为850起，作出行政处罚609件。

多项联合执法检查工作圆满完成 联合执法检查是2001年海监执法监察工作重点强化的一项举措，它发挥了国家海监总队的“海空”优势，贯彻“一家人、一盘棋、融为一体”的方针，进一步密切了各涉海执法部门的关系，扩大了影响，取得了明显的执法监察成效，为探索执法工作新途径积累了经验。其中突出的几项联合执法有：2001年2～4月，南海总队、广东省总队在湛江港、珠江口等海域，开展了大规模海砂勘查、开采执法检查行动。对发现的违法行为作出警告处罚4件，罚款处罚33件，罚款21.3万元；9月下旬至10月中旬，东海总队参加了上海市组织的“APEC会议期间保护国际海底光缆系统海空协同专项巡航执法”行动，发现违规渔船200艘次，对其予以劝告或强制驱赶驶离光缆路由区，对3艘违规渔船作出了罚款处罚；10月下旬，南海总队、广西国土资源厅组织了“2001年广西近岸海域联合执法大检查行动”，对北海、钦州、防城港等市海域管理情况进行了执法检查，取得了良好效果。

中国海监队伍建设扎实推进 中国海监队伍建设经过各方面的努力，2001年取得了实质性的进展。国家人事部于2000年12月28日发文，同意中国海监总队按照国家公务员制度管理；国家海洋局印发了《中国海监总队依照公务员制度管理实施办法》；中编办印发了《关于沿海省、自治区、直辖市海监队伍使用“中国海监”标志等问题的批复》；公安部出入境管理局与中国海监总队联合印发了《关于中国海洋监察人员实施执法检查登外轮问题的通知》。这一系列文件的出台，使海监队伍的组织建设有了保障，对中国海监建设起到了重要的作用。

中国海监制式服装经过充分的准备，着装工作进入实施阶段，2001年年底前已完成首批2 596名海监人员着装工作。为加强着装人员统一规范，制定了《中国海监制式服装管理办法》和《中国海监人员着装管理规定》。

各级海监机构通过各种媒体，积极进行海洋执法监察宣传工作。其中社会影响较大的有：南海总队和广东电视台录制的“珠江口海砂开采专题报道”电视专题片和珠江口海域污染状况专题片；北海总队在青岛电视台、山东电视台等媒体的信息发布；各海监总队还编写了不同形式的工作简报。截至2001年10月底，共编写各类简报47期。

海监队伍执法能力建设稳步提高

(1) 按计划推进新造海监船舶、飞机第一期工程。依据国家海洋局领导关于新造海监船的指示，完成了各型船可研报告申报、评审，初步设计年底上报国家计委。新造海监飞机项目已完成了飞机的选型、两型飞机选装设备和执法专业设备的选配方案，购机谈判完成了阶段性任务，草签了购机定价协议，确定了新飞机托管单位。

(2) 建立信息网络，拓宽信息渠道。2001年3个海区总队都建立了较完善的局域网络。其中，南海总队正在争取实现南海省、区海监部门之间的计算机联网，实现执法监察信息的网上传递。

实行了海洋执法监察举报监视制度，截至2001年10月，共接到10起举报电话。各总队对接到的举报事件，都及时进行了处理或移送有关部门处理。

(3) 建章立制，严格管理船舶，提高船舶适航水平。船舶管理制度建设得到加强。2001年，为确保船舶安全，狠抓制度的落实，通过推行岗位责任制、竞争上岗等办法，逐步实现船舶管理的科学化、制度化。制订了《国家海洋局中国海监船舶安全管理工作规则》，在此基础上，各海区总队相继制定了多项船舶使用管理制度，例如东海区总队制订了《中国海监东海总队船舶安全管理“三长”责任制》和《雾航规定》等规章17项。

加强船舶维修，规范船舶保险。2001年，中国海监总队各海区总队21艘监海船舶中，8艘进行了特检修理，2艘进行了坞修，12艘进行了年检。全年完成扩大自修工程1 426项，节约经费37万元。为完善船舶保险工作，修订了《中国海监保险工作管理规定》，明确了“中国海监船舶必须进行保险”的原则。2001年，21艘海监船全部保险，投保率首次达到100%，海监船员、随船工作的执法人员全部投保。索赔9起，赔付7起，赔付金额21.75万元。

按国家要求进行船员培训工作。各海区总队按1997年《中华人民共和国海船船员适任考试、评估和发证规则》的要求进行船员培训工作。截至2001年10月底，北海、东海总队已全部完成船员培训工作，南海总队在2002年2月前完成全部培训工作。各总队还开展了岗位技术训练，东海、南海总队组织了船员技术能手竞赛活动，提高了业务技能。

圆满完成全年用船、用飞机任务。2001年安全、顺利地完成了巡航执法和海上科研调查等用船、用机任务。全年共出动海监飞机198架次，累计航程14.6万千米；出动海监船178艘次，累计航程6.45万海里；陆岸巡视近16万千米。

海洋监察员培训全面开展　针对当前海洋执法队伍的现状，尽快建立一支高素质的海监队伍势在必行。根据《中国海监 2001～2005年教育培训工作纲要》，统一各海区监察员上岗培训标准，召开了首届“海监教育培训工作会议”，印发了《海洋监察员上岗资格培训指南》。2001年各海区总队、各省(自治区、直辖市)总队共举办上岗资格培训班12期，培训人员864名，超额完成了原计划600人的培训任务。针对海监管理干部队伍建设的需要，2001年9月、10月，分别在北京、上海举办了中国海监首期管理干部培训班、首期涉外海洋执法监察培训班，来自沿海各省(自治区、直辖市)总队和各海区总队的领导和中国海监总队机关人员共86人参加了培训。

根据《海洋监察证管理办法》，2001年共核实、换发海洋监察证929本。2000年年底至2001年3月，共组织了3个海区、8个省(自治区、直辖市)总队的海洋监察员的2000年度考核。(中国海监总队)

【北海区海洋执法监察】 **执法检查情况**　2001年度，北海分局共实施车辆岸边巡视77 554余千米；船舶巡航104航次，海上作业275天，航程

34 589.9海里，航行3 476小时29分；飞机航空监察飞行58架次，航行174小时10分，航程36 574千米。共检查各类项目130个，实施各类检查次数累计678次，共发现各类违章事件42次。此外，发现赤潮14起。2001年共编发《北海海洋执法监察通报》11期、《海洋执法监察快报》10期、《北海海洋专报》3期。

(1) 涉外执法检查。根据国家海洋局和中国海监总队的指示，2001年北海分局共承担了5次涉外执法任务。累计海上工作55天，航时1 172小时，航程7 596余海里，其中搜寻82.3海里，跟踪监视2 063.6海里，随船监视3 600海里。

(2) 海域使用执法检查。2001年北海分局对大面积的用海、围海、填海单位进行了重点检查，共检查项目19个，实施检查32次，发现未经批准使用海域事件7起。其中，鲅鱼圈港填海造地用海项目已取得地方海洋管理部门的传真批文，海域使用确权手续正在申报办理之中；瓦房店和长兴岛镇两个用海项目，既未办海域使用证，也未交纳海域使用金，有关部门正在督办。

(3) 海底电缆管道路由执法检查。2001年北海分局共检查海底电缆管道路由和铺设项目15次，发现铺设海底电力电缆违章事件4起。烟台电业局铺设的烟台到崆峒岛、威海电业局铺设的威海至刘公岛、长岛电信局铺设的南黄岛至北黄岛、海军铺设的蓬莱至旅顺的海底电缆，既没经过地方海洋部门审批又未经国家海洋部门批准，擅自铺设海底电力电缆。经过调查了解，均得到了妥善处理。

(4) 海砂开采执法检查。2001年度，共开展了7次海砂执法检查行动。青岛地区重点加强了前海海砂富集区、开采密集区的执法检查，查获4艘非法作业的采砂船和运砂船，有力地打击了非法采砂行为。大连地区对营口远东实业有限公司海砂开采情况和瓦房店市海岸砂砾开采情况进行了重点检查，督促其主管单位按照国家有关规定办理合法开采手续。

(5) 海洋石油勘探开发环境保护执法检查。2001年北海分局积极组织海洋石油勘探开发环境保护执法巡航监视，共出动执法10次，检查项目14个，实施检查112项次，检查从事海洋石油勘探开发单位8个，二级单位19个，生产厂家9个，海上油田7个；登检石油平台88座，储油轮1艘；累计陆地行程25 550千米，海上航程6 149海里；采集各类样品74个；发现违章事件27起，作出行政处罚12起，其中当场处罚2起。8月16～28日分别派出陆地检查组、海上检查组、空中监视组对北海区从事海洋石油勘探开发的企业及所属海上石油平台进行了专项执法检查，查获一批违法违规行为。对9起较严重的违法违规行为作出了行政处罚。2001年继续加强了海上试油作业的现场监督，先后派出执法人员13次，对“勘探二号”等6个平台试油作业进行了现场监督检查。

(6) 海洋倾废执法检查。根据《关于对倾废航行数据记录仪实行年度定检的通知》，北海分局会同国家海洋局海洋技术研究所，组织完成了2001年倾废航行数据记录仪的年度定检工作。执法监察人员先后到达青岛港等8个港口进行了倾废检查，行程近万千米，登船验检25台仪器。全年共检查海洋倾废项目63个，实施检查473项次，其中登船检查290次，随船检查190次；发现违章事件3起，其中，不按许可证规定倾倒1起，不按规定记录倾倒情况2起；作出行政处罚2起，4月21～29日、6月16～18日两个阶段，组织北海总队各基层执法队伍和部分省市海监总队，对所辖海区海洋倾废作业单位、施工船舶进行了一次专项执法检查。进一步宣传了《海洋环境保护法》，提高了作业者的环保意识。

应急监视

(1) 绥中36-1油矿F31井。2001年1月11日绥中36-1油矿F31井发生油气泄漏事故，北海分局立即启动了应急监视方案，成立了海、陆、空3个应急监视小组，组织了海上应急监视。中国海监B-3808飞机，飞行3架次，航时4小时22分，“中国海监11”船和“中国海监22”船分别赴事故现场对其进行海上执法取证和环境监测，海上作业16天，航程2 109海里。外业现场取证和监测结束后，北海总队立即委托技术单位对溢油量进行了计算。北海预报中心利用POM模式和截面通量法、中国海监航空支队根据“波恩”协议分别对溢油量进行了准确的计算，为事故的处理、环境影响评价提供了科学的依据。此次应急监视，反应快速，准备充分，取证科学，计算准确，处理妥当，是应急监视成功的范例。

(2) 赤潮区域监视。2001年北海区共发现14

次赤潮，赤潮发生范围为2 973平方千米。对在鲅渔圈及附近海域发生的赤潮，由现场人员进行监视监测，对青岛浮山湾、胶州湾、天津新港等赤潮，及时组织应急监视，并将监视监测结果上报中国海监总队。

北海区协同执法 北海分局积极贯彻“一家人”、“一盘棋”、“融为一体”的建队方针，充分发挥国家队伍的装备和技术优势，积极搭建海区执法平台，支持配合三省一市有重点地开展执法监察工作，进一步密切了与地方总队的关系，取得明显的执法监察成效。

(1) 与海监青岛市支队联手打击非法采砂行为。3月25日，与青岛市海监支队的执法监察人员分别乘中国海监21船、中国渔政船同时从青岛5号码头和中港码头出发，前往青岛前海海砂非法开采的多发区，对青岛前海海砂勘查开采进行了联合执法检查，查获4艘从事非法作业的采砂船和运砂船，有力地打击了非法采砂行为。此次联合行动组织严密，行动迅速，取得良好的效果。

(2) 与海监山东省总队联合进行海洋倾废执法检查。6月16～18日与山东省总队首次在海洋倾废领域联合进行执法检查，进一步密切了国家与地方海监队伍的联系与合作，加强了山东海域海洋倾废的管理工作。

(3) 与海监辽宁省总队联合进行休渔期执法检查。7月20日，配合辽宁省海洋与渔业厅、辽宁省海监总队、大连市渔政管理局对辽东湾海域进行了休渔期联合检查。中国海监B-3808飞机，对重点码头和海域进行了低空巡视，对违法捕渔者起到震慑作用，有力地支持了辽宁省的休渔期执法工作，受到辽宁省厅、省总队的好评。海监飞机在休渔期的作用得到充分的肯定。

行政处罚情况 2001年共发现各类违法违章事件42次，承办案件14起，作出行政处罚14起，其中，当场处罚3起，立案处罚11起，处罚总金额人民币44.82万元。

北海区海洋监察员培训 根据《中国海监总队2001～2005年教育培训工作纲要》要求，按照海监队伍“人员素质好、装备精良、运转高效、准军事化”的建队方针，增强海洋执法监察人员的整体素质，提高海洋执法监察人员依法行政的能力和依法办案的效率，切实履行中国海监队伍的行政检查和行政处罚职能，中国海监北海总队先后在黄岛、青岛、大连、烟台举办了4期海洋监察员上岗资格培训班，共培训海洋监察人员302人。

(国家海洋局北海分局)

【东海区海洋执法监察】 **东海区执法监察“一体化”工作机制继续得到落实** 2001年4月，东海分局会同福建省海监总队首次在湄州湾和闽江口开展综合执法；5月，会同江苏省海洋与渔业局查处了“关于上海航道局田湾核电站前池工程项目经理部违法倾废事件”的举报案件；6月，协调海监航空执法力量参加了浙江省海洋与渔业局组织的“碧海行动”；10月中旬，为确保APEC会议的海底光缆通讯的安全畅通，会同浙江省及宁波市海洋执法机构查处了3起违规案件。此外，4～6月份安排浙江省渔政执法人员参加了多架次的海空协同海底光缆路由联合行动。

切实履行行政监督检查职责

(1) 维护国家海洋权益力度明显加大。依据涉外海洋科学研究、铺设海底电缆管道等的规定，对经中华人民共和国政府批准、在中华人民共和国管辖海域进行涉外海洋科研调查、海底光缆维修、平湖油气田管道铺设及维修等施工作业的9国25艘外国船舶实行了严格的船位报告制度，共接收并处理船位报告448份、接收活动情况报告54次。

(2) 深化海洋环保执法监察，保护海洋环境。继续巩固2000年浙江宁波、舟山海域的海洋倾废专项整治成果，组织开展海洋石油勘探开发环保专项检查，东海区以海洋倾废、海洋石油勘探开发环保为主的执法监察工作继续得到深化，各项工作有序进行。特别是会同东海分局环保处对“勘探三号”和“平湖油气田”进行了专项执法检查，全面履行了行政检查职责。对检查中发现的试油前未向主管部门报告和消油剂未能及时配备到位等问题，环保部门已要求其限期改正。

组织了对上海市某单位未经许可擅自在金山三岛海洋自然保护区放生蛇类事件的专项调查，向上海市海洋局和金山区人民政府通报了调查结果，并提出了行政建议。

(3) 审时度势，加强海洋资源开发利用执法监察工作。①海底光缆路由巡航执法：针对中美等光缆屡次中断问题，于2001年3月下旬参加了上海国际海底光缆第三次联合行动；4月份、6

月份组织开展了海空协同专项执法行动；在APEC会议召开前后，组织开展了海底光缆海空协同专项执法行动。发现并依法劝告或强制110余艘次渔船驶离了路由区，对其中的3艘次渔船实施登船检查。特别是为确保APEC会议期间光缆的安全畅通，一是于10月9～12日赴浙江海岛在查证属实的基础上，依法对涉嫌违规的3艘渔船分别给予了罚款4 000元、5 000元和6 000元的处罚，扭转了长期以来海底电缆违规行为处罚不力的局面；二是按照东海分局领导的要求，加强值班，每天及时向上海市政府汇报执法情况，随时保持与市政府有关部门的联络，处理可能发生的紧急情况，取得了较好的效果。对此，上海市常务副市长陈良宇表扬了上海市海洋局的专项执法工作，市通信管理局发来专函给予了高度评价。此外，组织六支队查清泉州市某市政工程开发建设有限公司违规铺设海底管道案，并给予了警告处罚。②海砂开采执法检查：根据国土资源部和中国海监总队的部署，会同浙江、福建两省海洋、国土监察及地矿部门开展浙江温州、福建莆田两地海砂开采的联合执法检查。行动中，登检了6艘涉嫌违规作业船舶，已由国土资源部进行处理。

(4) 及时发布《东海海洋执法监察通报》。认真做好东海海洋执法监察通报制度，发布9期共720份《东海海洋执法监察通报》。

切实履行依法查处职责 2001年已对15起违法违规案件进行了立案查处，其中，警告2起，罚款13起，罚款总额合计人民币18.2万元。同时，对2000年立案的3起违法案件分别给予了罚款处罚，罚款总额合计人民币7.5万元。其中，违法倾废案件11起，占全部案件的73%。此外，在航空监察中发现的1起船舶排污案件，依据《海洋环境保护法》的规定移送上海海事行政主管部门处理；对受理的举报案件做到件件有结果。

狠抓海监队伍业务素质

(1) 海洋监察员教育培训和管理工作成效显著。①上岗资格培训：2000年12月至2001年3月，组织所属支队及航空执法人员共110人参加的东海分局海洋监察员上岗资格培训班；5月份，批准并协调了94人参加的浙江省第一期海洋监察员上岗资格培训班；10月，批准并协调了97人参加的福建省第二期海洋监察员上岗资格培训班。②岗位培训：从8月份起，组织了149名海洋监察员参加的岗位培训，建议并落实了持海洋监察证人员学习海域法的岗位培训。承办了中国海监总队和国际合作司在上海举办的首期涉外海洋执法监察培训班。③海洋监察证管理：全年共申办海洋监察证69本，其中换发14本、核发55本。为加强海洋监察证日常管理工作，印发了《海洋监察证申报和日常管理实施细则(暂行)》。

(2) 规范执法，秉公执法，廉洁自律。严格执行行政处罚程序及罚缴分离制度，按照法定程序和实体规定，查处海洋违法违规案件。坚决做到依法行事，不办人情案。通过了财政部驻上海专员办事处的专项检查，得到了国家海洋局纪委与中国海监总队组成的监察组的好评。此外，《依法行政和自由裁量》案列评析在《中国海洋报》刊载。《无证倾废行为行政处罚合理性应用研究》课题已列入“2001年国家海洋局青年科学基金资助项目”。 (国家海洋局东海分局　蒋博文)

【南海区海洋执法监察】 强化海洋执法监察力度

中国海监南海总队坚决贯彻中国海监总队“五个坚持”工作方针，积极探索，开拓进取，团结协作，大力推进海监队伍的组织体系和业务体系建设，采取多种形式加大海上执法监察力度。

(1) 常规性例行执法监察 常抓不懈。全年海监飞机飞行70架次、航行182小时32分钟，航程49 998千米。开展海上环境保护、海域使用管理、维护海洋权益等陆岸执法监察245次；专项海上执法监察74次，航程5 780千米；结合其他任务随船执法监察120天，航程42 338千米。全年共登检采砂船49艘次，查获违法越界采砂船8艘次，无证采砂船10艘次；全年倾倒区监视95次，登临检查各种倾废船298艘。2001年9月，由南海分局海域处与南海总队执法处组成检查小组分别对广东、广西的饶平、惠州、防城港的第二批国家海域使用管理示范区进行了全面检查；利用海上登检和空中飞机巡航监察相结合的方式，对南海北部、北部湾海域的海洋石油平台、储油轮进行了大检查；全年共查处各种违法违规事件96起，发布执法监察通报6期，及时向当地省、市、县人民政府和有关主管部门通报巡航监视中发现的问题，并督促有关部门做好整改工作，取得较好成效。

(2) “一体化”联合执法监察坚持不懈。国家海洋局南海分局会同广东省海监渔政总队组织开展海砂开采联合执法检查，查获越界作业采砂船6艘，非法小型采砂船10艘；出动海监飞机、船舶，为配合南海伏季休渔活动的监管发挥了重要作用，有效弥补了渔政执法力量的不足，其中海监飞机B-3087共飞行12架次、42小时，协助抓获违法渔船158艘，并完成了搜寻渔政执法人员等应急任务，由此扩大了伏季休渔成果，受到农业部表彰；与广西海洋局开展联合执法行动6次，检查各类项目近20个，取缔违规用海项目近40个，面积66余公顷；与广西国土资源厅、广西海洋局等单位组织实施“2001年广西近岸海域联合执法大检查”行动，在当地产生重大影响，并发送“执法检查专报”4期、《南海海洋执法监察通报》1期。

加强海监队伍能力建设 为了增强海监队伍能力和综合素质，南海分局着重抓好培训、制度和装备3大基本建设。

(1) 队伍培训。开展封闭式军训活动，提出了“作风军事化、行为规范化、技术现代化”的要求，海监队伍的组织性、纪律性、依法行为能力和体能有了明显的提高；根据中国海监总队《海洋监察员上岗资格培训指南》，编制海洋监察员上岗资格培训教材，举办了6期海洋监察员资格培训班，共317名学员参加了培训，98%的学员成绩合格，并取得结业证书；此外，开展全体船员岗位培训，组织船员骨干分子参加军事训练，已有驾驶员58人、轮机员71人、“二小证”16人完成“过渡培训”。

(2) 制度完善。继续抓好海洋执法监察规章制度体系建设，建立了南海区海洋执法监察举报监视体系，完善了海监举报方式和举报规定；与广东省海监渔政总队建立了船舶、飞机动态互报和协调使用制度，发挥高位嫁接、优势互补的作用，为逐步实现整个海区海监船舶、飞机协同使用机制打下了基础；建立船舶使用成本控制体系和海监船员岗位适任技术培训情况档案；修订、制定了《船舶运行成本管理办法（暂行）》等5个办法、规定；对船舶管理工作提出了工作指导——“突出一个细字，强调一个严字”，形成了南海分局细、严二字并举的工作要求系统。

(3) 船舶维修。完成向阳红14号船专项修理，海监74船特检修理，向阳红14号、海监72和73船年检，海监72、73、74船航修。一系列行之有效的措施，提高了船舶的适航水平、抗击恶劣环境和天气的能力，降低了船舶使用成本，全年船舶共出航27次，航程51 000余海里，比2000年增加45%。 （国家海洋局南海分局 李仲钦）

海洋环境保护
Marine Environmental Protection

综 述
Summary

【健全规章制度，加强宏观管理】 国家海洋局密切联系沿海地方海洋机构，对地方贯彻实施《海洋环境保护法》进行宏观指导，对地方起草制订《海洋环境保护法》配套法规进行业务指导。

国家海洋局进一步完善《海洋环境保护法》配套法规《海洋工程建设项目环境保护管理条例》的编制，组织专家修改完善有关论证材料。还完成了《海洋倾废管理条例》的初步起草，形成该条例征求意见稿初稿，组织有关人员结合海洋管理完成了《海洋工程建设项目环境保护管理条例》（送审稿），《海洋倾废管理条例》（征求意见稿）的起草，此外还完成了《海洋环境资料管理规定》（征求意见稿）、《中华人民共和国海洋观测预报管理条例》（送审稿）和《海洋赤潮信息管理暂行规定》。

为全面落实《全国生态建设规划》和《全国生态环境保护纲要》，在2000年完成《海洋生态建设规划》的基础上，2001年组织有关沿海省市共同讨论，结合地方实际需要，充实《海洋生态建设规划》内容，组织编制完成了《海洋生态建设与环境保护规划》征求意见稿。

【海洋环境监测工作】 2001年，海洋环境监测工作在原有基础上进行了较大规模的调整。一是监测站位大幅度增加，仅趋势性监测站位就由上年的369个增至480个，增幅超过30%，其中近岸海域由214个增至334个，增幅高达56%。二是明确界定了国家海洋局和地方海洋厅（局）的监测责任，即国家海洋局负责组织实施近海、远海海域的趋势性监测、生物质量监测、赤潮监测及污染事故应急监测等，地方海洋厅（局）主要负责组织实施近岸海域的监测。三是为了合理地评价海洋环境质量状况，首次对近岸、近海和远海的界线做出了界定。四是监测项目合理增加，水质监测项目由上年的13项增至16项，增加了生物质量监测内容；大气监测项目由4项增至11项。

【海洋工程及石油勘探开发环境保护管理工作】 根据法律和国务院赋予的职责，国家海洋局积极组织开展了海洋工程环境影响报告书的审批工作。2001年组织审查和审批了番禺4-2/5-1油田、渤海赵东区块C/D油田、惠州19-3油田、蓬莱19-3/25-6油田、曹妃甸11-1/2油田等工程的环境影响报告书。另外，为了拓展海洋工程的范围，对上海国际航运中心洋山深水港区一期工程、长江口深水航道整治工程二、三期工程的环境评价报告书审批问题进行了专门研究，并采取了相应的对策和行动。

根据海洋石油勘探开发环保管理的发展和需要，结合国外的管理经验，开展了《海洋石油平台废弃管理暂行规定》编制工作。在广泛征求国务院各有关部门意见的基础上，经多次讨论和修改形成了送审稿，提交国土资源部以部门规章形式发布实施。

根据国家海洋局审批海洋工程环境影响报告书的工作需要，2001年国家海洋环境监测中心编制了《海洋工程环评技术导则》。为了使《导则》更加科学合理，具有可操作性，组织召开了3次征求专家意见会议，广泛听取了各有关方面专家的意见和建议。该《导则》的送审稿已基本完成，将按程序尽快报批。

为检验海洋油气田开发环评报告书评价结论和环保措施的准确性，掌握油气田开发以来对周围海域环境影响的情况，北海分局起草了《海洋油气田开发生产环境影响回顾性评估暂行规定》初稿，待修改完善后上报。

【海洋倾废管理工作】 2001年，在继续规范海洋倾废管理行为、提高依法行政水平的方针指导下，国家海洋局重点对倾倒区选划工作的规范性、科学性、提高选划质量和水平等问题进行了严格管理和控制，加强了对各海区和授权管理的省市区使用海洋倾倒区情况的监管；组织开展了倾废管理技术标准和方法研究和制定工作。

海洋倾倒区的管理工作：逐步理顺了海洋倾倒区选划、使用和管理的机制和关系，基本完成了《海洋倾倒区管理暂行规定》的研究和起草工作。2001年组织完成了湛江海安航道、营口鲅鱼圈港区航道、外伶仃采砂矿区、徐闻海关缉私码头、天津港深水航道、上海泰和路隧道、马鞭洲原油码头、赵东区块C／D油田开发建设等工程所需的临时性海洋倾倒区的选划工作，并对长江口深水航道、黄骅港一期工程、外伶仃采砂矿区所需的倾倒区问题做了专门的研究和处理。此外，在上年开展长期性海洋倾倒区选划工作的基础上，2001年7月在天津召开了天津港等6个区域的海洋倾倒区评审会。

倾倒管理技术标准和规范工作：国家海洋环境监测中心开展了“疏浚物海洋倾倒分类标准和评价程序”修订工作，完成了征求意见稿。同时，东海分局启动了《海洋倾倒区选划与监测指南》的修改工作，进一步完善倾倒区选划的技术规范，形成正式标准，为倾倒区选划工作提供科学的依据和指导。

香港、澳门特别行政区废弃物跨区倾倒管理工作：针对香港九号货柜码头倾倒疏浚泥产生的问题，国家海洋局根据国务院领导批示精神，会同国务院港澳办研究了港澳废弃物在内地管辖海域倾倒的管理政策和办法。此后，就有关问题与香港环保署进行了联系，并在京举行了首轮会谈。有关事宜仍在进一步磋商中。

【海洋环境监测系统建设重点项目】 由国家发展计划委员会批准，国家海洋局组织实施的“中国海洋环境监测系统——海洋站和志愿船观测系统建设项目”于2001年取得重大进展。

为保证项目的顺利实施，2001年3～5月进行了项目中期监督检查工作。监督检查工作实行责任专家负责制，对监测站、志愿船自动监测仪器和污染监测仪器配置，各海区项目建设情况，项目通信网络建设情况进行了全面的监督检查，找出了存在问题，要求各单位制定整改措施和解决办法，确保项目建设质量并按期完成。8月，为进一步推动项目实施，在烟台召开了项目实施工作协调会，对下阶段项目计划安排和具体实施工作进行了研究和部署。

项目到2001年年底已接近尾声，为确保验收工作的顺利进行，根据《项目管理办法》和《项目监督管理实施细则》及有关规定，制定了《项目验收办法》。验收分为总体验收和分项目验收两部分，国家海洋局负责总体项目验收，项目领导小组负责分项目验收。2001年12月，国家海洋环境监测中心负责的污染监测仪器统一配置工作通过验收；国家海洋标准计量中心负责的标准制定、计量检定、质量监督工作分项目于12月中旬通过验收；国家海洋技术中心负责的海洋站自动监测仪器、声学测波仪、船舶测报仪和引进波浪浮标项目于12月中旬通过验收；中国科学院海洋所负责的遥测波浪仪、山东省海洋仪器仪表所负责的船舶测报仪于12月下旬通过验收；各分局负责的项目基本完成，北海海区项目于2001年12月下旬通过验收。

为了加强中国海洋环境监测的宣传和管理工作，提高海洋环境监测人员的职业责任和意识，展示中国海洋环境监测的形象，项目办公室2000年在社会上广泛征集中国海洋环境监测标志，共收到应征作品100余幅。经多次筛选，最终确定的中国海洋环境监测的标志设计线条简洁、色彩明快、寓意深刻，极好地阐释了中国海洋环境监测工作的性质和特点。标志于2001年9月28日起正式启用。

在项目实施的原则和框架中，提出要充分发挥各方面的积极性，采取多种投资方式，共建全国海洋环境监测系统体系。现已经投入共建的站有4个：北海分局与山东寿光市政府共建寿光海洋环境监测站；北海分局与山东东营市政府共建东营海洋环境监测站；东海分局与浙江岱山县人民政府共建岱山海洋环境监测站；南海分局与广西国土资源厅共建涠洲生态监测站。

2001年度，项目办公室组织编制了《海洋环境监测站和志愿船监测仪器质量检验方法》、《海洋环境监测站和志愿船监测数据格式》、《海洋环境监测站和志愿船监测数据规程》和《自动监测仪器现场比对方法》4个技术文件，以保证仪器设备的质量，实现海洋环境监测数据获取和传输的规范化、标准化。

【赤潮防治工作】 2000年11月，国务院领导就加强海洋赤潮预防控制治理工作作出重要批示。为落实批示精神，以及为推动沿海地方人民政府积极开展赤潮防治工作，国家海洋局印发了给沿海地方人民政府办公厅的《关于加强海洋赤潮预防控制治理工作的意见》（国海发[2001]18号），对加强海洋环境监测预警体系建设、建立赤潮灾害应急响应体系、规范赤潮信息管理、加大环境整治力度、加强公众教育与参与等方面提出了明确的要求。沿海各地均已经按照《意见》精神，积极组织开展相应的工作，取得显著成效。此外，为加强对赤潮信息的监督管理，规范赤潮信息发布行为，国家海洋局还组织制定了《海洋赤潮信息管理暂行规定》，2001年第一季度，制定了“国家海洋局2001年海洋赤潮监测预测业务工作方案”，从赤潮监测监视、预测预报到信息发布的工作流程已见雏形。进入赤潮多发期后，国家海洋局局属各单位和地方海洋厅（局）利用飞机、卫星、船舶以及其他手段，加大了对赤潮的监测监视力度，及时报告和通报赤潮信息。从2001年5月开始，国家海洋局按月以《海洋专报》形式发布全国赤潮情况通报，使国务院领导、有关部门和沿海地方人民政府全面了解中国赤潮灾害动态。

国家海洋环境监测中心和国家海洋信息中心同有关单位组织编制了赤潮生物名录图谱、海洋赤潮灾害分布图和赤潮监测技术规程，为海洋赤潮监测提供了可行可靠的技术方法和标准。上述名录、图谱和规程已通过了国内赤潮专家的评审。

为加强国际合作，促进中国在赤潮管理减灾和科学研究方面国际交流，于2001年11月在青岛组织召开了“第二届赤潮国际研讨会”。来自国内外的代表200余人出席了会议。会议既展示了中国在赤潮管理减灾方面所做的工作，又为国内学者特别是沿海地方海洋机构的管理人员提供了学习和交流的机会。会后，国际赤潮专家评价中国赤潮管理已经与国际接轨，对大规模赤潮的监测预测能力已处于国际先进水平。

【海洋环境公报工作】 2001年海洋环境公报工作有了全面进展。2001年4月1日，经多方努力，改版后的《中国海洋环境质量公报》、《中国海洋灾害公报》、《中国海平面公报》3个国家级公报按时顺利发布，及时客观地公布了中国海洋环境质量状况，中国海洋灾害状况等，收到了良好的社会效应。同时，地方海洋环境公报工作也有了很大进展。省级海洋行政主管部门全部发布了本省近岸海洋环境质量公报。

【海洋观测预报工作】 浮标网建设和管理：2001年已实现海上3个固定站位均有浮标工作，海洋资料浮标网工作得以正常开展。北海分局完成了15号、16号浮标的大修改造工作，针对海上浮标遭人为破坏严重的情况，北海分局在下半年加强了浮标管理和浮标保护的宣传工作，收效明显。南海分局在浮标管理上一直抓得较紧，建立了一套严格管理制度，保证了浮标在海上安全可靠运行，所获资料在海洋预报和经济建设中也发挥着良好的作用。

海洋预报及资料信息工作：国家海洋局组织召开了2001年度海洋灾害预测会商会，提出了2001年海洋灾害的预测意见，并向各有关部门及沿海政府部门、防汛指挥部门印发了对2000年海洋灾害的评估及2002年的预测意见；编制了国家海洋环境监测预报业务人员实行执业资格制度论证报告；组织完成了国家海洋环境预报中心实时资料分析产品研制和资料传输仪器设备的更新改造；组织制定了海洋灾害评估标准（草案）。

（国家海洋局环保司）

海洋污染防治与管理
Prevention，Control and Management of Marine Pollution

【2001年渤海环境保护工作进展情况】 2001年，渤海环境保护工作取得了突破性进展。在国务院有关部门和环渤海4省市政府的大力支持下，国家环境保护总局完成了《渤海碧海行动计划》（以下简称《计划》）的编制、会签和上报工作。10月1日，国务院批复了《计划》。国家环境保护总局为贯彻落实国务院批复，召开了《计划》新闻发布会，推进了《计划》的宣传工作。2001年12月25日总局委托青岛海洋大学邀请12名两院院士和12位有关教授、专家召开《计划》科技支持研讨会，就落实《计划》的科技支撑项目问题向科技部提出了有关项目建议，科技部已将有关项目列入国家“863”计划中。

2001年国家环境保护总局继续强化了环渤海地区的近岸海域环境功能区管理，开展了对河北、辽宁两省的功能区检查工作，开展了近岸海域环境功能区监测站位布设工作。《计划》中环渤海4省市“禁磷”的目标提前完成。

【《渤海碧海行动计划》简介】 为了加强对渤海水体污染治理和生态保护，从根本上扭转目前渤海污染日趋严重、生态环境不断恶化的状况，国家环境保护总局联合国家海洋局、交通部、农业部和海军以及环渤海的天津市、河北省、辽宁省、山东省政府，共同编制了《渤海碧海行动计划》（以下简称《计划》）。

《计划》共分九章：总论、行动背景、方案设计、分阶段计划、技术支持、环境监测计划和组织实施措施；范围分海域和陆域两部分。陆域包括辽宁、河北、山东、天津三省一市辖区内的13个沿海市，海域为从辽东半岛的大连、丹东两市海岸线交界处与山东半岛的烟台、威海两市海岸线交界处之间连线为界以西的海域。

2001年10月1日，国务院国函[2001]124号对《计划》进行了批复，国务院批复中明确指出“《计划》是渤海和环渤海地区水环境保护、生态环境保护和海洋资源保护工作的重要依据。渤海和环渤海地区的各项生产、建设活动必须符合《计划》的要求”。

《计划》的目标为：到2005年陆源COD入海量削减11.4万吨以上，磷酸盐、无机氮和石油类的入海量分别削减0.32万吨、4.14万吨和0.28万吨，入海总量分别控制在COD 102.60万吨、磷1.01万吨、氮13.23万吨、石油类1.11万吨。到2010年陆源COD入海量比2005年削减10%以上，磷酸盐、无机氮的入海量分别削减15%，石油类的入海量削减20%。到2015年渤海海域环境质量明显好转，生态系统得到初步改善。

【沿海地区直排入海排污口状况调查】 2001年，国家环境保护总局部署全国11个沿海省（自治区、直辖市）对入海污染物直排口的排污和环境管理情况进行调查。调查表明，2001年全国入海污染物直排口总数630个，达标率为57.6%，排污口规范化率58.9%，在线监测率为17.9%，日排废水总量为1 351万吨（49亿吨/年），日排COD为1 270吨（463万吨/年）。据分类统计分析表明，市政污水治理率过低是造成直排口对海洋环境污染的主要因素之一。因此，加速城市污水处理厂的建设，提高市政污水处理能力是当前防治近岸海域环境污染的重点。　（国家环境保护总局海环办）

海洋生态环境保护与管理
Conservation and Management of Marine Ecological Environment

【海洋自然保护区建设与管理】 2001年，国家海洋局组织各保护区积极配合《海洋环境保护法》宣贯工作，利用电视、报刊、广播等多种方式加大宣传力度，提高公众自觉保护和参与的意识。组织开展全国海洋自然保护区调研工作。组织完成《国家级海洋自然保护区简介》多媒体及光盘的制作。积极组织保护区开展对外合作交流，与中美环境基金会合作，建成天津古海岸与湿地保护区主标志碑1座，并在该保护区举行了“热爱家乡保护湿地今日行动”启动仪式，起到了很好的公众宣传教育效果；保护区印制了《宣传画册》、《论文选集》和《综合考察报告》，埋设界碑500个；该保护区已被天津市政府确定为天津市科普教育基地。河北省昌黎黄金海岸自然保护区编制完成了《2000年海洋生态监测报告》，并完成了2001年海上14个站位的生态监测取样工作，正在进行室内鉴定分析；完成了保护区陆域部分外部边界的勘界，埋设界桩414根；完成了GEF课题《旅游岸滩的地貌过程及退化机理研究》，通过了河北省科技厅组织的专家鉴定。上海金山三岛保护区开展了调研考察及执法监察工作，拟定了保护区规划方案和资源环境调查方案。国家海洋局与国家生物圈委员会在广西北海联合举办了“海洋自然保护区管理与发展研讨会”，进一步提高了当地政府和周边群众保护自然的意识和自觉参与保护的积极性。申请了“中国南部沿海生物多样性保护示范区”项目，并参与有关选划工作。南麂列岛、三亚珊瑚礁、山口红树林3个国家级海洋自然保护区和待建的涠洲岛保护区已被列为“中国南部沿海生物多样性保护示范区”。

沿海各级政府重视海洋保护区建设工作，在加强对现有自然保护区管理的基础上，加快了地方级海洋自然保护区的建设步伐，2001年，山东省新选划了无棣贝壳堤岛与湿地、青岛大公岛海洋生态、千里岩岛海洋生态3个省级海洋自然保护区。山东省海洋行政主管部门以及保护区所在地各级政府，按照省政府的要求，依据《中华人民共和国自然保护区条例》和《海洋自然保护区管理办法》的有关规定，正在组织制订科学合理的保护区建设规划和管理规章，积极开展管理工作。

为保护与拯救海南省珊瑚礁资源和珍稀、濒危海洋生物，增强人们保护生态环境的法制观念和意识，加快海南生态省建设，6月18～30日，海南省海洋与渔业厅、海南省工商行政管理局在全省11个市县范围内组织开展了一场打击破坏珊瑚礁资源和国家重点保护水生野生动物违法行为的联合执法检查行动。参加联合检查行动的人员共565人次，检查机场、旅游景点、酒店、市场、收购点、工艺加工点、商店、码头、摊位共计368家，共查获违法经营珊瑚礁和国家重点保护水生野生动物及其制品的有55家，占检查总数的15%。没收珊瑚活体2块，珊瑚制品106件，摧毁以珊瑚礁为原料的小石灰窑11座；国家一级保护水生野生动物活体库氏砗磲17个，鹦鹉螺制品38个，砗磲制品169个；国家二级保护水生野生动物活花鳗鲡26尾，冠螺制品135个，虎斑宝贝制品1 145个，大珠母贝制品4个。查获的活砗磲、活花鳗鲡、珊瑚活体都全部放生，回归大自然。三亚珊瑚礁和大洲岛两个国家级保护区的破坏活动得到有效控制。

通过各级海洋部门的不懈努力和各有关部门的积极配合，海洋自然保护区的生态环境和生物多样性得到了保护和恢复。

为落实《海洋环境保护法》，国家海洋局组织开展了《海洋特别保护区实施方案》、《海洋特别保护区规划纲要》和《海洋特别保护区管理规定》的编制。 （国家海洋局环保司 王艳香）

【国务院办公厅批准山东黄河三角洲国家级自然保护区功能区调整方案】 按照国务院批示的《关于解决山东黄河三角洲国家级自然保护区与胜利油田有关问题意见的通知》（环发[1999]265号）要求，国家环境保护总局于2001年2月20日在山东省东营市召开论证审查会，就山东省人民政府落实环发[1999]265号文件中提出的黄河三角洲国家级自然保护区调整方案进行了论证。国家环境保护总局于7月23日向国务院申报了《关于批准山东黄河三角洲国家级自然保护区功能区调整方案的请示》（环发[2001]107号）。国务院办公厅于8月25日批准该方案，并下发了《国务院办公厅关于批准山东黄河三角洲国家级自然保护区功能区调整方案的通知》。（国家环境保护总局海环办）

海洋环境监测、观测
Marine Environment Monitoring and Observation

【综述】 为了贯彻落实《中华人民共和国海洋环境保护法》所赋予海洋行政主管部门“组织、管理海洋环境监测”的职责，国家海洋局制订了2001年度的海洋环境监测工作方案。该方案是全国海洋环境监测工作的指导性文件，于2000年12月末下发至沿海各省、自治区、直辖市及计划单列市海洋厅（局、办），并要求各级海洋行政主管部门将海洋环境监测工作纳入工作计划，加强领导，精心组织，统筹安排，确保2001年度海洋环境监测工作任务的圆满完成。

2001年度海洋环境监测工作的目标是全面掌握全国近岸、近海和远海监测海域的海洋环境质量状况和变化趋势，编制发布2001年度《中国海洋环境质量公报》和沿海省级《海洋环境质量公报》；通过专项监测，掌握与海洋产业和人民生活密切相关区域的海洋质量状况；通过近岸海域生物质量监测，掌握主要经济贝类鱼类质量状况；通过赤潮监测，实时掌握赤潮、海洋污染事故等海洋灾害的发生、分布和变化状况。通过以上的趋势性监测和专项监测，为海洋和社会经济发展、海洋环境管理、群众生活、减灾防灾服务。

2001年，监测结果表明，全国未达到清洁海域水质标准（符合国家海水水质标准[GB3097-1997]中一类海水水质的水域）的海域面积与上年相比略有减小，近岸海域污染仍然较重，局部海域环境呈继续恶化趋势；大连湾、锦州湾、秦皇岛、闽江口等局部海域海洋沉积物受到较大程度污染，其他海域海洋沉积物质量基本状况尚好；近岸海域海洋生物质量状况基本良好，但兴城、深圳湾、金州湾、闽江口等个别地点贝类体内仍残留镉、石油烃、砷等污染物质；海洋赤潮发生次数增多、发生时间提前、影响面积扩大、危害严重。中国海洋环境质量恶化的趋势仍未得到有效遏制。

在组织和建设中国海洋环境监测系统和海洋

综合管理体系的同时，国家海洋局对中国近海和近岸海域进行了系统的、多层次的、多目标的调查、监测、监视和管理工作。20世纪70年代后期，组建了渤黄海污染监测网，开创了中国海洋环境污染监测工作。自1984年开始，组建了全国海洋环境监测网，并对中国近海和近岸约200余万平方千米的海域逐年进行监测，每年获得3万多个监测数据；与中国近海飞机和海监船舶巡航监测、浮标监测、卫星等相结合，监控中国海域海面溢油、海上违章倾倒废弃物、海洋赤潮等污损灾害。定期将《中国海洋环境质量公报》、《中国海洋灾害公报》、《中国近海环境监测通报》等向国家有关部门、公众报告。

【海洋监测概况】 全海域海洋环境质量趋势性监测是以反映监测海域海洋环境质量变化趋势（特别是年际间变化趋势）为目的的大、中尺度监测，主要包括水质监测、沉积物监测、生物监测等内容。2001年度在近岸海域（指中国领海基线向陆一侧的全部海域；尚未公布领海基线的海域及内海，指负10米等深线向陆一侧的全部海域）共布设水质基本测站334个（其中辽宁51个、河北11个、天津7个、山东44个、江苏16个、上海10个、浙江55个、福建25个、广东69个、广西22个、海南24个）；沉积物测站150个（其中辽宁24个、河北4个、天津3个、山东17个、江苏7个、上海4个、浙江21个、福建16个、广东29个、广西14个、海南11个）；在近海（指近岸海域外部界线平行向外20海里的海域）和远海海域（指近海海域外部界线向外一侧的全部中国管辖海域）共布设水质测站146个（其中渤海28个、黄海39个、东海37个、南海42个）、沉积物测站49个（其中渤海14个、黄海12个、东海12个、南海11个）。各沿海省（自治区、直辖市）根据各自海洋环境监督管理和省级年度海洋环境质量公报编写的需要，在上述基本测站的基础上，适当增加了监测站位的密度。监测项目有风向、风速、简易天气现象、水温、水色、水深、透明度、海况8项水文气象项目，pH、盐度、溶解氧、化学需氧量、磷酸盐、亚硝酸盐-氮、硝酸盐-氮、氨-氮、总汞、铜、镉、铅、砷、油类、悬浮物、叶绿素-a等16个水质监测项目以及总汞、铜、镉、铅、砷、滴滴涕（DDT，有机氯农药）、多氯联苯（PBC）、油类、硫化物、有机质等10个沉积物项目。在7月中旬至9月中旬的丰水期进行了一次基本测站的监测。在沿海11个省、自治区、直辖市近岸海域布设了50个生物测站，分析了石油烃、总汞、镉、铅、砷、滴滴涕（DDT）、多氯联苯（PCB）、麻痹性贝毒、弧菌数量、粪大肠杆菌、异养菌总数量等11个项目，于生物成熟期的8～11月进行了一次监测。监测项目的分析方法主要依据《海洋监测规范》中规定的方法、步骤并经有关专家筛选后确定的。

专项监测是对指定的监测对象进行小尺度、高密度、高频率的监测工作。其目的是直接配合沿海省区市海洋行政主管部门实施海洋行政和海洋环境监测管理行为，并为其提供及时的技术支持。2001年度进行了重点养殖区、重点陆源排污口邻近海域、重点海水浴场、大气等专项监测。同时为了掌握中国重点海域赤潮发生的范围及变化情况以及海洋污染事故的情况，还选择了辽东湾、渤海湾、莱州湾、长江口至象山湾海域、珠江口海域进行了赤潮监测，并对发生的海洋污染事故进行了应急监测。

2001年度共获得趋势性监测数据17 553个，其中水质监测数据9 716个、沉积物监测数据2 470个、生物监测数据350个、大气监测数据64个、水文气象数据5 008个。

【海洋环境监测质量保证与管理】 海洋环境监测质量保证是监测业务中一项十分重要的技术管理工作，其内涵就是整个监测过程的全面质量管理，它包括了保证海洋环境监测数据具有代表性、准确可靠性和可比性的全部活动和措施。其主要内容之一就是开展实验室仪器设备、器皿的选择和校准，试剂和标准物质的选用和提纯、选择分析测试方法，确定质量控制程序，数据记录和整理要求等。

为了确保2001年海洋环境监测任务高质量的完成，还制定了2001年全国海洋环境监测质量保证工作方案，于7月到宁波海洋环境监测中心、广西海洋监测预报中心等7个单位进行了海洋环境监测质量保证工作的监督检查，同时进行了氨氮和油类监测项目的现场外控样的考核。

【近海海域水质质量状况】 **全海域** 2001年，全国未达到清洁海域水质标准的海域面积约173 390平方千米，其中严重污染海域（劣于国家海水水质标准中四类海水水质的海域）面积达32 590平方千米(其中渤海1 370平方千米、黄海1 260平方千米、东海27 380平方千米、南海2 580平方千米)。与2000年相比，2001年清洁海域总面积有所增大，但严重污染海域面积却扩大了约4 000平方千米。严重污染海域主要分布在人口密度大、工业区集中的大中城市沿海近岸海域。

2001年，主要污染物是无机氮和磷酸盐。近岸和近海海水中无机氮轻度污染海域（符合国家海水水质标准中三类海水水质的海域）面积约25 670平方千米，中度污染海域（符合国家海水水质标准中四类海水水质的海域）面积约14 490平方千米，严重污染海域面积约32 490平方千米；磷酸盐中度污染海域面积约13 110平方千米，严重污染海域面积约9 232平方千米。

各海区海水环境质量 渤海、黄海、东海和南海 4 个海区中，渤海和东海海水污染程度较重。渤海未达到清洁海域水质标准的面积约18 990平方千米，已占渤海总面积的24.6%；东海中度污染和严重污染海域面积最大，约41 170平方千米；黄海中度污染和严重污染海域面积约1 850平方千米；南海中度污染和严重污染海域面积约3 140平方千米。

沿海各省（自治区、直辖市）近岸海域海水环境质量 部分省市近岸海域中度污染和严重污染面积扩大，海洋生态环境面临越来越大的压力。辽宁近岸海域轻度污染、中度污染和严重污染海域面积分别约为1 700平方千米、1 080平方千米和2 590平方千米，污染较重的海域有鸭绿江口海域、大连湾、辽河口海域、锦州湾等，主要污染物为无机氮、油和重金属。河北较大部分近岸海域为清洁、较清洁海域，轻度污染海域面积约230平方千米，中度污染和严重污染海域面积约150平方千米，污染较重的海域为渤海湾西岸，主要污染物为无机氮、磷酸盐和重金属。天津近岸海域轻度污染海域面积约300平方千米，中度污染和严重污染海域面积约130平方千米，主要污染物为无机氮、磷酸盐和重金属。山东大部分近岸海域为清洁、较清洁海域，受到污染的海域主要分布在莱州湾、烟台近岸和胶州湾，主要污染物为无机氮、磷酸盐和重金属。江苏大部分近岸海域为清洁、较清洁海域，主要污染物为无机氮和磷酸盐。上海受长江流域携带入海污染物影响，邻近海域中度污染和严重污染面积较大，主要污染物为无机氮、磷酸盐、油类及重金属。另外，受陆源污染物排海的影响，上海西区排污口、吴淞口、竹园排污口、南区排污口、杭州湾北岸的金山石化等附近海域为严重污染海域。浙江也受长江流域携带入海污染物影响较大，污染范围较广，局部海域受陆源污染物排海等影响，污染程度加重，中度污染和严重污染海域面积约26 600平方千米，主要污染物为无机氮、磷酸盐和重金属。福建较大部分近岸海域为较清洁海域，中度污染和严重污染海域面积约4 900平方千米，闽江口和厦门近岸部分海域污染严重，主要污染物为无机氮和重金属。广东近岸海域轻度污染海域面积约400平方千米，中度污染和严重污染海域面积约3 100平方千米，珠江口部分海域污染严重，主要污染物为无机氮。广西绝大部分近岸海域为清洁和较清洁海域。海南绝大部分海域为清洁海域。

沿海地区近岸海域海水中，无机氮、磷酸盐平均含量仍呈较高状态，其中浙江、上海近岸海域无机氮、磷酸盐污染较重。

在沿海地区近岸海域海水中均监测到重金属铅，广东、广西和海南近岸海域海水中铅含量相对较低。

近岸重点海域海水环境质量 与2000年相比，2001年鸭绿江口、浙江南部和珠江口海域的严重污染海域面积增大；渤海湾、莱州湾、山东半岛南部近岸海域和福州至厦门近岸海域的轻度污染面积也呈扩大趋势。

由于江河携带大量陆源污染物入海，主要江河入海口，如长江口、杭州湾、珠江口、辽河口、鸭绿江口等海域污染严重。另外，受工业废水、城市生活污水及养殖废水等影响，一些大中城市附近海域，如大连湾、渤海湾、胶州湾、象山港、三门湾、乐清湾等近岸重点海域污染较重。

长江口、杭州湾、珠江口、鸭绿江口、象山港、三门湾、辽河口和乐清湾等海域海水中无机氮平均含量较高。

大连湾、厦门和烟台近岸海域海水中磷酸盐平均含量呈下降趋势。

受油类污染的海域有大连湾、秦皇岛近岸、辽河口海域、珠江口海域和胶州湾等。

受重金属汞污染的主要有杭州湾、象山港、湄州湾、闽江口、长江口、三门湾、乐清湾和锦州湾等海域的局部区域。

【沉积物质量状况】 海洋沉积物是许多海洋生物，特别是底栖生物赖以生存和生长的环境，由于底栖生物大都具有富集污染物质的能力，因此，沉积物质量的好坏直接影响到底栖生物的质量和人体健康，沉积物质量指标也是一个很重要的污染指标。

2001年，在中国近岸、近海和远海海域开展了海洋沉积物中的总汞、铜、镉、铅、砷、滴滴涕、多氯联苯、石油类、硫化物、有机质等项目的监测。监测结果表明，大连湾、锦州湾、秦皇岛近岸、长江口、北海市近岸、钦州湾和闽江口等海域的沉积物分别受到不同污染物的污染，沉积物质量较差，全国其他海域沉积物质量良好。

大连湾　沉积物普遍受到总汞、铜、镉、铅、石油类、硫化物、有机质等污染，全部超过一类沉积物质量标准。其中，硫化物最高含量达969毫克/千克，超过三类沉积物质量标准；石油类最高含量7 795毫克/千克，为三类沉积物质量标准值的5倍多；汞的最高含量也超过三类沉积物质量标准。

锦州湾　沉积物中重金属污染严重，总汞、镉、铅、铜超过一类沉积物质量标准，汞的最高含量已达到三类沉积物质量标准值的3倍以上；硫化物和砷超过一类沉积物质量标准。锦州湾沉积物因受到严重污染，约7平方千米的海底已成为无生物区。

秦皇岛近岸海域　沉积物受到硫化物、石油类、有机质、总汞、铜等污染，其中，硫化物和石油类的最高含量均超过三类沉积物质量标准；有机质、总汞和铜超过一类沉积物质量标准。

长江口附近海域　沉积物中的滴滴涕（DDT）含量超过一类沉积物质量标准。

北海市近岸海域　沉积物中的滴滴涕(DDT)含量超过一类沉积物质量标准。

钦州湾　沉积物中滴滴涕含量最大值超过二类沉积物质量标准。

闽江口海域　沉积物受到石油类和汞的污染，其中，石油类最大值已超过三类沉积物质量标准。

【近海海域生物残毒状况】 2001年，对沿海11个省（自治区、直辖市）沿岸50个地点的20多种海洋底栖贝类（牡蛎、贻贝、毛蚶、文蛤、菲律宾蛤仔、脉红螺、缢蛏等）体内的污染物含量进行了抽样监测。监测结果表明，2001年中国近岸海域海洋生物质量状况基本良好，但仍有一些地点贝类体内残留有害物质，主要是镉、石油烃和砷。

兴城、金州湾、二界沟、威海、鲅鱼圈、连云港、嵊山、大鹏湾和庄河等附近海域的个别采样点贝类体中重金属镉含量较高。

深圳湾、闽江口、台山赤溪、蓬莱、北海、泉州湾和泗州等附近海域个别采样点贝类体中石油烃含量较高。

【海洋功能区环境状况】 **海洋保护区**　2001年，沿海各级政府重视海洋保护区建设，在加强对原有保护区管理的基础上，加快了新保护区的建设步伐，新建海洋保护区2个。截至2001年底，中国各类海洋自然保护区总数已达71个，其中国家级保护区21个，地方级保护区50个，总面积23 805平方千米。

珊瑚礁生态系统是中国最典型的海洋生态系统之一，海南省通过科学调查、公众教育、加强监督管理、采取生态恢复措施等，使珊瑚礁生态环境和生物多样性得到了保护和恢复。广西壮族自治区通过人工繁育引种扩大了红树林的面积和数量，山口红树林保护区红树林生长和水域环境质量状况良好。河北省昌黎黄金海岸自然保护区的海洋生态环境质量状况基本良好，主要保护对象文昌鱼种群生长、繁殖向良性状态发展。辽宁省双台子河口保护区的湿地生态系有了较明显的恢复。

但是，各类保护区的保护物种和生态系统遭到人为破坏的现象仍时有发生。

海水浴场　为维护滨海旅游区的环境安全和公众健康，及时掌握海水浴场的环境质量，评价海水浴场的健康程度，2001年各级海洋行政主管部门开展了海水浴场环境质量监测，在游泳高峰期对浴场海水的温度、透明度、pH、盐度、粪大肠杆菌及潮时、潮位、海面漂浮物等海水浴场环境质量指标实施了监测。监测结果表明，大连傅家庄和金石滩浴场，河北秦皇岛、北戴河和南戴河浴场，青岛第一、二、三、六海水浴场和石老人、金沙滩海水浴场，江苏连云港连岛浴场，厦门岛东部浴场，广西北海银滩浴场，海南海口假日海滩和三亚亚龙湾浴场的水质基本良好，主要环境质量指标基本符合海水浴场的环境质量标准。

海水增养殖区 为评价海水增养殖区的环境质量状况，2001年，各级海洋行政主管部门在近岸海域海水增养殖区开展了环境质量监测。监测结果表明，全国大部分近岸海域增养殖区的环境条件基本能够满足增养殖海域的环境质量要求。

鸭绿江口至庄河近岸部分海域、辽河口附近海域、浙江近岸部分海域、福建北部近岸部分海域和珠江口附近部分海域增养殖区的无机氮、磷酸盐和汞、铅等指标偏高，已成为影响养殖环境质量的主要因素。

海洋油气区 2001年，中国管辖海域有23个油（气）田生产运行，排海含油污水共5 094万吨，比上年增加446万吨，增幅为9.6%；全年排海油量1 445吨，比上年增加87吨，增幅为6.4%。除少数油（气）田发生溢油和排污事故外，各油（气）田排海污水符合国家标准。海洋油气区环境质量基本符合环境要求。

海洋倾废区 按照《中华人民共和国海洋倾废管理条例》和《伦敦倾废公约》的有关规定，中国建立了严格的海洋倾废许可证和海洋倾倒收费制度，即在申请、审查获得许可证以及倾倒区选划、监测和管理等方面做出了具体规定。

2001年，中国实际使用海洋倾倒区61个（其中辽宁6个、河北4个、天津2个、山东9个、江苏2个、上海8个、浙江11个、福建3个、广东10个、广西3个、海南3个），倾倒疏浚物、渣土共计8 965.2万立方米，比上年减少了555万立方米。全年共签发倾倒许可证541份（其中上海最多，为211份；浙江次之，共113份；最少的江苏和海南只有5份；其他省、自治区、直辖市皆在50份以内）。各海区中，东海倾倒量最大，渤海次之，南海第三，黄海最小。通过加强海洋倾倒区监督管理和监测监视，各海洋倾倒区的环境质量基本符合环境要求。

【海洋赤潮状况】 中国近岸海域每年要接纳来自陆地排放的大量污染物，使近岸海域受污严重，海域营养盐及有机物含量偏高，无机氮和无机磷普遍超标，且超标幅度大，海域营养化明显。渤海湾、大连湾、胶州湾、长江口、珠江口等海域已成为赤潮的多发区，辽东湾、莱州湾、象山港、南麂列岛、厦门港、大亚湾、大鹏湾、汕头附近、湛江港等海域赤潮也较为常见。赤潮发生次数明显呈上升趋势，赤潮发生的频率、范围、面积、持续时间及危害都在逐年增加。为落实国务院领导关于加强赤潮防治工作的指示精神，国家海洋局部署了2001年全国赤潮防治工作，组织实施了重点海域赤潮监测预警和防灾减灾示范项目，加强了赤潮信息管理，加大了赤潮防治的科研力度，在预防和减轻赤潮灾害损失方面取得了明显效果。

2001年，全国海域共发现赤潮77次，累计面积达15 000余平方千米，比2000年增加49次，增加面积约5 000平方千米。其中，四大海区中，渤海发现赤潮20次，黄海发现8次，东海发现34次，南海发现15次。沿海省（自治区、直辖市）赤潮发现次数分别为：辽宁17次累计面积2 800余平方千米；河北2次；天津2次；山东3次；江苏4次，累计面积约1 200多平方千米；浙江26次，累计面积近7 000平方千米；上海2次，累计面积约1 400平方千米；福建6次；广东14次，累计面积300余平方千米；海南1次。

5月中下旬在长江口外及浙江附近海域连续发生大面积赤潮，给海水养殖业造成严重危害，仅舟山市就有330公顷养殖水域受到赤潮严重影响，其中约33公顷绝收，直接经济损失超过3 000万元。

2001年中国海域赤潮的特点是：发生时间提前，持续时间延长，主要赤潮生物种类增多，总次数和累计影响面积均比上年有大幅度增加。赤潮频繁发生海域多为受无机氮和磷酸盐污染较重的海域。大面积赤潮主要集中在东海、渤海和黄海的部分近岸、近海和河口附近海域。

（国家海洋环境监测中心）

海区海洋环境保护
Marine Environmental Protection of Marine Regions

【北海区海洋环境保护】 **召开黄渤海赤潮防灾减灾工作会议** 为落实国务院领导的批示精神和

《关于加强海洋赤潮预防控制治理工作的意见》国海发[2001]18号文的指示精神，在黄渤海海区更有效地开展赤潮监测、预测和防灾减灾工作，北海分局于6月9日在青岛召开了“黄渤海赤潮防灾减灾工作会议”。会议成立了黄渤海赤潮防灾减灾领导小组，下设办公室和技术指导小组。会议确定了黄渤海赤潮防灾减灾工作规划和黄渤海赤潮防灾减灾工作方案，明确了各自的工作职责、任务分工。

开展赤潮监测预测试点工作　为落实国务院领导的批示和海办发[2001]17号《关于印发2001年赤潮监测预测业务工作方案的通知》，北海分局制定了“2001年渤海赤潮监测预测试点工作方案”。根据国家海洋局局长王曙光7月16日对赤潮监测预测试点工作的指示精神，北海分局在原定实施方案的基础上，继续开展渤海赤潮监测预测试点工作，并于8月20日开始，与辽宁省海洋与渔业厅联合开展养殖区赤潮监测预测试点工作。渤海赤潮监测预测试点工作，自2001年6月27日开始，至9月20日结束。黄海北部养殖区赤潮监测预测试点工作从8月20日开始，至9月10日结束。赤潮监测预测试点工作先后动用海监飞机10架次、获得赤潮影像410景、信息处理70幅、赤潮快报10份；动用大小调查船只80余艘次，航行3 500千米，采集赤潮生物样品500余个、赤潮区养殖贝类样品20个、观测分析水文、水质数据10 000余个；地方水产部门组织沿岸养殖场送检样品23个。发布试点海域监测要素分析及赤潮趋势预测37份，赤潮发生动力环境条件分析及概率预测50份。在进行业务化赤潮监测预测工作的同时，依据不断丰富的监测资料，进行赤潮监测预测方法和预测模式的研究，进一步修改和完善预测方法。经过多学科会商产出赤潮监测预测产品，通过信息传递网络发布和发送赤潮监测预测产品，达到了赤潮监测预测试点工作的目的。

参加第二届赤潮管理与减灾国际研讨会　由亚太经济合作组织（APEC）、联合国教科文组织政府间海委会（IOC）、国际海洋学院(IOI)、国家海洋局、青岛市人民政府发起的“第二届赤潮管理与减灾国际研讨会”于2001年11月12～16日在青岛召开，本届研讨会就赤潮发生与防治研究新进展、赤潮监测与监视、赤潮控制与治理、赤潮应急监测与减灾、赤潮预测预警、公众宣传教育和信息交流与应用等方面进行了交流，达到了促进赤潮研究技术专家和管理专家之间交流的目的。会议就加强赤潮信息的管理和交流、加速赤潮毒素管理条例的建立、加强对赤潮的预防、控制、减灾的各种方法进行总结和评估、建立区域性合作机制和加强公众宣传教育等几个方面达成共识。

北海分局参会论文15篇，参会人员达30余人。其中“2001年国家海洋局赤潮监测预测业务化试点工作”、“区域赤潮管理与减灾系统建设的研究”、“赤潮灾害损失评估方法的初步研究”和“A-K网络模型在有害赤潮预警研究中的应用初探”等4篇论文参加了大会交流，展示了北海分局在赤潮监测预测工作中所做的工作，引起了国内外同行的关注。

海洋石油勘探开发管理

(1) 2001年1月，绥中36-1油田F31井发生油气泄漏事故。国家海洋局北海分局组织召开了由北海总队和中海石油（中国）有限公司天津分公司组成的溢油事故汇报、讨论会，根据《中华人民共和国海洋环境保护法》第十一条第一款、《中华人民共和国海洋石油勘探开发环境保护管理条例》第二十六条及国家物价局、财政部[1992]价费字434号“关于征收废弃物倾倒费和海洋石油勘探开发超标排污费的通知”之规定，对天津分公司征收排污费人民币19.8万元。

(2) 2001年4月，国家海洋局北海分局组织检查人员对中海石油（中国）有限公司天津分公司所属绥中36-1油田二期开发工程进行了环境保护设施“三同时”检查。检查中发现，绥中36-1油田二期开发工程环境保护设施未经检查批准投入试运行。针对这种情况，检查人员及时向有关人员说明了新的《海洋环境保护法》规定海洋工程建设项目的环境保护管理工作由国家海洋行政主管部门负责，新建海洋工程建设项目，其环境保护设施未经海洋行政主管部门检查批准，建设项目不得试运行等有关法律法规。同时，要求其在含油污水排海前认真做好取样检验工作，严格达标排放，保护好海洋环境。

(3) 为了更好地贯彻执行《海洋环境保护法》，认真做好海洋石油勘探开发污染物统计排海的统计工作，北海分局委托黄河口亚新技术开发中心研制开发了“海洋石油勘探开发防污统计软件系统”。经国家海洋局同意后，于2002年1月1日在海洋石油勘探开发活动中正式使用。该系统的投入使用改变了人工统计的工作量大、容易出错的特点，提高了海洋石油勘探开发污染物排海统计的准确性。

海洋倾废管理 2001年，共办理倾废普通许可证118份，审批三类疏浚物2 948.095万立方米，海葬骨灰794具。

根据国家海洋局的要求，完成日照港、岚山港、天津港、京唐港、黄骅港F区临时倾倒区上升为正式倾倒区评估论证工作，并上报国家海洋局。2001年7月国家海洋局在天津主持召开天津港、京唐港、黄骅港、日照港、岚山港、上海金山三类疏浚物海洋倾倒区选划审查协调会，北海区组织上报的天津港、京唐港、黄骅港、日照港、岚山港通过上升为正式倾倒区的评审，黄骅港因为考虑到港口今后发展的需要以及该海区水动力条件等综合因素，未通过评审，要求重新进行选划。

根据国家海洋局文件精神，关闭了黄骅港E区三类疏浚物临时倾倒区，批准了F区三类疏浚物临时倾倒区继续使用至一期工程结束。同时，加强了对黄骅港倾废活动的监督管理和倾倒区监测工作。根据国家海洋局文件精神及天津三类疏浚物倾倒区选划审查协调会会议精神，组织黄骅港进行倾倒区选划论证工作。黄骅港建设指挥部委托青岛环海海洋工程勘察研究院进行选划论证工作，选划报告于2002年1月通过专家评审，按专家评审意见修改完毕后，已上报国家海洋局。

2001年2月份对烟台中心站下达任务书，要求烟台中心站组织对烟台海洋倾倒区进行环境监测评价，评估报告于2002年2月份通过专家评审。

组织对青岛胶州湾外三类疏浚物海洋倾倒区、大连大窑湾三类疏浚物海洋倾倒区、日照港三类疏浚物海洋临时倾倒区、秦皇岛港十万吨级航道2区疏浚物海洋临时倾倒区进行监测评估，全部工作计划2002年内完成。

受国家海洋局委托，组织了古镇口港疏浚物临时倾倒区的选划，现已完成选划报告编写工作，选划报告评审会将于2002年7月召开。

2000年组织完成了对青岛胶州湾外三类疏浚物海洋倾倒区的监测评价工作。2001年组织完成了对青岛胶州湾外三类疏浚物海洋倾倒区的监测。

（国家海洋局北海分局环保处）

【东海区海洋环境保护】 **海洋环境监测** 2001年度根据国家海洋局“全国海洋环境保护工作纲要”精神和海洋管理工作的需要，依据《2001年国家海洋环境监测工作方案》，结合东海区的实际情况，对东海区北起江苏海州湾，南至福建东山湾，即北纬23°~35°海岸线海图零米等深线以东，至断面调查外边界（东经127°）海域进行了海洋环境监视监测，趋势性监测水期为5月、9月和11月，历时近200天，监测站位291个，主要监测介质为水质、沉积物、生物（生态）、水文气象等。飞机遥感监测作业167天，计37架次，航飞时间累计122.16小时。同时对东海区的油气田、自然保护区、增养殖区、海水浴场、重点排污口等海洋功能区环境以及赤潮、海上溢油、死鱼等污染事件进行了监视监测。监视监测总面积近90万平方千米，其中近岸区面积近7万平方千米，包括海州湾、长江口、杭州湾、甬江口、象山港、三门湾、乐清湾、三都澳、兴化湾、闽江口、湄州湾、厦门港等重点河口、港湾。还组织完成了3次全海域海洋环境监测和海洋生态监测、海洋倾倒区监测、环境容量研究监测工作。另外，对东海区21个沿海市（县）的23个水产品样品进行PSP（麻痹性贝毒）检测。编制完成了《东海区5月份重点海域海洋环境质量报告》、《东海区8月份全海域海洋环境质量报告》、《东海区11月份近岸海域环境质量报告》、《2001年东海区海洋环境质量报告》及两期海洋断面监测通报。编制了《河口生态监测技术规程（初稿）》、《长江口生态监测方法（初稿）》，初步拟定了东海区主要海洋经济生物的重金属生物残毒标准，为东海区海洋经济生物的生物质量评价，以及进一步制定海区行业标准奠定了基础。

2001年东海区海洋环境总体质量状况：外海水质总体较清洁，仅局部区域遭轻度污染；近岸水质污染面较广，局部区域特别是临近大中城市附近的重点港湾和河口水质质量已达重污染程度。陆源底质沉积环境质量总体尚属良好，但闽江口、厦门港、长江口、三门湾、象山港等局部海域受到一定的污染。局部区域海洋经济贝类食用卫生质量指标仍不容乐观。排污仍是近岸和近海海域环境污染的主要因素，主要污染物质是无机氮、无机磷、油类及有机物和重金属。

东海区海水环境质量总体评价：2001年东海区水质状况，近岸区特别是临近沿海大中城市的重点港湾、河口水域污染严重，近海局部水域遭受不同程度的污染。营养盐（无机氮、无机磷酸盐）、油类、重金属（铅、汞）和有机物仍然是东海区主要污染物，污染物含量水平总体是近岸高，外海低。

底质沉积环境：东海区底质沉积环境质量总体尚属良好，但局部海域，尤其是闽江口、厦门港、长江口、杭州湾、三门湾、象山港、乐清湾等重点河口、港湾的底质沉积环境受到一定程度的污染。污染物主要是重金属铅、油类、汞和有机物滴滴涕。

通过海洋生态监测表明：长江口内浮游植物生物量较低，而口外则较高；浮游动物在长江口海域表现为丰富的浮游动物生态类群，生物量较高；底栖生物在排污口附近种类较少，长江口外海域种类多样性增大，基本反映了该海域的环境质量现状。

长江口海域是东海的重要海域，通过对其海洋环境监测数据分析表明，长江口近岸海域水质属于污染海域，特别是西区、南区和竹园排污口以及吴淞口、金山附近海域污染严重，主要污染物质为无机氮、无机磷、重金属和油类等，无机氮超过四类海水水质标准。长江口近海海域既受长江径流作用，又受外海水的作用，是属于轻度污染海域；而长江口外海海域基本上不受陆源水系影响，则属于较清洁海域。通过海洋沉积物监测表明，长江口海域的海洋沉积环境除杭州湾北岸海域受到重金属铅（Pb）一定程度的污染外，其他海域总体良好。

赤潮情况 2001年东海海域共记录赤潮34起，比2000年剧增了32起，危害面积累计约8 000平方千米。赤潮多发区主要位于长江口海域、舟山群岛海域、象山港、厦门港等，赤潮生物以原甲藻为主，几次大型赤潮都由具齿原甲藻引发，其他发生的赤潮由长耳盒形藻、中肋骨条藻、地中海指管藻、角毛藻、裸甲藻等引起的。

海洋倾废管理 2001年东海共签发废弃物倾倒普通许可证357份，倾倒三类疏浚物3 595.89万立方米、废弃物124.76万吨和骨灰1 023盒。主要使用的倾倒区为吴淞口北倾倒区、长江口鸭窝沙北疏浚物倾倒区、长江口深水航道专用倾倒区等24个，其中正式倾倒区15个，临时海洋倾倒区8个和长江口骨灰倾倒区 1 个。其中使用较多的长江口深水航道一期工程的疏浚物倾倒量为1 990万立方米，吴淞口北倾倒区685.55万立方米。在倾倒作业中查处了14起违章违规行为并进行了处罚，共处罚款24.2万元，发出警告 1 份。

为了加强对倾倒区的管理，及时准确地了解和掌握海洋倾倒区的环境现状及对周围海域环境、资源的影响，2001年度对吴淞口北海洋倾倒区和长江口深水航道专用倾倒区进行了监测。通过监测表明，吴淞口北海洋倾倒区海域受长江径流的影响，迁移稀释作用明显，限量倾倒和加强海洋倾倒的有效管理使倾倒对长江口邻近海域的生态环境影响不大；长江口深水航道专用倾倒区的环境状况较好，倾倒活动对附近海域水质、底质环境影响不大，合理控制倾倒频率和倾倒量，可以继续使用。

上海外环隧道工程是上海市政府的重大建设项目，其工程规模为亚洲第一，它采用开挖、沉管方式建设。整个工程建设开挖沉管基槽的400万立方米废弃土处置是影响工程按期完成的关键。工程建设单位根据工程的实际情况，在多方调研的基础上向东海分局提出海上处置开挖废弃土的申请。东海分局考虑到外环隧道位于黄浦江下游口门段，距吴淞口约 2 千米，是废弃土海上处置的较优方案，但对海洋环境的影响需要做科学的评价是实现海上处置的关键；同时，考虑到吴淞口北倾倒区已经不能满足外环隧道的倾倒之需，决定组织选划外环隧道专用倾倒区，以解决上海市重大工程的特殊需要。经过科学、合理的选划和评价，解决了外环隧道废弃土海上处置的难题，保证了工程建设的按期完成。

黄浦江支流蕴藻浜航道整治工程是上海市的重点工程，工程疏浚量近100万立方米，疏浚泥污染较重。由于只能向海洋倾倒，可能会对吴淞口北倾倒区附近海域环境造成一定影响。为此，疏浚作业期间，每二周进行一次对吴淞口北倾倒区的动态跟踪监测，每月编写一份监测报告。通过监测评估表明，该倾倒区海域受长江径流的影响，迁移稀释作用明显，蕴藻浜航道疏浚泥倾倒对周围海域的水质和沉积物环境影响不大，对长江口邻近海域的生态影响不大。

为贯彻落实《海洋环境保护法》，完善海洋倾废管理体制，2001年11月21日东海分局组织召开了上海地区倾废疏浚单位座谈会。通过座谈，与会代表对东海分局的倾废管理工作给予高度评价，并提出许多有建设性的建议和想法，从而加强了海洋行政管理部门与企业之间的联系与沟通，提高倾废管理水平。

石油平台管理 2001年东海区海洋石油勘探开发的海洋环境保护工作，依据国家的有关法律法规的规定施行管理。东海区的海洋钻井平台的勘探作业共285天，海洋采油平台的作业共为365天，共计650天。勘探作业的泥浆为1 085立方米，钻屑为1 285立方米，排放含油污水93立方米（$<10^{-6}$ 符合规定排放标准），产生垃圾和不可燃包装材料为147.4立方米，垃圾运回陆地处理。采油作业产原油产量776 065立方米，采出水排放入海量677 238.4立方米，排放入海油量1 345千克，可燃包装材料垃圾64立方米（运回陆地处理），不可燃包装材料44立方米，均运回陆地处理，生活垃圾161立方米。

为了有效保护东海海洋环境，东海分局加强了对东海海洋石油勘探开发作业的监管，批准了上海海洋石油局的“勘探三号”平台的“天外天三井”和“残雪二井”勘探作业的“溢油应急计划”报告，批准了中国海洋石油东海公司租用的平台“丽水35-1-3”井勘探作业的“溢油应急计划”报告。5月23日和6月1日，组织实施了东海区海洋石油勘探开发环保专项检查，登检了上海海洋石油局的位于北纬28°41′、东经125°05′正在“残雪二井”作业的“勘探三号”平台和上海石油天然气公司所属的位于北纬29°05′、东经124°50′作业的“平湖油气田”石油天然气开采平台。检查中，详细了解了平台日常的海洋环保管理制度、试油及防污措施、油污染发生等有关情况，查看了国际防油污证书、溢油应急计划、海洋环境保护计划等文书证件以及《防污记录簿》的填写情况等，检查了油水分离器、排油监控装置、泥浆和钻屑及残油处理系统的运行状况等，并进行了取样。通过检查表明，上述单位在从事海洋石油的勘探开发中，基本上能够执行《海洋环境保护法》和《海洋石油勘探开发环境保护管理条例》的有关规定。

危险品泄漏的应急处理 2001年4月17日，韩国籍散货船“大勇”轮载运货物途中与中国香港籍“大望”轮发生碰撞，造成“大勇”轮泄漏苯乙烯701吨污染海洋环境事件。东海分局立即组织有关部门对受污染的海域进行了监视监测，及时通报监测结果，并通知各有关方面做好防范措施，以减轻苯乙烯泄漏造成的损失。

（国家海洋局东海分局环保处）

东海区第二次海洋污染基线调查 海洋污染基线调查结果，其“基线水平”代表一个历史阶段海洋环境质量的“本底”，是国家海洋环境保护各项工作的基础，也是沿海地区制订社会经济发展战略的重要依据之一。为了进一步重视和加强海洋环境保护工作，1996年8月国家海洋局签发了《关于下达第二次全国海洋污染基线调查计划任务书的通知》（国海监发[1996]339号）；1997年7月国家海洋局签发《关于开展第二次全国海洋污染基线调查的通知》（国海发[1997]301号）。根据文件精神，国家海洋局东海监测中心负责《东海区第二次海洋污染基线调查》的组织实施。

东海区第二次海洋污染基线调查在世纪之交开展的第二次全国海洋污染基线调查的重要组成部分，也是东海区迄今为止开展的规模最大基础性海洋环境污染调查工作。调查范围北起南黄海江苏海州湾，南至福建东山湾，调查总面积约90余万平方千米。共布设测站近600个，并对11处河口、海湾以及大中城市邻近海域进行了重点调查。调查内容包括入海污染源、水文气象环境、海水污染、沉积物污染、海洋生物体内污染物残留量和细菌学指标，以及放射性污染等领域。

参加本次调查的海洋科技人员和海洋管理人员达800余人次，动用各类调查船只40余艘次，共采集各种样品3 000余份，获取各项基础数据近10万多组。经数据处理、研究分析，完成《东海区第二次海洋污染基线调查报告》，并于2000年6月1日通过海洋局组织的专家组评审。

本次调查工作严格实行全程质量控制，获得的数据齐全、资料完整，且具有良好的代表性和准确度，可信度高；基础数据的处理科学合理，图件编制技术先进；报告内容丰富、论述较全面、分析合理、评价科学，突出了东海区的主要环境问题和“热点”地区；调查成果全面、真实、客观地反映了20世纪末东海区的环境质量的整体状况。

调查成果为21世纪东海区的海洋环境保护工作提供了重要的科学依据，对东海沿海地区的可持续发展以及海洋综合管理，均具有重要意义。成果总体处于国内同类工作领先水平，部分达到国际同类工作先进水平。（东海监测中心　蒋晓山）

【南海区海洋环境保护】 **海洋环境监测**　根据《2001年海洋环境监测工作方案》的要求，完成南海区年度海洋环境监测全部任务。此外，新增设南海区的25个海洋生物站点，对多种贝类体内的重金属、砷、石油类和滴滴涕（DDT）进行监测。年度监测范围选定15个经济开发重点区和环境敏感区为主要监测区域，共设站位156个。监测结果表明，由于陆源污染，因此近岸环境质量较差，近海环境质量次之，而外海环境质量尚好。海水质量状况：南海各重点区域综合水质最差是珠江口区域，除铜和砷没有超标外，其他的要素均出现不同程度的超标现象。主要超标要素为溶解氧、无机氮和磷酸，其次是悬浮物、铜、铅、石油类和化学需氧量，其最差水质为劣四类。海洋沉积物质量状况：出现了超标现象，但总体上不严重，沉积物综合质量较差是珠江口区域，超标要素为汞、铜、铅、镉、砷、滴滴涕、石油类。海洋生物质量状况：贝类受石油类的影响较大，镉的影响次之，其中广东海区生物贝类体内有害物质含量最高，广西海区和海南海区比较低。

海洋倾废管理　2001年度国家海洋局南海分局批准签发倾倒许可证46宗，批准疏浚物倾倒量1 908.78万立方米，其中正式倾倒区20宗，698万立方米；临时倾倒区26宗，1 210.78万立方米。为进一步规范和完善海洋倾废管理，南海分局采取了多项相关措施。

（1）加强沟通、协调，把好倾倒区预选位置选划关。全年共召开有各涉海部门参加的倾倒区预选位置协调会8次。建立协调会制度这一措施后，一方面使倾倒区选划调查工作更有目的性和针对性，另一方面促进了分局与各有关政府部门之间的沟通、理解，保证倾倒区选划工作更加科学、合理、顺利的开展。

（2）严格倾倒区选划调查的评审论证。南海分局严格按照倾倒区选划程序的要求，作好倾倒区选划工作大纲、选划报告的专家审查和协商相关主管部门的工作。全年共组织召开选划大纲评审会6次，选划报告评审会4次。

（3）强化疏浚物分类和评价制度。对申请海洋倾倒的疏浚物严格按照《疏浚物暂行分类标准和评价程序》认真进行检验和评价，保证只有符合海洋倾倒要求的三类疏浚物，才允许签发倾倒许可证。

（4）加强倾倒区的监测。为及时掌握和了解倾倒区周围海域环境的影响，全年共组织了黄茅岛碱渣倾倒区，以及九澳岛、担杆岛、汕头港、内伶仃等5个倾倒区和临时倾倒区进行监测。监测结果表明疏浚泥的倾倒对倾倒区周围环境质量并未造成污染损害。

（5）加强与港澳地区的联系。经多次与澳门港务局协商，签署了《关于在珠江口倾倒疏浚物管理问题备忘录（补充条文）》，明确双方共同责任，并增加了倾倒区的监测工作要求，双方保证每年共同承担九澳岛东南倾倒区的监测工作。全年受理澳门疏浚泥来广东海域倾倒的申请4宗，批准4宗，批准的疏浚泥倾倒量275.9万立方米。

海洋石油勘探开发环境保护　目前南海区共有15座海上油（气）田在生产运营，2001年共排放含油污水5 253.6万吨，其中达标排放的含油污水量为5 244.7万吨，达标率为99.8%，平均排放浓度27.99×10^{-6}，入海油量1 465.4吨；超标排放含油污水量为8.9万吨，平均排放浓度166.3×10^{-6}，入海油量14.7吨。全年未发生重大溢油事故，仅发生小型溢油事故6次，入海油量0.34吨。全年累计入海油总量2 715.5吨。

海洋石油勘探开发工作在中国起步较晚，各项管理的法规、标准较少，给管理工作带来诸多不便。新的《海洋环境保护法》实施以后，这种矛盾更为突出。为此，南海分局积极参与各项法规标准的制定工作。

南海分局承担的《海洋石油勘探开发污染物生物毒性分级》和《海洋石油勘探开发污染物生物毒性检验方法》两项国家标准制定任务，经过两年多的努力，已于2001年顺利完成，并于2001年8月8日由国家质量监督检验检疫总局发布，2002年3月1日起开始实施。这两项标准的实施，将使中国对海洋石油勘探开发过程中产生的各种污染物的管理更加规范、合理和科学，也意味着中国对海洋石油勘探开发各种污染物的管理逐步走上法制化的轨道。

赤潮监测与趋势性预报 2001年，国家海洋局南海分局强化赤潮灾害的常规性与应急跟踪的监测力度，同时不断完善专群结合的预警预报系统，积极推进三省区赤潮防治监测网的建设和赤潮监视监测能力建设。

常规监视监测：全年共开展了18航次的海上监测和调查，范围覆盖了整个南中国海的近岸海域，尤其是广东省近岸和重点海域。赤潮监视监测项目除了常规的水质和水文气象要素外，还有营养盐、赤潮生物密度和优势种、光照垂直分布和初级生产力等。

应急跟踪监测：2001年南海区经监测发现并记录到的赤潮共有3次：大亚湾近岸海域赤潮、硇洲岛附近海域赤潮、东海岛附近海域赤潮。对这3次赤潮从发生至消失都进行了全程跟踪监测、监视。

赤潮监视监测能力建设：建立相关的实验室：全年共投入了100余万元建立了南海区设备最先进的“多功能赤潮生物分析实验室”和“赤潮生物毒性分析实验室”，由此使南海区赤潮生物种类和赤潮生物毒性的分析鉴定能力有明显的提高；开展赤潮监视监测培训：为提高沿海各监测站人员的赤潮监视监测技术水平，南海分局结合“中国海洋环境监测系统建设项目”业务培训举办了两次大型的赤潮监测技术培训班。

涠洲海洋生态站的建设 国内第一个以珊瑚礁监测和生态研究为主的海洋生态站——涠洲岛海洋生态站于2001年12月28日在广西涠洲岛挂牌成立。该站成立后，将主要开展涠洲岛、斜阳岛毗连海域的海洋生态环境的监视、监测，按照ReefChock珊瑚礁监测方法和标准，长期开展涠洲岛珊瑚礁健康调查，建立珊瑚礁生态监测资料库，并作好海洋生态环境保护的宣传教育和科普工作。

珠江口海域环境综合整治 根据珠江口海域近年环境污染日趋恶化的情势，南海分局通过所在单位的省政协委员梁松同志提交议案《关于解决珠江口海域环境问题的建议》，得到了国务院副总理温家宝批示。2001年8月1～2日，南海分局联合广东省海洋与渔业局、广东省科学技术厅联合举办了珠江口海域综合整治研讨会及新闻发布会，20余家新闻媒体跟踪报道，见报的中英文章20余篇，在社会上引起了较大反响。

海洋环境监测系统的建设 “中国海洋环境监测系统——海洋站和志愿船观测系统建设项目”是建设中国海洋环境立体监测系统的重要组成部分。通过南海区系统建设项目的实施，南海区海洋环境监测能力有了极大的提高，同时发生了重大变化：监测仪器设备系统更新，从20世纪60～70年代水平提高到90年代水平；监测站显著增加，从9个增加到15个，分布趋于合理，实现了海洋自然环境观测和海洋污染监测的有机结合，更有效地为海洋预报、海洋管理提供服务；站容站貌焕然一新，树立了海洋环境监测站的新形象；高新技术的应用和业务范围的拓宽带来了思维创新、观念转变。

（国家海洋局南海分局　李仲钦）

海洋技术监督

Marine Technological Supervision

综 述

Summary

【概况】 2001年，海洋技术监督工作主要集中在对国家重大项目的质量监督检查和计量监督检查。

“中国海洋环境监测系统——海洋站和志愿船观测系统”建设项目 国家海洋标准计量中心完成了2个规定、5个标准的制定；对承担建设项目的各单位进行了监督检查；完成了“JBY3-1型声学测波仪校准装置”、“JQA1-1型风速风向仪现场校准装置”和“JCA2-1型浮子式验潮仪现场校准装置”的研制、使用以及3个装置的“校准方法”的编制；完成了项目选用海洋工作计量器具的计量检定和校准。

2001年9月，国家海洋局“中国海洋环境监测系统——海洋站和志愿船观测系统”建设项目办公室召开专家会，对上述工作给予了肯定，提出了修改和补充意见。国家海洋标准计量中心根据这些意见，完善了文件和装置。2001年12月，国家海洋局项目办公室在天津主持专家验收会，通过了对上述工作的验收。

《西北太平洋海洋环境调查与研究》专项 为了保证项目高质量的完成，确保海洋调查数据资料准确可靠，国家海洋局依据GB/T 19001-2000《质量管理体系要求》（ISO 9001:2000，IDT），结合专项的具体特点和实际需要，建立了符合GB/T 19001-2000标准的质量管理体系，并制定、发布了与质量管理体系相适应的体系文件：“质量管理手册”、“程序文件”和“作业文件”，以支持和保障质量管理体系的正常运转。

根据国家海洋局批准的“海洋数据资料质量监督管理”项目要求和体系文件的规定，国家海洋标准计量中心和国家海洋局北海海洋标准计量中心、国家海洋局东海海洋标准计量中心、国家海洋局南海海洋标准计量中心3个海区标准计量中心，对承担单位的海洋调查仪器和海洋调查数据资料实施了质量监督检查。此外，为配合专项海洋调查人员的培训、考核工作，编写了培训教材及配套题。

在海洋标准方面：由于各涉海部门和单位加强了对海洋标准作用的重视，2001年共完成4项国家标准和12项行业标准的制定。

在海洋计量方面：国家海洋局发布了《海洋计量管理暂行规定》；国家海洋计量站、国家海洋计量站青岛分站、国家海洋计量站上海分站和国家海洋计量站广州分站4个海洋技术监督机构，通过了国家质量技术监督局的计量考核和复查，进一步确立了法定计量检定机构的地位；进行了计量监督检查、计量认证复查；完成了海洋工作计量器具的检定、测试和校准。

上述工作由国家海洋标准计量中心（国家海洋计量站）和北海海洋标准计量中心（青岛分站）、东海海洋标准计量中心（上海分站）、南海海洋标准计量中心（广州分站）共同完成，从而进一步增强了海洋技术监督机构之间的团结与协作，落实了职能，提高了显示度和权威性。

（赵维三）

【中国海洋环境监测系统项目建设】 2001年1月完成了《海洋环境监测站和志愿船监测数据格式（暂行）》、《海洋环境监测站和志愿船监测数据传输规程（暂行）》、《海洋环境监测站和志愿船监测仪器质量检验方法（暂行）》3个文件的报批、印刷出版工作。

2001年11月完成了《海洋环境监测站自动监测仪器现场比对方法（暂行）》、《海洋环境监测站和志愿船监测技术应用和集成》2个文件的报批、印刷出版工作。

上述5个文件已颁布实施。

2001年11月完成了《海洋环境监测站业务管理规定（暂行）》和《海洋环境监测站业务管理规定（暂行）》报批稿。

声学测波仪校准装置、风速风向仪现场校准装置和浮子式验潮仪现场校准装置经过方案论证、加工制造、联调试验，于2001年八九月间进行了现场试用。在此基础上，编制了3种校准装置校准方法。

2001年3月3～16日，对国家海洋局南海分局、东海分局、北海分局的示范站和新建站的土建工程特别是验潮井的设计和施工质量进行了检查；对国家海洋局海洋技术研究所、山东省青岛海洋仪器仪表研究所和中国科学院海洋研究所等生产制造海洋环境自动观测仪器设备的厂家，对保证仪器设备生产质量的措施、方法和组织机构方面进行检查。编写了《关于中国海洋环境监测系统建设项目第一阶段质量监督情况报告》。

2001年6～7月对国家海洋局海洋技术研究所、山东省青岛海洋仪器仪表研究所和中国科学院海洋研究所等单位的生产工艺、检测设备、检测方法、考机试验情况和环境试验、计量检定以及生产进度进行了检查。编写了《关于中国海洋环境监测系统建设项目仪器设备生产阶段质量监督情况报告》。

2001年10月17日至11月4日对国家海洋局北海分局、东海分局、南海分局和海口中心海洋站所属的小麦岛海洋站、连云港海洋站、闸坡海洋站、硇洲海洋站、乌场海洋站、三亚海洋站和海口海洋站等7个海洋站在自动观测仪器安装、试用质量和防雷设施情况等方面进行了检查，并实测了接地电阻。编写了《关于中国海洋环境监测系统建设项目自动观测仪器现场安装、试用阶段质量监督情况报告》。

制定了动态跟踪管理库建设方案。根据动态跟踪管理库功能要求选购计算机和应用软件，并对其进行开发设计。收集了70余个海洋站资料，经整理，按照一定格式著录库中。

9月22～23日由国家海洋局项目办公室组织有关专家对3种校准装置和动态跟踪信息管理库进行了中期评审。12月18日局项目办公室组织各方面专家对中国海洋环境监测系统——海洋站和志愿船观测系统建设项目、国家海洋标准计量中心承担的“标准制定、计量检定、质量保障工作”分项目进行全面审查验收。

【推动海洋标准计量中心职能到位】 **标准化工作** 组织《海洋标准制修订管理办法》的起草、征求意见和汇总修改工作，现已完成送审稿。组织《海洋生物质量》、《海洋石油勘探开发污染物生物毒性分级》、《海洋石油勘探开发污染物生物毒性检验方法》和《海洋沉积物质量》4项国家标准的审查和报批工作。其中，前3项国家标准已经国家质量监督检验检疫总局批准发布。完成了若干项海洋行业标准计划的立项、批复文的拟定工作。组织完成了国家海洋局3项档案标准和9项膜标准的专家审查，并批准发布。组织完成了《海洋环境标准体系表》和《海洋标准物质体系表》的起草、征求意见、汇总、审查和报批工作，并将其作为“十五”期间国家海洋局海洋环境标准制修订和海洋标准物质研制的指导性文件。完成海洋强制性国家标准和行业标准的清理工作，现已将有关材料报国家质量监督检验检疫总局。

海洋计量工作 完成了《国家海洋局计量工作管理暂行规定》征求意见，汇总并已于2001年4月份经局办公会议审批后发布实施。组织国家海洋计量站完成《国家海洋局计量工作管理暂行规定》有关配套管理办法的制定工作。组织完成国家海洋计量站及其3个分站的计量授权和计量标准考核。4个计量站现已全部通过两项考核工作。组织完成对国家海洋环境监测中心和3个海区监测中心的计量认证中期监督检查工作，现已将有关材料报到国家认证认可监督管理委员会。组织完成国家计量认证海洋评审组的评审员业务培训和考核工作。

（国家海洋局海洋环境保护司　王　斌）

【《海洋环境标准体系表》和《海洋标准物质体系表》】 国家海洋局海洋环境保护司于2001年8月1～2日在天津主持召开了“《海洋环境标准体系表》、《海洋标准物质体系表》审查会”，国家海洋局所属各分局、各业务中心、各研究所的19名代表出席了会议。会议审查了《海洋环境标准体系表》和《海洋标准物质体系表》（审查稿）。

《海洋环境标准体系表》和《海洋标准物质体系表》的制订对贯彻、实施《中华人民共和国海洋环境保护法》和《中华人民共和国标准化法》，切实履行国家海洋局海洋环境监督管理职能具有重要意义，是今后一段时期内海洋环境有关标准制定、修订和海洋标准物质研制工作的指导性文件。

《海洋环境标准体系表》和《海洋标准物质体系表》总体结构科学合理、层次分明、体系完整，符合GB/T 13016《标准体系表编制原则和要

海洋标准体系结构图

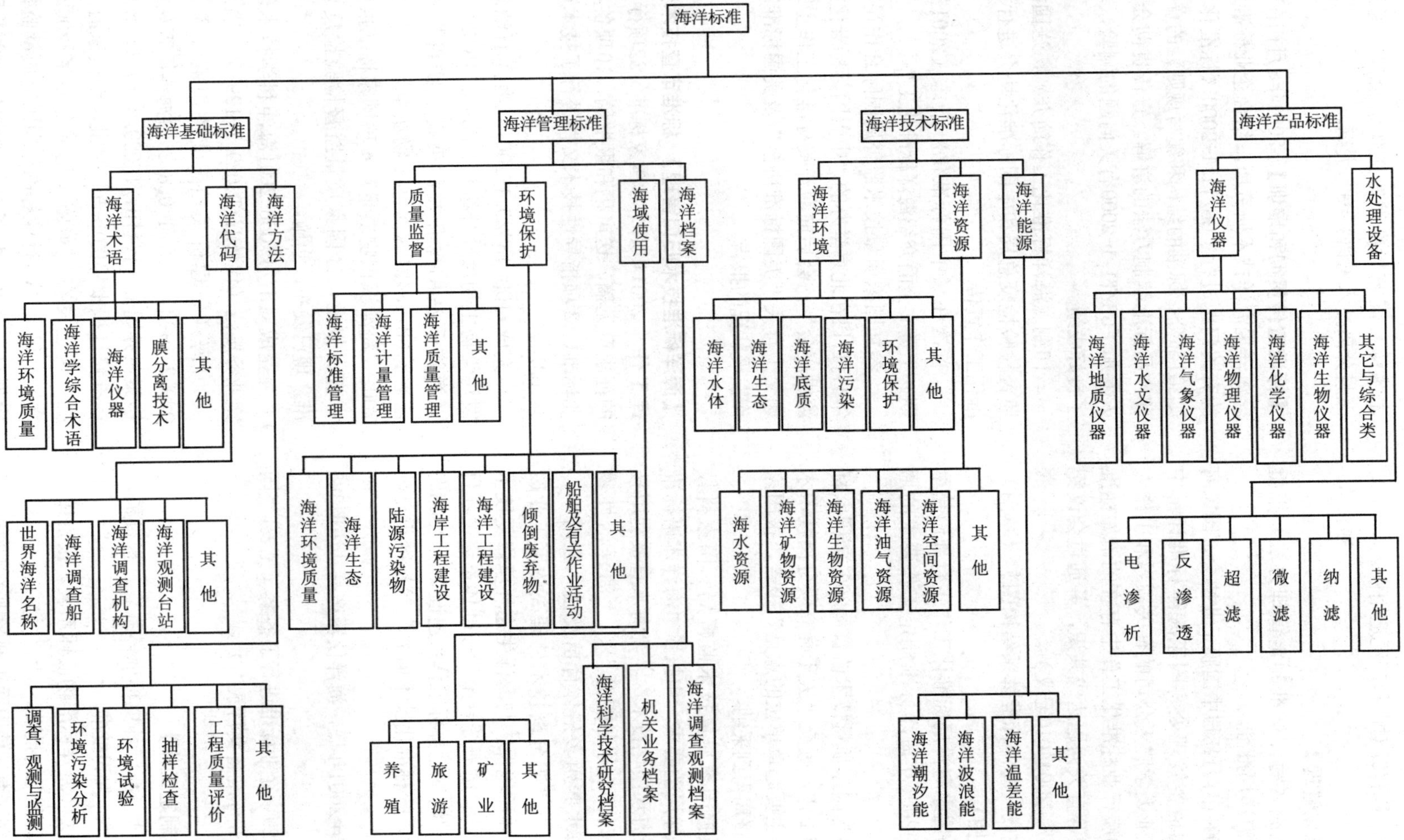

国家海洋标准计量中心

求》的规定，具有针对性和广泛适用性。

（郑仕俊）

【海洋标准化管理】

（1）完成《海洋标准制定管理办法》报批稿，报国家海洋局批准。

（2）2001年7月13日中国膜工业协会、国家海洋局环保司监督管理处、国家海洋标准计量中心、天津工业大学膜天公司的有关领导和工作人员针对国内膜行业标准化工作中存在的诸如标准立项、经费等有关问题达成共识，并通过会议纪要（中膜协发[2001]010号文）。

（3）完成《海洋标准体系结构图》（草图）的绘制（见图）。

（4）为国家海洋局标准化工作主管部门起草了《海洋局2001年海洋标准制定工作要求的通知》。

（5）参与国家质量技术监督局2001年国家标准计划协调工作，提交"关于确立膜分离技术术语国家标准主要起草单位的意见"报告，报国家质量技术监督局得到采纳。

（6）根据国家质量技术监督局、国家科技部、国家海洋局的要求，申报了"海洋术语标准体系"、"海水淡化技术"、"海水直接利用技术"、"海洋可再生能源"、"海洋活性物质"、"海水养殖多倍体育苗及技术应用"、"膜技术"、"膜分离技术处理高浓度工业废水"、"海洋环境保护与海洋生态环境修复技术及其设备"、"渤海综合整治标准体系建设项目建议书"、"海域勘界标准体系建设"、"863海洋环境监测系统标准化技术研究"等标准重点项目建议12项。

（7）截至2001年底，海洋仪器产品共注册385项。

（8）对29项企业标准进行了备案（见表1"国家海洋局企业标准备案目录"）。

【海洋标准制定工作】

（1）完成《海洋环境标准体系表》报批稿，报国家海洋局环保司批准。

（2）完成《海洋标准物质体系表》报批稿，报国家海洋局环保司批准。

（3）编制《海域使用面积测量规范》草案。

（4）2001年11月15～16日，参加《膜分离技术术语》国家标准编写工作组会议，通过国标《膜分离技术术语》编写大纲。

【标准宣传贯彻和培训】 2001年8月初在天津国家海洋局海洋技术研究所，结合企业标准编制中的有关问题进行了GB/T1.1-2000《标准化工作导则第1部分：标准的结构和编写规则》的宣传贯彻和产品标准编制方法的讲解。宣传贯彻会后，12人参加了GB/T1.1-2000有关问题的测验，均取得了良好成绩。

印制《海洋标准化工作简介》，送国家质量监督检验检疫总局和中国标准化协会进行海洋标准化工作宣传。

首次在《中国标准化》杂志（2001年第10期）上登文全面介绍海洋标准化工作。

参加国家质量技术监督局国际合作司于2001年4月17日在北京举办的"中美国际标准化技术交流讲座会"，会后向海洋局标准化工作主管部门递交了有关"美国标准协会"及美国标准制定工作发展状况的报告。

【海洋标准技术归口管理】 **标准审查技术归口管理工作** 2001年对7项国家标准、32项行业标准的征求意见稿、送审稿和报批稿，10项备案的企业标准、2项指导性技术文件进行了技术审查，共163次。

完成对GB 18420.1-2001《海洋石油勘探开发污染物生物毒性分级》、GB /T 18420.2-2001《海洋石油勘探开发污染物生物毒性检验方法》、GB 18421《海洋生物质量》、GB 18668-2002《海洋沉积物质量》4项国家标准报批稿的审查、报批，经国家质量监督检验检疫总局批准，现已发布、实施。

完成对HY/T 056-2001海洋科学技术研究档案业务规范（代替HY/T 029.1-1993）、HY/T 057-2001海洋管理机关档案业务规范（代替HY/T 029.2-1993）、HY/T 058-2001海洋调查观测监测档案业务规范（代替HY/T 029.3-1993）3项行业标准修订报批稿的审查、报批，经国家海洋局批准，现已发布、实施（见国海环字[2002]29号文）。以上3项行业标准已向国家质量监督检验检疫总局备案，其备案号分别为：9861-2002、9862-2002、9863-2002。

表1 国家海洋局企业标准备案目录

序号	企 业 标 准 名 称	企 业 标 准 编 号	企业标准备案编号	企 业 名 称
1	SZC12-1型温盐计	Q/HJS C02-1998	Q/BJ 001-1998	国家海洋局海洋技术中心
2	YQS9-1 型低电导率传感器	Q/HJS C03-1998	Q/BJ 002-1998	国家海洋局海洋技术中心
3	SWY7-1 型多路温度测量仪	Q/HJS C04-1998	Q/BJ 003-1998	国家海洋局海洋技术中心
4	YLS 型电位计罗盘	Q/HJS C06-1998	Q/BJ 004-1998	国家海洋局海洋技术中心
5	SLC19-1 型失量平均声学海流计	Q/HJS C07-1998	Q/BJ 005-1998	国家海洋局海洋技术中心
6	SLC18-1 型声学多普勒海流剖面仪	Q/HJS C08-1998	Q/BJ 006-1998	国家海洋局海洋技术中心
7	SCA5-1 型水位自记仪	Q/HJS C09-1998	Q/BJ 007-1998	国家海洋局海洋技术中心
8	SCA6-1 型声学水位计	Q/HJS C10-1998	Q/BJ 008-1998	国家海洋局海洋技术中心
9	XFY1-1 型测风传感器	Q/HJS C12-1998	Q/BJ 010-1998	国家海洋局海洋技术中心
10	XAZ2-1 型测风仪	Q/HJS C13-1998	Q/BJ 011-1998	国家海洋局海洋技术中心
11	XZC3-1 型船用气象仪	Q/HJS C14-1998	Q/BJ 012-1998	国家海洋局海洋技术中心
12	HYB 型不间断电源	Q/HJS C15-1998	Q/BJ 013-1998	国家海洋局海洋技术中心
13	QNC 型系列采泥器	Q/HJS C16-1998	Q/BJ 014-1998	国家海洋局海洋技术中心
14	QFS1 型声学应答释放器	Q/HJS C17-1998	Q/BJ 015-1998	国家海洋局海洋技术中心
15	SYA2 型系列实验室盐度计	Q/HJS C18-1998	Q/BJ 016-2001	国家海洋局海洋技术中心
16	RO-3601 型家用反渗透纯水机	Q/HWC 06-1998	Q/BJ 017-1998	国家海洋局杭州水处理技术开发中心
17	HYQ 型倾废航行数据记录仪	Q/HJS C01-1998	Q/BJ 018-2001	国家海洋局海洋技术研究所
18	饮用纯净水制备系统 液体分裂膜水处理装置使用总则	Q/XDM 1020201-1999	Q/BJ 019-1999	杭州（火炬）西斗门膜工业有限公司
19	饮用纯净水制备系统 SRO 系列反渗透设备	Q/XDM 1040201-1999	Q/BJ 020-1999	杭州（火炬）西斗门膜工业有限公司
20	饮用纯净水制备系统 超滤设备	Q/XDM 1040301-1999	Q/BJ 021-1999	杭州（火炬）西斗门膜工业有限公司
21	饮用纯净水制备系统 微孔过滤设备	Q/XDM 1040403-1999	Q/BJ 022-1999	杭州（火炬）西斗门膜工业有限公司
22	SBA3 型声学测波仪	Q/HJS C05-2001	Q/BJ 023-2001	国家海洋局海洋技术中心
23	SZC16 型投弃式温度剖面仪	Q/HJS C19-2001	Q/BJ 024-2001	国家海洋局海洋技术中心
24	YQS1 型深海玻璃浮球	Q/HJS C20-2001	Q/BJ 025-2001	国家海洋局海洋技术中心
25	CZY1-1 型海洋监测站自动监测系统	Q/HJS C21-2001	Q/BJ 026-2001	国家海洋局海洋技术中心
26	ZJD 型不间断电源	Q/HJS C22-2001	Q/BJ 027-2001	国家海洋局海洋技术中心
27	YZY4 型温盐传感器	Q/HJS C23-2001	Q/BJ 028-2001	国家海洋局海洋技术中心
28	XZC5 型船舶自动测报系统	Q/HJS C24-2001	Q/BJ 029-2001	国家海洋局海洋技术中心
29	SZF 系列波浪浮标	Q/ZKH 001-2002	Q/BJ 030-2002	中国科学院海洋研究所

水处理技术标准归口管理 2001年9月25～27日，中国膜工业协会9项行业标准：饮用纯净水制备系统SRO系列反渗透设备、中空纤维超滤膜组件、中空纤维微孔滤膜组件、中空纤维超滤装置、聚偏氟乙烯微孔膜滤、聚偏氟乙烯微孔膜滤折叠式过滤器、陶瓷微孔膜滤测试方法、陶瓷微孔滤膜元件、水处理用玻璃钢罐通过标准送审稿审查会审查。

【批准的海洋标准制定任务】 2001年经国家质量技术监督局（现为国家质量监督检验检疫总局）批准立项的国家标准为：《海洋数据应用记录格式》（国家海洋信息中心为标准负责起草单位），《膜分离技术术语》（国家海洋局杭州水处理中心为标准负责起草单位），《海洋监测规范》（标准修订任务，国家海洋环境监测中心为标准修订负责单位）。经国家海洋局批准立项的行业标准为：《海洋生物多样性调查及评价指南》，《热带和亚热带典型海洋生态系统监测指南》，《赤潮调查监测技术导则》（国家海洋局第三海洋研究所为以上3项行业标准的标准负责起草单位），《船舶自动气象测报系统》、《海表面漂流浮标》（国家海洋局海洋技术中心为以上2项行业标准的标准负责起草单位），《海洋信息分类与代码》（国家海洋信息中心为标准负责起草单位）。 （杨哲玲）

海洋计量工作
Marine Metrological Work

【概况】

1. 国家海洋计量站6项计量标准通过复查

计量标准每隔5年需进行一次复查，国家海洋计量站建立的温度、盐度、深度、pH、潮汐、颠倒温度表等6项计量标准于2001年经国家技术监督局组织考核小组认真考核，全部通过，发给计量标准合格证书和社会公用证书，为更好地开展授权范围内的计量检定工作奠定了基础。从事有关计量检定的人员，在国家技术监督局组织培训的基础上进行了严格考核，合格者发给新的检定员证书。这两项工作的顺利完成，对国家海洋计量站的检定测试工作有很大促进，保证了计量标准在检率和顾客满意率方面均达到100%。以标准计量为基础，以质量为核心，方法科学、行为公正、作风严谨、服务高效的质量方针指引着海洋计量工作向新的高度迈进，国家海洋计量站将为海洋观测、海洋军事、海洋科研及减灾防灾提供技术支撑和高效的公益服务。

2. 5台CTD仪器得到退换

2001年某单位从美国海鸟公司购进了5台海鸟37CTD仪器，该单位委托国家海洋计量站验收把关，在验收中发现5台仪器中有2台测深存在严重问题，属于严重不合格。外商代理根据中方的验收结果与海鸟公司协商，公司同意将5台CTD全部收回，重新更换。计量站对更换后的5台CTD进行了检测，完全合格。实践证明，只有对进口仪器进行严格检测才能把好质量关。这件事既使国家避免了经济损失，又提高了中方的国际威望。

3. 国家海洋局海洋技术中心3种仪器通过生产认证检测

2001年3月，国家海洋计量站受天津市技术监督局委托，对国家海洋局海洋技术中心提供的船舶自动测报系统、声学测波仪及投弃式温度剖面仪各3台仪器进行生产认证检测。国家海洋计量站有关人员在认真审查企业标准及研制技术资料的基础上，对3种仪器提供的9台样机进行了高低温试验、高低温贮存试验、盐雾试验、交变湿热试验、冲击试验、振动试验及计量性能检测，各项技术指标符合相应企业标准，国家海洋计量站出具检测报告。天津市技术监督局依据检测结果，批准了船舶自动测报系统、声学测波仪及投弃式温度剖面仪可以生产并发给证明。

4. 海洋调查仪器检测工作概况

2001年，海洋调查仪器检测工作出现空前紧张的局面。来自青岛海洋大学、中国科学院南海海洋研究所、广州地矿局、国家海洋局极地研究所、国家海洋局第一海洋研究所、第二海洋研究所、第三海洋研究所、国家海洋局3个分局、中国科学院声学研究所、海军三个舰队、中国水产科学研究院黄海水产研究所、国家海洋局海洋技术中心、海洋环境监测中心等部门送检仪器300多台次，确保了极地考查、西北太平洋调查等重大项目所用仪器质量，受到有关部门的好评。

（李明钊 高占科）

【东海区海洋计量】 2001年，国家海洋计量站上海分站通过了国家质量监督检验检疫总局的复查考核以及计量标准考核和计量检定人员考核。编写了国家海洋计量站上海分站质量管理手册、23份程序文件、9份作业指导书，加强了内部质量管理，完善了质量体系。进行了2次计量监督管理，检定各类计量器具635台（件）。为上海及东海区域内计量监督管理、计量检定提供保障。

(沈幼元)

【海洋计量标准器具研制】 2001年，海洋计量标准器具的研制，主要为“波向检定装置”和“计量校准装置”的研制工作。

波向检定装置研制 完成了安装、调试和综合测试，实现了波浪浮标的垂直正弦运动（周期2～40秒，幅度±400毫米）、垂直摇摆运动（周期2～40秒，幅度不大于±45°，并与垂直正弦运动周期、幅度相对应）和水平正弦摆动（周期5～15秒，幅度±15°）的独立或复合运动，以此模拟波向浮标在海洋中的运动姿态，用于检定、测试倾斜仪式波向整体浮标或倾斜仪传感器。

主要技术指标为：

测量范围：0～360°；

测量不确定度：2.0°；

分辨率：0.5°；

允许最大倾角：±45°；

横向摆动误差：≤±1°；

最大静载荷：≤180千克；

可测浮标直径：0.5～1.0米。

计量校准装置研制

（1）完成了“中国海洋环境监测系统——海洋站和志愿船观测系统”建设项目下达的“声学测波仪校准装置”、“风速风向仪现场校准装置”和“浮子式验潮仪现场校准装置”3个装置的研制、使用以及校准方法的编写，并通过了国家海洋局项目办公室组织的验收。

3个校准装置的主要技术性能指标如下：

声学测波仪校准装置

波高测量范围：0.5～6米（每间隔0.5米一个测点）；

波高测量准确度：±(0.1+2%×读数)米；

波周期范围：2.0～20秒（每间隔2.0秒一个测点）；

波周期准确度：±0.3秒。

风速风向仪现场校准装置

风速范围：1～60米/秒；

准确度：±0.5米/秒（当风速小于、等于20米/秒时），

±2%×读数（当风速大于20米/秒时）；

启动风速：小于1.0米/秒；

风向范围：0～360°；

准确度：±3°。

浮子式验潮仪现场校准装置

测量范围：0～10米；

准确度：±3毫米；

分辨率：1毫米。

海洋测量传感器校准装置研制 为《西北太平洋海洋环境调查与研究》专项研制的气温传感器、湿度传感器、风速风向传感器、气压传感器、压力（深度）传感器和盐度（电导率）传感器现场校准装置开始启动，其目的是确保专项选用的海洋调查仪器工作正常，获取的数据资料准确可靠。

(赵维三)

【计量认证工作】

1. 国家计量认证海洋评审组完成更新评审准则的培训

根据国家质量监督检验检疫总局规定，自2001年12月1日起，计量认证评审准则由JJG1021-90《产品质量检验机构计量认证技术考核规范》改为《计量认证审查认可(验收)评审准则》。为适应评审准则的变更，根据国家认监委要求，国家计量认证海洋评审组于2001年7月2～5日在天津市举办了计量认证评审员培训班。原评审员和由全国主要海洋机构推荐的评审员人选接受了关于《计量认证审查认可(验收)评审准则》的培训，并通过考核，核准颁发国家级计量认证评审员证书。通过培训，国家计量认证海洋评审组的评审员队伍得到了壮大，为实施以《计量认证审查认可(验收)评审准则》为准则的现场评审，加强海洋计量认证工作奠定了基础。

2. 4家海洋环境监测中心通过计量认证监督检查

根据《对已获计量认证证书的产品质量检验机构进行监督检查的若干规定》，国家计量认证海洋评审组受国家质量技术监督检验总局委托，按JJG1021-90《产品质量检验机构计量认证技术考核规范》的要求，具体按《监督检查内容及评

定方法》（必查组和抽查第一组），于2001年11月1～2日、11月8～9日、11月15～16日、11月21～22日，分别对国家海洋局北海监测中心、国家海洋局东海监测中心、国家海洋局南海监测中心和国家海洋环境监测中心获证的业务范围进行了仔细和全面的考核评议。

通过检查，评审组认为：4家中心自1998年通过计量认证复核以来，质量体系得到有效运行，人员素质有所提高，仪器设备得到更新，环境条件得到改善，检测工作水平在原有基础上有了进一步的提高，增强了向社会出具公证数据的能力。该次复查没有发现不合格项。评审组希望4家中心按新的评审准则——《计量认证/审查认可(验收)评审准则》，在原《质量管理手册》的基础上，制定质量体系文件。质量体系文件发布实施后，应积极运行，对检测工作的全过程进行严格监控，强化计量管理职能，重视质量体系运行记录和内审工作，根据运行情况对质量体系文件有关内容作必要的修改、补充和完善，以满足计量认证工作对被评审单位的更高要求。

3. 国家海洋计量站及其3个分站通过计量标准考核

2001年，国家海洋计量站及其3个分站通过国家质量监督检验检疫总局对其五年一度的计量标准考核。计量标准考核包括计量检定人员考核和计量标准考核，分别按《全国计量检定人员考核规则》和JJG1033-1992《计量标准考核规范》进行。经考核，上述4家机构获取的计量标准证书如下表所示。

4. 国家海洋计量站及其3个分站通过法定计量检定机构考核

2001年，国家海洋计量站及其3个分站通过了国家质量监督检验检疫总局对其五年一度的法定计量检定机构考核。该考核按JJF1069-2000《法定计量检定机构考核规范》进行。《法定计量检定机构考核规范》是根据GB/T15481-2000《检测和校准实验室能力的通用要求》idt ISO/IEC17025:《General requirements for the competence of testing and calibration laboratories》制定的，与以往执行的《专业计量站考核办法》差别较大。依据该规范，被评审单位必须根据JJF1069-2000中5章26条93款和JJG1033-20中规定的5方面23条建立自己的质量体系，制定质量体系文件，并提供出严格按该质量体系运行的记录。这是与国际接轨，采用国际先进管理科学技术的做法，是取得检测数据国际互认的必由之路。在国家海洋计量站的指导和4家检定机构的协同努力下，经过6个月的奋斗，通过国家质量监督检验检疫总局直接委派的评审专家组的现场评审，取得了国家级法定计量检定机构的资质。

海洋计量站获取计量标准证书情况

国家海洋计量站	国家海洋计量站青岛分站	国家海洋计量站上海分站	国家海洋计量站广州分站
颠倒温度表检定装置	颠倒温度表检定装置	颠倒温度表检定装置	颠倒温度表检定装置
海洋测温仪器检定装置	气象用温度表检定装置	气象用温度表检定装置	气象用温度表检定装置
海洋测深仪器检定装置	盐度计检定装置	盐度计检定装置	盐度计检定装置
海水盐度标准装置	船用pH计检定装置	船用pH计检定装置	船用pH计检定装置
船用pH计检定装置	轻便风速表检定装置	轻便风速表检定装置	轻便风速表检定装置
验潮仪(水位计)检定装置	二等气压计标准装置	二等气压计标准装置	二等气压计标准装置
	湿度表(计)检定装置	湿度表(计)检定装置	湿度表(计)检定装置
	海流计检定装置	海流计检定装置	风速仪检定装置
	海洋自动观测系统检定装置		

5. 《国家海洋局计量工作管理暂行规定》发布实施

2001年4月6日国家海洋局局务会议通过了《国家海洋局计量工作管理暂行规定》，于2001年4月28日以国海发[2001]16号国家海洋局文件发布实施。该项法规是为加强海洋计量监督管理，保障海洋行政管理、海洋调查、监测、海洋科学研究和海洋开发活动中计量单位制统一和量值准确可靠，促进海洋事业协调发展，根据《中华人民共和国计量法》及相关法规而制定的。凡建立海洋特殊量值计量标准器具，进行海洋计量检定，使用海洋计量器具及向社会提供海洋数据资料的单位和个人，必须遵守本规定。该规定包含30个条款，围绕“海洋工作计量器具的使用”这一中心，推行“海洋工作计量器具使用注册证制度”、“海洋检测机构计量认证制度”、无计量标准海洋工作计量器具“自校、互校制度”及对海洋数据获取、提供过程的“计量监督制度”。

为细化《国家海洋局计量工作管理暂行规定》的实施程序，规范海洋计量监督管理活动与工作要求，国家海洋局环保司主持制定了《贯彻实施国家海洋局计量工作管理暂行规定的工作方案》，在该方案指导下，制定《海洋工作计量器具使用注册证管理办法》、《海洋调查监测工作计量监督管理办法》、《海洋工作计量器具自校（互校）方法备案办法》、《国家计量认证海洋评审组评审工作程序》、《海洋标准物质管理办法》和《海洋计量器具型式批准和样机试验办法》等技术法规。

《国家海洋局计量工作管理暂行规定》的发布实施为海洋计量管理提供依据，对保证《中华人民共和国计量法》及相关法规在海洋界有效实施，强化海洋计量管理监督力度，促进计量检定机构、海洋检测机构计量、测试能力发展和管理水平的提高，实现海洋数据计量单位制的统一和量值准确可靠，对于中国海洋事业的发展具有深远的影响。

（秦嗣仁）

海洋科技管理

Management of Marine Science and Technology

【概况】 2001年是21世纪世纪和“十五”计划的第一年。我国的海洋科技工作进一步受到了党和国家及其他各方面的高度重视，海洋科技投入明显增加。全国海洋科技界以“三个代表”思想为指导，与时俱进，大力贯彻实施“科教兴国”战略，在海洋科技创新和为海洋管理、海洋经济、国防安全支撑、服务方面，取得了丰硕的成果。促进了海洋事业的快速、健康发展，保障了海洋生态环境的可持续利用，提高了海洋公益服务水平，维护了海洋权益，并为“十五”海洋科技的进一步发展奠定了坚实的基础。海洋科技管理主要在以下方面取得了重要成绩。

海洋科研工作以国家的政治经济社会发展的战略需求和国际海洋科技发展趋势为导向，积极规划、组织并实施海洋综合调查专项、海洋卫星研制、海洋“973”重大基础研究、海洋“863”高技术、海洋科技关键技术、海洋公益性和基础性研究，积极组织海洋科研计划、科技兴海和海洋管理关键技术研究，并积极参加国际大型海洋科学计划（ARGO计划），从而提高了海洋科技水平、海洋科技支撑能力和国际竞争力。积极推进海洋科技体制改革，为完善海洋科学技术创新体系，创造良好的科研环境打下了重要基础。进一步加强了国家海洋局和国家重点实验室建设，改善了科研条件。经统计，全国经鉴定、评审、验收，共登记海洋科技成果226项成果，其中授权发明专利的项目为22项，获2001年海洋创新成果奖项目达19项，取得了显著的社会和经济效益。

【海洋科技体制改革】 2001年，全国社会公益类院所改革已进入实施阶段。2001年7月17日，李岚清副总理在中南海主持召开了国务院有关部委参加的公益类院所改革座谈会，8月30日科技部召开了公益类院所机构改革工作座谈会。为推动海洋科研机构改革工作，国家海洋局于9月27日组织召开了局属科研机构体改工作座谈会，会后下发了《关于报送科技体制改革总体实施方案的通知》，动员各所“以积极的姿态主动迎接改革”。国家海洋局科技司组织体改工作组的有关人员进行走访和调研，并对国家海洋局科研机构改革总体方案进行了多次修改。

国家海洋局第一海洋研究所、国家海洋局第二海洋研究所作为国家公益类院所的试点单位，积极进行内部改革，在思想动员、学科调整、人才引进、工程勘察设计院企业化管理等方面取得了很大进展。其他研究机构的改革工作也正在积极推进。

【海洋科技项目管理】 (1) 海洋卫星规划工作得到了国防科工委的大力支持，取得重大进展。“十五”期间发射海洋一号第二颗海洋卫星已列入国防科工委计划，“十五”期间发射海洋二号卫星。已开展海洋二号卫星需求分析论证，提出了其初步需求和使用要求，为我国今后十年海洋系列卫星的发展奠定了基础。

海洋水色卫星的地面应用系统建设进展顺利，已完成北京站、三亚站的设备安装调试及星地对接，进行了三亚站接收设备的初步验收。北京、三亚站接收设备均处于正常、稳定运行状态。已完成计算机网络设备的初步验收并进入试运行阶段，资料处理软件的初步验收已完成，产品存档分系统、通讯分系统、运控分系统等设备研制基本完成，并均已集成到卫星中心地面应用系统中。系统建设基本达到了预期的目标和要求，从接收的情况看，地面应用系统可实现对卫星数据的接收、处理、存档等。系统处于试运行状态。

应用示范分系统已完成建设方案设计及需求评审。并已确定应用示范单位，应用示范研究正在进行中。

国家卫星海洋应用中心于2001年11月正式挂牌成立。该中心承担着组织开展海洋卫星应用研究、海洋卫星地面应用业务化系统的建设和管理及我国海洋卫星系列的数据接收、处理、存档和分发服务工作。

(2) 狠抓"十五"攻关项目立项。在国家科技攻关经费削减的情况下，通过积极争取，使"十五"海洋攻关项目前三年的经费超过了"九五"前三年的投入，达2 750万元。经科技部批准，"海洋环境预报及减灾技术研究"项目由国家海洋局组织实施，经费1 350万元。"水安全保障关键技术研究"项目设立10个课题，其中有3个由国家海洋局天津海水淡化与综合利用研究所承担。该项目由国家海洋局和水利部、建设部及中国气象局共同组织实施，经费为1 250万元。此外，海水提溴、海洋信息共享等课题也得到了攻关经费支持。

(3) 积极争取国家支持，推进海洋基础研究的发展。近几年来，科技部十分重视海洋科学的发展，将其提升为一级学科，并在各方面给予大力支持。借此契机，国家海洋局狠抓了海洋基础研究和基础性工作。为了配合科技部开展"十五""973"项目规划预研，经组织有关专家认真研究，提出了《十五海洋重大基础研究规划》，包括"海岸带海洋生态环境变异及污染损害机制研究"、"近岸海域生态系统演替规律的研究"、"海洋生物功能基因研究"、"天然气水合物研究"、"近海赤潮形成机理及其防治对策研究"和"太平洋－印度洋暖池、环流系统和海气相互作用研究"等6项重点项目建议，得到了科技部的重视。

"973"计划"中国近海环流形成变异机理、数值预测方法及对环境的影响"项目，通过了科技部组织的中期评估，获得了后3年约1 700万元经费支持。

"我国近海有害赤潮发生的生态学、海洋学机制及预测防治"项目列为2001国家重大基础研究发展规划（"973"计划）。

根据2001年国家科技基础性工作专项和社会公益研究专项计划，积极组织申报"海洋调查规范修订"、"南极研究"等重点基础性工作专项和公益研究专项。

(4) 为了争取得到"863"的支持，第一期海洋"863"课题的申报、评审工作基本结束，国家海洋局各单位中标的牵头课题共20项，青年基金4项，经费6 200万元。此外，赤潮航空高光谱遥感监测技术研究（一期）进展顺利，海洋航空遥感技术集成（二期）工作正在论证立项中。

(5) 实施科技兴海，促进沿海省市海洋经济发展。支持了山东、广西、海南及国家海洋局第一、二、三海洋研究所、国家海洋技术中心、国家海洋局杭州水处理技术开发中心、国家海洋局天津海水淡化与综合利用研究所的一批海洋实用技术开发项目。如大西洋鲑引种试验、南美白对虾高产示范、耐海水作物新品种培育试验、美国软壳螃蟹开发示范项目。为支持地方海洋经济做出了一定贡献。

杭州水处理技术开发中心已完成了第3套长岛海水淡化示范工程的建设。水处理中心抓住访沙特时江总书记对海水淡化问题询问的契机，经过努力，国家计委"十五"三项膜分离高技术的产业示范项目全部由水处理中心中标，获国家投入达3 000万元，将为海水淡化产业产生重要推动作用。

为了支持和促进海洋科技与地方经济的结合，国家海洋局与国务院发展研究中心、青岛市等共同主办了"2001年中国海洋科技博览会暨海洋科技与经济发展国际论坛"，与中国工程院、山东省共同主办了"2001年海洋渔业和水产加工技术国际研讨暨博览会"。

(6) 促进科技与管理的结合，努力提高科技支撑能力。国家海洋局安排专门经费支持研究所、中心和分局开展海洋遥感技术、海洋信息技术在海洋管理中的应用开发研究，海域划界技术方法研究，海域管理软科学研究和海洋环境监测、检定方法研究等。此外，积极争取科技部、国家计委的经费支持，开展如赤潮预报技术、遥感监测海洋环境技术、渤海综合整治关键技术预研、生态环境的分子生物学监测与评价技术应用等攻关研究和高技术研究。

(7) 青年基金项目管理。国家海洋局青年海洋科学基金，已成为产生创新成果和培养优秀青年海洋科技人才的苗圃。2001年共收到青年基金申请91项，按照青年基金的管理办法和评审办法，经严格的初审、同行专家评议、专家评审及国家海洋局批准，决定资助30个项目，其中4个重点项目，26个一般项目。国家海洋局十分重视对青年人才的培养和支持，2001年将青年基金资助总金额由60万元提高到80万元，并相应地增加了每个项目的支持强度。已结题项目都按计划完成，并取得一批创新成果。

(8) 国外专家引进与管理。根据国家外国专家局的要求，并结合国家海洋局十大工作任务，组织申报了2001年人才引进项目。国家海洋局2001年获准项目5项，引进国外专家11名。

【海洋科技成果管理】 (1) 完成2001年海洋创新成果奖的申报和评审工作，共评出极地所、青岛海洋大学等13个单位的19项获奖项目。向国家推荐优秀成果3项。

(2) 首次开展了全国海洋成果登记和统计工作。2001年，全国经鉴定、评审或验收，共登记海洋科技成果226项，其中国家海洋局所属单位登记92项。在226项海洋科技成果中，应用技术成果187项，占成果总数的82.74%；基础理论成果30项，占成果总数的13.27%；软科学成果9项，占成果总数的3.98%。

根据对海洋科技成果统计，达到国际领先水平的成果为7项，占成果总数的3.74%；达到国际先进水平的成果为82项，占成果总数的43.85%；达到国内领先水平的成果为71项，占成果总数的37.97%；达到国内先进水平的成果为19项，占成果总数的10.16%；其他水平的成果8项，占成果总数的4.28%。获得奖励的项目为44项。

在187项应用技术成果中，已应用的海洋成果为133项。据对填报经济效益数据的27项成果的统计，项目投入实际应用后，新增产值655亿元，新增利税210亿元，出口创汇18亿元，节约资金6.7亿元。 （国家海洋局科技司 辛红梅）

海洋公益事业篇

Marine Public Welfare Facilities

海洋灾害与环境预报服务
Marine Disasters and Environmental Forecast Service

综　述
Summary

【概况】 2001年，中国海洋灾害属中等偏重。受灾人口达1 400万，直接经济损失100亿元，死亡、失踪共401人。其中风暴潮灾造成直接经济损失87亿元，虽然比上年有所减少，但死亡、失踪人数却有所增加，达到136人。风暴潮灾给海水养殖造成的损失为历年之最。本年度共发生6次台风风暴潮，“飞燕”和“尤特”两次风暴潮灾造成的损失最大。海浪灾害给浙江、山东、海南、广东和江苏等省造成较为严重的损失，沉没、损坏大小船只共618艘，死亡、失踪265人，直接经济损失约3.1亿元。渤海和黄海北部冰情与常年相比，明显偏重，是近20年来最重的一年。2月7～13日，辽东湾出现最大范围的海冰，最大距离115海里，一般冰厚15～25厘米，最大冰厚60厘米，船舶航行受阻，海上石油平台受到流冰的严重威胁。赤潮发生次数增多，发生时间提前，影响范围扩大。全年共发生赤潮77次，累计面积达15 000平方千米，造成的经济损失约10亿元，并对海洋生态环境产生巨大影响。

2001年，国家海洋环境预报中心对赤潮进行了试预报，当年共发布预报16期，预报准确率在60%左右。继风暴潮预报产品、海浪预报产品进入互联网服务后，海冰预报服务也利用互联网向广大用户传递预报产品，从而在防灾减灾工作中发挥了更大的作用。为了提高各种预报的准确率，国家海洋环境预报中心协同有关院校、科研单位，将预报科研推向一个更新的阶段。风暴潮方面选取福建沿海和厦门海域为示范区，进行灾害性风暴潮漫滩和近岸海浪模拟技术的研究，取得较好的结果。项目整体水平达到20世纪90年代中期的国际先进水平，产生了较大的社会经济效益。海浪方面将“业务化海浪数值预报模式研制”课题列入“十五”科技攻关项目，力争在近期内实现海浪数值预报业务化。同时，要实现的还有高分辨率有限区域海面风场数值预报业务化和高分辨率台风风场数值预报业务化。海温方面也将短期数值预报研究列入国家“十五”科技攻关项目，着重改进其初始场和背景场，将变分伴随数据同化引入业务模式，同时考虑径流对海区的影响，以便研制一个充分考虑季风、潮、外强迫（黑潮）、环流、地形等各种因素相互作用的二维混合模式，从而最终实现0～72小时的海温数值预报业务化。列入“十五”科技攻关项目的还有“赤潮灾害预报技术研究”，除进一步加强赤潮的统计预报方法研究外，还要利用卫星遥感跟踪赤潮技术，进一步研究海洋生态系统动力学模式模拟赤潮生成机制。对厄尔尼诺和拉尼娜的预测研究也在深入进行中。根据各种模式分析测算，预计在2002年春夏将有一次强度偏弱的厄尔尼诺过程出现。　（国家海洋预报中心　韩忠南）

风暴潮灾害与预报
Storm Surge Disaster and Forecast

【台风风暴潮灾害】 2001年中国沿海共发生8次台风风暴潮过程，其中6次风暴潮过程成灾，“飞燕”和“尤特”2次台风风暴潮灾害重大。

图1　风暴潮来临的一刹那

表1 2001年风暴潮灾（含近岸台风浪灾）损失统计表

潮灾影响范围（省市）	受灾人口（万人）	受灾农田（万公顷）	海水养殖损失	沉损船只（艘）	死亡失踪（人）	经济损失（亿元）
福 建	804	21.1	20.4万个养殖箱；浅海养殖3.46万公顷	6 430	129	57.9
广 东	532	9.7	2.0万个养殖箱；浅海养殖2.58万公顷	4 418	7	29.1

沿海受灾严重的有福建和广东省。其中，福建省直接经济损失58亿元，死亡失踪129人，800万人受灾，21.1万公顷农田被淹，损坏海洋工程120 千米，沉损船只6 430艘，海洋养殖损失23亿元。广东省直接经济损失29亿元，死亡失踪 7人，530余万人受灾，9.7万公顷农田被淹，损坏海洋工程57千米，沉损船只4 418艘，海洋渔业损失10亿元。风暴潮造成的海水养殖损失是有统计数字以来最严重的一年。

“飞燕”风暴潮灾：“飞燕”台风于6月23日22时20分在福建省福清市登陆，恰遇当地天文大潮，引起严重风暴潮灾。此次风暴增水大、潮位高，福州以北验潮站最大增水达80～120厘米，最高潮位均超过当地警戒水位，其中白岩潭超过警戒水位69厘米，为50年来同期最高值。

这次风暴潮灾给福建沿海造成直接经济损失45.2亿元，死亡122人。福建中北部沿海海洋养殖业遭到严重破坏，损失22.8亿元；福州马尾造船厂正在建造的 2 艘1.76万吨的货船（每艘价值1300万美元）被强台风风暴潮推离船坞并抛至岸边搁浅(见图2)；堤防决口80处、损坏32处，损坏护岸964处、水闸104座，损失4.37亿元。

图2 “飞燕”风暴潮将巨轮推到岸边

“尤特”风暴潮灾：“尤特”台风于7月6日在广东省东部沿海地区登陆，遇天文大潮期，使珠江口及粤东多个潮位站的最高潮位超过了有记录以来的最高潮位。7月6日，粤东的东溪口潮位站最高潮位317厘米，超历史记录9厘米；海门潮位站最高潮位262厘米，超历史记录57厘米；港口潮位站最高潮位175厘米，超历史记录15厘米。7月7日，珠江河内的广州潮位站最高潮位262厘米，超历史记录18厘米。珠江口以东所有潮位站的最大增水均超过100厘米，其中妈屿、东溪口和海门的最大增水超过了200厘米。

受“尤特”风暴潮影响，广东省汕头市市区大部分进水，共有30多条马路受浸，最大水深1.2米，损坏房屋540间，倒塌房屋1 400间，死亡 2人；水产养殖损失5 110公顷1.24万吨；损坏堤防88处36.1千米，决口3处，损坏护岸47处。揭阳市部分城镇和村庄受浸，电力、供水中断，交通受阻，惠来城区几乎全部被淹，最深处1.2米；水产养殖损失2 820公顷3.58万吨，损坏堤防85处16.2千米，决口 2 处，损坏护岸390处；死亡 2 人。潮州市沿海海堤受损，多处决口，因潮水顶托，致使农作物、鱼塘受浸，部分民房、厂房和仓库受淹；水产养殖损失1.52公顷0.66万吨，冲毁塘坝36座。另外汕尾市受风暴潮影响，也受到不同程度的损失。广东省全省直接经济损失24.5亿元，死亡7人，损坏堤防204处57千米，决口17处，损坏护岸685处，冲毁塘坝1 169座，水产养殖损失1.08万公顷5.6万吨。

福建省受“尤特”影响，直接经济损失约6.9亿元，死亡 7 人，损坏堤防195处17.6千米，决口 6 处，冲毁塘坝231座。

【温带风暴潮灾害】 2001年渤海湾温带风暴潮发生次数较常年明显偏少。全年渤海湾塘沽验潮站出现50厘米以上增水过程42天，较常年平均78天明显偏少，其中100厘米以上增水 5 天。最高潮位为454厘米，发生在9月27日11时36分。

【风暴潮预报】 2001年国家海洋预报台共发布8个台风（0102、0103、0104、0105、0107、0108、0116和0119）的风暴潮预报，其中传真预报18份，网上预报18次，午间新闻电视预报10份，广播预报6份；另外，在中央电视台新闻联播（或整点新闻）中发布风暴潮警报2次。这8次台风风暴潮中有5次出现潮灾，其中灾害较严重的是“飞燕”（0102）、“尤特”（0104）两次台风风暴潮。此外2001年还发布温带风暴潮预报5次。

【风暴潮预报技术研究】 2001年，国家高技术产业应用部门项目“灾害性风暴潮漫滩和近岸海浪模拟技术的研制与应用——福建沿海示范试验”选取中国福建沿海和厦门海域为示范试验区，建立了可供业务化使用的高分辨率风暴潮和海浪数值预报系统，提供了不同区域和分辨率的风暴潮水位、漫滩、海浪波高和周期、海面风场预报产品，并进行了个例后报试验。

本项目研制的新型业务化风暴潮和海浪数值预报系统，就其模式的分辨率和先进性在国内处于领先地位，项目整体技术水平达到20世纪90年代中期国际先进水平。新型业务化风暴潮和海浪数值预报系统已经在国家海洋环境预报中心的2001年汛期中得到应用，取得了一定的经济和社会效益。此外，这些成果对于沿海地区的风暴潮灾害预报、风暴潮灾害评估、近岸海洋工程(核电站、码头等)的可行性研究等具有良好的应用前景。不仅可以为经济建设、国防建设、海洋综合规划管理、海洋环境保护等提供预报服务与技术支持，也为国家及地方各级政府和社会公众提供海洋防灾减灾的决策服务和公益服务，从而产生较大的社会效益(准确地疏散受灾人群，减少伤亡人数)和经济效益(提前疏散物资，减轻灾害的损失)。

（叶　琳　于福江　吴少华）

海浪灾害与预报
Sea Waves Disaster and Forecast

【海浪灾害】 2001年中国近海各海区4米以上巨浪累计天数为329天，其中渤海6天，黄海29天，东海103天，台湾海峡79天，南海112天。在中国海区因巨浪损失鱼虾贝类产量12 504吨，直接经济损失约11.39亿元（表2）；因巨浪沉损大小船只617艘，死亡、失踪343人，直接经济损失约3.11亿元（表3）。与往年相比，海浪造成的灾害特别严重。

表2　2001年海上水产养殖损失统计表

时　间	地　点	沉损鱼箱、渔排、损失产量	死亡（失踪）人数	经济损失（万元）
7月2日3～12时	广东省湛江市	海水养殖网箱3 473个，鲍鱼沉箱10 000个，损失鱼虾贝类产量2 904吨，种苗2 900万尾	0	33 807
7月6日8～16时	广东省饶平、汕头、惠来等市县	海淡水养殖受灾面积1.6万公顷，损失鱼虾贝类产量8 000吨	0	60 000
7月26日	广东省阳江、茂名、湛江等地	海水养殖受灾面积186公顷,养殖网箱受损6 002个，损失鱼虾贝类产量800吨	0	8 070
6月23～24日	福建平潭、福清市	毁坏海水养殖网箱、鱼排12 000余个	83	9 000
7月30～31日	福建宁德市	海水养殖受灾面积0.4公顷，损失鱼虾贝类产量800吨	0	3 000
合　计	全国	损失鱼虾贝类产量12 504吨	83	113 877

表3　2001年海上恶性海难统计表

省　份	沉　损　船　只	死亡（失踪）人	经济损失（万元）
海南省	沉没1艘货船、12艘渔船、150艘渔船损坏	29	1 211
广东省	沉没16艘货船、3艘渔船	37	815
浙江省	沉船176艘	245	16 900
江苏省	沉没8艘渔船	28	115
山东省	沉没1艘货船，翻沉损坏250艘渔船	4	12 050
合　计	沉没194艘货船，沉没23艘渔船，400艘渔船损坏	343	31 091

3月15日，受大风巨浪影响，“浙安39092号”货轮在舟山开往宁波镇海港的途中沉没，死亡、失踪12人，经济损失300余万元；

10月28日22时，山东省烟台市龙口港海运有限公司所属的“通惠”轮在旅顺港返回龙口途中，因遭巨浪袭击，使船上所载的车辆发生激烈碰撞，起火爆炸沉没。船上32人，仅有5人生还，其余全部死亡、失踪，十几辆汽车随船沉入海底，损失巨大。

12月3日，受大风巨浪袭击，在31°43′N，119°21′E海面附近，翻沉渔船3艘，死亡（失踪）16人，经济损失40余万元；

12月17日，载煤5 800吨的“航海6号”轮，在天津驶往福州途中，在江苏射阳东南约100海里处因遇巨浪袭击，机舱进水沉没，经连云港搜救中心10余小时的施救，23名船员全部获救，但经济损失巨大。（许富祥）

【海浪中长期预报】 2001年，中国发布海浪中长期预报的部门，除完成日常的海浪中长期预报任务外还参加了中国科协、国家民政部和国家海洋局组织的年度自然灾害和海洋灾害预测会商，并开展了海浪中长期预报的技术研究。目前预报业务中仍使用纯经验的预报方法，这种方法的主要缺点是不够客观和无法定量。海浪中长期预报的目标是通过研究建立数值预报和统计预报相结合的模式，尽可能作出客观和定量的预报。

【海浪数值预报模式研究】 2001年国家海洋环境预报中心组织国内有关专家，通过调研、可行性论证、专家评审，将“业务化海浪数值预报模式研制”课题列入国家“十五”科技攻关项目“海洋环境预报及减灾技术”，其主要研究内容为：由青岛海洋大学承担“中国近海及西北太平洋业务化深浅水海浪数值预报模式Ⅰ研制”；由国家海洋环境预报中心承担“中国近海及西北太平洋业务化深浅水海浪数值预报模式Ⅱ研制”；由国家海洋环境预报中心承担“MM5风场研制”；由青岛海洋大学承担“MM5同化研制”；由国家气象中心和国家海洋环境预报中心共同承担“有限区域风场模式研制”；由国家海洋环境预报中心承担“台风风场模式研制”。课题完成后，可为日常预报提供业务化海浪数值预报模式。（许富祥）

潮汐、潮流预报
Tide and Tidal Current Forecast

【潮汐、潮流预报】 潮汐、潮流预报工作是国家海洋信息中心在环境评价预报业务设置中的一项重点工作项目。2001年，随着中心改革工作的深化和业务体系的重组，实施了潮汐、潮流预报工作岗位聘用制，对预报工作全面实施质量管理体系，从资料管理、分析、应用实行了全程质量记录，以保证预报工作的准确性和满足用户的需求。

2001年，在潮汐编制工作中制定了改进、提高分析预报精度的业务计划并立项开展工作，对中国沿海潮汐性质变化复杂的预报站点进行了大量验证工作，采用多种分析预报方法进行比较验证，筛选出稳定度高、预报准确率明显提高的数据资料，并相继更新了60余个主要港口预报所用的调和常数，使潮汐表主港预报精度得到总体上的提高。

2001年，国家海洋信息中心编制完成了《2000年中国海平面公报》，并对其进行了版式改进，对内容进行了充实，表述清晰，普及易懂，图表的直观性也有了明显改进。

在经济建设服务方面，2001年为国家南山电场、广东台山电厂、中国海洋石油总公司海上拖航等单位提供潮汐、潮流分析预报技术报告及有关水文气象方面的服务。

（国家海洋信息中心　储英杰）

海温预报
Sea Surface Temperature Forecast

【海温短期数值预报研究】 2001年国家海洋环境预报中心和青岛海洋大学共同承担的国家“十五”科技攻关项目正在对短期海温数值预报作如下改进。

初始场和背景场的改进 海温初始场及背景场(如月平均海温、盐度、余流和消光系数)的精度起着十分重要的作用。“七五”、“八五”期间由于资料源、模式的海温初始场及背景场误差较大，严重影响了预报精度的提高。近年来，随着卫星遥感技术的不断发展和海洋开发的飞速发展，卫星红外和可见光图像、高度计资料、微波资料、船舶及平台观测资料、漂流及锚定浮标资料等海洋资料信息大幅度增加，因此必须对海温初值场和背景场加以改进。人们普遍关心的是卫星遥感资料，特别是多通道海温产品的应用。实时卫星遥感资料由于受云的影响(它既是一个不确定量，又不能完全分离)，难以作为实时同化资料进入业务化模式，但应用多通道海温历史资料提供详实的海温场及其变化，以及应用海洋锋、中尺度涡的资料，填补了资料的空白，从而提高背景场的精度，这又对海温初始场分析有重要影响(特别是在长期缺乏常规观测资料的区域)。

变分伴随数据同化引入到业务化模式 在数据同化中包含两方面内容：其一，同化不同时次、不同质的海温观测资料，给模式提供一个高质量优化的海温初始场；其二，对海面热通量场进行误差订正。由于热通量场是通过块体公式计算的，块体系数本身就不准确，计算所涉及的气象要素种类繁多，精度不高，所计算的海面热通量误差较大。变分同化可以将热通量作为一个控制变量，在模式中与海温场同步进行同化。在优化海温场的同时，又可以对热通量场进行误差订正。这是提高海温预报精度的重要环节。

考虑径流影响 径流对中国海有重要的影响，特别是长江、黄河和珠江三条大河。它通过盐度、消光系数的改变直接影响着海水浮力、加热的分布，因而影响海水的热结构和海温，而且它还与地形、外强迫(黑潮)相互作用，影响海洋环流的变化，通过有机物的输运(水色)影响海洋生态系。作为以海温为主的模式，我们对径流影响的研究分两步：对径流量的历史资料进行分析，对它的年变化以及年际变化(丰水年、枯水年)对海温的影响进行研究，分析它的路径变化。在此基础上，考虑模式盐度场、消光系数的分布和变化，改进对海温预报的影响。

模式研究 研制适合于中国海的业务化海温数值预报模式，这是一项填补国家空白的创新课题。Mellor(1996)发展了一个三维海洋环流模式——POM模式，它包含了一个二阶动量湍流闭合子模式来提供铅直混合系数，较好地模拟了包括沿岸和半封闭海在内的潮汐、潮流热结构和海洋环流，因此被公认为较成功的三维海洋模式。然而，目前的观测无法提供三维初始场，所以将它研制成0～72小时海温预报的业务化模式还需要走一段相当长的路程，至少在目前尚不能实现。鉴于此，国家海洋环境预报中心准备研制二维上混合层积分模式，它是目前可以适应业务化需要的海温短期预报模式。用于大洋，上混合层模式是比较简单的。但是，中国海的大部分是大陆架海域，有上混合层，又有潮混合层；有大尺度外强迫(黑潮)，又有大陆径流；有平均深度不足20米的浅海，又有深达2 000米以上的陆架陡坡；冬季有寒潮入侵，夏季有台风肆虐，流系复杂多变，不同时间尺度的各种因子相互作用，从而使得这个积分模式十分复杂。预报中心研制的模式是一个充分考虑季风、潮、外强迫(黑潮)、径流、地形等各种因子相互作用的混合层模式，引用变分伴随同化技术，将包括卫星遥感资料在内的各种海洋观测资料作成初始场和背景场，与中尺度气象模式实时预报的海表面热通量和动量通量接口，最终实现0～72小时海温的业务化数值预报模式。这一整套模式系统属高科技产品，它不仅为中国的海洋开发、海洋水产业、渔业和海防事业提供不可缺少的环境保证，而且还会将中国海洋环境预报服务提高到20世纪90年代的国际先进水平。

(国家海洋环境预报中心 张建华)

海冰灾害和预报
Sea Ice Disaster and Forecast

【海冰灾害】 2000年11月至2001年3月，渤海和黄海北部冰情是近十几年以来最严重的一年。特别是在1月、2月，气温明显偏低，降雪量较大，流冰范围较大。2001年2月7～13日，辽东湾流冰范围约115海里，一般冰厚15～25厘米，最大冰厚60厘米；渤海湾流冰范围约30海里，一般冰厚10～20厘米，最大冰厚35厘米；黄海北部流冰范围约33海里，一般冰厚10～20厘米，最大冰厚30厘米。在冰情严重期间，海冰对海上工程和航运影响较大。当海上石油平台受到严重威胁时，公司领导根据发布的冰情预报，亲赴现场指挥破冰抢险，保证了石油平台免遭损坏。

秦皇岛港是渤海的第一大港素，称不冻港，在严重冰封期间，附近海域的交通运输也受到影响，多艘大、中型船只被海冰围困在海上，数十艘中外客、货轮船被困于港内，一度造成航运中断，造成经济损失数亿元。

1月24日，塞浦路斯籍油轮被海冰围困于秦皇岛港附近海域，海军722船接到求救消息后，立刻对其进行破冰引航，直到1月25日才离开冰区。

2月4日，停在港外约37千米处的中国“发现”号地球物理考察船，船员受伤急需治疗，但因冰封无法航行。港外约36千米处，600马力的“中国渔政201”船因受冰排挤压驱动，船体倾斜，随时有被冰排推翻的危险。在港外41千米处锚泊的排水量为1.7万吨的塞浦路斯籍一艘货轮，在冰排的挤压驱动下不停地走锚。2月5日，中国海军“海冰722”破冰船接到上级抢险命令，立即赶赴事发海域展开营救工作。全体官兵冒着零下10余度的严寒和8级大风顽强地在冰区奋战了2天，将“发现”号地球物理考察船受伤船员营救到岸上。2月6日，巴拿马籍一艘货轮被海冰围困，无法航行，海军722船接到消息后，为其破冰引航，当晚安全抵达秦皇岛港。2月7日，河北渔政201船被海冰围困，船体倾斜，船舷已靠近水面，经海军722船及时救护，脱离危险。

【海冰预报服务进入互联网】 国家海洋环境预报中心经过几年对互联网络的建设，终于在2000年冬季可以利用互联网发布海冰预报信息。互联网传递信息迅速快捷，大大地缩短了预报单位与用户之间的距离，充分发挥了海冰预报在防灾减灾中的作用，深受广大用户好评。 （张启文）

海洋气象预报
Marine Meteorological Forecast

【台风灾害】 2001年在西北太平洋和中国南海共有25个台风生成，其中有9个在中国登陆。登陆个数较常年平均数略多，登陆地点都在台湾和华南沿海，登陆时间也相对集中。7月份接连有5个台风登陆，这是近50年来7月份台风登陆最多的一年。其中有3个在广东省登陆，另外有4个在台湾省登陆，登陆台湾省的台风个数是常年的1倍。这些登陆台风给福建、广东、广西和台湾造成了严重的经济损失。

【海洋气象预报技术研究】 为提高海面风场数值预报的水平，在国家“十五”科技攻关“海洋环境预报及减灾技术”项目中，把“高分辨率的有限区域海面风场数值预报业务化模式”和“高分辨率的台风风场数值预报业务化模式”列为两个子课题。

海面风场数值预报研究。主要研究内容是以MM5模式为基础，研制一个适用于中国及其邻近海域的有限区域海面风场数值预报模式，为海浪模式提供10°～45° N、105°～155° E区域的0～72小时预报风场。模式采取三重套网格，水平网格格距分别为180千米、60千米和20千米，垂直方向为不等距23层。

台风风场数值预报研究。主要研究内容是研制并建立多重移动套网格斜压台风风场业务预报模式系统。该系统包括台风预报模式、资料同化方案和台风边界层模式。三重套网格的格距分别为180千米、60千米和20千米。该系统最终将提供0～72小时的台风预报路径和台风预报风场。 （季晓阳）

【南极中山站地区的气象服务】 一般气象服务：南极中山站气象站位于69.22° S、76.22° E，地处东南极大陆的边缘，终年受绕极气旋和大陆冷空气及南极大陆下降风的影响，天气寒冷，气象条件十分恶劣。全年月平均7级或7级以上大风日为11天，冬季最多月平均风日可达20天以上，最大风速达50米/秒。特别是强极地气旋来临时，狂风夹着暴雪，能见度几乎降为零。这种恶劣的天气使站区的科学考察工作无法进行，给科考队员的日常生活和工作带来了巨大的不便；同时还对队员们的人身安全构成严重威胁。因此，在南极科学考察中，工作队员们把天气预报看成生活、工作中的第一需要。

由国家海洋环境预报中心和中国气象局派往南极的气象观测预报人员，担负着中山站地区的24～48小时气象预报及该地区的常规气象观测任务。南极地区由于灾害性天气系统变化快，气象测站稀少，气象资料严重不足，开展气象预报难度较大。我们利用每天接收的各种气象传真图表、结合当地观测的实时气象资料、参考当日接收的极轨高分辨卫星云图，确定各种灾害性天气系统的中心位置；并根据陆地各种车辆和海上船只活动的实际需要及科学考察队的需求制作几小时或几天的气象预报。

特殊气象服务：东南极地区无污染，大气

透明度极好。由于南极臭氧洞的出现，强烈的紫外线对南极科考队员们的身体健康有较大的影响，中国第17次南极考察队（2000～2001年度）中山站站长决定，由气象部门每天增加臭氧洞变化的趋势预报和紫外线强度预测。中山站虽然有臭氧观测，但要做臭氧洞每天的变化预报和紫外线强度预测有一定的难度。为了南极科考队员们的身体健康和安全，我们在南极极夜结束后，把每天观测到的臭氧数据进行了整理、统计。在坐标纸上把臭氧洞临界值220DU臭氧层厚度绘制成一条横线，将在中山站地区每天观测到的臭氧值和紫外线数据点绘在坐标纸上，让所有的考察队员们直观地了解中山站地区高空臭氧及紫外线强度的变化。当臭氧曲线接近臭氧洞临界值时，立即向全体队员们发出臭氧洞可能出现的警报，让所有外出队员充分做好防护工作，这项工作受到了全体科学考察队员们的一致好评。

（姜德中）

赤潮灾害与预报
Red Tide Disaster and Forecast

【赤潮灾害】 2001年全国沿海共发生赤潮77次，其中渤海19次，黄海5次，东海38次，南海15次，是中国有赤潮记载以来最多的一年（表4～6），赤潮总面积达15 000余平方千米，单次影响面积超过1 000平方千米的大型赤潮 8 次。比2000年增加49次，增加面积约5 000平方千米。大型赤潮多集中在长江口外、浙江、福建近海。5月中旬，舟山海域赤潮面积超过1 000平方千米的有 3 次，其中5月10～17日发生在中街山群岛附近海域的赤潮面积达3 000平方千米以上。2001年中国赤潮的特点为：发生次数明显增多，发生时间提前，影响范围扩大，大规模赤潮在短时间内集中爆发，造成严重经济损失，赤潮灾害造成的直接经济损失约10亿元，对生态环境的破坏更是无法计算。 （王咏亮）

表4 2001年渤海和黄海北部主要赤潮发生记录

日　期	发生海域	面积（平方千米）	主要藻种
4月4日	青岛	小范围	夜光虫
5月21日	大连大鹿岛	小范围	夜光虫
5月23～24日	锦州大笔架山	小范围	
5月25～26日	唐山曹妃甸	小范围	
5月31～6月5日	塘沽	50	
6月1～5日	塘沽	小范围	
6月11～12日	胜利油田二号	5	圆筛藻、多甲藻
6月19日	河北歧口	小范围	
7月7日	鲅鱼圈	1	夜光藻
7月8～12日	青岛竹岔岛	10	红中缢虫
7月16日	营口	360	夜光藻
8月12～23日	鲅鱼圈	770	丹麦细柱藻
8月12日	葫芦岛中北平台	250	
8月24～9月14日	大鹿岛	1 100	弯角藻
8月25～28日	鲅鱼圈	100	弯角藻
8月25～26日	辽河口	130	舟形藻
8月27～30日	鲅鱼圈	100	
9月3日	盘锦	小范围	
9月3～6日	鲅鱼圈	17	角毛藻
9月3～16日	鲅鱼圈	20	
9月6～12日	辽河口	15	圆筛藻中华盒形藻
9月12～16日	辽河口西南	5	
9月12～16日	辽河口东南	10	
9月12～18日	鲅鱼圈	25	中缢虫、角毛藻、夜光虫

表5　2001年南海主要赤潮发生记录

日 期	发生海域	面积（平方千米）	主要藻种
1月	大鹏湾南澳	小范围	
1月	深圳湾	小范围	亚利山大藻
1月20～23日	湛江硇州岛	13	
2月6～23日	大鹏湾	20	红裸甲藻
2月26～3月1日	珠江口大铲湾	10	红色中缢虫
3月	海南三亚	小范围	甲藻
3月5～7日	深圳盐田	2	异弯藻
3月17～25日	深圳湾	8	海链藻
3月22～28日	深圳盐田	7	多纹膝沟藻
4月18～23日	深圳小梅沙	5	异弯藻卡盾藻
4月23～28日	深圳坝关	5	卡盾藻
4月28～5月2日	深圳大小梅沙	小范围	带状 红裸甲藻
5月13～14日	汕尾小墨	1	夜光藻
7月10～13日	大亚湾	242	
9月16～20日	深圳坝光	2	丹麦细柱藻

表6　2001年东海和黄海南部主要赤潮发生记录

日 期	发生海域	面积（平方千米）	主要藻种
4月7日	东海平湖油田	2	
4月9～10日	浙江南麂	小范围	盒形藻
4月13日	东海平湖油田	10	
4月15日	30.3° N～124.7° E	小范围	
4月16日	30.5° N～124.3° E	15	
4月15～16日	嵊山外	小范围	
4月21日	南麂	20	
5月10～17日	舟山	2 400	原甲藻
5月10～17日	长江口	1 000	
5月11日	嵊山	80	
5月12日	舟山虾峙门	小范围	
5月12日	渔山至檀头	小范围	
5月15～21日	浙江南麂	400	原甲藻
5月15～25日	大陈岛	小范围	原甲藻
5月15～17日	福建霞浦四霜	150	夜光藻
5月17日	象山	小范围	原甲藻
5月17日	江苏吕泗	小范围	
5月21日	宁波象山	40	
5月23日	浙江苍南	100	锯齿原甲藻
5月25日	江苏外海	60	
5月29～31日	霞蒲闾峡内湾	50	有裸甲藻
6月6～11日	福建沙埕	200	有裸甲藻
6月8日	浙江苍南	小范围	弯角藻
6月15～18日	韭山列岛	80	

续 表

日　期	发生海域	面积（平方千米）	主要藻种
6月15～18日	中街山列岛	1 400	原甲藻
6月16日	台州列岛东矶列岛	1 100	原甲藻
6月16日	浙江中部远海	80	
6月17日	舟　山	300	
6月17日	花鸟山	100	
6月18～25日	厦门西	45	角毛藻
6月29～7月2日	厦门西	40	
6月20日	江苏33.1°N、121.7°E	1 000	
6月20日	江苏33.7°N、121.9°E	1 000	
7月1日	嵊　泗	几百	
7月1～2日	台州大陈岛	50	
7月3日	厦门西	小范围	
7月17日	长江口外	350	
8月1日	嵊　泗	80	

【首次开展赤潮灾害预报】 近年来赤潮灾害发生的频率越来越高，影响的范围越来越大，危害的程度越来越重。大规模赤潮爆发，特别是危害严重的有毒赤潮已严重地破坏了正常的海洋生态系统，阻碍了海洋生物资源的可持续利用，直接威胁到人民的健康和安全。为此，国家海洋局4月10日下达了关于《2001年赤潮监测预测业务工作方案的通知》，5月8日又下达了《关于加强海洋赤潮预防控制治理工作的意见》两个文件。文件要求国家海洋环境预报中心开展对赤潮的预测预报工作，及时制定并发布赤潮预警信息产品，提供赤潮灾害应急决策依据，开展赤潮发生概率预报及赤潮相关环境要素预报。

国家海洋环境预报中心在2000年积极筹备赤潮预报工作的基础上，于2001年2月正式成立赤潮预报组。虽然赤潮的危害性极大，严重的大面积赤潮可扩展到几千至上万平方千米，持续时间可达数周以上，但与辽阔的海域相比它仍属中、小尺度范畴，有较强的局地性。在理论上赤潮的发生取决于生物、化学和物理三个方面的因素，其中生物因素尤为复杂。但根据中国沿海河流排污状况和海域污染检测报告，可以推断在赤潮多发海域，尤其在赤潮的高发时段内，生成赤潮的生物和化学条件已基本具备。在这种情况下，物理条件就可能成为促成赤潮发生的最重要因素。因此，国家海洋环境预报中心决定首先开展赤潮发生条件的预报，按照海办发17号文件，于5月26日开始进行中国近海海区赤潮发生条件预报的试验。预报原则上每周发布一次，时效为7天，并以内部文件的形式传真发送国家海洋局环保司及各分局、国家海洋监测中心、国家海洋信息中心、各海洋区域预报中心和沿海各省市海洋局等共20个单位。赤潮预报工作，得到国家海洋局领导的肯定和支持，陈连增副局长曾对此作了重要批示："赤潮预测一定要做，不能等待赤潮机制研究清楚后才开始预报，必须根据国民经济的需要及时开展预报工作。"2001年，从5月下旬至9月中旬共发布预报16期。

【赤潮预报方法研究】 赤潮预报虽然进入试报阶段，但预报方法尚不成熟，需要进行深入研究。通过历史资料分析，历年赤潮多发期，南海为11月至次年4月，东海为5～8月，而渤海则为7～9月。赤潮发生的这种规律与西太平洋副热带高压北跳、南撤的年变化极其一致。一方面说明赤潮的形成，除生物、化学等条件以外，与大气环流的变化有着密切的关系；另一方面也说明大气环流的演变，尤其是西太平洋副热带高压位置与强度的变化对预测赤潮发生的长期变化趋势具有一定的指导意义。通过个例分析，发现赤潮一般不会发生在西太平洋副热带高压控制区域之内，而是在副高外围的西风带或者东风带中。当海区

海洋信息管理与服务
Marine Information Management and Service

海洋信息系统、网络的建设与管理
Construction and Management of Marine Information and Network

【海洋管理信息化建设】 随着建设“海洋强国”战略的实施，国家对海洋信息技术和服务支撑的需求越来越大、要求越来越高，海洋信息在海洋管理、执法和国家安全等方面的支撑作用日益突出。特别是在海域使用监督、海洋环境保护、海洋执法、海洋权益维护等管理方面，作为国家海洋信息工作业务指导与协调单位，大力推进国家海洋管理信息化进程，有效地把海洋信息纳入海洋管理中，是国家海洋信息中心近几年一直努力抓好的重点工作之一。

推进国家海洋管理信息化进程的战略目标是：在高技术条件下，建成以海洋管理为主题的国家、省市和区县三级信息平台；建立快速、高效、共享的国家海洋管理信息化资源和技术支撑环境，实现国家海洋经济、海洋生态与环境、海洋权益、海洋灾害、海洋执法管理等信息的高度共享；全面提高中国海洋管理工作对海上突发事件的快速响应和处理能力，全面提高对海洋资源环境等的综合评估、评价、分析与预测能力，为国家管理、开发和利用海洋提供实时、动态及准确的实时数据和决策分析管理信息产品，为国家安全和海洋战场环境保障提供信息和技术服务，促进中国海洋事业的快速发展。

国家海洋信息中心承担的海洋综合管理信息系统建设工作，得到国家海洋局主管部门和地方海洋机构领导的高度肯定，奠定了国家海洋信息中心在“海洋功能区划管理信息系统”建设方面的权威地位；开发的“海洋划界信息系统”，为中越北部湾划界提供了现场技术支持，为外交谈判、维护国家海洋权益提供了决策服务；开发的“海域勘界信息系统”，为省际间海域勘界辽-冀、闽-粤两线的试点工作提供了服务；全国海洋基础地理信息系统建设工作也卓有成效。所有这些工作都为开拓国家海洋信息中心的业务领域起到了积极的推动作用，也突出了国家海洋信息中心为促进政府海洋管理职能到位的业务能力。

在海洋执法管理方面，争取尽快启动“国家海洋执法监察信息系统”建设项目，提高国家海洋执法管理快速响应和处理能力。

【海洋信息共享服务】 国家海洋信息中心加强公益和基础业务规划与能力建设，努力建设国家级的海洋数据中心和网络中心，充分发挥海洋文献馆和海洋档案馆的作用，搞好公益和基础业务

处在副高外围的西风带时，发生赤潮的海区往往需要有一个控制在2天以上的相对稳定的大槽，然后还要有一个较明显的暖脊跟随东移；在500百帕的24小时变高上往往出现“一、一、十”的指标。高空稳定的大槽对应地面一般被气旋控制，导致海面出现高温高湿的闷热天气。同时根据EKMAN风生流理论，认为仅由风作用产生无加速海流的总动量偏于风向右方90°。在气旋的强偏南风作用下，海水表层出现辐散，从而引起底层海水上升运动的加强，向海面输送丰富的营养，而上升流对赤潮的形成是很重要的。当高空暖脊东移控制海区时，海区上空出现晴热天气。随着气旋的东移，海上风力逐渐减小，更有利于水体的稳定，给赤潮的形成创造了条件。当海区处于副高外围的东风带时，往往又会受到台风或者热带气旋的影响。如果海区受到热带低压（包括台风）的外围影响而又不会遭到它们的正面袭击，这时也容易出现赤潮，因为这时热带低压的影响和气旋的作用极其相似。

2001年，“赤潮试预报”和“赤潮中长期预报技术研究”作为“赤潮灾害预报技术研究”项目的子课题被列为国家“十五”攻关课题，完成立项和评审工作，并进入研究试验阶段。该项工作除进一步加强赤潮的统计预报技术研究外，还将深入研究利用卫星遥感监测跟踪赤潮的技术，并为今后开展海洋生态系统动力学模式模拟赤潮生成的研究奠定基础。（王咏亮） （下转第369页）

服务，努力实现资源与信息共享。

在致力于建设国家级数据中心，在收集、处理海洋基础数据的基础上，进行海洋数据体系规划、海洋数据产品和质量控制体系规划与建设工作，统一数据标准、统一统计分析方法、规范产品种类与格式、严格执行质量控制程序。同时在规划的指导下，开展了海洋基础数据库的规划与建设工作，开展数据库的标准化、空间化、网络化改造，分专业进行数据产品制作，开发海洋基本信息场产品。开展海洋信息元数据库建设，建立元数据网络服务工程，逐步开展海洋基础数据及其产品的共享与服务。

2001年，国家海洋信息中心进一步加大了网络系统能力建设力度，提升局域和广域网络能力，构造高速、宽带、多功能海洋通信网络体系和先进可靠的网络中心管理系统。在加强网络能力建设的同时，加强网络服务，进一步做好国家海洋局政府网站和中国海洋信息网的信息栏目规划、更新维护、共享发布等工作。拓展了网络中心服务领域，与地方联合，开展地方政府海洋网站的建设。

针对海洋文献投入不足的现状，争取有关部门的支持，力争取得长期文献专项经费，增强馆藏实力。进一步加大文献信息化力度，开展网络虚拟图书馆的建设。

在海洋档案馆建设方面，2001年6～9月，国家海洋信息中心对档案馆办公区及库区进行了全面改造，扩大了面积，更新了设施，并在承重、防火系统等方面采取了相应措施，现已交付使用。在档案业务开展方面，从疏通收集渠道、规划业务系统入手，扎扎实实地做好工作。在海洋历史档案抢救、档案馆库房改造基础上，做好档案业务系统规划，并开展《中华人民共和国档案法》和相关法规的普法工作，拟定了《海洋档案移交和接收管理规定》以及相关技术标准、规范。目前正开展海洋档案历史资料信息化工作，建立海洋档案信息管理系统框架。

【海洋信息质量保证体系】 尽快建立全国海洋信息质量管理业务体系，为全国海洋信息及其产品的质量控制和质量认证服务，为全国海洋行业信息系统设计、开发和信息服务提供资质认证，自2001年6月份开始，国家海洋信息中心首先开始实施了国家海洋信息中心质量管理体系建设的设计、文件制定和人员培训工作。通过广大职工的努力，10月24日，信息中心ISO9001：2000版《质量手册》和《程序文件》正式发布，质量管理体系工作进入试运行阶段。通过ISO9001质量体系认证工作的开展，不仅完善了业务体系，使科研业务管理工作更加科学化和规范化，同时也将对政府和社会的技术支撑和信息服务，乃至对全国海洋信息体系的建设和发展，起到至关重要的作用。

【海洋统计工作】 海洋统计信息是国家海洋管理的基本数据。根据国家海洋局局长王曙光关于“搞好三个网络建设”讲话精神，2001年除继续抓好《2001中国海洋统计年鉴》的编辑、出版工

厄尔尼诺和拉尼娜灾害与预测
El Nino/La Nina Disaster and Forecast

【预测新一轮厄尔尼诺过程逼近】 2001年，我们用来定义厄尔尼诺的赤道太平洋Nino3区（5°S～5°N，90°W～150°W）海洋表面温度距平(SST)经历了一次短暂的上升过程，但其强度远没有达到厄尔尼诺过程所定义的标准。2001年初，Nino3区SST从-0.63℃持续上升，到3月份达到0.14℃，3个月上升了0.77℃，对应的南方涛动指数有明显的下降；但在随后的几个月中，Nino3区的SST又开始呈现波动式下降，到11月又一次下降到-0.61℃。这是自1997年出现强厄尔尼诺后，从1999年开始，连续第三年出现的每年春季赤道太平洋海温增暖的季节变化过程。我们看到，由于Nino3区的SST总体水平是处在拉尼娜位相，起始温度比较低，每年春季的这种增暖，最高温度只能到达0.0℃附近；总体趋势是逐年上升。另外，自2001年1月份起，赤道西太平洋出现了多次的西风过程，其位置都比较偏西，未能形成厄尔尼诺。然而，我们发现对应的赤道太平洋次表层暖池，已出现了比较明显的暖中心，根据各种模式分析预测，预计2002年春夏，将有一次强度偏弱的厄尔尼诺过程出现。

（蔡　怡）

作外，重点做好“统计信息网络”的建设，及时收集、整理、分析海洋工作的基本数据，为国家准确把握海洋工作动态，提供科学、准确的决策依据。　（国家海洋信息中心业务发展处）

【巡航执法管理信息系统建设】 根据国家海洋局职能转变的需要，国家海洋信息中心承担了为国家海洋执法工作建立“海洋行政执法文书管理系统”。该系统的建立将使海洋执法管理的案件卷宗管理工作更加标准化、规范化，提高卷宗内容的共享和交换水平，使海监总队和各级海洋执法管理部门能及时了解和掌握有关案件信息，提高海洋执法工作的法制化、规范化水平和内部监督能力。该系统基于Microsoft Access数据库平台，建立分布式的执法文书数据库；开发各级执法部门执法文书管理模块（包括表格输出、卷宗建立、卷宗查阅和修改等）、执法文书检索与统计模块、海监总队与各级海洋执法管理部门间文书报送与交换系统，进行海监执法信息网上发布和数据库在线服务的研发，参与系统软件的推广和负责技术支持工作。现已完成执法文书基础数据库框架的设计和文书管理功能的开发。

（国家海洋信息中心数据中心）

【国家海洋局政府网站建设】 国家海洋局政府网站的维护，2001年主要是围绕着及时更新“政策法规”、“执法监察”、“海洋战略”、“工作信息”、“海洋环保”等26个信息栏目进行的。配合“中华人民共和国海域使用管理法”的颁布，设立了专栏，进行了贯彻执行海域使用管理法的宣传。“主题新闻”根据搜集的新闻与图片，及时准确地将全国海洋的重要新闻进行了报道。其他各栏目的主要信息在主页上增加了提示，并为“海洋世界”杂志增设了专栏，加大了海洋科普知识的宣传。海洋局政府网站，全年共更新信息3 349条，起到了政务公开、提高服务效率的作用。主页浏览次数为79 826次，为宣传海洋政策、介绍海洋科研成果、沟通全国海洋各级管理部门的信息等工作，发挥了积极的作用。

【“中国海洋信息网”建设】 2001年，国家海洋信息中心在2000年工作基础上，提高了网络的实用能力，经过多次市场调研和技术准备，将网速提升到512K，为信息咨询服务搭建了快捷便利的平台。

信息发布服务于社会，是“中海网”建设的主要目标之一。“海洋预报”栏目在每月定期更新潮汐预报的基础上，新增了“每日海浪预报”和“每旬海温预报”，直接为海洋交通、海洋养殖、海洋旅游等行业服务。“水产周刊”栏目每周追加水产养殖的病害防治措施与方法并解答用户网上提问。新增的“海洋经济动态”栏目，全年发布了22期，及时报道了全国海洋经济发展的重大事件，为各级海洋管理部门进行管理决策提供了依据。“海洋灾害”栏目，跟踪报道了全国有关“赤潮灾害”与“台风灾害”的情况。网上发布了2000年海洋灾害公报、中国海平面公报、海洋环境质量公报。此外，每周追加两期“海洋报新闻”，每月追加一期“海洋科普”，并更新了全部“海洋自然保护区”内容。

配合重点项目，继续维护“WDC-D 海洋学中心——国家海洋基础信息网服务系统”与“东盟地区论坛”网站，完善了“海洋基础资料”等栏目信息。建设了“中国近海环流形成变异机理、数值预测方法及对环境影响的研究”专题网站，设立了“海洋元数据库”等17个信息栏目，介绍了专题主要的研究内容。　（国家海洋信息中心　姚湜予）

【东海分局办公网】 办公网是东海分局、上海市海洋局实现网上办公的集成门户，也是推进政务信息化，整合信息资源，提高办公效率的重要载体和手段。根据国家和上海市建设以“三网一库”为基本结构的政府系统办公网络的目标和要求，遵循“以需求为导向、以应用促发展、统一规划、分步实施、安全保密”的原则，自2001年8月至2002年8月建设的信息网络二期工程，建成了联接局机关处室、所属单位、东海区海洋行政机关和上级单位的办公网，目前开通内网本地用户101户，远程用户20户。

办公网的主要应用有：

（1）9个应用子系统，即行政OA办公子系统、海洋行政管理子系统、执法监察子系统、船舶飞机指挥调度子系统、海洋预报发布子系统、信息交流站子系统、海域使用管理子系统、海洋环境管理子系统和观测预报管理子系统。

行政OA办公子系统选用上海双杨电脑高科技开发公司“双杨”二代综合型OA产品。实现东海分局机关收发文办理、档案管理、内部事务管理、信息管理4项功能。

海洋行政管理子系统系自行开发，有海域使用证发证管理、海洋倾废许可证发证管理、海底电缆注册管理、海底管道注册管理和行政处罚管理5项功能。

执法监察子系统系自行开发，目前实现执法文书和案件查处类表格下载和填报上传功能，今后随着工作的开展逐步完善。

船舶飞机指挥调度子系统系自行开发，计有船舶飞机月度安排、每日在港船舶情况、每日海上船舶情况和每日飞机动态情况4项功能。

海洋预报发布子系统系自行开发，计有东海区沿海台站每日4次实时潮位、上海市海域每日二次波浪、潮位预报信息、汛期台风暴潮、巨浪灾害性预报和台风路径和影响区域4项信息的自动传输和发布功能。

信息交流站子系统用于内网用户间的信息交互和查询，计有用户公有或共享公文包的文件资料中心；用户的私有个人资料中心；定期下载20个互联网站主要信息，供内网用户查阅的新闻中心；公告留言、会议和会议室管理等功能。

余下3个子系统有待本系统上级部门组织统一研制开发后接入办公网。

(2) 办公网开设了6个通用性栏目、17个业务性栏目和8个资料性栏目。

6个通用性栏目：海洋新闻，法律法规，组织机构，内部刊物，通知和工作论坛。

17个业务性栏目：办公管理，党团青妇，海域使用，海洋环保，观预管理，海洋科技，船舶管理，执法监察，人力资源，海洋战略，规划计划总结，海洋通报，海洋公报，海洋公告，图片库，视频节目，举报受理。

8个资料性栏目：海洋赤潮，大事记，海洋经济统计，海洋科普，海洋台站，海洋潮汐，东海分局属单位和通讯簿。

办公网安装了瑞星网络版杀毒软件，制定了办公网维护使用管理等规章制度。

办公网的建设和使用，方便了内网用户间信息交互和信息查询，规范了办公流程，提高了办公效率，整合了信息资源，使办公自动化上了一个台阶。 （东海分局　张华明）

【海洋环境预报专业网站】 上海市海洋环境预报台网站（www.oceansh.org）是上海市海洋环境预报台向社会提供海洋环境预报服务，对外发布海洋预报信息的专用网站。网站设有预报台工作介绍栏目、每日海浪预报和风暴潮预报栏目、东海区海洋实时资料查阅栏目、海洋知识栏目等。网络操作系统采用Win2000 advance server+iis 5.0，装有瑞星网络版杀毒软件，网站系统与内部局域网在域控服务器上用两块网卡分开，安装在Web服务器上的IIS LOCK软件可关闭除80以外的所有端口。域控服务器安装有SQL 2000（Web专用）数据库软件，网页采用ASP语言编写，采用1M ADSL接入。 （东海分局　许啸春）

海洋基础资料管理与服务
Marine Data Management and Service

【海洋历史调查资料大清查】 建国几十年来，国家各涉海部门根据工作需要，通过国内调查和国际交流获取了大量的海洋环境资料。这些海洋资料是国家宝贵的海洋信息资源；是做好航海保障的重要环境信息；是国家实施可持续发展战略的科学依据；是长周期、大尺度的海洋时空变化规律研究不可缺少的珍贵历史资料。为获取这些海洋调查资料，国家投入了大量的人力、物力和资金。但是，由于历史的原因，这些海洋历史资料分散在各涉海部门，不利于实现海洋资料共享，不利于充分发挥这些海洋历史资料的作用。

2001年，针对中国海洋信息资源现状不清、基础信息源不足的问题，国家海洋信息中心负责开展了全国海洋历史资料大清查。资料清查的内容包括全国各涉海单位现有的海洋数据集的名称、信息内容、调查海域、调查时间、数据量、存储载体和馆藏机构。完成了国家海洋局下属各单位馆藏的海洋历史资料的清查工作，并编制完成了海洋数据集清单报表。总的来看，国家各个海洋机构保存的海洋历史资料的主要内容是1952～1999年间在中国近岸海域调查获取的海洋水文、地质、化学、气象、海流、污染等资料，对海洋科学研究和海洋开发研究具有重要的使用价值。2001年还完成了国家海洋信息中心馆藏的国内、外海洋调查资料的清查，并按照数据集的接收日期、资料来源、资料类型、数据量、调查海域、调查时间、调查计划、载体类型、载体数量等项目进行分析整理。有关信息已全部录入计算机，为进一步搞好全国海洋资料管理和系统建设奠定了基础。

【海洋历史资料抢救】 海洋历史调查资料是国家重要的海洋信息资源。针对中国海洋信息资源散失现象突出，一些宝贵的海洋调查资料面临流失或湮没的问题，国家海洋信息中心在海洋历史资料大清查的基础上，开展了海洋历史资料抢救工作，对其中有重要应用价值的海洋历史资料进行了资料整理、数字化处理、计算机录入、人工校对、质量控制和标准记录格式转换，并形成标准数据文件。2001年完成了部分海洋站逐时风资料的抢救，时间跨度为1973～1997年，资料量590站年，1 500余万个数据；完成了西北太平洋区域海洋生物调查资料的抢救，时间跨度为1948～1992年，资料量为132万条记录；完成了海面气象资料的抢救，时间跨度为1968～1996年，资料量为96万站次；完成了BT资料抢救，时间跨度为1980～1985年，BT照片13 300张；完成了1983～1984年全国海岸带普查资料的抢救，资料量为55万条，6 000万字节；还完成了其他一些重要的海洋调查资料的抢救。上述海洋调查资料已用于海洋科学研究和海洋开发研究，并发挥了重要的作用，收到了明显的经济效益和社会效益，2001年底通过了国家科技部的评审验收。

【WDC-D数据库群及产品库建设】 为了提供快速、高效、准确的海洋基础数据信息及其产品的公益服务，提高海洋基础数据信息共享服务水平，满足用户的需求，确保数据库的安全性和完整性，在国家科技部批准立项的“地球科学数据库系统（WDC-D）——海洋学科数据库群建设”项目的支持下，国家海洋信息中心进行了国家级的海洋资料数据库群总体方案的设计与建设工作，克服了以往数据库建设的不足，在深层次上对海洋资料数据库群信息体系进行重新规划与设计，确立了统一的海洋资料信息结构、数据项编码标准，对不同数据库进行了数据的融合和同化，首次实现了统一平台下的集成，使得数据库群具有很强的适应能力，为实现海洋基础数据信息管理与共享服务奠定了基础。

根据国家科技部WDC-D基础海洋学科数据库群建设子项目的总体要求，2001年国家海洋信息中心完成了WDC-D基础数据库的基础数据库设计、数据加载和应用系统开发。生成的数据集有：南森站资料数据集（1GB）；海洋表面气象数据集（8GB）；海流数据集（表层海流4.6万站次和ADCP海流资料3万站次）；中国沿岸海洋站观测资料数据集（14个海洋站）；海洋地质、地球物理数据集（0.3GB）；海洋污染数据集；海洋生物数据集；海洋浮标资料数据集。该项工作是国家开展国家海洋信息化工程建设的重要组成部分，将大大提高中国的海洋资料管理水平和海洋信息服务的业务化水平。

【上海示范监测海区延时数据库建设】 建立上海示范监测海区延时数据库系统是国家“863”计划818-01-04课题中的主要子课题，其目的是利用上海示范区海洋历史环境监测数据和818-01专题所研制的近海海洋环境自动监测系统（818-01-01）、高频地波雷达监测系统（818-01-02）和海洋遥感环境监测系统所获取的数据，在上海建立海洋数据处理系统，对海洋环境监测数据进行预处理后建立延时数据库，运用统计、分析等处理方法，进行信息综合处理，并制作信息产品。长期、连续、准确地完成示范区域内的海洋水文、气象等环境要素监测数据的处理和分析，制作出满足示范区的减灾、防灾、海洋和海岸带工程以及海洋环境评价服务的信息产品，向各级用户提供各种形式的服务。

国家海洋信息中心在调研的基础上完成示范试验监测延时数据库的总体设计和详细设计，编制了《示范监测海区海洋环境数据库系统建设实施方案》，确定了组成延时数据库系统的数据预处理子系统、数据库管理子系统、统计分析和产品制作分发子系统的主要内容、功能、技术指标和实施步骤。对该系统的设计目标、基本功能进行了分析研究，对系统的资料预处理模块、管理模块、统计分析及产品模块进行了设计。已经完成了示范区延时数据库中的台站库、海洋气象库、温盐库、海流库、浮标库、地波雷达库、海床基库、石油平台库和图形产品库。该课题中所使用的资料处理技术、数据统计分析、数据库和数值及图形产品制作技术在国际上居先进水平。

（国家海洋信息中心数据中心）

海洋情报服务
Marine Information Service

【海洋情报研究和服务】 海洋情报研究和服务作为海洋信息工作的一种形式，各级海洋管理决策的科学化，为有效地维护国家海洋权益、合理开发利用海洋资源、保护海洋生态环境，实现海洋资源、环境可持续利用的海洋管理提供必要的参考依据。在2001年内开展了《国外海洋强国战略研究》的专题研究，该工作是“海洋强国战略研究”的组成部分。已完成了美国、英国、印度、法国、日本等国家的海洋发展战略分析研究报告，从海洋经济发展、海洋政策、海洋科学技术等多角度对国外海洋强国战略进行深入研究，为中国制定海洋强国战略提供借鉴参考；完成了《中国海洋科技发展与展望》（中文、英文稿）的编写工作；着手进行《全国海洋经济发展规划》中的“海洋经济分区”的研究和全国海洋经济规划图的编制工作；完成了《关于海洋管理体制问题》报告的编写；完成了《国内外海洋规划管理信息及技术方法研究》报告的编写。为了全面了解红树林开发和利用情况，有关部门组织制订了《红树林开发利用规划》（中文、英文稿），对红树林管理的概况、开发利用、重点项目等内容进行了详细的分析和规划；完成了《海洋权益信息系统建设项目建议书》的编写，对系统建设项目的必要性、可行性、目标、建设内容等6个部分进行了设计；进行了《大城市海岸带管理体制建设》报告的编写。

【海域管理信息服务】 为了推动全国海域管理工作的信息交流，提高管理者的海域管理意识，根据海域管理工作的实际需要，在国家海洋局海域管理司的安排组织下，创办了《海域管理工作通讯》，这是第一册围绕海域使用管理主题进行宣传的内部期刊，是配合《中华人民共和国海域使用管理法》颁布实施的信息交流新渠道。在海域勘界成果报告的整编和出版方面，完成了《辽宁省人民政府和河北省人民政府海域行政区域界线协议书》、《辽宁省和河北省间海域行政区域界线方案》、《辽宁省和河北省间海域勘界报告》、《辽宁省和河北省间海域勘界资料汇编》、《福建省人民政府和广东省人民政府海域行政区域界线协议书》、《福建省和广东省间海域行政区域界线方案》、《福建省和广东省间海域勘界报告》、《福建省和广东省间海域勘界资料汇编》，制作了海域勘界成果报告光盘集；完成了《全国海域勘界文件汇编》、《海域使用和岛屿归属争议文件汇编》的资料收集和整理分析工作。继续进行《中国海砂资源分布图》(1：300万)、《中国黄渤海海砂资源分布图》(1：150万)、《中国东海海砂资源分布图》(1：150万)、《中国南海海砂资源分布图》(1：180万)及说明书的编制工作。完成了《全国海洋功能区划》中第三部分“全国海洋功能分区”的编写任务。对国外海洋石油平台废弃处置的法规、管理规定、技术标准进行了研究；对国内目前海洋石油平台废弃处置状况，包括对现行相关规定进行研究分析，在此基础上，开展了海洋石油平台废弃处置技术标准及拆除方法研究工作。

【海域立法研究和服务】 2001年10月27日第九届全国人民代表大会常务委员会第二十四次会议通过了《中华人民共和国海域使用管理法》。在管理部门的统一组织协调下，各有关部门为该管理法草案的修改补充、专题问题的研究分析、配套制度的准备等进行了大量扎实的工作。在此之前根据各个阶段中的要求，针对专题问题开展了研究，为起草和修改工作提供了充实的背景材料。同时，开展了诸如《海域使用权评估、招标和拍卖制度》、《建立海域使用权流转市场》、《建立海域资源评估制度问题》、《海籍管理制度》等有关问题的预研究工作。《中华人民共和国海域使用管理法》颁布后，开展了相关配套管理制度的研究工作。根据安排，完成《海域使用金使用管理办法》和《海域使用申请审批管理办法》草案的起草工作，对办法所管理的范围、目的、宗旨进行了分析；对审批权限划分、申请与审批、招标与拍卖、海域使用权转让、海域使用权登记、临时用海等进行了规定，草案起草完成后分别提交有关部门进行讨论修改，为建立配套制度提供参考。另外，在研究国外海域使用管理法规制度基础上，组织编译整理的《国外海洋管理法规选编》正式出版，全书约60万字，是第一本系统地介绍国外海洋管理法规的汇编，对中国制定相关的海洋管理法规具有重要的借鉴意义，同时对中国的海洋管理也有一定的参考和应用价值。为配合海岛海岸带的管理和立法工作，开展了国外海岸带海岛法律制度研究，完成了《国外海岛法律汇编》、《海岛开发与生态破坏典型案例研究》、《领海基点岛屿管理资料报告》，参加完成了研究制订《海岛生态保护大纲》工作。

【海洋划界研究和服务】 海洋划界研究涉及到对划界技术方法的准备，进行划界背景基础资料的全面搜集和分析。海洋划界课题研究的政治性极强，如专门问题和特别现象在划界中的作用、各方面的认识和意见不相一致，观点也都不尽相同，这就需要做深入的研究和分析，在最大限度内维护海洋权益。同时海洋划界研究工作的难度极大，有些研究领域是过去划界研究中的空白或薄弱环节，有的问题在国内外均未进行过系统的分析。另外，海洋划界研究需要投入大量人力物力进行资料收集和分析，发掘各方面的证据和论点。针对海洋划界的实际需要，开展各国划界的主张、海域划界方法、自然资源和环境对划界影响、特别现象在划界中的作用，相关国家海洋立法以及海域划界国际案例等问题的研究分析活动，研究海域划界的实践经验，探讨国际海域划界的发展方向，分析海域划界重点需要解决的问题。通过对海洋划界问题的研究，积累起丰富的资料，掌握科学合理的海洋划界方法。

【海洋划界系统建设】 通过对海洋划界系统的开发和建设，实现海域划界手段从传统的研究方式向计算机化方向推进。从海洋划界实际使用的需求上来分析，海洋划界系统的建设应开发各种划界方法的研究、各种方案线的制作、设计，可对各种方案线的划界结果进行分析、评估，长度和面积量算，以及各种资源划分情况的评估、评价、预测等。另外，海洋划界系统建设应在广泛搜集有关海洋划界相关的背景信息资料的基础上，按照有关法规和文件的编录标准和数据库建设要求，对各类信息进行全面分析，建成内容广泛、结构合理、功能齐全，集信息搜集、处理、存贮、传输功能为一体的海洋划界背景数据库群，及时有效地为海洋划界管理机关、研究人员和相关的社会用户提供信息查询、检索服务。海洋划界系统在功能上可生成所需的地缘政治图件，包括生成重叠的或单独的地缘政治图件，周边国家的大陆岸线与岛屿岸线；军事警戒线；矿区线；大陆架线；大陆架分界线；周边国家领海基线、领海线；周边国家专属经济区；渔业协定暂定水域；共同开发区；划界主张线；能够自动生成所需的方案图，包括根据需要的海域划分方案图，如中间线海域划分图、等距离线海域划分图，及有关的随机调整海域划分方案图等。划界背景信息的收集应包括划界相关的规则、事实和海洋法专家知识，海洋法律条款，划界案例和国家实践等范例；海洋权益事件信息、有争议岛屿数据信息、划界研究文献信息等。

（国家海洋信息中心　胡恩和）

海洋文献服务
Marine Literatures Service

【全国海洋文献信息协调】 国家海洋信息中心文献馆继续履行全国海洋文献信息工作协调委员会办公室的职责，2001年度编辑发行了《全国海洋、水产部门预订2002年度外文原版期刊联合目录》。根据第二次全国海洋文献信息工作协调委员会会议达成关于“制作协调委员会网页，在中国海洋信息网上报道海洋文献信息工作动态，力争首先将各委员单位馆藏外文原版核心期刊的刊内目次联合上网”的共识，于2001年底在中国海洋信息网“海洋文献”子站点上（http://www.coi.gov.cn/literature）开通了“全国海洋文献信息协调”栏目，发布外文原版期刊联合目录和部分期刊刊内目次以及成员单位名录等。该项工作的实施，将有利于互通馆藏信息，扩大馆藏资源的报道范围，进一步提高海洋文献资源的利用率。

在当前国外书刊文献大幅度涨价而文献购置经费严重不足的情况下，各单位订购的国外原版书刊文献资料大幅度减少，海洋文献信息的协调共享作用也就变得越来越重要。通过国内主要涉海单位文献情报机构的努力，已建立起一定规模的海洋文献资源共享网络，以互惠的方式进行原始文献的提供服务。

【国家海洋数字图书馆规划与设计】 20世纪90年代以来，计算机技术和网络通讯技术迅猛发展，人类已经进入了一个数字化、网络化的新时代。

作为信息化社会发展的产物，数字图书馆建设逐渐成为一种趋势。

国家海洋信息中心文献馆作为国内最大的海洋专业图书馆之一，近40年来积累了丰富的国内外海洋文献资源，许多国外海洋专业图书和期刊在国内为独家收藏。为了充分利用这些宝贵的特色馆藏为全国的读者服务，更好地履行海洋文献公益服务的基本职能，国家海洋信息中心在2001年完成了国家海洋数字图书馆的规划与设计。

国家海洋数字图书馆的建设目标是利用国内先进的数字图书馆技术，建成集海洋文献业务自动化管理系统、数字化资源制作、发布及网站管理系统以及数据库联机检索服务系统于一体的国家海洋数字图书馆，通过Internet提供图书、期刊及音像等各种多媒体数据的检索与应用服务。

国家海洋数字图书馆建设大致分为三个阶段：

第一阶段，图书馆的业务自动化管理系统及数据库联机检索服务系统建设。采用通用的图书馆管理系统，进行图书、期刊、多媒体等各种馆藏资源的自动化管理与查询借阅服务，并在国家海洋信息中心设立电子阅览室；利用全文检索系统，建设中外文海洋文献数据库和多媒体数据库，通过Internet提供联机检索服务。

第二阶段，数字资源建设。利用国内领先的全息数字化技术，制作、发布本馆拥有的包括图书、期刊、音像等各种类型文献在内的中外文海洋专业特色馆藏，从而使建成的数字图书馆充分体现国家海洋专业图书馆的馆藏特点；同时，直接采购部分数字化文献，以弥补馆藏数字化资源的不足，丰富馆藏。

第三阶段，系统集成。通过国家海洋数字图书馆网站建设，对各个子系统进行有效集成，利用标准接口在各子系统间实现无缝连接，读者通过检索服务系统查到所需图书或期刊文献线索后，点击相关链接即可直接调阅文章的全文，从而实现真正意义上的信息共享。

【科技查新服务】 国家海洋信息中心于1997年被原国家科委正式批准为一级科技查新咨询单位。为了规范科技查新行为，国家科技部于2000年颁布了《科技查新机构管理办法》和《科技查新规范》，并于2001年对全国的科技查新机构进行查新业务资质认定，并举办了科技查新人员资格认证培训班，进行科技查新人员的上岗培训。国家海洋信息中心有3人参加了于2001年5月举办的全国科技查新人员资格培训，经考试合格取得科技查新资格。

国家海洋信息中心主要受理海洋科学、水产科学和环境科学领域的查新项目，为科研立项、科技成果鉴定与验收、专利申请等提供支持服务。2001年，国家海洋信息中心共受理并完成科技查新项目45项。

【编辑《赤潮专题文献目录》与网上发布】 我国沿岸海域是赤潮多发区。近年来，我国沿海连续发生大面积赤潮，使海洋环境严重恶化，海洋渔业资源遭到破坏，造成了巨大的经济损失。赤潮已成为我国的主要海洋灾害之一，引起了国家海洋行政主管部门和各级海洋管理、研究机构的高度关注与重视。对赤潮的监测、预报、防治及研究已成为我国海洋工作者的一项重要工作。

为了方便从事赤潮管理、监测预报、防治及研究工作的部门和人士了解和查阅参考文献，促进赤潮研究工作的开展，国家海洋信息中心文献馆继1991年1月编辑《赤潮专题文献目录》之后，于2001年6月再次编辑了《赤潮专题文献目录（1990.6～2001.5）》。该目录收录了1990年6月以来有关赤潮的中、外文文献题录共1 147条，按内容具体划分为一般问题、赤潮案例及危害、赤潮研究方法与设备、赤潮生物学、赤潮环境学、赤潮毒理学、赤潮发生机制以及赤潮的监测、预报与防治8个类别。其中大多数都能在国家海洋信息中心文献馆找到原始文献。

该目录除印刷本之外，还以文本和数据库方式在中国海洋信息网（http://www.coi.gov.cn）上发布，读者可以通过访问中国海洋信息网的“海洋文献”子站点免费浏览或查询检索。

（国家海洋信息中心　杨　鹰）

海洋档案管理
Marine Archives Management

【国家专项任务和海洋重点建设项目档案工作】 为保障国家海洋局承担的8项国家专项任务和12项海洋重点建设项目档案的齐全、完整、系统和有效利用，根据《国家档案局中央档案馆关于做好2001年国家重点项目档案工作的通知》（档发

[2001]8号）精神，于2001年9月26日做出《切实做好国家专项任务和局建设项目档案工作》（国海办字[2001]348号）的要求。

(1) 所有承担国家专项任务和局建设项目的单位，都要按照《中华人民共和国档案法》的规定，做好专项任务和建设项目档案工作。严格贯彻《国家档案局中央档案馆关于认真贯彻落实〈国务院办公厅关于加强基础设施工程质量管理的通知〉》精神，落实项目档案工作领导责任制，将档案工作纳入行政领导人责任制和各参建单位工程（技术）领导人责任制，确保国家专项任务和局建设项目档案工作的顺利进行。

(2) 要坚持国家专项任务、建设项目的档案工作与专项、项目建设工作同步进行。从项目筹划到竣工验收的全过程中，主管部门、专项任务承担单位、建设单位及使用单位都要按照国家档案局、国家计委联合发布的《基本建设项目档案资料管理暂行规定》（国档发[1998]4号）和《国家重点建设项目档案管理登记办法》(档发字[1997]15号)的要求，做好项目档案资料的收集、整理、保管、利用和档案管理登记等工作，不得滞后和断档。

(3) 国家专项任务承担单位、建设项目单位的档案主管部门要加强对国家专项任务、建设项目档案工作的监督指导、严格管理，认真履行职责，协调好各方面的关系，认真做好专项任务和建设项目档案的验收工作，及时研究、解决国家专项任务和建设项目档案工作出现的新情况、新问题，确保项目档案的完整、准确、系统。

(4) 对在国家专项任务、建设项目档案工作中失职或对工作造成损失的单位和个人，有关部门将依据《中华人民共和国档案法》予以严肃处理。 （国家海洋局　张连秋）

【海洋档案馆馆区和库区改造竣工】 此次海洋档案馆馆区和库区改造面积共848平方米，馆区与库区的设计思想是实用、美观、流畅、营造现代办公氛围。改造工程自2001年4月28日开始，9月24日完工，11月12日交付使用。整个改造项目涉及承载加固、自动喷淋灭火系统、防盗系统、电源、电话、网络、照明、防火防盗门、塑钢二层窗、吊顶、地面、房间拆改、墙体粉刷、控温控湿设施等十多个项目以及部分办公设备的购置。经改造的馆区和库区，库房、办公、阅览、复印、装裱和整理等档案工作区域布局合理、功能基本齐全，整个库房和办公环境提高到了新的档次，为大批海洋档案即将进馆提供了必要条件。

【“海洋声像历史资料抢救”子课题通过验收】 “海洋声像历史资料抢救”子课题是科技部下达的“海洋历史资料抢救”课题的一部分，已于2001年12月25日通过了科技部组织的专家验收。该子课题是对20世纪80年代以来国家海洋信息中心馆藏的1 600余盘涉及极地考察、大洋调查等多学科的海洋声像档案进行抢救性整理、回放、质量鉴定、制式转换、备份和分类编目，其中转制成PAL制BETACAM格式录像带500余盘。

（国家海洋信息中心　侯秀生）

【2001年度海洋档案事业情况统计】 主要包括“机构、人员”、“档案年度存档”、“档案年度利用”等情况统计。

2001年度海洋档案事业机构、人员情况（国家海洋局系统）

机构数（处、科、室）：21个；
全部档案工作专（兼）职人员：32名；
大专文化以上：17名；
中专文化以下：15名。

2001年度海洋档案事业机构档案年度存档情况

档案全宗：17个；
案卷：2 897 卷；
单位：1 276 件；
音像：42 盘；
照片：437 张；
底图：168 张；
磁盘：177 盘；
光盘：36 盘。

2001年度海洋档案事业机构档案年度利用情况（国家海洋局系统）

利用人次：3 725 次；
编史修志：628 卷次，38 件次；
工作查考：3 388 卷次，1 463 件次；
学术研究：1 249 卷次，52 件次；
经济建设：341 卷次；38 件次
其　他：371 卷次，68 件次；
档案资料复制：15 949 页数。

（张连秋）

海洋专利管理
Marine Patents Management

【海洋专利技术服务】 2000～2001年国内海洋界及相关单位在国家知识产权局申请专利保护的主要海洋专利技术项目如下：

新型电导率仪 CN 01216705 中国科学院海洋研究所

一种新型电导率仪，其特征是外壳内装有温度探头和电导探头，温度探头和电导探头通过电缆与显示仪表连接。所述的外壳中填充密封材料，下口通过螺纹连接一护罩，护罩的侧面和底面为网状或有孔。该实用新型的传感器可固定在远距离的现场；圆弧线形上盖使电缆不容易折断，确保了测量数值准确、可靠。

遥测水环境温度仪 CN 01216667 中国科学院海洋研究所

一种遥测水环境温度仪，其特征是内装温度探头和传感器，二者通过电缆与机箱内的数字转换电路板的输入端连接。该机箱正面上有数字显示屏，侧面上有计算机接口、打印机接口。所述的外壳外面装有护套，护套由外壳的下口向下延伸，它的侧面和底面为网状或有孔。该实用新型所监测的环境温度由数字显示屏幕显示，无读数误差。

自动溶解氧监测装置 CN 01216708 中国科学院海洋研究所

该实用新型涉及一种自动溶解氧监测装置，它包括由阴极、阳极、其间的电解液与其外密封保护层及透氧膜构成的探头以及电缆和带注液孔的外壳，其特征是它还包括包容并固定于外壳上的一个管状过滤网罩，且在该过滤网罩上端设有吊环，下端则设置一只磁力搅拌器。其特点是能长期自动地进行检测，测量准确方便，特别适合养殖场、水库、湖泊及海洋等场合使用。

一种海洋用钢的防腐蚀方法 CN 00111047 中国科学院海洋研究所

一种海洋用钢的防腐蚀方法，包括先将钢铁部件的表面通过喷砂进行预处理，再使用火焰或电弧喷枪依次喷涂锌涂层和铝涂层或铝锌铝合金涂层，最后在上述金属涂层表面涂装有机涂层进行封闭处理。所述的有机涂层为氯化橡胶涂层、环氧树脂漆涂层或高氯聚乙烯涂层。该发明的防腐蚀方法保护钢铁部件在严酷的海洋环境中的安全服役时间在20年以上，效果良好，并能大大降低防腐施工成本。

波高倾斜一体化传感器 CN 00211653 中国科学院海洋研究所

该装置属于一种海洋领域测试技术，有可以测量波高及倾斜的传感器，两传感器安装在一起。其结构是由平衡环、摆锤、重力加速度计、两个相互垂直的角度计及测量电路组成。其平衡环由一万向节组成，万向节下端连着一摆锤，重力加速度计放在平衡环下面的摆锤内，在万向节两个相互垂直的轴上固定有两个正交的角度计，利用装在一起的传感器信号通过微处理器测量波浪。具有结构简单、安装使用方便、测量精度高等优点。

微生物腐蚀快速测量探头 CN 01216709 中国科学院海洋研究所

一种微生物腐蚀快速测量探头，它包括工作电极、辅助电极和参比电极。其特征是上述三只电极包容在一只相应的容器内并固定于容器的上盖，容器下端设有靠近下盖的过滤网，上述工作电极的上端设有可以随时更换该电极的螺栓，以方便测量不同材料的微生物腐蚀情况。其优点是可选取不同材料的电极；工作电极可随时依需要随时更换；能方便测量不同材料的腐蚀速度；还可同时测量其腐蚀电位参数和由微生物引起的点蚀电位。

一种防污损的腐蚀监测探头 CN 01216461 中国科学院海洋研究所

一种防污损的腐蚀监测探头，包含有电极、电缆和外壳。其特征是在外壳中装有微孔陶瓷架，电极放在微孔陶瓷架上。由于采用了微孔陶瓷架，可以使海水能够自由透过，而海生物却不能穿过；也由于电极与被测金属之间的距离较短而且恒定不变，避免了由于电极与被测金属间距离互不相同所造成的测量误差，并延长了使用寿命。

一种长期自动监测pH值的复合电极 CN 01216462 中国科学院海洋研究所

一种长期自动监测pH值的复合电极，包含有电缆、复合玻璃电极和护套。其特征是在护套的下口处装有微孔陶瓷钢性过滤件。所述的在护套内还装有防污损器件。本实用新型的玻璃复合电极的探头得到了保护，也能防止生物附着，使用寿命长，可用于养殖场、水库等江、河、湖、海洋环境的长期准确地自动监测。

防生物污损银/氯化银(Ag/AgCl)参比电极　CN 01216464　中国科学院海洋研究所

一种防生物污损银/氯化银(Ag/AgCl)参比电极，其特征在于参比电极的外面装有防生物污损的护套。所述的护套由两个半圆形护套所组成，它们之间用螺栓固紧。该电极可以防止海洋生物的附着，延长电极的使用寿命。

一种新型的防腐防污装置　CN　01216706　中国科学院海洋研究所

一种新型的防腐防污装置，其特征是有二个钌钛电极、一个参比电极和监测探头，它们通过电缆分别与电解器、恒电位仪和测控仪的接线柱连接，并装有报警器。该装置使被保护体电位恒定在保护电位处，以防止被保护体腐蚀；能产生高浓度次氯酸，驱赶或杀死附着生物，以防止被保护体的附着腐蚀；并能监测保护效果，预报保护的失效，以确保海上安全生产。

水下沉积物腐蚀因子原位检测装置　CN 01216889中国科学院海洋研究所

一种水下沉积物腐蚀因子原位检测装置，其特征是筒形壳体的侧壁上有多排检测孔，它的上、下部分别装有上紧固套和下紧固套。它的优点是：①沉积物中腐蚀因子及其他因子可原位检测；②能观察样品各层次的面貌；③钢制的下紧固套下口的边缘既坚硬又锋利，使得取样省力、省时。

模拟海洋环境腐蚀试验装置　CN　00214700　中国科学院海洋研究所

一种模拟海洋环境腐蚀试验装置，其试验槽体装有虹吸管和造波器，槽体内装有试片架，造波器有一活动板，电动机的机轴上固定一偏心轮，偏心轮通过连杆与活动板连接。该实验装置结构简单，造波均匀，波形固定试验槽中各部位试片的环境彼此一致，使腐蚀速度的试验结果可比性好，便于对试验结果进行分析研究。

海洋腐蚀试验槽　CN　00214804　中国科学院海洋研究所

一种海洋腐蚀试验槽，其槽体侧面装有虹吸管，槽体内装有试片架和造波机，其特征是所述的造波机的电机轴与带有叶轮的横杆连接。优点是造波均匀，波形稳定，能排除底泥样品之间的相互干扰，并能使这些样品中的海水与新鲜海水保持一定的交换度。

海底土腐蚀试验装置　CN 00214698　中国科学院海洋研究所

一种海底土腐蚀试验装置，其特征是试验装置的试验管的上口装有多空性泡沫塑料塞，下口装有活塞，多空性泡沫塑料塞的顶上有一层多空性塑料编织件。该实验装置所涉及的海底土腐蚀试验装置，在测试和转移过程中能保证海底土不流失，试验过程中海底土中的间隙水能继续与大洋水沟通，并维持原有的与海水交换速度。

红藻多酚抗逆生长调节剂的制备方法　CN 00110952　中国科学院海洋研究所

一种红藻多酚抗逆生长调节剂的制备方法。它充分利用中国丰富的红藻资源，基本工艺流程为红藻→用海水洗净→切碎→乙醇溶液（70%～80%）浸泡（1～2天）→过滤→母液→真空蒸发（40～60℃）浓缩制备而成。其制品能刺激作物对水分和养分的吸收、促进根系发育、增强抗旱和抗病能力；从而提高作物的产量和品质，广泛地应用于农作物和蔬菜的浸种、喷洒及灌根，增产达1～2成，而且工艺简单、使用方便、是理想的天然高效抗逆植物生长调节剂。

超集约海水养殖箱　CN 00212444　中国科学院海洋研究所

针对传统的海水养殖箱存在的弊端，设计了新型海水养殖装置。它是由生物净化系统、恒温增氧灭菌系统和化学过滤净化系统等部分构成，其特征是多种净化系统均安装在净化过滤箱内，沙滤净化系统设有沙滤层、沙滤球阀、沙滤导管，沙滤层上部设有回水管和使海水均匀落于沙滤层的滤水板，并与沙滤管相连通，沙滤层底部设有塑料网层和收集器，沙滤导管与生物净化系统、恒温增氧灭菌系统和化学过滤系统连通，化学过滤系统与磁力泵和上水管相连通。超集约海水养殖箱可广泛用于海产品养殖业。

一种酶抑制剂及其在防止贻贝堵塞海水管道方面的应用　CN 01107854　中国科学院海洋研究所

一种酶抑制剂，其特征是该酶抑制剂为硫脲、亚硫酸钠、硫酸二氢钾、硫酸氢钠或硫酸铵，它们的有效浓度分别为10～15毫摩尔/升、1～3毫摩尔/升、1～5毫摩尔/升、2%～4%和1～

3毫摩尔/升。把它用于防止贻贝堵塞海水管道，既能保证管道流畅，又保护了贻贝幼苗，是一种有利于生态保护的方法。

压力式波浪与潮位测量存储装置　CN 00228993　中国科学院南海海洋研究所

一种压力式波浪与潮位测量存储装置，特征在于其电路结构包括石英压力传感器、阻抗匹配电路、单片计算机、复位电路、数据缓存器、数据存储器和电源电路。石英压力传感器将波浪与潮位引起水柱高度的压力变化转化为电频率信号，经阻抗匹配电路输入到单片计算机进行测量。石英压力传感器的内部温度输出信号经阻抗匹配电路输入到单片计算机进行测量，对压力值作温度修正。所述的复位电路与单片计算机连接，提供单片计算机的电复位信号。所述的数据缓存器和数据存储器与单片计算机双向连接，分别用于波浪与潮位数据的缓存和存储，电源电路提供各部分电路所需的工作电源。

带有窥视窗的海洋测量仪器　CN 00228163　中国科学院南海海洋研究所

提供一种带有窥视窗的海洋测量仪器，结构特点是在仪器的外壳上设置一个由窥视窗座和透明窗盖组成的窥视窗。窥视窗座与仪器的外壳之间，以及透明窗盖与窥视窗座之间都是水密的。窥视窗内腔中设置有一开关和一显示装置，通过引线与仪器内的逻辑控制电路和电源相接。逻辑控制电路根据仪器不同的工作状态按不同的频率和脉冲宽度使显示装置闪亮。仪器操作人员可在仪器下水前通过观察“窥视窗”内的显示装置的闪亮情况，了解仪器的工作状态。

快速检测溶藻弧菌的试剂盒及检测方法　CN 01130127　中国科学院南海海洋研究所

该发明提供一种快速检测溶藻弧菌的试剂盒及使用这种试剂盒的检测方法。溶剂包括：①DNA提取试剂，含缓冲试剂A和细胞裂解试剂B；②PCR反应试剂，包括反应预混试剂C和反应引物试剂 D，试剂C含有10倍PCR反应缓冲液、热聚合酶和灭菌双蒸水，试剂D包括特异引物对 VP[01][5] — ATTGAGAACCCGACAGAAGCGAAG 和 VP[02][5]—CCTAATGCGGTGATCAGTGTTACTPCR、dNTP及$MgCl_2$；③电泳和显色试剂。所提供的检测溶藻弧菌的方法具有快速、准确的优点。

一种抗海水养殖动物弧菌病的混合疫苗及其制备方法　CN 00114083　中国科学院南海海洋研究所

该发明提供一种抗海水养殖动物弧菌病的混合疫苗及其制备方法。混合疫苗是由创伤弧菌、溶藻弧菌、副溶血弧菌、细小弧菌、河弧菌、哈弧菌和鳗弧菌等各弧菌菌种的单一抗原中的二种或二种以上混合而成。混合疫苗中各单一抗原每种含细菌量为1×10～2.5×10个/毫升。所制备的混合疫苗，对多种水产养殖动物有良好的免疫效果，能广泛地防御多种弧菌的侵袭。疫苗的制备方法还避免了使疫苗残留灭活药物的传统疫苗生产工艺的弊端。

栉孔扇贝三倍体苗种生产方法　CN 00111305　中国水产科学研究院黄海水产研究所

一种栉孔扇贝三倍体苗种生产技术，主要是解决影响卵子同步发育主要因素的调控技术和掌握适宜诱导参数，保证精卵质量，使卵子同步受精发育，利用6-二甲基氨基嘌呤（6-DMAP）作为诱导剂，保持一定药物浓度，掌握起始时间和持续处理时间。上述技术可用于大规模生产栉孔扇贝三倍体苗种，培育出生长快、个体大、出柱率高、抗病能力强的优良品种，经生产养成试验，可提高产量20%～30%，出柱率提高经济效益60%左右。

利用枯草芽孢杆菌的水产养殖环境生物修复方法　CN 00111307　中国水产科学研究院黄海水产研究所

利用枯草芽孢杆菌的水产养殖环境生物修复方法，将从养殖池中筛选到的枯草芽孢杆菌（Bacillus subtilis)通过发酵、分离、固定化，制成固体产品，投放到水产养殖池中，作用菌沉于池底后，快速繁殖并分解或转化水产养殖池中残饵、粪便等有机污染物，修复水产养殖环境，为养殖动物营造良好的生长栖息环境。该方法具有操作性强、无二次环境污染、对养殖动物无害的特点。

对虾流行病病原检测试剂盒及其检测方法　CN 00111336　中国水产科学研究院黄海水产研究所

该发明是对虾流行病病原检测试剂盒及其检测方法。盒内含有设计的研磨液等22种试剂和材料。白斑症病毒（WSSV）病原检测方法为：①采样研磨泡膜→②点样→③交联→④预杂交→⑤杂交→⑥加入抗体→⑦显色→⑧观察记录。设计了样品研磨液、预杂交液和地高辛标记的病毒DNA探针，使检测方法标准化、配套化、商品化，具有准确、灵敏、安全、方便的特点。

水面浮油胶凝剂　CN　00110988　青岛海洋大学

一种水面浮油胶凝剂，其特征在于用单一或多种$C_{[8]}$-$C_{[22]}$脂肪酸多羟基金属配合物作凝油剂。胶凝剂对水面上的原油、柴油、煤油、汽油、机械油、植物油等油类均有明显的凝油效果，在6分种内均能形成半固体胶凝物漂浮于水面，便于用丝网等机械方法将其回收。其凝油品种广、凝油速度快、凝油后油块粘度高、不对水体造成二次污染、对水面浮油回收防止油污染有实际使用意义。

天然海洋生物硒制品及其制备方法　CN　00129428　青岛海洋大学

一种天然海洋生物硒制品及其制备方法，属保健制品及其制备，用于预防和辅助治疗肿瘤和肝病等。其特征是该制品以鲜扇贝边和贻贝肉为原料分别经匀浆、离心取上清液、加硫酸铵离心沉淀、透析浓缩干燥得扇贝边提取物和经匀浆、酶解、脱色脱腥离心取上清液、浓缩干燥得贻贝提取物，两种提取物按一定比例相混合，粉碎过筛即得。具有原料丰富易得、工艺简单所需设备少、提取物系营养丰富的纯天然物、防病治病抗衰老等优点。

用6-DMAP诱导牡蛎三倍体的育苗方法　CN　01107849　青岛海洋大学

一种用6-二甲基氨基嘌呤（6-DMAP）诱导牡蛎三倍体的育苗方法，属海洋生物养殖技术，主要用于牡蛎养殖。其特征是该方法包括：解剖镜检分雌雄、先取卵子过滤和体外促熟、再取精子并按雌雄比(15～30)：1在23～25℃下进行人工受精、加入6-DMAP诱导、分池孵化、胚胎发育至D形幼虫时选入它池进行幼虫培育等步骤。具有方法较简单，可操作性强，便于直接推广应用，三倍体率稳定在70%以上，生长快，产量高，品质优，一年四季口味鲜美等优点。

养虾池补充水的防病快速处理装置　CN　00256806　青岛海洋大学

一种养虾池补充水的防病快速处理装置，包括一水泵和初级滤网，其特征是水泵的进水口伸入初级滤网内，水泵的出水口结扎次级滤袋，后者置于三级滤箱内；还有一消毒液输入器，它的出液口与水泵的进水口连通。该装置不需要处理水的贮水池，结构简单，工作效率高，能有效地除去疾病媒介生物和杀灭游离于水中的细菌病毒等病原体。

深海时间系列沉积物捕获器　CN　00263855　国家海洋局第一海洋研究所

一种深海时间系列沉积物捕获器，其特征在于由支撑框架、颗粒捕捉系统、样品收集转换系统和自动控制系统组成。支撑框架由无缝钛钢圆管和角铁圆环焊接成圆柱形，支撑框架上部安装颗粒捕捉系统，颗粒捕捉系统由锥形漏斗和嵌入漏斗上开口短圆柱状蜂窝巢结构构成，样品收集转换系统由定盘、携带采样瓶的动盘和驱动传动机构组成，自动控制系统由单片机、系统操作和控制程序模块、记录存储单元、时钟单元、高能电池、驱动电路组成，驱动传动机构与自动控制系统连接并置于电器舱内，电器舱设置在支撑框架的底座上。颗粒捕捉系统锥形漏斗底部与由直流微电机驱动的携带采样瓶的动盘颗粒接收孔对接，实现定时、分步收集海水中沉降颗粒物质样品。

浅海时间系列沉积物捕获器　CN　00264041　国家海洋局第一海洋研究所

浅海时间系列沉积物捕获器用于大陆架水域收集海水中沉降颗粒物质样品，它由支撑框架、颗粒捕捉系统、样品收集转换系统和自动控制系统组成。漏斗状的颗粒捕捉系统与由液压驱动旋转盘携带的采样瓶对接，收集海水中的沉降颗粒。自动控制系统按预先设定的时间系列和操作程序控制样品收集转换系统的液压驱动传动机构运转，实现定时、分步收集海水中沉降颗粒物质样品。

硒化多糖化合物及其制备方法　CN　00111262　国家海洋局第一海洋研究所

该发明公开了三种海洋新药产品及制备方法。这些新药对肾衰、血管病和肿瘤具有显著疗效，是低毒甚至无毒的药物。其中有抗病毒、抗HIV、抗肿瘤和提高机体免疫等广泛功能的硒化褐藻多糖，硒化壳聚糖，硒化红藻多糖，其中硒化红藻多糖还对淋巴细胞的分裂有显著的促进作用，具有抑制疱疹病毒复制作用。本发明的硒化多糖化合物是新的化合物，通过对本硒化多糖的光谱分析，证实该化合物真实存在。其物化性质既有共性，又有个性。其分子结构的构型、光谱分析、物化性质等都具有明显特征。

海水鱼二联弧菌灭活疫苗的制备方法 CN 00129465　国家海洋局第一海洋研究所

该发明涉及一种海水鱼二联弧菌灭活疫苗的制备方法：①从病鱼体内分离的鳗弧菌和付溶血弧菌，分别接种到2216-E固体培养基斜面上，并在28±0.2℃下培养3～4天；②然后将高压灭菌后的2216-E液体培养基注入无菌的生物反应器中，鳗弧菌和付溶血弧菌分别培养，反应温度保持30℃±0.2℃，搅拌速度为600转/分钟，通气量为4升/分钟，培养24小时左右，反应器内溶氧趋于平衡时，菌体量达到高峰，停止反应；③取出菌液，加入0.5%（V/V）福尔马林液，静置24小时；④静置后，以4 000转/分钟离心15分钟，分别收集沉积的、得到灭活后的付溶血弧菌和鳗弧菌；⑤将两种灭活的菌体按1∶1比例混合制成二联弧菌灭活疫苗。现场可进行投喂或浸泡免疫，其制作和投予方便安全且免疫效果好，能有效防治鱼类的皮肤溃疡、眼球混浊及由该2种病原引起的其他疾病。可广泛用于海水鱼养殖中。

海水鱼淋巴囊肿病毒的纯化方法 CN 01107824　国家海洋局第一海洋研究所

一种海水鱼淋巴囊肿病毒的纯化方法，将微孔滤膜过滤法和蔗糖密度梯度离心法相结合。其特征步骤是：①取病鱼体表囊肿物20克左右，用无菌生理盐水多次洗净，再用组织研磨器研碎，然后加无菌TE缓冲液200毫升，在室温下和-20℃冻融4次，之后将上述融液用孔径为8微米、3微米、0.8微米和0.3微米的微孔滤膜从大到小依次抽滤，再将滤液移入透析袋中用聚乙二醇2 000浓度缩至7毫升左右，便可取得该病毒悬液移入无菌的试管中；②将配制好浓度为50%、40%、30%、20%和15%的蔗糖溶液，各取1毫升，依次注入离心管中、并静静重层，然后，吸上述滤膜过滤的病毒悬液1毫升，静静注于离心管内重层的蔗糖溶液上方2 400转/分离心2小时，离心后即得纯度高的病毒。该发明的特点是可以获得高纯度和高得率的淋巴囊肿病毒，以满足制备疫苗或作为病毒基因学、致病基因筛选和克隆技术使用的病毒。

便携式实时全光纤荧光光度计 CN 01262164　国家海洋局第一海洋研究所、燕山大学

便携式实时全光纤荧光光度计，它有荧光激发装置、荧光接收装置、参考光学装置与包括探头和探测器相应光学系统，单片机控制装置与电源，其特征是探头是一个不含任何其他光电部件的水下实时探测的全光纤探头，即由导光测量光纤和遮光探测腔体组成，且探测器采用低压硅光电二极管，其特点是体积小、重量轻、携带操作方便、电绝缘性好、抗电磁干扰性强、灵敏度高、动态范围宽、且价格低廉，是海洋环境检测水中矿物油的理想仪器。

水下实时光学探测的光纤探头 CN 01262165　国家海洋局第一海洋研究所、燕山大学

该实用新型涉及一种水下实时光学探测的光纤探头，有可以分别连接到与其相配适的光度计壳体上的光纤耦合器上的入射光纤、接收光纤和参考光纤及光纤连接器组合的光纤束构成的导光测量光纤和遮光探测腔体两部分相固定连接组成。其特点是结构合理，使用方便，只需将其分别固定在船甲板上的光度计主机光纤的探测端，即可方便迅速地实时进行水样光学参数的检测。

日本对虾肌动蛋白基因启动子 CN 00111337　国家海洋局第三海洋研究所

一种能引起在日本对虾体内表达外源蛋白或反义RNA的DNA转录载体系统，该转录体按操作顺序包含：①4种来自日本对虾的肌动蛋白基因启动子；②能引起RNA序列生成的结构DNA序列；③3种来自日本对虾的肌动蛋白基因的终止子，它在日本对虾组织细胞中的功能是使转录终止并在RNA序列加入多聚腺苷酸。

海水声速仪 CN 01271004　国家海洋技术中心

一种利用定程共振干涉法的新型海水声速仪，在石英晶体压电换能器与反射玻璃镜构成的声学谐振腔内产生超声驻波，被测海水声速由 $v=2d\triangle f$ 得出，公式中，v表示声速，$\triangle f$ 表示扫频电压相邻吸收峰之间谐振频率间隔，d 表示谐振腔内声传播单程距离。该海水声速仪体积小、重量轻、测量快捷，适用于各种水体，可以安装于水下载体上随时进行测量，也可以定点系留进行某区域长时间连续测量。

海水营养盐现场自动分析仪泵吸式光度计 CN 01271005　国家海洋技术中心

该实用新型涉及的泵吸式光度计是新型海水

营养盐现场自动分析仪的关键部件，由泵体、底座和控制系统构成。步进电机输出轴带动传动机构的齿轮转动，并通过传动齿条带动玻璃泵管内活塞往复运动，抽取海水样品和添加试剂。泵体端头安装单色微型光源，活塞前端安装光接受器，通过活塞移动测量变光程下海水样品和添加试剂的海水样品的光透射强度，从而实现海水营养盐的自动分析。

现场悬浮沙粒径谱测量仪 CN 01271006 国家海洋技术中心

一种海水中现场悬浮沙粒径谱测量仪，利用半导体线激光器照亮薄层海水，由CCD照相机拍摄下海水中悬浮颗粒散射光的散斑图，计算机分析散斑的大小和数量，获得反映海水悬浮沙颗粒大小和分布的悬浮沙粒径谱。该测量仪可以在各类海洋工程建设、海岸带环境科学研究中广泛应用。

海洋传感器时间常数测量装置 CN 01279098 国家海洋技术中心

该实用新型是一种测量海洋传感器时间常数的装置，外形呈长方体水槽，水槽内装有快速打开和关闭的隔板拉门，使水槽分成测量参数值不同的两部分，进而在海水体中建立一个海洋参数阶跃界面。水槽上面水平导轨上的滑块带动固定其上的支架上的传感器，快速穿过海水参数阶跃界面，实现海水传感器时间常数的测量。

海洋传感器压力效应测试装置 CN 01279099 国家海洋技术中心

该实用新型涉及海洋温度传感器和电导率传感器在深海高压条件下测量值变化的检测装置，由恒温水槽、压力罐、油水分离器、活塞压力计和手摇压力泵构成。被测传感器置于压力罐内，活塞压力计和手摇压力泵通过油水分离器给压力罐内海水加压，实现了在60兆帕压力下海洋传感器压力效应测量。该装置为海洋传感器实验室计量检测提供了重要技术手段，保证了海洋传感器在海洋环境特别是深海使用中的测量准确度。

微型非金属电极电导率传感器 CN 01279100 国家海洋技术中心

一种微型非金属电极电导率传感器，由电极体、信号转换电路和微处理器组成。采用了半敞开式电导率导流孔结构设计和非金属玻璃碳电极，具有耐极化和耐腐蚀特性，不受电极体电导率薄层流和感应体内边界层流的影响，适用于海洋、河流中电导率和盐度的测量，测量准确度高、稳定性好、现场使用方便。

海洋台站观测网的模块化系统 CN 00111235 山东省科学院海洋仪器仪表研究所

一种海洋台站观测网的模块化系统，它由气象观测模块、水文观测模块和波浪观测模块且分别经过232串口与中央控制装置的COM 8、COM 6 和 COM 7 接口相连而组成。该中央控制装置还包括相应的程序软件与打印机的实时编报、标准文件生成、报表生成、曲线生成模块和网络服务模块，以及远程实时画面传输模块和语音服务模块组成。它能按不同场合的具体需要采用可供选择的模块及其组合完成相应的任务，以达到灵活便捷、准确实时全天候全自动地完成观测参数。

微波潮位传感器及其用途 CN 00127107 华东师范大学

该发明涉及一种微波潮位传感器，属微波海洋深测技术，由天线、带通滤波器、环行器、同轴一波导转换器、压控振荡器、混频器、潮位信号处理单元、三角波信号发生器和直流稳压电源组成。工作频率高，能避开卫星通信和导航雷达信号的干扰，易于安装和探测潮位精度高，特别适于与智能潮位处理单元组成微波潮位仪，用于对海洋潮位进行长期和安全的探测和监视。

非接触式六自由度运动测量与分析系统 CN 00125886 上海交通大学

一种非接触式六自由度运动测量与分析系统，包括信号产生和信号采集分析 2 个子系统，3 个不在一条直线上的LED红外线发光源组成一个灯架，固定在测量目标上，2 个PSD摄像头成直角布置，在测量区域附近形成一个测量直角坐标系统。通过两套PSD同时测量模型上 3 个点的运动坐标，为计算模型在空间的 6 个自由度运动提供了必要的测量数据，配套的软件对种种光学视角误差的修正使分析结果更为精确。该发明可以用于海洋工程、机械等的模型试验和实际测量。

海洋回波模拟与定标装置 CN 00232196 武汉大学

本实用新型公开了一种海洋回波模拟与定标装置，包括屏蔽盒，分频器，调制电路和延时电路。这种装置可产生两种模拟回波：①模拟探测目标距离的回波信号，它通过对射频信号延时一个固定时间来得到；②模拟探测目标运动速度的回波信号，它根据多普勒原理使回波谱中包含有相应的多普勒谱的成分。本实用新型采用相干信号，保证了模拟回波信号的稳定与可靠。

泥沙采样装置　CN 00255990　中国科学院测量与地球物理研究所

该实用新型公开了一种泥沙采样装置，它包括一个铅锤厢外壳和稳定翼，其特征是稳定翼通过两个对开的半圆型活页套固定在取样管前部，钩卡与半圆型活页套相连，稳定翼绳固定在稳定翼上，铅块、钢板连在铅锤轴上，铅锤绳固定在绳钩上。该装置结构简单，操作方便，能在百米的水体中采集底泥样品，并能取得长达 2～4 米的柱状连接样品。

水下自动伸张测量臂　CN 00250111　中国地质大学

一种水下自动伸张测量臂，包括一个中空的电极管，与本体相连的一端由卡接在本体护板上的卡套将电极管与护板卡住，外侧由固定螺母及锁紧螺母卡紧，沿电极管轴线的中部，分成两段，由铰链套将第二段电极管连接，使其分别处于向下耷拉的闭合状态及水平伸直张开的这两种极端位置上，使电极管的测量端头伸向更远海底的座标处进行数据采集。

声学释放器卧式安装脱钩连接架　CN 00254525　中国地质大学

一种声学释放器卧式安装脱钩连接架，其特征在于：包括左托架、右托架、脱钩装置；左托架由前托片、后托片和螺栓构成，前托片和后托片通过螺栓固定在声学释放器左端；右托架由前托片、后托片和螺栓构成，前托片、后托片通过螺栓固定在声学释放器右端；脱钩装置包括挂钩、转向架，挂钩空套在销轴上，销轴固定在与声学释放器固连并带有槽口的支架上；挂钩上部设有槽形孔，槽形孔中装有带扁头的转动销，转动销装于声学释放器右端；转向架空套在螺栓轴上，螺栓轴固定在与右托架固连的支承板上；转向架的上部设有可与挂钩啮合或脱离的固定轴，转向架的右部设有可与配重块上的锚链啮合或脱离的链轴。本实用新型解决了将立式安装的声学释放器进行卧式安装，并能实现与锚链脱钩的问题。

采集海底大地电磁信号的组合电路集　CN 00254526　中国地质大学

采集海底大地电磁信号的组合电路集，在承压舱的密封空腔内一半的位置空间安装着组合电路集的固定架，固定架上平行地支撑着电路板，电路板间连通着一组信号馈入及馈出的导线，所述平行支撑的电路板布有 4 部分电子线路，它们是：将馈入的电、磁场信号进行前置放大、主放大的放大电路部分；数模转换的数字电路部分；数据存贮、处理的电路部分；辅助参数测量电路部分；这种组合电路集可使海洋大地电磁信号的采集及数据处理、存贮、显示工作均自动完成，可使海底深处的参数测量更准确、快捷，探测范围更广。

两分量海底大地电场仪总成　CN 00254755　中国地质大学

一种两分量海底大地电场仪总成，包括有浮球、声学释放器、海底电磁测量仪器承压舱、电场传感器水下伸张测量臂、用作挂重的梯形台水泥墩以及安装上述部件的仪器箱体和底座。所述底座是一中心部分具有梯形凹槽的井字形框架，3 个浮球装在箱体的顶部，在其上方的提梁与箱体的不锈钢构架相联，在箱体内部上方沿水平方向装置一海底电磁测量仪器承压舱和一个声学释放器，二者安装轴线相互垂直，在箱体内下部安装有 4 根沿水平 X、Y 方向平行错开伸出的其头部装有电场传感器的水下伸张测量臂，在底座下方，作为仪器下沉时挂重的整体呈十字形中心部分为梯形凸台的梯形台水泥墩，通过锚链，可调距的正反螺母机构及可脱开的挂钩与仪器箱体相连，其梯形凸台斜面与井字形底座的梯形凹槽斜面相匹配，此两斜面之间及底座与梯形水泥墩四周平面之间置有围成整圈的弹性橡胶缓冲垫，以及下水时可拆卸的木质垫块，在箱体的各侧壁上制有至少 2 个过水孔。解决了海洋探测中的特殊技术问题，包括密封、承压、防蚀、调平、防震以及在海洋条件下对仪器总体操作性能的特殊要求，例如必须尽可能地减少海水阻力及推力，下沉过程中姿态平衡，在海底能在静态下工作等问题。

桶型负压基础可移动平台的起浮下沉的控制方法及其装置　CN 00124978　大港油田集团有限责任公司、大港油田集团勘察设计研究院、中国石油天然气股份有限公司大港油田公司

该发明涉及海洋石油平台工程技术。平台下沉时对桶基内的气体卸压，抽气、抽水形成负压沉入海底；起浮时向桶基充气，克服淤泥摩擦，

平台上有测斜仪和泥面检测变送器，4个桶基内装有超声波液位计、压力变送器和潜水泵，潜水泵出口有电动阀；管线经电动阀与平衡罐连通，平衡罐上有真空泵、空气压缩机。计算机输入端与测斜仪、超声波液位计、压力变送器电连接，输出与电动阀、潜水泵、真空泵、空气压缩机电连接，该装置平台可移动，确保平稳下沉和起浮，实现自动控制，提高了平台移动的安全性和可靠性，减少了滩海工程的风险。

桶型基础气-水顶升式平台 CN 00103402 天津海王星海上工程技术有限公司

一种桶型基础气-水顶升式平台，由桩柱及具有桩柱升降孔的船体组成，桩柱上有齿条，船体上有固桩架配有齿销，船体内有平衡水仓，其特征在于所述桩柱下端有桶型基础，桶型基础上装有充排气——水管路。本发明的优越性在于利用桶型基础及其充排气——水管路即可实现平台顶升，从而省去了传统自升式平台通用的复杂电动液压式或电动齿条式顶升装置和配套的动力设施，节省平台造价，并且安装迅速易于搬迁。

海洋芋螺镇痛多肽的制备方法 CN 00128525 中国人民解放军军事医学科学院生物工程研究所

该发明公开了一种制备活性芋螺多肽的方法，包括线性肽的合成、线性肽折叠和肽纯化，其特征在于所述线性肽折叠是在0.1～2摩尔氯化钠或硫酸钠存在下在氧化还原系统中进行的。据该方法可以获得高效率高活性的芋螺多肽，适于规模化生产。

海洋真菌炭团菌多糖及其提取方法和用途 CN 01113557 南京大学

一种海洋真菌炭团菌（*Hypoxylon SP.*）多糖，其分子量为202000，它由葡萄糖组成，具有β-糖苷键，不含蛋白质和核酸，该炭团菌多糖有抑制小鼠移植Heps实体瘤和促进小鼠脾淋巴细胞的增殖作用，并促进小鼠细胞因子IL-2和TNF-α基因的表达。该发明公开了该炭团菌多糖的提取方法和纯化方法。

海洋活性肽食品添加剂的制备方法 CN 01114974 山东大学

该发明涉及一种海洋活性肽食品添加剂的制备方法，属于应用海洋生物技术领域。以蛋白酶产率高的芽孢杆菌为菌株，通过液体深层发酵生产蛋白酶制剂，酶解海产低值鱼类及贝柱下脚料，然后除渣、低温真空浓缩、喷雾干燥而成粉状产品。本产品富含游离氨基酸及功能短肽，活性肽≥40%，该产品具有营养、保健的双重功能。方法无废水排除，提供了一条海洋低值蛋白资源高值化、生态化利用的有效途径。

利用转谷氨酰胺酶制备海洋风味蛋白凝胶的工艺 CN 01127453 山东大学

该发明涉及一种酶法制备海洋鱼蛋白凝胶的制备方法，属于应用海洋生物技术领域。利用转谷氨酰胺酶酶解海洋低质鱼类及水产品下脚料制备海洋蛋白凝胶，转谷氨酰胺酶的制备是以链轮丝菌为菌株，以鱼粉、玉米粉、Na_2HPO_4、$MgSO_4$、酵母膏为培养基，液体发酵制得。海洋低质鱼类通过适冷风味蛋白酶酶解进行预处理，适冷风味蛋白酶的制备是以深海适冷菌假单胞菌为菌株，以豆饼粉、玉米、麸皮、山芋粉、Na_2HPO_4、KH_2PO_4为培养基，液体深层发酵制得。本发明的产品增加鱼凝胶强度，在陆地上制造高品质的鱼凝胶，在增加海洋蛋白风味的同时，显著改善了海洋蛋白的质构。

一种紫菜纯系培育方法 CN 01132162 宁波大学海洋生物工程实验室

该发明涉及紫菜细胞进行苗种培育生产技术领域，为提供一种紫菜纯系培育方法而设计的。其采用海洋植食性贝类蛋白提取液分解紫菜未成熟叶片产生单细胞或者原生质体，然后进行培养或诱导染色体增倍生成二倍体丝状体纯系，雌雄同体的种类，可将培养出来的叶状体单独培养至性成熟，使其自体受精，产生纯合的二倍丝状体，从而进行保种或苗种的生产；对于雌雄同体或雌雄异体的种类，经过染色体增倍直接获得的完全纯合的紫菜丝状体进行放大培养，用于保种或苗种生产。它能选择个体性状优良的个体为材料培育出的纯系紫菜，由于子代不出现分离，完全保持亲本的所有优良性状，所以栽培紫菜在产量和质量上会有较大的提高，适合在紫菜苗种培育上推广使用。

用海洋聚球藻制备的人肿瘤坏死因子α口服剂 CN 00130027 中国科学院植物研究所

该发明涉及一种人肿瘤坏死因子α口服剂，含有表达人肿瘤坏死因子α（hhTNFα）的海洋蓝藻。该口服液可直接作用于消化道的肿瘤。

（国家海洋信息中心 崔立增）

海洋科技篇

Marine Science and Technology

OCEAN YEARBOOK

海洋科学研究
Marine Scientific Research

海洋科技发展综述
A Summary of Marine Scientific and Technological Developments

【概况】 2001年，中国海洋科学技术根据国家“十五”科学技术发展的总体方针、政策和规划，全面实施各项海洋科技发展战略。在海洋高新技术研究与应用、重大基础研究、关键技术攻关、基础研究性和公益性研究、近海和大洋调查以及海洋科技开发等方面，海洋学科和领域得到了国家和部门等的高度重视和支持，一批与国家需求密切相关的项目和课题得到资助。“十五”期间，国家高技术计划（“863”计划）资源环境领域设立了海洋资源开发技术、海洋生物技术和海洋监测技术3个主题，每个主题均围绕国家重大需求、高新技术前沿、高技术产业发展确定了重要支持方向，第一批项目获得立项。“国家重大基础研究发展规划”高度重视海洋科学的发展，在资源环境、能源、农业等领域均有重要部署。2001年，“我国近海赤潮发生的生态学、海洋学机制及预测防治”获立项。“国家重点科技攻关计划”批准了海洋环境预报及减灾技术研究、海水循环冷却、海洋淡化、大生活用水、海洋信息技术、海水综合利用等项目和课题。海洋一号B卫星已列入国防科工委计划。一批海洋管理关键技术、科技兴海项目列入海洋科研计划。这些项目和工作将为海洋资源开发，海洋生态环境可持续利用，海洋公益服务，海洋权益和海洋管理，海洋经济持续快速发展提供重要的理论、技术和基础设施支持，也将为进一步形成海洋创新体系、提高海洋科技创新能力、缩短与国际海洋科技发展水平差距奠定坚实基础。

“九五”的一些课题继续取得了重大进展，获得了一批高水平成果。在国家重大基础性研究发展规划（“973”）、国家高技术研究与发展计划（“863”）、国家重点科技攻关计划、国家基础性和公益性专项、国家自然科学基金、国家计委高技术应用开发项目、海洋卫星及卫星应用专项以及科技兴海等一些重大的研究和开发计划的推动下，近海环流、海洋赤潮机理、海洋生态动力学、边缘海成矿机理、海洋监测技术、海洋生物技术、海底探测技术、海洋卫星研制、海洋卫星遥感技术等取得了重大进步，一些成果获专利，大大缩短了与世界先进水平的差距，个别成果为国际首创；大范围的近海和远洋调查任务进展顺利，获取了大量海洋环境、资源基础调查资料，并在海洋资源环境综合调查中再获重大发现；南北极科学考察进一步加强了我国在国际极地事务中的地位，国际海洋科技交流与合作成绩显著。国家批准加入国际ARGO计划这一大型海洋观测计划。全球海洋观测系统计划（GOOS）、全球海洋生态动力学（GLOBEC）、海洋科学钻探（ODP），海岸带陆一海相互作用（LOICZ）、全球有害赤潮的生态和海洋学（GEOHAB）东亚海计划渤海环境保护与管理、黄海大海洋生态系计划、南中国海北部生物多样性保护项目等一系列国际海洋科技合作计划、项目进展顺利，向世界展示了我国海洋科技发展的实力，提高了中国海洋科学地位。

总之，2001年，我国海洋科技工作面向经济建设主战场、发展高新技术及其产业、加强基础研究三个层次的战略格局进一步加强，形成比较完整地科学调查、研究与技术开发体系。在提高我国基础研究水平、高新技术水平的同时，缩短了与国际海洋科技发展水平差距。许多成果已转化、应用到实际海洋管理与海洋开发之中，一批高新技术产业示范基地运行良好，科技兴海推动了部分沿海省市海洋经济的发展，为海洋经济增长作出了新的贡献。

2001年海洋科技发展主要表现在以下几个方面：

海洋高技术

2001年是“十五”国家海洋高技术项目全面实施的第一年，第一批“十五”“863”海洋高技术课题获资助。在海洋资源开发主题、海洋生物技术主题、海洋监测技术主题共资助了108个课题。7 000米载人潜水器经充分论证列为重大专项。通过国家高技术发展计划和项目的实施，在“十五”期间，将针对我国当前发展海洋经济、开发海洋资源、保护海洋环境、维护海洋权益、减少海洋灾害、提高科技竞争力等国家重大需求，开发出一批技术含量高、具有自主知识产权的海洋资源开发关键技术，初步形成我国海洋油气勘探开发高技术创新体系，缩短我国海洋资源勘探开发技术与世界先进水平的差距，形成海洋生态环境快速现场监测能力和海洋动力环境实时立体监测能力，建立一批海洋高技术应用示范基地，造就一支高水平的科技队伍，为我国海洋事业发展新的重要贡献。

另外，一些国家、部门和地方资助的海洋卫星遥感技术、监测技术、海洋生物技术、海洋资源开发技术取得新的进展。

海洋卫星遥感技术进展：经过积极努力，海洋卫星规划工作得到了国防科工委的大力支持，取得重大进展。“十五”期间发射海洋一号第二颗海洋卫星已列入国防科工委计划，“十五”期间发射海洋二号卫星。已开展海洋二号卫星需求分析论证，提出了海洋二号卫星的初步需求和使用要求，为我国今后10年海洋系列卫星的发展奠定了基础。海洋水色卫星（HY-1）的地面应用系统建设进展顺利，已完成北京站、三亚站的设备安装调试及星地对接，进行了三亚站接收设备的初步验收，均处于正常、稳定运行状态，并进入运行阶段，资料处理软件的验收已完成，产品存档分系统、通讯分系统、运控分系统等设备研制基本完成，并均已集成到卫星中心地面应用系统中。应用示范分系统已完成建设方案设计及需求评审。并已确定应用示范单位，应用示范研究正在进行中。

神舟三号地面配合试验工作。地面处理系统第一期工程建设基本完成；完成了在轨同步观测试验方案的制订与编写；协调并确定了提供遥感器0级产品数据格式和模拟数据产品。完成在轨同步观测试验、飞船下传数据处理和应用研究。地面数据处理系统的第二期工程建设实施方案也完成评审，并基本完成了软件研制及集成；基本上做好了神舟3号飞船地面配合试验的各项准备工作。

海洋监测技术进展：针对维护海洋权益、发展海洋经济、保护海洋环境、预警海洋灾害等国家重大需求，国家“863”计划围绕着海洋动力环境实时立体监测系统技术、海洋生态环境要素现场快速监测系统技术、海洋卫星遥感综合应用技术、海洋航空遥感遥测技术、大洋渔业与环境信息获取及应用技术、船基海洋环境监测技术、海洋监测技术成果标准化工程7个专题方向，安排了第一批课题共40项。海洋生物病毒监测技术研究、辽东湾海域赤潮灾害的监测与预警评估研究、渤海海区赤潮灾害的监测与损失评估研究获国家计委高技术应用发展项目资助，以全面提高赤潮多发区的病毒PCR检测、赤潮卫星和航空遥感监测与信息处理技术以及赤潮损失评估技术的水平。

2001年度，船用声相关海流剖面仪（ACCP）首次海上试验获得成功，使我国成为世界上少数掌握了具有自主知识产权的ACCP技术的国家。我国第一套合成孔径声纳湖试样机动态成像试验获得圆满成功。“近海环境自动监测技术”的4个示范系统和12种仪器设备的技术水平全部处于国内同类研究的领先地位；大部分示范达到20世纪90年代中期国际先进水平；其余部分接近20世纪90年代中期国际先进水平。开发青海湖水文气象自动观测浮标系统，能够完成青海湖湖面上风速、风向、温、湿、压五个气象参数和湖水中温、盐两个水文参数的自动连续观测，一次布放可连续工作7个月。获取的数据经FY-2卫星传送到北京卫星地面站，用UHF波段传送到岸边接收站，该浮标系统是我国第一台高原湖水文气象浮标系统。也是我国“中国遥感卫星辐射校正场”第一台无人值守的水文气象站。

海洋资源开发技术进展：针对我国当前维护海洋权益、开发海洋油气资源和深海矿产资源的需求，在渤海大油田勘探开发关键技术、深水海域油气与水合物资源勘探开发关键技术、大洋矿产资源勘探开发技术、海底立体探测和成像技术、海洋油气资源开发的安全保障技术5个专题方向，安排了第一批课题12个。

沉积物来源、厚度与结构探测技术，形成以沉积物采集与现场测试技术，物质来源定量分离技术和深水高分辨率声学剖面探测技术等的技术集成。研制和开发了重力活塞取样器、浅海沉积物捕获器、深海沉积物捕获器、沉积物定量判识技术、深水高分辨率地震采集、处理与解释技术、沉积物磁化率现场自动测试系统，为我国开展水下探测设备研制奠定了技术基础。黄河断流对三角洲海上油气开发环境的影响及对策研究，论述了黄河断流和水沙变化所引发的国土资源建造速率减缓、海岸蚀退加剧和海上油气开发环境失衡所带来的严重影响，提出了应对黄河断流和水沙减少的可持续发展对策，为胜利油田的滩海油气开发和现代黄河三角洲的综合治理提供了理论基础。

海洋生物技术进展：在海水养殖种子工程、海水养殖动物病害控制技术、海水设施养殖与工程化技术、海洋药物的研究与开发、海洋生物制品的研究与开发、海洋生物重要功能基因的研究与开发和滩涂耐盐植物的研究与开发7个专题方向，安排了第一批课题56个，大力加强海水养殖优良种子、海洋新药和海洋生物特有重要功能基因的研究，寻求生态环境持续性发展。

海洋药物BSD对心血管药理作用的研究、海洋生物中抗肿瘤活性物质研究、海洋细菌天然色素的开发利用达国内领先水平。海藻活性功能物质的制取及应用研究对海藻色素、马尾藻碘晶、海藻天然抗氧化剂以及海藻生长剂进行较深入的研究，申报国家发明专利3项，建立和完善了4种产品的提取和浓缩工艺；生产出百吨马尾藻碘晶产品和千克级海藻天然抗氧剂产品；研制成功具有良好的市场应用前景的海藻碘盐；制备的新型海藻植物生长剂对农作物具有明显的促生长和增产效果，进入批量生产。

海洋关键技术

国家在海洋环境预报与减灾、海洋资源环境信息共享、水产化集约化及健康养殖技术开发与示范、海水综合利用等方面给予了高度重视，予以立项，2001年各项目全面启动。随着这些项目的实施，我国海洋防灾减灾能力将显著提高，促进海水淡化产业发展、海水化学资源产业的发展。

“海洋环境预报及减灾技术”列为“十五”国家科技重点攻关计划重点项目。主要内容包括进行海洋环境预报业务客观化和自动化技术研究，完善海洋环境预报实时信息传输系统；开展风暴潮、海浪、赤潮、三维温、盐、流场结构短期预报等重要海洋环境要素变异机理、预报技术研究，实现重点海区风暴潮漫滩、近岸近海海浪业务化数值预报、三维温流场准业务化、赤潮试验预报和厄尔尼诺数值预报。2001年主要是制定实施方案，进行模式研制和技术开发。

“水资源合理调配－海水利用产业化技术研究”为“十五”国家科技重点攻关计划“水资源合理调配”项目的课题，主要任务是在“九五”成果的基础上，开展低温多效海水淡化示范工程关键技术研究，建立起海水淡化示范工程，为我国海水淡化产业化奠定技术基础；通过海水循环冷却系统水处理药剂的系列化、关键装备的配套化，建立万吨级示范工程研究；针对海水水质研究新型海水净化絮凝剂和混凝剂，对取水、贮水及输送系统进行优化设计，在沿海城市建立大生活用水示范工程。2001年主要进行了技术方案设计、资料收集等工作，有关测试和标准设计及关键技术研究进展顺利。

“海水化学资源综合利用关键技术研究”主要是开发出海水提取硫酸钾、硝酸钾、磷酸二氢钾、碳钾、气态膜法海水提溴、离子交换法海水提溴等6项具有国际先进水平的工业化新技术，开发出十溴二苯钾基乙烷、氯化溴、硼酸镁晶须和阻燃型氢氧化镁等4种有广阔市场前景的高技术产品。2001年主要是制定实施方案，开展提取技术和制备扩试研究。

“膜法水处理工程技术开发”主要是实现海水淡化示范区与海岛生态环境保护同时规划，并提出规划方案；建立1～2项大规模膜法水处理工程；预计高硬度、高盐度苦咸水淡化日产水量达千吨以上，废水年处理量万吨以上。

另外，国家还资助了“水产集约化及健康养殖技术开发与示范”、“海洋资源环境信息共享”等课题。

大型近海和远洋科学调查与研究

“南北极科学考察”、“大洋科学考察与研究”、“海洋科学数据库”、“极地科学数据库系统建设”等基础调查与基础性工作皆获取了一批对我国海洋经济可持续发展、海洋资源开发、海洋环境保护、海洋权益维护和海洋综合管理具有重大意义的海洋基础数据资料和成果，进一步完善了数据库的建设与集成，取得了重要成绩。

科技工作者成功完成了对中山站、长城站考察，获取了宝贵的与全球变化相关的生态、环境、资源等调查资料，完成了“九五”课题验收报告，取得了一批重要研究成果。

全面完成了2001年大洋多金属结核矿产资源、深海生物资源勘查任务，开展了资源开发研究及对生态环境影响评价研究，一批“九五”成果结题，取得了一批国际先进水平的成果，为确定一块国际海底富钴结壳资源申请矿区、建立区域资源环境影响评价体系、完成多种深海资源开发战略以及缩短与国际水平差距打下了重要基础。

海洋基础研究

海洋科学升为一级学科。“十五”期间，国家对海洋基础研究给予了高度重视，在国家重大基础研究发展规划中设立了多个重要支持方向。2001年，“我国近海赤潮发生的生态学、海洋学机制及预测防治”获立项。四项已获立项的“973”海洋项目中，有三项已通过了中期评估，评估成绩良好，已取得了阶段性重要成果，“对虾白斑杆状病毒分子生物学研究”等成果达到国际先进水平。为了加强海洋科学研究资料基础建设，科技部还继续加强在基础性工作专项计划的项目支持。

“中国近海环流形成变异机理、数值预测方法及对环境影响的研究”在过去的近两年里，完成了规定的任务，取得了可喜的成果：首先，完成大部分海上补充调查，调查规模巨大，测站670个，布放潜标12个，浮标26个，全程ADCP测流，首次使用 LADCP与CTD同步测量温、盐、深、流，首次布放南海深水潜标，布放水深2 470米，测量时间210天，对深海环流研究具有重大意义；初步建立了中国近海环流基础数据库。第二，提出了大海区环流系统基本形态，部分开展环流现象与过程动力学研究。发现渤海盐度场巨大变化、发现东海的黑潮多核结构和逆流、巴士海峡黑潮涡旋脱落和诱生涡环、南海季风环流系统的涡环和急流、南海深层流等新现象，初步阐明了机制。第三，引进开发国际优选环流数值模式，有计划地研制有区域特色的近海环流数值模式。第四，为渤海环境整治提出基本分析结果，发表论文94篇，参加国际会议发表论文28篇。项目后3年计划通过评审，并获资助。

“东、黄海生态系统动力学与生物资源可持续利用”2001年工作重点仍然是海上调查。完成鳀鱼补充量专项调查、长江口春季水华跟踪调查、春季多学科整体调查和定点连续观测、春季（5～6月）鳀鱼产卵场跟踪调查；长江口三角架定点连续观测、中华哲水蚤专项调查。完成各种物理模型和水-底耦合数值模型的初步研究与分析。项目通过了中期评估，提交了阶段性研究成果，包括发表100篇论文。

“海水重要养殖生物病害发生和抗病力的基础研究”经过2年的努力，对虾白斑杆状病WSSV的分子生物学研究取得重要进展。完成了WWSV结构蛋白的分析与糖蛋白定位，cDNA文库建立、WSSV结构蛋白和对虾细胞膜的单克隆抗体等工作，其中WSSV结构蛋白的分析、襄膜弹性骨架、糖蛋白定位、病毒上的酶活性等研究在国际上首次开展，为防治虾病奠定了分子生物学基础。在对虾抗病的遗传学研究中，完成了中国对虾、日本对虾、斑节对虾和凡纳对虾遗传结构分析，初步建立了中国对虾抗病毒体系，开展了中国对虾抗菌肽基因克隆的研究，建立了PCR法用菌液快速筛选含有微卫星序列的重组阳性克隆的技术，表明中国海洋生物学研究已进入基因组时代。

“中国边缘海的形成演化及其资源效应”2001年实施了3次海上调查航次，初步取得了阶段性重要成果。为进行南海海盆扩张和陆缘张裂研究，完成综合地球物理调查测线2 290千米。为进行南海海盆启闭和弧陆碰撞研究，完成地球物理测线643.95千米。为进行冲绳海槽及其邻近海域沟－弧－盆体系及天然气水合物研究，完成多道地震（33道）1 390千米，磁力和测深2 037千米，柱状沉积物取样10个，拖网4个。在南海的永兴岛架设了流动地震观测台站，弥补了中国南海在岩石层结构研究中天然地震的空白。在学术进展方面，出版了“中国边缘海形成演化系列研究第一卷”。

“我国近海有害赤潮发生的生态学、海洋学机制及预测防治”项目，将选择环境特征典型、特大规模赤潮频发的东海典型赤潮高发区海域为主要研究海区，以渤海、广东沿海为比较海域，通过生物学、化学和物理海洋学多学科交叉综合研究，阐明我国赤潮高发区赤潮形成的生态学、海洋学机制，弄清赤潮危害的机理，提出“预防、控制和治理赤潮”的科学依据与对策，推动我国赤潮科学的发展。2001年，完成项目、课题任务书和经费预算书编制工作，制定了有关的项目管理办法。

“太平洋、印度洋暖池环流系统与海气相互作用预研究”列为国家重大基础研究发展规划前期研究专项项目。科技基础性工作专项进展良好。海洋科学数据库建设、海洋历史资料抢救、极地科学数据库和海洋药源生物库等4个项目进展良好，取得了阶段性成果。

国际合作研究项目成果显著。我国加入国际ARGO计划，将与美国等10余个国家和团体共同于2005年前建成一个由3 000个浮标组成的大洋观测网。“中日东海特定海区河流入海环境负荷及其对海洋生态系影响”在我国首次现场围隔实验，初步估算了研究海区氮、磷的环境容量，推动了海洋环境科学的学科发展，也为海洋污染总量控制提供了坚实的技术基础。“东海第四纪沉积地层和古环境研究”是中法政府间海洋科技合作项目和2个基金项目的综合。地震资料与钻孔分析对比表明东海第四纪环境演变与全球气候冷暖变化所导致的海面升降直接相关，冰期、间冰期的陆、海交替沉积地层在外陆架保存完好。冲绳海槽50kaBP以来气候极不稳定。“东海海洋通量研究”是中国在国际上率先开展的陆架海洋通量研究，它是“全球海洋通量研究”（JGOFS）的重要组成部分，取得了大批多学科基础科学数据，为进一步开展东海海洋通量研究奠定了基础，得出了“东海是二氧化碳的弱汇区”的结论。细菌在固碳过程中作用的研究也属国内首次。出版了2部专著。“中国海陆海相互作用及其环境效应”是我国第一项陆海相互作用（LOICZ研究项目）项目，得出了诸多有新意的多学科交叉性研究结果。

科技兴海和成果转化

继续大力实施科技兴海重要战略，加强科技成果转化，科技兴海项目效益喜人，科技成果转化成绩显著。通过海洋海水增养殖和病害防治技术、海洋生物深加工技术、海水农业技术、海水淡化技术、海洋药物开发技术、海洋监测技术等实用和高技术开发及成果转化，推动了相关产业的发展，16个示范区和8个技术转移中心取得了显著效益，一批海洋开发项目取得了重要进展，带动了沿海经济的快速发展。

一批海洋管理科研支撑项目取得了突破。“海洋功能区划管理信息系统建设”项目，从全局高度对国家级以及沿海省、市、县级的海洋功能区划管理信息系统建设进行统筹规划；开发并在全国推广了“海洋功能区划管理信息系统”软件，制定了第一个有关海洋管理信息系统建设的行业技术标准。《海域勘界技术规程》，借鉴国内有关专家对海域划界问题的研究成果及国际间海域划界惯例，引用我国现行相关技术标准，研究内容全面，对全国海域勘界工作具有技术指导作用。鱼虾育苗室水质化学要素自动监测装置，增强了海洋养殖的水质监测手段和提高自动化程度，减少了失误及投资风险。非自航式倾废航行数据记录仪可应用于海洋执法领域，主要对作业分散的非自航式倾废船进行倾倒监视，提高了海洋倾废执法能力。《海洋生物质量》GB18421-2001，2001年8月28日发布，2002年3月1日实施。该标准用于反映污染对海洋生物的影响，评价海洋环境质量，对海洋环境保护与管理有重要意义。

（国家海洋局科技司 辛红梅）

国家重点基础研究发展规划项目计划（“973”计划）
Project Plans for the State Key Basic Research and Development Programme (Project “973”)

（一）中国近海环流形成变异机理、数值预测方法及对环境影响的研究

【近岸水、陆架水及黑潮水相互作用与交换】 本课题为“中国近海环流形成变异机理、数值预测方法及对近海环境影响的研究”项目中的课题之一。最新进展为：

(1) 黑潮水在台湾东北水域的入侵。在台湾东北海区，黑潮流正面撞击彭佳屿-赤尾屿的东西走向陆架坡，造成部分黑潮水入侵陆架。在冬季大部分做反气旋运动而返回黑潮，另一部分向西北，然后沿100米等深线向东偏北流动，于北纬28°附近返回黑潮，还有一部分在台湾岛东北海域形成气旋式涡旋。夏季时只有台湾东北海域的气旋式涡旋。

(2) 台湾海峡水与入侵的黑潮水的相互作用。冬季以长江径流为主体的低温、低盐的浙闽沿岸水贴近海岸南下，于台湾海峡北部与来自南海的高温、高盐水相遇，两者混合形成一个沿岸变性水团，与该水团相匹配的是一个气旋式的环流。冬季台湾海峡水几乎对东海无影响，它被局限在台湾岛西北-闽北近海，广阔的东部、南部陆架区完全为入侵的黑潮水所控制；从3月中旬开始台湾海峡南部的高温、高盐水逐步向北推进。5月份来自海峡的高温水的前锋在50米以浅的水层已达到北纬30°附近，然而广阔东海陆架上的

底层水仍为入侵陆架的黑潮水；夏季，除台湾东北海区的气旋式涡旋带入部分黑潮水外，黑潮水基本被约束在陆架坡处向东北流。来自海峡的海水已成为台湾暖流的主体，它汇同浙、闽沿岸水，顺浙江近海北进到长江口外，并且在北进的过程中，上层水逐步从主体分离向东扩展，占据了东海南部陆架海区的上层，呈现羽状流的特征。在其下方的近底层水仍为黑潮水所占据。而且，因底厄克曼层向岸流的驱动，近底水更加迫岸，在浙江近海的海底斜坡处抬升，形成浙江沿岸上升流，在此同时，底层冷水也更向北，入侵到长江口外。冬季，台湾海峡冲出水的势力减弱，水舌前锋，退回到北纬29°附近。从台湾东北方海区入侵的陆架水势力增强。

(3) 黄、东海的水交换。冬季苏北沿岸水向南移动，受长江堆的阻挡转向东南，并入侵东海北部，不断与东海水混合而变性，形成钝舌状的形态。同时插入黄海中西部的高温、高盐水的黄海暖流水，以水量的补偿，两者构成“S”形的水交换图像；入春后，苏北沿岸水退缩，台湾暖流北进势力加强，直到影响长江口外。低温、低盐水舌在表层（0～10米）已变得不明显；30米以深的水层中，只存在济州岛西南一个几乎封闭的冷水域（冷涡）。与之相匹配是存在一个气旋式的环流。在南黄海插入的黄海暖流水被切断形成孤立的暖水块。冷水块和暖水块形成南北对恃的形态；夏季，东海北部冷涡向东推移，并且范围不断缩小；至秋季该冷涡消失，同时长江口-济州岛连线上出现一条锋面；西半段以盐度锋为主，东半段以温度锋为主。可见秋季黄、东海之间几乎无水交换。从秋末、冬初开始了新的一轮黄、东海的水交换过程。

【东海黑潮结构变异及其与陆架水的相互作用】 本课题为“中国近海环流形成变异机理、数值预测方法及对环境影响的研究”（“973”）项目中的课题之一。完成了2000年夏、冬两季黄东海针对黑潮结构、东海南部环流和长江冲淡水的调查，其中包括249个大面站的动力、生化要素测量和全程ADCP测流，8个锚定潜标定点测流和8个漂流浮标轨迹测量，在国内首次使用LADCP和CTD同步测量温、盐、深、流，调查数据有较高质量。对调查资料进行深入系统分析，给出了东海黑潮多核结构及逆流的出现率及其季节分布等长期统计特征，并分析了它们与全球变化事件的可能关系；提出了由4个分量构成的东海黑潮与陆架水相互作用的环流形态；提出了由3个分量组成的东海南部环流的涡-流结构；揭示了如台湾暖水可能延伸到北纬33°、冲淡水转弯可能与长江流量有关以及黄海冷水团中心海面可能呈凸状的证据。在机理研究方面，提出了黑潮多涡结构的斜压-惯性不稳定性生成机制；指出不稳定扰动一定是驻波型的，这才得以成长；解析导出了最不稳定波空间尺度与密度分布；主流速度分布以及海底地形分布的关系式，它们都定量地和定性地与实际观测一致。通过对一个黑潮模型的准地转位涡守恒方程解性质的讨论，指出当下层有逆流存在时，黑潮呈稳态蛇行运动。这对分析黑潮流轴形态和流套的形成和涡旋脱落有理论价值。 （国家海洋局一所　路应贤）

国家海洋局第二海洋研究所袁耀初研究员为主承担上述课题的研究。课题组根据调查研究资料，结合历史资料，从三维空间来研究东海黑潮的结构和变异、黑潮水与陆架水的中尺度混合过程，从中尺度非线性的海洋过程演变来研究黑潮锋面复杂变化的规律和动力机制，取得了一些阶段性成果。2001年完成和发表论文11篇，其中SCI论文1篇。论文揭示了1997～1998年厄尔尼诺至拉尼娜期间东海黑潮的变异，基于该期间10个航次的CTD资料，采用改进逆方法及改进动力计算方法对东海黑潮的流速、流量进行计算。1997年5月出现厄尔尼诺现象，同年夏季东海黑潮流量减少，相应年平均流量也减少。在1997年1月与6～7月，即厄尔尼诺现象出现前后，东海环流的流态有些不同。在1998年4～11月黑潮在PN断面出现多个流核结构现象，特别在10～11月出现3个流核。1995年与1998年是东海黑潮异常年，这些异常现象与冲绳岛以南出现的反气旋涡的强度变化及从厄尔尼诺现象过渡到拉尼娜现象有关。（国家海洋局二所　孙煜华　杨士英）

【渤黄东海环流及其变异预测数值模式和海洋大气灾害应用】 收集整理了大量历史观测数据，建立了基本水文环境数据库，为环流模式的发展奠定了数据的基础；针对环流模式的发展有指导意义的问题，进行了系统特征和动力学分析；对近海海洋温度、盐度和密度跃层进行了系统的分析，指出海浪混合在渤、黄、东海水文结构形成中的重要地位；从动力学角度对陆架波动系统进行了分析，为发展自己特色的数值模式深化了波系特征的认识基础；指出在S坐标中POM模式地形误差产生的原因，并加以改进，发展了潮波数值模拟的累计系数整体调和分析方法，解决了计算分潮间非线性相互作用时的计算量和存储量的问题；形成了近海海洋环流数值模式的基本框架，初步完成耦合模式中的各子模块的编制。

（路应贤）

【南海对黑潮变异的响应及海峡水体交换、南海季风环流及其变异机理】 国家海洋局第三海洋研究所完成了本年度计划内的南海东北部调查航次，已撰写论文20余篇（其中已发表或待刊10余篇），于2001年6月份通过了科技部委托项目管理办公室组织的中期检查。在南海季风环流及其变异机理研究方面，应用中国第一次在南海全海域的海洋水文准同步资料，全面分析南海冬季海洋水文状况，证实和验证以前一些研究结果和推断，并有一些新的现象发现。提出一些今后需要研究的问题。2000年夏季的调查结果与1998年夏季调查结果的比较研究，通过实测数据第一次在南海全海域研究南海夏季海洋水文状况的年际变化特征和现象，初步提出一些南海海域海洋水文特征年际变化的判断想法。通过星载的高度计、散射计和TOPEX/POSEIDO资料，结合现场的调查资料，研究南海的季风环流结构，补充在南海海洋水文研究上手段的不足。利用南海夏季季风爆发前后的调查观测资料，研究南海海洋，特别是东北部海域，环流的多涡特征，在研究南海总环流结构的基础上，在局部上研究南海环流的中小尺度的环流。 （国家海洋局三所科技处）

【西北太平洋环流及其变异预测数值模式】

（1）建立了一个1/6°分辨率的西北太平洋环流模式。该模式涵盖了南海、渤黄东海和日本海。模式嵌套于一个3°低分辨率全球模式之中。计算方案采用美国普林斯顿大学的MOM2模式。现已做了6年积分运算，对模式结果进行了检验，提供了中国近海开边界条件。

（2）进一步发展了中国科学院大气物理所IAP/LASG全球环流模式，分辨率提高到0.5°×0.5°，垂向30层。现已在气候平均强迫下积分30年。初步检验表明，模拟的温度场、流场等基本合理，尤其对海陆地形复杂的东南亚海域，模拟流场有明显改进。

（3）开展了资料同化方法研究，主要作了两方面工作。一是对伴随方法开展了基础性研究，研制成二维海洋动力学方程的伴随模式和垂向涡动粘性反演模式。二是采用趋近（nudging）法对渤黄东海环流进行了模拟试验。

（中国科学院海洋研究所　邢桂芳）

【黄东海主要环流分量及其相互作用】

（1）按计划收集并整理了有关历史常规资料和卫星遥感资料，为分析研究工作奠定了可靠基础。

（2）按计划于2001年2～3月和7月组织实施了长江口及邻近海域冬季及黄海夏季两次综合观测，获取了本课题研究必需的大面走航和定点连续观测资料。完成现场观测数据的整理和分析，完成观测报告两本。

（3）分别在ECOM和POM模式基础上，建立了两个高分辨率三维非线性斜压湍流闭合长江口与陆架环流数值模式，并对黄东海环流进行了数值模拟。

（4）在POM模式基础上，加入悬浮物输运方程，对本海区季风环流和潮流共同作用下的悬浮物输运、扩散，沉积与侵蚀进行了数值模拟。

（中国科学院海洋研究所　刘宝忠）

【南海季风环流及其变异机理】 本课题由国家海洋局第二海洋研究所承担。研究在东亚季风驱动下，具有明显季节特征的南海海盆尺度海洋环流的结构及其成因，对南海海洋环流和温盐场结构进行三维时空变化模拟。项目按计划顺利进行，从观测到理论研究都取得了一些阶段性成果，2001年发表论文9篇。例如采用P矢量方法对南海环流进行了诊断计算，结果表明，1998年夏季在南海中部、越南以东海域存在一个明显的气旋涡和反气旋暖涡，吕宋岛西侧存在一个反气旋涡。在南海北部存在一个气旋式环流，这个环流的强度和范围随深度而减小。该环流的冷中心位置随深度增加稍向南移，南海各层流场分布均可显示海流在西部强化现象等。在调查研究方面，成功地执行了2001年3月的调查航次，回收锚系站海流资料时间长达7个月。获得450米以浅ADCP测流资料及1 500米、2 000米、2 300米深层测流资料等一批极其宝贵的实测资料。对所获资料进行了谱分析与计算，得到了一些重要结果与发现，同时进行了交叉谱计算。此外，还与卫星高度计资料作对比分析等，该论文已发表于《中国科学》。

（孙煌华　杨士英）

(二)海水重要养殖生物病害发生和抗病力的基础研究

【海水重要养殖生物病害发生和抗病力的基础研究】 该项目首席科学家为中国科学院海洋研究所相建海研究员。

该项目在海水养殖生物流行病学及机理、抗感染反应的免疫机制，抗病力的遗传学基础，环境与生物之间的关系等方面取得了许多可喜的研究进展。初步查明了栉孔扇贝大规模死亡的原因，分离出主要可疑病原；分离纯化了对虾WSSV的病毒结构蛋白，研究了海水鱼类病原菌感染的致病力，确定了主要的致病因子；对海带、对虾和扇贝及牙鲆抗感染反应的主要分子和细胞成分进行了定性和定量分析；研究分析了中国对虾、栉孔扇贝不同地理种群遗传结构和遗传变异，筛选了分子标记；查明了主要胁迫因子对重要病原生物种群消长、致病力的影响规律，揭示了环境胁迫作用、病原侵入对养殖生物抗病力影响的耦合作用。

项目启动以来至2001年10月两年间，共发表文章141篇，其中SCI和EI收录17篇；申请专利4项；出版专著2部；共有7人获得“长江学者计划”，“五一劳动奖章”，“国家杰出青年基金获得者”，“百千万人才”等称号；1项成果获省部级自然科学奖，2项成果获省部级科技进步奖。

【环境胁迫对贝类抗病力的影响及其生态调控】 2001年主要研究进展：

(1) 系统研究温度、盐度、pH、饥饿和养殖密度等环境因子对扇贝抗病力的影响及其与病害发生的关系。

(2) 现场研究浅海养殖系统物质输运和自身污染等特征，为进一步开展生态调控研究提供了依据。

(3) 初步研究海带、江蓠、刺参等生物在浅海养殖系统的生物修复作用，获得不少有用的数据。

【鱼类病原菌致病因子的作用过程】

(1) 建立了分离纯化细菌胞外产物毒性蛋白酶和内毒素LPS的方法和技术。

(2) 确定36kD的蛋白酶为鳗弧菌的一个主要致病因子。

(3) 测定了毒性蛋白酶的部分氨基酸序列，并分离和克隆了该蛋白酶的基因。氨基酸序列和核酸序列分析表明该毒性蛋白酶为锌结合金属蛋白酶。

(4) 制备了溶藻弧菌LPS的单克隆抗体。

(5) 首次克隆了溶藻弧菌Vibrio alginolyticus密度调控的重要基因luxRV。（邢桂芳）

【对虾、扇贝抗病的分子遗传学基础】 研究开发了多种对虾、扇贝遗传分析的分子遗传标记技术，对中国对虾、扇贝的养殖群体的抗病性状进行了分析；完成第四代抗病群体的传代，建立中国对虾家系，完成苗种培育、养殖和1个家系的F1代个体的越冬，进行了扇贝杂交组合的构建以及F1代苗种培育；利用RAPD技术，比较感染和非感染的对虾个体差异，筛选出59个与抗病性状相关的遗传标记；对扇贝不同地理群体的遗传结构和遗传多样性进行了研究；运用毛细管电泳和基因克隆方法研究了中国对虾的防御素类抗菌肽，克隆获得热休克蛋白基因和溶菌酶基因的部分片段；构建了高质量的中国对虾、扇贝cDNA噬菌体和质粒文库，测定了中国对虾和扇贝各1万多个EST并进行了初步分析；建立mRNA差异显示技术，比较感染和非感染的对虾、扇贝个体的差异，获得约20对具有差异性表达的双随机引物组合。

【藻类抗感染反应的特征及生理学基础】 主要研究成果：

(1) 得出褐藻酸降解菌感染初期，海带细胞内超氧化物歧化酶和过氧化酶的活性急剧升高，而后两者的活性逐渐下降；抗坏血酸过氧化酶的活性在感染初期变化不明显，而后期有所增加；谷胱甘肽的活性无明显的变化的结论。

(2) 运用3-(4-,5-dimethylthiazol-2-ol) 2，5-diphenyl tetrazolium bromide (MTT)方法，检测海带正常组织及受有效的褐藻酸降解菌复染实验后，观察细胞活力的变化。结果表明，复染0～6小时，海带组织细胞活力无明显变化，从18小时起，有变化呈逐渐上升的趋势，而16～20小时达到最大，随后逐渐下降。这说明，海带组织对条件致病菌的反应规范，是在一定时间内一般在20小时内有一定的抵抗能力，超过20小时，抵抗能力逐渐下降。

(3) 研究海带抗感染的修复过程，自由基的产生，抗氧化剂的变化及清除自由基抗氧化酶的活性，分析抗氧化能力相关性，筛选抗褐藻酸降解菌的模型。

(4) 通过比较荣成1号及海带901品系，观察其对褐藻酸降解菌的抗性及抗氧化能力的研究，得出荣成1号比海带901品系的SOD及CAT能力高，初步结论是荣成1号抗褐藻酸降解菌的能力比海带901品系高。运用DNA指纹图谱技术，正在寻找不同海带与抗病力相关的特征图谱。

(5) 建立在大量筛选的基础上，运用经典及分子生物学方法，对假单胞及交假单胞菌进行褐藻酸降解菌的分类学研究。（邢桂芳）

【培育抗病新品种的新途径和新方法研究】 该项目主持单位：中国水产科学研究院黄海水产研究所。

2001年主要工作：中国对虾抗逆新品种选育技术：2000年已完成了子五代亲虾培育和选择育种工作。培育子五代中国对虾高健康苗种2 000万尾，健康养殖示范66.67公顷；子五代亲虾平均体长比对照池增加9.42%，而且养殖成活率也明显升高，收到了良好的效果。现已将5 000尾亲虾入池越冬，对虾选育结果已通过专家验收；进行了野生及人工繁育的第三代、第四代、第五代中国对虾同工酶分析，RAPD、ITS基因片段序列分析；进行了无特定病原(SPF)对虾选育，开展对虾抗逆性的比较。（黄海水产研究所　刘世禄　孙惠玲）

【对虾抗病力的遗传学基础研究】 该项目主持单位：中国水产科学研究院黄海水产研究所。

(1) 完成了中国对虾养殖群体的抗病性状进行研究，分析了抗病力与遗传基础之间的关系，查清了不同对虾群体抗病力差异。

(2) 完成了中国对虾黄渤海种群、养殖群体和日本对虾群体遗传结构的分析。

(3) 建立对虾遗传分析的分子遗传标记技术。

(4) 筛选了59个与抗病性状关联的分子标记。

(5) 中国对虾和日本对虾遗传群体的构建。

【对虾病毒感染的细胞与分子学机理研究】 该项目主持单位为中国水产科学研究院黄海水产研究所。

2001年度进行了WSSV全病毒的标记方法研究，采用层析进行了病毒囊膜有活性的结构蛋白的分离纯化方法。分析了WSSV与对虾细胞附着，进行了囊膜蛋白与细胞膜蛋白的亲和分析，进行了WSSV入侵的识别蛋白的查找。研究了WSSV蛋白酶活性。通过上述研究，本年度解决了在WSSV全病毒的标记、有活性囊膜结构蛋白分离和标记、虾细胞膜制备、有活性的细胞膜蛋白抽提、囊膜蛋白与细胞膜亲和分析和WSSV与对虾细胞附着等方面的技术问题。确认了WSSV与虾细胞结合的存在，在WSSV识别蛋白方面取得了重要突破，首次明确定位了WSSV的受体结合蛋白。确认了WSSV蛋白酶活性的存在，初步掌握了该蛋白酶的活性特点，完成了43株WSSV cDNA克隆的部分测序和分析。初步定位了WSSV蛋白酶。年度课题计划基本完成并取得重要突破。（刘世禄　孙惠玲）

【鱼虾贝类免疫反应特性与免疫调节】 研究了扇贝血细胞的分类和吞噬作用，证实了中性粒细胞对异物具有很强的吞噬能力，嗜硷粒细胞对异物的吞噬能力次之；研究了扇贝的黏液免疫特性；获得硒多糖、酵母聚糖对栉孔扇贝血淋巴中PO和MPO的活力均有增强作用；得到几种扇贝抗菌肽对主要病原菌有明显的抑制作用；开展了中国对虾血细胞起源、发生和演化过程的研究。分别观察到透明、小颗粒和大颗粒三种血淋巴细胞及其干细胞在接近淋巴管腔的位置时多数尚未成熟，在由淋巴小管管壁进入管腔的短暂时间内成熟；对中国对虾淋巴器官的发生进行了组织学研究，发现体长1.6～1.7厘米的仔虾出现了淋巴器官；初步建立了一种PES/MTS还原法新型免疫学指标，用该方法可测定侵入对虾体内的病原微生物死亡率和存活率；深入研究了多糖免疫诱导剂的制备工艺和免疫效果。

完成了牙鲆外围血细胞显微及亚显微结构研究，以福尔马林灭活法和喷雾干燥法成功制备鲈鱼病原菌W-1全细胞疫苗和微胶囊疫苗，并进行了疫苗安全性实验。以原索动物文昌鱼为材料，发现其体内存在类似鱼类IgM样蛋白质，这将对IgM最早出现于鱼类的观点提出挑战。该研究已发表论文12篇。（路应贤）

【扇贝遗传结构及应用】 开展了栉孔扇贝的分子生物学研究。采集并提取了11个不同地理分布和性状的栉孔扇贝基因组DNA样本；利用50个寡聚核苷酸引物分析了7个栉孔扇贝群体的遗传结构及其差异；建立了适合于栉孔扇贝AFLP分析的技术平台；建立了RAPD和AFLP遗传多样性分析的数据处理方法。以中国大连和日本北海道栉孔扇贝为亲本进行了种内杂交和自群交配等杂交试验，成功培育出性状优良的F1、F2代群体4个，筛选出具有优良生长和抗逆性状的个体300余个。（路应贤）

(三)东、黄海生态系统动力学与生物资源可持续利用

【东、黄海生态系统动力学与生物资源可持续利用】 该项目主持单位为中国水产科学研究院黄海水产研究所。该所所长唐启升院士作为首席科学家。该项目共分解为12个课题，2001年顺利通过了科技部组织的中期评估，完成了所有24个航次的中上层鱼类资源声学评估工作和数据汇交任务，按照合同规定需要评估种类为6种（类），实际评估种类为黄海25类、30种，渤海12类、15种，东海27类、50种，南海为25类、132种，南海中南部为26类、116种。完成所有报告撰写约45万字，图件绘制800余幅。并在以下方面取得突出进展：

(1) 东、黄海关键物理过程对生物的影响机理；

(2) 东、黄海生源要素循环与更新机制；

(3) 东、黄海基础生产过程与浮游动物的调控作用；

(4) 东、黄海食物网营养动力学与资源优势种交替机制。（刘世禄 孙惠玲）

【东、黄海浮游动物关键种种群动力学和种群生产力研究】

(1) 共参加了5次专项和大面考察，获得浮游动物样品896个。

(2) 进行了海上现场生物生产过程实验，对浮游动物关键种的产卵率、孵化率和生长率进行了现场测定。

(3) 进行了实验室内模拟培养实验，对中华哲水蚤的生活史进行了观察和研究。

(4) 研究了关键种染色体核型组成特征和同工酶多态性特征，初步分析了底表沉积物中生源颗粒物质的组成和浮游动物卵的存在可能性。

（邢桂芳）

【东、黄海浮游动物群落结构和生物量的动态变化及其对生态系统调控的作用的研究】

(1) 历史资料的系统回顾、整理与数据库建立。对从50年代全国海洋普查到现在在东、黄海做过的浮游动物方面的考察和研究资料进行了全面回顾和整理。初步收集了17个年份共78个航次的资料。目前已完成数据库的设计，并对2 333种在东、黄海有记录的浮游动物（包括浮游幼体）进行了编码。

(2) 现场考察与现场实验。从1999年8～9月项目启动前的预研究航次开始，至今已组织和参与了项目和课题的各类海上考察6个航次，取得浮游动物样品近1000号。

(3) 在海上用现场实验的方法进行了中华哲水蚤度夏生理机制研究，进行了浮游动物的摄食率和对浮游植物摄食压力测定，已获得一批数据。

(4) 配合海上现场实验在陆上实验室内进行更深入的实验生态研究。已开展的有叶绿素在浮游动物肠道内的降解实验和中华哲水蚤摄食的粒度选择实验。

【东、黄海的初级生产、异养微生物二次生产以及微型生物生态过程研究】 该课题围绕项目和课题的研究目标，开展了东黄海浮游植物种类组成、生物量和初级生产力、异养细菌生物量及生产力、微型浮游生物各类群（包括蓝细菌、原绿球藻、微微型真核藻类、微型硅藻、纤毛虫、异养鞭毛虫等）的丰度、生物量的时空分布和部分类群生产力的研究，探讨了它们间的相互作用（摄食率和摄食压力），现场定量研究了微食物环的碳流速率。

了解了东、黄海浮游植物种类组成及优势种、叶绿素a、初级生产力、异养细菌生物量及生产力、微型、微微型浮游植物生物量的分布特征和粒级结构及其昼夜变化。并对海域中微型硅藻的丰度和多样性进行了初步研究。

获得了东、黄海海域纤毛虫、异养鞭毛虫丰度的时空分布和优势种的分布特点，异养鞭毛虫与纤毛虫、甲藻的关系等研究结果。

通过现场培养实验研究了解了微型浮游动物对浮游植物和初级生产力的摄食率和摄食压力，以及对蓝细菌的摄食率。同时进行了异养鞭毛虫对异养细菌的摄食速率初步分析研究。（邢桂芳）

【东、黄海高生产力区中尺度物理过程的特性和演变机制】 该课题由国家海洋局第二海洋研究所苏纪兰院士和黄大吉研究员为主承担。重点研究东、黄海高生产力区中尺度物理过程的特征和演变机制，揭示形成舟山渔场、黄海越冬场等高生产力区的物理环境及其变异规律，探讨关键物理过程在东、黄海生态系统中生源要素的更新、浮游生物及资源优势种早期补充中的地位和作用。研究已取得一些有价值的中间成果，2001年6月顺利通过科技部的中期评估，综合评分名列前茅，目前项目还在进行中。

【东、黄海重点区域海底边界动力结构及其对物质的沉降和再悬浮作用】 该课题由国家海洋局第二海洋研究所董礼先研究员为主承担。主要研究底边界层动力学过程和悬浮沉积物在水层-底床之间的交换，强调悬浮颗粒物在水层-底栖耦合中的重要作用。该课题在2001年度进行了3个航次调查和长江口15天海底三角架观测。根据实测资料分析，发现东、黄海悬浮颗粒物运移比现在认识的更为活跃，东、黄海水体-底床之间存在频繁的悬浮颗粒物交换。调查结果显示长江输出的陆源悬浮颗粒可以到达陆坡，包括济洲岛附近，且悬浮颗粒物中的海生有机成分明显。这说明悬浮颗粒物在东、黄海水体-底栖耦合中占有重要位置。研究发现，在苏北浅滩、济洲岛海域、黄海中心均有相对高悬浮颗粒物浓度出现，而这些区域的动力条件是维持相对高浓度悬浮颗粒物的主要原因。（孙煜华　杨士英）

【东、黄海生态系统动力学及生物资源可持续利用的第六课题】 厦门大学海洋与环境学院黄邦钦教授及王大志副教授与中国科学院海洋研究所共同主持“973”计划“东、黄海生态系统动力学及生物资源可持续利用”的第六课题，在2000年完成3个航次的基础上，又于2001年3～5月和7月分别进行了3个航次的现场调查和实验，即“北斗号”春季（3～4月）多学科大面综合调查、“东方红”春季多学科过程（定点连续）调查和“北斗”号中华哲水蚤专题调查（7月）。现场采集微微型浮游植物丰度、生物量、微型硅藻丰度及多样性，鞭毛虫的丰度和生物量以及微型生物各功能类群的摄食（捕食）速率等第一手资料，达到了预期目的，现场数据尚在分析整理之中。初步的结果表明：①南黄海、东海及整个海域在浮游植物总生物量、微微型、微型和小型浮游植物生物量方面均呈初春（3～4月）高于秋季（10月）；②在浮游植物生物量粒级结构方面，总体上南黄海和东海均以微型占优势，但东海海区初春和秋季微型所占的比例差异较大，前者为47%，后者高达73%；③共鉴定到隶属于20个属的56种微型硅藻以及一些定种类，在个体数量上，微型种类远大于小型种类，微型硅藻数量占硅藻总数量的平均比例为89.5%（50%～97%）；④现场测定的秋季微微型浮游植物的生长速率介于0.11～0.38/天，此值低于台湾海峡的生长速率。本项目于2001年5月以“A”级成绩通过科技部的中期评估。（厦门大学　李荔敏）

（四）我国近海赤潮发生的生态学、海洋学机制及预测防治

【我国近海赤潮发生的生态学、海洋学机制及预测防治】 该课题的首席科学家为中国科学院海洋研究所研究员周名江和国家海洋局第一海洋研究所研究员朱明远。

项目选择环境复杂多变、富营养化严重、特大规模赤潮频发的东海典型赤潮高发区为主要研究海域，以渤海、广东沿海赤潮高发区为对比研究海域，围绕赤潮生物的多样性、地理分布、生活史及其生态竞争策略，赤潮与营养物质的关系、赤潮生消关键物理海洋学过程，赤潮的数值模拟与预测，赤潮的危害及防治机理展开多学科交叉综合研究，力求在重要赤潮种的遗传特征和生态关系策略，近海大规模赤潮爆发机制、赤潮生物——光学遥感监测原理和数值预测，以及赤潮危害机理和生态调控原理方面有所突破，为我国“预防、控制和治理赤潮”和海洋经济可持续发展提供科学依据。（邢桂芳）

【有毒赤潮的藻毒素及生态毒理学研究】 首次以

中国有毒微小亚历山大藻为主要研究对象，深入研究了从其毒素的产生到其被栉孔扇贝累积与排出这一完整过程，发现微小亚历山大藻AMTK-1主要生产毒性为单位细胞9.3×10^{-9}克的 GTXs（麻痹性贝素毒素），而亚历山大藻KW06则主要生产毒性为单位细胞19.6×10^{-9}克的STX（下痢性贝毒毒素）。其单位细胞毒素含量均在对数生长初期达最高，之后逐渐下降。栉孔扇贝对麻痹性贝毒的积累能力很强，48小时内脏累积毒素高达每100克肉5 000微克毒素，但排除速度较慢，在24天解毒后内脏中的毒素远达不到国际贝类食用安全水平。扇贝内脏中积累的毒素约占贝体全部毒素的97%。各毒素组成比在整个积累与排除过程中有较大变化：GTX1、GTX4在累积阶段比例下降，而GTX2、GTX3比例上升；内脏中GTX2的排除速度慢于GTX3；毒藻和贝体中麻痹性贝毒之间的主要判别是GTX4含量的减少和GTX1含量的升高；而扇贝粪便中的毒素组成却与对数生长期的毒藻极为接近。研究结果为建立有毒赤潮爆发的藻细胞浓度、藻毒及贝毒等指标体系和预报模式奠定了基础。首次在我国开阔海域利用大尺度围隔装置研究了富营养化与赤潮的关系，建立了赤潮生态动力学模型及赤潮生物对营养盐的吸收动力学模型。确定了长江口花鸟山和胶州湾两个研究海区对浮游植物起限制作用的主要因子分别是磷和硅。已在学报级刊物发表论文5篇，其他核心刊物发表论文1篇。（路应贤）

（五）中国边缘海的形成演化及重大资源的关键问题

【中国边缘海的形成演化及重大资源的关键问题】 该项目首席科学家为中国科学院海洋研究所高抒研究员和国家海洋局第二海洋研究所李家彪研究员。

2001年度在以下几方面取得了进展：

(1) 项目完成了东、南海的3次地质、地球物理航次，完成了年度计划航次任务。其中中国科学院南海海洋研究所、国土资源部广州海洋地质调查局分别在南海东北部和中部海域共完成了两个地球物理调查航次，中国科学院海洋研究所在东海冲绳海槽海域进行了一个地质、地球物理综合调查航次。3个航次的具体调查时间、区域、工作测线简述如下。

为进行南海海盆扩张和陆缘张裂研究，南海海洋研究所按国家海洋局二所李家彪研究员为主制定的项目航次设计，于2001年7月9日至2001年8月13日在南海中、北部使用“实验2”号综合地球物理考察船，采用走航式进行了测深、重力、磁力、多道（48道）反射地震调查。完成综合地球物理调查测线2 290千米。测线横跨南海海盆和东部次海盆与西南次海盆交接带，并穿越ODP184-1148孔，在受南海台风影响的情况下，圆满地完成了计划任务。

为进行南海海盆启闭和弧陆碰撞，国土资源部广州海洋地质调查局按国家海洋局第二海洋研究所李家彪研究员为主制定的项目航次设计，于2001年6月26日至8月10日在南海东北部使用“探宝”号综合地球物理调查船，采用走航式进行了测深、重力、磁力、多道(240道)反射地震调查。完成综合地球物理测线643.95千米。也在受南海台风影响的情况下，圆满地完成了计划任务。

为进行冲绳海槽及其邻近海域沟-弧-盆体系及天然气水合物研究，中国科学院海洋研究所按高抒研究员为主制定的项目航次设计，于2001年7月1日至7月24日，在东海冲绳海槽及其邻近海域使用“科学1”号地质、地球物理调查船，采用走航式和地质取样与拖网调查相结合，航次完成多道地震（33道）1 390千米、磁力2 037千米、测深2 037千米、柱状沉积物取样（10个）、拖网（4个）。

此外，为弥补中国南海在岩石层结构研究中天然地震的空白，在南海的永兴岛架设了流动地震观测台站。并在建台前完成近20天的陆地考核性测试，现已正式启用，并已获得两批地震记录数据。

(2) 在第一次杭州学术会议的基础上征集了学术论文20余篇，于2001年10月在海洋出版社出版了《中国边缘海形成演化系列研究》（第一卷）专集。

(3) 各课题基本上完成了任务书的研究内容，在国内外各种杂志上共发表论文47篇，其中SCI收录的5篇。

(4) 各航次的调查资料已验收，资料处理已完成。（二所　孙煜华；海洋所　邢桂芳）

在金翔龙院士指导下，国家海洋局第二海洋研究所（首席科学家单位之一）以李家彪研究员为主承担了该项目的中国边缘海岩石层结构、中国边缘海新生代沉积盆地的基底特征及其构造格局、中国海沟-弧-盆体系形成演化、中国边缘海形成演化的动力学机制、中国边缘海形成及油气资源效应等6个专题。建立了边缘海“973”项目的管理机制，进行了项目分解和单位分工，完成了各课题研究内容、合同书的确定和签定，组织实施了南海地球物理2个航次、东海地质地球物理1个航次和西沙地震建站，经过1年的研究，提高了中国边缘海形成演化的认识，出版了《中国边缘海形成演化系列研究》第1卷（海洋出版社）。主要发现如下：

(1) 17° N为南、北不同沉积物分布重要分界线；

(2) 发现极微量的可能属于海底热液成因黄铁矿、方铅矿和黄铜矿；

(3) 南海东部海域火山活动具有规模小、间隔短、期次多的特点，陆源碎屑物质的影响自北向南逐渐减弱，火山碎屑物质影响则逐渐增强；

(4) 提出并建立深海沉积物等三角图解分类与命名法。

（孙煜华）

(六)其他研究

【南大洋海冰区水团和海流对碳循环的输运作用研究】 蒲书箴等完成了1998～2001年南大洋考察获得的CTD全深度观测资料和ADCP资料的数据校准；进一步分析、整理、计算了1998～1999年第15次南极考察获得的南大洋水文资料，确定了“陆坡锋”的空间分布与强度，并指出该锋自1992～1993年第9次南极考察以来，其水平扩展范围、宽度、中心位置、强度、垂直范围和深度等方面均有较大变化；说明了“陆坡锋”两侧不同性质水团具有不同的运动特性，其北侧有明显的涌升，而南侧则有明显的向北扩展；锋面表现有空间变化的典型特点；计算了锋面两侧动力高度场分布，指出锋面两侧海水还存在有纬向运动切变。其南侧为西向流，北侧为东向流。锋面的位置基本与纬向运动的切变线相近；在普利兹湾北侧的次表层海水中存在着逆温现象，这个逆温层恰好界于普里兹湾陆架水和南大洋中层水之间，说明两种不同性质的海水界面在热力学上稳定度明显减小；分析研究了普里兹湾附近“绕极深层水”和“南极底层水”的水团特性及其空间分布特性。

【中国重大气候和海洋灾害的研究】 蒲书箴等整理分析了1986～1987年ENSO过程中，发现热带西太平洋西边界区向北体积输运量减少了一半，这与在ENSO期间的暖水东输送是一致的。肯定了热带暖水在质量守恒的前提下，如有较多暖水东输，则北向的西边界流将减弱；分析了西北太平洋海表面潜热通量的模式输出结果，绘制了1986～1987年ENSO前后潜热通量分布图；分析了1986～1987年ENSO期间中国沿海水文站的水温和水位资料及相应距平资料，确定了沿海各台站减水和降温的范围和时间；分析了西北太平洋中纬度海区，1986～1987年ENSO期间的SST和SSTA，发现了大面积降温的事实；确定了热带西太平洋通过西边界流的暖水输运影响中纬度西太平洋；进一步计算了热带西太平洋（20° N～20° S，120° E～90° W）大范围上层热含量，分析了热含量的时空变化特征；说明了热带西太平洋西边界的热量变化滞后于赤道的热量变化及赤道外热量变化的西向传播特性，有力地支持了ENSO准循环理论；发现了赤道太平洋近几年来上层热量比过去明显增加，与国际上近年来提出的热带径向环流速度明显变慢的结论是一致的。

【中国海湾养殖容量及养殖对环境的影响】 此项目为中国在海洋研究方面获得欧盟资助的第一个项目。其目的是针对中国沿海近年来海水养殖发展迅速，但同时又面临养殖生物生长率下降、病害严重、死亡率上升等严重问题情况，通过对养殖生物生长代谢及其与环境之间相互作用的研究来确定养殖容量，改善养殖结构，实现海水养殖的可持续发展。项目由法国海洋开发研究院生态与养殖中心为牵头单位，中方由国家海洋局第一海洋研究所为牵头单位，成员包括英国普利茅斯海洋研究所、葡萄牙海洋研究所、加拿大达尔豪斯大学，中国水科院黄海研究所，山东省养殖研究所和国家海洋局第二海洋研究所等。项目执行时间为1998年11月-2001年10月为期3年。经过中外科学家的共同努力对山东省桑沟湾的海水养殖容量进行了较深入的研究，建立了地理信息数据库，摸清了桑沟湾的环境特征，建立了水动力模型和扇贝、牡蛎、菲律宾蛤仔生长模型，模拟了在不同站位上养殖生物的生长速率，提高了桑沟湾养殖结构优化方案。项目已发表SCI文章2篇，国内核心刊物2篇，建立了项目的网页，中外科学家对此次合作均表示满意，并同意一起再次申请新的欧盟项目。（路应贤）

【海洋沉积动力过程及其环境效应】 海洋沉积动力学研究海洋动力条件下的沉积物侵蚀、输运、堆积过程及其对自然环境的影响，属海洋学(海洋地质学)领域，但又是介于自然地理学、海洋地质学、物理海洋学及工程学之间的一门边缘学科。海洋沉积动力学还涉及海岸与大陆架地貌、河口、海湾环境中的水体和沉积物交换、海洋资源开发与环境管理、海岸工程等应用领域。海洋沉积动力学自20世纪70年代以来受到了国内外学者的高度重视。由于海洋沉积动力学核心问题无法在经典的牛顿力学的框架内得到圆满解决，因此成为富有挑战性的科学问题。

本项研究强调了多学科交叉方法，认为在现阶段海洋沉积动力学应综合悬沙数值模型方法、经验公式法、示踪沉积物法、沉积学和地貌学信息法和直接观测法，以作为其方法论框架。在上述方法论框架下，在沉积物粒度趋势分析、示踪物动力学、潮流边界层和潮汐汊道地貌演化等方面取得了突破性进展。①创建了沉积物粒度信息与沉积物输运关系的新方法、新概念，建立了用沉积物粒度趋势判别净输运方向的二维计算机模型，解决了代表沉积物净输运方向的粒度趋势类型、输运信息提取这两个关键问题，从而在该领域处于国际领先地位。②首次提出了利用天然示踪沉积物浓度的空间分布判别沉积物净输运方向的数学模型，并成功地应用于海湾和河口环境；这项研究澄清了天然示踪沉积物研究中长期存在的一些模糊概念。③在潮流边界层参数分析上提出了“数据内部一致性分析法”，提高了边界层参数计算的可信度。④将沉积动力学应用于海洋地貌学研究，提出了潮汐汊道口门均衡过水断面面积的解析算法；指出稳定性判据应随潮汐汊道演化阶段而变化，从而统一了Bruun和O'Brien的稳定性理论。

该项研究为国际合作项目，是高抒、柯贤坤与英国Southampton大学Michael Collins教授(南京大学兼职教授)合作完成的。本项目研究成果已应用于海底稳定性评价、海岸潮汐汊道整治等方面，并被国内外学术刊物多次引用，为中国在这一领域占有一席之地作出了贡献。

（南京大学　高　抒）

近海与大洋调查研究
Offshore and Ocean Investigation and Research

【大洋多金属资源勘查研究】 2001年6月12日至11月20日，由中国大洋协会组织了中太平洋DY105-11航次调查工作，国家海洋局第二海洋研究所派出36人次参加了本航次4个航段的调查任务，该所吕文正研究员、初凤友研究员、周怀阳研究员先后担任了一、二、三、四航段的首席科学家职责。本航次全面超额完成了该所负责的中太平洋结壳调查设计工作量，对中太平洋CA、CL、CW和CX 4个海山的结壳资源量进行了评价，认为上述4个海山均可作为进一步调查的对象，指出了重点勘探靶区CX海山，发现了身心迄今为止最大和最厚的埋藏型结壳，各项目现场调查资料总体评价为优；环境航段主要进行了多金属合同区环境基线的现场调查，为研究“基线及其自然变化”机理积累了宝贵的资料。（孙煜华）

【大洋环境与勘测】 中国新一代海洋实时观测系统(ARGO)为“国家基础研究重大项目前期研究专项”大型科学观测试验项目，在巢纪平院士的指导下，由国家海洋局第二海洋研究所许建平研究员为主承担。通过引进国际上新一代、先进的沉浮式海洋观测浮标（ARGO），施放于西北太平洋附近海域，初步建成中国新一代海洋实时观测系统中的大洋观测网（第一期工程）。以此了解和掌握该高新海洋观测技术的性能和特点，探索和研究ARGO剖面观测浮标实时接收和数据处理的流程和方法以及ARGO观测数据在海洋天气业务化预报中的应用和ARGO资料同化技术区域/大洋环流模式开发等；收集和积累西北太平洋附近海域的海水温度、盐度和海流资料；参与并组织国际ARGO计划的有关活动，共享全球海洋中3 000个ARGO浮标资料的权利和义务，为中国海洋和气象界承担的相关研究项目提供资料服务，丰富我国的海洋环境数据库。以提高对中国重大气候灾害形成机理和预测理论研究水平，提高中国科学家对全球海洋和气候变异特征的认识，促使我国海洋和气候研究向全球化发展。

随着该项目的启动实施，中国将会成为国际ARGO计划中的重要成员国。并可为日后近海观测网建设提供强有力的技术支撑，形成中国自成系统的海洋实时观测网络，为我国的海洋研究、海洋开发、海洋管理等提供实时观测资料和产品。

【季风爆发过程南海海洋动力结构演变研究】 本项目为国家攀登计划“南海季风试验研究”课题中的专题。国家海洋局第二海洋研究所许建平研究员为主承担，通过对季风爆发前后的两次外场实验和历史海洋、遥感观测结果的综合分析，对南海上层海洋动力结构在季风爆发前后的主要特征和变化规律、季风爆发期间南海上层海洋动力结构的时空演变过程和季风爆发与南海上层海洋动力结构演变间的相互关系与动力机制进行分析研究。运用多种分析手段和数值计算方法，对发生在南海的有关物理海洋现象进行了深入探讨，取得了一批可喜的研究成果，完成并发表相关论文14篇，出版《南海海流数值计算及中尺度特征研究》专集1册。

【南海海洋环境调查研究】 国家海洋局第二海洋研究所许建平研究员为主承担了“南海水文基本特征与评价”、“季风作用下南海环流体系及其对生物资源影响研究”、“中尺度涡旋研究”和“北太平洋与南海水交换及其相互作用研究”等4个课题的研究工作。发表和完成论文、报告8篇。其研究成果得到了验收专家的充分肯定，专家一致认为：南海海洋水文环境调查研究“成果调查覆盖面广、资料内容多、质量高，必将在我国南海海洋研究中发挥重要作用”。其中“南海水文基本特征与评价报告”基本反映了南海海洋环境的实际状况。而“季风作用下南海环流体系研究报告”为系统了解和掌握南海海洋环流及其变化规律，深化对南海物理海洋学问题的认识作出了贡献。“南海中尺度涡旋研究和北太平洋与南海水交换及其相互作用研究”报告反映了南海中尺度涡的分布特征以及北太平洋与南海水交换过程和交换特征。成果可作为我国海洋管理和海洋资源开发与环境保护的科学依据。

(孙煜华　杨士英)

【天然气水合物研究】 国家海洋局第二海洋研究所金翔龙院士于1999年上半年提出了冲绳海槽海底天然气水合物资源潜力分析研究计划，并着手研究。2001年根据Miles（1995）提出的水合物稳定存在的温度-压力方程，建立水合物稳定带厚度的几何算法，用C语言编程加以实现，在Windows中文平台上完成了一个操作简单、运算方便的小程序“天然气水合物稳定带厚度计算”。通过输入经度、纬度、水深、海底温度、地温梯度等值，经计算得到该点位置的水合物稳定带厚度。

【西北太平洋地球动力机制研究】 国家海洋局第二海洋研究所金翔龙院士、高金耀研究员等通过多卫星测高数据的综合处理，获得了西太平洋卫星测高重力场，进行了不同尺度、深度构造动力信息的分离，对边缘海盆的莫霍面埋深变化，大、中、小尺度的地幔流体系特点及其与地幔柱之间的关系进行了探讨。

【大洋研究】 20世纪80年代以来，在国家海洋局和中国大洋协会的领导下，国家海洋局第二海洋研究所使用多频、多波束（具有从近岸浅水到大洋深水的系列探测能力和技术）、水下机器人、深拖、海底照相等国际最先进的勘测技术，进行大洋矿产资源（多金属结核、富钴结壳、热液流化物、天然气水合物）勘查与研究，与国土资源部广州海洋地质调查局等单位合作，使中国成为国际大洋多金属结核资源开发第五个先驱投资者和拥有国际海底7.5万平方千米矿区专属勘探权和优先开发权。

在开展海底资源分布规律、成矿机理、成矿动力学研究及发展相应高新技术探测手段等方面取得了有创新的丰硕成果。2001年主要成果：

(1) 通过对锰结核生长速率的讨论，认为锰结核的纹层韵律可能与地球轨道参数的周期性变化有关，纹层的周期可能对应地球轨道的黄赤交角的变化周期，纹层对周期可能对应地球轨道的半岁差周期。

(2) 多金属结核开辟区沉积物中的金属元素可能具有不同的来源，铁可能以岩源碎屑为主；锰则可能是自生成因；钙和包镁以生物成因为主。

【《大洋多金属结核资源评价原理和矿区圈定方法》专著出版】 2001年3月，由海洋出版社出版的《大洋多金属结核资源评价原理和矿区圈定方法》一书是国家海洋局第二海洋研究所张富元研究员等长期从事大洋多金属资源勘查与研究工作，充分掌握多金属结核资源评价的理论与方法及国内外发展状况，在不断积累工作实践经验的基础上，全面系统地总结了多金属结核资源评价基本理论和矿区圈定方法。此书从多金属结核资源评价的原理和数据采集方法着手，评价所获数据的可靠性和代表性；论述多金属结核矿石质量的评价方法，并动态确定边界指标；采用聚类分析、因子分析、趋势分析、地质统计、神经元网络分析等多种评价方法进行资源评价和相互对比；分析多金属结核分布的控制因素，探讨板块构造与资源效应关系；提出多金属结核矿区圈定和资源量计算的方法；分析多金属结核矿区内结核可采和不可采的条件；最后通过多金属结核资源评价系统的程序设计和软件开发，实现资源评价的定量化、计算机化和可视化。此书的出版将促进大洋多金属结核、富钴结壳、块状硫化物等海洋矿产资源的评价工作。

【季风在南海颗粒物中的记录：来自沉积物捕获器的证据】 20余年前沉积捕集器的发明和深海颗粒通量研究的开始，对于正确理解海洋沉积过程，正确解释深海古环境记录，均有划时代的意义。近年来，南海已成为现代季风研究（如SCSMEX）和古季风研究（如ODP184航次）的国际热点，而两者之间的连接环节为现代沉积过程与季风的关系。国家海洋局第二海洋研究所郑连福研究员等在国家自然科学基金的资助下，利用国际合作的有利条件，国内首次在南海中部、北部取得了十余套沉积物捕获器时间系列资料，开展了大量室内试验与资料分析，进行了系统、综合的研究。

项目的主要贡献在于：①发现南海颗粒通量的季节和年际变化分别受东亚季风和厄尔尼诺控制；②研究了南海颗粒物组分通量与组成及其在水层变化特征与机制，证实沉积物底层搬运作用和陆源物质入海的风力搬运作用；③评估了南海中部初级生产力，阐明了其季节变化和与季风的关系，阐明初级生产有机碳在深海水层中的分布及在海盆沉积物中积累的定量比；④说明了颗粒物与沉积物中有机质的主要来源，特别是提出了有机物早期降解作用的标志物；⑤发现浮游有孔虫总通量呈现季节性波动，其勃发期与冬、夏季风盛行期的表层高生产力相对应，同时阐明了其空间变化特征；⑥通过浮游有孔虫各属种的通量、定量组成和壳体氧同位素成分及其年际变化，揭示海表温度的控制效应；⑦发现放射虫和硅藻通量与季风变化的密切关系及其与有机碳通量、表层初级生产力和真光层输出生产力变化的一致性。

课题组还进一步探索沉积物在水柱中沉降过程所带来的变化，明确指出利用沉积物提取古环境信息必须考虑水柱过程、早期成岩等因素的干扰，从而提出了“水柱校正”的新概念，使我国海洋学在这一重要领域取得了可喜进展，使项目向纵深发展。（孙煜华）

【地球圈层相互作用中的深海过程和深海记录：“深海生物圈在物质循环中的作用”】 已按计划完成课题所需要的技术准备工作；完成了“大洋一号”DY105-11航次“973”研究区的现场调查工作；于西太平洋暖池深海“973”研究区域取得第一批深海大型底栖生物和小型底栖生物的样品，并进行了样品的预处理和保存工作；同时于现场进行了表层沉积物中的叶绿体含量的分析。另外还进行了西太平洋暖池区深海上层水体叶绿素a的分布和初级生产力研究。分别采用新型深海箱式取样器及改进型深海多管取样器采集到3个测站的深海大型底栖生物泥样和几乎不受扰动的小型底栖生物泥样；测试了3个站位的沉积物中叶绿体的含量，初步已获得78个数据；另外测试了5个站位上层水体的叶绿素a含量及1个站位的初级生产力。在东太平洋、中太平洋、西太平洋暖池区3个不同海区按不同层次分层采集了深海沉积物样品，并现场分离了数十株细菌；提取了泥样和水样中部分微生物样品的总DNA；完成了微型生物样品的采集，类群的分析工作尚在进行中。

（国家海洋局三所科技处）

【全国海域勘界试点——辽冀线海域勘界】 由国家海洋局第一海洋研究所负责，国家海洋局海洋环境监测中心、国家海洋局北海分局、国家海洋信息中心参加，对辽宁与河北间海域管辖界线附近海域在实施全过程质量控制下进行了海底地形、地貌、底质、生物资源、基础岸线及岸滩动态变化等专项调查与勘测，提交了勘界资料汇编，勘界图集和勘界报告。在对各种划界环境要素进行深入、综合分析的基础上，提出辽冀海域界线不同方案并进行优化比选后，确定了两省间直线式海域管理区域界线。该界线符合拐点最少原则，保留了旅游景点、小三角洲、潟湖、小海湾，小岬角等自然体的完整性，不会因划界产生海洋开发归属纠纷，充分体现了公平性与合理性。经两省人民政府审查，均予以认可。这对避免两省间海洋开发中的纠纷、维护沿海地区社会稳定、促进海洋经济可持续性发展、加强海洋综合管理等有重要作用。并为全面开展各省、市间海域勘界积累了经验，奠定了基础。　（路应贤）

【青岛海洋地质研究所2001年重点项目介绍】

1．1∶100万南通幅海洋区域地质调查

完成底质取样87个和浅地层剖面测量2 000千米；对底质取样和浅地层剖面测量成果进行了验收；样品化验分析送样1 200个。复制整理了2001年所做的浅剖资料，并对部分剖面进行了初步解释。收集卫星遥感图片，针对岸线变化大和近岸浅水区地形地貌复杂的特点结合实际资料做解译，并依据卫星遥感资料综合判读解译，对项目编制的地理底图作了修改和补充。在浅地层剖面中古河道、古湖泊、浅层气、冲刷沟、三角洲等的等地貌单元明显，为我们认识黄海陆架的古地理环境演变过程提供了丰富的资料。

2．中国重点海岸带滨海环境地质调查与评价

2001年7月中、下旬，在东营地区开展了遥感解译现场调查。到12月底将全部完成遥感解译工作。8月中旬～9月上旬，项目组在黄河三角洲滨海区成功完成了1口取样钻孔的施工，孔深61.4米，项目组主要成员参与了海上钻孔施工。10月底至11月下旬，在黄河三角洲滨海区完成浅地层剖面测量近700千米。主要成果：①查明了黄河三角洲20余年来的海岸线变迁；②查明了黄河三角洲滨浅海地区晚第四纪地层结构。

3．长江中游南岸末次冰期风沙-古土壤序列磁学性质研究

查明红光风沙沉积序列的磁性矿物主要是磁铁矿，另含少量磁赤铁矿和赤铁矿，以多畴为主。与风砂层相比，弱发育古土壤层的磁性颗粒较小，低矫顽力磁性矿物的相对比例增加。

对风沙沉积序列多种磁学参数的研究表明，在末次冰期盛冰期区域性气候的不稳定性过程中，气候由干冷转变为湿暖的过程有一定的渐变性而非突变；风沙沉积序列的底部倒数第二层风砂层是在气候最干冷时期形成的，而从它沉积之后直至13ka BP左右，气候由干冷渐向湿暖过渡。

4．大洋多金属结核及海底沉积物测试标准方法研究

初步确定候选分析方法。对候选方法中仪器条件的选定、共存元素的干扰、分析方法质量水平（测定范围、精密度、准确度、检出限）等逐一进行试验验证，进一步确认候选分析方法的合理性。完成大洋多金属结核中TMn、TFe、Cu、Co、Ni、Pb、Zn、SiO_2、Al_2O_3、TiO_2、P_2O_5、CaO、MgO、K_2O、Na_2O等项目测定的验证报告及分析方法标准的征求意见稿；完成海底沉积物中SiO_2、Al_2O_3、Fe_2O_3、FeO、MnO、TiO_2、P_2O_5、CaO、MgO、K_2O、Na_2O、H_2O^+、$CaCO_3$、Cl、As、Sb、Bi、Se、Hg等项目测定的验证报告及分析方法标准的征求意见稿；完成ICP-AES法测定大洋多金属结核及海底沉积物中常、微量元素及稀土分量的验证报告及分析方法标准的征求意见稿；完成ICP-MS法测定大洋多金属结核及海底沉积物中微量和痕量元素标准分析方法初稿。

5．东海陆坡天然气水合物资源调查评价

通过对二维地震剖面特殊处理资料的解释，进一步确定了冲绳海槽南部局部地区水合物异常信息的特征及对比结论。初步观察了ODP最新航次在冲绳海槽南部钻的井的200余块钻井岩芯样品的岩性特征，收集了相应地震反射剖面，分析了它们对于研究区南部天然气水合物分布与赋存的实际意义，取得它们对于研究区天然气水合物形成与分布的新的整体认识。

6．黄海选定海域1∶50万油气地球化学勘查

完成了80个站位的海上地球化学取样；进行了总共134个样品的多指标地球化学分析测试，大部分已经完成；收集了调查区相关的地质地球物理资料并进行了分析。通过对南黄海选定海域地质、地球物理资料和以往油气勘查成果的分析，

对这一海域的油气资源状况有了进一步的认识和了解。明确南黄海海域的坳陷区和隆起区都具有油气勘查远景，除新生界外，中生界和古生界是应给予足够重视的寻找油气新领域；通过国内外海域油气地球化学勘查成果的分析，进一步认识到海域油气地球化学勘查的有效性及其直接、快速和经济的优势；通过对海域1：50万油气地球化学勘查技术规范的编制，给出了适合海域油气地球化学勘查的标准；通过海上取样，完善了海域油气地球化学勘查的样品采集技术、保真技术，为海域油气地球化学勘查工作的开展提供了技术保证；对已获取的地球化学指标的分析结果表明，南黄海海域具有低背景均匀地球化学场特征。这种地球化学场是开展油气地球化学勘查的最佳场，有利于油气异常的发现和识别。

（青岛海洋地质研究所 王建华）

国家科技部基础性工作项目
Basic Work Projects of the State Ministry of Science and Technology

【海洋药源生物资源及基因库的构建】（编号 G-99-A-15）为了能充分、可持续利用我国海洋资源，开发有独立知识产权的新药，加快海洋药物研发的信息流通，由国家海洋局第三海洋研究所和青岛海洋大学，于1999年共同提出立项建议，当年立项，2000年1月开始运作。由于本项目是一项重要的基础性课题，具有重要的学术意义和广阔的应用前景，2001年项目再次延续到2003年12月。

项目拟构建成4个库：标本库、微生物种质资源库（包括极端微生物）、基因库（包括药源动物和极端微生物）、信息库。

到2001年底，该项目所建的海洋药源生物资源及基因库已初具规模：标本库已经收集292种，药源动物基因库已经收集10种，近海微生物基因库已经收集11种，极端微生物基因库已经收集16种。近海微生物资源库已经收集45种+319株(具细胞毒、抗肿瘤活性、抗菌和抗病毒)，极端微生物种质库已经收集130株。信息库收集有关信息500多条，并已经发布于互联网。网址：http://210.34.218.170/mmbio/

2001年12月由科技部组织的专家组对第一阶段工作进行检查验收，评价优秀。

（国家海洋局三所科技处）

【重大水产养殖病害监测】 本课题已建立了斑节对虾杆状病毒(MBV) PCR检测方法，并完成PCR检测试剂盒的研制。托拉病毒(TSV) 和黄头病毒(YHV)均为RNA病毒，目前已利用DNA重组技术，用拼接引物人工合成200-300bp的TSV、YHV基因组DNA片段，克隆到带有PolyA尾的体外转录载体pSP64中。利用体外转录系统在试管内转录出带有PolyA的病毒RNA片段，通过磁珠法分离、纯化，得到病毒的RNA片段，即阳性对照模板。利用阳性对照模板进行RT－PCR反应条件的优化，目前已开始进行样品的检测，试剂盒也正在研制中。

（国家海洋局三所科技处）

【海洋渔业资源评估与配额管理技术研究】 该项目为科技部社会公益研究专项资金项目。主持单位为中国水产科学研究院黄海水产研究所。

“海洋渔业资源评估与配额管理技术研究”按合同要求进展顺利。完成海上实验，完成论文3篇，现已经初步完成项目总报告四章内容的撰写。将于2002年初申请验收。2002年争取出版专著一部。

【共管水域渔业资源调查与管理措施的研究】 该项目为科技部社会公益研究专项资金项目。主持单位为中国水产科学研究院黄海水产研究所。

2001年按课题合同利用“北斗”号完成暂定措施水域的海上调查工作，计40天，其中拖网站位70个，中层拖网10个。现已经完成暂定措施水域(包括中韩、中日)渔业资源及其环境分布图约100幅，正在撰写研究报告，将于2002年初申请验收。

【“主要水产养殖品种种质资源收集、保存、整理”和“水产养殖种质资源数据库与网络建设”】 该项目为科技部基础性工作项目。主持单位为中国水产科学研究院。该承担本项目中8个主要海水养殖经济种类的种质资源的收集、保存、整理，并开展相关的研究工作。针对不同的物种，采取了不同的管理和研究模式。

(1) 中国对虾：通过5年的选育已成功育成新品系——中国对虾抗逆种群（品系）。现已形成中国对虾良种选育、对虾高健康苗种培育和对虾健康养殖三大支柱技术。收集和保存的中国对虾原良种每代都在2 000尾以上，可保证种质资源的遗传多样性。

（2）栉孔扇贝：本项目原种的收集与保存与原良种基地相结合，进行了栉孔扇贝的种质收集和保存工作。与此同时，筛选出2个抗病性强、生长快、出柱率高的栉孔扇贝新品系。

（3）大菱鲆：黄海水产研究所从1992年起先后4次引进大菱鲆幼体，前3次引进的幼鱼现在均已发育成熟。对于大菱鲆的保种工作，两个点分别达到4 000尾以上。黄海水产研究所的海阳基地目前也保存了1 000余尾亲鱼。

（4）真鲷：十几年来黄海所的小麦岛基地一直将真鲷作为支柱产业进行发展，目前已经保种选育到第9代亲鱼，数目达到351尾。

（5）日本红鳍东方鲀：本项目采取“948”项目与企业合作的方式，亲鱼保种情况：1999年保种220尾，体长29厘米，体重694克。2000年3月保种亲鱼的体长32厘米，体重1 165克。2001年3月保种亲鱼共有421尾，体重达到1 898克。

（6）条纹鲈：本项目与黄海水产研究所承担的山东省农业良种产业化项目“美洲条纹鲈引进繁育及规模化养殖技术研究”结合。分3次从美国引进。目前，保种工作在黄海所的海阳基地进行，共保种4～5龄优质亲鱼500尾以上。

（7）牙鲆：黄海所进行牙鲆的人工养殖、增殖放流研究起始于80年代初期，目前牙鲆的种质保存工作移到黄海所设在海阳的基地，拥有牙鲆优质亲鱼800尾。

（8）鲍鱼：自1993年以来与蓬莱海水养殖试验场、蓬莱江成海珍品有限公司合作，进行亲鲍保种工作，每年保存亲鲍在1 500只以上。

“水产养殖种质资源数据库与网络建设”项目，海水养殖种质资源数据库的构建基本按照计划进度进行，生物基本库和养殖库的建设进展顺利，但种质资源数据库的构建的部分工作尚在进行之中。（刘世禄　孙惠玲）

【水声环境参数的采集与规律研究】 收集整理了GEOSAT、TOPEX/POSEIDEN的高度计资料及ERS的部分高度计资料、中国近海一千多景SAR影像快视图及近4年的NOAA资料，整编了中国近海及附近海域海洋水文气象资料，设计了中国近海遥感基础数据库。重点分析、改进了已有空间数据的拓扑结构及时间地理信息系统，开展了示范系统建设试验。

已研究发表了“海洋遥感动态信息系统技术研究”、“海域划界模拟系统的构建研究”、“二维经验模分解在海洋遥感图像信息分离中的应用”论文。（路应贤）

国家计委科技专项
Special Scientific and Technological Projects of the State Planning Commission

【海洋生物病毒监测技术研究】 本课题在2001年构建了内标质粒及完成了定量PCR检测方法的关键技术，收集了6批共134尾不同感染程度的对虾样品，并用已建立的定量PCR内标法，测定样品的病毒含量。检测结果表明，无病症的对虾样品每毫克组织所携带的病毒量低于103个病毒粒子，有病灶的对虾样品每毫克组织所携带的病毒量均高于103个病毒粒子，根据这一结果，初步确定了疾病爆发的危险临界值每毫克组织含103个病毒粒子。

此外，在国家海洋局北海监测中心（青岛）建立对虾白斑杆状病毒PCR检测点，配置PCR检测仪、电泳仪及各种检测设备，同时对工作人员进行了培训。检测点定期对水样及对虾样品进行跟踪检测。（国家海洋局三所科技处）

【黄河断流对三角洲海上油气开发环境的影响及对策研究】 20世纪70年代以来，由于天然降水减少，人为耗水增加及淡水资源的不合理开发利用，黄河在1972～1999年27年间，有21年发生过断流，且断流时间和断流长度逐年增加。黄河断流长度70年代为242千米，80年代为256千米，到90年代增加到430千米。1997年利津站断流13次，时间长达226天，1999年断流减少到42天。

该项目利用高技术手段和现代化仪器设备，完成了黄河断流期（枯水期）及黄河丰水期的水深地形、表层沉积物的对比监测及潮、流、温、盐、悬沙浓度的观测。利用实测资料、卫星遥感图片对比及历史文献资料，探讨了黄河断流的严峻形势及所引起的国土资源建造速率减缓、海岸侵蚀后退和海上油气开发环境失衡的一系列负面影响，对黄河断流和水沙减少所引发的海岸侵蚀加剧、灾害加重、生态环境恶化和海上工程施工环境趋于复杂的严重后果，提出了可持续发展对策，对胜利油田的滩海油气开发和现代黄河三角洲的综合治理提供了可资利用的研究成果。（路应贤）

【国家级海洋自然保护区环境与资源遥感动态监测——南麂列岛示范研究】 由国家海洋局第二海洋研究所周长宝研究员为主承担的国家计委高技术项目。该项目在2000年通过中期验收的基础上，2001年主要进行南鹿列岛海域现场调查，以获取地理环境，人文景观及GPS数据。利用高分辨率IKONOS卫星遥感图像得到南鹿列岛土地覆盖及类型分布，海岸线特征及人工构筑物（包括防波堤、水产养殖区、人工海岸、码头等）和海面目标等。利用NOAA AVHRR、FY-1C和SeaWiFS卫星遥感图像等得出海面温度、叶绿素和泥沙分布；利用分形、分维技术，获取不同比例尺的海岸线、海底地形图以及植被分布；在建设数据库中，首次较系统全面地建成南鹿列岛国家级海洋自然保护区贝藻类数据库及其图谱库。研制了南鹿列岛卫星影像图，给出了渔村、道路、水系、植被、沙滩、岛屿分布、土地利用及人工海岸与其他目标，结束了南鹿列岛没有行政区划图的历史。其开发研究的贝藻类数据库、图谱库和人文景观库建设，及利用高分辨率卫星遥感图像等资料的处理、信息提取、分形分维技术研究、管理信息系统设计与建设等方面均取得了一些创新性成果。

（孙煜华　杨士英）

【渤海赤潮灾害的监测与损失评估】（国家高技术产业发展项目）该项目由国家海洋局于2000年9月29日正式批复实施（国海计财字[2000]313号），其主要研究内容是：利用航空遥感技术手段对赤潮光谱特征、时空分布动态变化进行监测，掌握赤潮水团的扩展、漂移等情况，为预测赤潮漂移路径和影响提供科学依据。同时利用卫星遥感反演技术，对赤潮面积做出估算。通过研究赤潮遥感监测技术，建设基于高新技术手段之上的赤潮监测实验网络和赤潮信息传递网络，为环渤海省、市提供赤潮信息和赤潮损失评估示范。

该项目于2001年1月份正式启动，在实施过程中，已获得大量赤潮现场遥感与海面多源同步立体化监测数据，探索出了立体化赤潮监测的不同数据模式，初步建成了赤潮监视网络和赤潮信息传递网络，获得了一定数量的赤潮灾害损失现场调查资料。目前，项目正在进一步改进和完善赤潮监视网络和赤潮信息传递网络，分析整理有关资料和数据，进行最后的遥感监测技术研究和灾害损失评估。预计该项目于2002年11月进行验收。（国家海洋局北海分局）

【三峡工程对长江口及其邻近海域的环境和生态系统的影响研究】 国家海洋局东海分局与华东师范大学河口海岸国家重点实验室共同承担的“三峡工程对长江口及其邻近海域的环境和生态系统的影响研究”，被国家计委列为“1998年国家高技术应用部门发展项目”，于2001年1月19日通过项目验收和评审。

该项目研究期限2年，即1999年1月至2000年月12月。在此期间进行了枯水期和丰水期连续3个航次，包括从长江口内河道、河口近海直到外海的大范围的环境和生态以及河口盐水入侵调查、滩地动力地貌观测等，掌握了20世纪末项目水域环境和生态的主要特征及其规律，同时应用数值模拟和人工神经网络等先进方法，归纳分析、定量地研究了三峡工程对项目水域的环境和生态以及河口盐水入侵、滩槽冲淤的影响。

该项目测站和断面选择合理、科学、有代表性，观测规范、数据分析可靠，建立了符合长江口及其邻近海域实际情况的数学模拟以及资料信息库，补充了原有东海地理信息系统。该项成果总体上达到了国内同类研究领域的先进水平，部分达到国内领先水平。

该项目为三峡工程建成后水库的调蓄运行、为对该海域的环境和生态系统的保护以及海洋资源的合理开发、为南水北调工程对项目水域的影响评价等提供最新成果和科学依据。

（国家海洋局东海分局　蒋晓山）

【疏浚泥（粉煤灰）综合利用技术】 属国家高技术应用部门发展项目，是由国家海洋局南海分局提出，并于2001年6月通过国家计委批准正式立项（计司高技函[2001]977号文）。

随着我国港口、航道、海洋和海岸工程的建设迅速增长，向海洋倾倒的疏浚泥数量日益增加。但目前现有倾倒区使用多年，容量日趋饱和，难以容纳未来大型工程疏浚泥的倾倒，且近岸海区已很难找到大容量的海洋倾倒区。如果将海洋倾倒区设置在河及港湾以外的海域，不仅施工工期受到影响，而且处置的成本将大幅度增加。该项目开发的主要内容和目的是通过国内外现有疏浚泥处理技术，研究开发出适合我国国情的低造价固化材料，将人们弃之不用而又无处倾倒的疏浚泥代替粘土生产陶粒，成为土木、建筑材料，变废为宝、化害为利。因此，课题的立项正是我国海洋环境的保护和海岸工程发展的迫切需要。它不仅促进我国传统倾倒方式的转变，从根本上减少疏浚泥海洋倾倒的数量，缓减倾倒区紧张的状况，而且将废弃物转化为有用的土地资源和有广泛用途的建筑材料，从而缓解由于淤泥倾倒所引起的环境污染。这对充分开发利用海洋资源、保护海洋环境、实施可持续发展战略具有重要的现实意义。

目前该项目的可行性研究报告已通过专家鉴定，并开始具体实施。项目实施期限为两年，主要研究工作分两个阶段实施，共有12个子课题由承担单位和合作单位分别实施。

（国家海洋局南海分局　李仲钦）

国家自然科学基金重要项目
Key Projects of the National Natural Science Fund

【国家自然科学基金重大项目“渤海生态系统动力学”通过结题验收】 项目主持人：国家海洋局第二海洋研究所苏纪兰院士、农业部黄海水产研究所唐启升院士。该项目由国家海洋局第二海洋研究所、黄海水产研究所、中国科学院海洋研究所和青岛海洋大学共同承担，集中了国内从事物理海洋、海洋生物地球化学、海洋生物和海洋渔业资源的主要优势单位和优秀科学家。

该项目将于2002年4月在杭州通过自然科学基金委员会组织的验收。

该项目选择渤海作为研究区域，针对渤海生态系统中的重要科学问题，进行了大量的调查观测及基础研究工作，较深入地探讨了渤海海洋生态系统结构、生物生产及动态变化规律。在对虾早期栖息地环境和关键动力学过程、浮游动物种群动力学及其在生态系统中的调控作用、高营养层食物网营养动力学及资源优势种交替机制、渤海生态系统动力学模型等方面取得了若干重要研究成果，促进了海洋生态系统动力学这一新学科前沿领域在中国的发展。主要的创新性认识有：

(1) 河流建闸、黄河断流和入海口改变等人类活动严重影响了中国对虾仔稚虾进出河口栖息地的可能性，气候的长期变化导致了渤海水文环境的显著变化，并对生态系统的生物生产产生影响。

(2) 在浮游植物群落的小型(Net)、微型(Nano)和微微型(Pico) 3个不同粒级中微型和微微型的作用不容忽视。小型桡足类在浮游动物中起主导作用，从分布、产量和粒度多方面看都比大型桡足类重要。

(3) 高营养级种间的能量收支存在明显差异，在胁迫条件下不同营养级生物间的生态转换效率会发生改变。渤海渔业生物资源的群落结构正在向低质化转变，食物网营养级下降，食物链缩短。随着外部影响条件的变化，生态系统生物生产受到多种不同机制的综合作用。

(4) 三维初级生产模型和水层-底栖多箱模型模拟结果表明，在渤海生态系统的物质循环中，浮游植物光合作用固定的碳量约有13%进入主食物链，还有很大一部分碳量进入底栖亚系统。动力学模型模拟结果显示，气候变化导致的海洋环境变化是引起渤海营养盐和浮游植物生产力变化的重要原因。

在该项目研究中，完成了《中国海洋生态系统动力学研究》专著2本、《渤海生态环境和生物资源分布》图集1册、论文177篇，其中发表在SCI/EI收录刊物上的文章有15篇。

在本项目研究进展的基础上，进一步明确了中国近海生态系统动力学研究的主要科学问题，促成了国家重点基础研究发展规划(“973”)“东、黄海生态系统动力学与生物资源可持续利用”的立项，并成功地争取到在我国承办GLOBEC第二届开放科学大会，表明我国海洋生态系统动力学研究处于国际前沿。

【“黄、东海入海气旋爆发性发展过程的海气相互作用研究”通过结题验收】 项目主持人：国家海洋局第二海洋研究所袁耀初教授。

该项目系国家自然科学基金“九五”重点项目。该项目通过中、韩、日三国联合观测研究，圆满地完成了1999年6月两个航次的观测任务，成功地捕捉到两个气旋的发展过程，取得了海洋水文和气象7个调查项目的高质量资料。主要的研究成果有：①黄、东海各流系相互作用对热通量分布及气旋的发展有直接影响；②观测发现在气旋发展过程中，在气旋中心区存在负的潜热和感热通量，这一发现得到了数值模拟的支持；③通过观测和海气耦合模式的计算，表明了海洋对大气的热输送，特别是潜热输送对气旋发展起着重要作用；④黑潮及其两侧冷、暖涡对气旋发展与路径有重要影响；⑤提出了海上气旋发展的一种物理机制。

以上成果在国内外还未见诸文献报导，属首次发现。部分研究成果对入海气旋发展的预报具有实用价值。（国家基金委，国家海洋局二所）

表1 2001年国家自然科学基金资助海洋科学学科项目目录

自由申请项目

序号	批准号	项目名称	负责人	所在单位	合作人数	起止年月	资助金额（万元）
1	40176001	风暴潮数值模式资料同化的KALMA滤波方法	张占海	国家海洋环境预报研究中心	7	2002.01～2004.12	22.00
2	40176002	赤道印度洋在厄尔尼诺（拉尼娜）事件发展中的作用	巢纪平	国家海洋环境预报研究中心	7	2002.01～2004.12	21.00
3	40176003	太平洋热带和副热带水交换的年际、年代变化与ENSO	王启	青岛海洋大学	7	2002.01～2004.12	26.00
4	40176004	波-流共同作用下泥沙混合特性的实验研究	孔亚珍	华东师范大学	8	2002.01～2002.12	5.00
5	40176005	三维空间海温场的经验正交函数建模和用应研究	马继瑞	国家海洋信息中心	7	2002.01～2004.12	27.00
6	40176006	南海淡水收支的遥感分析及其水平衡效应研究	施平	中国科学院南海海洋研究所	4	2002.01～2004.12	25.00
7	40176007	流球群岛两侧海流的变异研究	袁耀初	国家海洋局第二海洋研究所	7	2002.01～2004.12	23.00
8	40176008	论大洋环流模拟中经向摩擦的重要性	张庆华	国家海洋局第一海洋研究所	6	2002.01～2004.12	23.00
9	40176009	海温资料同化的自适应变分方法	朱江	中国科学院大气物理研究所	2	2002.01～2004.12	24.00
10	40176010	海浪状态参数的非线性统计预报方法研究	侯一筠	中国科学院海洋研究所	8	2002.01～2004.12	23.00
11	40176011	新颖光子计数光测风技术及实验系统	刘智深	青岛海洋大学	6	2002.01～2004.12	27.00
12	40176012	不同海底浅层介质切变波传播和声衰减研究	卢博	中国科学院南海海洋研究所	4	2002.01～2004.12	20.00
13	40176013	胶州湾典型地区环境变迁过程的研究	韩德亮	青岛海洋大学	7	2002.01～2002.12	5.00
13	40176014	冲绳海槽陆源物质的峡谷通道搬运与海底扇沉积作用	李巍然	青岛海洋大学	10	2002.01～2004.12	31.00
15	40176015	北极地区晚更新世以来的古海洋变迁及其全球气候意义	陈荣华	国家海洋局第二海洋研究所	6	2002.01～2004.12	23.00
16	40176016	冲绳海槽构造地貌特征和发育模式研究	傅命佐	国家海洋局第一海洋研究所	4	2002.01～2004.12	25.00
17	40176017	北极楚科奇海沉积物中古环境地球化学代用指标研究	高爱国	国家海洋局第一海洋研究所	5	2002.01～2002.12	7.00
18	40176018	东海陆架晚更新世大型水下三角州物质来源判断	刘振夏	国家海洋局第一海洋研究所	6	2002.01～2004.12	26.00
19	40176019	晚第四纪西太平洋边缘中深层水流通状况的研究	李铁刚	中国科学院海洋研究所	6	2002.01～2004.12	24.00

续 表

序号	批准号	项 目 名 称	负责人	所 在 单 位	合作人数	起止年月	资助金额（万元）
20	40176020	冲绳海槽热液硫化物的年代学研究	曾志刚	中国科学院海洋研究所	5	2002.01～2004.12	23.00
21	40176021	典型淤泥质潮滩沉积动力环境的遥感探测	黄海军	中国科学院海洋研究所	5	2002.01～2004.12	23.00
22	40176022	开敞型海岸潮坪韵律的形成及古环境研究	范代读	同济大学	5	2002.01～2004.12	25.00
23	40176023	海水中无机物质的光化学研究	杨桂朋	青岛海洋大学	8	2002.01～2004.12	23.00
24	40176024	南海对大气二氧化碳的吸收和转移研究	张远辉	国家海洋局第三海洋研究所	5	2002.01～2002.12	6.00
25	40176025	南海北部海气CO_2通量与上层生物地球化学过程的相互作用	戴民汉	厦门大学	10	2002.01～2004.12	23.00
26	40176026	珠江河口“门”的动力沉积研究	吴超羽	中山大学	12	2002.01～2004.12	23.00
27	40176027	防波堤前短峰波引起的底床破坏	林　缅	中国科学院力学研究所	4	2002.01～2004.12	22.00
28	40176028	海洋浮游植物分子生态学研究	杨官品	青岛海洋大学	7	2002.01～2004.12	23.00
29	40176029	海产腹足类性畸变现象与海洋有机外物锡污染生物检测技术	黄长江	汕头大学	6	2002.01～2004.12	22.00
30	40176030	南海永暑礁晚第四纪微型软体动物记录与古环境变化	冯为民	中国科学院南京地质古生物研究所	4	2002.01～2004.12	22.00
31	40176031	由南海珊瑚$\delta^{18}O$探讨中世纪以来南海北部特征气候事件	彭子成	中国科技大学	7	2002.01～2004.12	23.00
32	40176032	基于RS/GIS集成技术的南中国海岸带水环境研究	陈晓玲	武汉大学	6	2002.01～2004.12	30.00
33	40176033	养殖水域沉积物-海水界面的关键生态学过程研究	张志南	青岛海洋大学	10	2002.01～2004.12	24.00
34	40176034	珠江河口最大浑浊带浮游植物生态动力过程	黄小平	中国科学院南海海洋研究所	6	2002.01～2004.12	22.00
35	40176035	南海浮游植物粒度结构的物理-生物海洋学耦合过程研究	宁修仁	国家海洋局第二海洋研究所	6	2002.01～2004.12	25.00
36	40176036	近海富营养化水体中霍乱弧菌致病基因水平转移的研究	蔡俊鹏	华南理工大学	8	2002.01～2004.12	25.00
37	40176037	海洋浮游古菌的生态学研究	焦念志	厦门大学	7	2002.01～2004.12	24.00
38	40176038	产生环肽海洋真菌的优化培养及活性环肽成分研究	林文翰	北京大学	8	2002.01～2004.12	24.00
39	40176039	近表层浮游物三维结构的遥感研究	李　炎	国家海洋局第二海洋研究所	6	2002.01～2004.12	23.00
40	40176040	利用SAR影像对台湾东北部孤立波的研究	张　杰	国家海洋局第一海洋研究所	9	2002.01～2004.12	25.00

青年科学基金项目

序号	批准号	项目名称	负责人	所在单位	合作人数	起止年月	资助金额（万元）
1	40106001	风浪宏观特征量的研究	文　凡	青岛海洋大学	5	2002.01～2004.12	23.00
2	40106002	ENSO期间南海海洋动力异常的同化诊断研究	谢　强	中国科学院南海海洋研究所	4	2002.01～2004.12	18.00
3	40106003	渤黄东海初级生产力的环境条件的生态动力学模型研究	万振文	国家海洋局第一海洋研究所	4	2002.01～2002.12	6.00
4	40106004	UK37海水古温度估算的水柱校正	陈建芳	国家海洋局第二海洋研究所	6	2002.01～2004.12	22.00
5	40106005	大样锰结核的纹层韵律及其对全球气候变化的响应	韩喜球	国家海洋局第二海洋研究所	4	2002.01～2004.12	22.00
6	40106006	冲绳海槽晚第四纪古环境及其对全球气候变化的响应	孙有斌	中国科学院海洋研究所	5	2002.01～2004.12	21.00
7	40106007	河口生态系溶解有机物质生物地球化学过程研究	郭卫东	厦门大学	7	2002.01～2004.12	22.00
8	40106008	近海水域水流中非线性波的传播模型及其应用	张洪生	华东师范大学	6	2002.01～2004.12	21.00
9	40106009	用走航式ADCP进行长江口悬沙输运观测研究	汪亚平	南京大学	9	2002.01～2004.12	25.00
10	40106010	前塘江涌潮的数值模拟	毛献忠	浙江省水利水电河口海岸研究设计院	3	2002.01～2004.12	18.00
11	40106011	全光纤三维荧光光谱仪及其在海洋走航监测中的应用基础	尚丽平	燕山大学	7	2002.01～2004.12	18.00
12	40106012	典型有机污染物对沿岸经济鱼类的联合毒作用机制研究	王新红	厦门大学	9	2002.01～2004.12	22.00
13	40106013	海洋胶体物质在赤潮生物营养动力学中的作用研究	赵卫红	中国科学院海洋研究所	6	2002.01～2004.12	22.00
14	40106014	中国东南沿海棕囊藻赤潮种源研究	张　群	暨南大学	9	2002.01～2004.12	22.00
15	40106015	微食物网对珊瑚礁的作用极其机理研究	谭烨辉	中国科学院南海海洋研究所	6	2002.01～2002.12	5.00
16	40106016	黄海微型浮游动物在海洋生态系统能流过程中的贡献	李超伦	中国科学院海洋研究所	8	2002.01～2004.12	21.00
17	40106017	可见光和紫外线对中华哲水蚤几种行为的影响研究	张武昌	中国科学院海洋研究所	5	2002.01～2004.12	20.00
18	40106018	中国对虾CHH家族神经肽基因的克隆极其表达研究	王在照	中国科学院海洋研究所	9	2002.01～2004.12	18.00

重点项目

序号	批准号	项目名称	负责人	所在单位	合作人数	起止年月	资助金额（万元）
1	40136010	热带太平洋年际与年代际海洋环流变异规律	王小东	中国科学院南海海洋研究所	20	2002.01～2005.12	205.00
2	40136011	渤海典型环境负荷物的迁移、转化过程及环境容量研究	王修林	青岛海洋大学	20	2002.01～2005.12	195.00

国家杰出青年科学基金、海外及香港、澳门青年学者合作研究基金

序号	批准号	姓 名	专业技术职务	学位	专 业	所在单位	起止年月	资助金额（万元）
1	40125015	翦知湣	教 授	博士	海洋地质	同济大学	2002.01～2005.12	80.00
2	40125016	殷克东	研究员	博士	生物海洋学（含生物海洋技术）	中国科学院南海海洋研究所	2002.01～2005.12	80.00

专项基金

序号	批 准 号	项 目 名 称	负责人	所在单位	合作人数	起 止 年 月	资助金额（万元）
1	40146024	长江三角洲晚第四纪沉积高分辨率硅酸体及古环境研究	张玉兰	同济大学	6	2002.01～2002.12	5.00
2	40146025	极化电场对海泥中细菌腐蚀的作用研究	侯宝荣	中国科学院海洋研究所	7	2002.01～2002.12	5.00
3	40146026	工业革命以来人类释放物在东海泥质区的沉积地球化学记录	郭志刚	青岛海洋大学	7	2002.01～2002.12	5.00
4	40146027	海洋食物网营养动力学的分子稳定同位素研究	蔡德陵	国家海洋局第一海洋研究所	6	2002.01～2002.12	5.00

（国家基金委地学部海洋学科）

【赤潮发生全过程数值模拟研究】 该项目为国家自然科学重大基金项目“中国东南沿海典型增养殖区有害赤潮生消动力学及防治机理研究”中的课题之一，由国家海洋局第二海洋研究所许卫忆研究员为主承担。根据赤潮生消全过程的现场调查资料，建立赤潮生消过程的物理-化学-生物的耦合模型，从而为赤潮发生机制的研究提供基础。研究项目成功地模拟了1998年3～4月发生于香港及邻近海域的赤潮生消全过程，数值模拟所反映的结果与实际海域赤潮发生过程基本相符。表明本耦合模式适合于海域发生赤潮的过程研究，数值模拟反映赤潮藻在相同的营养盐、生物生态条件下，但在不同的动力条件下可能不发生赤潮，或产生不同生消过程的赤潮，证明动力条件不仅对赤潮的蔓延起作用，且对赤潮的发生也起着重要甚至决定性作用。该课题取得的成果体现了以下新思路：目前所了解的与赤潮发生有关的因子都不是赤潮发生的充分必要条件，赤潮的发生应该是多因素的综合结果，赤潮的激发因子将随赤潮藻的种类、时间和空间而变。其中富营养化是赤潮发生的物质基础，良好的光合作用条件是赤潮发生的能量来源，赤潮藻自身的生长能力及浮游动物的摄食是赤潮发生的抑制条件，以上四因素决定了赤潮藻是否旺发。赤潮的发生取决于赤潮种群的自然增长率与所在水体扩散率之间的平衡关系。即赤潮种群自然增长高于水体扩散率，将发生赤潮，反之不发生赤潮。该课题的圆满完成为科技部批准的赤潮“973”项目“我国沿海赤潮的生态学、海洋学机制及其预测防治”奠定了基础。

【东海环流数值研究】 该课题为国家海洋局第二海洋研究所袁耀初研究员获准的国家自然科学基金项目。项目研究的特色在于采用多种具有中尺度涡分辨率的海洋环流数值模式，结合大量现场观测资料，对东海黑潮的变异与东海环流系统结构特征及其变化机理进行模拟和动力分析，并对数模和观测结果进行科学综合和诊断，从而得出

具有重要科学和应用前景的规律性结论，其科学发现和创新之处主要在于以实测资料与数值模拟密切结合，系统地阐述了1992～1998年间东海黑潮及琉球海流两者的变异特征，揭示了东海黑潮发生异常的主要原因，发现东海黑潮变异与台湾以东黑潮的变异有直接关系，且后者与琉球群岛以东海流的变异有关，特别是发现台湾以东黑潮有两种不同流态，这可能与厄尔尼诺事件及附近海域涡旋的分布变化有关；系统研究了20世纪90年代东海黑潮的水文特征以及若干重要断面上的黑潮流速结构，指出其流核呈单核，双核甚至三核现象，其中三核结构是首次提出的。此外，在提出改进逆模式的基础上，验证了动力计算方法在本海区具有更好的适用性和优越性，展示了良好的应用前景。该项目共完成论文25篇，其中2篇被SCI收录。该项目已通过验收，专家对研究成果给予了很高评价，一致认为是一项高水平的科研成果，是近年来对中国近海和西北太平洋环流研究的重要贡献，其成果达到了国际先进水平，其中部分成果在国际上属领先行列。

【渤、黄、东海混合与层化过程演变规律研究】该项目为国家海洋局第二海洋研究所黄大吉研究员获准的国家自然科学基金。课题组对渤、黄、东海混合和层化过程研究工作进行了系统的文献综述，收集了有代表性的水文观测资料，对温跃层进行了定性的分析，探讨了风、潮和海面受热对温度混合和层化的影响，完成了渤黄东海三维模式的初值和边值的准备工作，发展了浅海的三维数值模式。把原垂向一维的GOTM（General Ocean Turbulance Model）嫁接到三维模式中，使模式能用三种湍流封闭模式进行机理探讨和数值模拟，从而使模式更好地描述温跃层的特征和其演变过程，项目仍在进行中。(孙煜华　杨士英)

【海岸岬角前沿深潭底床冲淤稳定的动力学机制】　本课题为国家海洋局第二海洋研究所蒋建华获准的国家自然科学基金项目。该课题根据丰富的水动力、泥沙、地形、沉积及放射性测年资料，综合分析浙江岬角前沿深潭（重点是三门湾猫头深潭）稳定的动力学机制。得出深潭存在强劲的水动力（特别是强底流速）、落潮优势流及切变锋的流场结构，这是维持深潭稳定的动力基础；深潭水深长期基本稳定，但存在年际、季节变化；风暴潮间出现快速沉积（骤淤）及风暴后水深恢复过程；人为作用（大面积围涂）造成深潭水深变浅等论点，并在“风暴骤淤”及人为作用对深潭稳定性影响等方面有所创新，其研究成果为海湾资源（尤其是深水岸线资源）的综合开发利用提供了科学依据。

【南海微微型光合生物丰度、生产量和生产力结构研究】　本项目是国家海洋局第二海洋研究所宁修仁研究员获准的国家自然科学基金项目。该项目采用国际通用的方法，特别是现代化的流式细胞测定技术，对南海、南海北部和珠江口不同空间尺度和不同生态环境的浮游植物现存量与生产力的生态动力学过程，浮游植物种类组成与丰度分布，生物量与生产力的粒度结构、功能结构，微微型光合浮游生物丰度与生物量的类别结构及其环境调控机制等进行了系统的、深入的和开拓性的研究，获得了有创新的研究成果：阐明了南海浮游植物现存量与生产力的生态动力学过程及其对季风的响应；研究了南海浮游植物生物量和初级生产力的粒度结构及季节与空间变化，揭示微微型光合浮游生物在南海生态系生物生产的重要性；研究了微微型光合浮游生物（包括聚球藻，原绿球藻和真核藻）的丰度与生物量，空间分布型式及其环境调控机制，发现次表层丰度与生物量的最大值和硝酸盐跃层对原绿球藻种群旺发的重要作用；发现珠江口浮游植物生物量与生产力及其有关环境参数的空间区域化现象和初级生产力锋面，并阐明其成因；调查了南海浮游植物种类组成和丰度分布，发现种类与丰度的演替现象，并揭示其成因。本研究不仅为今后的同类研究提供丰富的可对比的科学资料，而且为南海物理-生物海洋学的耦合作用过程的深入研究，海洋生态系和微型生物网结构与功能的研究提供了重要的科学基础，为生物资源生产潜力和可持续利用的评价以及碳循环及全球变化研究提供重要信息。该成果达国际先进水平。

【UV-B对海洋浮游植物生源物质DMS产量的影响】

本项目为国家海洋局第二海洋研究所杨和福副研究员获准的国家自然科学基金项目。本项目选择南极棕囊藻和温带球形棕囊藻作为研究对象，通过现场观测、实验室培养和实验室紫外辐射模拟培养实验及生化测定，对棕囊藻在紫外辐射下生态、生理和生物化学过程进行了为期3年的深入研究。研究证实南极棕囊藻和温带球形棕囊藻及北半球的鲍奇棕囊藻是分开的3种藻，它们来自同一祖先，具有相同的生命循环史。研究发现UV-B使南极棕囊藻细胞的生长率降低，并使细胞的尺寸增加和成活率减低。UV-B可改变细胞内氨基酸组份分布，使氨基酸紊乱，并影响类脂物和脂肪酸的合成。研究发现UV-B对棕囊藻细胞的DMSP合成产生影响，并使DMSP的分解速度提高一倍以上。初步估算"南极臭氧空洞"所增加的UV-B可使南极棕囊藻的DMS产量减少20%左右。

UV-B对海洋藻类二甲基硫（DMS）产量的影响在国际上尚无报导，本项目研究的成果首次证明UV-B影响海洋藻类的DMSP合成和分解过程以及相关的生化作用。海洋DMS产量是大气（DMS）的主要生物源，南极臭氧空间对海洋浮游植物DMS产量的作用将直接影响海-气的硫和CO_2两大循环，从而，影响海洋生态对气候的调节作用。　（孙煜华）

【短时间尺度环境气候突变的对比研究】 国家自然科学基金重点项目"冲绳海槽及相邻陆架古环境演变的研究"的子课题，由吴世迎等完成，获得的主要成果为：岩芯中浮游有孔虫氧同位素变化曲线可清晰地划分氧同位素1～5期，跨越时代距今0～10万年前。末次冰盛期的氧同位素值低于氧同位素4期，说明冲绳海槽中部当时可能有古长江和古黄河的淡水影响，且越靠近陆坡受影响越强。岩芯中浮游有孔虫氧同位素变化幅值大于开放性大洋，表明海槽区对气候变化信号的"放大"效应；180号岩芯中明显地存在新仙女木事件，其发生时间为10 460～9 635年前，持续了约830年，$\delta^{18}O$值变化幅度0.64‰，所表示的冬季表层水温与现今的差值至少不应小于2.2℃；岩芯沉积物中碳酸钙含量的变化表明冲绳海槽地区的旋回是由陆源物质的冲淡作用及底层水交换程度的强弱波动共同叠加所造成；冲绳海槽岩芯沉积物的分子生物标志物分析表明，海水表层温度变化和Heinrich事件受开放型大洋和东亚季风的双重制约；根据锶-钕同位素资料对冲绳海槽中段表层沉积物的物质来源进行定量分离后，证明其西坡硅酸盐碎屑源于东海陆架残留沉积物。槽底和东坡硅酸盐是中国大陆物质与火山源物质组成的混合物。西坡和槽度沉积物中陆源物质含量最高可达91.07%，东坡火山源物质含量最高达64.92%。已发表论文7篇。

【黄海环流及营养盐物质长期输运研究】 是由国家海洋局第一海洋研究所张庆华研究员作为第一主持，青岛海洋大学孙文心教授为第二主持的国家自然科学重点基金项目（1998.1～2001.12）。

(1) 该项目组织了3次黄海海域水文气象及化学要素的大面海上观测（包括大气沉降）。利用海洋一所近5年来开展的黄海、东海的水文、气象、海洋地质、化学和生物方面的6次全面调查资料作为边界条件、强迫条件和检验条件。在改进海水输运模型的基础上，完善营养盐物质输运模式，从而得到氮、磷在黄海的分布规律。

(2) 开展了海水输运模式的优化工作。海水是营养盐物质的载体，因而一个好的海水输运模式是得到合理的营养盐分布的前提。该项目进一步完善了拉格朗日型近海环流模型（它包含风生、热盐和潮致3部分作用，是一个三维斜压零方程湍封闭的自适应网格数值模型，可依据温度分布的水平梯度自动调解网格密度），较好地模拟出黄海锋区温盐结构；并以POM海流模式为基础，建立了欧拉型物质输运模式，首次提出利用潮流欧拉场对质点进行拉格朗日跟踪的时间步长，不应超过10分钟。同时发现在东中国海均匀分布的示踪物质经潮流长期输运后形成条带型结构。又建立了一种潮流二阶闭合的海洋长期物质输运动力学方程，将潮流等振荡流场对物质输运的作用类比于涡团的扩散作用，并将其参数化为只依赖于长度尺度的待定常数，得到了很好的数值模拟结果。

(3) 构建了营养盐输运模式。它是一个包含生物一物理耦合的三维生态动力学模式。建立了营养盐的动力学输运模型，此模型除考虑了物质的吸收和释放，还考虑了大气沉降、海底生成和河口的输入。该模型首先将黄海分成了7个箱区，获初步结果后再插值到5×5′的网格点上，加入水动力学因素进行了细致计算，数值实验已取得相当成功。

(4) 围绕黄海冷水团深入开展温盐结构、环流结构研究。在此基础上对该海区生源要素分布规律做更细致的研究，力求得到令人信服的结果。针对海水垂直热混合在海面和海底急剧增大的分布特征（对应海面风混合和海底潮混合），给出了一个描述黄海冷水团的包含垂直水平混合及随时间变化的线性化的热力一动力学模型。解析求解，给出含跃层的温盐结构，证明下层海水加热滞后海面3个月以上的观测结果。证实跃层处存在上升的贯穿流，正是这股上升流抵御了海面加热向下的传递，从而形成跃层结构。

(5) 海洋资料同化技术的改进。创造了一种适用于求解不规则区域上微分方程边值问题的扩展谱方法。它实际上是对任意给定的求解区域给出了线性偏微分方程的通解。其待定系数本应由边界值确定，但也可以用其他适当的约束条件来确定它。对于半封闭的海区开边界是最不确定的因素。若将内部或沿岸的已知观测值作为约束条件，那么利用通解就将原本需要反复迭代求解的逆问题转化为求显示解的正问题，从而大大推动海洋资料（或模式）的同化工作。

【太平洋环流变异及其与西边界和边缘海的相互作用】 本项目是我国第一个物理海洋领域的杰出B类基金，由于卫东和美国威斯康星大学刘征宇共同主持。取得的主要进展：分析了太平洋年代际振荡时空特征，提出了北大西洋涛动、北极振荡和太平洋年代际振荡之间的基于行星Rossby波的遥相关机制，阐明了北半球3种重要气候变化形态之间的动力学联系；利用简化的海洋Rossby波模型，研究了中东太平洋变异对西边界的影响，初步揭示了西太平洋低频变化的可预报性。

（路应贤）

【海洋嗜冷杆菌碱性蛋白酶的基因克隆、测序和表达】 该项目为国家自然科学基金项目，主持单位为中国水产科学研究院黄海水产研究所。

2001年度主要做了以下工作：①利用纯化的黄海黄杆菌低温碱性蛋白酶，采用背皮内多点注射和皮下组织注射免疫相结合的方法对新西兰白兔进行免疫，制备了多克隆抗体，并对多克隆抗体进行了纯化；②利用末端半补齐技术构建了黄海黄杆菌基因文库；③用酪蛋白平板法和酶联免疫吸附（ELISA）的活性筛选方法从基因文库中筛选到一株阳性克隆（命名为pHH1）。序列测定分析表明，此重组质粒包含有长度为768bp低温碱性蛋白酶基因的完整的开放读码框架（ORF）和上游基因调控序列；④发表论文3篇。

（刘世禄 孙惠玲）

【海洋微型生物生态过程】 厦门大学海洋与环境学院焦念志教授主持的国家杰出青年基金课题“海洋微型生物生态过程”，通过2001年的全面总结，已经形成较为系统的科研成果，并被评为“国家自然科学基金委资助项目优秀成果”。该项目在本年度形成的成果主要有：

(1) 在方法学研究方面：①用流式细胞技术和表面荧光显微镜法对我国东海和南海异养细菌的定量研究和系统比较；②国内首次，也是国际上首批实现流式细胞技术对海洋中病毒粒子快速准确定量；③国内首次利用细胞周期法估计原绿球藻自然种群的生长率，避免了培养引入人为误差以及捕食等的影响。

(2) 自然生态学研究方面：①采用流式细胞技术在我国东海的调查研究表明几类超微型生物之间以及与环境因子之间，尤其是与温度、成层情况，水流和水团的分布和运动有明显的关系；②对原绿球藻进行了系统研究。

(3) 在实验生态学研究方面：①在南海的营养盐添加实验表明，钴，磷的添加能促进原绿球藻的生长，但铁、氮的添加有利于聚球藻和超微型真核浮游生物的生长；②在东海和南海开展了一系列培养实验对限制原绿球藻近岸分布的可能因素做了初步的研究。发现温度、种间相互作用、重金属离子如铜、水体的物理化学性质等对原绿球藻的分布都有影响。同时，焦念志教授与国家海洋局三所共同主持“深海生物圈在物质循环中的作用”的课题，进行了“大洋一号”DY105-11航次第四航段的调查工作，得到了大量的第一手资料。

【珠江三角洲及其邻近的南海海域中碳的生物地球化学循环定量研究——胶体在该循环中的显著作用】 厦门大学海洋与环境学院戴民汉教授主持的国家杰出青年基金项目“珠江三角洲及其邻近的南海海域中碳的生物地球化学循环定量研究——胶体在该循环中的显著作用”，2001年7月通过了中期评估，并得到追加研究经费20万元人民币。2001年5月13日至6月3日该课题联合了福建海洋所、美国乔治亚大学、北京大学、美国麻省大学等单位的研究力量进行了南海北部、珠江口的第二航次的调查工作，对南海北部及珠江口区域50多个站位进行了调查，现场测定了几十项生物和化学参数，较为系统、细致地研究了：①表层海水pCO_2观测及CO_2海-气通量；②有机碳在溶解态、胶体及颗粒态之间的转化及其相应速率；③颗粒和胶体有机碳的结构与组成表征；④有机碳在陆架区的垂直输出通量；⑤营养盐与初级生产力的动力学；⑥微微型浮游生物的群落结构动力学；⑦遥感遥测叶绿素a方法研究。得到了大量的第一手资料，已完成论文多篇，一些成果仍在数据处理和整理阶段。同时与美国乔治亚大学海洋科学系蔡卫君博士合作，完善了走航pCO_2分析，已在厦门建立了pCO_2/DIC、溶解氧、碱度自动分析装置。（厦门大学　李荔敏）

【西沙群岛晚第三纪藻类的造礁作用与演变意义】 该项研究系国家自然科学基金“西沙群岛晚第三纪藻类的造礁作用与演变意义”项目成果取得了10项以系统基础理论研究为主的认识；其原始发现、鉴定描述和系统理论阐述全过程表现出很强的开拓创新性，具有四维时空展布规律；其提供的系列单体藻类尤其南海奇石藻化石鉴定和岩芯剖面切片呈剖面系列的图版在国内外系绝无仅有的珍贵资料，被评价具有“在国内居于领先地位，在国外也不多见，开拓创新性强”特点。

突出成果包括发现了骨架钙藻新种-南海奇石藻（*Ae. nanhaiensis*）等9属43种藻类，包括400.17米岩芯的生物化石鉴定，地质时代划分；提出了关于植物骨架藻类造礁作用、成礁模式及其演变特征的新理论；提出了“南中国海事件”的概念及其“南中国海事件”与中新世地中海“Messinian”事件等的对比性研究结论；尤其有关南海北部生物礁油气田和南海南部万安-曾母盆地生物礁油气勘探的应用性研究认识对于国家南沙专项相关课题的研究具有重要指导意义和实用价值。（青岛海洋地质所　王建华）

【中国水产科学研究院基金项目】 2001年黄海水产研究所共承担水科院基金项目9项，其中新上6项，总体进展顺利。

“海洋有害赤潮藻类及毒素对海水鱼类毒性机理的研究”项目，2001年主要工作为查阅资料，准备药品并制定实验研究计划；并在实验室进行海洋常见有毒藻类塔玛氏亚历山大藻世代培养。

“营养与免疫的关系及其在鱼饲料中的开发应用”课题，2001年主要作了维生素A、E、C对牙鲆免疫作用的研究。目前已制成配合饲料针对牙鲆的冬季综合症利用免疫增强剂正在对其进行饲养试验。2002年准备饲养4个月后，对鱼的肝、头肾的血样进行分析，对部分鱼进行感染试验以验证免疫效果。

“滩涂贝类养殖对其生态环境效应的研究”课题，2001年主要进行了研究实施方案的制定、乳山湾贝类养殖现状调研以及模拟实验的前期准备工作。2002年将全面开展贝类养殖滩涂底质环境调查与贝类代谢率的测定以及贝类对生态环境效应模拟实验。

“栉孔扇贝和虾夷扇贝杂交育种研究”课题，进行了栉孔扇贝和虾夷扇贝杂交试验，获得了子一代群体，至2001年11月平均壳长4厘米，10 000粒左右。进行了两种扇贝杂交的受精生物学研究，完成论文2两篇。杂交子一代的生物学特征正在研究中。2002年准备进行回交、自交，获得回交群体，分离的子二代等具有各种性状特征的群体及各群体的生物学特征研究。

“肽聚糖类鱼虾免疫促进剂的制备研究”（人才基金）进行了优化肽聚糖免疫促进剂的中试生产及发酵工艺。开展了肽聚糖免疫促进剂的发酵，生产肽聚糖免疫促进剂发酵物118罐，约2 000升，浓缩得到约8千克湿菌。进行了2次实验室临床试验。

“大菱鲆人工配合饲料及养成模式的研究”课题2001年取得了重大进展，共生产出100余万尾苗种，新建大菱鲆养殖场5 000平方米，现存养量达到20余万尾，取得了巨大的社会效益和经济效益，进行了验收，得到了专家组的高度称赞。“大菱鲆的引进和苗种生产技术的研究”课题获得国家科技进步二等奖。

“海水鱼类抗病基因转移的研究”进行了鱼类基因启动子克隆的实验，将GFP（绿色荧光蛋白）报告基因与鲤鱼肌动蛋白基因启动子及斑马鱼ARP基因启动子连接构建了GFP报告基因表达载体；进行了海水鱼类抗菌肽基因克隆和表达载体构建的实验；进行了大菱鲆肌动蛋白基因启动子克隆的实验，设计了特异引物，目前已获得特异PCR片段，正在进行序列分析。

“海水鱼类胚胎干细胞培养及基因打靶的研究”（科院人才基金）取得了以下进展：①开展了胚胎干细胞诱生、体外分化及核型分析的研究。成功地建立了花鲈、真鲷和大菱鲆胚胎干细胞系，目前已分别传至36代、60代和32代；②首次表明正-负选择技术在鱼类上也是行之有效的，为建立鱼类基因打靶技术奠定了基础；③进行了真鲷脂肪酶基因和花鲈生长激素基因克隆及同源重组载体构建的实验。目前，正在将几个“元件”组装在一起，构建基因打靶载体；④该项研究已在中国水产科学和国际刊物Aquaculture（SCI刊物）上各发表论文1篇。 （刘世禄 孙惠玲）

【西北太平洋环流的季节变化研究】 本项目为国家海洋局第二海洋研究所许东峰研究员获准的国家海洋局青年基金。已圆满完成预期目标，完成论文8篇。本课题在黑潮流量的季节变化、黑潮分支以及黄海冷水团等3个方面作了深入研究，并有所创新。主要创新在于：①发现PN断面的黑潮流量夏季略强于冬季，其主要原因是风应力涡度零线的季节变化而导致北赤道流在菲律宾以东的分叉线春夏季偏南而秋冬季偏北。从动力学上阐述了PN断面黑潮流量季节变化的机制；②1997年7月黑潮在台湾以东并不存在流向琉球群岛以东海域的东分支；在21°～25°N之间大约有15×10^6立方米/秒的流量向西流去。速度分布与流函数分布均表明这一支向西的海流大约在冲绳岛西南分为3支，主要分支转向东北沿冲绳岛以东海域向东北流去；琉球海流在此期间主要来自上述西向海流；③不同强度的潮混合导致黄海冷水团的温度分布完全不同，较强的潮混合造成了海底附近直立型温度分布。黄海的热传导特征时间尺度为几天，黄海冷水团的水平环流在垂直方向上分为两层，上层为气旋式环流，其流速较强且厚度较厚，下层为反气旋式环流，流速较弱且厚度较薄，二者的相对强弱与底边界混合的强弱关系不大；垂向积分环流则为气旋式的。黄海冷水团和环流受温度分布影响，而后者受环流的平流效应的影响则较小。 （孙煜华 杨士英）

地方研究项目和基金项目
Local Research Projects and Fund Projects

【福建省重大科技计划项目】

1．海洋生物优良种质和生物活性物质的应用基础研究

由厦门大学海洋与环境学院李少菁教授主持的福建省重中之重项目——“海洋生物优良种质和生物活性物质的应用基础研究”的子课题“锯缘青蟹生长生殖及其调控机制研究”在如下3个方面均取得了明显的进展。

(1) 锯缘青蟹性腺发育的神经、内分泌调控机制研究：完成博士学位论文2篇，即“锯缘青蟹神经系统和消化系统内分泌细胞的研究”、“锯缘青蟹生殖调控的基础研究”。同时，还在各类学术刊物上发表论文4篇。

(2) 受精生物学及其应用研究：开展了青蟹生殖系统同工酶表达、受精卵离体培养、人工授精、精荚形成的组织学、精子顶体酶测定、精巢和卵巢cDNA文库构建等实验研究，取得了阶段性成果，发表学术论文4篇。

(3) 锯缘青蟹生长生殖与营养代谢的研究：从锯缘青蟹幼体饵料蛋白质营养价值、生物饵料的营养强化以及摄食、温度对锯缘青蟹溞状幼体生长和能量代谢的影响，发表相关学术论文7篇。与此同时，课题组还进行中国东南（浙江省宁海县、福建省连江县、厦门市、广东省深圳市、广西北海市、海南省三亚市）沿海青蟹种群形态判断、等位酶标记的比较观测。

（厦门大学 艾春香）

在上述项目研究中，国家海洋局第三海洋研究所已完成鲻鱼全雌培育第二次现场验收，找到全雌鲻鱼培育最佳用药剂量、持续时间及工艺路线；已构建出青蟹性腺的cDNA文库；从二色桌片参中分离出一种新的蛋白多糖，并发现其具有抑制肿瘤和艾滋病毒的作用；确定螺旋藻螯合硒的最佳浓度，完成富碘极大螺旋藻的大池培养；完成化学信号对长牡蛎卵巢发育的影响研究，培育的牡蛎四倍体在养殖观察中；有关虾池微型浮游动物摄食压力、种类组成与季节分布，贝、虾混养池底栖动物调查及有机污染评价等方面取得了新的进展。

2. 纯河豚毒素（TTX）产业化开发中试研究

该项目已取得阶段性成果，解决了多项技术难题，在国内率先应用了原材料快速鉴别技术、河豚毒素查测技术与分离技术；完成了TTX提取与精制工艺流程条件研究；研究成果已经达到并超过合同规定的技术指标，具有创新性；产品纯度明显优于国内外同类样品和美国Sigma公司的标样。

3. 海水养殖病害病原检测及防治的开发研究

大黄鱼病毒病原的PCR检测技术研究：通过对发病鱼排的流行病及病理形态分析，发现引起大黄鱼致病的病原为虹彩病毒（Iridovirus）；在广泛查询与分析的基础上，确定以鱼类虹彩病毒ATPase基因保守区序列作为PCR扩增的靶序列，设计合成特异性引物；研究了从患病大黄鱼组织中快速提取虹彩病毒基因组DNA的方法，并以其作为模板进行了PCR扩增，获得了预期大小的扩增片段，进行了扩增片段的核苷酸序列分析；改进了PCR扩增条件和模板制备方法，建立了快速、灵敏的大黄鱼虹彩病毒PCR检测技术。

对虾托拉病毒（TSV）PCR检测技术研究：查询并分析了国际上已报道的对虾托拉病毒（TSV）序列，设计并合成了TSV的特异性引物；构建了带有TSV保守区片段的载体，人工制备了阳性对照模板。

三联高效大黄鱼鱼病灭活疫苗的研制：完成试验前的准备工作，包括进一步查询文献、试剂准备等，获得了由实验细菌制备的甲醛疫苗。

鳗鱼嗜水气单胞菌DNA疫苗的研制：进行了鳗鱼嗜水气单胞菌的分离、鉴定及扩大培养，嗜水气单胞菌核酸的提取。

4. 重组鱼促长素酵母添加剂

该项目是在国家科技部“九五”科技攻关计划、国家海洋局、福建省科技厅及厦门市科委共同资助下完成的，于2001年12月通过国家海洋局和福建省科技厅组织的成果鉴定。成果鉴定委员会专家一致认为：“重组鱼促长素酵母添加剂”项目在酵母工程菌构建、高密度发酵研究及作为鱼饲料添加剂应用研究方面达到了国内外同类研究的先进水平。重组鱼促长素酵母添加剂作为新一代基因工程高效鱼促长饲料添加剂，适合于大规模工业生产，在水产养殖业领域有着广阔的应用前景。

重组鱼促长素基因的酵母工程菌完全可以在廉价的工业无机盐培养基中高密度发酵，在30升发酵罐中发酵密度达70个OD600，每升发酵液能收获约40～50克干酵母粉。将重组鱼促长素酵母作为鱼饲料添加剂，进行了4批次共约8万尾海水鱼喂养试验。每周喂养两次添加重组鱼促长素酵母的鱼饲料，添加剂量为鱼饲料湿重的1%。试验网箱的鱼体重比对照网箱均增加了20%以上，促长效果明显。小白鼠的毒性检测实验表明重组鱼促长素酵母(干粉)安全无毒，在海水鱼的喂养试验过程中也未见异常现象，表明重组鱼促长素酵母可以在水产养殖中安全使用。

（国家海洋局三所科技处）

【浙江省重要研究项目】

1. 浙江省防潮警戒水位核定研究

该课题为国家海洋局第二海洋研究所李金洪研究员和杨士英副研究员承担的浙江省海洋局专项资金项目。课题组成员经过近3年的努力，已圆满完成预定指标。警戒潮位核定工作是一项关系浙江沿海经济稳定高速发展和人民生命财产安全的基础系统工程之一，既不同于一般的科学研究，又区别于普通的工程技术设计。核定值是在大量收集水文气象、地形地貌、经济建设、海塘现状及发展规划等资料的基础上，根据当地的潮汐变化规律、沿海岸段高程、历年防汛防台情况及经济建设现状和发展等诸因素综合分析研究而确定的。该成果已通过验收，与会专家一致认为，研究成果对影响风暴潮的各自然因素分析深入浅出，是国标《警戒潮位核定方法》颁布后国内首次系统而全面地确定全省沿海主要岸段防潮警戒水位核定值。对浙江省防潮减灾、沿海社会经济发展、建设“海洋经济强省”具有重要的现实意义。其成果达到了国内领先水平。

2. 浙江省潮汐能开发利用现状及发展前景预测研究

该项目为国家海洋局第二海洋研究所承担的浙江省院士基金。通过对全省现有潮汐能电站的考察调研，全方位评估浙江省潮汐能开发利用现状，预测潮汐能开发利用的发展前景。项目已经通过评审。其成果对潮汐能开发利用中存在的问题分析全面而精辟，对潮汐发电经济、社会和生态环境效益的评价深刻而科学，提出的开发利用潮汐能对策、措施和建设有独到之处。该成果对促进浙江乃至全国潮汐能开发利用有重要的指导意义，是决策和设计部门在规划和建设潮汐电站时的重要参考依据，该成果在学术上达到了该领域的国内领先水平。

3．象山港水域养殖生态容量规模及水文

该课题为地方服务项目，由国家海洋局第二海洋研究所宁修仁、许卫忆研究员为主承担。经过2年努力，圆满完成了预定的指标，其成果的主要特色与创新在于：系统性和综合性强，采取了多学科联合攻关的方式，多学科相互交叉、相互渗透，首次数值模拟海湾投饵网箱养鱼的养殖容量，深入揭示象山港养殖生态环境现状和网箱养鱼对环境污染的影响，海湾生态系和养殖鱼类对恶化生态环境的响应，对象山港水域的生态与环境有了新的认识。在大量实测资料与三维数值模拟的基础上，充分揭示象山港从口门到港顶不同位置水交换与更新的周期，为养殖业的合理布局提供了重要科学依据。在评审会上，与会专家一致认为该成果总体达国际先进水平，部分达国际领先水平。成果为象山港水产资源与环境的协调和可持续发展提供了科学依据，为宁波市政府的海域管理与规划决策提供了技术支撑，具有重要的理论意义和应用前景。

4．珠江水域污染研究

该项目是国家海洋局第二海洋研究所董礼先研究员、李炎研究员、潘建明研究员等与香港科技大学的合作项目。经过3年努力，目前已经完成了中、英文2个版本的报告，发表论文10余篇。该项目是一个综合性多学科的研究项目，其最终目标是“了解珠江环境问题，为下一步珠江的清洁化作准备”。科研人员在河口冲淡水和锋面、河口环流、悬浮泥沙时空分布结构和动力机制、城市化河口悬浮泥沙粒度-有效密度-沉降特征变异、河口水体氮和磷的循环和再生、河口季节性低氧层的形成和发展等方面取得了一系列成果。

（孙煜华　杨士英）

【天津市重大科技攻关项目】

1．“千吨级海水循环冷却示范工程关键技术研究”

2001年7月，“千吨级海水循环冷却示范工程关键技术研究”列入2001年天津市重大科技攻关项目，合同编号：013181411，承担单位为国家海洋局天津海水淡化与综合利用研究所。

主要研究内容如下：①天津碱厂氨碱循环水系统不停车清洗和海水预膜技术研究；②海水循环冷却复合型水处理剂的研究；③海水循环冷却动态模拟试验研究；④浓海水代替淡水作为化盐工艺用水关键技术研究；⑤天津碱厂循环水系统设备材料防海水腐蚀技术研究；⑥千吨级机械通风海水冷却塔关键技术研究；⑦千吨级海水循环冷却示范工程研究。

按照项目年度计划要求，2001年课题组完成了文献调研、项目可行性研究报告、研究方案设计等工作；开展了不停车清洗预膜、复合型水处理剂、动态模拟、海水化盐关键技术、冷却塔及示范工程方案及工程设计等工作。（淡化所）

2．盐藻生物资源综合利用及其产业化研究（见盐业和盐化工部分）

3．盐田卤虫综合开发技术研究（见盐业和盐化工部分）　（制盐研究院）

海洋重点实验室
Key Marine Laboratories

【国家海洋局海洋环境科学和数值模拟重点实验室】 现有研究员8名，副研究员8人，其中院士3名，博士生导师4名，硕士生导师10名。完成了“黄海水循环和长期物质输运”国家自然科学基金重点项目。在研究重大项目有“中国近海环流形成变异机理、数值预测方法及对环境影响的研究”、“东海黑潮结构变异及其与陆架水的相互作用”、“渤黄东海环流及其变异预测数值模式和海洋大气灾害应用”、“太平洋环流变异及其与西边界和边缘海的相互作用”。其中“中国近海环流形成变异机理、数值预测方法及对环境影响的研究”顺利通过中期评估，进入第二实施阶段。获准科技部首批重大基础研究前期研究专项“太平洋-印度洋暖池、环流系统及其海气相互作用预研究”和两个国家自然科学基金面上项目。拥有由5台工作站为核心的高速计算机网络：Compaque GS80，DEC Alpha，2台DEC Alpha255，DEC Alpha和大容量存储设备及外围设备；拥有ADCP、CTD、WLR、S4、Waverider、卫星接收设备、自动天气站等调查设备。在核心以上期刊发表研究论文16篇。

【国家海洋局海洋生物活性物质重点实验室】 现有博士生导师3人，硕士生导师4人，研究员6人，副研究员3人，博士学位5人，硕士学位4

人，在读博士生9人，硕士生10人。

2001年，与青岛市政府共建了“青岛海洋天然产物研究开发重点实验室”；与青岛澳柯玛集团共建了“青岛澳海生物有限公司”；青岛市杜世成市长和国家海洋局王曙光局长共同主持了“青岛市海洋天然产物研究开发中试基地”奠基仪式，完成了“复合氨基低聚糖作物抗病增产剂的研制和中试”、“硒代蛋氨酸的制备及应用”、“以低沸点溶剂萃取技术生产营养保健油研究”、“海洋S-9801菌株的人工培养及色素的提取”、“产色素海洋细菌的发酵及色素性质研究”、“微生物脂肪酶合成富含共轭亚油酸甘油脂的研究”等。在研课题有“深海细菌不饱和脂肪酸和低温脂肪酶低温酶基因克隆和表达研究”等26个。与青岛海隆达生化科技公司合作开发的“葡萄籽油和葡萄多酚”已正式投产；抗氧化剂-葡萄多酚（OPC）已完成小试并进入产业化试验；利用海带渣制备高活性膳食纤维已完成小试；盐地碱蓬深加工利用、共轭亚油酸与不饱和脂肪酸系列产品开发，正在分别与东营大中南黄河三角洲实业公司和青岛澳柯玛集团合作建厂。海藻硒化低聚糖制备技术已转让给青岛鸿洋神科技公司生产，与青岛高科园创业中心共同组建的“青岛创新海洋生物技术有限公司”已生产出小批量共轭亚油酸钙产品试销；年内发表核心期刊以上论文19篇，其中外文发表3篇。获省部级科技进步二等奖2项。申请国家发明专利3项。获得国家发明专利2项。引进培养博士3名、硕士2名，招收博士生2名、硕士生3名，出国合作研究博士1名。

【海洋生态环境科学与工程国家海洋局重点实验室】 2001年国家海洋局批准成立，以海洋生态系统、海洋环境和海岸带为研究对象。有固定研究人员25名，其中中国工程院院士1名、博士生导师5名、研究员8名、副研究员和高级工程师12名。有海洋生物学、海洋化学和海洋地质学3个硕士点。实验室紧紧围绕环境生态、海岸带等主要领域开展应用基础理论和工程技术开发研究。重点研究海岸带生态环境污染机理与控制策略，揭示海洋生态系统健康机理并使其实现服务功能，预测海洋环境灾害并进行有效防治，实现海洋环境与资源的可持续利用。主要研究方向为：海洋环境污染机理与控制技术、海洋生态过程与调控技术、海岸带环境演化与防治工程；主要研究内容为：海洋生源要素与污染物生物地球化学循环、海洋环境自净能力与容量、典型污染物的生态环境效益、海洋环境污染防治与对策、浮游生态系统动力学、生态修复与调控技术、赤潮生态学与毒理学、养殖生态与病害控制、海岸带地理环境变异与灾害、海岸带水沙动态过程、海岸带对自然和人为活动响应与对策。有超净实验室及PE300型原子吸收分光光度计、SJ-1A三轴剪切仪系统、Alphats1220凝胶图像分析仪等先进的分析测试仪器。近年来，完成重点课题几十项，出版专著15部、发表学术论文300余篇，获省部级科技进步奖8项。2001年在研课题19个，主要研究内容为：海洋生源要素与污染物生物地球化学循环、海岸带地理环境变异与灾害、海洋初级生产力及其调控过程、近海养殖容量与养殖优化技术、有害赤潮生态及毒理学研究等。

（路应贤）

【国家海洋局海洋动力过程与卫星海洋学重点实验室】 国家海洋局海洋动力过程与卫星海洋学重点实验室（LOPSO）已运行两年多。在过去的一年中，在国家科技部、国家海洋局等有关部委的领导关怀下，在国家海洋局第二海洋研究所领导和各职能部门的支持下，在以巢纪平院士为主任的第一届学术委员会的指导下，经实验室全体人员的齐心协力，实验室工作取得了显著进展。

1．承担项目及完成情况

在过去的一年中，实验室全体科研人员努力拼搏，积极承担了国家和省部级各类科研项目及地方应用研究项目达91项。其中承担并主持国家“863”计划8项，承担并联合主持国家“973”计划10项，国家攀登计划2项，国家自然科学基金13项（含重大基金2项，重点基金2项），国家攻关计划1项，国际（地区）合作7项，省部委课题44项。各项目均按计划完成，取得了一系列有重要学术价值的阶段性科研成果，部分研究成果具有创新性，达到国际先进水平。有10个课题结题验收。

通过实验室全体科研人员的共同努力，2001年新争取科研项目为29项。

2．研究成果

实验室全体人员紧紧围绕研究方向，将海洋动力过程理论与遥感技术密切结合，充分发挥物理海洋学和海洋遥感学两大学科的互补优势和特色，深入开展该领域的前沿性科学问题的基础研究和应用基础研究，取得了一系列的可喜成果。2001年在国内外刊物发表学术论文69篇，其中SCI 7篇，一级刊物30篇，国际会议论文22篇，出版专著1本，中国海洋学文集1集。10个结题验收项目，大部分成果达到国际先进水平（表3）。其中一项成果获中科院科技进步三等奖，一项成果获海洋创新成果二等奖。

3．实验室人才结构与人才培养

实验室2001年有固定人员44人，其中研究人员38人，管理与技术人员6人。其中有中科院院士1名，工程院院士1名，有多名长期从事物理海洋学和海洋遥感学研究且成果突出的优秀学科带头人，有一支思维敏捷、基础理论知识扎实并踏实苦干的中青年科研骨干和博士、硕士群体。此外实验室有兼职研究员和客座研究员25名及一批获实验室开放课题资助的研究人员。

实验室作为高层次人才的培养基地，拥有一批富有创新精神、充满朝气活力、勤奋向上的博士生和硕士生。2001年在实验室攻读学位的博士研究生6名，硕士研究生17名。同时，实验室重视中青年人才的培养，积极创造条件，鼓励中青年人员申请各类项目，担当项目负责人。目前在研的91个项目中，有68项由中青年研究人员主持。实验室注重各课题组间不同学科的互相渗透，使海洋动力理论和遥感技术有机结合，已形成一支独具特色、发展潜力大的科研队伍。

该室的潘德炉研究员长期从事海洋遥感研究，为建立和发展我国海洋水色遥感科学和遥感模拟仿真科学起了奠基和关键的作用，2001年当选为中国工程院院士。

4．实验室的开放与交流

2001年实验室共收到来自复旦大学、中科院南海所、华东师大河口海岸国家重点实验室、中科院遥感应用研究所等单位科研人员的申请报告10份，经实验室学术委员会审定，批准资助了其中的6项。基金资助者具有较高的研究水平，其中3位具有博士学位和1位在职博士生。所资助的项目能围绕实验室近阶段的主攻方向和承担的项目进行，内容涉及遥感信息工程、河口海岸泥沙运动、近海环流等。

2001年，学术交流、国际合作气氛活跃。与德国、韩国、日本、西太平洋国家等和香港特别行政区进行了合作研究。其中有8人次赴美国、新加坡等国家和香港特别行政区进行访问、考察、讲学和合作研究。合作完成了中国海洋学文集13集《南海海流数值计算及中尺度特征研究》，29人次参加国际学术会议并进行学术交流，11人次参加国内学术会议进行学术交流。接待国内外专家、学者来室访问和讲学20人次，其中美国海洋与大气局（NOAA）国际事务部主任Rene Eppi先生一行3人访问了实验室。同时，实验室充分利用自身的特色和优势，与国内从事物理海洋学和卫星遥感技术应用的主要优势单位和优秀科学家联合申请并主持国家“863”、“973”项目、国家“十五”科技攻关等项目。这既增强了实验室科研力量，又扩大了实验室在科学界的影响。（孙煜华　杨士英）

【国家海洋局海底科学重点实验室】 本实验室围绕实验室的科学目标——探索海底基本特征、自然环境演变与矿产资源形成机制的基础理论问题，发展相应的高新技术探测手段与国家目标——为海底资源、环境的可持续利用和维护海洋权益提供科学依据。在科技部、国家海洋局的指导下和国家海洋局第二海洋研究所的支持与关心下，2001年，实验室在大量的海上调查与底质、地球物理资料采集的基础上，围绕海底矿产资源的形成与分布及其环境的演变和大陆-大洋边缘（包括边缘海）以及深洋盆的一系列科学问题进行了系统深入地探讨与研究。积极开展与国内外科研院所的合作，引进和培养优秀青年人才，加强实验室的基础建设，完善实验室的管理制度，鼓励实验室成员多出具有原创性的高水平的研究成果。

2001年度主要工作进展如下：

1．项目执行情况与主要研究进展

（1）国家专项课题已通过验收(17个课题)与进入结题验收阶段，专项调查研究项目按计划进行；

（2）大洋(国际海底区域)研究开发“十五”01航次的海上调查与资料采集工作已按计划完成；

（3）中国边缘海的形成演化与重大资源形成的关键问题(“973”)已按计划完成了南海与东海航次的调查与资料采集和室内的资料处理工作，研究工作已取得阶段性成果，准备迎接科技部中评估。

2．2001年申请获得项目情况

(1) “十五”“863”项目2项：大洋固体矿产资源成矿环境及海底异常条件探测、大洋矿产资源探测关键技术-深海电视抓斗、深海彩色数字摄像技术。

(2) 国家自然科学基金5项：北极地区晚更新世以来古海洋变迁及全球气候意义、古环境的水柱参数校正、大洋锰结核的纹层韵律及其对全球气候变化的响应、近表层悬浮物三维结构的遥感研究、南海浮游植物粒度结构物理-生物海洋学耦合过程。

(3) 国家科技基础性专项资金项目1项：《海洋调查规范》修订。

(4) 大洋协会项目6项：太平洋海山富钴结壳特征对比及资源远景评价、钴结壳资源量计算方法与圈矿方案研究、富钴结壳厚度与覆盖率的识别标志研究、地幔柱与火山岩浆活动对富钴结壳成矿的影响、多金属结核合同区和领域环境基线及其自然变化机理研究、环境参照区选择标准及关键参数研究。

3．科技成果

发表于CSCD数据库刊物上的文章共计35篇（第一作者31篇，第二、三作者3篇，第四作者1篇），其中《海洋学报》、《海洋与湖沼》、《地质学报》等一级学报上的文章17篇（第一作者16篇，中英文同发4篇），专著1部（第一作者，海洋出版社），论文集1部（海洋学论文集14，海洋出版社）。

4．对外交流与合作

2001年，该室与国内外科研院所进行了较频繁的交流与合作。例如与香港科技大学合作研究、台湾中山大学和台湾大学学术交流、德国海洋研究中心访问学者、日本国立静冈大学、日本底质调查所、东京大学的学术交流与互访、美国国家自然基金委员会专家来访等。2人参加国际学术研讨会（香港特别行政区和德国）；21人次参加国内学术研讨会。 （孙煜华）

【国家海洋局海洋生物工程重点实验室】 国家海洋局海洋生物工程重点实验室现有中国工程院院士1名、研究员4名、副研究员7名，其中博士7名，入选全国千百万人才工程1人，有3人从美国及德国从事博士后研究后回国，50岁以下中青年科技人占总人数的84%。该实验室在中国工程院院士徐洵教授的带领下，先后承担并完成了多项国家基金、国家攻关课题及国家海洋局重点课题；率先在国内利用现代分子生物学技术开展了海洋病原生物的快速检测技术研究；对虾病毒基因组研究、海水鱼类生长激素基因工程研究以及海洋环境污染的生物检测技术研究，取得了不少科研成果，为此于1997年被评为国家海洋局重点实验室。“九五”期间，该实验室已完成了国家“863”项目3项，国家“九五”攻关项目1项。目前正在承担国家基础性研究项目2项，国家公益性研究项目1项，国家重点基础研究发展规划项目（“973”）课题1项以及各类基金项目多项。该实验室率先在我国克隆了3种海水鱼的生长激素基因，并利用基因工程技术将鱼生长激素基因转入酵母细胞构建了酵母工程菌，开发新型的海水鱼促生长饲料。该实验室对虾病毒基因组的研究工作处于国际领先水平，在国际上首次完成了严重危害我国对虾养殖业的对虾白斑杆状病毒基因组全序列测定的工作，世界权威科学杂志《自然》追踪报道了这一研究的最新进展，并当选“1999年中国基础科学研究十大新闻”（科技部主办）、“2000年中国十大科技进展”新闻之二（由中国科学院、中国工程院485名院士投票评选产生）。该实验室取得的这一成果引起了国际社会的广泛关注，迄今为止，已有多家国外研究机构和企业来函表达了合作研究与开发的意向。该实验室在破译了对虾白斑杆状病毒基因密码的同时，还开发了对虾白斑杆状病毒快速检测的PCR试剂盒，目前正在推广应用。为使我国海洋生物基因资源得以可持续利用，该实验室还开展了海洋微生物及海洋极端环境微生物特殊基因的分离、特性与克隆研究，目前正在深入进行深海生物基因资源的研究和开发，此项工作得到了中国大洋矿产资源研究开发协会的大力资助。

实验室共申请专利7项，其中1项国际专利。目前已有3项专利获得公开，其中国际专利1项；累计招收硕士研究生34名，其中博士研究生11名。目前已有12人毕业，其中获博士学位5人。

2001年获国家海洋局海洋创新成果二等奖项目“台湾周边海域和海岸带多平台多传感器遥感综合应用研究”主要完成单位：国家海洋局第三海洋研究所，前3名主要完成人：林明森、李秉

秋、黄韦良。　　（国家海洋局三所科技处）

【中国科学院实验海洋生物学重点实验室】实验室的重点研究方向：

（1）生理生化和分子发育生物学及人工调控途径。研究藻类生长发育的生理生化基础以及重要代谢过程的分子调控机理，探索经济海藻栽培中优质高产的人工调控措施；研究海洋动物胚胎发育及幼体生长过程中调控基因的结构与功能，探索胚层诱导的分子基础及细胞分化过程中核-质相互作用的机制。

（2）蓝色农业的种子工程和健康养殖。研究藻类种质和种苗的生长发育规律和健康栽培的措施与途径，实现藻类育种的良种化和育苗的工程化；开展海洋鱼虾贝细胞工程育和分子生物学研究，探索繁殖与遗传规律，发展生殖与遗传操作的高新技术，提高养殖对象的产量和品质；研究产生海洋生物病害的主要病原微生物的遗传基础和感染机制，揭示海水养殖生物病害与海洋环境之间的关系。

（3）海洋活性物质的高效筛选、构效确定及制品研究。研究海生物活性物质的筛选模型、产生生物活性的物质基础以及代谢累积途径；研究与生物活性有关的基因高效表达的模型、机制和系统，进行基因工程品种或产品的功能验证以及安全性评价。

承担研究课题和取得的成果：

2001年度由实验海洋生物学重点实验室人员承担的研究课题有：国家“863”计划课题2项，国家重大基础研究项目“973”计划课题5项，国家科学基金6项，省部委重大（点）计划3项，取得了很好的研究进展。

2001年度实验海洋生物学重点实验室获得3项大奖：美国藻类学会藻类学杰出贡献奖，中国科学院一等奖1项和国家海洋局创新二等奖1项，2001年度获得发明专利授权两项，申请专利2项。实验室在2001年度在各类刊物发表科技论文71篇。

【海洋生态与环境科学重点实验室】海洋生态与环境科学是中国科学院海洋研究所的一个主要优势学科，具有50多年的发展历史。科研人员参与了我国历次的海洋生态与环境调查工作，为中国海洋生态与环保事业的发展做出了奠基性的贡献。海洋生态与环境科学重点实验室实验室成立于2001年，主要研究方向为：海洋生态系统动力学和海洋生物资源可持续利用的生态学原理；与全球变化有关的生源要素海洋生物地球化学循环；海洋环境质量退化机理，效应及环境灾害控制理论与方法。

主要研究内容包括海洋生态系统动力学、浮游动物学、微型生物生态学、资源生态学、有害赤潮与环境生态学、海洋生态毒理学、养殖生态学、海洋生物地球化学、海洋环境化学等。海洋生物标本馆和胶州湾生态站是海洋生态与环境科学研究室的支撑单位。实验室目前共有固定和流动人员50人左右，其中中国科学院和中国工程院院士各1人，博士生导师10人。实验室有6个硕士点，4个博士点，是海洋博士后流动站之一。

目前，实验室共承担国家、科学院及其他省部级各种课题近80项。其中，“973”项目（首席科学家）1项，国家杰出青年基金3项。参与了许多相关的国际性重大研究计划，如GLOBEC、GEOHAB、LOICZ、JGOFS、GLOCHANT等，在国际相关研究领域有一定的实力和影响。

近3年来本实验室在国内外重要学术刊物上共发展论文约200篇、SCI核心期刊近30篇。出版专著14部，获国家、科学院发明奖、科技进步奖、自然科学奖等各种奖项12项。　　（邢桂芳）

【中国科学院南海海洋研究所热带海洋环境动力学重点实验室】　中国科学院热带海洋环境动力学重点实验室(英文名Key Laboratory of Tropical Marine Environmental Dynamics(LED)，SCSIO，CAS)，其前身是1998年成立的中国科学院南海海洋研究所热带海洋环境动力学开放实验室，在2001年11月通过了由中国科学院组织的院重点实验室评估，成为中国科学院第一批海洋环境科学类重点实验室，为热带海洋科学研究的交流和合作提供了一个新的开放性学术平台。

LED本着“有所为，有所不为”的原则，目前设立了海洋环流动力学、海洋环境生态学、海洋化学环境、海洋数值模拟和海洋环境遥感等研究方向。现有研究员15名，其中4人为中国科学院国家知识创新工程“引进国外杰出人才计划”入选者。实验室具有物理海洋学和海洋生物学两个博士点，并有海洋化学和环境科学硕士学位授予权。

实验室坚持“开放、流动、联合、竞争”的管理模式，采用公开、公平、竞争、择优、流动的用人机制。近3年来，实验室科技人员在南海环流时空结构、热带海洋大气相互作用、南沙群岛海域环境生态过程、华南近海环境过程演变及其生态效应、海洋遥感应用和海洋数值模拟等方面取得了一系列重要成果，发表论文100余篇（其中被国际SCI收录16篇），获国家科技进步奖3项，省部级成果奖9项，承担国家、省部级重点项目(课题)20余项（包括国家重大专项、“973”项目课题、“863”课题、国家重点基金与杰出青年基金、广东省重大科技专项、广东省科技兴海等项目），总经费3 000余万元。

近年来，以LED为平台的学术交流和研究办得有声有色，通过“走出去”——参加国际、国内学术会议，访问交流；“请进来”——邀请国内外学者的来访、讲学、客座研究等，不仅加强了与国内外同行的交流合作，开拓了研究视野，展示重点实验室的学术成果，更形成了一支团结进取、具有创新能力的研究团队，为中国发展海洋经济、保护海洋环境和维护海洋权益做出了基础性、前瞻性和战略性的贡献。

（中国科学院南海所　齐义泉）

【黄海水产研究所农业部海洋渔业资源可持续利用重点开放实验室】 在农业部主管部门的关怀和领导下，在所领导的指导和支持下，经全体科研人员的共同努力，2001年农业部海洋渔业资源可持续利用重点开放实验室在科研工作、人才培养、改革开放和加强管理等方面做出了新的成绩。

1. 2001年新增研究课题

2001年实验室集中力量争取国家重点课题、大课题，2001年已经正式下达的新增研究课题37项，其中国家“863”课题7项，国家海洋勘测专项1项，国家“十五”攻关课题1项，国家自然科学基金1项，省部级13项，其他14项。

2. 论著发表情况

实验室2001年发表论文78篇，其中国际学术会议报告3篇，国外刊物发表论文8篇，国内学报级重要刊物发表论文47篇，论文发表刊物的档次和质量有明显提高。

3. 学术交流情况

实验室2001年的学术交流比较活跃，采取请进来，走出去的方法，分别和法国、韩国、阿曼等国家和地区进行合作。2001年共派出各类人员合计35人次，邀请和接待访问学者进行学术交流和合作研究合计60余人次。

本实验室邀请和接待了多个国家的访问学者进行学术交流和合作研究工作，均圆满达到了预定目的，推动了本实验室的研究工作进展，扩大了本实验室在国际上的影响，对于促进实验室的对外开放、扩大实验室的影响及提高学术水平起到了重要作用。

实验室积极参与了国家海洋科学研究中心（青岛）的创建和成功运作。国家海洋科学研究中心（青岛）是科研体制改革的创新举措，对于调动我国，特别是青岛市各科研单位和广大科研人员的积极性，发展我国海洋科学研究和海洋科技产业具有重要意义，也有利于本实验室的改革开放和对外学术交流。

4. 培养人才情况

在黄海水产研究所的直接领导下，本重点实验室重视人才培养和选拔工作，已形成了一支学科配套、知识结构合理、创新意识强、与市场经济相适应的科学研究队伍。首先，造就宽松良好的科研环境，鼓励青年人才脱颖而出。为了多出成果、多出人才，黄海所在政策上向科研工作倾斜，制定了一系列鼓励政策，如科研课题由青年研究人员承担主要研究内容；进一步改革科研津贴制度，使科研人员的收入与承担的课题内容、做出的工作成绩、完成的论文水平、创造的开发效益等全面挂钩，提高了青年科研骨干的收入；在职称方面打破常规观念，对优秀人才破格提拔晋升。

继续鼓励在职人员深造，攻读学位。为了使固定人员提高业务素质，利用与青岛海洋大学、中科院海洋所、国家海洋局第一海洋研究所等合作，继续制定优惠政策，鼓励中青年科技人员攻读学位。加强产学研的结合，充分发挥自身优势。为了充分发挥自身优势，推进科研工作的进展，扩大开放程度，本实验室积极开展与国内外高等院校联合培养研究生的工作；为了促进科研成果向生产转化，使研究成果能尽快推广应用，本实验室还面向全国的基层单位，积极开展新成果的技术培训和推广，与农业部水产技术推广总站联合举办全国性技术推广培训班。2001年培养研究生（包括在读研究生）47人，第一指导教师33人。

（黄海水产研究所　刘世禄）

【海洋天然气水合物模拟实验室】 青岛海洋地质研究所于2001年建成了海洋天然气水合物模拟实验室并提交一整套模拟实验技术。主要成果如下：

1. 建成了国内首个具有多种检测手段的海洋天然气水合物模拟实验室。

2. 初步形成一整套海洋天然气水合物模拟实验技术，在多个技术领域内有所创新。

(1) 在国内首次使用钛钢制作高压釜用于海洋天然气水合物模拟实验研究。

(2) 首次研制成功与钢制高压釜配套的光纤自供光摄录像装置，提高了实时观察釜内反应的能力。

(3) 首次使用光强透射比测试系统确定天然气水合物的合成与分解，提高了鉴定能力。

(4) 在国际上首次应用声衰减谱的方法测定松散沉积物中天然气水合物的生成和分解。

(5) 成功地合成出天然气水合物。

(6) 形成了以中青年科研骨干为主的海洋天然气水合物模拟实验技术人才梯队。

专家组评审认为，该项成果整体达到国际先进水平，在声衰减谱的应用方面居国际领先水平。该实验室立足国内制造、自行设计，具有独立的知识产权。（青岛海洋地质研究所　王建华）

【南京大学海岸与海岛开发教育部重点实验室】
（见海洋教育部分）

【交通部重点实验室“航运仿真中心”】
（见《2001中国海洋年鉴》，海洋科学研究部分）

学科研究
Disciplinary Research

【物理海洋学】 **海洋声学**　该研究方向所做工作的主要内容与特色：

(1) 耦合简正波声层析。研究内波、温度锋面及温度涡等海洋结构对声简正波的耦合作用，如简正波散射、到达时间结构、脉冲拓宽等。揭示相互作用的物理机理，研究声波实时监测内波、温度锋面及温度涡等海洋结构方法，建设声层析系统。

(2) 底声参数复合反演。研究海底沉积层的厚度、声速、密度及声吸收系数剖面快速反演方法，研制可用于海上实时提取以上声学参数的探测系统。该研究成果将直接服务于国家重大安全应用。

(3) 海洋环境噪声研究。研究海浪、气泡、落雨、舰船及远程传播低频海洋环境噪声产生机理，关系国家安全重点海域的海洋环境噪声分布。研究利用海洋环境噪声监测反演环境参数，监测水下目标。

海洋遥感与海洋监测技术　该研究方向所做工作的主要内容与特色：

(1) 海洋遥感机理及提取技术：给出了破碎波白冠覆盖率和气泡粒径统计分布模型，并在此基础上，建立了微波散射计反演海面风场物理模型。深入开发了内波与表面波相互作用机理研究，建立了内波SAR提取模型和潜艇尾迹探测与识别技术。

(2) 多源遥感资料数值同化理论：针对中国海域水文气象特征，建立了中国海-气耦合多源遥感资料数值同化模式，为国家海洋业务部门，科研部门和军方提供三维优化的水文大气参数。

(3) 遥感资料分析：利用高度计资料和SST资料，揭示了太平洋中尺度涡与有效波高变化特征和太平洋与南中国海SST耦合振荡规律。

该研究方向，目前正充分发挥教育部物理海洋重点实验室在海浪小尺度动力学和统计理论研究的优势，以电磁场散射理论和动力学为基础，利用物理海洋学实验室良好的遥感与动力实验设备，深入开展高风速下散射计提取物理模式，SAR提取内波和潜艇尾迹探测技术研究，建立了自己的提取模式。同时，在国际上，率先开展多源遥感研究，建立了适合于中国海域的多源遥感数值同化模式。今后力争在微波散射计提取海面风向量技术，SAR反演内波和多源遥感动-理数值同化模式取得突破性进展，并逐步实现业务化运行。

（刘安国　谢正侠）

【海洋化学】 **海洋物理化学和化学生物学**　完善和发展了海水中液/固界面分级交换理论，提出海水中液/固界面作用的介质效应，在海水中液/固界面三元络合物研究方面，取得系列创新成果。在海洋界面化学方面，在海水微表层化学研究上，发现新的“物理-化学性质突变层”，提出海水微表层厚度为50±10微米，建立了改进

Gibbs吸附的“多层模型”和发现海水微表层中Gibbs吸附定理的“反常”，并提出了一种计算物质海-气通量的新方法。此外，该课题组在东海陆架边缘及南海海域作了许多工作，有关南海的研究，已发表专著一本《南海群岛海区化学过程研究》，取得若干新突破。从另一研究的角度上，还系统地研究了海洋化学过程的介质效应。发现了有机物的络合效应，提出了统一的定理理论处理方法。在海水的盐度效应（或离子强度效应）方面，发现了一系列的新实验现象和规律，提出了静电交换和分级交换的复合理论及定量模拟方程式来统一解释实验现象，是国内外在这一领域中的开创性成果。该研究获得了国家教委科技进步二、三等奖，达到了国内领先、国际先进水平。基于电化学原理和计算机技术设计的WDA相对电导率仪用于海水相对电导率（盐度）的精确测量。准确度为±0.001（盐度值），测量范围为2～42盐度值，是中国标准海水相对电导率（或盐度）的定值仪器。该仪器测原理属国际首创，测量范围和测量准确度均达到国际先进水平。该发明获得了国家教育部科技三等奖，达到了国际先进水平。

化学生物学 该研究方向上的一项重要的研究是，承担了青岛市市长重点工程“碱厂白泥用于电厂脱硫研究”，这是一项造福子孙后代的以废治废的重要项目，现已完成前期研究工作。同时，还完成了两项科研成果：“盐卤脱除硫酸根工艺技术研究和中试生产设计”和“水港油田滨海电厂冷却系统腐蚀与污损综合处理技术推广”，目前，已产生了上亿元的经济效益。

海洋环境污染生态化学 该研究方向所做工作的主要内容：

针对中国近海海域海洋生态环境问题，重点就“中国近海海域环境负荷物污染生态效应，环境容量理论和污染控制技术”开展了一系列创新性和开拓性研究工作，部分成果获2000年中国高校自然科学二等奖。近5年来在海洋环境生态化学方向共承担国家自然科学基金、国际合作等项目30余项，发表论文80余篇，其中SCI收录20余篇。其主要研究成果是：

(1) 化学污染物生物富集模型：在国际上首次提出了包括生物生长影响，适合现场条件的“持久性化学污染物生物富集双箱动力学模型”、“挥发性化学污染物生物富集动力学模型”，以及可定量解释有机化学污染物构效活性关系和生物粒度效应的“化学污染物生物富集热力学模型”。

(2) 海洋浮游生物生态动力学：建立了适合现场条件的浮游植物营养盐吸收动力学，营养盐在海水-沉积物界面交换动力学，营养盐输送和生物地球化学循环生态动力学模型，以及可现场同时测定浮游植物生长和浮游动物摄食的“生物粒度分级-13C化学示踪-实验瓶现场培养”方法和动力学模型。

(3) 海洋围隔生态实验：建立了研究营养盐和化学污染物（如石油烃）对海洋浮游生物生长影响，营养盐吸收动力学，化学污染物生物富集动力学过程和赤潮发生机理的实验方法。

(4) 石油烃污染物自净强度和环境容量；建立了石油烃在多介质海洋环境中转化、迁移动力学模型，并据此探讨了物理、生物、化学和地球化学自净强度的概念、理论和计算方法，以及海洋环境容量的计算方法、变化规律和控制机理。

(5) 海洋环境评价与规划：其研究工作的显著特色是：根据海洋化学、海洋生态学和生态毒性学的理论和方法，应用海上调查、海洋围隔生态实验，实验室和数值模型“四位一体”的综合技术路线研究海洋生态环境问题。在此基础上，今后的重点研究方向是：①海洋环境负荷物（化学污染和富营养化物质）转化、迁移规律以及化学、生物和地球化学自净强度和环境容量理论和计算方法；②中国近海海域赤潮生消机理和过程监测方法；③化学污染生物富集，生物链中迁移规律和生物粒度效应。 （刘安国　谢正佚）

【海洋生物学】 海洋生态动力学（底栖生态）

该研究方向所做工作的主要内容：

(1) 小型底栖生物（线虫和底栖桡足虫）的能量生态、群落生态和生物多样性。

(2) 海洋线虫和底栖桡足虫类的系统分类学。

(3) 沉积物/海水界面关键生态学过程（生物扰动、生物沉降和再悬浮）。

特色：中国近岸浅海高浊度水域水层-底栖生物耦合的机制、底栖生物粒级谱理论及对生物资源的控制机制。

该研究组曾先后主持完成5项国家自然科学基金项目，参加国家攀登计划B海水增养殖优抗研究(1995～1999，专题负责人)，参加国家重大自然科学基金“渤海海洋生态动力学”(1997～2000，专题负责人)，参加一批部委级项目，内容涉及动物区系、海洋底栖生物群落分析、虾池食物网能量分析及浅海生态系统动力学等。主持完成“中-英浅海生态动力学研究”(1995～1997)和“渤海底栖生物多样性”(1997～2000)，现主持国家“973”项目“水层-底栖耦合”课题“中-英东、黄海底栖生物生态系统功能研究”(2000～2003)。

海洋微型生物生态 该研究方向所做工作的主要内容：

(1) 沉积物/海水界面微型生物膜的产生机理及对沉积物/海水界面过程的影响。

(2) 硝化过程和反消化对沉积物亚界面过程的控制。

该研究特色和创新：营养盐再生机理及对沿海海水富营养化的影响。

该研究组已在单细胞海藻钙化机理与无机碳吸收的关系以及在海/气界面CO_2交换中的作用研究中取得成果，并主持完成研究项目3项：①欧盟重大项目：无机氮在河口与沿岸海区的循环。本项目与欧洲5个国家合作，研究硝化与反硝化细菌在氮的转化以及把无机氮从水体中去除中的作用，以及底栖硅藻在这些过程中的作用；②英国环境部项目：环境因子对河口和沿岸海区浮游藻的生长、光合作用和初级生产力的影响；③英国自然环境研究委员会项目：细菌的硝化和反硝化过程以及环境因子对NO_2：N_2比例的影响。中国科学院海洋研究所兼职研究员主持完成了国家“863”海洋高科技项目“海藻生物反映器育苗技术”。现在发表论文20余篇。主要研究方向为海洋生态学。

海洋生物化学和分子生物学 该研究方向所做工作的主要内容与特色：

1. 海洋生化物质（酶、活性多肽、功能多糖、小分子有机物质等）的研究与海洋药物开发

已承担过国家“八五”攻关项目“抗皮肤溃疡海洋药物”、国家“九五”攻关“治疗胃溃疡羧基化氨基多糖研究”和“海藻工具酶研究”、“863”项目“软组织修复海洋多糖制备及人体软组织修复材料的开发研究”、“九五”国家教育部项目“海洋生物血栓溶解酶研究”、国家自然科学基金“羧甲基壳多糖促进皮肤成纤维细胞生长机理的研究”等12项课题研究，共争取科研经费300余万元，取得专利6项，发表学术论文25篇，技术成果转化3项。

本研究方向以海洋生物为研究材料，以理论研究为基础，注重研究与产品开发相结合，已经在海洋生物酶类研究，海洋生物医用生物活性物质研究和开发方面取得了突出成绩，今后将在海洋生物活性物质方面，开展如大分子酶类、多肽、多糖，结构与功能的基础与应用研究；海洋生物医用新材料研究和开发；基因工程下游工艺技术研究等。

2. 海产生物功能性新材料的研究和在医学、农业中的应用

利用海洋生物材料的特异性和生物的可降解性等优点，在医用生物功能材料科研方面，重点开展创伤皮肤软组织修复，脏器修复，眼科创伤修复等高科技含量的产品开发和产品的应用基础研究。在农业方面开展海洋生物功能材料在生物农药，缓控释化肥，农作物增产剂等方面的研究和开发。

3. 海洋生物分子生物学研究及功能基因开发

近3年来，该方向承担了国家“863”项目“螺旋藻转基因体系建立”、国家重大基础研究项目“海洋药源生物基因库和种质库构建”和“紫菜丝状体cDNA文库构建及测序”等项目研究。

该方向紧扣海洋生物材料，利用先进的分子生物学方法和技术，进行海洋生物分子遗传学、基因工程等方面的基础研究和应用基础研究，在材料上具有海洋特色，在方法上利用了分子生物学方法和技术，具有一定的先进性。

该方向将开展海洋生物分子遗传学研究、分子生态学研究和海洋细菌宏基因组研究，将海洋生物种质资源评价、海洋生物遗传多样性分析、海洋浮游植物多样性和赤潮研究、海洋细菌宏基因组研究及海洋细菌生物活性物质文库筛选等方面有所突破，取得一定水平的理论和应用研究成果。

【水产养殖学】 水产动物营养与饲料学 该方向主要涉及水生动物的营养生理及饲料开发研究，主要包括3项研究内容：

(1) 水生动物消化生理与营养生理的研究：该领域主要的海水养殖动物消化酶的分泌、功能及调节、营养物质的转运、营养素的营养作用、水生动物的营养需求及抗逆的生理机制等方面。

(2) 水生动物全价配合饲料研究：主要研究

海、淡水鱼类、养殖甲壳动物、鲍鱼等经济水产动物的苗种和养成阶段的人工全价配合的饲料的配方和加工工艺。

(3) 生物饵料研究：主要进行海洋微藻、轮虫、卤虫等饵料生物的品种筛选与开发、培养技术、生理生化及应用技术等研究。

该研究方向的主要特色是进行营养学与其他学科的交叉研究（如营养与生物矿化的研究、营养与免疫的研究等）。该领域的研究目前具有雄厚的基础，在对虾的消化生理及鲍鱼的营养生理，贝类的营养与生物矿化过程，鲤鱼和中国对虾的人工配合饲料，高EPA/DHA微藻筛选与培养技术，微藻光生物反应器等方面进行了大量深入的研究，取得了重要成果，处于国内领先水平，成果先后获得省部级科技进步等成果奖多项，近年来配合饲料开发成果为企业创产值20亿元以上，利税2亿元以上。

该研究方向的目标是将在鲍鱼的苗种和养成饲料、海水鱼类的人工配合饲料、海洋动物的生物矿化、海洋微藻的品种选育与微藻光生物反应器优化利用等方面做出贡献。该方向研究的成果在近5年发表论文32篇，其中被SCI等收录11篇，获省部级等奖5项。目前承担“863”、“973”、杰出青年基金等国家级重大课题6项。

水产养殖生态学 该方向主要内容：

该方向是研究水生经济生物间相互作用及与环境相互作用关系、养殖生态系统结构与功能、养殖水环境管理原理的科学。其基本目标是为水产养殖产业的可持续发展，即保护水域生态环境、合理利用资源、提高经济效益，提供理论依据和关键技术支撑。具体包括：①养殖生物的个体生态学；②养殖水环境的管理；③养殖系统生态学；④养殖生产活动与环境的相互作用。

该方向是水产养殖学与生态学的交叉学科，近几年主要进行了鱼、虾、贝等多种水产养殖动物的个体生态学、海水池塘养殖系统生态学和养殖池塘水质管理的研究工作。

在养殖动物个体生态学方面的研究成果有：①完成了中国对虾和台湾罗非鱼生物能量学研究，建立了其能量收支模型和补偿生长规律等；②完成了滤食性鱼类、贝类摄食生物学研究，摄食生物学参数的测定方法、摄食机制等。

在海水池塘养殖系统生态学的成果包括：①探讨了对虾综合养殖结构的优化体系和养殖池塘浮游动、植物以及细菌的群落演替规律和生产量；②研究了细菌在对虾池塘物质循环中的作用，对虾池塘的氮收支，滤食性贝类和鱼类对海水池塘水质特别是对浮游植物群落的作用，初步建立了对虾综合养殖的优化模式；③在盐碱地池塘养殖生态学方面完成了背景调查，摸清了盐碱地池塘浮游植物、浮游动物、底栖动物和初级生产力的变动规律，盐、碱度和8种主要离子及营养盐的周年变动规律，探索了盐碱地水质调控方法；④建立了对虾养殖的优化模式；⑤发明了具有较好防病效果的对虾围栏综合养殖新技术。

在水质管理方面：①查明了盐碱地水质变动规律，研究出了多种水质调控技术和养殖模式；②研究出了几种对虾养殖池塘水质的生物调控技术。

针对中国对虾及海水贝类养殖所存在的问题，目前集中就“环境友好的养殖模式与技术”开展研究工作，以实现可持续发展及生态防病的目标。今后的工作重点将集中在建立合理的生态养殖模式和开展养殖生态系统生态学的研究，结合国家和地方的科研任务（主要为国家“973”项目），研究的目标是在健康养殖模式和建立完整养殖生态学理论体系上取得进展，将成果和优势体现在拉动国内水产养殖行业的可持续发展上。

该方向的研究，近年来已主持完成国家“九五”科技攻关专题2个，国家自然基金项目和山东省自然基金项目多项，现承担国家杰出青年科学基金项目、国家“973”项目等。近5年发表论文80余篇，其中SCI收录文章5篇，获得国家发明专利1项。 （刘安国 谢正侠）

水产养殖与育种 该研究的主要内容：

(1) 采用分子生物技术（如PCR、RAPD、AFLP、DNA 测序技术等）从DNA水平研究主要养殖鱼类和贝类等的遗传多样性，因为遗传多样性研究是遗传改良的前期工作，遗传多样性是生物群体适合度（生活力、繁殖力等）的遗传学基础，与种质遗传改良密切相关。具有丰富遗传多样性的群体对环境变化的适应性强、生产力高、抗性强和育种潜力大，反之亦然。同时，利用遗传多样性研究结果和手段进行：①分析、监测主要养殖鱼类、虾类和贝类等遗传多样性的时间和空间变化，防止或养活生长率和抗病性能降低等近交

海洋技术
Ocean Technology

“十五”海洋高技术综述
Overall Review of the Marine Hi-techs During the Tenth Five-Year Plan

【概况】 “十五”期间，国家高技术研究发展计划（“863计划”）结合世界高技术发展趋势和我国经济、社会长远发展的需要，着重研究解决事关国家中长期发展和安全的战略性和前沿性高技术问题，集中力量在有相对优势或战略必争的关键领域取得突破，在一些关系国家经济命脉和安全的高技术领域，提高自主创新能力，努力实现产业化。通过5～10年的努力，形成一批具有自主知识产权的重大高技术成果，力争在世界高技术领域占有一席之地，并在若干重要领域和关键产业实现技术发展阶段的跨越。在“十五”期间，设立信息技术、生物技术、新材料技术、先进制造与自动化技术、能源技术、资源环境技术等领域。海洋高技术被纳入资源环境技术领域，“十五”期间重点实施“渤海大油田勘探开发关键技术”、“海水养殖种子工程”、“台湾海峡及毗邻海域海洋动力环境实时立体监测系统”三个重大专项，海洋资源开发技术、海洋生物技术和海洋监测技术3个主题

“863”计划重大专项

1. 渤海大油田勘探开发关键技术

渤海大油田勘探开发关键技术，针对渤海大型稠油边际油田勘探、开发的技术难点，通过高精度勘探技术、三维轨迹闭环钻井技术、海水基聚合物驱油提高采收率技术和海上工程安全保障技术等关键技术的突破，形成具有我国自主知识产权的近海油气勘探开发成套技术和具有我国特色的海上边际油田开发模式，为渤海油田新增探明储量5亿吨、年产能力2 100万吨以上和采收率提高1%～5%、将渤海油田建成我国第三大石油生产基地提供高技术支撑，带动我国近海油气资源的高效开发和相关产业的发展。

主要目标是：提供适用于滩浅海地区高精度油气勘探技术及装备；形成三维轨迹闭环钻井技术及装备；研制钻井中途电缆测试系统；研制适合于海水基的驱油剂、调剖剂及驱油、调剖配套工程技术；建成新型抗冰振及软土基试验平台；研制海底管道检测、维修技术和装备；开发海洋平台结构的实时监测和检测成像系统；预期获得专利及软件版权60～80项，培养一支高水平科技研发队伍，建立2～3个海洋高技术研究和产业化基地。

主要研究内容包括：滩浅海高精度油气勘探技术及多波多分量勘探技术；海上时移地震油藏监测技术；三维轨迹闭环钻井技术；钻井中途油气层测试技术；渤海油田深部调驱提高采收率技术；浅水超大型浮式生产储油系统关键技术；渤海新型抗冰振、软土基平台技术；海底管道的检测与维修技术；海洋平台结构的实时监测与检测成像技术；近海工程地质环境探测技术；数字海

衰退和种质退化的大面积发生；②分析、监测海洋生态环境变化对养殖种类的遗传多样性、种质性能的影响；③进行不同种质(国内不同地区、引进与土著)的遗传鉴别、管理与保护措施的研究。

(2) 采用上述分子生物学技术在主要养殖贝类中建立多种分子标记，构建其遗传连锁图，进而开展数量性状（经济性状，如生长率、抗病性）基因定位和分子标记辅助育种，为快速、高效培育新品种或遗传改良奠定基础。

(3) 运用细胞遗传学方法和技术进行多倍体育种和杂交育种研究，涉及的种类有国内主要海水养殖贝类，主要研究内容包括：①贝类雌核发育二倍体的研究；②三倍体培育；四倍体牡蛎人工诱导的研究，争取获得四倍体牡蛎成贝，以之与二倍体杂交，培育100%三倍体群体；③多倍体牡蛎快速生长机理研究；④扇贝、鲍的杂交育种研究，进行栉孔扇贝与虾夷扇贝的杂交；中国鲍与日本鲍的杂交。 (刘安国)

底渤海示范工程。

2. 海水养殖种子工程

海水养殖种子工程针对当前制约我国海水养殖业可持续发展的重要因素之一的“种子”问题，集合细胞工程、基因工程和传统技术的综合优势，科学合理地开发我国名特优良养殖种类的苗种繁育技术，对主要养殖对象进行遗传改良，实现养殖种类经济性状的定向培育，培育优质、高效、抗逆的海水养殖新品种(系)，研究开发海水养殖动植物种质库建设相关的支撑技术，建立海洋生物核心种质库，筛选和克隆核心种质中的重要功能基因并予以有效利用。通过该重大专项的实施，改善和提升我国海水养殖业的结构，促进其向高效型产业转化，提高产业经济效益，推动我国从海水养殖大国向海水养殖强国转变。

主要研究内容：海水养殖名特优良种类的种苗繁育；海水养殖品种的遗传改良；重要养殖生物核心种质库的建立和利用；海水养殖动物特殊功能基因的研究与开发；海水养殖种子工程示范基地。

3. 台湾海峡及毗邻海域海洋动力环境实时立体监测系统

台湾海峡及毗邻海域海洋动力环境实时立体监测系统针对国家和地方对海洋动力环境监测数据的重大需求，研究和发展海洋动力过程长期实时监测、船基海洋动力要素剖面探测、海洋动力环境要素场遥感监测、数据分析与信息服务等核心技术和系统设备，构筑台湾海峡及其毗邻海域海洋动力环境实时立体监测系统，全面提升区域性海洋动力环境长期、立体、实时监测能力，使我国的海洋动力环境实时立体监测技术整体上达到国际现有先进水平，为我国国民经济建设和社会发展以及国家安全提供快速、准确的海洋环境信息服务。

主要研究内容：海洋动力过程长期实时监测技术；动力要素剖面探测技术；海洋动力环境要素场遥感监测技术；海洋动力环境数据分析与信息服务集成示范系统。

“863”计划 3 个主题

1. 海洋资源开发技术主题

“十五”期间，海洋资源开发技术主题主要针对我国当前维护海洋权益、开发海洋油气资源和深海矿产资源的需求，开发出一批技术含量高、具有自主知识产权的海洋资源开发关键技术，建立一批海洋高技术应用示范基地，造就一支高水平的科技队伍，初步形成我国海洋油气勘探开发高技术创新体系，缩短我国海洋资源勘探开发技术与世界先进水平的差距。

主要研究内容：深水海域油气与天然气水合物资源勘探开发关键技术；大洋矿产资源探测关键技术；海底立体探测和成像技术；海洋油气资源开发的安全保障技术。

2. 海洋生物技术主题

海洋生物技术主题紧密结合我国海洋经济发展的总体目标，重视海洋生物资源的可持续利用，加强源头创新；全面提升我国海洋生物资源的综合开发能力，形成我国海洋生物高技术创新体系；在海水养殖新品种培育、海洋新药和海洋生物功能基因等研究开发领域，获得一批具有自主知识产权的原创性成果；全面缩小我国在海洋生物技术方面与先进国家的差距，在某些领域赶超世界先进水平；为把我国建设成为海洋生物科技强国奠定坚实的基础。

主要研究内容：海水养殖动物病害控制；海水设施养殖与工程化；海洋药物的研究与开发；海洋生物制品的研究与开发；海洋生物重要功能基因的研究与开发；滩涂耐盐植物的研究与开发。

3. 海洋监测技术主题

海洋监测技术主题将针对维护海洋权益、发展海洋经济、保护海洋环境、预警海洋灾害等国家重大需求，发展海洋动力环境和生态环境监测前沿技术，海洋遥感及大洋渔业信息应用技术。以形成海洋生态环境快速现场监测能力和海洋动力环境实时立体监测能力，促进有关产业发展，为国家海洋监测系统提供核心技术与装备，从整体上提高我国海洋监测技术水平。

主要研究内容：海洋生态环境要素现场快速监测系统技术；海洋卫星遥感综合应用技术；海洋航空遥感遥测技术；大洋渔业与环境信息获取与应用技术；船基海洋环境监测技术；海洋监测技术成果标准化工程。　(科技部　孙　洪)

【“十五”国家科技攻关计划】

1. 海洋环境预报及减灾技术项目

根据我国海洋环境预报的现状，以灾害性海洋环境预报为重点，解决海浪、风暴潮、海冰、表层海温和厄尔尼诺等预报关键技术，提高灾害性海洋变异预报预测能力，提高海洋预报的时效和精度；扩大预报服务领域，开创新的业务预报项目；使灾害性海洋变异预报预测水平在现有基础上提高5%以上；海洋环境预报的总体水平达到20世纪90年代中后期国际先进水平，部分预报项目接近国际同期先进水平，使我国海洋环境预报和减灾技术上一个新的台阶。

具体考核指标：

(1) 实现浅海和深海海浪数值预报业务化运行；有效波高的终极预报误差小于30%的保证率为：24小时75%，48小时70%，72小时65%。

(2) 实现风暴潮数值预报业务化运行；24小时预报的风暴增水最大值相对误差不超过30%的保证率为70%；24小时预报的风暴潮漫滩最大面积相对误差不超过30%的保证率为70%。

(3) 实现表层海水温度数值预报业务化运行；时效为3天的预报精度均方误差为0.8℃。

(4) 实现海冰数值周预报业务化运行；厚度均方误差小于6厘米，边缘线误差绝对值平均低于10海里的保证率为65%。

(5) 实现三维海温、海流场试预报。

(6) 厄尔尼诺数值模式预测时效为3～12个月，准确率为70%。

(7) 实现赤潮的试验预报预测。

主要研究内容：

(1) 研制深、浅水海浪数值预报模式，研制适合于海洋环境预报的有限区域海面风场数值预报模式和台风风场数值预报模式，实现中国海及其邻近海域海浪数值预报的业务化运行；

(2) 研制高分辨率风暴潮-近岸海浪耦合数值预报模式和典型区域风暴潮漫滩数值预报模式，并实现业务化；

(3) 研制温、流、冰数值预报模式，实现中国海表层海水温度（SST）业务化数值预报、渤海海冰的中期（周）数值预报、中国海三维海洋温度、流场的试预报；

(4)研制厄尔尼诺的区域和全球数值预测模式，并在业务化中应用；

(5) 以渤海和东海赤潮多发区为试验海区，发展赤潮卫星遥感跟踪预报、统计预报及数值预报技术，开创赤潮试预报；

(6) 开发实时海洋数据管理和自动化综合分析处理系统，强化模式检测工作环节，提高产品可视化程度，建立质量保证体系和项目质量保障的组织体系。

2.“海水循环冷却技术示范工程研究”课题

海水循环冷却技术示范工程研究课题将提出海水循环冷却处理技术方案和设计准则，建立2 500立方米/小时海水循环冷却技术示范工程，完成万吨级海水循环冷却示范工程技术储备；浓缩海水中碳钢腐蚀率≤0.125毫米/年，铜合金腐蚀率≤0.02毫米/年，污垢热阻≤3.44×10^{-4}平方米·开尔文/瓦，菌藻控制技术指标：异养菌数≤5×10^{5}个/毫升，铁细菌数≤200个/毫升，硫酸盐还原菌数≤100个/毫升；海水冷却塔盐雾飞溅量≤循环量的0.002%；运行经济指标优于淡水循环冷却技术。

主要研究内容：

(1) 海水循环冷却水系统系列缓蚀剂研究；

(2) 海水循环冷却水系统系列阻垢分散剂研究；

(3) 海水循环冷却水系统系列菌藻杀生剂研究；

(4) 海水循环冷却水系统动态模拟试验研究；

(5) 海水循环冷却水系统优化设计及智能化管理系统研究；

(6) 2500平方米/小时机械通风海水冷却塔关键技术研究；

(7) 万吨级自然通风海水冷却塔关键技术研究；

(8) 2 500平方米/小时海水循环冷却示范工程。

3.“低温多效海水淡化技术示范工程研究”课题

低温多效海水淡化技术示范工程研究课题建立5 000吨/日海水淡化示范工程。海水淡化造水比≥10，吨水耗电指标1.2～2.0千瓦小时，阻垢剂加入量<5×10^{-6}，吨水成本5元左右(双目的造水)。

研究内容：

(1) 廉价高效特种传热材料的应用研究；

(2) 蒸汽热压缩装置的应用研究；

(3) 模块化标准传热单元的研究；

(4) 多效蒸馏海水淡化系统的优化设计；

(5) 1 000～50 000吨/日多效蒸馏设计软件

的开发；

(6) 建立5 000吨/日低温多效海水淡化示范工程。

4.“大生活用海水技术示范工程研究”课题

考核指标：建立20万平方米住宅小区的大生活用海水示范工程样板。净化海水，浊度<10，SS<10，BOD_5<10毫克/升，DO>2毫克/升，大肠杆菌<10个/毫升；大生活用海水的使用费为0.7～1.1元/立方米，其中含0.5元排污费；提出生态塘处理大生活用海水的技术方案。

研究内容：

(1) 海水净化过程中新型絮凝剂和混凝剂的研究；

(2) 海水异味的去除技术研究；

(3) 防生物附着技术研究；

(4) 大生活用海水对城市污水管道、设备和构筑物的影响研究；

(5) 海水取水、贮水、输送水系统的优化设计研究；

(6) 大生活用海水示范工程研究；

(7) 大生活用海水生态塘处理技术研究。

5.“海水及苦卤提取硫酸钾和硝酸钾新技术研究”课题

重点开展苦卤叠加富钾技术、高效硫酸钾生产技术、海水、苦卤提取硝酸钾技术研究、高效的硫酸钾和硝酸钾分离工业化技术、高效节能关键技术研究，建立海水（卤水）6 000吨硫酸钾/年中试和海水（卤水）100吨硝酸钾/年中试。

6.“气态膜法海水和卤水提溴新技术研究”课题

气态膜法海水和卤水提溴新技术研究课题重点开展中试膜组件的研究与设计、气态膜的污染控制技术以及提溴工艺的优化研究，利用现代高新技术——气态膜分离技术，实现从海水或卤水中提取溴素；建立气态膜法海水（卤水）提溴10吨/年中试。

（科技部 孙 洪）

海洋观测和监测技术
Ocean Observing and Monitoring Technology

【“十五”“863”海洋监测高技术研究】 2001年是21世纪的头一年，也是国家“十五”计划的第一年。我国海洋监测技术的发展，仍然以国家“十五”“863”计划海洋监测技术主题组织的高新技术研究为主体，开展海洋动力环境和海洋生态环境监测技术的研究。经过专家论证，确定“十五”期间主题的战略目标为：针对维护海洋权益、发展海洋经济、保护海洋环境、预警海洋灾害、加强国防建设的重大需求，研究和发展海洋监测前沿技术。到2005年，突破若干海洋监测关键技术，形成海洋生态环境快速现场监测能力和海洋动力环境立体监测能力。深入开展实用化的海洋遥感应用、大洋渔业环境监测等方面的技术，研制一批具有国际先进水平的海洋监测技术产品，并促成其产业化，为国家海洋监测系统提供核心技术与主要装备，培养一批高水平的海洋监测技术人才，从整体上提高我国海洋监测能力。

根据总体战略目标，确定了以下主要研究内容。

1. 发展海洋生态环境要素快速监测系统技术

研究和开发以船载现场快速生态环境监测系统为核心的技术体系，完成一批具有国际先进水平的现场分析仪器和原位监测仪器，集成为现场监测船，可同时监测30余种海洋生态环境参数。形成对大面积海域生态环境要素的快速监测能力，尤其对海洋赤潮等关键生态过程实现多参数、全过程监测，为生态环境问题研究创造条件。

重点研究和开发的内容包括：海水营养盐、有机污染物、有毒重金属、化学耗氧量（COD）、生物耗氧量（BOD）等生态环境要素的现场快速自动分析技术和现场测量传感器技术；赤潮浮游生物的快速检测和分析技术。并将这些技术成果集成为船载海洋生态要素现场快速监测系统。同时，在选定的海区建设水下无人值守生态与动力要素自动监测站，主要监测温度、盐度、DO、pH 、营养盐、叶绿素、浊度、海流、波浪、潮汐及气象等环境参数，为海洋生态环境研究提供一个动态的数据采集平台。

2. 发展海洋动力环境实时立体监测系统技术

以水下监测技术为核心，同时发展先进的浮标技术和海面环境探测雷达，实现海洋动力环境的立体监测。关键技术是水面远距离监测和水下实时监测。重点研究和开发的内容包括：研制海面环境探测远程高频地波雷达；开发海洋光学浮标、大型多层监测资料浮标、小型多参数资料浮标、自持式剖面循环探测漂流浮标等新型浮标技术，研制实时传输的潜标系统；开发声层析技术，发展海床基动力要素综合自动监测系统技术、电磁式流浪潮监测技术及海冰参数监测技术；发展水下监测仪器能源补充技术和远距离数据传输技术；开发相控阵声学海流剖面仪（PAADCP）、声相关海流剖面仪（ACCP）、合成孔径声纳（SAS）、拖曳式多参数剖面测量系统等一批具有国际先进水平的船用动力要素监测仪器设备。

结合“九五”成果，完成具有高度集成能力的立体监测和实时传输系统技术研究，并在特定的海区内，将这些研究成果集成为一个海洋动力环境立体实时监测及动态信息服务示范系统。

3．发展海洋卫星遥感和航空遥感技术

国家对遥感技术有迫切的需求。“十五”期间，海洋遥感应用技术研究，以国家重大需求和原始创新为牵引，针对我国近海海洋生态灾害、海洋环境污染等面临的重大问题，重点发展面向遥感数据使用者的技术。在遥感信息提取方面，主要发展信息提取模块和用户平台；在遥感信息应用方面，主要发展针对具体海洋过程的应用模块和中国海岸带集成用户平台，推进海洋遥感由研究阶段向应用阶段的过渡。在应用层面上，主要发展对赤潮、重污染、陆源污染物扩散、养殖区生态环境、灾害性海况、海洋中尺度过程、水下目标识别等模块化应用技术。例如，中国海岸带及近海卫星遥感综合应用系统技术；海洋遥感信息提取通用技术平台；模块化海洋遥感信息提取技术；模块化高分辨率多源遥感信息同化技术；模块化海洋赤潮遥感监测技术。

同时，发展航空遥感海洋环境监测技术，例如机载高光谱辐射计、微波散射计、微波辐射计、机载激光雷达等航空遥感多传感器集成与监测技术，无人机海洋遥感监测技术等，建立海空准实时综合监测示范系统，加强对赤潮、海冰及溢油等灾害环境的高频和高分辨率监测。

4．大洋渔业与环境信息获取及应用技术

中国的捕捞渔业已向远洋发展，并成为重要的产业，掌握渔场环境及其变化对渔业生产的丰歉至关重要。为渔业生产服务是海洋环境监测技术发展的重要内容之一。“九五”期间曾针对北太平洋鱿鱼的渔场环境信息采集和渔场速报开发了信息服务与管理系统，提高了远洋鱿鱼的渔业生产能力。“十五”期间，将拓展新的服务能力，重点是提高金枪鱼和竹荚鱼渔场的测报与信息服务能力。主要研究内容是：通过大洋环境要素信息的提取、校正、反演和同化研究，提供水色、海表温度、流场等渔场环境信息参数，开发大洋渔情信息服务和生产指挥调度辅助决策系统技术；研究大洋金枪鱼和竹荚鱼的资源动态、洄游分布特性、渔场形成的生态学、生物学规律，建立金枪鱼和竹荚鱼渔情分析专家系统，开发中大西洋金枪鱼、东北大西洋竹荚鱼渔情速报技术。通过集成，最终形成一个实用的远洋渔业信息服务业务系统，为我国的金枪鱼、竹荚鱼生产提供技术支持。

5．实施海洋监测技术成果标准化工程

为推进技术研究成果向产品的转化，提高我国海洋监测仪器设备的市场竞争能力和占有率，改变我国海洋监测高技术产品主要依赖进口的局面，“十五”期间将实施海洋监测技术系列成果标准化工程。主要内容是，将近年来海洋监测技术方面取得的技术成果，向技术实用化、产品标准化、软件商品化的方向推进，促进技术成果产业化。对有产业化前景的成果组织定型设计和定型生产，并建立相应的检测检验标准、规程或方法。同时，加强海洋监测技术成果规范化的海上综合试验场的建设，形成海洋监测仪器检测与质量评价技术体系，建立海洋监测技术类数据集成和服务系统。

【“十五”“863”海洋监测技术主题正式启动第一批研究项目】 2001年8月，“863”海洋监测技术主题的战略目标通过了专家论证，并通过招标和投标，专家评审，确定了第一批启动研究的项目。这些项目包括以下主要内容：①海洋动力环境实时立体监测系统技术专题。启动了海洋动力环境实时立体监测动态信息服务集成示范系统、海洋光学浮标技术、大型海洋环境多层监测浮标关键技术、小型多参数海洋环境监测浮标、自持式剖面循环探测漂流浮标、实时传输潜标系统、远程高频地波雷达监测技术、海床基动力要素综合自动监测系统、自定位水下潮流测量仪、坐底式海冰监测技术等研究（研制）项目。②海洋生态环境要素现场快速监测系统技术专题。启动了船载海洋生态环境现场监测集成示范系统、海水营养盐现场自动分析技术、海水中有机污染物的现场光学综合分析技术、海水重金属元素的现场测定技术、海水化学耗氧量的现场分析技术、海水中有机磷的现场分析技术、海洋环境污染现场监测生物芯片技术、海洋环境腐蚀能力现场监测技术、赤潮浮游生物综合测量系统及分析技术、海水生物耗氧量的现场监测技术等10个研究或研制项目。③海洋卫星遥感综合应用技术专题。启动了中国海岸带及近海卫星遥感综合应用系统技术、海洋遥感信息提取通用技术平台、模块化海洋遥感信息提取技术、模块化多源海洋遥感信息融合与同化技术、模块化海洋赤潮遥感监测技术、模块化灾害性海况遥感监测技术、模块化水下目标与岛礁环境遥感监测技术等7个研究项目。④海洋航空遥感遥测技术专题。启动了航空遥感多传感器集成与应用技术系统、无人机海洋遥感监测技术等2个研究或研制项目。⑤大洋渔业与环境信息获取及应用技术专题。启动了大洋渔场与环境信息获取和应用技术研究项目。⑥船基海洋环境监测技术专题。启动了相控阵声学海流剖面仪、拖曳式多参数剖面测量系统、专用温盐深剖面测量技术、投放式ADCP水下运动校准技术等研究或研制项目。

【HYQ2-1型倾废船航行数据记录仪】 国家海洋技术中心研制的HYQ2-1型倾废船航行数据记录仪，通过了由国家海洋局主持和组织的鉴定。该型倾废航行记录仪适用于各种类型的倾废船，特别是小型自航式和非自航式倾废船的倾废监视。它用GPS定位，液晶显示，提供船位、航速、航向等参数。数据记录采用IC卡，更换周期大于30天。采用全封闭结构，能全自动无人值守工作，无关人员不能干预其工作。具有在几个倾废区之一倾倒的监视和到位判断功能。海监部门通过计算机可将取回的IC卡进行回放处理，对倾废船的航行信息进行检查、统计、存档，监察倾废船是否有违规倾废行为。该型记录仪将于2002年推广使用，逐步替换HYQ1-1型记录仪。目前已有80余条倾废船配装了HYQ1-1型记录仪，在倾废执法管理中发挥了重要作用。

【1 500米船用水文绞车通过设计定型鉴定】 国家海洋技术中心研制的船用1 500米船用水文液压绞车(含0.5吨液压吊)，已于2000年11月通过定型鉴定。绞车最大容绳为φ6.2毫米电缆长1 500米，最大绳端负荷250千克，最大收绳速度1.2米/秒。液压吊最大负荷0.5吨，并具有回转、伸缩及变幅功能。配备LV-1型缆绳线长线速仪，有线长线速显示、线长设定、投放到位及出水报警等功能。吊杆变幅-500～+450、回转±1100、伸缩2 500～4 400毫米。绞车有手动和自动排缆功能及手动和液压制动功能。绞车重1 100千克(含钢缆)，吊杆重850千克。电源：AC380V，7.5千瓦。

该所还研制了船用3 000米水文液压绞车(含1吨液压吊)、船用3吨A型液压吊车、船用3吨折臂吊、船用3吨门吊、海底地貌仪拖曳液压绞车等船用甲板机械，并已在海洋调查监测船上配装使用。

【潜标系统通过设计定型鉴定】 国家海洋技术中心研制的深海4 000米和浅海400米潜标系统，2000年在南海布放使用成功，实际在位作业时间3个月，系统全部按时回收。2000年11月通过了海军设计定型委员会的设计定型鉴定。2001年，又在南海布放了深海4 000米和浅海400米潜标系统各2套，布放周期为45天，4套系统全部正常回收。系统的主要测量参数是水温、盐度、海流、水深。潜标系统通过设计定型并多次顺利布放回收，说明我国的潜标技术已日趋成熟。

【FZSC3-1型漂流浮标进入实用阶段】 经过多年的努力，国家海洋技术中心研制的FZSC3-1型漂流浮标已进入了实用阶段。截至2001年底，在国家“973”计划等项目中，国家海洋局的3个海洋研究所和中科院海洋研究所已先后使用了58套这种表面漂流浮标。该浮标在海面漂流作业，工作周期3～6个月，用ARGOS卫星通信和定位。浮标在漂流过程中测量海表温度，根据浮标的漂移轨迹用拉格朗日法计算出海流。这种浮标适用于大范围海域的海流和表层水温测量，可根据需要增加其他测量参数。

【海洋站和志愿船观测系统建设基本完成】 《中国海洋环境监测系统——海洋站和志愿船观测系统》建设项目，是国家发展计划委员会1999年8月批准、由国家海洋局组织实施的国家国债基金建设项目。

国家海洋局1996年开始组织该项目的立项论证工作，1997年向国家计发委正式报送了项目《建议书》。经中国国际工程咨询公司评估后，1998年8月国家计委批准立项。国家海洋局根据国家计委对项目《建议书》的批复，编制了项目《可行性研究报告》。国家计委1999年8月正式批准《中国海洋环境监测系统——海洋站和志愿船观测系统建设可行性研究报告》。项目总投资9 079万元，国家投资6 960万元，国家海洋局配套资金2 119万元。

1999年9月，国家海洋局开始组织实施系统建设工作。项目主要承担单位是国家海洋技术中心和国家海洋局各分局。到2001年底，按国家计委批准的《可行性研究报告》，该项目已基本完成了海洋站观测系统、志愿船观测系统和数据通信网的建设。以“863”海洋监测技术主题研制和开发的台站自动观测系统为主，结合先进的通信设备，装备我国72个海洋站和120艘志愿船。海洋站的测量参数根据不同站位的特点和总体布局设置，一般包括风速、风向、气温、气压、相对湿度、降水量、表层水温、表层盐度、潮汐、波高、波周期、波向。志愿观测船的测量参数包括风、气温、气压、湿度及表层水温。系统的建设显著提高了中国近岸海域海洋环境定点、连续、长期动态观测与数据实时或准实时传输能力，提高了志愿船的自动测报能力。从系统建设的初步运行情况看，配备的各类仪器设备和数据通信网工作状况良好，技术性能达到了总体方案要求。该项目预计在2002年6月前全部完成，并由国家海洋局主持和组织验收。

【海洋环境腐蚀能力监测系统】 国家“863”课题。本项目工作可分为：集成探头(传感器集成)，监测系统(虚拟仪器)，数据测试和评价系统(相关分析，软测量系统和评价方法) 4个主要部分。

2001年度主要研究进展：

(1) 硫酸盐还原菌传感器和氧化还原电位传感器的研制；

(2) 6参数集成传感器探头装置的硬件和数据采集软件系统的研制；

(3) 进行海洋环境水文资料收集和计算，研究了水环境动力性质对海洋腐蚀数据的影响；

(4) 进行了海洋环境腐蚀数据收集与整理，研究海水环境中腐蚀因子数据随地域、季节和深度的变化。 （中国科学院海洋研究所　邢桂芳）

海洋遥感技术
Marine Remote-Sensing Technology

【HY-1卫星地面应用系统建设】 HY-1卫星是一颗用于海洋水色探测的试验型业务卫星，工作寿命为两年，卫星轨道为太阳同步近圆形轨道，高度为798千米。HY-1卫星以可见光、红外探测水色水温为主，其有效载荷为十波段水色扫描仪和四波段CCD成像仪。

HY-1卫星主要用于探测海洋水色要素，包括叶绿素浓度、悬浮泥沙含量、可溶有机物、水温、污染物以及浅海水深和水下地形等。它将在海洋生物资源开发利用、河口海湾和航道监测和治理、海洋污染监测和防治、海岸带资源调查和开发以及全球环境变化研究等领域发挥作用。

HY-1卫星地面应用系统作为卫星工程的五大系统之一，承担着重要的职责，它负责着卫星数据接收、处理、产品制作和应用的重要工作，是卫星应用价值的最直接的体现者。HY-1卫星地面应用系统于1999年5月31日获得国家计委的批复开始建设，国家卫星海洋应用中心在2000～2001年期间按照国家计委的批复要求，以卫星会战的形式全面开展地面应用系统建设工作。该系统建设历时2年，于2001年在经过系统联调后，初步建成并投入试运行。

HY-1卫星地面应用系统由接收、资料处理、资料产品与存档分发、辐射校正和真实性检验、资料应用示范、通信、运行控制等7个分系统组成，具体是在北京、三亚建设海洋卫星地面接收站，在北京建设数据处理中心，进行数据处理，产品制作和业务应用工作。通过VSAT地球站实现北京、三亚和西安间的数据和语音通讯，利用运行控制分系统实现系统业务化运行的指挥调度。

（国家卫星海洋应用中心　郑　莉）

【北京卫星地面站建成】 HY-1卫星地面应用系统北京卫星地面站具备数据接收、资料处理、资料产品存档与分发和资料应用示范等项功能。

北京卫星地面站接收设备从美国Seaspace公

司引进，可实时接收X波段、L波段HY-1卫星、EOS-MODIS、NOAA系列卫星、FY-1系列卫星数据；资料处理分系统由2台高性能HP4000服务器、4台HP2000工作站、EMC4500磁盘阵列、STK700磁带库和千兆光纤网组成，主要用于HY-1卫星二、三级产品及各种图形、图像产品和定量产品的处理任务。主要包括水色扫描仪（COCTS）归一化离水辐射率色素浓度、悬浮泥沙含量、海温、海水漫散射衰减特性和大气要素二、三级产品和CCD成像仪植被指数和悬浮泥沙二级产品；资料产品存档与分发分系统由数据库服务器、磁盘阵列、磁带库、数据库软件和存储管理软件构成的产品存档和分发分系统，用于HY-1卫星0、1、2、3级产品，NOAA和FY-1系列卫星0、1级产品，EOS-MODIS原始数据的存档和分发；资料应用示范分系统是以HY-1卫星各级产品为基础，开展有针对性的应用示范研究，并在成熟后纳入卫星地面应用系统业务工作中。

【海洋卫星辐射校正与真实性检验实验室建成】 2000～2001年期间国家卫星海洋应用中心与国家海洋技术中心利用HY-1卫星地面应用系统建设资金共同建立了海洋水色卫星“辐射校正与真实性检验实验室”。该实验室由光学仪器定标实验室、水样分析实验室、现场测量实验室和数据处理实验室组成。实验室配备了海洋光学、大气光学、热红外、生物化学分析、光学仪器标定和水文气象观测6大类21种设备。

该实验室的建成，具备了多种现场测量、分析的先进手段，并能够提供光学辐射校正与真实性检验数据产品。为海洋水色卫星提供辐射校正与真实性检验方面的技术保障与支撑，同时为进一步深入开展辐射校正与遥感数据的真实性检验研究、提高学术水平及业务能力、广泛开展国内外交流提供了必要的条件。

【三亚卫星地面站建成】 三亚卫星地面站是我国民用遥感卫星最南端地面接收站，它的建成具有重要的战略意义和科学价值，它对观测我国南海特别是南沙群岛海域具有十分重要的作用。在海南省和三亚市地方政府的大力支持下，2000年10月三亚卫星地面站开工建设，该地面站占地0.7公顷，总建筑面积4 280平方米，2001年完成地面站工程土建。三亚卫星地面站由业务楼、培训楼和配电房组成，三亚卫星地面站具备卫星数据接收和数据通信功能。

接收系统设备由国内研制，用于我国HY-1卫星及其后继星X频段传输的遥感数据跟踪接收、解调、数据记录、实时显示。同时兼容接收EOS卫星、L频段的美国NOAA系列卫星和我国FY-1卫星的数据。

【我国海洋卫星及其应用“十五”发展计划和2010年发展规划】 在国防科工委的支持下，国家海洋局组织编制了“我国海洋卫星和卫星海洋应用‘十五’计划和2010年发展规划”。具体为：

总体目标是：“十五”前期发射我国的第一颗海洋水色卫星，同时开展海洋动力环境卫星的立项论证工作，并进一步完善国家海洋水色卫星地面应用系统，开始建设海洋卫星辐射定标与真实性检验场，开展海洋水色环境监测要素的业务化应用试验研究和海洋动力环境卫星遥感应用的预研；在“十五”后期发射海洋动力环境卫星，并开展海洋环境综合卫星的立项论证工作，建立海洋动力环境卫星的地面应用系统，初步建成海洋卫星地面定标与真实性检验场；到2010年建立起HY-1、HY-2两个业务化系列海洋卫星，并发射第一颗HY-3卫星。

海洋卫星的总体思路是建立起由3个系列组成的海洋卫星体系包括：海洋水色卫星系列(HY-1)、海洋动力环境卫星系列(HY-2)和海洋环境综合卫星系列(HY-3)。

HY-1系列卫星以可见光、红外探测为主，其主要有效载荷为水色扫描仪、CCD成像仪和中分辨率成像光谱仪，其探测要素包括叶绿素、悬浮泥沙、海温、污染物质等。

HY-2系列卫星以主动微波探测为主，其主要有效载荷为微波散射计、雷达高度计、微波辐射计等，其探测要素包括海面风场、海面高度、浪场、海洋重力场、大洋环流和海面温度场等。

HY-3系列卫星是相对HY-1系列卫星和HY-2系列卫星的综合卫星，其主要有效载荷为可见光、红外、主动、被动遥感器，如多光谱成像仪、合成孔径雷达、微波散射计、辐射计、高度计等，其探测要素包括叶绿素、悬浮泥沙、污染物质、海表温度场、浪场、海洋重力场、大洋环流等。

该系列卫星可获取时间同步的海洋水色和动力环境的信息，在每天运行时间上与前两类卫星错开，时间上互补。（郑　莉）

【HY-2卫星用户需求制订和关键技术预研工作】

国家海洋局于2001年6月28～29日在天津召开了“海洋二号”卫星（海洋动力环境卫星）用户需求研讨会。会议经认真热烈地讨论，对“海洋二号”卫星的用户需求达成了共识，指出“海洋二号”卫星作为海洋系列卫星的重要组成部分，从国家利益出发，用户需求是迫切的，对于我国海洋遥感技术跨越式发展具有重要性和现实性；“海洋二号”卫星可有效获取全球范围的海洋动力环境要素资料，对于我国作为一个海洋大国要发展成为一个海洋强国具有特殊的重要意义。“海洋二号”卫星的技术和环境条件已具备，应开展海洋卫星平台、有效载荷及精密定轨和卫星地面应用系统等方面关键技术的预研工作。建议尽快开展“海洋二号”卫星工程的综合论证和相关预研工作。

目前，根据国防科工委《“十五”民用航天预先研究计划纲要与项目指南》的要求，国家卫星海洋应用中心和航天科技集团五院共同开展海洋动力环境卫星总体技术、高精度定轨和卫星有效载荷等关键技术攻关工作。

【载人航天工程民用遥感器数据处理系统建设】 卫星中心于2001年10月完成了“载人飞船航天工程民用遥感器数据处理系统”建设工作，并达到了为民用遥感器应用研究提供数据产品服务的目标。该系统负担着载人航天工程民用遥感器资料的预处理及其产品存档与分发的任务，向民用遥感器应用研究授权用户提供0级和1级数据产品资料。

2002年该系统已完成了载人航天工程民用遥感器数据处理系统工作，达到了预定的目标。

【模块化二类水体相关遥感信息提取技术课题】

2001年卫星中心承担了“863”计划中“模块化二类水体相关遥感信息提取技术”的课题任务。该课题的研究目标是建立卫星遥感信息应用于海洋环境监测的方法与模型，解决适合于中国海域（特别是近岸二类水体的）遥感应用技术，研究和开发模块化的海洋水色遥感信息提取应用软件。目前，该课题已全面启动，计划于2004年完成该课题任务。

【海洋水色卫星（HY-1）资料辐射校正与定位方法预研究】 自1999年起国家卫星海洋应用中心承担了国防科工委民用航天专项科研项目的“海洋水色卫星（HY-1）资料辐射校正与定位方法预研究”工作，其目的是在我国HY-1卫星发射之前提出切实可行的数据资料辐射校正和几何定位算法，并结合在轨运行的SeaWiFS和NOAA卫星数据对算法的可用性和精度进行检验。本研究项目大大促进HY-1项目中辐射校正和几何定位的进展，进而为其数据的进一步应用打下基础。该课题按计划在2002年年底完成。

【CBERS-1卫星数据在海岸带资源与环境信息系统中的应用示范研究】 2001年卫星中心承担了国防科工委民用航天专项科研项目的“CBERS-1卫星数据在海岸带资源与环境信息系统中的应用示范研究”工作，该研究是以CBERS-1CCD数据为主要信息源，以海岸带资源与环境为研究对象，选择典型示范区，研究CBERS-1数据在海岸带资源与环境遥感探测中的应用，并基于GIS技术，融合海岸带常规观测数据来完善已有的海岸带资源与环境信息系统。该项目已于2001年完成，并通过验收评审。

【HY-1卫星水色因子提取关键技术研究】 2001年国家卫星海洋应用中心开展了国防科工委民用航天专项科研项目“HY-1卫星水色因子提取关键技术研究”工作，该研究是针对系列卫星水色遥感器的叶绿素反演技术开展的应用研究，具体包括二类水体的现场叶绿素定量测量技术研究、我国海域不同叶绿素浓度的光谱特征研究、我国主要海区固有光学特性（IOP）的初步测量分析研究、HY-1卫星资料提取叶绿素浓度统计模型的提出和改进研究、基于IOP方法的HY-1卫星资料叶绿素提取算法初步研究、基于荧光算法的HY-1卫星资料叶绿素提取算法研究。目前，研究工作全面启动，计划于2003年年底完成。（郑　莉）

【我国遥感卫星应用效果的数字仿真技术系统】

该项目由国家海洋局第二海洋研究所潘德炉

院士为主承担，其以中国“九五”计划发射的海洋水色等卫星为对象，建立我国太阳同步极轨遥感卫星应用效果数字仿真技术系统。该系统的建成满足了我国太阳同步极轨遥感卫星的可见光和近红外遥感器应用效果的数据仿真、图像质量预测和利用率评估，并为其他类型遥感卫星的仿真打下了扎实的基础。该成果已应用于以下几方面：我国第一颗海洋水色卫星遥感器的主要技术指标确定，以及在研制中关键技术指标的跟踪。已应用仿真技术于海洋水色卫星十通道水色扫描仪定标试验，以及为第一颗海洋水色卫星图像处理专用软件的开发奠定了基础；气象仿真软件应用于FY-1C卫星系统通道的资料处理和评价；海洋水色极轨卫星应用效果仿真技术已达到国际先进水平，推广到台湾省ROCSAT卫星OCI扫描仪，韩国KOMPSAT卫星的OSMI海洋扫描多波段成像仪以及日本的ADEOS-II卫星的GLI全球成像仪的辐射模拟仿真以及应用效果评价。

【可见光卫星遥感光谱复合技术研究】 该课题是国家海洋局第二海洋研究所毛志华获准的国家“863”青年基金项目。在海洋遥感资料自动几何配准和定位方面取得较大进展，利用海岸线的特征解决了海上无控制点的困难，实现了各种遥感资料的配准和定位，且精度达到像素水平。在研究可见光辐射方面，基于大气和水体传输理论建立了我国海区SeaWiFS海洋大气校正模式，较美国NASA模型更适合我国海区，这是一个突破性的进展，对我国海洋遥感定量化应用有重要价值。在卫星光谱复合技术方面取得了众多的研究成果，例如，AVHRR通道1大气校正、FY-1C的替代定标和FY-1C海洋通道大气校正、海表流场信息提取等。项目已通过验收，专家对成果给予了高度评价，一致认为研究成果达到国内领先、国际先进水平。

【北太平洋鱿鱼渔场环境信息获取、传输、处理、分析与海洋环境要素产品制作系统】 该项目为国家海洋局第二海洋研究所毛志华研究员和潘德炉院士为主承担的国家“863”项目“大洋渔业资源开发环境信息应用服务系统”中的课题之一（818-11-02）。经过一年多的努力，已初步完成合同规定的大部分科研任务，体现在以下几方面内容：在船上安装船载卫星遥感信息接收站，正常接收NOAA-12等6颗卫星资料。完成自动的产品制作流程，将NOAA资料生成SST，通过卫星传输系统传到地面；制作了NOAA全球GOPT和FY1C全球GOPT资料处理软件，将NOAA1B和FY1C的1A5格式资料生成SST图像，具有云信息提取和替补、SST反演、几何投影和图像镶嵌等功能；用制作的GMS资料处理软件，将GMS的分离通道资料生成SST图等；开发了海洋动力环境信息处理软件。该软件具有3天或7天平均图制作功能和海洋动力信息分析功能。目前项目仍在进行中。

【赤潮灾害预报技术研究】 这是国家“十五”科技攻关课题，由国家海洋局第二海洋研究所等单位承担，黄韦艮研究员为课题组长。课题以渤海和东海赤潮多发区为试验海区，开发赤潮卫星遥感跟踪预报、统计预报、数值预报和有毒赤潮预报技术，开展赤潮试预报，为防灾减灾和海洋综合管理服务。本研究的创新点在于利用卫星遥感技术探测赤潮发生前兆，进行赤潮预报；使用动力-悬浮泥沙-水度-赤潮藻-营养盐-浮游动物的耦合数值模式预报实际海域赤潮的生消过程；利用有毒藻类种群生长模式，结合区域海洋特征进行有毒赤潮预报。而利用卫星遥感、GIS以及数值模拟技术，开展以业务化应用为目标的赤潮预报技术研究是本课题的主要技术特点。课题正在进行中，进展顺利。 （孙煜华　杨士英）

【模块化海气界面遥感信息提取技术】 国家“863”课题主要分为4方面的内容：卫星遥感海面气温、湿度和热通量，以及降雨。现正按照合同计划要求进行，部分工作已经进入下一年度的研究工作，并取得了一些初步结果。基本完成了NOAA卫星TOVS资料反演大气温度和湿度廓线；针对海上大气温度和湿度廓线的反演实施了最大扫描线数调整实验；分析研究了不同海域海气热交换的计算方法及海气热交换的分布特征；研究了海洋降雨在Ku波段和C波段的吸收与散射特性。

【模块化巨浪遥感信息提取与复合分析技术】

国家“863”课题。课题主要分成“高度计遥感巨浪信息提取技术”，“SAR遥感巨浪信息提取技术”，“散射计风浪计算”以及“遥感巨浪信息复合分析技术”等方面的研究。课题2001年立项后，正按照合同计划要求进行，并已取得了一些初步成果：完成了T/P高度计有效波高和风速与JMA浮标有效波高和风速的比较结果图；完成了渤、黄、东海有效波高和风速的立方图分布；完成了渤、黄、东海有效波高的月、季和年平均分布等值线图；提出了三种海浪平均周期的高度计反演算法；建立了新形式的非线性海浪波高分布。（邢桂芳）

【船载海洋生态环境现场监测集成示范系统】（编号2001AA635010）

该课题属国家高技术研究发展计划（“863”计划）“十五”期间在海洋监测技术主题方面实施的课题。通过集成海洋生态环境要素现场快速监测系统技术专题所研制的各种海洋生态环境监测分析仪器及其它有关成熟的技术与设备，建立配置合理、功能齐全、运行可靠且具备样品自动处理与分配、数据自动存储与传输的船载集成示范系统。该系统能够提供一套较为完整的船载海洋生态环境现场监测系统集成技术，并能够对近岸海域生态环境及其水文气象等背景参数实施快速、连续跟踪监测，监测数据能够实时分析、处理及传输，并进行信息产品制作，为保护海洋生态环境、实施海洋综合管理等提供科学决策依据；同时，检验该专题研制的仪器设备在海洋环境中的适用性，为仪器设备和整个系统的产业化做好准备。

课题依托单位是国家海洋局北海分局，合作单位分别是国家海洋技术中心、国家海洋环境监测中心和青岛海洋大学。“船载海洋生态环境现场监测集成示范系统”课题于2001年10月、2002年1月分别通过立项申请和实施方案答辩，2002年4月获国家科学技术部批准立项，该课题将计划于2005年完成并进行验收。

【赤潮航空高光谱遥感监测技术研究】（编号863-818-09-10）

该课题属国家高技术研究发展计划（“863”计划）“九五”末期在海洋监测技术主题方面实施的课题。作为预研，课题的研究目标集中在赤潮航空遥感监视技术的发展上，以赤潮监测为有限目标，主要解决赤潮航空监测应用系统建立中的几个关键问题，为航空遥感环境监测技术的发展提供了研究示范，为海洋环境航空遥感应用系统建设奠定基础，对海洋环境航空遥感监测业务化和海洋遥感产业的兴起和发展起带动作用；该课题由国家海洋局北海分局主持、国家海洋局第一海洋研究所和中科院上海技术物理研究所共同承担完成。该课题于2000年11月、2001年2月分别通过立项申请和实施方案答辩。通过近一年的组织实施，课题取得了突破性的研究成果，成功研制出我国第一台海洋高光谱成像仪，在国内首次获取了赤潮高光谱数据、海上围隔实验地物光谱数据以及赤潮暴发现场多源同步数据，提出了赤潮航空高光谱发现检测、优势种类识别和生物量分布特征提取等方法及应用个例，开展了赤潮与环境动力过程的相关性研究。该课题为赤潮航空高光谱遥感集成实验系统的构建奠定了基础，这对于快速、准确地对赤潮灾害进行监视、监测并据此做出跟踪预测，降低或减轻灾害损失，并增强赤潮灾害防御救助体系具有重大的现实意义。随着该课题技术研究成果的进一步发展和完善，将为保护海洋生态环境、合理开发海岸带及其近海资源，保障沿海地区社会、经济的可持续发展发挥重要作用，有着十分广阔的应用前景。该课题按计划将于2002年下半年结题验收。

【航空遥感多传感器集成与应用技术系统】[“十五”“863”（“818”）主题]

该项目依托中国海监飞机、成像光谱仪、微波辐射计、微波散射计和激光雷达等设备，针对赤潮、溢油和海冰等目标的监测需求，对现有设备进行技术改造完善，研究多传感器集成技术，完成机载成像光谱仪、微波辐射计、微波散射计和激光雷达的系统集成。所集成的传感器既可同步工作，又可独立或部分组合运行；开展机上信息实时处理技术研究，以提取油膜面积、油膜厚度、海冰厚度、海温、风场等有限目标参量。

进行成像光谱仪、微波辐射计、微波散射计和激光雷达多源数据信息提取技术研究，解决赤潮种类识别、溢油量计算、海冰厚度反演等航空遥感监测业务工作中的关键技术问题，开发赤潮、溢油、海冰等海洋环境参量监测的技术和模块化应用软件，实现对赤潮、溢油、海冰实时动态航空遥感监测和海洋环境要素的快速提取；开展叶绿素浓度等信息的提取方法研究，研制相关软件；对悬移质等信息的提取方法进行探索性研究。将所开发的数据库与模块化应用软件集成为应用软件系统。

根据海洋航空遥感监测业务工作需要，开展系统业务化能力示范实验。建立中国海洋航空遥感多传感器集成与应用技术系统。

研制适用于直升机的自容式、小型化、模块化海水表层6参数综合自动水质监测传感器和表层自动采水器，并进行系统集成。该直升机探测与采样装置可同时监测温度、盐度、氧化还原电位、溶解氧、深度、pH等参数和对赤潮、海面溢油等的样品采集。

目前项目已完成了整体方案和设备集成的设计。初步研究建立了赤潮监测、种类识别、生物量分布特征提取方法，建立了海面风场散射计数据反演模型、海水温度微波辐射计数据反演模型、风场反演算法、海面盐度微波辐射计反演算法、海表叶绿素浓度激光雷达数据反演模型、海面溢油量评估模型、建立海冰厚度、海冰类型微波辐射计数据反演模型。并开展了集成设备技术改造和海监飞机适应改造的技术方案设计。

该项研究在国内尚属空白，它的研制成功将有力地提高我国在海洋减灾防灾、预警预报和执法监察等方面的能力。 （国家海洋局北海分局）

【星载合成孔径雷达海浪遥感图像模拟研究】 由国家海洋局第二海洋研究所黄韦艮获准的国家自然科学基金项目。本研究根据合成孔径雷达海浪成像机理，运用合成孔径雷达系统参数、卫星轨道参数、海洋环境条件参数和海面雷达后向散射特性，建立了海浪图像谱仿真模式。利用该模式模拟了文氏海浪谱的合成孔径雷达图像谱，对各种调制传递函数在合成孔径雷达海浪成像中的作用以及合成孔径雷达图像谱的特征进行了详细分析，进一步理解了星载合成孔径雷达的海浪遥感机理。利用仿真模式模拟了我国机载和星载合成孔径雷达海浪图像谱，对我国机载和星载合成孔径雷达海浪遥感能力进行了评估和预测。通过分析不同雷达波段、极化、入射角和卫星轨道参数的模拟图像谱，提出了海浪遥感的最佳雷达参数和卫星轨道参数。其成果的特色和创新之处在于所研究出的仿真模式、算法及所编制的软件适用性强，它们既可应用于L波段合成孔径雷达海浪图像谱模拟，又可应用于P、S、C、X和Ku等波段合成孔径雷达海浪图像谱模拟；既可模拟星载合成孔径雷达海浪图像谱，又可仿真机载合成孔径雷达海浪图像谱。所编制的模拟软件基于PC机，实用性好，既可应用于卫星发射前的预研和决策，又可用于发射后海浪信息的提取和雷达海浪成像机理的研究。项目已按期圆满完成研究内容，完成和发表论文6篇，其中1篇SCI论文。该项目研究填补了国内星载合成孔径雷达海浪图像谱模拟技术的空白，其学术水平达到国内领先和国际20世纪90年代水平。 （孙煜华　杨士英）

【星载雷达高度计定标、验证方法研究】 孙元福等在深入研究和分析了国外TOPEX/Poseidon等典型星载雷达高度计定标验证方法及对具体星载雷达高计资料处理和分析基础上，研究提出了未来我国星载雷达高度计外定标的方法、主要组成、定标实验场的选择等。为将来我国自行研制和发射星载雷达高度计定标验证方法等打下了基础。

【海面高度与海面高度重力场反演研究】 国家海洋局第一海洋研究所张杰等，对中国近海潮汐模型及算法进行了系统总结，并采用POM模式模拟了南海各主要分潮，得到相应的演示软件；在对SeaSat、TOPEX和ERS等多颗高度计卫星大气校正算法进行分析比较的基础上，对特定高度计大气湿度校正进行了模拟计算；根据海面对电磁波的作用并参照国外现有算法模型得到回波波形算法表达式，精确测定波形参数以拟和海面的回波波形数据，准确反演海面的有效波高，完成了有效波高反演的可视化示范系统，并对其进行了算法优化，大大提高了运算速度。

【便携式全光纤荧光计研制】 国家海洋局第一海洋研究所的夏达英等，在研究开发紫外增强型光纤束结构与工艺、具有光陷阱特性的光纤探头结构与工艺、光纤与光源和光探头耦合机构、最佳激发光与荧光滤光片、荧光弱信号检测与处理技术的基础上，成功研制了“便携式全光纤荧光计”样机两台，主要用于测量水中矿物油浓度，灵敏度为0.005毫克/升，测量范围为0.005～1.0毫克/升，测量最大相对误差小于满量程的±5%。也可推广用于测量水中海藻、叶绿素a、苯酚、黄色物质、痕量金属元素、有机氯、有机磷浓度。达到国内领先和国际先进水平。已获得一项国家发明专利和两项实用新型专利。已发表相关学术论文10篇，其中3篇被国际三大检索收录。

（路应贤）

【合成孔径声纳湖试样机通过验收】 由中国科学院声学所主持和中船重工集团参加研制的国内第一套合成孔径声纳湖试样机于2001年12月23日至2002年1月15日在浙江千岛湖进行的湖上试验中获得圆满成功。在试验中，该样机可以清晰地对尺度为2.5米×2.5米的L型悬浮目标和对尺度为2米×2米的L型沉底目标成像。试验中，还得到了千岛湖湖底旧河堤的清晰声图。该项目于2002年5月18日在天津通过了“863”海洋监测主题办公室组织的、以袁业立院士为组长的专家组验收。

1997年7月，在原国家科委主任宋健的倡导下，合成孔径声纳正式列入了国家“863”计划项目，作为“818”主题的04专题。声学所副所长张春华研究员任课题负责人。

合成孔径声纳是一种新型高分辨水下成像声纳。其原理是利用小孔径基阵的移动来获得移动方向（方位方向）上大的合成孔径，从而得到方位方向的高分辨力。其优点是分辨力与工作频率和探测距离无关。合成孔径声纳可以用于水下军事目标的探测和识别。在国民经济方面，可以用于海底测绘、水下考古和搜寻水下失落物体等。目前国际上只有少数国家和地区研制出了合成孔径声纳原型机并进行了海上试验，如美国DARPA、CEROS合成孔径声纳；欧共体的合成孔径测绘与成像（SAMI）声纳；法国的IMBAT3000合成孔径声纳等。

在声学所所长李启虎院士的指导下，张春华研究员有效地组织了声学所和715所研究力量，形成了一支以年青人为主、老中青结合的研究队伍，先后经过项目论证、湖上原理验证试验、湖试样机研制和湖上试验等阶段，历经四余载，解决了合成孔径声纳关键技术，研制成功了合成孔径声纳湖试样机。

合成孔径声纳湖试样机由三个分系统组成：①声纳分系统，由合成孔径声纳基阵、发射机、接收机、数据采集传输和存储子系统、声纳信号处理机和显控台等组成；②姿态与位移测量分系统，由磁罗经和GPS等组成；③拖曳分系统，由绞车、拖缆和拖体等组成。基阵安装在拖体外壳上，除信号处理机和显控台外，其他设备均安放在拖体内。该样机声纳接收阵共10个通道，构成多子阵系统，利用多子阵成像技术可以提高拖曳速度，以满足测绘速率的要求。声纳信号处理机采用VME总线的ADSP-2106X SHARC阵列机，共40片DSP芯片，峰值速度为4.8GFLOPS。在阵列机上，开发了数据采集/存储及信号处理/显示等具有并行操作功能的软件系统。信号成像处理计算采用了优化的并行结构，实现了高速信号数据处理。拖曳分系统中，拖体运动平稳，绞车工作稳定，保证了成像质量。

（中国科学院声学研究所　唐劲松）

海洋生物技术
Marine Biotechnology

【海洋生物技术】

1. 鱼生长激素基因工程技术

从海水鱼脑下垂体中分离鱼生长激素基因的mRNA，逆转录成cDNA基因，克隆进入大肠杆菌载体或酵母载体中，通过转基因手段将鱼生长激素基因转入微生物中，构建成基因工程菌，利用微生物发酵来大量生产鱼生长激素，作为促长饲料添加剂以满足海水鱼养殖业的需要。经60个网箱约10万尾的海水鱼喂养试验显示，使用重组鱼促长素酵母作添加剂的鱼体重比对照组增重率达20%以上。

2. 对虾白斑杆状病毒PCR快速检测技术

自1993年以来，由于对虾流行性病原的爆发，给对虾养殖业造成巨大的经济损失。其中对虾白斑杆状病毒（WSBV）由于其毒力强，宿主范围广，死亡率高，已成为近几年的研究焦点。通过引物的设计和模板制备，我们研制出对虾白斑杆状病毒（WSBV）PCR检测试剂盒。与其他方法比较，具有以下几个优点：①简便快速，半天即可完成十个样品的检测。②用量少，约需5毫克组织。③特异性好、灵敏度高，每毫克组织10～100个病毒即可检出。WSBV检测试剂盒应用于对虾养殖过程中病毒的检测，一方面可用于亲虾、虾苗及养成过程中病毒的跟踪检测，另一方面可用于环境监测，如检测水底泥样及池中小型饵料生物，避免病毒传播流行，提高科学管理水平。该试剂盒已在福建、广东、浙江、山东、广西、海南、台湾及马来西亚等地推广使用。

3. 几丁质酶改构技术

我们从厦门海域分离到的几丁质降解菌CB101，是目前已克隆的最大的微生物几丁质酶基因之一，编码865个氨基酸，蛋白质分子量为91.5kDa。该酶同时具有几丁质外切和内切功能，降解胶体几丁质成几丁二糖、三糖和N-乙酰葡萄糖胺。利用蛋白质工程技术去除其C末端302个氨基酸后，发现位于N末端的PKD结构域和催化区同样具有较强活性，但其胶体几丁质降解产物却为几丁二、三、四糖（未改造前，降解产物中几丁单糖较多）。进一步的实验证实全酶的最低分子量底物为几丁三糖，而去除C端的酶片段的最低分子量底物为几丁四糖。该项研究成果不仅具有较高的基础理论意义而且具有重要的生产价值。

4. 微生物蛋白饲料

该项目利用啤酒厂生产的下脚料啤酒废酵母，经微生物活化培养为菌种，以啤酒渣、豆渣和麸粕类农副产品为原料，采用固体发酵技术，生产单细胞蛋白（SCP），提供优质的微生物蛋白饲料。该产品为浅黄色粉状，粗蛋白含量>45%，细胞数>30亿/克，具啤酒酵母的芳香和诱食性，富含氨基酸、B族维生素和矿物质，为优质饲料酵母，广泛应用于饲料和养殖。

5. 星洲鱼引进及养殖

星洲鱼为新加坡科技人员经20多年精心研究，采用杂交培育并经多年纯化选育出的优良品种。具有适应性强、较耐低氧、食性杂、易饲养、生长快、产量高、抗病力强等特点，且其外观粉红诱人，肉质雪白细嫩，不带泥腥味，无肌间骨，口感可与美洲海鲈和桂花鱼媲美。该鱼可在网箱、池塘中养殖；可在淡水、海水中养殖。2000年成功从广西引进4000尾星洲鲈鱼苗放养于大洋股份有限公司养鳗池，经6～7个月培育即可达商品规格。引进5尾亲鱼（3雌2雄），5～6月分6批产卵，孵化获得1.2万尾仔鱼。

【对虾白斑杆状病毒功能基因组的研究与应用】 该项目为国家“十五”期间“863”计划海洋领域课题，编号为2001AA626020。

对虾白斑杆状病毒(WSBV)是一种危害极大的病毒，自1993年大规模爆发以来，由于其高度致死性以及广泛的感染性，造成了全球养虾业巨大的经济损失，至今尚无防治的特效药物。本课题拟在分子水平上对该病毒的基因组进行深入的功能研究，了解病害发生、发展的分子基础，阐明病毒感染和复制的机制，确定病毒致病的关键基因，为进一步设计抗病毒药物或基因工程培育抗病毒品种等有效的防治方法提供科学依据。

本课题计划通过5年的研究，获得WSBV功能基因组转录表达图式，将约180个病毒功能基因分为极早期基因、迟早期基因、晚期基因和极晚期基因四大类，并鉴定其中10个左右的与病毒感染和复制相关的重要功能基因，申请国内外专利若干项。

【对虾抗病相关基因的克隆与应用】 该项目为国家“十五”期间“863”计划海洋领域课题，编号为2001AA621130。

本课题拟利用先进的分子生物学手段从抗病对虾中克隆出对虾抗病相关基因，并研究其表达调控机制，最终将其用于对虾病害的防治和抗病对虾的良种选育中。现已按实施方案开展各项研究内容，目前已建立了抗病对虾的生理生化监测指标与检测方法，如酚氧化酶活性、过氧化物酶活性、溶菌活性、凝血与溶血活性等抗病指标的检测等。通过人工诱导、自然采集以及利用已选育出的抗病种群获得了多种不同来源的试验用抗病对虾；采集并冻存了一批血液、腺体等组织；提取了各种组织的mRNA并构建了相应的cDNA文库，并进一步构建两种虾的不同组织的差减cDNA文库。然后从中测序了一部分差异表达片段，并初步进行了生物信息学分析。　　（国家海洋局三所科技处）

【皱纹盘鲍的遗传改良及中试示范】 国家“863”课题。

课题简介：获得有一定遗传距离或遗传背景有明显差异的皱纹盘鲍群体，进行群体间的杂交；在可鉴别优良性状的个体间进行定向杂交；以个体大小、重量等为主要指标进行系统选择；开展主要经济数量性状遗传规律的研究，包括遗传力的估算等；建立皱纹盘鲍cDNA文库，通过EST技术筛选与生长和抗性有关的分子标记，并应用于品种的选育。通过调节环境条件和生殖生理状态提高杂交配子间的适配性，通过近交和雌核发育技术建立具有不同遗传背景的纯系；以选择性杂交技术丰富候选家系的遗传背景，提高选择育种的效率，培育出综合性状表现优良的皱纹盘鲍新品种(系)或养殖群体，产量提高15%～20%，死亡率降低30%，养殖达到中试规模。

年度进展：进行了生产性杂交试验，在前期的研究中已经发现这两种组合可能获得杂种优势，杂交组合的生长和抗逆优势明显。对日本野生群体人工繁育的子一代进行了定向选择，并且繁殖了第2代，生长性状表现很好，明显优于非选择群体，大苗比例明显提高，成活率很高，达92%。以日本野生型皱纹盘鲍和皱纹盘鲍中国群体的壳色突变体——壳色红色的皱纹盘鲍为亲本，进行了群体间和个体间的双列杂交实验，获得4个家系和4个交配组合的群体，已经获得壳色为橘红色的子代。

【对虾生长、性别决定和抗逆基因的克隆和应用】 国家“863”课题。

课题简介：研究对虾不同组织和不同发育阶段cDNA文库的构建技术，构建高质量的文库；通过对对虾EST数据进行生物信息学处理、分析，发现有功能提示的序列；克隆与对虾生长发育、性别决定和抗逆相关基因，并研究所克隆基因在组织中的表达调控；探讨将对虾的功能基因通过大肠杆菌或酵母等进行表达的体系。本课题的目标是在构建对虾cDNA文库的基础上，筛选出与对虾的生长、性别决定和抗逆相关基因3个，并完成这些基因的测序，填补我国在对虾功能基因研究方面的空白。

年度进展：2001年构建了中国对虾血液、眼柄、卵巢、雄虾头胸部、三倍体头胸部组织的cDNA文库，这些特定组织cDNA文库的构建为对虾功能基因的克隆提供了很好的技术平台和资源储备。

对已获得的中国对虾EST数据进行了初步的生物信息学处理，经过拼接后得到3 120条可能的基因，将这些基因通过与NCBI数据库进行比对，得到1 373个有功能提示的基因。

【重要海水养殖贝类苗种培育设施的工程优化】 国家“863”课题。

课题简介：本课题主要研究封闭式循环水育苗设备系统，包括高效水处理系统与全年封闭式循环水育苗优化设施；苗种培育设施的自动化控制技术，研制优质饵料生物高效培养、收获系统。建立一整套100立方米规模封闭高效循环水育苗系统并实现生产应用，突破贝类苗种封闭循环水培育的4项关键设备技术，争取该成果在快速去除水溶性有害物、增氧设备、固液分离设备、蛋白泡沫去除技术等方面达到国际先进水平，开发出海水育苗用主要水质参数检测系统，建立相应的饵料微藻高效生产系统。研究高密度封闭循环水幼虫培育新工艺及提高扇贝幼虫变态率的关键技术。

年度进展：完成了总水体量110立方米的全封闭循环水扇贝育苗工程系统，并投入生产中试，完成了一期循环水培育海湾扇贝苗种试验，取得良好的效果。根据海湾扇贝苗种的生长特点和工艺要求，对池形、循环水出入口、水流速度和方向、循环水排放等进行了生物工程学优化设计。

【重要海水养殖鱼类配子低温保存技术及其种子库的建立】 国家“863”课题。

课题简介：本项目通过对真鲷、牙鲆、大菱鲆、大黄鱼、半滑舌鳎和鲈鱼低温生物学特性及冷冻损伤机理的研究，筛选出高效低毒抗冻剂，突破海水鱼类胚胎冷冻保存技术难关，建立海水鱼类精子超低温冷冻保存技术、工艺和胚胎冷冻保存、解冻复活的技术工艺,并在国际上首次建立上述几种鱼类精子和胚胎细胞冷冻库。

年度进展：开展了真鲷、大菱鲆和牙鲆精子冷冻保存的研究，筛选了海鱼精子冷冻保存液配方，研制了适宜的稀释保护液，进行了冷冻保存实验；初步进行了真鲷、大菱鲆和牙鲆胚胎冷冻保存实验研究，对胚胎冷冻保存所需的玻璃化液进行了筛选，并应用玻璃化方法对真鲷、大菱鲆和牙鲆的胚胎进行了冷冻保存实验。

【海带、紫菜等经济藻类种质库的建立和利用】 国家“863”课题。

课题简介：收集、纯化、保存我国特有、濒危的经济海藻，建立目标种质资源库、基因库。从组织、细胞分子水平，研究经济藻类种质资源，建立目标种质的特异分子标记和DNA指纹图谱。为保护藻类种质资源的多样性，为经济海藻的种质鉴定及分子标记辅助选育提供科学依据，为海藻功能基因的研究打下基础。

主要建立经济海藻的种质库、基因库，研究海带、紫菜遗传的稳定性，建立分子标记图谱，筛选特异的分子标记，结合重要的分离性状，筛选其连锁标记，用标记探针，对上述所建的文库进行筛选，开展分子标记辅助选种、育种。

研究进展：2001年搜集了27个紫菜目标细胞系，海带34个目标细胞系；裙带菜细胞系10个细胞系；江蓠属的组织材料6个。通过引物及材料的筛选，找到足够数量的条带，用这些多态性片段构建DNA指纹的工作正在进行中，建立了DNA指纹分析方法。申请国家专利2项。建立海带、紫菜种质的收集及制备、纯化技术标准；运用特异的序列，为建立海带种质标准提供了基础数据。

（邢桂芳）

【海洋生物蛋白精粉开发利用】 本项目为国家海洋局第二海洋研究所朱碧英研究员等承担的浙江省科技兴海重点项目，并得到国家海洋局的大力支持与资助。

该项目紧密结合海洋渔业可持续发展宏观导向，以丰富的海洋低值鱼为原料，采用生物工程技术研究生产高营养价值的可溶性蛋白粉。项目完成了脱脂、酶解、纳滤脱盐、喷雾等研究试验，产品经实验室研究及产业化开发等过程，采用的复合酶酶解工艺制备可溶性海洋生物蛋白精粉，比单用枯草杆菌蛋白酶产量提高13%～15%，并在国内首次应用纳滤技术脱盐于低值鱼的开发。本项已建成一条年产280吨规模的生产线，达到国内领先水平，经济效益和社会效益显著。

（孙煜华）

【海洋微生物色素的开发利用及海洋S-01菌株的人工培养及色素的提取】 经筛选、分离、纯化得到的海洋S-01菌株，在配方简单的人工培养基中通过发酵可快速、大量繁殖生长，并能产生非常鲜艳的玫瑰红色素。经测试，色素稳定性好，对湿度、光照、酸碱度变化具有很好的耐受力。开发的发酵工艺简单，色素提取工艺先进，适合大规模生产。经中国医学科学院药物所毒性测试，对动物的毒性非常低，用于食品和化妆品生产，不仅安全性好，而且具有一定的营养价值和生理调节活性，生产周期短、成本低，应用前景很好。

【鱼虾贝类免疫反应特性与免疫调节】 研究了扇贝血细胞的分类和吞噬作用，证实了中性粒细胞对异物具有很强的吞噬能力，嗜碱粒细胞对异物的吞噬能力次之；研究了扇贝的黏液免疫特性；获得硒多糖、酵母聚糖对栉孔扇贝血淋巴中PO和MPO的活力均有增强作用；得到几种扇贝抗菌肽对主要病原菌有明显的抑制作用；开展了中国对虾血细胞起源、发生和演化过程的研究。分别观察到透明、小颗粒和大颗粒 3 种血淋巴细胞及其干细胞在接近淋巴管腔的位置时多数尚未成熟，在由淋巴小管管壁进入管腔的短暂时间内成熟；对中国对虾淋巴器官的发生进行了组织学研究，发现体长1.6～1.7厘米的仔虾出现了淋巴器官；初步建立了一种PES/MTS还原法新型免疫学指标，用该方法可测定侵入对虾体内的病原微生物死亡率和存活率；深入研究了多糖免疫诱导剂的制备工艺和免疫效果。

完成了牙鲆外围血细胞显微及亚显微结构研究，以福尔马林灭活法和喷雾干燥法成功制备鲈鱼病原菌W-1全细胞疫苗和微胶囊疫苗，并进行了疫苗安全性实验。以原索动物文昌鱼为材料，发现其体内存在类似鱼类IgM样蛋白质，这将对IgM最早出现于鱼类的观点提出挑战。该研究已发表论文12篇。

（路应贤）

【“联合国教科文组织中国海洋生物工程中心”活动】 1995年建立的“联合国教科文组织中国海洋生物工程中心”，作为联合国教科文组织生物工程委员会决定在世界范围内建立 5 个地区性的“植物与水生生物工程中心”中惟一的海洋生物工程中心，在推动发展中国家的科学技术的发展与进步方面，发挥着重要作用。

2001年2月18日至5月18日接受 3 名访问学者，其中 2 人来自朝鲜，1人来自中国内地。

2001年7月9～11日，举办了中英海洋细菌多样性研讨会。来自英国 5 位专家，中国台北 4 位专家，中国内地20位专家及年轻学者。

2001年7月10～12日，举办了UNESCO亚洲地区海洋细菌多样性研讨会。来自韩国、朝鲜、菲律宾、印度尼西亚、泰国、越南、新加坡、马来西亚、突尼斯（特邀，自费）及中国的10个国家的25位专家出席。

2001年10月9～23日举办“国际海洋药物海藻化工产品培训课”，学员分别来自：中国台北、中国内地、俄罗斯、秘鲁、墨西哥、韩国、菲律宾、马来西亚、印度尼西亚、越南、泰国、朝鲜、柬埔寨。国内学员来自辽宁、河北、山东、江苏、浙江、广东、福建、海南等沿海省市。任课教师11人，分别来自青岛海洋大学、中国科学院海洋研究所、中国水产科学院黄海水产研究所、山东省海水养殖研究所、海洋药物研究所、北京大学的国内外知名的专家、教授。

“中心”将继续履行其职责，为推动本地区（东南亚）的科技发展与进步服务，并进一步扩大其影响。　　　　　（青岛海洋大学　池振明）

【海洋微生物与应用】

酵母菌的资源和应用

1. 产高浓度酒精酵母菌的遗传构建和应用

从自然界中分离到了数株能产高浓度酒精的酵母菌菌株：1200，W_4和W_0，这些酵母菌菌株可以在短时间内发酵蔗糖和葡萄糖产生16.0%(V/V)的酒精。利用原生质体融合技术对产高浓度酒精酵母菌进一步进行遗传改造，构建了一株产酒精速度加快的四倍体酵母菌，但是这株酵母菌的耐酒精能力并没有提高。利用这些分离到的和遗传构建的产高浓度酒精酵母菌发酵淀粉水解液产高浓度酒精，并在实验室水平上建立了3种产高浓度酒精发酵工艺，即：利用低温蒸煮工艺进行高浓度酒精发酵，生淀粉高浓度酒精发酵的研究和利用中温蒸煮工艺进行高浓度酒精发酵。这些酵母菌在3天之内可发酵淀粉水解液产生17.5%(v/v)以上的酒精，最高的可达18.0%(v/v)以上的酒精。高浓度酒精发酵工艺可以大大减少发酵和蒸馏过程中的能源消耗，提高设备利用率，减少劳动力和提高每发酵体积的酒精产量。这些高浓度酒精发酵工艺具有工艺简单，酒精产量高等优点，比较适合中国国情，目前正与有关厂家联系，尽快通过中试并应用于生产。

2. 酵母菌耐高浓度酒精生化机制的研究

这些分离到的产高浓度酒精酵母菌研究了耐高浓度酒精和高产酒精的分子机制，主要是从这些酵母菌的总脂类，特别是细胞总磷脂，线粒体和胞内海藻糖浓度等角度研究了耐高浓度酒精和高产酒精的分子机制，发现了以下几点结论：①在产高浓度酒精酵母菌W_4菌株细胞中，磷脂酰肌醇(PI)含量在酵母菌耐高浓度酒精和高产酒精中起着非常重要的作用。同时还研究了在耐高浓度酒精酵母菌中PI含量与蔗糖酶分泌的关系，发现了细胞中高含量的PI对蔗糖酶分泌具有解阻遏作用。②在耐高浓度酒精酵母菌和啤酒工业所用的酒精敏感酵母菌中，在恒化发酵过程中对产生的酒精具有不同的适应机制。在这种条件下，酒精敏感酵母菌对产生的酒精适应性很高，并且对酒精已适应过的酵母细胞在高浓度酒精冲击过程中形成呼吸缺陷型突变体的速率明显减少，细胞中的麦角固醇含量明显增加。而耐酒精酵母菌对恒化发酵过程中产生的酒精适应性不明显。③在高浓度酒精冲击过程中，耐高浓度酒精酵母菌细胞丢失线粒体DNA的频率明显低于酒精敏感酵母菌，与酒精敏感酵母菌相比，在耐高浓度酒精酵母菌细胞中有较高的麦角固醇/磷脂比例，较高比例的磷脂酰胆碱(PC)，较低比例的磷脂酰乙醇胺(PE)和耐高浓度酒精酵母菌能从培养基中组入较高比例的产链脂肪酸。②和③点的结论是酵母菌的细胞膜和线粒体细胞膜的低流动性对于细胞的耐高浓度酒精和保持细胞膜的完整性是至关重要的。④与酒精敏感酵母菌相比，耐高浓度酒精酵母菌细胞含有较高含量的海藻糖，在高浓度酒精冲击过程中，这些海藻糖与耐酒精酵母菌的高耐酒精能力，保护线粒体膜完整性和防止线粒体丢失DNA有很大的关系。⑤线粒体膜中心磷脂和麦角固醇对于提高在高浓度酒精冲击过程中膜稳定性和防止线粒体丢失DNA有重要的作用。

酵母耐高浓度酒精机制的研究有利于从细胞工程或基因工程角度构建酒精产量更高的酵母菌株和弄清微生物，特别真核微生物抵抗不良环境的生命机制有重要的理论和实际意义。

3. 酵母菌与海藻糖的生产

利用产淀粉酶酵母菌建立了从淀粉直接生产海藻糖的简单工艺，经过40小时发酵海藻糖产量可达酵母细胞干重的18%（W/W）。最近通过遗传工程手段使该酵母分解海藻糖的酶活力下降，海藻糖产量进一步得到提高。海藻糖在医药、食品和化妆品工业中有重要的用途。目前建立一种经济廉价，工艺简单，原料来源方便的海藻糖生产工艺是十分重要的。目前正在与有关厂家联系，以便尽快用于工业规模生产海藻糖。

4. 酵母菌与果蔬腐烂的控制

建立了利用生长迅速的天然酵母菌抑制水果蔬菜收获后霉变的新工艺，该酵母无毒无害，富含营养物，对环境不会造成任何污染，该工艺目前已引起有关厂家的重视，要求共同开发和应用。水果蔬菜收获后由霉菌引起的腐烂问题给农民和果农以及销售商带来很大损失。现在基本上是用化学方法处理，但化学方法处理会带来严重污染，如何找到一种无毒无害，对环境不会造成污染的方法是我们面临的重要问题，那么利用生长迅速的天然酵母菌抑制水果蔬菜收获后霉变是一个比较理想的方法。（青岛海洋大学　池振明）

有益微生物在水产养殖中的应用研究　联合国教科文组织中国海洋生物工程中心、青岛海洋大学海洋生命学院微生物研究室先后承担了中欧合作科研项目“对虾苗期细菌病害的诊断与控制”、国家“九五”攻关项目“有益细菌在对虾养殖中的作用”、国家“863”高技术计划项目子课题“虾池有机污染污染生物修复”、国家“973”高技术计划项目子课题“虾池有机污染的生物治理”，从事水产养殖有益微生物的应用研究。先后从对虾和水产养殖环境分离筛选了多株有益细菌，并在养殖动物与养殖水体中应用取得良好的效果。

从中国对虾（Penaeus chinensis）肠道分离筛选得到两株有益菌，将这两株菌施入对虾育苗养殖水体后，能够增加不同发育时期对虾幼体的成活率。当有益细菌加入养殖水体后，对虾幼体的抗病力、低盐度耐受力都有所提高，平均体重和体长增加。加入有益细菌后，实验水体中的细菌总数、NH_3-N和COD值没有显著变化。有益细菌能产生许多消化饵料的酶，进入对虾肠道后，能促进对虾幼体的消化功能，增加其抗逆能力。

在实验室条件下通过富集培养分离的120余株细菌利用需氧性、BOD_2/COD_0、胞外酶等指标进行筛选，得到7株对有机物具有较高降解能力的细菌，5天内它们对对虾饵料培养基的COD_{Mn}去除率达到59.6%～79.2%。通过优化组合得到一最佳配比组合，在此细菌组合下能在5天时间内对对虾饵料的COD去除率达到88％以上。在日本对虾（Penaeus japonicus）养殖水体中加入此复合降解菌，可改变水体中异养菌区系的种属结构。加菌虾池的COD含量略低于对照池，NH_4-N浓度为对照池的1/3～1/2，加菌虾池对虾的存活率、抗病及抗逆能力均高于对照池。

从健康对虾幼体及其养殖环境中分离到210余株海洋细菌，从中筛选出对养殖动物病原菌哈维氏弧菌、鳗弧菌等细菌有拮抗作用的有益菌，其中菌株A18具有较强的拮抗活性。对A18菌的胞外产物进行分析发现，其胞外抑菌活性成分为糖蛋白质，蛋白酶处理可使其失活，对pH的耐受范围较广。在日本对虾（Penaeus japonicus）养殖实验中使用有益菌A18，通过饵料投喂可提高其生长率和抗病力，加入水体可推迟感染病原弧菌仔虾的死亡时间。经检测，有益菌A18可在仔虾养殖水体存活24小时以上，在仔虾肠道中存活12小时左右，在对虾成虾养殖池水及其肠道中都检测到存活的A18菌。在海湾扇贝D形幼虫期施用103、104、105 CFU/毫升3个浓度的有益细菌A18，经该菌处理后，扇贝幼苗的变态率与各个发育期的成活率均比加氯霉素组和未加任何处理的对照组高。其中以104CFU/毫升处理的扇贝幼苗的变态率和成活率最高。对实验扇贝幼苗水体细菌总数和弧菌数分析发现，经105、104CFU/毫升A18菌处理水体的细菌总数和弧菌数均比相应的对照组低。在扇贝育苗水体加入106、107、108CFU/毫升的有益细菌A18，检测高浓度A18对扇贝幼苗的毒害作用，当该菌浓度在106CFU/毫升时，经48小时扇贝幼苗成活率79%，高于对照组的68.5%；当浓度达107、108CFU/毫升时，处理48小时后的扇贝幼苗死亡率分别为95.6%和100%。

（青岛海洋大学　王祥红　池振明）

海藻生物技术　目前中国紫菜栽培的产量、质量和技术与日本、韩国相比还存在很大差距。戴继勋提出：《用细胞工程发展我国的紫菜养殖》（科技兴海II，2001）该技术是用酶法将紫菜叶状体解离成单细胞作为种苗，用于海上栽培以改革传统的育苗和栽培模式；杨震等（2001）报道了酶解条件对条斑紫菜单细胞成活率影响的比较研究；沈颂东等（2001）报道了条斑紫菜，分离细胞的固体培养。在基因工程及分子生物学研究方面，郭宝太（2000，2001）报道了条斑紫菜高质量总DNA和质粒状DNA的提取，紫菜总DNA限制图谱的发现和比较；岳志芹等（2001）报道了RAPD对裙带菜7个克隆的遗传分析。

（青岛海洋大学　戴继勋）

花鲈工厂化苗种生产与养殖产业化中试　在完成《花鲈种质、亲鱼培育与工厂化苗种生产技术的研究》项目后，经2000～2001年连续两年攻关，已经完成花鲈工厂化苗种生产与养殖产业化中试项目并通过专家验收。技术成果如下：①培育出产业化亲鱼群体1 500余尾，其中适龄产卵群体250尾左右，后备亲鱼1 250尾，内有人工繁育仔1代后备亲鱼300尾。②2000年度：自然产卵培育2.27厘米苗种216.4万尾，运往南方受精卵育出2厘米以上苗种350万尾。2001年度：共产受精卵58千克，其中自然产卵28千克，培育2、3、4厘米苗种463.5万尾，运往南方77千克受精卵，培育出苗种860万尾。两年合计共培育2厘米以上花鲈苗种1 539.9万尾。③2000年度：海水网箱养殖商品鱼平均体长31.7厘米，平均体重506.8克；咸淡水池塘养殖0.73公顷，商品鱼平均体长30.8厘米，平均体重475克，亩均产510千克。2001年度：海水网箱养殖商品鱼平均体长31.27厘米，平均体重520克，平均网产500千克；海水池塘6.67公顷，商品鱼平均体长31.88厘米，平均体重516.7克，亩均产535.5千克；咸淡水池塘养殖0.9公顷，商品鱼平均体长31.5厘米，平均体重524克，亩均产540千克。该项目在执行的两年期间，利税达到840余万元，并向社会提供了1 000余万尾的花鲈鱼苗，取得了显著的经济、社会和生态效益。

（青岛海洋大学　高天翔）

【海水鱼类主要致病弧菌的致病性及免疫防治研究】 联合国教科文组织中国海洋生物工程中心、青岛海洋大学海洋生命学院微生物研究室先后承担了国家自然科学基金和国家“863”项目、国家“973”计划项目，从事海水鱼类主要致病弧菌的致病机理及免疫防治研究。从患病的鲈鱼(*lateo labrax japonicus*)、大菱鲆（*Scophthalmus maximus*）等鱼体分离到致病性鳗弧菌（*Vibrio anguillarum*)、哈维氏菌(*Vibrio harveyi*)、副溶血弧菌(*Vibrio. parahaemolyticus*)。进行了病原菌的致病机理的研究，对鳗弧菌、哈维氏弧菌、副溶血弧菌(*Vibrio. parahaemolyticus*)等的致病因子进行了分析，发现它们均有较高的淀粉酶、明胶酶、几丁质酶、蛋白酶及溶血素活性。较高的蛋白酶活性及溶血活性可能是导致鱼体溃烂及出血的主要原因。进行了哈维氏弧菌溶血素基因的克隆和表达，对鳗弧菌胞外蛋白酶进行了部分纯化，进行了其理化性质，病理组织学研究，从几株致病菌中克隆了金属蛋白酶基因，与其他致病菌进行了序列比较分析研究，并在大肠杆菌中高效表达。

进行了病原鳗弧菌、哈维氏弧菌灭活疫苗研制和疫苗的安全性试验。用鳗弧菌疫苗进行了鲈鱼、大菱鲆的现场免疫试验。鳗弧菌浸泡免疫鲈鱼28天后，其免疫保护力达到67.3%，注射免疫后免疫保护力可以达到90%，用浸泡、口服和注射3种途径交叉免疫，结果2个月后免疫保护力仍有85.7%。

研究了温度、盐度等环境因子及激素对鱼体免疫功能的影响：低温能增强鱼的非特异免疫活性，而对特异抗体水平有抑制作用，正常温度可刺激机体特异性抗体产生；在等渗条件下，鱼体生长良好，而低渗和高渗对免疫机能都有抑制作用；鱼体激素水平对生理代谢和免疫都有影响，其中催乳激素、生长激素对免疫机能有激发作用，而肾上腺素、皮质醇和地塞米松有抑制作用。

建立了检测病原鳗弧菌的酶联免疫吸附（ELISA）方法、免疫荧光抗体检测方法及PCR快速检测方法，3种方法都有较高灵敏度和特异性。

（青岛海洋大学　陈吉祥　李　筠）

海岸与近海工程技术
Coastal and Offshore Engineering Technology

【河口、海岸城市防灾设防标准研究】 针对海岸河口城市遭受台风、暴潮、天文潮、巨浪、上游洪水等因素的联合作用，提出将“多年一遇综合水文灾害”作为该类城市防护工程设计标准，将联合概率设计法及多元极值理论应用于工程实际，克服了国内外普遍采用的单一因素重现期法存在的一系列问题；根据城市地区差异、工程结构和等级不同，对防灾工程的投资效益进行风险分析，达到优化设计标准选择的目的。它可大大提高河口海岸城市防护工程的安全性和经济性，并带来巨大的经济效益和社会效益。

（青岛海洋大学　史宏达）

【土-固-流耦合理论及其应用】 复杂的海洋环境，使海上工程建筑物和海底土处于海洋动力的不断作用下。周期性的动荷载作用，会使海底土的强度降低，建筑物失稳。由于海底资源的不断开发，海上项目的开展以及海上军事活动的现代化发展等客观形势，使海洋工程及其与环境条件相互作用研究成为国内外学术界、工程界的研究热点，即产生土-固-流的耦合理论。

以往对于海上工程的研究偏重于地基土和工程建筑物的作用、海洋水动力与工程建筑物的作用、海洋水动力与地基土的作用。如海上建筑物基础与地基土的相互作用、海底管线在土中的上浮或下沉、海流对海底土的作用等等。而实际情况是海洋工程结构物是一些长期设置或系泊于某特定海域、能从事生产作业的装置或建筑物，海洋工程结构物与地基土、波浪、流长期的相互作用、相互影响，如波浪、流的作用会使地基土体强度降低，因此仅依据上述研究结果设计海上工程建筑物常会导致灾害发生或者投资成本过大，造成不必要的损失。

据统计，在1955～1981年间，世界上海洋石油钻井装置所发生的特大事故已有47起，总的经济损失达4亿美元以上。究其原因主要是对有关海域的自然环境条件及地质条件的资料收集和分析不足所造成。例如1964年位于东阿拉斯加库克湾的两座海上钻井平台被海冰所摧毁，1991年位于渤海湾内的一个海洋平台也遭同样的厄运。1983年我国的“渤海二号”在拖航时翻沉。这些海上事故的实例，有力地说明研究海洋环境条件，掌握海洋水文气象变化规律及其对地基土的作用是非常重要的。

从另一方面看，海洋水动力载荷和地基土工程性质指标的合理确定对海洋结构物的建造投资和经济效益来讲也是举足轻重的。以渤海某油田的一座平台的设计为例，由于设计波高从 8 米增加到10米，平台的用钢量就由原来的2 000余吨增加到3 000余吨，从而大大增加了工程的投资费用。又如在某一采油平台的设计中，取同一设计波高，波周期取14秒及20秒时，后者的水平波浪力为前者的一倍左右，二者的倾复力矩也有30％的差别。又如渤海某海域软土在50年一遇的波浪作用下强度降低至40％左右，而砂土在波浪作用下强度将更明显，在完全液化时将降低为零。这些对海上工程建设会产生重大影响。

海洋工程结构物的安全性和经济性是衡量工程设计的两个重要指标，二者必须综合平衡。近年来，大连理工大学利用离心机、波浪槽研究了海底管线、土体、波浪的相互作用，青岛海洋大学利用大型波浪槽、沉降池、振动试验台等研究了波浪、流作用下平台桩基周围土体的冲刷，波浪作用下座底式采油平台在软土地基上的滑移分析，波浪、海流对平台结构的影响及负压沉桶过程中土体工程性质的变化等，这些成果不仅对中国海上的油、气资源开发、海上运输业的发展有着重要意义，同时也丰富了土-固-流耦合理论的发展。中国也充分认识到这些问题的重要性，在国家“十五”计划“863”项目中设置重大专项研究课题，以推进海上油气开发进程，完善土—固—流耦合理论体系。 （冯秀丽　林　霖）

【杭州湾交通通道工程可行性研究前期调查】

杭州湾交通通道北起平湖乍湖，南接慈溪庵东镇，全长40千米，将于2006年建成通车，这将是我国国内最长的跨海大桥。国家海洋局第二海洋研究所羊天柱学术带头人为主于2001年9月承担了该工程的前期调查工作，共有17条船同步观测，观测项目有水深、潮位、流速、流向、水温、盐度、浊度、透明度、溶解氧、悬浮物；常规气象要素和波浪；化学：pH、硝酸盐、亚硝酸盐、活性磷酸盐、化学需氧量、溶解氧等；浮游植物、浮游动物、底栖生物等以及工程区的数值模拟。从环保、工程施工角度提供了翔实的第一手资料。

【上海国际航运中心洋山港工程海域环境影响评价现场调查】 近20年来，上海港的集装箱运输发展迅猛，码头长期处于超负荷运转，急需建设上海国际集装箱枢纽港。受上海国际航运中心和交通部水运科学研究所委托，国家海洋局第二海洋研究所杨晓兰学术带头人为主并联合其他 3 家单位于2001年2月和6月共同承担了洋山港工程环境影响评价 2 个航次工作，共进行了20个大面观测站的大、小涨潮、落潮共4个潮次的12项海水水质和9项底质环境质量调查监测；20个大面站的浮游植物、浮游动物、底栖生物调查，分析测定了生物种类、密度、优势种、生物量分布、生物多样性特征、叶绿素A含益等，为国际航运中心的项目顺利开展提供了环保科学依据。具体表现在：

（1）对杭州湾的流场进行了较全面、客观、准确的验证和描述。

（2）桥梁尺度很小(以米计)，评价海域很大（以公里计）能通过正式水槽试验得到桥梁的阻力系数及概化方法，保证了建桥后流场计算的可信性。

（3）对涌潮、潮流速、潮量和水位均进行了建桥前后对比计算，结果可信。

（4）对某些环境对策的建议比较可行。

（孙煜华）

【甬沪宁原油管道工程】 为满足上海、高桥、金陵、扬子4家大型石化企业“十五”期间年进口原油3 600万吨的巨量需求，中国石化集团股份有限公司筹资建设的甬沪宁进口原油工程已由国家计委批准立项。该项工程充分利用宁波—舟山深水港域的优势，在舟山册子岛和大榭岛两地建设25万～30万吨级的大型原油接卸码头和储运设施，通过跨越杭州湾的海底管道以及陆域管道，与四家石化企业组成接卸、储运的原油管网系统。受建设单位的委托，国家海洋局第二海洋研究所等单位于2001年完成了该项工程海底管道路由的方案论证和路由海洋调查。中国海洋石化总公司石油工程设计院、美国海湾公司等将承担工程的设计和施工，预计2005可全面竣工投产。这一工程的建成，对于上海和南京地区石化企业持续、稳定、快速发展和我国加入WTO后市场的竞争均具有重大意义。　（国家海洋局二所　叶银灿）

【中国海底光缆路由调查技术达到国际先进水平】 近年来电信业的繁荣，促进了海底光缆建设的蓬勃发展。2000～2001年中国海域又有数千千米国际海底光缆建设完成，重要的有APCN2（亚太光缆2号）、C2C（城市至城市）、FNAL（北亚光纤环）等。这些国际海底光缆系统的投入使用，大大提高了我国的国际通信能力。作为海底光缆建设的重要一环，国家海洋局第二海洋研究所为主，多家海洋调查单位参加，承担了中国海域内所有这些国际海底光缆的路由任务。该项调查，商业和技术上皆与国际直接接轨，技术要求高、时间要求紧。这些调查的实施，大大促进了我国海底管线路由及浅部工程环境条件的调查技术，使之总体上达到了国际先进水平，特别是海底浅层高分辨率地球物理计算机工程制图、海底浅层工程条件综合评价等一系列关键技术上有了质的飞跃。这些调查的高质量、高效率完成，大大提高了我国海底工程调查单位在国际上知名度和竞争能力。　（国家海洋局二所　潘国富）

【东亚交汇2号（EAC2）海底光缆系统香港段路由勘察】 该海底光缆系统香港段(22° 14.286′ N，114° 16.111′ E至20° 00.000′ N，114° 45.674′ E，长约270千米，宽1 000米）路由勘察由香港EGS（亚洲）公司负责，由青岛海洋工程勘察设计研究院于2001年6月完成。勘察内容为DGPS导航定位、多波束系统水深地形测量、旁侧声纳地貌及海底障碍物探测、浅地层剖面探测、沉积物柱状取样、磁力仪海底已铺海缆及管道探测、路由区海洋开发活动及军事活动调查。勘察成果达到世界先进水平。

【C2C香港段及上海3B（1）段海底光缆路由勘察】 C2C海底光缆是中国等7个亚洲国家及美国城市到城市的海底光缆系统。中国香港段和中国东部海域段分别由GB21（HK）公司和中国网络通讯有限公司（CNC）负责，由青岛海洋勘察设计研究院分别于2001年7月和2001年4月完成勘察工作。香港段路由由三段组成：S2a段由22° 15.425′ N，114° 29.127′ E至22° 09.446′ E，118° 11.093′ E，长398.5千米；S1段由22° 11.630′ N，114° 29.120′ E至21° 23.905′ N，115° 59.084′ E，长188.6千米；S7b段由22° 08.868′ N，114° 13.925′ E至20° 05.290′ N，114° 11.453′ E，长258.9千米。三段路由总长846.0千米，宽1.0千米。使用DGPS导航定位，开展了多波束系统水深地形测量、旁侧声纳海底地貌及障碍物探测、浅地层剖面探测、沉积物柱状采样、磁力仪海底已铺海缆及管道探测、路由区开发活动及军事训练活动调查等。勘察成果达到世界先进水平。　（路应贤）

【现浇砼薄壁筒桩技术的推广试验】 现浇砼薄壁筒桩技术是国家海洋局第二海洋研究所谢庆道研究员积一生经验发明的专利（国家专利号：ZL98233440.0；发明专利公告号：CN1221056A），此技术已在《中国海洋年鉴》（1999～2000）中介绍过。2001年在浙江省杭嘉湖平原应用该技术加固软土地基试验——杭宁高速公路桥。杭嘉湖平原河网密布，水系发达，鱼塘连片，地势低平，地面平均高程在黄海2～3米，第四纪以来沉积了一整套浅海相、滨海相、海陆交互相的沉积地层，淤泥及淤泥质粘土层厚一般为10～25米，具有粘性重、渗透性差的特点。采用该技术后，提高了地基的强度和刚度，使筒桩复合地基具有较大的承载力，工后沉降小，并能有效地提高路堤的抗滑性，而且大大缩短路基填筑工期，对软土地基高路堤桥头跳车问题的解决提供了一种新的技术，达到国内领先水平，具有较好的社会经济效益。目前该技术也已应用于杭州绕城高速公路建桥中，完成了36座桥（洞）的任务。

（孙煜华）

【海洋测绘】《中国海洋测绘数据库工程》通过鉴定 2001年7月31日，海司航保部在天津主持召开了《中国海洋测绘数据库工程》成果鉴定会。包括国家测绘局副局长王春峰、军队测绘主管机关的有关领导和5位院士在内的30余名代表参加了会议。鉴定委员会一致诊断：中国海洋测绘数据库工程历时6年，规模浩大，为中国军事海洋环境建设和数字海洋的实现提供了必要条件，是中国海洋测绘专业领域的一次技术革命。该课题研究成果具有重大的军事和经济价值，在海洋测绘领域达到了国际先进水平。该工程建设始于1995年，是在海军司令部航保部的组织下，投入近百名技术人员实施的。经过6年的开发和生产，已完成由7个海图数据库、4个海洋测绘专题数据库组成的数据库实体，建立起了由14个国家标准、军队和行业标准构成的、完备的规范化体系和管理模式，完成了作业生产组织形式和编制序列的变革，实现了海图等海洋测绘产业。其数字海图产品已在军事指挥、航行运输、海洋管理、海洋科研、海洋划界等领域得到了广泛应用。

国际海道测量组织主席访华并出席第20届国际制图大会 2001年8月3日，国际海道测量组织主席安格利萨诺（ANGRISANO）及随行人员在海司航保部部长杨印本的陪同下，前往天津塘沽对中国航海图书出版社进行了参观访问。安格利萨诺一行参观了该社先进的航海图书数字化生产流程，对中国航海图书的生产和出版水平给予了高度评价，双方还就全球范围内海道测量技术的发展趋势进行了交流，8月6日，安格利萨诺出席了在北京举办的第20届国际制图大会，并参观了海司航保部于大会期间设展的电子海图应用演示和中国航海图书展。

中国测绘学会第六届海洋测绘专业委员会第一次全体会议在兰州召开 2001年9月5～8日，中国测绘学会第六届海洋测绘专业委员会第一次全体会议暨第十三届海洋测绘综合性学术研讨会在兰州召开。会议主要议题是：第五届海洋测绘专业委员会工作报告和财务报告；海洋测绘专业委员会换届；海洋测绘技术交流等。来自34个成员单位、香港特别行政区海事处以及部分设备厂家的代表出席了会议。这次会议共收到论文80篇，为历年之最。

中国海洋测绘工作网站正式开通 2001年10月20日，由海司航保部管理的中国海洋测绘工作网站正式开通运行，发布航海通告及部分航海图书产品信息，网站地址WWW.NGD.GOV.CN。该网站的开通，将促进中国与相关国际组织和各国海道测量机构的交流与合作，推动中国海洋测绘事业的全面发展，为及时向国内外广大用户提供海洋测绘产品信息和航海服务建立了渠道。

（海军司令部航保部）

海水淡化与综合利用技术
Technologies for Seawater Desalination and Multipurpose Use

【海水循环冷却技术示范工程研究】 2001年，“海水循环冷却技术示范工程研究”列入国家“十五”重大科技攻关项目“水安全保障技术研究”课题，任务书编号：2001BA610A-07，承担单位为国家海洋局天津海水淡化与综合利用研究所。

海水循环冷却技术示范工程研究，通过海水缓蚀剂、阻垢分散剂、菌藻杀生剂等系列水处理技术、大中型海水冷却塔技术、海水循环冷却水系统优化设计及智能化管理系统等关键技术研究、开发，提出海水循环冷却处理技术方案和设计准则，建立2 500立方米/小时或万吨级海水循环冷却技术示范工程，为海水循环冷却技术产业化提供技术、经济依据，旨在加快海水循环冷却技术的产业化步伐，实现以海水替代淡水作为工业循环冷却水之目的。

课题的技术关键是海水循环冷却系统系列海水缓蚀剂、阻垢分散剂、菌藻杀生剂和海水冷却塔技术以及海水循环冷却系统优化设计技术。

2 500立方米/小时海水循环冷却技术示范工程拟在天津碱厂开展，计划2003年底建成投入运行。有关研究工作正在按合同要求进行。

2001年，“海水循环冷却技术研究”获国家科技部、财政部、计委、经贸委四部委颁发的“九五”国家重点科技攻关计划优秀科技成果和国家海洋创新成果二等奖。主要完成单位：国家海洋局天津海水淡化与综合利用研究所，渤海化工有限责任公司。主要完成人：侯纯扬、武杰、张德燕。

目前，该项目在SW9800系列海水缓蚀剂、阻垢分散剂、菌藻杀生剂和海水冷却塔等关键技术上取得重大突破，形成了海水缓蚀剂、阻垢分散剂和菌藻杀生剂等全套生产和水处理技术（产品），建成中国首例100立方米/小时海水循环冷却中试工业试验装置并应用于工业生产，有效地控制了海水的腐蚀、结垢和生物附着问题，首次实现了以海水代替淡水作为工业循环冷却水、在海水冷却水系统使用普通碳钢和比海水直流冷却的排污量减少95%以上而利于保护环境和维护生态平衡等三大创新。

海水循环冷却实验室研究和中国首例100立方米/小时海水循环冷却中试工业试验研究达到以下技术指标：实验室碳钢腐蚀率≤0.005毫米/年；工业试验碳钢腐蚀率≤0.020毫米/年，污垢热阻≤2.15×10^{-4}平方米·开/瓦，杀菌率99%以上，海水冷却塔盐雾飞溅量小于循环量的0.001 6%。

查新结果表明，有关技术填补国内空白，达到国际先进水平。在碳钢腐蚀控制等方面居国际领先水平。

【低温多效海水淡化技术示范工程研究】 我国沿海地区严重缺水，海水淡化作为使淡水资源总量增加的开源措施，日益受到人们的重视。我国政府对海水淡化技术十分重视，并将其列入国家“十五”规划和优先发展项目。科技部对海水淡化技术在“九五”期间给予了重点扶持，使我国的蒸馏法海水淡化技术积累了较雄厚的技术基础，初步具备了产业化示范的条件。2001年，国家海洋局天津海水淡化与综合利用研究所承担了科技部“十五”攻关项目“水安全保障技术研究”的“低温多效海水淡化技术示范工程研究”。

低温多效海水淡化技术示范工程最终确定协作单位为山东黄岛电厂。山东黄岛电厂将利用厂内的低品位余热和廉价的电力，为示范工程提供能源；示范工程的产品水作为电厂的锅炉补水和生活用水，从而缓解当地的供水压力。

示范工程海水淡化装置的基本参数如下：

装置的产水容量：淡水3 000吨/日

产品水含盐量：5毫克/升

装置台数：1台

进料水：额定进料量250吨/小时，海水总需求量400吨/小时，海水含盐量32 000毫克/升

浓盐水排放：250吨/小时，含盐量70 000毫克/升

进料温度：平均20℃

最高操作温度：71.5℃

电力供应：3相，380伏特，50赫兹

安装电力功率：250千瓦

蒸发器的直径：4.0米

每效蒸发器干重量：30吨

蒸发器效数：9

单台设备的占地尺寸：63.2米×8.9米×11.4米

设备总干重：340吨

按照工程进度安排，示范工程将在2003年底投入运行。

【大生活用海水技术示范工程研究】 “大生活用海水技术示范工程研究”课题是国家“十五”重大攻关项目“水安全保障技术研究”所包含的九大课题之一。2001年，在国家科技部组织的招投标过程中，国家海洋局天津海水淡化与综合利用研究所一举中标。

目前，淡水资源的短缺已成为全球性的危机，中国已被联合国列为最贫水国之一，而沿海城市和地区的淡水紧缺局面尤其严峻。沿海城市和地区，经济发达、人口密集，在中国经济和社会发展中占有十分重要的地位。但是，淡水资源日益紧缺的局面严重影响着沿海城市和地区经济、社会发展的速度和质量。采用海水作为大生活用水可节约35%左右的城市生活用淡水，因此，从水资源开发的角度来看，大生活用海水技术是缓解沿海城市及地区淡水资源紧缺的重要途径。

大生活用海水是一项综合技术，涉及海水取水、前处理、双管路供水、贮水、卫生洁具等系统的防腐和防生物附着技术；海水净化技术；大生活用海水的后处理技术；城市排水系统、污水处理构筑物及设备的防腐技术；系统规划及成套设备的集成技术。因为大生活用水与人民群众的健康、生活质量和生存环境密切相关，所以采用海水作为大生活用水必须解决以上所有技术难题，尤其是海水净化技术和大生活用海水的后处理技术。

该课题将针对以上问题进行技术攻关，其攻关总体目标是在沿海城市建立大生活用海水示范工程，同时进行大生活用海水的生态塘处理技术研

究，开发既能被大城市所采用，又能在中小城市、镇及岛屿推广应用的大生活用海水后处理技术。

【气态膜法海水和卤水提溴新技术研究】 2001年，“气态膜法海水和卤水提溴新技术研究”列入国家“十五”科技攻关计划“卤水资源综合利用技术研究”项目，编号为2001BA602B-07。

本课题在制定完善的课题实施方案的基础上，利用“气态膜法提溴室内动态模拟实验装置”，开展了“膜孔径对工艺参数影响的研究”和“海水卤水浓度、温度、流速与溴收率、传质系数、溴通量关系的研究”，为课题中的10吨/年提溴工艺研究奠定了基础。

针对进入膜组件的海水或卤水具有“高盐度、高酸度、高氧化性”的防腐要求和强度要求，完成了中空纤维气态膜组件的研究、设计。研究出浇铸膜的新材料配方，加工制造出了直径2英寸（1英寸=2.54厘米）以高硼硅玻璃为外壳和直径3英寸以UPVC外壳的中空纤维气态膜组件，为中试大型膜组件的加工奠定了基础。现已完成了10吨/年中试装置的工艺流程、设备平立面布置、膜组件组装等设计以及标准设备选型等。

确定该课题的协作单位为天津为长芦海晶集团有限公司，并与其签署了实施该课题“10吨/年中试”协议书，为2002年中试装置的安装施工、调试及全面开展中试研究工作，打下了良好的基础。

【低温压汽蒸馏海水淡化技术研究】 低温压汽蒸馏是指通过降膜喷淋蒸发器，使用热泵原理使二次蒸汽的潜热在蒸发器内连续循环并发生交换的淡化过程。这种淡化过程中的盐水最高蒸发温度低于70℃，由于蒸发温度低使得海水对设备的腐蚀和结垢速度得到了削减和控制，从而使维修周期加长，造水成本降低，使用寿命延长，并有可能使设备的设计和制造采用廉价传热材料。

国家海洋局天津海水淡化与综合利用研究所“低温压汽蒸馏海水淡化技术研究”是节能型海水淡化技术研究课题的重要组成部分。其技术关键是研究大中型蒸发装置的传热过程、蒸发装置的结构研究及优化设计、蒸汽离心压缩机的筛选评价和性能测试。通过以上研究，提出低温压汽蒸馏的设计软件并为国产化提供依据，从而为国内海岛和其他缺水地区提供可行的海水淡化技术，达到缓解岛屿地区淡水供应紧张局面的目的。

该专题的主要成果有：

(1)成功地研制了海水淡化专用的液体分布器；

(2)研制了不同金属传热材料的弹性连接装置；

(3)建立了低温压汽蒸馏模拟试验装置，完成海水淡化装置设计参数的测试；

(4)成功研制了海水淡化专用铝合金材料；

(5)成功研制了海水淡化用蒸汽压缩机；

(6)开发了低温压汽蒸馏设计软件；

(7)完成了黄岛发电厂3 000吨/日多效蒸馏的初步设计。

2001年2月，“低温压汽蒸馏海水淡化技术研究”获国家科技部、财政部、计委、经贸委四部委颁发的“九五”国家重点科技攻关计划优秀科技成果。主要完成单位：国家海洋局天津海水淡化与综合利用研究所。主要完成人：阮国岭、李济英(山东黄岛发电厂)、解利昕。

(海水淡化与综合利用研究所科技处)

海洋环保技术
Marine Environmental Protection Technologies

【海洋石油勘探开发污染物生物毒性检验方法和生物毒性分级】 为更科学、准确、简便地评价海洋石油勘探开发污染物的生物毒性，由国家海洋局南海分局与广东省实验动物监测所共同制定的国家标准《海洋石油勘探开发污染物生物毒性检验方法》和《海洋石油勘探开发污染物生物毒性分级》，于2001年2月26日通过专家组审查，一致认为，两项标准的制订对规范我国海洋石油勘探开发污染物排放控制管理十分必要和迫切，具有较强的科学性、先进性和可操作性，达到国际同类研究的先进水平。 (李仲钦)

【东海区第二次海洋污染基线调查】 海洋污染基线调查结果，其“基线水平”代表一个历史阶段海洋环境质量的“本底”，是国家海洋环境保护各项工作的基础，也是沿海地区制订社会经济发展战略的重要依据之一。为了进一步重视和加强海洋环境保护工作，1996年8月国家海洋局签发了《关于下达第二次全国海洋污染基线调查计划任务书的通知》（国海监发[1996]339号）；

1997年7月国家海洋局签发《关于开展第二次全国海洋污染基线调查的通知》（国海发[1997]301号）。根据文件精神，国家海洋局东海监测中心负责《东海区第二次海洋污染基线调查》的组织实施。

东海区第二次海洋污染基线调查是在世纪之交开展的第二次全国海洋污染基线调查的重要组成部分，也是东海区迄今为止开展的规模最大基础性海洋环境污染调查工作。调查范围北起南黄海江苏海州湾，南至福建东山湾，调查总面积约90余万平方千米。共布设测站近600个，并对11处河口、海湾以及大中城市邻近海域进行了重点调查。调查内容包括入海污染源、水文气象环境、海水污染、沉积物污染、海洋生物体内污染物残留量和细菌学指标，以及放射性污染等领域。

参加本次调查的海洋科技人员和海洋管理人员达800余人次，动用各类调查船只40余艘次，共采集各种样品3 000余份，获取各项基础数据近10万多组。经数据处理、研究分析，完成《东海区第二次海洋污染基线调查报告》，并于2000年6月1日通过海洋局组织的专家组评审。

本次调查工作严格实行全程质量控制，获得的数据齐全、资料完整，且具有良好的代表性和准确度，可信度高；基础数据的处理科学合理，图件编制技术先进；报告内容丰富、论述较全面、分析合理、评价科学，突出了东海区的主要环境问题和“热点”地区；调查成果全面、真实、客观地反映了20世纪末东海区的环境质量的整体状况。

调查成果为21世纪东海区的海洋环境保护工作提供了重要的科学依据，对东海沿海地区的可持续发展以及海洋综合管理，均具有重要意义。成果总体处于国内同类工作领先水平，部分达到国际同类工作先进水平。

（国家海洋局东海监测中心　蒋晓山）

【中日珠江口海域环境监测治理计划调查】 中日国际合作项目，1999年7月至2000年7月，由国家海洋局南海分局高级工程师王名文副局长(中方)主持。

项目由日本政府和中华人民共和国科学技术部、国家海洋局共同拟定，由日本国际协力集团(JICA)和国家海洋局南海分局共同实施，历时一年按预定计划完成任务，取得预期效果，于2001年通过总结验收，成果丰硕，双方满意，并给予很高评价。调查手段上应用目前国际上先进的仪器设备；调查时段上选择具有代表性的丰水期、枯水期、平水期季节，采用多船准同步作业的方式；测试分析方面引入国际先进的营养盐溶出试验、海水分解速率试验、颗粒沉降量试验、光量子测量等技术，同时应用卫星遥感技术测算和解释地表污染物的入海量。通过调查和试验，获取了大量丰富的基础资料，并建立了珠江口水动力模型和生态模型。对珠江口海区的实测数据及相关的历史资料成果进行数据同化分析及数据质量控制综合评估，同时建立了珠江口资源环境综合数据库，可提供相应的信息产品和技术服务。

（李仲钦）

【海洋防腐蚀与防污技术】 近年来，海洋工程防腐蚀技术的发展体现在新型高性能防腐涂料的应用上。

氟碳涂料 被公认的目前耐候性能最佳的涂料品种，技术优势在美国，当年投入3 000万美元，历时8年研发的项目，氟含量可达75%。中国现有的氟树脂制造工艺，大多与日本旭硝子公司技术相仿，氟含量一般在25%左右，主要是指三氟氯乙烯的四元共聚物。国内氟涂料应用的领域首先是在建筑物（尤其是高层建筑物）的装饰与防护上，如大连机场等。由于具备至少15年时间不必清洗和重涂的优异性能，氟树脂更广泛的用途还可体现在很多方面。如：

(1) 防腐工程上的应用。氟碳涂料作为面漆和其他防腐涂料组合使用，其耐久性可达15年以上，因此，适用于桥梁、海洋构筑物、船舶防腐，特别是化工厂管道、反应设备、传热设备、凉水设施等防腐，均有极佳的效果。日本本洲四国海峡跨海大桥的涂装方案如下：底材处理+厚膜无机富锌涂料+环氧树脂玻璃鳞片涂料(2道)+环氧树脂中涂+氟碳涂料罩面。中国已有的包括在建的跨海工程也有很多，如果也能如此保护，会使它们耐天候、抗变色、耐污染提高到更高的档次。海上平台、钻井架以及海边灯台等，常年受海雾海水腐蚀，利用氟碳涂料高性能维护更是恰到好处。

(2) 运输行业。交通工具中，航空飞饥、宇宙飞船、人造卫星、火箭运载、陆运火车(或汽车)、海上的轮船等，都是需要高速运动的，减少阻力是十分重要的。氟碳涂料具有摩擦系数很小的特点，并能耐高速摩擦而产生的高温。因此，氟碳涂料在运输行业中大有作为，也可设想在交通工具的防风玻璃上，涂上一层氟碳涂料透明清漆，对防雨、雾、冰雹、大气尘埃的污染和侵害，会有意想不到的效果。运输的辅助设备，如集装箱、船台的起重机械、登机楼等，氟碳涂料的耐候和防腐性能会得以发挥。

(3) 其他行业。国外氟涂料的应用范围还是很广泛的，涉及到轻工产品的种类繁多，如在炊具、文化用品上的应用，运动器材（如滑雪板、雪撬等需要摩擦系数小的器材）、包装材料上的应用（有较强腐蚀性和渗透性的化工产品的包装），电子、通讯（利用其介电常数很低，低介电损耗，低吸湿性，优异的尺寸稳定的特点）方面的应用等。

国内的上海有机氟材料研究所、大连塑料研究所长期从事氟涂料的科研开发。大连明辰公司、西安加力安公司也分别建成500～1 000吨/年的生产装置。中国对氟涂料发展及应用也非常重视，2001年4月及2002年5月分别在杭州和大连召开了氟涂料发展战略及技术研讨会，对促进中国氟涂料的发展、把握氟涂料在我国的发展方向具有重要意义。

综上所述，氟碳涂料以其优异的性能，在海洋工程防腐上有着广泛的应用前景。

氯醚树脂涂料 氯醚树脂是由氯乙烯和乙烯基异丁基醚的共聚物，最早由德国的BASF公司研制开发并应用于制造油墨及涂料。在国内，应用在涂料工业中还处在起步阶段。利用不同的溶剂、助剂等，可配成各种类型的防腐蚀涂料，如钢铁及轻金属的防腐蚀底漆和面漆，还可用作无机底材(水泥、砖石等)、船舶及塑料方面的涂料。近年来国内也开始制造这类涂料，如上海科欣防腐新技术发展中心、广州重防腐涂料有限公司及国家海洋局天津海水淡化与综合利用研究所等皆生产有相应的氯醚防腐涂料，其性能则优于氯化橡胶涂料及氯磺化聚乙烯涂料。

氯醚树脂已被公认为耐化工大气老化最优越的品种之一，对它配以适当的配套树脂及各种助剂复合而得单组分氯醚防腐蚀涂料，这种涂料综合防腐性能指标均高于氯磺化聚乙烯及氯化橡胶涂料，由于氯醚涂料具有优良的综合性能，并且价格也不高，所以应用很广泛，在集装箱涂料中是最具竞争力的一种。其他应用有：

(1) 耐工业大气腐蚀，如工厂建筑、设备、管道、贮槽、市政工程港湾码头。

(2) 船舶用涂料，如船体的各个部位，特别适合于需要耐海水腐蚀的地方。

(3) 交通运输，除集装箱外，还有运输机械、危险品槽车等。

(4) 大型重点工程，如桥梁、海洋工程及能源工程。

(5) 建筑材料，如混凝土、水泥制品等的表面，特别适用于路标涂料等。

聚苯胺涂料 将导电材料聚苯胺应用于缓蚀与防锈，作用机理完全不同于现有的防锈涂料。导电聚苯胺可与钢材表面分子发生化学反应形成一薄金属氧化层，阻止氧气渗入到钢材内部引起锈蚀，又因其不具有毒性，还满足了环保要求。

在德国，导电聚苯胺的商品名为Omecon(OM)，OM在适当的底漆中含量为2%，膜厚达2微米，即可证实达到优化值。OM已应用的领域有：铁路桥梁防腐、废水处理系统、化学工厂构筑物、管道和远洋集装箱、船舶。实践证明，涂过OM的产品由于其钝化作用，腐蚀速度明显降低。为了开发OM的市场，1999年初，Omecon化学公司就与DuPont签定了协议，共同开发全球市场。产品包括防腐蚀涂料和印刷电路板涂饰等。据称将有90～150亿美元的市场。此外，Omecon化学公司还与日本钢铁建筑公司(TTK)建立了合资企业。中国科学院长春应用化学研究所有多个聚苯胺的专利报道。相信导电聚苯胺防腐蚀涂料，作为防腐蚀机制独特的新涂料品种，将会体现它的应用价值。

纳米复合涂料 纳米技术的出现，被誉为第四次产业化革命。经过十多年的研究积累，将纳米技术应用到涂料领域为涂料的发展开辟了一片新的天地。目前，纳米复合涂料的研制主要通过纳米材料在涂料中的应用来实现，纳米材料在涂料中可以起到改善传统涂料性能或制备新的功能涂料的目的。

1. 传统涂料性能的改善

从填料角度看，涂料的流变性与填料的粒径及表面特性存在一定的关系。纳米粉末填料粒径小、表面基团多，用于涂料后可以改变涂料的粘度及流变性，如经适当调控纳米粒子的种类和粒径，可制得施工性能改善的纳米涂料。比如纳米$CaCO_3$在建筑涂料中应用后，可以增加涂料的触变性，改善涂料施工过程中的流挂以及涂料的贮存稳定性等问题。许多纳米微粒，如纳米SiO_2、TiO_2等对紫外线具有超强吸收性，将其用于涂料中，可以屏蔽紫外线对涂膜带来的伤害，提高涂层的寿命。在耐候面漆中应用纳米微粒后，可以极大地提高现有涂料的耐候性。纳米粒子由于比表面积大，与有机树脂基料之间存在良好的界面结合力，可使复合涂层较好结合不同母体组分的性质，而且还可能因涂层内部各组分协同作用下产生一些母体所不具备的特异性质，从而提高原有涂层的强度、硬度、耐磨性、耐刮伤性等力学性能。由于纳米粒子一般对可见光可透，因此，应用纳米粒子提高涂层力学性能的同时还可保证涂层的透明性。利用这一特性可开发出高耐刮伤性汽车涂料、家具漆等纳米涂料。另外，纳米粒子的应用对涂层的光洁度、某些涂料体系的涂膜固化速度、涂膜的附着力等方面也可起改善作用。需要指出的是，纳米微粒的应用虽然能多方面改善涂料及涂膜的性能，但不能认为纳米粒子是万能的，有时它甚至可能是有害的，比如，纳米粒子用于紫外光固化涂料，由于其对紫外线的屏蔽作用，从而降低了涂膜的固化速度。

2. 制备功能性涂料

纳米粒子与有机涂料复合的最大用途是制备功能性涂料，其种类繁多，前景广阔，但目前多数还处于探索阶段，如军事隐形涂料、静电屏蔽涂料、隔热涂料、纳米抗菌涂料、纳米界面涂料、纳米自修补涂料、大气净化涂料等。

【防污技术】 进入20世纪90年代，世界环保呼声日益高涨，各国环保法规不断强化，推动船舶漆向高效、节能、环保、经济方向迅速发展。无毒、低毒、高固体分厚浆、无溶剂、重防腐等新一代船舶漆品种不断出现。很明显的例子是无锡自抛光防污漆(TF-SPC)的出现和市场化，虽然自抛光防污漆性能优异，是防污漆的主流品种，但它采用有机锡丙烯酸共聚物，水解后有机锡基团进入海洋中，严重影响海洋生物的生态环境，在20世纪90年代初就引起世界环保组织的严重关注。2001年3月，世界海事组织(IMO)下属的海洋环境保护委员会(MEPC)第44次会议上已经对全面禁止使用含有机锡的防污漆提出了明确的时间表(2003年/2008年)，同年4月举行的第46次会议上再次明确提出。有鉴于此，世界各大船舶漆公司在20世纪90年代初就致力于无锡自抛光防污漆的开发研究，并不断推出新的替代产品。海虹老人牌涂料公司2000年年初推出了第三代无锡自抛光防污漆81900系列，以取代第一代溶蚀型无锡防污漆76600、第二代无锡自抛光防污漆71900系列。第三代无锡自抛光防污漆的特点是采用聚合物(丙烯酸金属盐类、羰基化物、硅烷丙烯酸酯等)在海水中发生离子交换的水解原理，与基于水合机理的传统无锡防污漆相比，有质的飞跃。其漆膜的机械强度明显增强，防污性能和抛光性能稳定，涂料配套体系的防污周期可从3年延长到5年，已经非常接近传统的SPC。该涂料已成功地应用于大连造船厂295 000吨出口伊朗的5艘大型油轮和出口瑞典的3艘12 300吨滚装船以及金陵造船厂建造出口哥伦比亚的4艘30 000吨多用途船上。

在防污漆的研究开发上，除了无锡自抛光防污漆工业化生产并实际应用外，其他类型的防污漆也在紧锣密鼓地进行开发。如低表面能有机硅系和氟化物系防污漆，已经在一些小型船舶上实验性试用，但由于其施工性能较差，同时价格昂贵，尚未达到工业化生产。不含重金属的可水解硅酸盐无毒防污漆，实船试验已有2～3年的防污期，将进人批量生产阶段。725所已经从海洋细菌膜中提炼出几种无毒防污剂。目前的无锡自抛光防污漆，仍然含有重金属化合物氧化亚铜，对海洋环境还有一定影响。中国科技大学一位教授提出用纳米铜试制新型防污漆，将纳米技术应用于船舶漆中，在21世纪最初10年可能有较大的突破。

（海水淡化与综合利用所防腐中心　黄　鑫）

海洋科技成果
Marine Scientific and Technological Achievements

【基本情况】 2001年全国共登记海洋科技成果226项，其中，国家海洋局所属单位登记92项，占全国海洋科技总数的40.71%；获得奖励的项目为44项，占登记总数的19.47%。其中，独立科研机构完成了29项，大专院校完成了4项，企业单位完成了9项。授权发明专利的项目为22项，占登记总数的9.73%。其中，独立科研机构完成了16

项，大专院校完成了1项，企业单位完成了5项。

【成果构成】 **成果来源** 在登记的226项海洋科技成果中，国家计划项目占成果总数的42.55%。其中高技术研究发展计划（“863”计划）项目占成果总数13.82%；科技攻关计划项目占成果总数的24.00%；部门计划项目占成果总数17.45%；地方计划项目占成果总数的14.55%；国家、部门、地方及民间的基金项目占成果总数的10.91%；国际科学技术合作项目占成果总数的1.82%；横向委托和自选课题项目占成果总数的10.18%；其他来源项目占成果总数的2.55%。

成果类别 在226项海洋科技成果中，应用技术成果187项，占成果总数的82.74%；基础理论成果30项，占成果总数的13.27%；软科学成果9项，占成果总数的3.98%。

完成单位 在226项海洋科技成果中，由独立科研机构完成的成果153项，占成果总数的67.70%；大专院校完成的成果19项，占成果总数的8.41%；企业完成的成果37项，占成果总数的16.37%，其中，科研机构转制企业完成的成果4项，占成果的1.77%；其他单位完成的成果17项，占成果总数的7.52%。

经费投入 据统计，2001年登记的海洋科技成果主要受国家计划、部门计划、国家基金、地方计划和自有资金的支持。国家、部门投入仍是大多数项目的经费来源，一些企业、地方的投入也相当大，如造船业、石油业等。

【应用技术成果】 **完成阶段** 在187项应用技术成果中，处于大规模、大范围应用阶段的成果55项，占29.41%；处于中试或制备的样机、试样等中期阶段的成果90项，占48.13%；处于试验室、小试等初期阶段的成果42项，占22.46%。

所属领域 在应用技术成果中，电子信息领域15项，占6.20%；软件领域7项，占2.89%；航空航天领域3项，占1.24%；光机电一体化2项，占0.83%；生物、医药和医疗器械领域15项，占6.20%；新材料领域12项，占4.96%；新能源与高效节能领域5项，占2.07%；环境保护领域23项，占9.50%；地球、空间与海洋领域127项，占52.48%；农业领域33项，占13.64%（有的成果同时属于不同领域——编者注）。

产业分布 对187项海洋科技成果按应用行业进行分析。第一产业即农、林、牧、渔业68项，占26.25%；第二产业包括采掘业，制造业，电力、煤气及水的生产和供应业，建筑业，共65项，占25.10%；第三产业包括地质勘查业，水利管理业，交通运输业，仓储及邮电通信业，批发和零售贸易、餐饮业，金融、保险业，房地产业，社会服务业，卫生、体育和社会福利业，教育、文化艺术和广播电影电视，科学研究和综合技术服务业，国家机关、政党机关和社会团体等等，共126项，占48.65%（见表1）。

应用情况 在187项应用成果中，已应用的海洋成果为133项，占71.12%；未应用成果54项，占28.88%。对成果未应用的原因进行分析，资金问题占29.82%，技术问题占1.75%，市场问题占12.28%，管理问题占7.02%，政策问题占8.77%；其他原因占40.35%。

经济效益 据对填报经济效益数据的27项成果的统计，项目投入实际应用后，新增产值6 555 822万元，新增利税2 101 103万元，出口创汇182 484万元，节约资金67 969万元（见表2）。

【2001年“海洋科技成果”国家海洋局登记目录】 （见表3）

表1 海洋成果产业分布

产　业	项目数(项)	比例(%)
合　计	259	100.00
农、林、牧、渔业	68	26.25
采掘业	25	9.65
制造业	29	11.20
电力、煤气及水的生产和供应业	9	3.47
建筑业	2	0.77
地质勘查业、水利管理业	32	12.36
交通运输、仓储及邮电通信业	10	3.86
批发和零售贸易、餐饮业	1	0.39
社会服务业	2	0.77
卫生、体育和社会福利业	5	1.93
科学研究和综合技术服务业	55	21.24
国家机关、政党机关和社会团体	6	2.32
其他行业	15	5.80

注：部分海洋科技成果可跨行业应用。

表2 应用技术成果经济效益状况

单位：万元

经济效益项目数	合计	独立科研机构	大专院校	企业	其他
新增产值	6 555 822	45 453	2 868	6 505 711	1 790
新增利税	2 101 103	4 481	1 426	2 093 938	1 258
出口创汇	182 484		530	181 954	
节约资金	67 969	65	866	64 517	2 521

表3 2001年“海洋科技成果”国家海洋局登记目录

序号	成果第一完成单位名称	成果名称	类型	合计
1		海洋药物BSD对心血管药理作用的研究	所属高新技术类别：生物、医药和医疗器械	
2		沉积物来源、厚度与结构探测技术	所属高新技术类别：地球、空间与海洋	
3		海洋生物抗肿瘤活性物质研究	所属高新技术类别：生物、医药和医疗器械；农业	
4		海洋细菌天然色素的开发利用	所属高新技术类别：生物、医药和医疗器械	
5		埕岛油田中心一号平台海区工程前期主要海洋环境要素的测量与监测	所属高新技术类别：地球、空间与海洋	
6	国家海洋局第一海洋研究所	山东沿海主要港湾大振幅假期潮的基本特征和成因的分析研究	所属高新技术类别：环境保护；地球、空间与海洋	11
7		东海特定海区河流入海环境负荷及其对海洋生态系影响	社会经济目标：陆地海洋和大气的开发与评估环境保护	
8		同位素法研究海岛周围海域生态系统的营养层次	社会经济目标：陆地海洋和大气的开发与评估	
9		黄河断流对三角洲海上油气开发环境的影响及对策研究	社会经济目标：陆地海洋和大气的开发与评估促进工业的发展	
10		中法合作东海沉积地层和古环境研究	社会经济目标：知识的全面发展	
11		CB22D-CB4A，CB251A-CB251海底管道路由地形测量及地质勘察	所属高新技术类别：地球、空间与海洋	
12		东海晚更新世纪以来的古海洋演化及如果未来海平面上升的对策研究	社会经济目标：陆地海洋和大气的开发与评估	
13		浙沪海域划界原则研究	社会经济目标：社会发展和社会-经济服务	
14		浙江省潮汐能开发利用现状	社会经济目标：促进工业的发展	
15		UV-B对海洋浮游植物生源物质DMS产量的影响		
16		现有深海采矿环境影响实验方法和结果评价	社会经济目标：陆地海洋和大气的开发与评估	
17	国家海洋局第二海洋研究所	东海环流数值研究		17
18		海洋光学遥感信息应用技术研究	社会经济目标：社会发展和社会-经济服务	
19		西北太平洋环流的季节变化研究	社会经济目标：陆地海洋和大气的开发与评估	
20		海岸岬角前沿深潭底床冲淤稳定的动力学机制	社会经济目标：农业、渔业和林业的发展	
21		深海采矿对生态环境影响实验结果的评价	社会经济目标：陆地海洋和大气的开发与评估环境保护	
22		Inm锰矿相的人工合成及其特性研究	社会经济目标：陆地海洋和大气的开发与评估	

续 表

序号	成果第一完成单位名称	成 果 名 称	类 型	合计
23	国家海洋局第二海洋研究所	本世纪以来浙沪近岸海域高分辨率的有机污染历史研究	社会经济目标：环境保护	
24		近期琉球群岛两侧海洋环流的数值研究	社会经济目标：陆地海洋和大气的开发与评估	
25		季风在南海颗物质中的记录：来自沉积物捕获器的证据	社会经济目标：陆地海洋和大气的开发与评估	
26		南海微型光合生物丰度、生物量和生产力结构研究	社会经济目标：农业、渔业和林业的发展	
27		海洋经济贝类细胞及体液免疫机制的初步研究		
28		可见光卫星遥感光谱复合技术研究		
29	国家海洋局第三海洋研究所	文昌鱼GnRH神经内分泌调节的研究	社会经济目标：农业、渔业和林业的发展	5
30		中国开辟海洋生物生态基线研究	社会经济目标：陆地海洋和大气的开发与评估 环境保护	
31		对虾抗杆状病毒基因工程育种技术研究	社会经济目标：农业、渔业和林业的发展	
32		大菱鲆引进驯化和养殖	所属高新技术类别：农业	
33		海洋生物质量标准制订	所属高新技术类别：环境保护	
34	国家海洋技术中心	鱼虾育苗室水质化学自动监测装置	所属高新技术类别：环境保护；地球、空间与海洋	7
35		非自航式倾废航行数据记录仪	所属高新技术类别：环境保护	
36		近海环境自动监测技术	所属高新技术类别：环境保护；地球、空间与海洋	
37		系留浮标站	所属高新技术类别：航空航天；地球、空间与海洋	
38		HYC-1型海域测量仪	所属高新技术类别：地球、空间与海洋	
39		高精度CTD剖面仪和定标检测设备	所属高新技术类别：光机电一体化；地球、空间与海洋	
40		区域性海洋环境立体监测和信息服务系统	所属高新技术类别：软件；地球、空间与海洋	
41	国家海洋局天津海水淡化与综合利用研究所	海水循环冷却技术研究	所属高新技术类别：地球、空间与海洋	
42		海水循环冷却技术		
43		机械通风海水冷却塔		
44		海水直流冷却技术		
45		大生活用海水生化处理技术	所属高新技术类别：环境保护	
46		大生活用海水海洋处置技术	所属高新技术类别：环境保护	

续 表

序号	成果第一完成单位名称	成果名称	类型	合计
47	国家海洋局天津海水淡化与综合利用研究所	大生活用海水水质标准	所属高新技术类别：环境保护	19
48		大生活用海水排放标准	所属高新技术类别：环境保护	
49		低温多效蒸馏海水淡化技术	所属高新技术类别：环境保护；地球、空间与海洋	
50		低温压汽蒸馏海水淡化技术研究	所属高新技术类别：环境保护 地球、空间与海洋	
51		高效、低毒农药二溴磷工业技术研究及应用开发	所属高新技术类别：环境保护；农业	
52		1 000吨/年加镁复合肥中试技术	所属高新技术类别：农业	
53		1 000吨/年钾镁硫肥中试技术	所属高新技术类别：农业	
54		1 000吨/年盐田卤水提取硫镁肥中试技术	所属高新技术类别：环境保护；农业	
55		无机增强材硼酸镁晶须的研制	所属高新技术类别：新材料、地球、空间与海洋	
56		SW9800系列海水循环冷却专用水处理药剂	所属高新技术类别：地球、空间与海洋	
57		低温压汽蒸馏海水淡化设计软件	所属高新技术类别：软件；地球、空间与海洋	
58		离子交换法海水卤水直接提取硫酸钾技术的研究	所属高新技术类别：地球、空间与海洋	
59		万吨级盐析法苦卤与氯化钾制取硫酸钾技术	所属高新技术类别：环境保护	
60	国家海洋局海洋发展战略研究所	“21世纪初中国可持续发展战略研究”第七专题、海洋开发与保护	社会经济目标：陆地海洋和大气的开发与评估 环境保护	1
61	国家海洋局北海分局	南戴河仙螺岛扩建工程海域使用可行性论证报告	所属高新技术类别：地球、空间与海洋	2
62		渤黄海海域赤潮灾害损失评估方法的初步研究	社会经济目标：陆地海洋和大气的开发与评估 环境保护	
63	国家海洋局东海分局	三峡工程对长江口及其邻近海域的环境和生态系统的影响研究报告	社会经济目标：环境保护	3
64		上海市南区污水排放口及邻近海域环境综合调查报告	社会经济目标：环境保护	
65		上海沿海地区台风灾害损失的研究和对策	社会经济目标：陆地海洋和大气的开发与评估 知识的全面发展	
66	国家海洋信息中心	中国海洋资源综合数据库集成	所属高新技术类别：电子信息	7
67		中国沿岸重点海域电子海洋地图研制与应用	所属高新技术类别：电子信息；地球、空间与海洋	
68		海洋功能区划管理信息系统与技术规程		
69		海岸带综合管理地理信息示范系统		
70		海洋信息共享		

续 表

序号	成果第一完成单位名称	成果名称	类型	合计
71	国家海洋信息中心	海岸带资源环境综合管理信息处理技术研究	所属高新技术类别：地球、空间与海洋	
72		海岸带资源与环境基础信息系统	所属高新技术类别：电子信息；地球、空间与海洋	
73	国家海洋环境监测中心	突发性污损灾害预测、应急处置及评估技术	所属高新技术类别：地球、空间与海洋	7
74		海岸带资源环境利用关键技术研究	所属高新技术类别：环境保护；地球、空间与海洋	
75		强制性国家标准“海洋沉积物质量”的制订	所属高新技术类别：环境保护；地球、空间与海洋	
76		海域勘界技术规程	所属高新技术类别：地球、空间与海洋	
77		近岸特定海域纳污能力评价和污染预测技术	所属高新技术类别：环境保护；地球、空间与海洋	
78		近岸海域典型环境污染防治技术应用示范	所属高新技术类别：环境保护；地球、空间与海洋	
79		海岸带环境污染监测支撑关键技术	所属高新技术类别：地球、空间与海洋	
80	国家海洋环境预报中心	卫星遥感海冰监测技术研究		2
81		灾害性风暴潮漫滩和近岸海浪模拟技术的研制与应用		
82	国家卫星海洋应用中心	中巴地球资源一号卫星CCD数据在海洋典型应用中的评价研究		1
83	国家海洋标准计量中心	JBY1-1型波浪标检定装置		1
84	国家海洋局杭州水处理技术研究开发中心	海洋产物甲壳素、壳聚糖的开发应用-壳聚糖药用敷料及药膜研制	所属高新技术类别：新材料	9
85		反渗透复合膜组器技术产业化		
86		船用反渗透海水淡化装置		
87		填充床电渗析技术和装置的开发		
88		新型高脱盐反渗透复合膜关键技术		
89		日产千吨级反渗透海水淡化系统及工程技术开发		
90		海洋行业标准“中空纤维反渗透技术”的制定	社会经济目标：促进工业的发展 （制造业）	
91		海洋行业标准“折叠筒式微孔膜过滤芯”的制定		
92		海洋行业标准“微孔滤膜”的制定		
93	山东省海洋水产研究所	136千瓦、198千瓦变水层拖网技术研究	所属高新技术类别：农业	
94		海水鱼养成饲料复合添加剂的研制	所属高新技术类别：农业	

续表

序号	成果第一完成单位名称	成果名称	类型	合计
95	山东省海洋水产研究所	鲆鲽类主要细菌病和寄生虫病防治技术研究	所属高新技术类别：生物、医药和医疗器械；农业	11
96		24米90千瓦拖网渔船总体性能研究与设计		
97	东营市河口区东宏公司育苗厂	文蛤及沙蚕工厂化育苗技术研究	所属高新技术类别：农业	
98	河口区技术信息开发中心	黄河三角洲地区地下水中国对虾与锯缘青蟹混养开发试验		
99	利津县海珍品增养殖研究所	锯缘青蟹引种繁殖及养殖技术开发		
100	垦利县水产养殖管理中心	滨海盐碱地渗水对虾精养高产技术研究		
101	滨州地区海水良种繁育试验场	黄河三角洲地区日本对虾二茬育苗技术开发	所属高新技术类别：地球、空间与海洋	
102	山东省水产学校	日本大鲍引种及杂交育苗技术研究	所属高新技术类别：农业(农、林、牧、渔业)	6
103		黑鲷人工育苗关键技术研究		
104	江苏省海洋水产研究所	紫菜种质保存与应用		
105		条斑紫菜新品种		
106		水生生物主要致病性弧菌的分离及其特异性防治药物的研制	所属高新技术类别：农业(农、林、牧、渔业)	
107		氨氮和亚硝酸氮快速测定方法		
108		条斑紫菜引种与栽培种质更新		
109		紫菜细胞技术育种		
110	浙江海洋学院海洋科学研究所	天然海洋酒类产品开发	所属高新技术类别：生物、医药和医疗器械	2
111	浙江海洋学院工程学院	电磁感应应用技术研究	所属高新技术类别：电子信息；新能源与高效节能	
112		褐菖鲉Sebastisous marmoratus增养殖技术研究	社会经济目标：农业、渔业和林业的发展	1
113	大连水产学院	虾夷扇贝三倍体育种技术	所属高新技术类别：生物、医药和医疗器械	3
114		利用贝类加工副产品制造水解动物蛋白研究	所属高新技术类别：农业	
115		鲍多倍体育技术研究	所属高新技术类别：农业	
116	中国科学院海洋研究所	南大洋生态系统动态变化和碳的生物地球化学研究	陆地海洋和大气的开发与评估：农业、渔业和林业的发展	
117		海湾生态系统动态过程与持续发展	社会经济目标：陆地海洋和大气的开发与评估；环境保护	
118		东海海洋通量关键过程研究	社会经济目标：环境保护；知识的全面发展	

续 表

序号	成果第一完成单位名称	成 果 名 称	类 型	合计
119	中国科学院海洋研究所	中国海陆海相互作用及其环境效应	社会经济目标：环境保护；知识的全面发展	13
120		长江口无机氮收支动力学的研究	社会经济目标：陆地海洋和大气的开发与评估知识的全面发展	
121		海藻活性功能物质的制取及应用研究	所属高新技术类别：生物、医药和医疗器械；农业	
122		海藻多酚抗氧化剂的制备及其应用	所属高新技术类别：生物、医药和医疗器械；农业	
123		文蛤人工育苗及越冬技术开发	所属高新技术类别：地球、空间与海洋；农业	
124		抗肿瘤海洋生物新药	所属高新技术类别：生物、医药和医疗器械；地球、空间与海洋	
125		新型生态农药“农乐一号”海洋生物制剂	所属高新技术类别：地球、空间与海洋；农业	
126		富含EPA或DHA海洋微藻胶囊开发技术	所属高新技术类别：生物、医药和医疗器械	
127		对虾、河蟹多倍体育种育苗和性控技术的研究	所属高新技术类别：生物、医药和医疗器械；农业	
128		马尾藻碘晶及海藻天然抗氧化剂的研究	所属高新技术类别：生物、医药和医疗器械；地球、空间与海洋	
129	福建省水产研究所	湄州湾火电厂水下挖泥作业对养殖生物的影响	所属高新技术类别：地球、空间与海洋；农业	6
130		赤点石斑鱼人工育苗扩大试验	所属高新技术类别：农业	
131		紫海胆人工育苗技术研究	所属高新技术类别：生物、医药和医疗器械；农业	
132		沉浮式抗风浪海水养殖网箱的研制	所属高新技术类别：农业	
133		福建省金枪鱼钓业发展及对策	所属高新技术类别：地球、空间与海洋；农业	
134		双斑东方鲀人工繁殖及育苗技术研究	所属高新技术类别：农业	
135	上海市气象局	长江三角洲及上海地区主要气象灾害短期气候预测系统的研究	所属高新技术类别：地球、空间与海洋	1
136	宁波大学	太平洋牡蛎三倍体苗种培育及养殖产业化	所属高新技术类别：生物、医药和医疗器械；地球、空间与海洋	1
137	中国科学院计算技术研究所	海洋渔业遥感信息与资源评估服务系统技术及系统集成、示范试验	所属高新技术类别：地球、空间与海洋	1
138	天津市水利科学研究所	围海围堰关键技术研究	所属高新技术类别：地球、空间与海洋	1
139	国家海洋环境监测中心	海域赤潮灾害地物光谱提取技术及卫星遥感监测技术研究	所属高新技术类别：地球、空间与海洋	1
140	中国科学院广州能源研究所	100千瓦岸式波力电站研建	所属高新技术类别：新能源与高效节能；地球、空间与海洋	1
141	深圳市水务局	深圳河感潮河段洪潮特性及流域水文特性研究	所属高新技术类别：环境保护；地球、空间与海洋	1
142	福建省港航管理局	福建省沿海港口防浪结构型式研究	所属高新技术类别：地球、空间与海洋	1

续 表

序号	成果第一完成单位名称	成果名称	类型	合计
143	中国科学院化工冶金研究所	海藻多糖提取分离集成化新技术	所属高新技术类别：生物、医药和医疗器械；地球、空间与海洋	1
144	青岛海洋大学	牡蛎三倍体育苗与养殖技术研究	所属高新技术类别：地球、空间与海洋	4
145		微生物驱油过程研究	所属高新技术类别：地球、空间与海洋	
146		浅海工程勘察与评价研究及其在埕岛油田的应用	所属高新技术类别	
147		青岛前海海岸工程设防标准研究	所属高新技术类别	
148	中国科学院上海技术物理研究所	成像光谱水质监测方法研究与应用	所属高新技术类别：环境保护	2
149		海洋多波段扫描仪	所属高新技术类别：航空航天；地球、空间与海洋	
150	中国科学院南海海洋研究所	微波遥感资料应用于台风浪分析和预报的技术研究	所属高新技术类别：地球、空间与海洋	6
151		海面海水层光学测量技术	所属高新技术类别：地球、空间与海洋	
152		南沙海区海洋资源环境综合科学信息库及信息产品研制	所属高新技术类别：电子信息；地球、空间与海洋	
153		海水层辐射校准技术和海水黄色物质信息提取研究	所属高新技术类别：地球、空间与海洋	
154		SZS3-1型压力式波潮仪	所属高新技术类别：环境保护；地球、空间与海洋	
155		海底矿产资源的地球化学快速探查技术	所属高新技术类别：地球、空间与海洋	
156	中国科学院地理科学资源研究所	海洋渔业服务地理信息系统技术	所属高新技术类别：软件；地球、空间与海洋	1
157	深圳市气象局	深圳市暴雨台风预警系统技术开发研究	所属高新技术类别：地球、空间与海洋	1
158	中国海洋石油总公司南海西部公司	南海西部石油公司气象信息系统	所属高新技术类别：地球、空间与海洋	3
159		海上三维高分辨率地震资料处理研究	所属高新技术类别：地球、空间与海洋	
160		地震数据绘图软件包	所属高新技术类别：地球、空间与海洋	
161	中海石油研究中心	测井新技术软件的开发和应用	所属高新技术类别：地球、空间与海洋	2
162		涠11-4油田东区简易平台技术研究	所属高新技术类别：地球、空间与海洋	
163	海洋石油工程股份有限公司	JZ9-3油田开发工程设计	所属高新技术类别：地球、空间与海洋	2
164		岐口17-2油田开发工程	所属高新技术类别：地球、空间与海洋	
165	中海石油（中国）有限公司湛江分公司	涠洲油田腐蚀环境调查、腐蚀模拟试验和综合对策研究	所属高新技术类别：地球、空间与海洋	
166		南海海上安全作业热带气旋风浪信息预警系统	所属高新技术类别：地球、空间与海洋	

续表

序号	成果第一完成单位名称	成果名称	类型	合计
167	中海石油（中国）有限公司湛江分公司	琼东南盆地凹陷结构与生烃凹陷比较评价	所属高新技术类别：地球、空间与海洋	5
168		莺琼盆地天然气有利区带与勘探目标研究	所属高新技术类别：地球、空间与海洋	
169		莺-琼盆地中深层高温超压天然气成藏条件研究	所属高新技术类别：地球、空间与海洋	
170	中海石油研究中心开发设计院	绥中36-1油田提高采收率研究	所属高新技术类别：地球、空间与海洋	3
171		含油污水处理设施效能研究	所属高新技术类别：环境保护；地球、空间与海洋	
172		海底大位移井及井眼轨道控制技术	所属高新技术类别：地球、空间与海洋	
173	中海石油测井公司	井下成像探测处理系统的研制	所属高新技术类别：新能源与高效节能；地球、空间与海洋	1
174	中海石油天津分公司	渤海油田不动管柱酸化技术研究及应用	所属高新技术类别：地球、空间与海洋	2
175		新工艺、新技术、新产品在岐口17-2工程项目中的应用	所属高新技术类别：地球、空间与海洋	
176	中海石油研究中心渤海研究院	渤海海域上第三系大油田群的发现	所属高新技术类别：地球、空间与海洋	1
177	中海石油研究中心勘探研究院	海上高分辨率地震勘探技术	所属高新技术类别：地球、空间与海洋	4
178		南沙海区沉积盆地分布、形成与演化	所属高新技术类别：地球、空间与海洋	
179		中国近海富成藏体系地化、地质及地球物理综合勘探技术(2000)	所属高新技术类别：地球、空间与海洋	
180		东海陆架盆地天然气资源前景评价	所属高新技术类别：地球、空间与海洋	
181	上海石油天然气总公司	平湖油气田14″管线南汇登陆段管线稳定性和附近海域冲淤研究	所属高新技术类别：地球、空间与海洋	1
182	长沙矿冶研究院	深海采矿中试集矿机构的研究开发	所属高新技术类别：陆地海洋和大气的开发与评估	3
183		大洋富钴结壳-水法冶炼探索研究	所属高新技术类别：地球、空间与海洋	
184		大洋多金属结核熔炼-锈蚀-萃取工艺	所属高新技术类别：地球、空间与海洋	
185	河北工业大学	海水提取硫酸钾关键技术300吨/年中试	所属高新技术类别：新能源与高效节能；地球、空间与海洋	1
186	中港第二航务工程局	深水基础大型钢吊箱围堰设计与施工技术研究	所属高新技术类别：地球、空间与海洋	2
187		下行式造桥机研制与应用	所属高新技术类别：地球、空间与海洋	
188	中国科学院沈阳自动化研究所	监控式虚拟遥操作水下机械手	所属高新技术类别：光机电一体化；地球、空间与海洋	3
189		水下机器人关键技术研究	所属高新技术类别：地球、空间与海洋	
190		新型深水机器人“CR-02”研究与开发	所属高新技术类别：电子信息；地球、空间与海洋	

续表

序号	成果第一完成单位名称	成果名称	类型	合计
191	福建省马尾造船厂	820TEU集装箱货船设计与建造	所属高新技术类别：地球、空间与海洋	1
192	中国新星石油公司上海海洋石油局	海洋地壳测深地震资料特殊处理解释技术研究报告	所属高新技术类别：地球、空间与海洋	2
193		地壳结构重磁地震综合反演技术	所属高新技术类别：地球、空间与海洋	
194	青岛海洋地质研究所	浅水区浅地层剖面高分辨率探测技术研究	所属高新技术类别：地球、空间与海洋	1
195	国土资源部广州海洋地质调查局	结核、结壳区海底摄像及处理系统的研制	所属高新技术类别：地球、空间与海洋	1
196	上海海洋石油局	海洋深部地壳结构探测技术课题研制技术报告	所属高新技术类别：地球、空间与海洋	1
197	中国科学院地质与地球物理研究所	海洋岩石层三维地震成像技术	所属高新技术类别：软件；地球、空间与海洋	3
198		海洋矿产资源综合评价（820-03）技术成果集成技术	所属高新技术类别：地球、空间与海洋	
199		海洋油气资源地球物理综合评价技术	所属高新技术类别：地球、空间与海洋	
200	广州广船国际股份有限公司	40吨固定式桅杆吊机生产设计与建造	所属高新技术类别：地球、空间与海洋	3
201		35 000吨成品油轮生产设计与建造	所属高新技术类别：地球、空间与海洋	
202		121车位滚装船开发研制	所属高新技术类别：地球、空间与海洋	
203	武汉大学	南极冰貌环境变迁与海平面变化和南极动力大地测量研究	所属高新技术类别：地球、空间与海洋	3
204		利用验潮站和卫星测高资料研究中国近海精密潮汐模型	所属高新技术类别：地球、空间与海洋	
205		北极考察测绘保证和冰态环境变化以及绝对重力点的建立	所属高新技术类别：电子信息；地球、空间与海洋	
206	湖南省地震局分析预报中心	中国东南沿海地区地震学异常度的探讨	所属高新技术类别：地球、空间与海洋	1
207	吉林大学	海上多次波消除方法研究	所属高新技术类别：软件	1
208	日照市水利勘测设计院	防潮堤结构技术研究	所属高新技术类别：地球、空间与海洋	1
209	海南地学工程研究中心	海南岛南部海域深地震剖面折射研究	所属高新技术类别：地球、空间与海洋	1
210	福建省地震局分析预报中心	利用GPS技术开展福建沿海地球动力学特征应用研究	所属高新技术类别：地球、空间与海洋	1
211	上海海事局	国际标准电子海图的研究和开发	所属高新技术类别：软件；地球、空间与海洋	1
212	福建省交通规划设计院	兴化湾20～30万吨级超大型深水航道研究	所属高新技术类别：电子信息；地球、空间与海洋	1
213	中国科学院大连化学物理研究所	水下机器人用燃料电池系统	所属高新技术类别：新能源与高效节能；地球、空间与海洋	1
214	中国科学院新疆物理研究所	深海高精度快速测温热敏电阻	所属高新技术类别：新材料；地球、空间与海洋	1

续 表

序号	成果第一完成单位名称	成果名称	类型	合计
215	上海市滩涂管理处	上海风浪实测资料统计分析及风浪谱分析研究	所属高新技术类别：地球、空间与海洋	1
216	中国极地研究所	南极中山站高空大气综合观测系统	所属高新技术类别：地球、空间与海洋	1
217	江苏省连云港市气象局	影响海州湾4～7月温带气旋大风的研究	所属高新技术类别：地球、空间与海洋	1
218	中国科学院上海技术物理研究所	卫星遥感水环境应用技术研究	所属高新技术类别：航空航天；环境保护	1
219	海南省地震局	地磁与气象因子的一些预报指标及其在地震预报中的应用	所属高新技术类别：地球、空间与海洋	1
220	厦门大学海洋环境科学教育部重点实验室	厦门市海域功能区划地理信息系统	所属高新技术类别：电子信息；地球、空间与海洋	1
221	山东省科学院海洋仪器仪表研究所	海岸基台站平台气象观测系统	所属高新技术类别：电子信息；地球、空间与海洋	1
222	中国科学院空间科学与应用研究中心	船用GPS高空气象自动探测设备	所属高新技术类别：电子信息；地球、空间与海洋	1
223	中国新星石油公司上海海洋石油局	双船折射、广角反射地震探测外业数据采集技术研究	所属高新技术类别：地球、空间与海洋	1
224	中国科学院地质与地球物理研究所	综合地球物理盆地模型描述技术	所属高新技术类别：地球、空间与海洋	1
225	大港油田集团公司	2 400千瓦浅海拖拽供应船研制	所属高新技术类别：地球、空间与海洋	1

极地与国际海底篇

Polar and International Seabed

极 地 考 察
Polar Research

【极地考察综述】 2001年度，国家海洋局围绕极地事业的工作重点，在提高人员政治素质和业务能力、推进机构改革、加强能力建设、推动科技攻关、完成17次南极考察及18次队组队和考察总体方案制定、积极参与国际事务等方面开展了富有成效的工作，较圆满地完成了极地考察的组织、协调和管理工作。

2001年，国家海洋局本着进一步加强极地管理水平，提高干部队伍整体素质和工作效率，优化人员结构的原则，对国家海洋局极地考察办公室的主要职责、内设机构和人员编制进行改革。11月22日，国家海洋局对极地考察办公室《关于确定极地考察办公室主要职责、内设机构及人员编制的请求》进行了批复，下发了《关于国家海洋局极地考察办公室职责任务和机构编制的批复》(国海人字[2001]386号)。主要内容有：国家海洋局极地考察办公室将“长城站”和“中山站”的管理及其后勤保障职能移交中国极地研究所；国家海洋局极地考察办公室是国家海洋局直属公益性事业单位，是从事极地考察工作的职能部门，负责对极地考察工作进行组织、协调和管理；国家海洋局极地考察办公室设4个职能处，分别为综合处（党委办公室）、计划财务装备处、科技发展处、对外联络处；国家海洋局极地考察办公室编制为40人，控制编制26人，依照国家公务员制度管理。

【《中国极地考察“十五”能力建设项目建议书》的编制和申报工作】 国家海洋局党组将极地考察“十五”能力建设作为2001年全局的工作重点之一，上报了《关于中国极地考察工作有关问题的请示》，根据国务院批复和局党组指示，极地考察办公室在8月份完成了《中国极地考察“十五”能力建设项目建议书》并上报计委、财政部。其建设目标是：提升中国南极长城站和中山站的考察能力，使两站符合南极环境保护法规要求，具备完备的生活设施、先进的通信和交通手段、高效的数据样品采集处理和分析条件、可靠的安全保障体系、一定范围的科考辐射能力；提高“雪龙”船极区航行安全性能，增强科学观测和极区作业能力；完善极地考察配套设施建设，建立中国考察船、站国内基地；建立北极考察基地，增强了解极区环境变化的能力；使中国的极地考察能力达到国际同类可比水平。

【中国第16次南极越冬科学考察】 中国第16次南极越冬科学考察在南极中山站和长城站共安排了不间断的常年常规观测项目10项，其中国际合作项目两项。

长城站科学考察

常规气象观测：主要进行常规气象观测和地面辐射观测，在这些观测的基础上，对资料进行整理、分析，然后再根据卫星遥感资料和气象传真图，为考察站的各种活动安排提供预报服务。

地磁、地震常规观测：完成地磁、地震常规观测任务，维护站上现有仪器设备；进一步完善观测系统，用新型的EDAS-C24A，24位地震数据采集系统代替原来的16位地震数据采集系统；架设宽频带地震计；为地磁仪器GM-2更换监视器；架设GPS天线。

中山站科学考察

常规气象观测及部分研究观测：气象常规观测与往年基本相同。研究观测中主要是对南极臭氧的观测。

南极中山站天气预报、卫星遥感云图资料、气象传真接收和海冰实况监测：每日接收澳大利亚南大洋地面天气图，接收高分辨率NOAA卫星云图；海上辐射观测以及中山湾海况观察；及时校正、维护仪器设备。

中层大气探测：用“激光雷达 探测平流层气溶胶；对大气电场观测；用“光度计／辐射计”测量太阳辐射。

地磁常规观测：第16次南极考察队恰逢23周太阳峰年，因而配合太阳活动预报加密了观测。一年多的时间内，在确保地磁场仪系统工作正常的同时，还对地磁场的绝对值（F、D、I）进行了加密观测，达到140余次。

GPS跟踪观测与国际观测：主要完成了中山站常年GPS跟踪观测，GPS国际联测和格罗夫山地区精密GPS定位联测。本次队对GPS跟踪系统加装了UPS不间断电源。

重力场和固体潮观测：本次队采用高精度、高稳定性的LaCoste-Romburge ET21弹簧重力仪在南极中山站进行长期定点连续重力观测，利用长图记录仪作模拟记录。2000年度夏期间澳大利亚科技人员在内拉湾放置了一台验潮仪，2001年继续进行观测。2001年1月5日停止了本次队的重力场和固体潮观测工作。

中日高空大气物理现场观测和中澳合作地磁项目：2000年正值太阳活动第23周峰期，太阳激变事件频繁。在此期间获得的极区高空大气对太阳活动事件响应的连续、系统的观测资料更加重要。观测项目主要有磁通门磁力计（中日）、宇宙噪声接收仪（中日）、扫描光度计（中日）、全天空电视摄像机（中日）、CCD全天空单色电视摄像机（中日）、地面臭氧仪（中日）、感应式磁力计（中澳）和电离层测高仪（中）。

中澳合作自动验潮站的建设与常规观测：16次队队员结合澳大利亚方面的要求，与澳方共同协商选定了自动验潮站的地点，于2月下旬完成了建站工作。2000年3月开始正式观测。

【中国第17次南极度夏科学考察】 第17次南极考察队分别于2000年12月和2001年1月赴长城站和中山站执行度夏和越冬的科考任务。由于“雪龙”船整修，中山站队员乘澳大利亚的“极光”号船赴中山站。鉴于“九五”极地科研项目已基本完成，第17次南极考察的工作重点是加强对各科研项目的国内结题工作，做好站上基础设施的保养与维护，为“十五”考察计划的执行做好铺垫和准备工作。在该原则指导下，“一船两站”完成的主要任务是：

长城站：在科考方面，重点做好建设生态实验室的前期准备工作，同时进行国际GPS联测，开展人类活动对南极乔治王岛海鸟生态的影响科考项目、气象常规观测项目以及停止地震常规观测项目善后工作。本次国际GPS联测时间为2001年1月20日00:00(UTC)至2001年2月10日24:00(UTC)，累计22天，每日连续24小时观测。在人类活动对乔治王岛海鸟生态影响的研究方面，主要对长城站邻近区贼鸥种群生态进行了观测，对长城站邻近区贼鸥食性进行了观测采样，对其他重要南极海鸟种群及相关植被生态进行了观测采样，并且对法尔兹半岛区各国考察站环境现状进行了考察，调查了法尔兹半岛区人类活动类型与频率。

在站务方面，完成对站上发电机组、交通工具、上下水管路等设备和机械的日常维护保养；完成对站上部分建筑物的粉刷工作，并继续做好长城站的环境保护。

中山站：在科考方面，调整了现有的常规观测项目，主要进行气象常规与臭氧观测，中日合作高空大气物理观测，地磁常规观测，国际GPS联测与海平面监测以及停止固体潮常规观测项目善后工作，停止中层大气常规观测项目善后工作；在站务方面，完成对站上发电机组、上下水管路等设备机械的维修工作；搞好车辆等交通工具的维护和保养，为将来的内陆考察工作做准备，并继续做好中山站环境保护。

【第18次南极考察的组队及任务筹备工作】 第18次南极考察是21世纪的首次“一船两站”考察及站区建设，遵照“突出科考，加强一船两站的基本建设，强化两站后勤保障条件，加强极地环境保护和监测能力，紧密围绕‘十五’南极科技研究计划安排现场科学考察和进一步提高中国在南极考察国际事务中的地位”的指导思想，将开展南极生态、南极地质、高空大气物理、南极环境科考项目以及GPS国际联测与海平面监测。在东南极，考察队将首次与澳大利亚科学家合作，联合安装自动气象站并开展内陆冰盖断面考察研究。此外，考察队还将在长城站新建一栋发电楼，在中山站新建一栋生活楼，对两个科学考察站进行燃料补给和设备维护等。与此同时，18次南极考察将为中国“十五”开展南大洋综合研究计划迈出第一步，考察将围绕极地绕极波和绕极流的机制和动力模式、大洋关键水团及其输运动力学过程、南大洋海冰变化及其对全球和中国气候影响、南印度洋碳通量及其生物地球化学过程、南极磷虾资源及其综合开发技术研究与应用、南极低温微生物特性研究及其应用、极地温室气体的监测与基本过程研究等领域展开。

“雪龙”船11月15日从上海起航，经过17天航行于北京时间12月2日到达新西兰的克莱斯特彻奇港，在港期间按计划进行了补给。12月6日，雪龙船离开新西兰，于12月17日晚安全抵达长城站锚地，圆满完成了第一阶段的航渡任务。在整个航渡过程中，船舶机械设备运行正常，全队人员思想稳定，南大洋考察任务进展顺利。

【极地后勤保障】 2001/2002年中国第18次南极考察队后勤保障主要完成以下任务：

(1)长城站：新建一幢建筑面积430平方米的发电楼——宝钢楼。此建筑由上海宝钢股份有限公司赞助、宝钢设计院设计、宝钢新昕板材有限公司组织现场施工。宝钢楼从2001年12月26日开始动工，施工期为70天，2002年3月5日竣工。此前，极地办组织有关专家就宝钢楼设计的功能、结构、水、电、暖等技术问题进行了论证，宝钢设计人员也赴南极长城站进行过现场调研。

该楼为高架式，高架的平均高度为1米，采用预制水泥墩作为基础，耐火耐候钢作为钢结构，外墙采用氟碳涂料彩钢板高压发泡聚氨脂保温夹芯板，墙板、屋面板、底板都采用二层聚氨脂夹芯板，房高4.5米（一层建筑，不含基础高架部分和设备层）。内有发电机房、控制室（值班室）、供水间、维修间、备件间、健身房、浴室、洗衣房、卫生间。

经中国第18次南极考察队长城站越冬队使用，考察队员评价该楼整体保温效果好，未发现漏水、进雪、透风现象；房间干净、明亮、整齐、宽敞，墙面和房顶按设计可达到10年免维修，大大改善了考察队员的工作和生活条件。

更换长城站发电机组。由中国石化集团公司中原石油勘探局特种车辆修造总厂承担此项任务，并对配备的发电机组提供10年技术服务。此次新安装的3台发电机组是128千瓦、热电联供、供油自动控制、计算机动态管理的中油牌沃尔沃柴油机组和1台68千瓦迪尔标准发电机组（应急机组）。新机组从安装、调试到运行，都按照事先专家论证会意见进行，运行前经多次检查、测试，分别进行了风冷和水冷试运行，机组相互并车试验，测试监视台采集了发电系统和供水系统的信号及报警信号。运行结果表明：发电系统、水系统（含余热利用）正常。外部观测，新机组噪音比老机组有所降低，排烟状况明显好于老机组，几乎看不见烟。没有漏油、漏气、漏水现象，符合设计要求，达到预期效果。

(2)中山站：为改善中山站考察队员的生活，经国家海洋局批准，在中国南极中山站建造一幢综合楼（后经室务会讨论研究决定改为宿舍楼），其建筑面积960平方米，采用高架式轻钢结构，外贴聚笨乙烯保温彩钢板，分上下二层，每个房间都带有卫生间。

该项工程原是1999/2000年中国第16次南极考察队的任务，当年因执行任务时遇到严重冰情，无法在中山站卸运建筑材料。2000/2001年因“雪龙”船特检未去中山站（中国第17次南极考察队中山站队是搭乘澳大利亚极鸟号船赴南极的），所以宿舍楼的建造一直未能按计划进行。中国第18次南极考察队在国家海洋局的精心组织和指挥下，发扬爱国、拼搏、求实、创新的南极精神，在中山站的海冰上，进行了大胆的冰上探路、实验，根据冰情和气象条件，实施冰上卸货，为最终完成钢结构框架、外墙板和屋顶彩钢板安装等一期工程任务奠定了基础。此前，极地办公室重新对该项目组织了论证，委托设计部门审核了所有图纸，完成了建筑材料的清理和部分钢结构试装工作，根据具体情况，确定分步实施的方案，本工程在国内预计需要35天，实际仅用14天。

此外，原计划实施的中山站卫星通讯系统和电子邮件通讯系统建设也相继完成，极大方便了考察队员的工作和生活。

(3) “雪龙”船：根据2001/2002年度中国第18次南极考察任务，“雪龙”船当年执行“一船两站”计划。中国极地研究所具体组织实施该航次任务，负责“雪龙”船指挥工作。

为保证该任务的顺利进行，结合在青岛和大连装载极地考察物资和燃油，2001年9月17日至9月30日安排了“雪龙”船在赴南极前的试航。其目的是检查“雪龙”船2001年度检修后的船况，验收所有修理项目：检查调试新装的海洋调查设备，包括加装航海气象保证用的一套新的卫星接收系统。此前，成立了试航领导小组，修理厂方和有关人员参加了试航。

第18航次“雪龙”船为两站运送的各类物资总重量约1 000吨（包括散装建材和部分集装箱），在新西兰补给船用重油830吨、轻油100吨、航空煤

国际海底
International Seabed

综述
Summary

【概况】 2001年是新世纪的开始，是中国大洋矿产资源研究开发协会全面落实《国际海底区域研究开发“十五”计划》的第一年，是中国大洋事业按照“持续开展深海勘查、大力发展深海技术、适时建立深海产业”的战略方针走向新的转折点的关键一年。2001年喜逢协会成立10周年，协会成立10周年表彰大会暨第四届理事会第一次会议于2001年4月24～26日在山东青岛召开，新一届理事会和常务理事会的组成根据精简高效的原则，从适应国际海底资源研究开发工作、适应政府科研体制改革和市场经济的发展出发，在基本维持理事会原有规模的基础上，进一步扩大国内优势单位参与理事会的工作，同时通过常务理事会继续发挥国家综合部门对大洋工作的重要指导作用，进一步增强常务理事会的协调能力。为使大洋协会的项目管理机制和组织体制更加健全，根据协会常务理事会审议通过的《中国大洋矿产资源研究开发项目专家组暂行规定》、《项目首席科学家及责任专家暂行规定》、《“十五”项目管理暂行办法》等有关规定，协会办公室聘请国内海洋、地质、采矿、冶金、环境、自动化有关领域的十几名知名专家成立了资源勘查环境研究项目专家组和技术发展项目专家组作为项目管理的咨询和参谋机构。通过本人申请、单位推荐、专家评议的程序，协会确定了专业水平高、管理能力强的项目首席科学家6名，子项目责任专家9名。以《国际海底区域研究开发“十五”计划》为依据，协会办公室组织项目首席科学家、子项目责任专家完成了《国际海底区域研究开发“十五”总体设计》的编写，已经协会常务理事会审议通过。依据《“十五”计划》和《总体设计》协会办公室组织编写并发布了《国际海底区域研究开发“十五”立项指南》，按照公平、公开的原则，协会通过课题申请、专业技术评审、综合评审、签订合同等步骤确定了第一批合同课题。

【国际海底区域形势】 2001年召开的国际海底管理局第七届会议重点对“区域”内热液硫化物和富钴结壳探矿及勘探规章制订问题进行了讨论。俄罗斯代表团曾在1998年国际海底管理局第四届大会的夏季会议期间提出对国际海底区域内的其他资源包括探矿和勘探制订规章的提案。根

油108桶、输油管3 000米、煤气罐55罐和两站的主副食品。

第18航次路线为上海克赖斯特切奇长城站中山站弗里曼特尔上海。为保证18次队“一船两站”任务按计划完成，“雪龙”船于2001年11月15日起航，12月17日抵达长城站，完成全部长城站卸运货物和长城站垃圾清运任务，总计卸运建材、食品、吊车等大型机械设备500吨，为长城站补充燃油300吨，清运站上积存结蜡燃油50吨（可供“雪龙”船主机使用），各种垃圾3集装箱。“雪龙”船2002年1月14日抵达中山站，向中山站油罐输送-35号柴油194立方米、-10号柴油64立方米，运送建材物资400余吨。2002年3月3日撤离中山站，2002年4月2日返回到国内上海港。

【积极参与国际南北极事务，开展国际合作】 南极SCAR会议是一次规模较大、在南极事务方面影响重大的国际会议，为了启动2002年上海27届SCAR会议筹备工作，国家海洋局极地考察办公室专门成立了会议筹备组，至2001年底已初步形成筹备工作总体方案，部分筹备工作已经启动，如建立了专门的网站等。

2001年，参加了在加拿大召开的国际北极科学高峰周会议，在日本召开的日本、（下转第473页）

据《联合国海洋法公约》的规定，国际海底管理局应在这一要求提出的3年内制订上述规章。本届会议期间，来自各国的代表对“区域”内热液硫化物和富钴结壳探矿和勘探规章制订问题意见不一、分歧严重。仅就规章要否制订、规章应体现什么原则等问题就无法达成共识。有些代表指出，由于科学界对热液硫化物和富钴结壳的认识还很不够，现在制订管理规则为时过早；也有代表强调，国际海底及其资源是人类的共同继承财产，各国在国际海底的活动应遵从有关的规则，因此呼吁国际海底管理局尽早制订有关规则、规范有关活动。为此，国际海底管理局理事会责成管理局秘书处组织各国专家进行研究，提出更详尽的科学依据，提交下届会议讨论。非正式地提出建议文本，以便2001年7月在牙买加举行的管理局第七届大会上进行讨论。“区域”内热液硫化物和富钴结壳探矿及勘探规章的推迟出台，为中国热液硫化物和富钴结壳资源调查争取了时间。

根据2000年国际海底管理局第六次会议审议通过的《国际海底区域多金属结核探矿和勘探规章》的要求，多金属结核先驱投资者应与国际海底管理局签订《勘探合同》。协会办公室根据国际海底管理局提供的标准合同文本，结合中国“十五”期间多金属结核矿区工作安排，拟订了《勘探合同》，协会邀请国际海底管理局秘书长南丹先生专程来华，于20001年5月22日和协会秘书长签订了《勘探合同》，根据《勘探合同》的规定中国对7.5万平方千米矿区具有多金属结核资源的专属勘探权，并且在多金属结核进入商业开采时具有优先开发权。 （大洋协会 刘 峰）

中国大洋矿产资源研究开发协会
China Ocean Mineral Resources R&D Association (COMRA)

【概况】 中国大洋矿产资源研究开发协会是1991年经国务院批准成立的社会团体，负责组织协调中国在国际海底区域矿产资源的研究和开发活动。1991年协会在联合国登记注册为国际海底区域的先驱投资者。协会的宗旨是通过国际海底区域矿产资源的研究开发活动，为中国经济可持续发展储备新的矿产资源和能源，促进中国深海高新技术产业的形成与发展，维护中国在国际海底区域的权益，并为人类开发利用国际海底资源做出贡献。协会主要机构为理事会、常务理事会和协会办公室。理事会为协会的最高权利机关，对有关协会发展的重大事项做出决定；常务理事会由国家有关部门推荐、由协会理事会选举的常务理事组成，是协会的执行机关，主要负责审定协会的重大业务问题；办公室为协会的常设办事机构，根据协会理事会和常务理事会决定，负责承办协会日常事务。陈炳鑫先生任协会理事长，马洪先生为协会高级经济顾问，倪征𣋉先生为协会高级法律顾问，王淀佐院士、李廷栋院士和陈毓川院士为协会高级技术顾问，中国驻国际海底管理局代表处郭崇立大使为协会特别顾问。

加拿大联合北冰洋西部气候研究计划2002年现场工作计划研讨会，在澳大利亚召开的“南极海洋生物资源养护公约（CCAMLR）2001年会议”，第13届国家南极局长理事会（COMNAP）和第24届南极条约大会，并组团参加了北极会议。其中，“南极海洋生物资源养护公约2001年会议”，中国是第一次正式以观察员身份组团参加。在第24届南极条约大会上，参加人员提交了“中国2000/2001年环境报告”，对长城站、中山站按照条约规定所采取的有效保护环境的措施进行了报告。

2001年8月，极地考察办公室在上海组织了中挪极地研究研讨会，与科技部国际合作局一起，促成了挪威科技大臣出席此次会议，及时扩大了原定的交流范围，达到了充分利用机会进行交流的目的。9月，主办了中日冰川学学术研讨会，邀请了日本国立极地研究所新任所长和国内知名冰川学家参加。其后，又召开了中韩极地生物学学术研讨会。

【“九五”南极科技攻关项目的结题验收和“十五”南极科研项目立项工作】 2001年，顺利完成南极“九五”科技攻关项目“南极地区对全球变化的响应和反馈作用研究”的国家验收工作。按时完成了“南极地区地球环境监测与关键过程研究”项目文本的起草工作。 （极地考察办公室）

【中国大洋协会成立10周年表彰大会暨第四届理事会第一次会议】 中国大洋协会成立10周年表彰大会暨第四届理事会第一次会议于2001年4月24～26日在山东省青岛市举行，协会理事会理事和理事代表、协会高级顾问、受协会表彰的突出贡献专家、各有关领域的专家和代表、协会“十五”各项目首席科学家和责任专家共80余人参加了会议。国务院副总理温家宝为本次会议发了贺信、全国政协副主席宋健为大洋协会成立10周年写了贺词，国际海底管理局秘书长南丹先生、中国常驻国际海底管理局代表处郭崇立大使分别发函表示祝贺。会议对19位在大洋工作中取得突出成绩的专家进行了表彰；选举产生了协会第四届理事会和常务理事会；审议通过了《中国大洋协会成立十周年表彰大会暨第四届理事会第一次会议工作报告》；听取了协会财务报告和国家海洋局、中国地质调查局、中国钢铁工业协会、中国有色金属工业协会提交的本系统大洋工作进展情况报告；听取了国际海底最新进展和关于协会“十五”项目总体设计的报告。

协会第三届常务理事会对有关部门推荐的协会第四届理事会理事人选进行认真讨论，经多次磋商后，向本次会议提交了协会第四届理事会理事组成人选名单，会议选举通过了这一名单。新一届理事会共有来自37个理事单位的56名理事组成，体现了国内优势单位大联合。会议选举陈炳鑫、倪岳峰、曾绍金、李尚诣、钮因健、刘振民、杨朝光、胡华庭、冯纪春、岳云龙、张洪涛、金建才12人为常务理事，组成协会第四届常务理事会。

会议认为，“十五”期间中国大洋工作应以国务院对《关于国际海底区域工作有关问题的请示》的批复为指导，坚持“持续开展深海勘查、大力发展深海技术、适时建立深海产业”的工作方针，并应注重培养中国大洋工作的可持续发展能力。会议对大洋项目管理体制给予肯定，并建议进一步完善评价、监督、竞争、激励机制，使项目管理更加科学、规范，同时应注重项目的经济评价工作；立项工作应“有所为，有所不为”，突出重点，有所突破；各项目在大胆起用中青年骨干力量的同时，重视发挥老专家的作用；会议认为，新一届理事会应充分发挥理事单位及理事在实施“十五”项目中的参与作用，真正体现国内优势单位的大联合。

【协会常务理事会会议】 2001年协会常务理事会共召开了4次会议。第三届常务理事会第十二次会议审议了《中国大洋矿产资源研究开发协会第四届第一次理事会工作报告》，审定了协会第四届理事会和常务理事会组成方案，以及大洋协会成立10周年拟表彰的“大洋工作突出贡献专家”名单，讨论了《勘探合同》的有关问题。第四届常务理事会第一次会议选举陈炳鑫为理事长、金建才为秘书长。会议决定聘请国家海洋局局长王曙光、国土资源部副部长蒋承菘为名誉理事长；决定继续聘请马洪先生为高级经济顾问，倪征瞍先生为高级法律顾问，王淀佐院士、李廷栋院士和陈毓川院士为高级技术顾问；聘请中国驻国际海底管理局代表处郭崇立大使为特别顾问。会议原则通过修改后的协会机构组成和职责及协会“十五”项目的总体设计，认可了《大洋协会首席科学家与责任专家暂行规定》。中国大洋协会第四届常务理事会第二次会议（扩大）听取了有关国际海底管理局第七次会议情况通报与形势分析及协会办公室关于协会2001年重点业务工作进展情况通报；审议通过了协会办公室拟订的国际海底区域活动应急计划和大洋协会与国际海洋金属联合组织的合作协议。会议对中国“区域”活动能力建设问题展开了讨论。第四届常务理事会第三次会议审核了《中国大洋协会2002年预算》（草案），审议了《中国大洋协会“十五”项目管理暂行办法》和《中国大洋协会对外交流与合作暂行规定》（修订稿）。

【协会办公室】 协会办公室作为国家大洋专项的常设办事机构，根据协会理事会和常务理事会的决定，组织落实由协会理事会、常务理事会确定的工作，并承办协会日常事务。根据1999年国家海洋局《关于中国大洋协会办公室机构调整的批复》，协会办公室现内设机构为秘书处、项目管理处、计划财务处和技术开发处。办公室的主要职责为：①执行协会理事会和常务理事会的决定和指示；②组织研究中国国际海底区域资源研究开发战略，拟定规划、计划和规范；③组织有关国际海底区域制度等方面的研究，向国家提出有关的决策建议；④组织协调中国在国际海底区域的勘探、环境评价、采矿、冶炼等研究开发活动，进行业务监督；⑤组织实施协会对外交流与合作计划；⑥组织实施协会应履行的国际义务；⑦组织项目的立项论证，签订合同、中期评估和验收工作；⑧负责国家大洋专项经费的日常管理工作；⑨向协会常务理事会、协会业务主管部门和国际海底管理局提交工作报告。2001年协会办公室在协会理事会、常务理事会的领导下，扎实工作，做好办公室的日常事务，并稳步组织开展协会主体业务工作，保证了理事会和常务理事会各项决议的顺利实施，并且在项目管理、经费管理、航次组织、船舶增改装工程和设备引进等方面注意改革创新，并进一步加强财务监督，完善了内部控制程序。

【2001年协会业务工作重点】 2001年协会业务工作的重点是：①在国际海底区域执行以富钴结壳靶区调查和多金属结核勘探合同区环境调查为主兼顾其他的DY105-11航次；②加强以船舶改造和设备引进工作为重点的基本技术力量建设；③在2001年上半年按计划完成采矿系统部分设备的湖试；④全面启动“十五”期间资源、环境、技术项目的立项工作；⑤协会成立10周年宣传工作。

（大洋协会　王秀梅）

国际海底区域资源研究开发“十五”项目管理体系
The Program Management System of the Tenth Five-Year-Plan

【项目组织管理体系】 为保证顺利实现协会“十五”全方位战略目标，完成“十五”各项任务，建立和完善适应中国社会主义市场经济体制、科技体制、适应国际海底区域活动最新形势的科学、高效、实用的项目管理体系，协会办公室制订了服务于项目整体布局的项目管理组织体系，明确了项目管理的程序、界定了各级管理机构和成员的职能、活动规范等，相继出台了《中国大洋协会项目管理暂行办法》、《中国大洋矿产资源研究开发项目专家组暂行规定》、《项目首席科学家及责任专家暂行规定》等有关规定。

“十五”期间设立5个项目：①资源勘查与评价研究项目；②环境评价项目；③技术发展项目；④资源加工利用项目；⑤综合评价项目。航次工作作为协会业务工作的重点，与上述各项目都有联系，因此为提高航次综合效益，应对其单独管理。

项目设首席科学家，子项目设责任专家。项目首席科学家对协会办公室负责，项目内实行项目联席会议制度，项目首席科学家组织召开项目联席会议，解决项目执行过程中的问题。航次工作服务、协会项目和航次任务根据勘探项目、环境项目及其他研究开发项目的要求安排。

中国大洋协会办公室聘请国内有关专家组成资源勘查环境研究项目专家组和技术发展项目专家组作为项目管理的咨询和参谋机构，在项目的立项和实施过程中进行顾问和评议，提出咨询意见和建议。项目专家组实行回避制度，专家组成员本人不承担协会任务，专家组长所在单位一般不应承担协会任务，专家组一般成员所在单位可以承担协会任务，但在评审专家组成员所在单位提出或承担的项目时，该专家组成员须回避。

【项目首席科学家和子项目责任专家遴选】 2001年3月13～14日，协会办公室组织由协会资源勘查环境研究项目专家组和技术发展项目专家组等有关专家组成“项目首席科学家遴选委员会”，根据《项目首席科学家及责任专家暂行规定》，通过公开招聘的方式，对来自海洋局、国土资源部、原冶金部、原有色金属工业总公司、教育部、科学院、中国船舶工业总公司等系统的19名项目首席科学家申请者进行了评审。通过申请者的陈述、专家质疑、专家综合评分等程序，会议提出了各项目首席科学家人选的建议。协会常务理事会最终确定杨胜雄教授级高工、石学法研究员为资源勘查与评价项目首席科学家，周怀阳研究员为环境研究与评价项目首席科学家，阳宁教授级高工、刘少军教授为深海技术发展项目首席科学家，蒋开喜研究员为资源加工利用首席科学家。

2001年4月10～12日，协会办公室组织由各项目首席科学家和有关专家组成的“子项目责任专家遴选专家组”根据《项目首席科学家及责任专家暂行规定》，通过公开招聘的方式，对来自海洋局、国土资源部、原冶金部、原有色金属工业总公司、教育部、科学院、中国船舶工业总公司等系统的19名责任专家申请者进行了评审。通过申请者的陈述、专家质疑、专家综合评分等程序，会议提出了各子项目责任专家人选的建议。经协会办公室研究并报请协会理事长批准杜德文研究员为数据库及基础支撑系统子项目责任专家，叶瑛教授为基础地质子项目责任专家，初凤友研究员为结壳资源评价子项目责任专家，曾志刚研究员为热液及其他资源子项目责任专家，陶春辉研究员为勘探技术子项目责任专家，高宇清教授高工为深海采矿子项目责任专家，蒋训雄高工为矿产资源加工利用技术子项目责任专家，肖湘研究员为生物基因资源开发技术子项目责任专家。（刘　峰）

国际海底区域资源研究开发“十五”项目落实情况

Ascertaining of the Programs of the Tenth Five-Year-Plan

【DY105-11航次顺利完成任务】 DY105-11航次由中国大洋协会办公室负责，委托国家海洋局第二海洋研究所和广州海洋地质调查局执行，由国家海洋局北海分局利用“大洋一号”组织实施，张国祯、吕文正分别担任不同航段首席科学家。地质科学院矿床所、国家海洋局第三海洋研究所、国家海洋局第一海洋研究所、青岛海洋地质所、长沙矿山院、中国科学院海洋研究所、国家海洋局海洋信息中心、厦门大学和同济大学等也参与了航次业务工作，先后有76名科学家（包括2名德国专家）和40名船员参加了海上调查工作。“大洋一号”船于2001年6月12日从青岛起航至11月24日返回青岛，历时166天。“大洋一号”全体船员、调查队员在临时党委的领导下，团结协作、尽职尽责，克服了种种困难按计划进度开展工作，顺利完成该航次的调查任务。在麦哲伦海山区和中太平洋海山区富钴结壳调查区对富钴结壳资源进行了调查，其中完成多波束测深76 800平方千米、磁力测量5 336千米、海底照相20个站位、海底摄像5个站位、拖网102个站位、采集结壳量8 372千克，除海底摄像因设备故障未能全部完成设计工作量外，其余富钴结壳调查工作皆超额完成，大大加强了对富钴结壳赋存状态、品位、丰度等了解，中国富钴结壳资源申请矿区进一步成形，同时为中国参与该资源探矿和勘探规章的制订工作，利用规章的制订维护中国权益提供了科学依据。DY105-11航次还在结壳调查区、结核合同区和973研究区开展了环境项目的调查：CDT+化学采水（全水柱）30个站位、CDT+生物采水（0～300米）14个站位、箱式取样14个站位、多管取样22个站位、大多管取样2个站位、底栖生物拖网2个站位、沉积物重力柱状采样2个站位、布放海流计锚系2个和沉积物捕获器2个，为有关项目提供了珍贵的资料和数据。

【国际海底区域研究开发“十五”总体设计】 协会办公室从2001年3月开始组织项目首席科学家、责任专家制订了《国际海底区域研究开发“十五”总体设计》，4月23日通过专家评审会议的评议，专家们认为《总体设计》体现了中国21世纪的国际海底区域战略布局，“十五”项目的组织形式和技术路线能够适应形势，贯彻了《国际海底区域研究开发“十五”计划》的总体目标，提出的项目设置与布局合理；各项目内容的安排、技术路线合理，预期成果明确；海上工作安排体现了多学科、多专业的联合作业，有利于提高大洋专项经费的综合使用效益。在专家意见的基础上，2001年4月4日协会常务理事会审议并通过了《国际海底区域研究开发“十五”总体设计》。

【国际海底区域研究开发“十五”立项指南】 在《总体设计》的基础上，协会办公室继续组织项目首席科学家、责任专家进行了《立项指南》的编写，2001年7月10日经协会办公室联席会议审议通过后，向社会公开发布，并提出立项申请。

【课题申请评审工作与课题合同签订】 按照《“十五”项目管理暂行办法》规定的立项程序，协会“十五”第一批课题立项工作分立项申请、资格审查、专业评审、综合评审、签定合同5个环节开展。《立项指南》发布之后，协会办公室收到来自全国近30个科研院所提出的《课题申请书》145份，其中135份申请通过资格审查；协会办公室组织专家组对通过资格审查的课题申请进行专业评审，确定43个第一批立项课题；在此基础上，组织综合评审专家组对通过专业评审的课题进行综合审查，核定了课题经费和进度安排，2001年底前基本完成《课题合同》的签订工作。

【深海采矿中试系统综合湖试获得成功】 深海采矿中试系统综合湖试是以大洋多金属结核中试采矿系统采矿试验为主线，辅之试验水域环境调查和CR-02 6 000米自治水下机器人试验的大型综合性试验。试验的主要目的是通过进行湖底采矿、湖底局部地形调查和环境监测的综合试验，验证采矿系统的技术可行性和能力，提高协同作业的能力，为海上试验积累经验，检验中国深海技术开发所达到的水平；充分展示中国深海技术研究开发方面的成就。长沙矿山研究院、长沙矿冶研究院、中国科学院沈阳自动化研究所、国家海洋局第二海洋研究所、哈尔滨工程大学、七五〇试验场等单位的60余人参加了试验工作。

试验主要进行了系统下放、系统着底后起吊试验、湖底行驶演练、输送子系统单体试验、系统采集湖底模拟结核并输送到船上的采矿效果试验和系统回收。整体试验于2001年6月进场，由于措施得当、准备充分，克服重重困难，于9月14日首次试采成功，打通了采矿系统工艺流程后，9月15日和9月17日又分别进行了结核采集和输送综合试验，3天累计7个采集段，从130米深的湖底采集并回收模拟结核900千克，试验获得成功。这次试验达到了打通采矿系统工艺流程、设备运转正常、系统能从湖底采集模拟结核并输送到水面船上的目的，采矿试验获得圆满成功，实现了预定目标，推动了中国深海采矿技术向世界高水平的进步。

【大洋多金属结核中试采矿系统1 000米海上试验总体设计】 根据协会《国际海底区域研究开发“十五”计划》和协会“十五”工作方针，项目首席科学家组织子项目责任专家对国内外深海技术研究现状和发展趋势进行了研究分析，完成“深海技术发展项目总体设计”部分的编写工作。考虑到中试采矿系统1 000米海试系统复杂、涉及面广的特点，为了更好地筹备和组织海试工作，确保任务的顺利完成，深海技术发展项目组建成立了“十五”采矿海试系统总设计师组，阳宁教授高工任总师。总师组收集分析了国内外最新的资料，利用湖试的成功经验，通过近3个月的预研工作，提出的《大洋多金属结核中试采矿系统1 000米海上试验总体设计》，经过专家组两次审查后得以确定。总体设计确定了中试系统1 000米海试系统的构成和主要技术参数指标，试验系统由集矿机-软管输送段-中间仓-硬管输送段-水面支持部分和水声定位部分组成。在此基础上，编制并发布了《大洋多金属结核中试采矿系统1 000米海试系统课题申请指南》。 （邬长斌）

【7 000米载人潜水器立项】 通过大洋协会组织国内有关单位和专家近2年的反复论证，科技部于2001年12月23日在北京主持召开了国家“十五”“863”计划重大专项7 000米载人潜水器的总体方案评审会。评审组专家组认为：为满足中国深海资源研究开发和海洋科技发展的迫切需要，开展7 000米载人潜水器的研制有着重大意义；总体方案提出的战略目标、主要使命任务与研究内容明确，总体技术指标先进，技术路线基本可行，关键技术分析清楚；总体方案确定的7 000米载人潜水器拥有自主知识产权。提出的“最大工作深度7 000米、先进的动力系统、稳定的悬停及导航定位能力、先进的水声通信、多种高性能作业工具”等标志性成果体现了当今世界同类载人潜水器研究方面的突破性进展；总体方案提出的国际合作的技术路线明确、可行，对该专项的高起点、跨越式发展是有利的。7 000米载人潜水器总体方案评审的通过，为该项目在国家“十五”“863”计划重大专项立项上奠定了基础。

【3 000米ROV顺利进行】 3 000米观测和取样型ROV是完成“十五”期间海上调查工作的重要装备之一，设备研制方案于9月中旬通过评审，上海交通大学水下工程研究所负责设备的研制与开发。

【“大洋一号”增改装工程】 “大洋一号”增改装工程，是协会为适应“十五”战略目标从单一资源向多种资源转移而确定的重点任务之一，目标是要将“大洋一号”建成一艘接近国际先进水平的综合性远洋调查船。在2000年前期调研和论证的基础上，2001年完成增改装方案设计、技术设计和施工设计、船舶网络系统方案论证、船厂招标等有关工作。

【2001年大洋矿产资源研究开发学术研讨会】为展示协会“九五”研究成果，协会于2001年4月在青岛召开了“2001大洋矿产资源研究开发学术研讨会”，专家们踊跃参加，收到学术论文110余篇，70余人参加了研讨会，并编印了《2001中国大洋矿产资源研究开发学术研讨会论文集》。（刘　峰）

国际海底管理局的活动及国际海底区域制度的进展
Activities in International Seabed Authority and Developments in the International Seabed Area Regime

【国际海底管理局第七届会议】2001年7月2～13日，在其总部所在地牙买加首都金斯敦举行召开了国际海底管理局第七次会议。中国由外交部、国家海洋局、国土资源部和常驻国际海底管理局代表处共同组团出席了会议。每届会议根据需要召开大会和理事会。两个专业委员会即财务委员会、法律和技术委员会也同时举行会议，就有关问题进行讨论，并向理事会报告讨论的结果和对有关问题拟采取的行动提出建议。由于本届会议财务委员会无重大事项需要进行决策，管理局建议暂停一次会议，故2001年财务委员会会议没有召开。

会议主要议程

大会共有11项议程，但主要议程有下列3项：

1．选举财务委员会

在2001年7月10日第79次会议上，大会选举了15名财务委员会委员，组成新一届财务委员会，任期5年，从2002年1月1日开始。委员们分别来自中国、意大利、德国、印度尼西亚、捷克共和国、缅甸、俄罗斯联邦、日本、法国、乌干达、黎巴嫩、大布列颠及北爱尔兰联合王国、印度、牙买加、尼日利亚。

2．核准管理局工作人员条例

在2001年7月10日第79次会议上，大会核准管理局工作人员条例，管理局全面完成了内部的基本建设。

3．审议和通过秘书长的年度报告

秘书长的年度报告是大会的一项重要议程之一。在2001年7月10日第79次会议上，秘书长根据《公约》第一六六条第4款的规定，提交了其第5份年度报告。秘书长在报告时特别提请大家注意，必须缩小管理局工作的技术性方面与管理局广大成员之间的差距。

很多代表团赞扬秘书长的报告，大会注意到管理局工作的技术性日益增强。在这方面，各代表团欢迎秘书长的提议，即在以后举行的届会上就管理局特别关注的事项向大会介绍有关技术问题。

大会注意到秘书长关于管理局未来工作的建议。几个代表团特别赞同在2002年举行一次研讨会，讨论就深海海洋科学研究进行国际合作与协作的前景，以便更好地了解深海环境。

有人指出，在传播有关管理局工作的信息方面，尽管作出了实质性努力，但仍有改进的必要，包括扩大网站，使用所有6种正式语言，并允许通过因特网利用管理局数据库。

理事会主要议程

该次理事会共有议程10项，但主要议程有下列4项：

1．选举法律和技术委员会成员

在2001年7月5日第72次会议上，在各区域集团和利益集团间进行协商后，理事会决定依照《公约》第一六三条第2款增加法律和技术委员会成员至24名，但不影响以后的选举及各区域集团和利益集团的主张。理事会在同一天选举下列24名候选人为委员会成员；他们分别来自黎巴嫩、印度尼西亚、巴基斯坦、阿根廷、德国、喀麦隆、挪威、塞内加尔、墨西哥、巴西、莫桑比克、俄罗斯联邦、埃及、南非、日本、大韩民国、法国、中国、大布列颠及北爱尔兰联合王国、印度、意大利、斐济、智利、纳米比亚。

理事会几名成员对法律和技术委员会成员的区域代表性不平衡问题表示关切。一些成员认为，公平地区分配和特别利益代表未能得到充分体现。提出理事会此次选举的决定不影响以后的选举及各区域集团和利益集团的主张。

理事会决定，对于法律和技术委员会以后的选举，为了使理事会成员有足够时间了解候选人，选举提名和候选人简历最迟应在进行选举的一届会议开幕前两个月提交秘书长。此外，理事会请秘书处考虑是否可以在每次选举以前使理事会对委员会的可能工作方案有一个概念，以便理事会成员可以就委员会成员需要哪些资格作出有根据的判断。

理事会几名成员还提请理事会注意必须提供财政援助，使发展中国家成员得以参加委员会的会议，并指出这个问题曾在1999年管理局第五届会议上提出。理事会请秘书处为管理局下一届会议编写一份报告，研究提供这种财政援助的可行模式。

2. 报告依照《“区域”内多金属结核探矿和勘探规章》与先驱投资者签订勘探合同的现况

秘书长向理事会报告了与先驱投资者签订勘探合同的状况。理事会已与中国大洋矿产资源研究开发协会（中国）、深海资源开发有限公司（日本）、国际海洋金属联合组织（保加利亚、古巴、捷克共和国、波兰、斯洛伐克和俄罗斯联邦）、法国海洋开发研究所、法国结核研究协会（结核协会）（法国）、大韩民国和南方地质联合公司（俄罗斯联邦）等签定了勘探合同。理事会表示希望在不久的将来也会与印度政府签订合同。

3. 法律和技术委员会的报告

2001年7月6日，理事会第74次会议收到了法律和技术委员会主席关于委员会第七届会议工作的报告。理事会注意到该报告的内容，并进一步指出，委员会已按照“区域”内多金属结核探矿和勘探规章第38条的规定，通过和发布了指导承包者评估“区域”内多金属结核勘探活动可能对环境造成的影响的建议。理事会决定，如有需要，将在下届会议进一步审议这些建议。

4. 审议“区域”内多金属硫化物和富钴结壳探矿和勘探规章和程序

在1998年8月管理局第四届会议续会期间，俄罗斯联邦代表要求管理局通过多金属硫化物和富钴结壳的勘探规则、规章和程序。按照《公约》第一六二条第2款的规定和《协定》第十一编的规定，这些规则、规章和程序应在此种要求提出之日起3年内通过。

由于国际海底管理局一直忙于审议和通过《采矿法典》，此项工作被推迟。在这次会议上才正式启动这项工作。首先秘书处向大会提交了关于制定“区域”内多金属硫化物和富钴结壳探矿和勘探规章的背景文件，根据这一文件，就是否和如何启动制订这一规定进行大会辩论。大会辩论分歧很大，多数发展中国家要求国际海底管理局立即启动这项工作，但大多数发达国家则认为条件尚不成熟，要求推迟考虑制订这一规章。

考虑到中国在这两种新资源的调查研究方面所做的工作，如果制定勘探规章的进程太快，对中方不利；如采取先来先得的原则，中方有可能在由此而引发的新一轮海上“圈地运动”中处于被动地位。但从另一方面看，制订这样的勘探规章，是执行《联合国海洋法公约》的具体步骤之一，也是加强国际海底资源管理的一项主要措施，同时将使国际海底新资源的开发活动纳入管理局的管辖范围，可以阻止一些海洋技术强国垄断海底资源。从长远考虑，制定这样的规章对中国在国际海底区域开发这两种新资源是有利的。出于上述考虑，中方代表团的立场是既不反对规章的制定，但又不要求管理局马上采取行动。要求规章要体现国际海底资源是“人类共同遗产”的原则，要照顾发展中国家的利益，并提议在充分讨论并取得基本一致的认识之后正式启动拟订探矿和勘探规章的工作，这就为中国今后在这方面采取更加灵活的对策留有更大余地。

5. 法律技术委员会会议

该次法律技术委员会重点审议了关于指导承包者评估勘探“区域”内多金属结核可能对环境产生的影响的建议，并向理事会提出书面报告。根据这项建议，今后承包者在“区域”内进行勘探活动时，应遵守该建议提出的各项要求。

国际海底管理局第七届会议是一次具有重要意义的会议。在第六届大会通过和核准了“区域”中多金属结核探矿和勘探规章的基础上，使管理局与7家先驱投资者中的6家签订了勘探合同，使得联合国海洋法公约建立起来的国际海底制度的实施取得突破性进展。合同的签订表明先驱制度的结束，国际海底开发活动走上有序的轨道。这次大会正式开始了关于制定“区域”内多金属硫化物和富钴结壳勘探规章的大辩论，预示着新的一轮“海上圈地运动”的开始。中国再次入选管理局的法律技术委员会和财务委员会，全面进入管理局的管理层，说明中国在“区域”内的活动取得令世人注目的成就。然而中国在多金属硫化物和富钴结壳的勘探方面与先进海洋国家还有一定的差距。

中国在“区域”中的活动任重而道远。

（毛　彬）

【先驱投资者会议】 国际海底管理局先驱投资者

代表会议于2001年3月26～30日在牙买加国际海底管理局举行，俄罗斯、法国、日本、韩国、印度、国际海洋金属联合组织和中国等7个已登记的先驱投资者都派代表参加了此次会议。中国驻国际海底管理局代表处代表、驻牙买加大使郭崇立、副代表毛彬以及国内代表团外交部条法司参赞王晓度、中国大洋协会办公室主任助理刘峰、国家海洋局第二海洋研究所研究员吕文正等出席了会议。会议议程共4项：先驱投资者与海管局就《勘探合同》有关问题磋商；先驱投资者提交的保留区数据的确认与调整；先驱投资者提交海底管理局年度报告数据标准化问题；全球环境基金国际合作项目；部分先驱投资者《勘探合同》的签字仪式。

中国代表团除出席上述多边会议讨论、积极阐述中方立场外，还就《勘探规章》中文本校订、中国大洋协会与海管局签订《勘探合同》等具体问题同海管局进行了充分的磋商，海底管理局接受中方对勘探规章中文稿的修改，已责成联合国总部翻译处对勘探规章中文稿进行修正从新刊印，并以此和英文稿同时为COMRA与海底管理局签订勘探合同的基本文件。代表团代表中国大洋协会邀请海底管理局秘书长南丹先生赴北京签订中国合同区的勘探合同书，南丹表示同意。

国际海底合作与履行国际义务
International Cooperation in the Seabed Area and Implementation of COMRAs Obligations

【勘探合同签订】 2000年国际海底管理局第六次会议审议通过的《国际海底区域多金属结核探矿和勘探规章》要求：多金属结核先驱投资者必须与国际海底管理局签订《勘探合同》。协会办公室根据国际海底管理局提供的标准合同文本，结合中国“十五”期间多金属结核矿区工作安排，拟订了《勘探合同》，并通过对比分析俄罗斯、国际海洋金属联合组织、日本和韩国等先驱投资者与国际海底管理局签定合同中的投资数额，确定了中国的投资数额。拟订的《勘探合同》经有关部门核准后，协会邀请国际海底管理局秘书长南丹先生专程来华，于2001年5月22日和协会秘书长金建才签订了《勘探合同》。国家海洋局、外交部、财政部、国土资源部等有关部门代表出席了签字仪式。在中国大洋协会与国际海底管理局签订《勘探合同》后，中国将对7.5万平方千米矿区具有多金属结核资源的专属勘探权，并且在多金属结核进入商业开采时具有优先开发权。同时《勘探合同》的签定，意味着协会在国际海底活动中的地位由先驱投资者转变为合同者，须严格履行合同中规定的资金投入、提交定期工作报告、维护海洋环境等各项义务。

根据《多金属结核探矿和勘探规章》和中国与国际海底管理局签定的《勘探合同》的要求，经过精心的准备和严格的论证，经协会担保方即国家海洋局批准，协会提交了国际海底区域活动《应急计划》，切实履行了中国应尽的国际义务，体现了中国对国际海底区域作为全人类共同财产制度的支持和尊重。

【双边合作】 中国大洋协会代表团于2001年11月6～15日访问了国际海洋金属联合组织（“海金联”）以及“海金联”在波兰、捷克的相关科研单位。访问期间中国大洋协会代表团团长、协会常务理事曾绍金同志与“海金联”总裁Kotlinski签署了今后5年（2001～2005年）的合作协议。访问加深了大洋协会与“海金联”相互间的了解，增进了双方的友谊。双方对近10年来的合作感到满意，对将来的合作前景表示乐观。双方希望在此次签署的双边协议框架下，进一步加强双方科技人员和科研单位间的合作。

由协会组织的深海大型设备考察团于2001年5月6～27日对挪威、法国、美国3国的13个公司及研究所进行了考察。考察团由协会办公室副主任兼总工程师郭世勤担任团长。考察内容主要包括深拖系统、超短基线定位系统、浅地层剖面系统、光缆、先进调查船网络系统的功能与管理以及ADCP系统和其他待引进设备的有关情况。考察团通过对有关设备的生产厂家和部分用户进行实地考察后，了解了设备的技术指标、产品性能及其先进性、可靠性、稳定性等情况，并提出“十五”拟引进设备的选型建议。 （刘　峰）

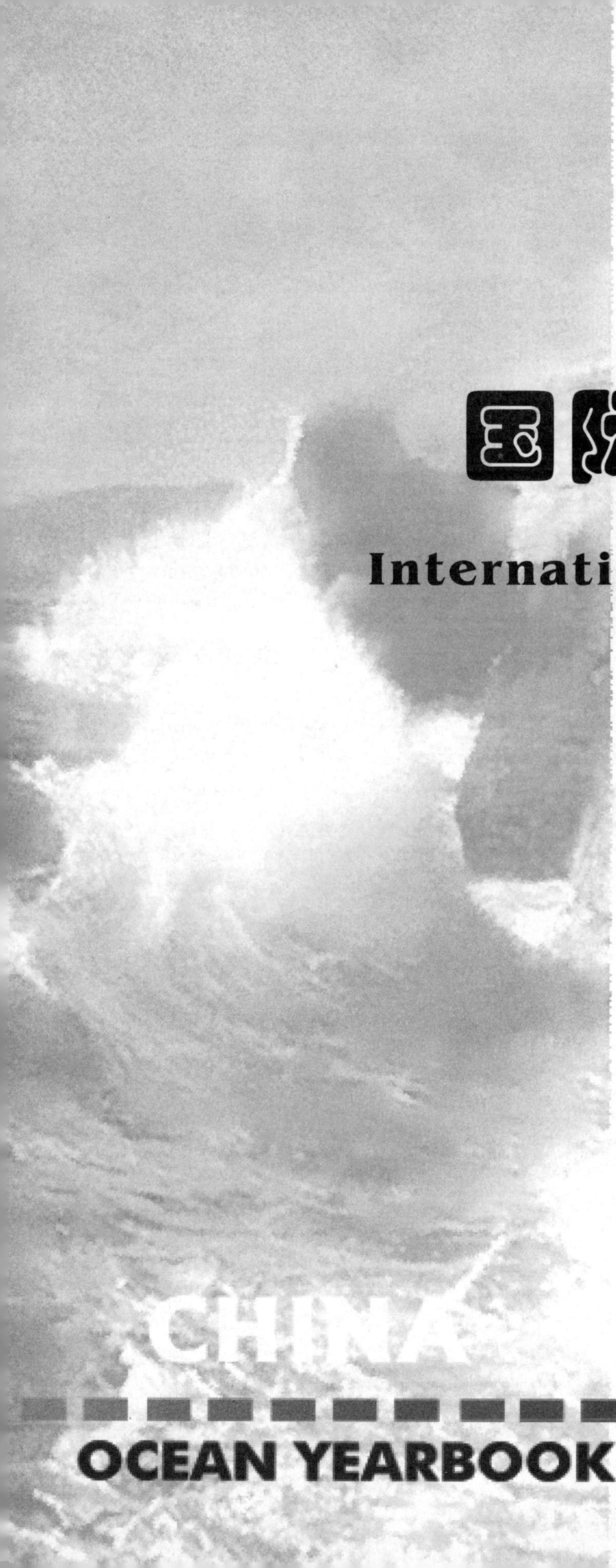

国际合作篇

International Cooperation

海洋国际合作
International Marine Cooperation

【综述】 海洋国际合作是国家海洋行政管理的重要组成部分。海洋国际合作一直伴随着中国海洋事业的发展而发展。2001年，海洋国际合作在扩大中国与其他沿海国家的交往，促进中国海洋事业的发展，培养中国新一代海洋工作者，维护国家海洋权益，推动国家海洋经济和管理工作的发展方面，均作出了积极的贡献。

截至2001年底，中国已与20余个海洋国家签订了双边海洋协议，与美国、加拿大、日本、韩国、法国、德国等开展了多种形式的合作。同时，中国积极参与海洋国际组织的各种活动，如国际海底管理局、国际海洋法法庭、联合国大陆架界限委员会、海洋法与海洋事务非正式磋商机制、联合国海洋法公约缔约国协商会议、国际海事组织、1972伦敦公约、联合国政府间海洋学委员会、亚太经合组织、国际科联理事会海洋研究科学委员会、国际海洋学院等。此外，中国还与全球环境基金等国际援助机构开展了实质性、富有成果的合作。　（李海清）

国际海洋环境合作
International Marine Environmental Cooperation

【保护海洋环境免受陆地活动影响全球行动计划】 2001年11月26～30日，联合国环境规划署《保护海洋环境免受陆地活动影响全球行动计划》（GPA）实施情况第一次政府间审议会在加拿大蒙特利尔市召开。中方由国家环境保护总局、外交部和中国环境科学研究院等单位派员组成的政府代表团参加了会议。会议由联合国环境规划署组织召开，分一般级别磋商和高官会谈两个阶段进行。会议的宗旨是通过评审全球自1995年以来GPA的实施情况，推进全球海洋环境保护活动。会议最终审议通过了一份《保护海洋环境免受陆地活动影响的蒙特利尔宣言》。会议就以下主要问题进行了讨论。

GPA的城市废水问题战略行动计划　GPA秘书处向会议提交和介绍了GPA的城市废水问题战略行动计划及其相关文件。

GPA1995～2001年的实施成果　会议听取了GPA秘书处提交的一份自1995年GPA获得通过以来在全球范围实施中所取得成果的简要报告。会议普遍认为，GPA是至关重要的，它需要再接再厉地实施。还需要建立新的合作伙伴关系、制定新的方法和综合进程，以便以低成本高效益和可持续的方式从全球、区域、国家、地区不同层次推动实施GPA。

GPA协调办公室及其各伙伴组织2002～2006年工作方案草案　GPA秘书处向会议介绍并提请会议审议和酌情修订实施GPA的2002～2006年工作方案草案。并指出，秘书处2002年将在已取得成绩的基础上，贯彻执行此次会议的有关建议，力求采取一些创新方法来寻求新的资助资金和结成新的伙伴关系（协调机制），着重推进区域一级和国家一级的近海和海岸带环境保护，并加强与私营和金融机构的联系。

通过改善海洋管理来改进GPA的实施工作　GPA秘书处向会议介绍了“通过改善海洋管理改进《保护海洋环境免受陆地活动影响的全球行动计划》的实施”情况，指出这项工作的首要任务是确定如何在GPA框架内在区域一级将有关政府间环境管理的全球讨论转化为切实可行的行动。还提议围绕着激发行动和进行更好协调的多边利益者论坛；改善全球和区域环境公约之间的合作和实施；联合国各机构和其他组织之间的区域合作；民间社会和地方政府的作用；河川流域委员会和沿海地区管理的作用5个方面讨论。

为实施《全球行动计划》建立伙伴关系和筹措资金　GPA秘书处向会议概述了具体筹资措施的选择方案，其目的是确保《全球行动计划》的实施得到可持续的供资。提出有必要将GPA的目标作为重要事项纳入联合国各主要金融机构（包括私营银行机构）的工作方案和计划之内，同时也指出国内的筹资仍然是解决问题的主要渠道。会议对把GPA的目标融合到各国国家发展方案中使之成为重要事项达成了共识，要求国家行动方案需要与正在进行的提高生活质量、改善人类健康状况和消除贫困的各种措施结合起来。

通过《关于全球行动计划的蒙特利尔宣言》

会议审议通过了一份《保护海洋环境免受陆地活动影响的蒙特利尔宣言》。此宣言强调应改进沿海海洋管理和建立伙伴关系并号召建立有效的资金资助机制以推进GPA的实施。

【中韩黄海环境联合调查】 根据国家环境保护总局和韩国海洋水产部签订的黄海环境合作研究协议（1998年），中韩双方继续共同执行了2001年度中韩黄海环境联合调查研究工作。中方项目承担单位为国家环境保护总局近岸海域环境监测网中心站，韩方承担单位是韩国国立水产研究振兴院（NFRDI）西海水产研究所（WSFRI）。调查主要分为理化和生物两部分。

从联合调查的分析结果来看，在靠近韩方一侧有5个站位存在着磷酸盐超一类海水标准的情况，有2个溶解氧测站，超一类海水标准；有1个站位pH超一类海水标准；其余各测站所有项目均达到一类海水标准。

此次合作研究在双方的共同努力下取得了成功。联合调查研究的结果为客观准确地评价黄海的水质情况创造了条件。

（国家环境保护总局海环办）

【渤海环境管理项目】 在国家海洋局与国际海事组织签署的“渤海环境管理项目协议备忘录”的基础上，经国家海洋局批准，2000年11月国际合作司成立了渤海环境管理项目国家项目办公室，具体负责项目的实施工作及与东亚海项目地区计划办公室的日常联络工作。

根据“协议备忘录”的要求，国际合作司代表国家海洋局与三省二市（辽宁、河北、山东省，天津市和计划单列的大连市）的海洋行政主管部门进行了协商，就在各省市建立渤海环境管理项目省市项目办公室达成一致意见，三省二市的海洋行政主管部门先后在其下属的海洋环境保护处、室设立了省市项目办公室，具体负责渤海环境管理项目的省市实施工作。与此同时，根据协议备忘录的要求，三省二市还以原有的省海洋工作领导小组或以省市海洋行政主管部门牵头、其他有关部门参加的联席会议为基础确定了渤海环境管理项目的省市高层协调机制。

国家海洋局北海分局、国家海洋局第一海洋研究所、国家海洋环境监测中心、国家海洋局海洋发展战略研究所、国家海洋信息中心等单位作为项目的技术支持部门也参与了项目的实施工作。这样就形成了一个由国家海洋行政主管部门牵头、协调，以省市海洋行政主管部门为项目的实施主体，并由有关科研部门为技术支撑的项目实施组织体系。

2001年3月，国际合作司在天津举办了一期由省市项目办公室和技术支撑部门人员参加的培训班，就项目的实施工作和各子项目建议书的编写问题进行了学习和讨论。

截至2001年年底，各子项目承担单位均已完成了任务建议书的编写工作，经国家项目办公室审核同意后报东亚海项目地区计划办公室。其中“渤海环境管理战略计划”、“综合信息管理系统”和“公众宣传”等子项目已完成与东亚海项目地区计划办公室的合同程序，并开始实施。

“渤海环境管理战略计划”由战略所承担，他们在调研的基础上，按照东亚海项目地区计划办公室的战略计划编制指南，确定了渤海环境管理战略计划的提纲，并召开了一次利益相关单位座谈会，进一步听取看法和意见，争取尽快形成战略计划初稿；另外两项子项目任务由国家海洋信息中心承担，他们已为渤海环境管理项目注册了一个网址，完成了部分网页制作，供用户在网上浏览该项目的背景材料及有关的渤海概况。其他方面的工作也正在积极搜集所需的资料，以便编写宣传册和建立渤海综合信息管理系统。

其余子项目任务也正在积极与东亚海项目地区计划办公室联系，争取尽快完成合同程序并开始实施。

（李文海）

【中国南部沿海生物多样性管理项目准备阶段】 中国的东南沿海是印度-西太平洋生物区的组成部分，其中栖息着世界上最丰富的海洋生物，包括热带和亚热带森林、草地、沼泽、珊瑚礁和海草场等重要的海洋生态系统。但是，现在中国的海岸带和海洋的生物多样性正受到威胁。在过去的10年间，中国东南沿海的经济空前发展，社会发生了前所未有的变化，人口也急剧增长。经济和人口的不断增长，威胁着生态系统的健康，其中包括大量的世界性生物多样性，在一些地区，这种对海岸带生态系统的威胁已经造成了严重的生态损害。在这种紧迫的背景下，中国政府向全球环境基金理事会申请了中国南部沿海生物多样性管理国际项目。该项目准备阶段于2000年11月经全球环境基金理事会批准，其目的是帮助中国选择4～6个代表不同海岸带和海洋生态系统的项目示范区，进行生物学和社会经济评价，量化生物多样性所受到的威胁，设计出全球环境基金的战略方案，以保护这些区域的生物多样性。项目执行机构为联合国开发计划署，国内实施部门是国家海洋局。

通过实施一系列的项目活动，项目准备阶段在2001年取得了长足进展。

(1) 2001年2月和5月，国际专家和国内专家对项目的9个备选示范区进行了两次实地考察，对各备选示范区的情况逐一进行评价和打分，初步确定5个示范区（三亚、大亚湾、东山-南澳、山口和南麂列岛）为下一步工作的重点。

(2) 为了项目的总体协调，在项目实施过程中，项目召开了多次指导委员会会议和非正式会议，对项目进展过程中出现的问题进行及时的解决和协调。

(3) 按照项目文件要求，为了进一步获取有关示范区生物多样性和社会经济方面的资料，2001年12月，专家组对以上5个备选示范区进行了实地考察并召开了研讨会，活动取得圆满成功。

在国际、国内专家和地方各级政府部门的大力配合下，2001年项目进展顺利，预计2002年完成项目报告，提交全球环境基金理事会批准。

（唐冬梅）

国际海洋科技合作
International Marine Scientific and Technological Cooperation

【中美海洋科技合作】 中美在海岸带管理领域的合作 中美海洋与海岸带综合管理联合协调组全权负责中美在海岸带领域的合作，双方自1999年召开协调组第二次会议以来，在推动和实施协调组第二次会议确定的合作计划的同时，将更多的精力放在编制中美北部湾海洋生态综合管理计划上。

(1) 编制中美海洋与海岸带综合管理长期项目。自2000年6月双方在广西南宁召开了编制中美海洋与海岸带综合管理长期项目专家组会议以来，协调组主要围绕着中美北部湾海岸带综合管理计划开展了一些工作，该项目集科研、监测、管理、保护与适度开发等为一体，旨在将北部湾地区建立成海岸带综合管理示范区。截至2001年底，项目建议书已四易其稿，计划于2002年初提交赞助机构，该计划拟申请120万美元的国际资助，中方将为此匹配相应的资金。为配合该项目的立项工作，美国国家海洋大气局海洋服务局与广西山口红树林保护区合作，于2001年6月在广西南宁开展了涠洲岛珊瑚礁监测培训，美国国家海洋大气局海洋服务局为此项目资助15 000美元，并派遣两名专家为培训班授课，参加培训的学员除1人因病无法完成培训外，其余9人全部通过潜水理论知识和技能考试，并获得中国潜水运动协会颁发的CMAS国际一星级潜水员证书。培训班第二阶段的重点是掌握珊瑚礁健康调查的方法，通过培训，学员基本上掌握了这一方法。此外，继2000年为海南三亚珊瑚礁保护区无偿赠送6台系泊浮标并就安装为中方举办了培训后，2001年8月，美方又为广西无偿赠送4台系泊浮标并就安装为中方举办了培训。

(2) 姊妹保护区合作交流。根据中美海洋与海岸带综合管理联合协调组第二次会议的安排，美方专家团一行3人于2001年5月19～29日访问了天津古海岸与湿地自然保护区，双方就湿地的管理、保护和恢复、地理信息系统在保护区管理中的应用、大众教育及生态旅游规划进行了广泛研讨与交流。通过学习与交流，中方学到了许多经验，工作上受到了启发。

(3) 地理信息系统（GIS）在海岸带管理中应用培训。根据中美海洋与海岸带管理联合协调组的协议安排，由国家海洋信息中心和广西壮族自治区海洋局联合组团一行5人于2001年6月17～28日赴美国国家海洋大气局所属海洋服务局进行了为期11天的海洋地理信息系统技术应用培训以及相关的考察工作。此次培训主要是了解和学习地理信息系统(GIS)在海岸带和海洋自然保护区管理中的应用，以便为今后实施环北部湾海洋环境生态地理信息系统的建立提供参考和借鉴；同时还就北部湾海洋环境生态管理信息系统项目作进一步的交流和协商，为中美北部湾合作项目寻求经费资助，进一步提升中方实施项目的能力和持续能力。此次通过赴美培训学习、探讨和交流，了解了开发、建立海洋地理信息系统所需要的软硬件，对海洋地理信息系统在海洋、海岸带管理中的广泛应用和其重要性有了更深的了解，对信息系统开发中的一些技术细节也有了更深的了解，使中方在海洋地理信息系统开发方面的能力有了一定的提高，了解了开发海洋地理信息系统的工作程序和方法。这对中方今后开展北部湾海洋环境生态管理信息系统将有较大帮助。（梁凤奎）

【中德海洋科技合作】 2001年10月17～18日，中德海洋科技合作联合委员会第十二次会议在德国小镇罗斯托克召开。双方回顾总结了中德海洋科技合作联委会第十一次会议上确定的22个合作项目的执行情况，合作项目的整个进展顺利，联委会特别对“胶州湾水团运动”和“渤海生态系统分析和模拟”两个项目所取得的成果给予了高度评价，这次联委会讨论了双方科学家提出的12项新项目建议，最终确定新项目7项，2项因经费等尚未落实将提交下次联委会讨论，3项因不属于海洋领域合作而被取消。德国联邦教研部海洋科学管理组织负责征集、审议、批准包括海洋研究、极地研究和地球科学研究的研究计划，该组织未来海洋研究的4个优先主题是海洋对气候的影响研究、海洋生态系统研究、海洋资源研究和海洋监测方法及仪器设备的开发。极地科学领域是德国近年来优先予以经费安排的领域，德方对与中国开展极地领域的合作表现出极大的兴趣。代表团在德国期间，还访问了不来梅大学热带海洋生态中心，双方就红树林和珊瑚礁保护项目合作的有关事项交换了意见，并商定2002年将互派专家代表团访问德国的不来梅大学热带海洋生态中心和中国的广西红树林保护区和海南的珊瑚礁保护区，制定红树林和珊瑚礁保护的合作项目计划。（王安涛）

人类活动对南极乔治王岛海鸟种群生态的影响 本课题是中德海洋科技合作项目，由国家海洋局第二海洋研究所王自磐研究员等4人于2001年8月26日至11月8日在德国完成。初步结果表明：南极乔治王岛科学考察、旅游等人类活动频繁，已对岛上自然生态环境，尤其动物群落造成影响。其中巨海燕繁殖率下降，种群基本从半岛区外迁等，明显与人类活动有关。贼鸥种群近10年来有较大增长，可能与全球气候异常以及南极海洋生物储量变化有着直接的关系，与人类活动的相关性尚待进一步研究，但是，人类对该种海岛自然生态的干扰明显存在。

南北极海域低营养细菌的生长因子及超微结构研究 本课题是中德海洋科技合作项目，由国家海洋局第二海洋研究所杨季芳副研究员于2000年10月至2001年9月完成，通过对极地低营养细菌的形态与超微结构、基因多样性和合成海水培养基中维生素与微量元素等生长因子及低营养细菌的生长与饥饿生存试验，取得了一些突破性的新发现。

（1）通过低营养细菌株（共14株）的16SrDNA基因测序及16SrDNA体外基因荧光杂交试验，根据基因测序和荧光杂交的结果，与NCBI基因数据库进行对比，分析了所有受试低营养细菌株的生物多样性及其分类位置。例如运用透射电镜技术，观察了所有低营养细菌株细胞的形态结构，发现所有14株细菌均有“附肢”（*Prostheca*）结构和“出芽”生殖。所有菌株均会在细胞表面出芽，另有8株菌株不仅在细胞表面“出芽”生殖，同时会在“附肢”（*Prostheca*）末端出芽生殖。目前未有资料记载这种现象。

（2）合成海水培养基中维生素及微量元素等生长因子研究发现，所有14株受试低营养细菌在合成海水培养基中的生长均不依赖于维生素和微量元素。发现细菌在未添加维生素的合成海水培养基中生长快于添加维生素［复合（10种维生素）或单类］的合成海水培养基中生长，表明已分离纯化的低营养细菌生长并不依赖于维生素和微量元素。该结果将修正目前低营养细菌生长依赖维生素和微量元素的论断。

（3）合成海水培养基中低营养细菌的生长及饥饿生存试验研究发现，有10株南极分离菌株（ANT系列）能在没有有机碳源（葡萄糖）的合成海水培养基中生长或饥饿生存。有4株北极分离菌株（ARK系列），虽不能在完全没有有机碳（葡萄糖）的合成海水培养基中生长或饥饿生存，但却能在含1毫克/升葡萄糖的合成海水培养基中生长或饥饿生存。（孙煜华）

【中法海洋科技合作】 法国是中国开展海洋领域对外合作的重要伙伴之一，近些年来中法海洋科技合作与交流情况良好，成果显著。2001年10月25～26日在巴黎法国海洋开发研究院总部召开了中法海洋科技合作联合工作组第四次会议。中法双方回顾总结了1999年召开的中法海洋科技合作联合工作组第三次会议确定的5个执行项目和6个探讨合作项目的执行情况，确定3项已经完成，7项继续执行，1项取消。此次联合工作组会议讨论了双方提出的新项目建议，确定了4项新的合作项目。法方向中方代表团介绍了法国海洋开发研究院经法国政府批准的今后4年工作计划和主要研究方向，指出法国政府提高了对海洋工作的重视，增加了对海洋工作的资金投入，目前海洋开发研究院正和海军共同建造两艘海洋科学考察船。中方代表团随后参观访问了法国海洋开发研究院位于巴拉瓦斯和赛特的两个海洋站，对海洋站的机构设置和研究项目进行了了解，并参观了实验室及海水养殖场。

由于近10年来中法海洋科技合作与交流情况良好，并取得了不少成果，有继续开展合作的必要，因此在本次联委会上双方续签了海洋科学技术合作议定书。 （王安涛）

【中俄海洋领域合作】 俄罗斯是中国的重要邻国，又是一个发达的海洋大国，与俄罗斯开展海洋领域合作有利于相互学习，取长补短，以促进两国海洋工作的共同发展。国家海洋局与前苏联国家科委根据中苏政府间科技合作协定，于1990年9月在莫斯科签署了中苏海洋科技合作议定书，双方同意就物理海洋学、海洋地质等7个学科在内的海洋科技领域开展合作。双方在议定书的框架下开展了一些卓有成效的合作项目。苏联解体以后，双方没能再开展实质性的合作与交流活动。

1997年中俄双方又将重签海洋领域合作协议一事提上议事日程。3年来双方对重签海洋领域合作协议有关事项及文本多次交换意见，2001年2月俄罗斯自然资源部国际合作司Anlexander Gravechev副司长率助手访问了国家海洋局，就协议文本与中方进行了最后磋商。2001年双方已就协议文本原则上达成一致意见，并商定由中方2002年派代表团赴俄签署。 （梁凤奎）

【中日政府间技术合作项目】 珠江口海域环境监测治理计划调查 “珠江口海域环境监测治理计划调查”是国家海洋局与日本政府开发援助(ODA)的技术合作项目。项目实施所需的技术保障、调查设备、车船油水交通费以及来华工作日本专家的费用由日本政府提供。项目的主要目的是掌握珠江口海域环境的基本情况，建立珠江口海域水质生态数模，制定珠江口海域环境监测模式和珠江口三角洲地区可持续发展与保护环境的珠江口海域环境监测治理计划。1997年6月底国家海洋局经科技部向日本政府提出该项目立项申请，1998年6月，根据日本国际协力事业团（JICA）建议，国家海洋局对立项申请书进行修改，并通过外交途径向日本政府再次提出。1999年7月，立项申请正式获日本政府批准，同年7月国家海洋局指定其下属单位南海分局代表中方负责项目的具体组织实施工作。1999年9月6～24日，以日本JICA社会开发调查部次长富田英治先生为团长的项目先遣代表团访华，考察现场，并与国家海洋局代表团就项目的调查区域、内容、方式、双方的责任和义务等有关事宜进行会谈。2000年1月5日，双边政府互致照会，确认由国家海洋局国际合作司副司长范晓莉女士和JICA北京事务所所长松泽宪夫先生，代表各自国家当日在北京签署的项目实施细则和会谈纪要为两国政府间的一项协议。2000年5月19～23日，日本JICA代表团和珠江口调查团有关专家访问国家海洋局南海分局，与中方代表团及有关技术人员就日方提出的项目课题报告进行会谈，考察现场，并签署了会谈纪要，项目由此正式启动。项目执行过程中，由日本国土环境株式会社和日本国际株式会社组成的JICA珠江口调查团先后有9位专家来华，累计工作时间约半年，期间中方除安排9位对口技术人员与日方专家一起工作外，还由日本JICA资助，先后派出3位参加本项目工作的对口技术人员赴日研修，总研修时间7个月。

该项目现场调查由陆地调查和海上调查两部分组成。陆地调查包括社会经济、组织结构、发展规划、卫星遥感陆地野外踏勘定位等。海上调查周边范围东至香港西南水域、西至磨刀门(113°30′E)，北至虎门口(22°50′E)、南界万山岛。海上现场调查分丰水期、枯水期和平水期3个水期进行，其中丰水期和枯水期进行密集调查，平水期作为前两个调查的补充。参加海上调查的中方调查人员175人次，日方15人次。海上现场调查共动用专业调查船4艘次，民船7艘次。调查项目包括水文、水质、底质及生物。丰水期调查为2000年7月29至8月31日。设20个大面观测站，6个24小时连续观测站和3个30天连续水位观测站。枯水期调查为2000年12月3～30日。设19个大面观测站，6个24小时连续观测站，3个30天连续观测站和1个声学多普勒海流剖面仪（ADCP）连续1个月观测站。平水期调查为2001年3月4～7日，设25个大面站和1个48小时连续观测ADCP站。

本项目2000年5月正式启动，2001年8月圆满结束。项目向中国政府提交的4卷"珠江口海域环境监测治理计划调查最终报告"以及给中方实施单位所做的技术转让和赠送的调查设备，具有积极的现实意义。 （王明彪）

【中韩海洋科技合作】 中韩海洋科技合作联委会第五次会议（联委会）和中韩海洋科学共同研究中心管委会第六次会议（管委会） 两会于2001年3月5～6日在韩国釜山市举行。联委会双方代表团团长分别简要介绍了各自国家近期海洋工作情况。双方对过去一年来两国海洋科技合作项目的进展情况进行了回顾，根据执行情况重新对项目进行了整理，确认完成2项，继续12项，新增5项。联委会重申，联委会确定的合作项目如涉及海上调查，必须经过必要的审批手续批准后方可执行。

管委会听取了中韩中心2000年的业务工作总结和财务决算，审议通过了中韩中心2001年业务工作计划和财务预算。管委会确定，中韩中心第四届主任和副主任分别由韩国海洋研究院海洋学专家李东永博士和中国国家海洋局第一海洋研究所谭攻克先生担任，任期为2001年5月12日至2003年5月11日。

管委会和联委会后，中方代表团又访问了韩国国立水产振兴院和釜山地方海洋水产厅，受到了热情接待。双方都表达了今后在中韩海洋领域开展合作的兴趣，并就此交换了意见。

3月9日，韩国海洋水产部部长卢武铉会见了中方代表团，并与中方代表团进行了友好交谈。部长先生对本次会议取得的成果表示满意，希望中韩双方进一步加强海洋领域合作。中方对韩方给予中国代表团的热情友好接待和周密安排表示感谢，表示今后要进一步加强海洋领域的合作与交流，为建立面向21世纪中韩合作伙伴关系做出贡献。 （梁金哲、王安涛）

中韩黄海沉积动力学与古环境演变合作研究 由中国国家海洋局第一海洋研究所和韩国海洋研究所合作，从1998年至2001年，在长江口-济州岛以北、37° N以南的整个南黄海海域，先后进行了6个航次的海上海流观测、浅地层剖面调查及悬浮体、表层和柱状沉积物采样，结合"中韩黄海水循环动力学合作研究"等项目的资料与成果，进行了系统分析和深入研究，取得了一系列重要成果：阐述了南黄海现代沉积环境和动力沉积体系特征，对存在广泛争议的南黄海沉积学的热点问题——泥质沉积物的形成机制进行了深入探讨；将南黄海沉积环境划分为低能和高能两类，前者分为气旋型和反气旋型涡旋两种环境，后者含高能沉积环境和高能侵蚀环境；建立了气旋型涡旋和反气旋型涡旋作用下泥的沉积作用模式，对南黄海泥质沉积体系的成因给出了合理解释；首次对南黄海进行了沉积物的粒径趋势分析，确认了沉积中心，阐述了沉积物的输运过程和机制；首次对南黄海表层沉积物进行了大范围磁化率现场测试和沉积物环境磁学分区，环境磁学研究结果表明，表层沉积物的磁化率分布能够反映该海区沉积物和沉积动力特征，可指示沉积物来源。

该项目完成后，双方联合分别在中国和韩国举行了两次大型学术讨论会，交流了多篇学术论文。至目前，仅国家海洋局第一海洋研究所已发表论文25篇（其中SCI论文11篇）。 （路应贤）

【中朝海洋科技合作】 朝鲜海洋专家代表团访问国家海洋局 根据中华人民共和国国家海洋局与朝鲜民主主义人民共和国气象水文局海洋科技合作第十次会议所达成的今后两年海洋科技合作与交流计划，以朝鲜气象水文局东海海洋研究所李正善所长为团长的朝鲜海洋专家代表团于2001年7月12～21日访问了国家海洋局。访华期间，朝鲜海洋专家代表团首先访问了国家海洋局，局党组领导亲切接见了代表团成员，并在欢迎仪式上向朝鲜海洋专家代表团转交了由国家海洋局赠送给朝鲜气象水文局的联想电脑一台及激光打印机一套。随后，朝鲜海洋专家代表团又访问了国家海洋环境预报中心、国家海洋环境监测中心和国家海洋局海洋技术研究所，就卫星遥感技术在海洋环境监测预报中的应用、海洋环境中有机污染物与无机污染物的监测方法、中国海洋环境监测体系以及中国现代海洋观测仪器设备的开发和应用技术等方面向中国海洋专家进行学习与交流。

（王安涛）

【中国内地与香港、澳门特别行政区和台湾省的海洋合作】 2001年，国家海洋局继续派人赴香港参加香港特别行政区政府项目“珠江口污染研究计划”的后续研究工作；派人赴香港就香港加入全海网事进行了实地考察和磋商；组织有关专家参加了“香港海洋底栖动物生态”、“HPLC法水样色素分析”的合作研究，组织了“第三届两岸三地及世界华人地质科学研讨会”，派人赴台湾省参加了“强震区地震对结构物的震害与防治”学术交流和“海峡两岸问题交流与合作研讨会”。此外，中国内地与台湾省在极地科学研究领域有着良好的合作关系，台湾省的科学家曾参加国家海洋局组织的首次北极考察队，2001年11月还派出科学家参加第18次南极考察。2001年4月国家海洋局极地考察办公室与台湾明新技术学院签署了极地合作备忘录。2001年10月，国家海洋局派人赴台湾明新技术学院进行学术交流和讲座，并进一步讨论双方在极地考察方面的合作。

（梁金哲　王安涛）

国际海洋经济合作
International Marine Economic Cooperation

【海洋渔业合作】 2001年6月30日《中韩渔业协定》正式生效。本协定是《中日渔业协定》之后，中国与有关亚洲国家签署并生效的第二个双边渔业协定。该协定的实施对保护东、黄海海洋渔业资源、维护共管水域的海洋渔业生产秩序具有重要意义。

2001年7月12日中国与挪威签署了《中挪渔业合作协议》。1983年挪威政府向中国赠送了“北斗”号海洋渔业资源调查船，对推动我国海洋渔业资源调查起了重要的作用，本协议旨在将挪威与中国政府签署的渔业资源的研究和渔业管理领域的合作项目期限延长至2005年。

2001年12月12日，农业部杜青林部长和缅甸畜牧水产部部长貌貌登准将代表双方政府在江泽民主席访问缅甸期间签署了《中华人民共和国政府和缅甸联邦政府渔业合作协定》。《中缅渔业协定》的签署，对推动中缅两国渔业相关领域的合作、渔业互利具有重要的意义。

2001年4月，印度尼西亚海洋事务与渔业部长访问中国。温家宝副总理接见代表团一行，两国渔业主管部门签定了渔业合作谅解备忘录。对促进两国渔业合作有重要的意义。2001年10月22日，农业部副部长齐景发率中国渔业代表团回访印尼。双方签署了《中华人民共和国农业部与印度尼西亚共和国海洋事务与渔业部关于渔业合作的会议纪要》。2001年12月，印度尼西亚海洋事务与渔业部部长达胡里随印度尼西亚总统特使代表团访华，农业部副部长齐景发会见了达胡里一行。双方签署了《中华人民共和国农业部与印度尼西亚海洋事务与渔业部就利用印度尼西亚专属经济区部分总可捕量的双边安排》，这对保障中国入渔印尼有重要的现实意义。

2001年7月，由全国人大农业与农村委员会、全国人大常委会法制工作委员会、国务院法制办与外交部等有关人员组成的中国渔业法制考察团赴日、韩两国，对日本、韩国的渔业法律制度和执法体制进行了为期10天的考察、交流。日本农林水产省、外务省和韩国海洋水产部对考察团给予了高度的重视和热情接待。考察团重点就两国渔业权法律制度、渔业资源保护及限额捕捞制度、渔船渔港法律制度和渔业管理体制等内容进行了考察，并与日、韩有关方面共同就相关问题进行了交流与探讨。

中国渔业部门派人员参加了2000年11月举行的养护大西洋金枪鱼委员会(IC-CAT)第12次特别会议。鉴于会议上通过了旨在限制中国大西洋金枪鱼延绳钓渔船数量和大目金枪鱼产量的决议，中方运用相关国际法赋予的合法权利，对该决议行使了反对程序，维护并确立了我国在大西洋捕捞大目金枪鱼的2001年自主配额。这是我国在多边领域第一次正式启用反对程序。（刘大安）

【海洋石油国际合作】 遵循双赢互利的原则，中国海洋石油总公司继续与合作者在上游业务等方面开展合作，并加快了海外项目投资、资产并购等业务的步伐，进一步向国际石油公司迈进。截至2001

年底，中国海洋石油总公司已与18个国家和地区的70家石油公司签订了150个石油合同和协议，其中正在执行的为11个国家和地区的27家石油公司共计31个石油合同。 （中国海洋石油总公司）

2001年中国海洋石油总公司签订石油合同与协议一览表

序号	盆地	合同 区块号	合同者		签字日期	合同性质	面积（平方千米）
			参股公司	比例(%)			
1	珠江口	27/10	圣太菲	100	2001.05.10	石油合同	6 546
2	珠江口	39/05	哈斯基	100	2001.07.26	石油合同	5 700
3	渤海	渤中26-2/28-1	壳牌	100	2001.08.31	联合研究	143
4	渤海	11/26	壳牌	100	2001.12.11	石油合同	3 190

【海洋交通合作】 **水运国际合作概况** 交通部结合入世谈判，按照国家“深化改革，扩大开放”的基本方针，在2001年海运领域进一步发展了与有关国家的合作。

4月2日，中国和古巴海运主管当局经过友好谈判在哈瓦那草签了中古两国政府海运协定。

4月13日，在江泽民主席访问古巴期间，黄镇东部长和古巴外交部长弗朗西斯科·雷耶斯·帕拉茨分别代表本国政府在哈瓦那正式签署了协定。

5月11～12日，中国和印度尼西亚海运主管部门在雅加达就商签中印两国政府海运协定举行了谈判并草签了文本。

6月5日，黄镇东部长和印度尼西亚交通部长阿古姆·古拉梅尔分别代表本国政府在雅加达正式签署了协定。

7月20～22日，中国和以色列海运主管部门就进一步发展两国在海运领域的合作举行了会谈并签署了会谈纪要。

7月23～26日，中国和突尼斯海运主管部门在突尼斯就签署双边海运协定举行了会谈，并草签协定，待适当时候正式签署。

9月17～22日，第二届东北亚港湾局长会议在韩国举行。

9月18～21日，第九次中韩海运会谈在青岛举行，双方就两国海运业务方面一系列问题进行了磋商，并签署了会谈纪要。

9月24～26日，中国和欧盟海运代表团在布鲁塞尔就商签以中国为一方、欧盟及其成员国为另一方的海运协定举行了第一轮谈判。

12月10～12日，双方再次就海运协定草案在北京进行了第二轮谈判，并草签了协定，双方初步商定于2002年适当时候正式签署协定。

12月4～7日，第七次亚洲航运论坛在泰国曼谷举行，共有中国、日本、韩国、菲律宾、新加坡、泰国等国家和香港特别行政区的代表出席了会议。与会代表就各国航运政策最新发展情况进行了交流，并对各国今后通过航运论坛等形式进一步加强在港口和航运等领域的交流与合作提出了建议。

截至2001年底，中国政府已与58个国家签订了双边海运协定(包括个别过境运输协定和河运协定）。

全国海事系统国际交往概况 2001年海事系统对外交往工作繁忙，赴国(境)外出席会议团组74批156人次，验收、考察、调研团组43批115人次，总计117批271人次，比上年有较大增长。此外，中国海事局还承办了多个国际会议。

比较重要的出访有8次：

1月4～6日，中国海事局代表团赴香港出席了香港特别行政区船舶注册超千万吨庆典，并与香港海事处举行了两地定期海事会谈，双方就彼此关心的问题交换了意见。

5月14～26日，海事局代表团赴美国出席了国际海道测量组织(IHO)第六次战略工作组(SPWG)会议，就区域海道测量委员会和国际海道测量局(IHB)有关事务进行了讨论研究。

5月29日，刘功臣常务副局长作为首届“THOR HEYERDAHL国际海洋环境奖”颁奖评委会委员赴挪威出席颁奖典礼。

6月10～14日，海事局代表团赴巴西出席了国际航标协会(IALA)理事会第二十六届会议。

10月14～26日，海事局派代表团赴中国台湾省进行交流访问，与台湾省有关机构就STCW95公约实施以及台湾海员在内地培训发证等问题交换了意见。

11月18～30日，海事局派代表赴英国出席了国际海事组织(IMO)第二十二届大会，选举了A、B、C类理事国，听取了各委员会的报告，通过了34项大会决议，中国连续第七次当选为A类理事国(共8个)。

12月3～7日，海事局派代表团赴法国出席国际航标协会(IALA人)第二十七届理事会会议。

另外，还先后接待了美国船级社(ABS)代表、香港海事处海事官员等多个重要来访团组以及多名驻华使馆官员的拜会。

比较重要的来访有5次：

4月9日，台湾中华海员总工会理事长方福琛先生一行7人来访，双方就STCW'95公约履行、台湾海员到大陆培训发证、换证的操作性等问题进行了交流。

5月14日，利比里亚船舶注册公司首席执行官Yoram. M. Cohen先生一行3人来访，双方就国际航运发展、海员劳务合作、STCW’95公约实施等议题交换了意见，双方一致同意应扩大中、利海事当局之间的合作。

8月6日，国际海道测量组织(IHO)主席Giuseppe Angrisano少将一行2人来访，双方就国际海道测量业务、电子海图显示与信息系统(ECDIS)产品设备发证和ENC开发协调统一等问题交换了意见。

8月24日，英国海道测量局(UKHO)局长David WynfordWilliams先生一行2人来访，双方就机构设置、技术装备、电子海图和航海图书资料交换等问题交换了意见，初步商定重新修订1997年签署的《中英航海图书资料交换双边协议》。

9月13日，海事局与香港海事处两地定期海事会谈在北京举行，双方就共同关注的海事业务问题进行了探讨。

承办国际会议有3次：

5月14～18日，中国海事局主办的第四次西太平洋行动计划(NOWPAP)油污应急和防备会议在青岛召开。中、日、韩、俄4国的16名代表、国际海事组织(IMO)和联合国环境署(UNEP)的官员出席了会议。会议就工作组织、信息系统、联合训练演习、油污影响、西北太平洋地区事故计划草案、区域性备忘录草案制订等议题进行了探讨。

9月11～12日，中国海事局主办的第五届亚太海事机构首脑论坛（AHMSAF)会议在北京召开，来自15个国家和地区以及国际航标协会(IALA)的52名代表出席了会议，会议的议题包括：搜寻与救助、油污应急防备与反应，航行安全，人为因素管理，高速船规则以及亚太经合组织运输工作组项目等，常务副局长刘功臣作为会议主席主持了会议。

9月18～20日，中国海事局主办的亚洲地区海事调查官论坛(ARMAIM)第四次会议在北京召开，中国、日本、韩国、新加坡和香港特别行政区的25名代表出席了会议，会议的主要议题包括：事故调查体制介绍、海事案例分析、国际海事组织A. 849(20)号决议实施等。　（交通部科教司）

国际海洋组织及会议
International Marine Organizations and Meetings

【西北太平洋行动计划建立数据库和管理信息系统项目(NOWPAP/1)】 鉴于2000年中国已与联合国环境署签署了“关于承建西北太平洋行动计划建立数据库和管理信息系统项目区域活动中心(NOWPAP DIN/RAC)的谅解备忘录”，为履行中方承担的义务、落实该备忘录，国家环境保护总局信息中心于2001年1月10日成立了西北太平洋行动计划信息工作室（简称“西北太工作室”）。该室将以“NOWPAP DIN/RAC”的名义对外联系工作，并确立了NOWPAP DIN/RAC的工作任务与职责。

联合国环境署根据其NOWPAP/1实施工作计划于2001年5月23～24日在北京组织召开了NOWPAP/1协调工作组第一次会议，来自日本、中国、韩国和俄罗斯NOWPAP/1项目的代表和观察员共28人参加了此次会议。会议就NOWPAP/1协调工作组的技术安排和工作计划进行了讨论，议定了该工作组的职能、NOWPAP DIN/RAC工作计划及预算建议书，会议还通过了NOWPAP/1协调工作组第二次会议于2002年5月在中国召开。

【西北太平洋行动计划建立区域合作监测项目(NOWPAP/3)】 西北太平洋建立区域合作监测项目(NOWPAP/3)第一次协调委员会会议于2001年5月21～22日在北京召开。

会议的主要任务是在1999年4月6～7日第四次西北太平洋政府间会议所确定的框架基础上具体落实该会议决议。经会议磋商议定，由NOWPAP/3项目设立的污染监测区域活动中心(NOWPAP POM/RAC)和特殊监测和海岸环境评价区域活动中心(NOWPAP CER/RAC)组织由各西北太平洋成员国参加4个工作组。工作组采用联合主席负责制。工作组及其联合主席的构成如下：①污染物的大气沉降——韩国和俄罗斯（在POM/RAC下）；②河流输入与污染物直排——日本和俄罗斯（在POM/RAC下）；③有害藻华和近岸海水监测——中国和韩国（在CEA/RAC下）；④海洋环境的遥感监测——中国和日本（在CEA/RAC下）。

【东亚海行动计划第16次东亚海协作体政府间会议】 第16次东亚海协作体(COBSEA)政府间会议于2001年10月24～26日在泰国曼谷举行。与会的有中国、越南、柬埔寨、泰国、马来西亚、印度尼西亚、澳大利亚、新加坡和菲律宾9国的政府代表团。根据议程会议就以下议题进行了认真讨论和磋商：①UNEP/GEF南中国海项目进展报告；②“建立一个东亚海地区有效的珊瑚礁监测网”项目；③东亚海地区国际珊瑚礁行动网的进展；④本地区执行防止陆上污染保护海洋环境全球行动计划的进展；⑤“通过加强可持续的和环境友好的养虾减少红树林和生物多样性损失”GEF项目建议书草案；⑥与东盟海岸带及海洋环境工作组秘书处的合作；⑦东亚海信托基金捐款问题；⑧关于2002～2003年工作计划与财务安排。

（国家环境保护总局海环办）

【联合国海洋法公约缔约国大会第十一次会议】 联合国海洋法公约缔约国大会第十一次会议于2001年5月14～18日在美国纽约联合国总部举行。中国代表团由外交部、国家海洋局和中国常驻联合国代表团的代表组成。

会议主要议题：国际海洋法法庭2000年工作报告；国际海洋法庭2002年预算草案；选举国际海洋法法庭法官1名；《国际海洋法法庭财务条例》；《缔约国会议议事规则》；提交大陆架外部界限资料的10年期限问题。

(1) 提交大陆架外部界限资料的期限问题：会议决定1999年5月13日（即大陆架界限委员会科学技术规则通过之日）以前参加公约的国家，10年期的起算日期为1999年5月13日。

(2) 法官选举：2000年10月，国际海洋法法庭中国籍法官赵理海去世，造成席位空缺。会议进行了补选，中国外交部法律顾问许光建大使以92票的高票当选（94国投票，一票无效，一票弃权）。

(3) 国际海洋法法庭预算：会议讨论并通过了法庭2002年预算。中国分摊比例为总费用的1.5278%，折合12余万美元。讨论预算时，日本提出按联合国该财政年度的分摊比例确定，即上限为22%，下限为0.01%。多数国家不同意，日本最后撤回该提案。

(4) 缔约国大会的任务：2000年，智利代表团提出修改建议，主张通过审议公约执行情况来加强缔约国大会对海洋事务的监督和管理，会议中智利再次提出此建议，讨论中各方分歧较大。

（李景光）

【海洋事务和海洋法非正式磋商进程第二次会议】 联合国海洋事务和海洋法非正式磋商机制第二次会议于2001年5月7～11日在美国纽约的联合国总部举行。参加会议的中国代表团由外交部、国家海洋局、交通部、公安部和常驻联合国代表团的代表组成。

会议讨论了海洋科技、海洋技术转让、打击海盗等问题。

(1) 海洋科技与技术转让：会议指出：①海洋科学技术正在向全新的方向和高层次发展，越来越具有“综合性、多学科性和跨领域、跨部门性”等特点；②21世纪是海洋世纪，必须加强决策与海洋科学技术间的沟通，决策和管理应以科学研究为基础，海洋科学研究成果要有效地为决策服务；③应通过各种形式的国际合作帮助发展中国家，其中包括开展技术转让。

(2) 打击海盗和海上武装抢劫：会议呼吁各有关国际组织和沿海国，加强国际合作和协调，加大打击海上犯罪的力度。

(3) 其他热点问题：①公海自然保护区：澳大利亚代表团再次推动建立公海自然保护区，但多数国家担心建立公海自然保护区会影响公海自由的法律地位，并且一些国家会借此变相扩大管辖海域。②ARGO计划：会间，美国召开了ARGO计划报告会。会上部分国家表示愿意参加ARGO计划，如英、日、澳、加、法等国。（李景光）

【联合国教科文组织政府间海洋学委员会第34届执行理事会和第21届大会】 联合国教科文组织政府间海洋学委员会（简称海委会）第34届执行理事会和第21届大会于2001年7月2～13日在巴黎召开，共有100余个成员国和25个国际组织的代表出席了会议。由国家海洋局、联合国教科文组织全国委员会、中国科学院共同组团，以国家海洋局副局长陈连增为团长的中国代表团出席了会议。此次会议是海委会进入21世纪后召开的第一次大会，海委会各成员国均十分重视。会议对海委会议事规则进行了修改，通过的议事规则包括以下主要内容：①确认将原来的1位主席、4位副主席改为1位主席、5位副主席，主席不代表任何国家和地区集团，副主席分别代表亚洲、非洲、拉美、西欧和北美以及东欧地区集团，以增强地区代表的普遍性；②对每个地区集团在海委会执理会的名额分配进行了明确规定：西欧和北美集团11名，东欧集团2名，亚洲、非洲、拉美集团各9名。东欧集团对此表示不满。会议决定待实行此名额分配制度一段时间后，再根据需要考虑进行调整；③执理会成员国不超过40名，除5个地区集团执理会名额共35名外，担任主席和副主席的国家是当然的执理国。会议重点讨论了涉及海委会未来发展的政策问题，如关于海委会举办“里约10周年海洋与海岸带大会”；海委会在国际海洋事务中的作用和地位；DOSS工作组（海委会的发展、运转、组织机构和章程工作组）的未尽事宜等。会议还对海委会有关业务计划的实施进行了讨论，如重组海委会海洋科学计划，调整2002～2003年投资主线，提出以海洋与气候、海洋生态系统科学和海洋环境保护以及海洋科学为海岸带综合管理服务等3方面为内容的重组计划，以取代过去以学科为基础的传统海洋科学模式。此外，会议还审议了海委会计划和预算的执行情况。会议期间，对海委会主席、副主席和执理国进行了改选，中国著名海洋学家、中国科学院院士苏纪兰教授成功连任为海委会主席。（朱文熙）

【政府间海洋学委员会西太分委会第五届国际海洋科学研讨会暨建立东南亚海洋观测系统（SEA-GOOS）会议】 政府间海洋学委员会西太分委会第五届国际海洋科学研讨会于2001年8月27～31日在韩国汉城召开。会议期间，除了对东北亚观测系统（NEAR-GOOS）有关科学问题进行研讨外，还有一个重要议题就是对建立东南亚海洋观测系统（SEA-GOOS）进行讨论。会议由原马来西亚海军准将HASSAN担任主席。参加者是来自东南亚各国的代表、科学家及GOOS主席和JCOMM主席。会上讨论了本次研讨会的目的，介绍了GOOS、NEAR-GOOS的一些情况，各国代表也分别做了国家报告。会议按科学主题，划分了3个工作组：气候和热带飓风、海岸动力和污染、生态系统和渔业。经讨论，形成了3个项目建议。会议讨论认为有必要成立特别工作组(ad hoc Working Group)来开展下一步的工作会议。最后形成了会议纪要，主要内容是“支持在东南亚地区建立SEA-GOOS，全体参加者同意协助制订该系统的发展计划，呼吁西太分委会正式确认SEA-GOOS 为GOOS的一个‘区域联盟’（REGIONAL ALLIANCE），提议建立西太SEA-GOOS特别工作组”。

【WMO/IOC海洋和海洋气象学联合技术委员会第一次届会（JCOMM-1）】 WMO/IOC海洋和海洋气象学联合技术委员会第一次届会（JCOMM-1）于2001年6月19～29日在冰岛举行，42个国家和地区以及15个组织的88名代表出席了会议。中方由中国气象局和国家海洋局共同组团参加了本次会议。会议主要内容有3个方面：总结了WMO和IOC两个组织为主成立JCOMM所做的努力和工作，提出并建立了新的JCOMM各级组织机构；讨论了有关全球海洋业务化问题，回顾了过去4年里在海洋观测网、数据管理、海洋气象服务和能力建设方面取得的主要成绩；确定了JCOMM的目标和未来优先工作计划重点。在本次会议上，JCOMM设立了管理委员会，下设4个不同的计划领域：服务、资料管理、观测和能力建设。中国有6人进入了新的工作组，其中王宏进入管理委员会并担任资料管理领域协调组主席；余宙文担任观测领域协调组专家；齐平担任能力建设领域协调组成员；吴辉碇担任服务领域协调组下的专家组成员；毛恒青担任服务领域协调组下的海洋安全服务专家组成员；孙仲汉担任服务领域协调组下的船舶观测专家组成员；中国香港的谭焯明先生担任资料管理协调组下的海洋气候学专家组成员。

【大陆架界限委员会第九次会议】 联合国大陆架界限委员会第九次会议于2001年5月21～25日在联合国总部举行，国家海洋局第二海洋研究所吕文正教授作为大陆架界限委员会中国委员出席了本次会议。大陆架界限委员会的21名委员中的17名成员和秘书处有关人员出席了会议。赞比亚委员Dr. Mdala、喀麦隆委员Dr. Betah、埃及委员Dr. Beltage、毛里求斯委员Dr. Chan chim Yuk请假缺席。委员会共举行了10次会议。会议主要议程为：①接受划界案的准备工作；②在小组委员会一级审议划界案的程序；③为发展中国家举办关于在200海里以外划定大陆架外部界限和依照《联合国海洋法公约》第七十六条编写划界案提交委员会的训练课程的问题；④第十一次公约缔约国会议关于根据公约附件二第四条的规定向委员会提交划界案10年时期起始日和在会议上讨论通过、与委员会有关的其他事项的决定；⑤委员会工作保密性问题。⑥关于在公约缔约国会议和其他适当论坛给予委员会观察员地位的提案；⑦其他事项。 （朱文熙）

【里约10周年全球海洋与海岸带大会在巴黎召开】 由联合国政府间海洋学委员会和美国特拉华大学联合发起的“里约10周年全球海洋与海岸带大会”于2001年12月3～7日在巴黎召开。共有来自66个国家、10余个国际组织的约450名代表出席了大会。这是近年来国际上召开的级别最高、参加人数最多、涉及内容最全面的以海洋管理为议题的全球性大会。其中，澳大利亚环境部部长、巴西环境部部长、加拿大渔业与海洋部部长、印度尼西亚海洋事务与渔业部部长、墨西哥环境与自然资源部部长、冰岛渔业部部长、俄国外交部副部长、韩国海洋事务与渔业部副部长、莫桑比克环境部副部长、意大利环境部副部长、以及中国国家海洋局副局长倪岳峰出席了大会，并在大会第一天的“部长视点”上就海洋管理问题进行了讲演。

此次大会的主要目的是，通过回顾1992年联合国环发大会以来各国和国际组织在海洋领域所做的工作和展望21世纪海洋工作，为2002年8月在南非约翰内斯堡的联合国可持续发展世界峰会做准备。大会通过举办“部长视点”、资助机构和私营部门在海洋领域的作用、评估和管理海洋环境、海洋生物多样性和保护区、海洋和海岸带综合管理、可持续渔业和海水养殖、小岛国视点、在海洋政策和海岸带综合管理中的人力资源的开发和能力建设等9个议题对海洋管理的各个方面展开了全面的讨论。大会通过了向世界峰会的“建议”。

应大会的邀请，中国派团参加了此次大会。国家海洋局副局长倪岳峰以“中国的海洋管理”为题进行了讲演，全面阐述了中国的海洋政策以及海洋综合管理的情况，获得了各国的高度称赞。此外，国家海洋局国际合作司副司长李海清还应邀以“沿海超大城市——21世纪海洋管理的新挑战”为题进行了讲演引起了会议的高度关注。 （李海清）

【伦敦公约缔约国第23次协商会议】 1972伦敦公约缔约国第23次协商会议于2001年10月22～26日在国际海事组织总部举行。由国家海洋局、外交部、交通部和驻英使馆海事处等单位组成的代表团出席了此次协商会议。

会议审议了绿色和平组织对香港环保署批准九号货柜码头疏浚物在香港东沙洲水域倾倒问题。中国香港代表指出，香港九号货柜码头疏浚物的倾倒没有违反伦敦公约的规定，香港法院的判决涉及香港本地法律的适用问题。同时，在东沙洲水域倾倒活动也符合伦敦公约疏浚物评价指南的要求。中国代表团发言首先表明支持中国香港代表的立场。由于香港九号货柜码头疏浚物也曾在中央政府管理的水域倾倒，对此，代表团将中国海洋倾废主管部门对倾倒活动的管理情况及倾倒活动对海洋环境的影响情况做了说明。

2001年6月，巴西和玻利维亚向国际海事组织理事会提出将公约并入海事组织的建议，海事组织理事会对此建议十分积极，认为如果公约第23次缔约国大会同意向国际海事组织提出类似的建议，海事组织则同意建立一个海事组织/伦敦公约联合工作组来专门研究将公约的全部活动并入海事组织的问题。

根据上届会议要求，美国起草了“海上发现

非法倾倒活动问题报告程序”草案。会议期间，中国、加拿大、英国、德国以及韩国等参加了由美国主持的“履约与报告问题特设程序工作组”，就此进行了讨论，并向大会提交了一份修改后的报告程序草案。主要内容包括：规定对可能在领海、专属经济区以及公海发生的三类违反公约或议定书的非法倾倒行为进行报告；发现非法倾倒时应报告给最近的沿岸电台；向公约秘书处、对事故拥有管辖权的国家以及事故船只所属国各提交一份关于非法倾倒事故的报告；如上述国家属公约或议定书缔约国，报告中则要求其采取适当措施并在12个月内反馈给秘书处等。会议提请各缔约国于2001年4月30日前对报告程序草案提出修改意见，由美国在各国意见的基础上对草案进行修改，提交下届会议讨论。

会议通过了原72伦敦公约议事规则修正稿和96议定书议事规则草案。考虑到中国代表团意见，会议特别指出，尽管规则中规定表决采用简单多数，但实际上要遵循会议的一贯做法，即通过实质性决议时采用协商一致的原则。

此次会议上，日本代表重申了关于工业废物的观点，指出他们倾倒铝矾土渣及类似的工业废物符合公约规定，表示日本优先考虑陆上处置，并要采取措施尽量减少海上倾倒的废物数量。一些代表团在对日本的陆上处置优先原则表示赞同的情况下也对此提出了异议，但未引起激烈的争执。日本代表团应一些国家的要求，答应向今后的科学组会议提交关于铝矾土渣在海上处置的化学与生物过程的情况及关于环境影响评价程序的情况。

【亚太经济合作组织海洋资源保护工作组第14次会议】 亚太经济合作组织海洋资源保护工作组第14次会议于2001年5月15～18日在香港举行。来自澳大利亚、文莱、加拿大、智利、日本、韩国、墨西哥、秘鲁、俄罗斯、泰国、美国、越南、中国及香港特别行政区和台湾省台北市等15个经济成员的代表和太平洋岛国论坛的观察员共40人出席了会议。会议选举香港特别行政区环保署助理署长黄耀锦担任主席。

会议讨论了韩国提出的关于2002年4月在汉城举办APEC海洋部长级会议的建议。拟议中的会议议题有4项：①可持续渔业；②海洋科学技术；③海洋环境保护；④海岸带综合管理。韩国希望会议的主要成果是APEC各经济体通过一项关于海洋与海岸资源可持续发展的“汉城宣言”。会议讨论结果，原则同意举行海洋部长级会议。各经济体成员还同意成立一个指导委员会，最终确定会议议题并将举办会议的建议及议题提交APEC高官会议通过。

此次会议还改选了工作组牵头人，由澳大利亚环境部海洋与水局助理局长Alison Russell-French女士担任。

由于本次MRC工作组会议与渔业工作组会议在同时同地举行，两组共同召开了一天的联合会议，就两组共同关心的问题交换了意见。香港特别行政区十分重视联合会议的举行，香港特别行政区环境与食品司司长任关佩英亲临到会致辞。

联合会议讨论了加强两组的协调与合作问题。加拿大建议两组可以探讨制订共同行动计划、资料共享以及共同召开会议等。多数经济体成员认为两组进一步加强合作是必要的，但两组保持各自独立并依据各自的职责分别开展各自的工作是十分重要的。这也与1998年进行的APEC内部管理审议中得出的结论相吻合，即两组各自独立运作，但加强合作。

会议通过了2001年9月11～13日由中国国家海洋环境预报中心与中国台北成功大学在北京共同举办第6次APEC波浪模式研讨会以及11月12～16日由中国国家海洋局在青岛承办第2次APEC赤潮会议的建议。（陈　越）

【第二届赤潮管理与减灾国际研讨会在青岛举行】 由亚太经济合作组织（APEC）、国家海洋局、联合国教科文组织政府间海洋学委员会（IOC）、青岛市政府、国际海洋学院（IOI）和世界卫生组织(WHO)共同发起，国家海洋局第一海洋研究所承办的第二届赤潮管理与减灾国际研讨会于2001年11月12～16日在中国青岛举行，来自五大洲25个经济体的190多位代表出席了会议，国家海洋局副局长倪岳峰，青岛市副市长于冲，亚太经济合作组织（APEC）代表、会议国际指导委员会主席 Sherwood Hall，联合国教科文组织政府间海洋学委员会（IOC）代表Rhodora Azanza，世界卫生组织(WHO)代表Hajime Toyofuku 和国际海洋学院（IOI）代表李海清出席了开幕式，并先后致欢迎词。

会议就赤潮电子信息交流，赤潮预防、控制与减灾，赤潮管理条例和贸易，赤潮毒素检测新方法进展等开展了专题讨论。会议还就电子信息网、现场赤潮生物取样和观测以及麻痹性贝毒免疫测试试剂盒的使用进行了演示。

会议是第一次在中国召开有关赤潮问题的大型国际会议，对外展示了中国赤潮管理水平，扩大了国际影响。特别是倪岳峰副局长在开幕式上的欢迎词和国家海洋局环保司的大会特邀报告，全面、系统、深入地介绍了中国在海洋和赤潮管理方面的经验、计划和取得的成绩，获得与会者的高度评价。国际著名赤潮专家Donald Anderson说中国赤潮管理已经与国际接轨，政府重视，全面协调，在对大规模赤潮的监测、预测方面已处国际先进行列。

会议还就APEC各经济体水产品生产与贸易以及建立毒素管理机制的必要性，欧盟对水产品赤潮毒素的管理规定，世界卫生组织对水产品赤潮毒素的关注和优先考虑的问题进行了交流。

会议就现有电子信息数据库与网站的优点和不足，欧盟对水产品赤潮毒素的管理规定和这些规定对水产品贸易的影响，目前各经济体使用的赤潮预防、控制和减灾的各种方法等3方面问题展开了深入讨论，并作出了讨论小结。会议还在赤潮电子信息网、现场赤潮生物取样及观测和赤潮毒素检测试剂盒的使用等方面进行了演示，使与会者在获得赤潮管理减灾理性认识的同时，也得到了一些感性认识。

会议就赤潮管理和减灾的一些重要问题达成的共识和“赤潮管理与减灾指南”对我们加强赤潮管理和减灾也将有较大参考价值。（陈　越）

【厦门海岸带可持续发展国际培训中心成立】

由国家海洋局、厦门市政府、全球环境基金东亚海域环境管理伙伴关系计划（PEMSEA）地区项目办公室共同发起的“厦门海岸带可持续发展国际培训中心”正式成立，并于2001年11月24日举行了揭牌仪式。厦门市副市长潘世建、国家海洋局国际合作司副司长李海清、厦门大学校长陈传鸿、PEMSEA地区项目办公室主任蔡程英博士等出席了揭牌仪式并致辞。

1993～1999年，厦门市在全球环境基金的支持和国家海洋局的指导下，开展了为期6年的海岸带综合管理示范区建设，取得了举世公认的成果，摸索出一条“立法先行、集中协调、科学支撑、综合执法、公众参与、管海一盘棋”的厦门海岸带综合管理经验，创造了发展中国家通过海岸带综合管理实现经济高速发展与海洋环境保护相结合的优秀范例，成为国际上3个成功的海岸带综合管理模式之一。

在揭牌仪式上，李海清副司长评价指出，厦门市的海岸带综合管理和可持续发展获得丰硕成果，积累了许多宝贵的经验，不仅成为中国海岸带综合管理的样板，也成为国际海岸带综合管理方面的一个著名范例。总结和推广厦门在海岸带综合管理方面的经验是国家海洋局在东亚海域伙伴关系计划第二阶段的一项重要任务。潘世建副市长指出，厦门海岸带可持续发展国际培训中心将成为厦门市与东亚各国开展海洋管理交流合作的一个窗口，让更多的国家和地区分享厦门的经验，共同提高海洋综合管理能力，实现可持续发展。

厦门海岸带可持续发展中心以厦门大学和国家海洋局第三海洋研究所为基地，不仅是厦门市政府干部海洋管理培训中心，也是国家海洋局海岸带综合管理培训的重要依托点，同时也是PEMSEA的地区培训基地。在揭牌仪式的当天，该中心举办了第一期培训班，来自韩国、马来西亚、泰国、菲律宾、越南、柬埔寨、印度尼西亚和中国等国家的20余名学员参加了为期10天的培训。（李海清）

海洋新闻出版与教育篇

Marine Journalism & Publication and Education

中国海洋年鉴编辑部

地　　址：天津市河东区六纬路 93 号

邮政编码：300171

电　　话：（022）24010825

传　　真：（022）24010825

E-mail:　coy@mail.nmdis.gov.cn

海洋新闻与出版
Marine Journalism and Publication

海洋新闻工作
Marine Journalism

【中国海洋报】 2001年报社以党的十五届六中全会和江泽民总书记“三个代表”重要思想为指导，以改革为动力，以创新求发展，在发展中求生存，坚持正确的舆论导向，积极配合国家海洋局的中心工作和重点工作组织宣传报道，提高办报质量；严格内部管理，加强文明建设；加强经营创收，提高经济效益。

1. 采编工作坚持正确的舆论导向

一方面坚持办报宗旨，坚持正确舆论导向，努力为海洋整体工作和中心工作服务，重点加强了海域法的宣传力度。另一方面不断改进报纸质量，强调指导性、可读性和有用性有机结合。

宣传报道主要围绕以下几方面内容。

(1) 新世纪伊始，报纸版面大造海洋世纪声势。新闻部首先策划推出了“世纪展望”院士访谈系列报道，请中国科学院院士就海洋领域重大问题进行分析、展望，这组报道不仅层次高、有深度，而且具有前瞻性、指导性。

(2) 3月份的两会报道，围绕海洋管理、立法、科技、环保、海洋强国等与海洋有关的热点问题对人大代表、政协委员进行了专访，共采写稿件几十篇。组织了12个版的两会特刊，向两会代表和社会各界全面展示国家海洋局行政管理、执法监督、科研成果和公益服务各个方面的能力和成果，产生了良好的社会效益和经济效益。

(3) 从2001年3月起，为配合海域使用管理法出台，推出了“海域使用管理专栏”，发稿近百篇。为海域法的早日出台起了重要的推动作用。10月底，海域法出台，编辑部集中力量积极策划，对海域法出台前后的几期报纸，从版面、内容到栏目都精心组织，周密安排。以言论、专访、消息、背景、知识介绍等不同体裁和形式先后刊出。同时，推出了“高层论坛”，请有关专家从不同角度阐述海域法，受到了有关部门和广大读者的好评。

(4) 集中报道了国家海洋局党组及所属各单位学习贯彻江泽民总书记“七一”重要讲话的有关情况，以及针对联合国海洋法公约生效5周年，中国大洋协会成立10周年，中国海监大规模执法活动等都进行了专题报道。

2. 不断改进版面，提高版面质量

不断探索提高报纸版面质量。2001年的采编特点：一是注重重大活动和纪念日的新闻策划和版面策划；二是加强了专版如“海洋大观”、“军事角”重点稿件的策划组稿工作；三是推出一些比较好的新栏目，如“记者观察”、“特别聚焦”；四是为增加版面的有用性和可读性，筹备2002年的扩版，并出版了试刊，使得《海洋经济》周刊在2002年能够顺利推出，海洋版也增加了纪实版、国际版和休闲版，版面由原来的每周8个版增加到12个版。

《水产周刊》是报社版面拓展的试点，周刊内容在实用性上下了功夫。版面质量不断提高，报纸紧紧围绕市场做文章，强调实用性、可读性和指导性相结合，突出实用性。一年来《水产周刊》树立了自己的品牌形象，在业界已有较大的影响。很多文章一经发表，立即引起地方政府及企业的高度重视。有效发行量不断增加。

报社在2001年的宣传报道上，做到了海洋领域大事不漏、重点宣传覆盖面广、信息量大。围绕海洋领域的大事、热点、焦点、难点组稿，刊发了一批有影响、质量高的文章。

3. 不断加强、完善内部管理制度，逐步提高管理、服务水平

(1) 2001年报社逐步完善和细化管理制度，进一步制订和修订了人事管理、考核管理、采编业务管理、记者证件管理、经营管理及办公室工作管理等项规定，使各项工作有章可循，步入正轨。建立了专家月评报制度和部门业务打分制度，使采编系统的业务考核有所依据。坚持对职工月考核考勤制度，使个人全年表现一目了然，使年度考核有据可依。

(2) 人事制度管理上进行了改革。采取了灵

活的用人制度，不拘一格引入人才。对各地记者站长也做了适度调整。分配制度方面根据报社整体经济效益，适度调整了分配方法，探索分配制度的合理性，初步实现了按劳分配，按业绩取酬的分配方式。对报社现有骨干，通过政策奖励方式加以鼓励，保证政策向优秀人才倾斜。对表现较差的人员，通过政策予以处罚，或者淘汰。

(3) 加强文明建设，树立良好风尚。在全社职工中倡导爱岗、敬业、团结协作、开拓创新、不畏艰难、百折不挠的精神。做好员工的思想工作，在社内逐步形成良好的风尚。

4. 其他工作

2001年中国海洋报社设立了记者通联部，记者通联工作从无到有开展起来，加强了报社本部对记者站的管理与沟通，逐步完善了记者站网络建设。2001年报纸发行数量稳中有升，自办发行有较大幅度增长。经营工作也取得了可喜的业绩。 (中国海洋报社)

【中国海洋石油报】 《中国海洋石油报》是由中国海洋石油总公司主办、面向国内外发行的一份报纸（国内统一刊号CN11－0138），对开四版，目前为周二刊，另外每月出版一期《蔚蓝月刊》。该报于1993年9月30日试刊，1994年2月21日正式创刊，至2001年底有采编人员26名，并在天津、深圳、湛江等地设有驻站记者12名。总编辑为赵利。

中国海洋石油报社在2001年的办报工作中，坚持正确的舆论导向，认真宣传贯彻“三个代表”重要思想，以经济建设为中心，大力宣传报道海洋石油和天然气的勘探、开发、生产、经营，大力宣传报道中国海洋石油的改革开放和高速高效发展，新推出了“浪潮论坛”、“海天聚焦”、“油城经纬”、“国际观察”、“科海放舟”、“企业文化”等版块，新辟了“经济纵横”、“海天螺号”、“海门观潮”、“一线直播”、“改革新干线”、“科海拾贝”、“世界见闻”等栏目。板块和栏目内容丰富、形式多样，受到了广大读者的好评。《中国海洋石油报》还针对世界经济发展正在转向海洋的新形势，认真关注“蓝色国土”，充分利用《蔚蓝月刊》这块宣传阵地从舆论上努力维护国家海洋权益，促进海洋经济发展，增强国民海洋意识，发挥了积极的作用，受到了海洋专家和有关人士的好评。

《中国海洋石油报》除对海洋石油系统进行宣传报道外，还把50余个国家的600余家合作伙伴、周边国家、国内外同行及相关行业纳入报道范围，努力编织海洋石油产业发展的“卫星云图”，报纸发行也在向这些方面辐射，在国内外产生了越来越大的影响。

《中国海洋石油报》在2001年度中国产业经济好新闻评选中获二等奖2篇，三等奖2篇；在2001年度中国石油好新闻评选中获一等奖4篇，二等奖1篇，三等奖1篇。

该报社址：北京市东城区东直门外小街6号海洋石油大厦　邮编：100027　电话：84521173　电子信箱：news@cnooc.com.cn

2001年工作概况　2001年，中国海洋石油报社认真学习实践“三个代表”重要思想，在认真总结几年办报情况、系统分析当前形势变化、广泛征求专家和读者意见、发动广大采编人员献计献策的基础上，以“坚持正面宣传为主和正确的舆论引导，为企业和职工群众服务”为指导思想，对报纸进行了全面改版。这是报社自成立以来变化幅度最大、涉及面最广的一次版面变革，从内容到形式均进行了调整。

(1) 对报纸进行了“强化海油特色、贯彻核心文化、服务企业职工、推进报纸经营”的重新定位，一版强调其要闻性和历史记录功能，要求文章短小、快捷和有借鉴意义；二版把商务内容引入版面，变原来的经济版为商务、经济版，强调其贴近性和实用功能；三版作为专刊重新设置了9个新的版块，意在增强报纸的新闻性、思辩性、服务性和参与性；四版作为副刊则突出了服务性、针对性和可读性。

(2) 对各版的栏目进行了全面的调整，以进一步增强报纸的思想性、指导性、贴近性和可读性，更加突出“海味、油味、洋味”的特色。对版面的设计风格也进行了新的调整，由8栏改为4栏，使版面显得更加整齐、紧凑、大方。这一次全面改版幅度大、范围广，整个报纸的面貌焕然一新，受到广大读者的好评。

2001年，中国海洋石油报社紧紧围绕中国海洋石油总公司的中心工作这条主线开展宣传报道，一是抓住重大新闻事件进行重点宣传。对中国海洋石油有限公司于2月份分别在香港、纽约两地成功上市、中国海油提出“协调发展、做强做大”发展方针、基地公司建立支柱产业、中国海油国产化又迈大步、上市公司整体业绩再攀新高、中外合作开发液化天然气进口项目、中国最大自营海上油田实现整体开发生产、中国近海勘探起高潮、中海石油昂首跨入恒指成分股、中国最大的生产储油轮建成、秦皇岛32-6油田一期项目投产、中国海油与中国科学院携手合作等一系列重大新闻事件，报社紧紧抓住不放，下大力量、花大功夫把文章做早做好做足，在头版显著位置刊登，扩大影响。二是充分发挥言论的导向作用，有计划、有针对性地组织采编人员撰写评论文章，以充足的论据和有力的论证，旗帜鲜明地代表编辑部发言，正确引导舆论，如社论“豪情面对新世纪”、“经历风雨见彩虹”，评论员文章“在党旗指引下前进”、“共同呵护好发展的好势头”，评论“实现海洋石油全面协调发展”、“向学习型企业迈进”、“创新，企业的活力之源”、“做强做大是硬道理”、“科技要解决企业关键难题”、“没有核心技术就没有竞争力”等一系列评论性文章，从不同的角度阐述了如何做好中国海洋石油中心工作，对整个行业的各项工作起到了积极的指导作用，对广大职工起到了很大的鼓舞作用。三是继续关注海洋问题。报社充分利用《蔚蓝月刊》这一宣传阵地，及时刊登了“发展海洋经济刻不容缓”、“管好用好海洋 建设海洋强国”、“中国海洋环境忧思录”、“海洋强国，中华民族的世纪之梦”、“必须强化海洋意识”、“海洋事业是全民族的事业”等立意深远、观点鲜明的文章，为提高读者的海洋意识起到了积极的促进作用。(陈志斌)

【中国船舶报】 《中国船舶报》是由中国船舶工业集团公司、中国船舶重工集团公司和中国船舶工业行业协会共同主办的一家行业报。报纸每周一期，对开8版。

作为中国船舶行业惟一一份综合性大报，自1990年创刊以来，《中国船舶报》始终坚持“一报在手，行业在握”的办报宗旨，重点报道国家发展船舶工业和海洋事业的方针、政策及关注报道国内外最新海事动态，针对国内海洋事业中的热点问题进行深度报道，报道内容涉及造船、航运、港口码头、渔船制造与管理、船检、科研以及相关的经济贸易、金融等领域的最新信息。开设的实用栏目和专版有：“国际船市行情”、“二手船市场行情”、“经济广角”、“港航船检”、“物资配套”、“渔船”、“科技教育”、“计算机之窗”、“船市月评”、“海事书屋”等。

2001年，《中国船舶报》除了做好以上常规报道外，还重点对以下几个方面进行了报道。

(1) 对中华世纪坛遗漏海洋国土重大缺憾的报道，指出海洋开发对一个国家发展的重要性，呼唤全民海洋意识。

(2) 船舶企事业单位干部职工批判“法轮功”、弘扬正气的一系列报道，引导全行业职工认清“法轮功”的真实面目，鼓励他们同危害国家民族利益的行为作坚决斗争。

(3) 追踪报道欧洲、韩国造船纠纷，给中国造船业以警示。

(4) 入世对船舶配套行业冲击的专题报道，呼吁配套行业正视现实，加速发展。开辟“入世大家谈”栏目，并配合中国船舶外贸论坛开辟《入世专刊》。

(5) “两会”专题报道，重点报道“两会”船界、海洋界代表对发展中国造船业的建议以及对中国造船业存在问题的分析。

(6) 国有大型企业监事会入驻两大集团公司的报道，对监事会入驻国有企业的意义进行宣传。

(7) 两大集团公司及所属企事业单位开展“三讲”学习教育活动的报道，开辟“扎实开展‘三讲’学习教育活动”栏目，重点报道有关人士对开展“三讲”学习教育活动的认识。

(8) 第十一届中国国际海事会展的报道。为配合这次海事盛会的召开，《中国船舶报》全面采访了造船、航运、船检、海洋石油等海事部门的领导和专家，并组织了专版进行报道。

(魏敬民)

海洋出版工作
Marine Publication Work

【海洋出版社】 2001年海洋出版社本着为海洋事业服务、为人民服务的宗旨，按着做优、做强、更快、更高的发展思路，在提高竞争能力、发展能力和综合能力上狠下功夫。

图书出版情况

2001年海洋出版社图书出版工作遵循突出主业、优化结构、强化品牌、丰富品种的出书思路，全年共列选题259种，其中海洋和涉海选题67种，占总品种的25％；计算机等大科技选题164种，占总品种的63％。全年出书343种，其中新版书268种，重印书75种（次）。

海洋出版社2001年主要涉海出版物见表1。

近几年图书结构变化情况

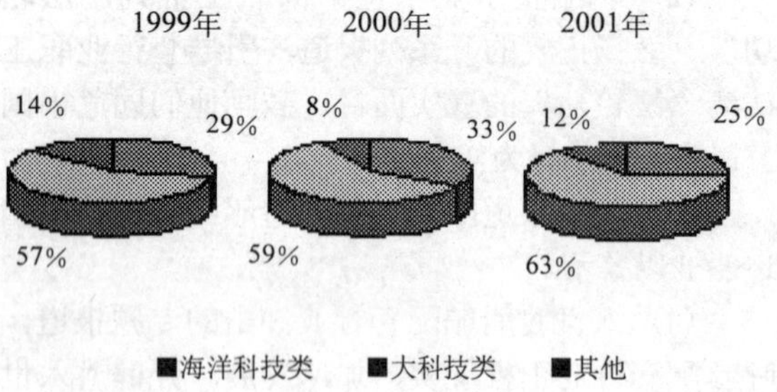

图书获奖情况

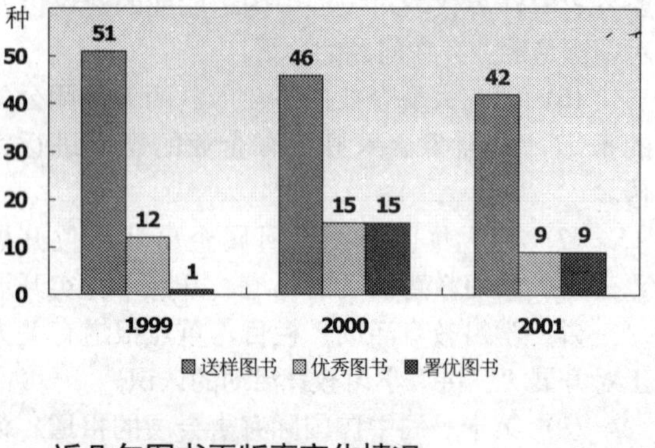

近几年图书再版率变化情况

1999出书248种，再版44种。

2000出书360种，再版72种。

2001出书343种，再版75种。

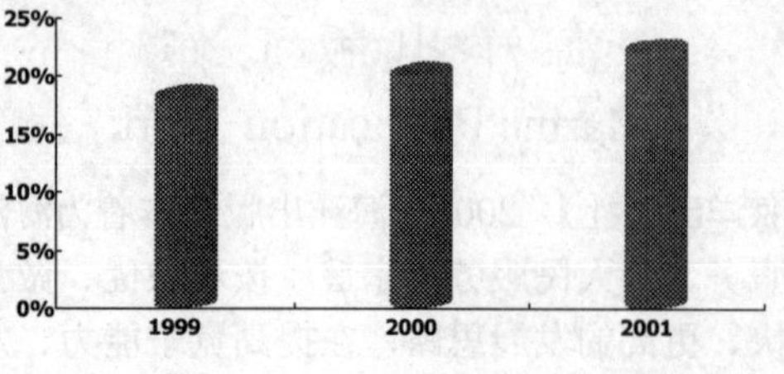

图书发行工作

图书发行工作是2001年海洋出版社确定的营销年。围绕营销这一主题，具体开展了以下几项工作：

(1) 扩大主渠道的发行量，在全国大部分省、市级新华书店，批销中心建立发行网点，使图书征订、发行工作进一步正规化；

(2) 继续扩大自办发行渠道，与全国大部分省会城市图书大厦、民营书店等建立了业务合作关系，加大计算机类、教辅类图书的发行量，扩大海洋版图书的市场占有份额；

(3) 清理陈年旧账，查检清单，催收欠款，全年收款达700余万元，超额完成了年度发货、回款定额的各项工作指标；

(4) 开拓网络定货渠道，与世界图书网、华有网、天卷宣传网等多个网站建立业务合作关系，使新版图书信息及时推向市场，为双效图书的产生打下了良好的基础。

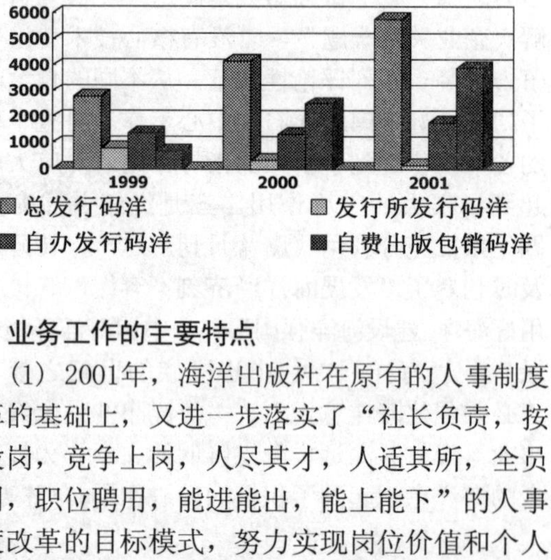

业务工作的主要特点

(1) 2001年，海洋出版社在原有的人事制度改革的基础上，又进一步落实了“社长负责，按需设岗，竞争上岗，人尽其才，人适其所，全员聘用，职位聘用，能进能出，能上能下”的人事制度改革的目标模式，努力实现岗位价值和个人价值的有机结合；大胆进行分配激励制度的改革，其改革的目标模式为：“岗位为中心，效益是依据，奖罚要并重，能高也能低”，其具体做法是：①以最大限度地调动各岗位员工的积极性和各部门协调运作产出最大效益为原则，按市场经济的需求，确定各部门的考核指标、考核体系；②以岗位为中心，分配向优秀人才和关键岗位倾斜，让奉献、责任、效益、能力等要素参与分配，确定收益与责任、义务相对等的分配标准，使良好的表现和创造性劳动得到充分的肯定

表1　海洋出版社2001年主要涉海出版物

书　　名	作　者	定价（元）	装帧及开　本
海洋矿产资源	熊传治等译	120.0	精装 16
电磁测深	俄万扬著，孔祥儒、曾治权译	20.00	平装 16
大洋多金属结构资源评价原理和矿区圈定方法	张天富	26.00	平装 16
冲绳海槽的岩浆作用与海底热液活动	翟世奎等著	35.00	平装 16
南海珊瑚礁区沉积学	王国忠	48.00	平装 16
中国海岛	《中国海岛》编委会	180.00	精装 16
东海海洋通量关键过程		48.00	平装
中国海洋资料浮标	褚同金等	60.00	平装 16
人机环境系统工程研究进展(第五卷)	龙升照	60.00	平装 16
南海环境与资源基础研究前瞻		40.00	平装 16
山东省地下水资源可持续发展利用研究		48.00	平装 16
黄河海港海洋环境	周长江 申宪忠等	40.00	平装 16
资源、环境与可持续发展	伊武军	30.00	平装 16
近海资源保护与持续利用	于大江	29.00	平装 16
中国污染水体光谱特征	赵冬至等	68.00	平装 16
全球废弃物调查	孙克诚等译	36.00	平装大16
治黄河论	侯国本	35.00	平装 16
长江河口最大浑浊带	沈焕庭等	40.00	精装 16
长江河口物质通量		35.00	精装 16
第十届中国海岸工程学术讨论会论文集	中国海洋工程学会编	200.00	精装 16
贝类学论文集	中国贝类学会	28.00	平装 16
气象卫星遥感反演和应用论文集(上、下)		120.00	平装 16
南沙群岛遥感融合信息特征分析与计量	刘宝银	42.00	平装 16
声呐信号处理引论(第二版)	李启虎	22.00	平装大32
海岸带综合管理——体制和运行机制研究	鹿守本等	60.00	平装 16
海洋开发与管理文选	王铁民	25.00	平装 32

续　表

书　　名	作　者	定价（元）	装帧及开　本
海水养殖技术(一)	《科技兴海》编辑委员会	43.00	平装 16
海洋生物基因与生物工程技术(二)		42.00	平装 16
海洋探查与资源开发技术(三)		44.00	平装 16
海洋油气勘探开发技术(四)		51.00	平装 16
海洋化工与海水养殖技术(五)		41.00	平装 16
南美白对虾健康养殖	宋盛宪等	18.00	平装 32
斑节对虾养殖	何建国等	16.00	平装 32
对虾养殖病毒病害综合防治系统工程	陆加平	12.00	平装 32
海水鱼类疾病的防治	王宏田等	9.00	平装 32
海鲜存养技术	宋盛宪等	16.00	平装 16
中华人民共和国海域使用管理法		3.00	平装 32
中华人民共和国海洋法规选编(第三版)	国家海洋局政策法规办公室	45.00	精装 32
国际海洋法法庭研究	吴　慧	28.00	平装大32
国外海洋管理法规选编	海域管理司	50.00	精装大32
1999～2000中国海洋年鉴	中国海洋年鉴编纂委员会 中国海洋年鉴编辑部	150.00	精装 16
中国海洋统计年鉴2001	国家海洋局	68.00	平装 16
海洋调查仪器使用手册	国家海洋局编	105.00	平装 16
英汉军事医学缩略语词典	龚国川主编	80.00	精装 32
海洋百科辞典	于　夫 吕彩霞主译	65.00	精装 32
海洋百科全书		38.00	平装大32
我们的渤海		18.00	平装 16
郑和	王佩云	48.00	平装 16
海洋与中国未来概论	干焱平	15.00	平装 32
21世纪中国海洋开发战略	周镇宏 胡日章	58.00	平装 32

和回报；③根据出版资源的开发利用程度、市场份额的占有水平及岗位达标的情况，奖优罚劣、奖勤罚懒；④水涨船高，设立年度整体效益奖。其奖励比例和奖金的有无完全视盈亏状况而定。

(2) 坚持“主旋律、高品位”的出书方针。海洋出版社2001年的书刊出版紧紧围绕着打造“海洋品牌”走特色发展道路的工作思路。为了实施特色战略，海洋出版社主要抓了两类图书的出版：一类是具有突破性、前瞻性的海洋专业著作的出版。为了提高此类图书的品位和水准，社里不仅减收该类图书的利润指标，而且还设立基金扶持海洋原创作品的出版，力求通过海洋类图书的出版满足中国海洋事业发展的需要，创出海洋图书的精品；第二类是具有大众性、普及性和渗透性的海洋科普书的出版。对这类图书，海洋出版社注重启动作者、编辑的创造性思维，用心寻找读者需求的切入点，突出读者化、市场化，使出版的海洋科普技术类图书能直接为涉海企业所用，同时也能令广大青少年读者感受到海洋科普知识图书的魅力。

(3) 走出选题工作误区，抓住出版工作繁荣的关键。海洋出版社2001年提出了“突出主业，优化结构，强化品牌”的选题思路，并在认真总结以往的选题工作的基础上，找出了在选题工作中的误区，有意识地加以改正。①走出“广种薄收”的误区，确立有所为、有所不为的经营思想，因地制宜地构建适合海洋出版社发展的选题思路。面对竞争日益激烈的图书市场和强手如林的出版单位，海洋出版社越来越感到选题若没有自己的个性和风格，就难以在激烈的市场竞争中有立足之本。因此海洋出版社在论证图书市场变化趋势及海洋出版社优势的基础上再次强调了海洋出版社今后的选题方向，即：海洋专著图书、计算机类图书、科普类出书、教辅类图书，并要求每个编辑室形成自己的特点，最终整合成全社的出版特色；②走出平庸、雷同选题唱主角的误区，开发融文化积累性、科学知识性和实用传播性为一体的选题。为此，海洋出版社加强了选题的论证工作，从出书工作的源头上杜绝没有特色的、照葫芦画瓢的“克隆”选题；根据海洋出版社确定的选题方向，精心研究市场、策划选题、选择作者、组织稿件，建立、健全优质选题策划机制，为双效图书的出台奠定基础；③走出选题整体规划的误区，制定将计划性、连续性有机地结合在一起的选题计划。针对海洋出版社选题计划单一，对开发成功的产品缺乏顺势挖掘潜力，使其降低价值，形不成合力的问题，加强了选题的整体开发。从横向上，注意把内容相同的选题按同一个风格整合，组合成拳头状的套书、丛书选题出版，扩大选题的优势。如2001年海洋出版社在与重庆远望公司出版计算机图书成功的基础上，又迅速将同类型图书组织在一起出版，取得了一定的成绩。从纵向上，选题计划注重连续性，努力实现出版2001年的，准备第二年的，策划第三年的滚动式的选题发展模式。

(4) 继续狠抓图书质量的提高。海洋出版社2001年继续严格执行了出版署颁布的《图书质量保证体系》等规定，严格社内的流程制度，狠抓了图书质量，加强三审、三校制度，并充分利用编审室的审稿力量、质检力量，利用高科技黑马校对软件的纠错功能，层层把关。图书质量的提高延长了图书在市场的生命力，增强了竞争力。如海洋出版社出版的《局域网一点通》一书，在2001年一年中先后印刷了8次，被市场充分认可。

(5) 以人为本，拓展市场。出版社人员素质的高低将直接影响竞争的结果。海洋出版社特别注重实施“人才工程”的发展战略。为了提高业务人员素质，海洋出版社有侧重地派一些编辑人员参加社内外举办的各种类型的学习班，而且还经常请社内资深编辑向年轻编辑、新分配人员介绍编辑知识；在人才启用方面，海洋出版社还根据出版社人员老龄化的问题，加大人才吸纳力度，把人才引进列入经常性工作，并制定了若干个与之相匹配的规定，努力营造让优秀人才脱颖而出的机制和氛围。

(海洋出版社)

【海洋科技期刊】 2001年全国主要海洋科技期刊有70余种，其中学会、协会主办的科技期刊最多，达25种，国家海洋局系统编辑出版的科技期刊有16种。

(1) 狠抓期刊质量：2001年各期刊能严格执行三审三校制度，加强审读和检查工作，及时发现问题、解决问题。各环节本着对党和国家负责的态度，首先把好政治关，编辑部门进一步落实责任编辑负责制，出版部门择优选择印制单位，努力向社会献上优秀期刊。

(2) 组织参加中国期刊展：2001年11月1～4日，中华人民共和国新闻出版总署在北京中国国际展览中心举办了建国以来规模最大的中国期刊展，国家海洋局组织了展台，展出了其主管的全部期刊，集中展示了国家海洋局系统取得的成就。与此同时，还有目的、有计划地组织有关出版管理人员和编辑人员参观展览，给期刊同业人员提供一个相互交流的机会。

(3) 期刊审读：2001年国家海洋局期刊管理办公室对其主管的16种期刊进行了审读。审读的方式是全面抽审和请有关专家重点审读。从审读的情况看，国家海洋局系统编辑出版的期刊的质量是好的，主要表现在能坚持正确的政治方向，编辑质量以及出版印刷质量同2000年相比，都有较大提高。但由于经费不足，编辑人员少等原因，个别期刊也还存在一些问题，主要表现在校对质量方面和标准化规范化方面。另外，个别期刊编辑部在出版增刊时，没有按新闻出版署及国家海洋局有关期刊出版增刊的规定出版，增刊的页数远远超出规定要求。

(4) 《黄渤海海洋》变更为《海洋科学进展》。2001年，国家海洋局参考国内其他学科领域科技期刊“学报”与“进展”相呼应的办刊原则，结合中国海洋科技期刊的现状和发展方向，根据国家科技期刊管理的指导方针，将《黄渤海海洋》刊名变更为《海洋科学进展》。

《海洋科学进展》是由国家海洋局主管、中国海洋学会主办、国家海洋局第一海洋研究所承办的全国性海洋科学学术期刊。主要刊登代表中国海洋科学各分支和交叉学科在基础研究和应用基础研究方面具有科学性、前沿性、创新性和实用性的高水平的最新学术研究成果，内容包括专题评述与综述、研究论文、研究简报、重点实验室通讯、学术论坛、快讯等，以促进中国海洋科学的发展及国际间的学术交流。

下面列出70余种主要海洋科技期刊中某些项目有变化的期刊：

《热带海洋学报》　季刊
　主办：中国科学院南海海洋研究所
　主编：施　平
　出版：科学出版社

《东海海洋》　季刊
　主办：浙江省海洋学会
　　　　国家海洋局第二海洋研究所
　主编：王康善
　出版：海洋出版社

《海洋通报》双月刊
　主办：国家海洋信息中心
　　　　国家海洋局北海分局
　　　　国家海洋局东海分局
　　　　国家海洋局南海分局
　主编：王　宏
　编辑：《海洋通报》编辑部
　出版：国家海洋信息中心

《海洋通报》（英文版）　半年刊
　主办：国家海洋信息中心
　主编：王　宏
　编辑：《海洋通报》（英文版）编辑部
　出版：国家海洋信息中心

《海洋信息》　季刊
　主办：国家海洋信息中心
　　　　中国信息协会海洋分会
　主编：林绍花
　编辑出版：《海洋信息》编辑部

《海洋文摘》　双月刊
　主办：国家海洋信息中心
　主编：徐承德
　编辑：《海洋文摘》编辑部

《海洋世界》　月刊
　主办：中国海洋学会
　执行主编：孙　滨
　出版：《海洋世界》杂志社

《极地研究》　季刊
　主办：国家海洋局极地考察办公室
　　　　中国极地研究所
　主编：刘东生　许世远
　编辑：《极地研究》编辑部
　出版：科学出版社

《海洋地质与第四纪地质》　季刊
　主办：国土资源部青岛海洋地质研究所
　　　　青岛第四纪地质研究中心
　主编：张光威
　出版：科学出版社

《船舶工程》　双月刊
　主办：中国造船工程学会

主编：冯永祥
编辑出版：中国造船工程学会《船舶工程》编辑部

《中国航海》 半年刊
主办：中国航海协会
主编：黄蕴和
编辑出版：中国航海学会《中国航海》编辑部

《水动力学研究与进展》 季刊
主办：中国船舶科学研究中心26个单位
主编：周连第
编辑出版：《水动力学研究与进展》编辑委员会

《中国水产》 月刊
主办：农业部全国水产技术推广总站
主编：刘统锦
出版：《中国水产》杂志社

《中国水产科学》 季刊
主办：中国水产科学研究院
主编：张荣权
编辑出版：《中国水产科学》编辑部

《海洋测绘》 季刊
主编：杨印本
编辑：海军海洋测绘研究所
中国测绘学会海洋测绘专业委员会
出版：海军司令部航海保证部

《沿海经济》 月刊
主办：江苏省文化经济发展中心
主编：阿木童
编辑出版：《沿海经济》杂志社

《湛江海洋大学学报》 季刊
主办：湛江海洋大学
主编：刘楚吾
编辑出版：《湛江海洋大学学报》编辑部

《渔业现代化》 双月刊
主办：中国渔船渔机行业学会
中国水产科学研究院渔业机械仪器研究所
主编：周 彤
编辑：《渔业现代化》编辑部

《世界海运》 双月刊
主办：大连海事大学
主编：袁林新
编辑：《世界海运》编辑部

《港工技术》 季刊
主办：中交第一航务工程勘察设计院
主编：毕梦雄
编辑：《港工技术》编辑部

《海军大连舰艇学院学报》 双月刊
主办：海军大连舰艇学院
主编：邓才耘
出版：《海军大连舰艇学院学报》编辑部

《水产科技情报》 双月刊
主办：上海市水产学会
上海市水产研究所
上海市水产技术推广站
主编：戴祥庆
编辑：水产科技情报编辑部
出版：水产科技情报杂志社

《大连海事大学学报》 季刊
主办：大连海事大学
主编：袁林新
编辑出版：《大连海事大学学报》编辑部

（张德山）

海 洋 教 育
Marine Education

国家海洋局海洋教育
SOA Marine Education

2001年是具有里程碑意义的年份：人类社会从此进入21世纪。2001年又是不寻常的年份：正值信息技术、国际互联网、经济全球化发展方兴未艾，人类正在进入一个崭新的时代——知识经济时代。知识经济的兴起固然有其积极的一面，它将加速人类社会的发展进程；但也有其负面影响，如果任其自然发展，将会使穷国和富国之间的差距进一步拉大。

知识经济的影响面是广泛的，同样也影响到海洋科技领域。中国的海洋事业与发达国家相比还有差距，突出表现在传统海洋产业仍占主导地位，而新兴的海洋产业所占比重仍然较小。如不采取有效对策，遏制不平衡的发展势头，有可能进一步拉大这种差距。可喜的是，海洋工作越来越受到党和国家的高度重视。通过各种形式的宣传教育，全民海洋意识也在不断加强。国家海洋局在坚决贯彻党和国家有关海洋工作方针政策的同时，紧密结合海洋局实际，制定了一系列海洋工作有关规定和发展规划，其中包括人才培养和引进规划。

特别应该指出的是，国家海洋局和局属各单位为适应21世纪海洋工作发展需要，对2001年的人才培训和引进工作做了必要的调整。在培养和引进高层次人才方面、在适应工作需要而进行的岗位培训方面加大了投入力度。从2001年各单位人员教育、培训情况统计中即可明显看出这一点（见表1）。

（徐永武）

表1 国家海洋局系统在职人员培训情况一览表

单位：人

单位名称	培训人员合计	出国学习人数	高等教育人数				短期培训人数				经费支出（千元）
			小计	博士	硕士	本科	小计	岗位培训	继续教育	其他	
北海分局	740		5		5		735	693	21	21	608.18
东海分局	903	2	38		14	24	863	631	107	125	1 050.08
南海分局	397						397	397			284.20
中国海监总队	22		12		3	9	10	10			11.87
国家海洋信息中心	82	3	4		4		75	69		6	
国家海洋环境监测中心	54		21	9	12		33	33			232.00
国家海洋环境预报中心	4	2	2		2						
国家卫星海洋应用中心	6	6									120.00
国家海洋标准计量中心	35						35	23	12		31.80
杭州水处理中心	294	2	7		7		285	278	7		320.00
海洋技术研究所	161		10	2	7	1	151	151			21.00
第一海洋研究所	192	50	38	27	9	2	104	58	36	10	
第二海洋研究所	38	2	7	2	4	1	29	19	1	9	35.20
第三海洋研究所	98	4	7	3	4		87	27	60		
海洋发展战略研究所	3						3	2	1		1.00
中国极地研究所	58	4	9	3	1	5	45	40	5		80.00
大洋协会办公室	6		2	2			4		4		
海洋出版社	2		2	1		1					2.60
中国海洋报社	16						16	2	2	12	6.83
机关服务中心	32						32	2	6	24	
海口中心海洋站	6						6			6	1.98
合　计	3 149	75	164	49	72	43	2 910	2 435	262	213	4 779.76

部分涉海院校简介
Marine Education in Part of the Ocean-Related Universities and Colleges

【青岛海洋大学】 青岛海洋大学是一所国家教育部直属并由教育部、山东省人民政府、国家海洋局和青岛市人民政府4家共同建设的重点综合性大学，是国家“211工程”重点建设高校之一。学校以海洋和水产学科为显著特色，设有理学、工学、农（水产）学、经济学、文学、医（药）学、管理学、法学等较为齐全的学科门类。

学校前身为私立青岛大学，始建于1924年。在发展历程中，曾与山东大学有30余年的共同期。1959年3月经中央批准成立山东海洋学院。1960年10月中共中央发布《关于增加全国重点高等学校的决定》，山东海洋学院被确定为全国13所重点综合大学之一。1988年更名为青岛海洋大学。邓小平同志亲笔题写校名。

2001年2月，国家教育部、山东省人民政府、国家海洋局、青岛市人民政府4家签署协议，决定共同重点建设青岛海洋大学，使之成为具有显著的海洋学科特色和优势，并在国内外有影响的高水平大学。

学校依山傍海，坐落在景色秀丽、气候宜人的海滨旅游城市——青岛。校园分鱼山路本部和麦岛校区两部分，占地73余公顷，建筑面积33万平方米。设有海洋环境、信息科学与工程、化学化工、海洋生命、海洋地球科学、水产、工程、经济、管理、外国语、文学、法学、继续教育、应用技术、数学、公共管理、环境科学与工程等17个学院（系），39个本科专业，8个专科专业。学校是国务院学位委员会首批批准的具有博士、硕士、学士学位授予权的单位，具有博士生导师评定权。现有海洋科学等5个博士后流动站、16个博士学位授予点和41个硕士学位授予点，3个一级学科授予点，2个工程硕士点。拥有5个国家重点学科，设有国家海洋药物工程技术研究中心、联合国教科文组织中国海洋生物工程中心和海洋遥感实验室、水产养殖实验室、物理海洋实验室3个国家教育部重点实验室，还设有9个省级重点学科，6个省级重点实验室。学校有物理海洋、环境海洋、海洋生物、水产养殖、海洋药物和海洋遥感6个学科被列为“长江学者奖励计划”特聘教授岗位，还拥有全国首批确定的国家理科基础科学研究和教学人才培养基地：海洋学、海洋化学专业。学校现有在册各类学生13 000余人，其中博士、硕士研究生1 200余人，留学生330余人。学校拥有一支实力雄厚的师资队伍，在现有1 000余名教学、科研及实验技术人员中，有教授268人，副教授及其他高级职称的技术人员373人。有一批国内外知名的专家、学者，其中中国科学院院士2人、中国工程院院士3人，有博士生导师122人。学校先后有200余名教师和科技人员受到国家及省、市的表彰奖励，有83人享受国务院特殊津贴，9人获国家有突出贡献的中青年专家称号，26人被评为山东省专业技术拔尖人才。学校共有68个教学与科研相结合、具有不同专业特色的实验室，拥有供教学、科研使用的东方红2号海洋综合调查船，有设备先进的电教中心、计算中心和测试中心。学校图书馆被教育部认定为15个查新中心之一，已建成包括1 208种Web版外文期刊、收录全球1861年以来1 000余所著名大学理工科博士、硕士Web版学位论文文摘，文摘总量达200万条的国际上较为全面的海洋、水产学科外文数据库，8 000余种（占全国出版量90％以上）中文科技期刊全文，5万种数字化中文图书以及引进所有国内大型文献数据库（文摘量达1 300万条）的数字图书馆，有藏书近百万册、中外期刊3 000余种的传统图书馆。学校定期出版在国内外发行的《青岛海洋大学学报》自然科学版和社会科学版等学术刊物。学校出版社——青岛海洋大学出版社近年来出版了大量优秀图书，为学校教学、科研做出了积极的贡献。海大校园网规模宏大，联通Internet与CERNET，是中国教育科研网络全国高校38个主节点之一，为学校的管理教学科研活动提供了一条高质量的信息高速公路。

学校主动适应社会发展和经济建设需求，适时调整专业，加强教学建设。具有优良的学风、校风。学校严格教学管理，教学质量不断提高。在教学方面的一系列改革举措深得师生赞誉和支持，在社会上引起良好反响。学校设有海洋药物工程研究院、物理海洋研究所、海洋经济与海洋法学研究院、环境科学与工程研究院、信息工程中心、水产养殖研究所等26个研究机构，瞄准学科发展的世界水平，发挥多学科、综合性和海洋科技人才密集的优势，积极参与国家知识创新和技术创新。主要从事基础理论、应用研究、高新技术、科技咨询与服务、科技开发及产业化等方面的科技工作。在海洋动力学、海洋环境及其预测、海洋生态动力学、信息科学与技术、水产养殖及精加工技术、软科学技术、海洋药物研究开发、工程技术、海洋经济、海洋法、海事、海洋资源开发利用等方面做出了突出的成绩。学校十分重视对教师的培养提高和对外科技交流。几年来，派出国外留学、考察和讲学人员及访问学者占全校教师人数的一半以上。学校先后与39个国家和地区的60余所高等学校和科研机构建立了合作交流关系。（谢正侠）

【湛江海洋大学】 组建湛江海洋大学是广东省委、省政府为建设教育强省和海洋经济强省的重要举措，经过5年的建设，学校已初步发展成为以海洋学科为特色，文、理、工、农、经济和管理学等学科协调发展的综合性海洋大学。新成立了航海学院和信息学院，学校二级教学机构调整为水产学院、农学院、工程学院、经管学院、航海学院、信息学院、职业技术教育学院、成人教育学院、寸金学院、基础科学系、外语系、社科部、体育部等9院2系2部。本科专业增加至26个。2001年在编教职工人数增至1 307人。已有教授43人，副教授148人，中级职称人员400余人，具有博士、硕士学位人员200余人。现代化图书馆（面积2万平方米）竣工启用。2001年新增教学科研设备资产值800余万元，录取新生6 075人，其中本科生3 184人，专科生2 891人；毕业生1 693人，其中本科生1 167人，专科生526人。全校全日制在校生总数14 413人，其中本科生8 909人。新建1.5万平方米的学生公寓按时完工，保证了新生入学需要。

湛江海洋大学在扩招任务重、教学资源紧张的情况下，为了保持良好稳定的教学秩序，确保人才培养质量，根据教育部4号文件的精神与要求，制订了《关于加强本科教学工作，努力提高人才培养质量的实施意见》，提出13条具体措施，加快教学基本建设，推动教育、教学改革，抓紧启动学科专业结构调整的战略性工作，开展构建新的人才培养模式，优化课程体系，改革教学内容、方法和手段，制订培养创新人才教学计划等工作。由于教学改革取得了显著成绩，《水产养殖本科人才培养方案及教学内容和课程体系改革的研究和实践》获广东省教学成果一等奖，《食品科学与工程学科课程体系及实践教学改革》等3个教改课题分别获广东省教学成果二等奖。《深化海洋类专业调整与改造，创建品牌专业，服务海洋经济》、《水产养殖本科实验实习教学创新体系的建立和实践》等两个课题被列入新世纪广东省高等教育教学改革工程。有1人被评为全国优秀教师，1人评为广东省“千百十工程”先进个人，5人被评为“南粤教坛优秀教师”。

在教学任务繁重的情况下，教师积极争取科研课题，开展科学研究，为发展海洋经济和地方经济服务，争取到各类课题112项，其中省部级以上课题15项，对广东省海洋经济发展有重要影响的课题有《海水养殖鱼类重大流行性疾病的诊断、监测和防治技术研究》、《对虾高位池藻类微生态调控养殖技术研究》、《珍珠多倍体规模化生产技术的研究与开发》、《土贝母苷乙诱导细胞周期阻滞及凋亡分子生物学研究》、《水产抗生素药物的研制》等。在国内外学术刊物上发表论文373篇，其中国内核心刊物发表200篇。《斜带髭鲷等七种海水鱼类人工繁育技术研究和推广》、《中国鲎人工授精育苗研究》和《多种对虾人工育苗养成的研究》等3个科研成果分别获广东省科学技术三等奖，有3项成果分别获湛江市科技进步一等奖1项、二等奖2项。抗癌药物研究取得新进展，获欧洲德彪药业集团、中国癌症研究基金会二等奖。

对外学术和科技交流工作打开新局面，有45人次出访或参加国际学术会议，接待国（境）外来访专家23人。与俄罗斯莫斯科工业大学、圣彼得堡海洋大学，越南芽庄水产大学、水产部第四水产学院签订学术交流合作协议。向台湾海洋大学派出对方提供全额奖学金的留学生（研究生）2名，进行短期研究工作。

新成立的航海学院正根据我国政府实施STCW78/95国际公约的精神，积极按照公约要求开展教学改革，加强实践性教学环节，围绕为我国海运事业培养无限航区一等二副、二管轮的培养目标而努力。学院有专业教师26人，实验员7人；拥有500余万元的教学、科研设备，专业综合实验室总面积近2万平方米，其中轮机实验室

1 370平方米（包括6个轮管实验室和3个船电实验室），驾驶实验室607平方米（包括11个实验室），另有陈列室、精密仪器室、计算机室等8个工作室，设有GMDSS模拟器、雷达观测与标绘和雷达模拟器、自动雷达标绘仪（ARPA）、船舶电站模拟器等4个大型模拟器实验室，将为我国海洋运输事业输送高质量的航海高级专业技术人才。 （叶富良）

【浙江海洋学院】 浙江海洋学院是中国内地第三所综合性海洋本科院校。学校位于风景秀丽的"千岛新城"舟山市区，毗邻国际港口城市上海和宁波，拥有世界闻名的"海天佛国"普陀山，交通便利，环境幽雅。学校占地面积66.67余公顷，教职工800余名，全日制在校生6 000余名；下辖海洋科学与技术学院、工程学院、渔业学院、信息学院等11个院（系），设有海洋科学、海洋技术、船舶与海洋工程、海洋渔业科学与技术、水产养殖等19个本科专业；建有浙江省海洋水产研究所、海洋科学研究所、渔业科学研究所、船舶与机电工程设计研究所、深水网箱养殖工程研究中心、浙江省远洋渔业培训中心等科研和培训机构。目前正着手建设浙江省海洋高技术产学研基地。

学校重视教学改革，强化实践环节，全面推进素质教育，提高人才培养质量。学校注重科技研究和技术推广，坚持走产学研相结合的开放式办学路子，积极为地方经济建设和社会发展服务，其中"深海抗风浪网箱研制"项目已列入国家"十五""863"计划。1978年以来，其科研成果先后获国家和地方科技成果奖100余项，其中国家级奖8项，省部级科技进步奖47项。目前还承担着国家教育部重点项目"深水网箱养殖海域环境保护技术研究"、国家重大项目的子课题"东海虾蟹资源调查"和"东海渔业资源调查状况和合理利用对策研究（浙江部分）"等31项重大课题的研究与调查。

学校积极开展对外合作和交流，先后与青岛海洋大学、国家海洋局第二海洋研究所等国内高校、科研机构和企事业单位实行多种形式的联合办学，与日本东京水产大学等国外的高校和科研机构建立校际交流关系。学校学报面向国内外公开发行，《浙江海洋学院学报》（自然科学版）被列为联合国粮农组织《水生生物科学和渔业文摘》（Aquatic Sciences and Fisheries Abstracts，简称ASFA）所收录，为我国海洋水产类中文核心期刊。

学校现任院长为中国科学院院士冯士筰教授。

通信地址：浙江省舟山市定海文化路105号

联系电话：0580-2550009 2550015

传真号码：0580-2551319 邮政编码：316004

电子邮件：zjhdky@sohu.com （张义浩）

【上海海运学院】 2001年，学校广大教职工以主人翁的姿态，紧紧围绕培养社会主义"四有"新人这一目标，为落实第六届教职工代表大会院长工作报告中所提出的奋斗目标和主要任务积极进取，踏实工作，在教学、科研、学科建设、管理、校办产业、后勤、精神文明建设等方面取得了新的成绩，学校的办学水平有了新的提高。

学校2001年的招生数创下了历年之最。招收本科生2 572名，高职生1 639名。目前在校本、专科生达到11 800余名，在校生人数突破万人规模。这为学校今后的进一步建设和发展，为增强学校在社会上的竞争力，提高学校的整体办学水平和办学层次奠定了一定的基础。

学校科技工作取得了新的进展。在科研成果中，由学校负责研制的"网络型集装箱船舶轮机模拟器"项目以及与其他单位共同研制的"2 500吨/小时卸船机研究"项目分别获得上海市科技进步二等奖；上海市青年启明星项目"上海国际航运中心的港口竞争合作研究"获得第四届上海市决策咨询研究成果政策建议奖二等奖；上海市教委重点学科项目"船舶柴油机实时仿真系统及智能控制研究"获得上海市优秀发明选拔赛一等奖。学校还组团参加了"2001年上海国际工业博览会"。参展的高新科技成果，目前都已投入生产实用或用于教学科研。其中，"高速公路可变限速情报板"项目已在沈大高速公路上安装使用，并产生良好的社会和经济效益；"大型集装箱船舶轮机模拟器"已产品化，国内一些航海院校和科研院所已开始订购并陆续投入使用。

2001年学校共招收研究生265名，其中博士生10名，在校研究生人数达到597名，其规模为历年之最。一些热门专业，如法律、外语、会计等专业的生源质量进一步提高。在学位建设方面，新增技术经济及管理、检测技术与自动化装置、控制理论与控制工程、机械电子工程、计算机软件与理论等5个硕士点；新增专业学位“机械工程”硕士点。完成了院第七届学位评定委员会、第五届学位评定分委员会的改选与换届工作，召开了院第八届学位评定委员会第一次会议和第二次会议。审核通过了《关于硕士研究生培养方案修订的意见》和《上海海运学院选聘硕士生指导教师暂行条例》等2个文件。5月份，全国学位与研究生教育发展中心和高等学校与科研院所学位与研究生教育评估所对学校与荷兰马斯特里赫特管理学院合作培养MBA项目进行了评估。综合评价意见认为，该合作培养项目，学校各级领导重视，配备了国内目前一流的教学设施，教学效果良好。2001年9月，该教育评估所还对学校的国内MBA项目进行了评估，并给予了很高的评价。同意学校结束“试点”，进入正常的MBA培养教育。此外，目前学校各有关部门还正在认真积极地进行新增博士点和硕士点的材料准备工作，力争2002年申报有新的突破。

教学改革工作积极稳步推进。根据面向21世纪教学内容和课程体系改革的要求，学校继续加大了对教学内容、教育方法和课程体系改革的力度，陆续制订或修订了《全面提高教学质量推进计划》、《加强教师教学工作的规定》、《关于制定本科专业教学计划的规定（试行）》、《学分制教学管理规定》、《学生学籍管理规定》等20个有关教学工作方面的文件。通过这些文件的制定、修订和颁发，进一步规范学校的教学管理，严格各项教学规章制度。

根据全国交通运输事业和上海经济建设发展的需要，2000年，学校新增设的交通运输（物流管理）、国际经济贸易（电子商务）、船舶与海洋工程、自动化、信息与计算科学等5个本科专业，于2001年秋季开始招生，从而使学校的本科专业达到了31个。此外，还组织了工业设计、财务管理、交通工程等新专业的申报工作。

为促进教学质量的提高，学校还大力倡导开展理论结合实际、结合各专业的教学和教学改革的研究，取得了一批教学研究成果。其中《大型航海仿真教育训练系统的研制与应用开发》和《普通高等学校建立质量保证体系研究与实践》获得了上海市教学成果一等奖；《航运管理信息系统课程建设》和《航海学》获得二等奖。为了继续推进课程建设，学校启动了《统计学》、《辅机工程》、《驾驶避碰与值班》等14门第三批重点课程建设；制定了“十五”期间的教材建设规划，并与出版社落实了教材出版计划。贷款建设基础实验室进展顺利，已完成投资1000万元。“电子电工实验中心”、“现代通讯和信息实验室”、“计算机技术基础实验室”、“多功能航海模拟训练实验室”和“网络多媒体阅览室改造”等项目已投入使用。新建和改造了15个多媒体教室，新建了1个教师课件制作室。这些项目的建设和投入使用，有效地改善了学校基础实验室的条件，这对加强学生动手和实践能力的培养，促进教学质量的提高具有十分重要的意义。

学生素质教育工作扎实推进。学校成立了素质教育推进计划领导小组和实施督导小组，以全面协调、领导和监督推进计划的实施。学校素质教育突出德育的核心地位，把制订的德育大纲实施细则中的主要目标、要求、内容和措施，融入学校实施的质量管理体系中去，形成了4年全程育人的工作机制以及学校各部门齐抓共管的局面。学校还重点建设“邓小平理论”课程，使之成为全院有较高水平的标志性课程之一。同时强化教书育人工作的新机制，规定“两课”教师应担任学生班主任、兼职辅导员或学生社团指导教师，并在“两课”教师中设立教书育人示范岗。学校还抓住APEC会议在沪召开的契机，积极组织学生参加APEC志愿者活动，并获得了上海市APEC志愿者活动优秀组织奖的荣誉称号。

积极推进学校内部管理改革。在充分调研和听取教职工意见建议的基础上，以《校内人事制度和岗位津贴改革方案》为基础，学校又认真缜密地制订了《教师岗位聘任实施细则》、《关于技术业务岗位设置和聘任办法》、《关于党政管理岗位设置及聘任办法》、《关于岗位津贴实施细则》4个试行实施细则。2001年底开始，本着发展、改革、稳定的原则，积极稳妥地开展了岗位聘任工作，并启动了新的岗位津贴制度。通过这次岗位聘任和分配制度改革，初步建立起了竞争上岗、能上能下的机制。无论是教师、教辅人员，还是机关干部、职工，岗位意识都不同程度地得到了加强。受聘于学科、教学岗位上的教师绝大部分都积极争取课题、项目，积极撰写论文，努力提高教书育人和教学质量；广大机关干部和职工为教学科研第一线服务的意识明显加强，办事效率有所提高。

6月份，学校召开了师资工作会议。会议认真总结了前几年学校师资队伍建设的经验，深刻分析了存在的问题和不足，提出了《上海海运学院“十五”师资队伍建设推进计划》。“十五”师资队伍建设推进计划以学科建设为龙头，以培养中青年学科学术带头人和骨干教师及提高学历层次、优化结构为重点，以提高教学质量为基础，努力建设一支德才兼备、人员精干、结构优化、富有敬业精神的高素质教师队伍。目前，学校有关职能部门正根据“十五”师资队伍建设规划的奋斗目标和主要任务，抓紧研讨并制订具体的配套措施和办法，并有计划、有步骤地开展实施工作。

质量管理是学校提高教学质量和管理水平的一项重要工作。根据质量体系运行情况以及内外审结果，上半年学校对27个程序文件、业务指导和岗位职责进行了修订和实施。根据质量体系要求，4～6月份，学校又组织了28个审核组对全院质量保证体系和管理体系各部门进行了内部质量审核工作，并完成了内审不符合项的跟踪验证。7月份，学校还顺利通过了挪威船级社（DNV）的年度审核。

后勤保障工作取得新进展。2001年初，学校撤消了基建处，成立了基建办公室和基建服务中心，并签署了“基建管理体制改革协议书”。基建办公室代表学校行使管理职能，对基建任务、要求、价格、质量、考核提出要求；基建服务中心则承担基建任务，并对完成时间、数量、质量作出承诺。为进一步扩大学校的办学规模，学校与上海市浦教实业总公司租赁的发展大厦9月份投入使用，从而保证了秋季入学的1 860名新生的入住。（胡荣山）

【厦门大学海洋与环境学院】 厦门大学海洋与环境学院成立于1996年4月，是福建省政府与厦门大学共建的结晶。厦门大学海洋与环境学院下设海洋学系、亚热带海洋研究所、环境科学与工程系、环境科学研究中心、厦门大学海洋环境科学教育部重点实验室、厦门海岸带可持续发展国际培训中心等6个单位。现拥有海洋科学博士后流动站、国家海洋科学一级学科博士学位授权点、环境科学博士点、海洋生物学和海洋化学两个国家重点学科以及相关的硕士学科点。海洋生物学、海洋化学、环境科学获批设置“长江学者奖励计划”特聘教授岗位。

厦门大学海洋与环境学院是我国南方海洋科学与环境科学的人才培养及科学研究基地。厦门大学海洋学科历史悠久，是我国海洋科学研究的发祥地。海洋学系成立于1946年，亚热带海洋研究所组建于1978年。半个多世纪以来先后培养了数以千计的海洋科学高级人才，其中不少已成为我国海洋科学界的学术带头人和国际海洋科学界的知名学者。厦门大学的环境科学研究起步亦早，20世纪50年代起就陆续开展了海洋环境方面的研究，1982年成立环境科学研究所，1992年成立环境科学研究中心，1995年厦门大学海洋环境科学教育部重点实验室成立，1996年与厦门市政府共建成立了厦门海岸带可持续发展培训中心，2000年厦门大学海洋环境科学福建省——教育部联合重点实验室成立，2000年成立环境科学与工程系。

1996年厦门大学海洋与环境学院的成立标志着厦门大学海洋科学与环境科学学科进入了一个崭新的腾飞发展时期。2001年学院有教职工117人，专任教师77人。其中教授30人，副教授29人，包括长江学者1人，博士生导师13人。目前在校生506人，其中本科生345人、硕士生104人、博士生57人、留学生4人、在站博士后研究人员10人。

厦门大学海洋与环境学院座落于厦门岛东南部美丽的环岛路旁，依山傍海，风光旖旎。目前，海洋与环境学院正充分发挥厦门大学多学科的综合优势，积极推动和促进相关的基础研究和应用技术的发展，力争使海洋科学与环境科学的教学与科研水平在国内处于领先水平，并逐渐接近国际先进水平。学院愿与有志于海洋与环境事业的英才在厦门大学海洋与环境学院这方灵土上携手奋斗，共创辉煌。（白志毅）

【南京大学海岸与海岛开发教育部重点实验室】 该实验室肇始于20世纪60年代，1990年命名为南京大学海岸与海岛开发国家试点实验室，系世界银行贷款重点学科发展项目建立的应用基础型的地球科学与海洋科学实验室，2000年批准为教育部重点实验室。实验室现任主任是高抒教授，学术委员会主任为王颖教授。现有在编人员21名，其中中科院院士2人，教授6人，副教授6人。

实验室具有多学科交叉渗透的特点，主要从事海岸带、岛屿和大陆架浅海的资源、环境与生态系统的调查研究，探索全球变化背景下海岸海洋演变规律，进行规划与决策分析、开发利用与防灾、减灾实验。实验室近期的研究方向为：在基础理论方面，研究季风、潮流作用、强烈人类活动条件下的海岸沉积动力学、地貌演化及其全球变化效应。特别是在淤泥质海岸、潮汐汊道港湾、陆架潮流沙脊群研究方面做出具有原始创新成果。在应用基础与产业化方面，重点进行海岸环境资源管理技术、海岛资源合理开发与灾害防治以及海洋权益研究。

实验室拥有属于国家重点学科（自然地理学）和江苏省重点学科（海洋地质学），属于国家级理科人才培养基地，含4个博士点(自然地理学、海洋地质学、地貌与第四纪地质学、人文地理学)和1个博士后流动站。实验室贯彻“开放、流动、联合”的方针，以国家重点研究任务为主体，积极开展国内与国际合作研究，并大力支持开放课题。实验室由现场勘测、室内分析、海洋地理信息系统等3个主要系列组成，设备总金额超过1 500万元。

地址：南京市汉口路22号南京大学
邮编：210093　传真：025 3595387
电话：025 35970820；25 3593736
电子邮箱：shugao@nju.edu.cn
wangying@nju.edu.cn　(高　抒)

【烟台大学海洋学院】 山东省人民政府于2001年3月，决定将山东省水产学校并入烟台大学，成立烟台大学海洋学院。

山东省水产学校成立于1951年10月2日。在半个世纪的征程中，学校始终坚定不移地贯彻执行党的教育方针，旗帜鲜明地坚持社会主义办学方向，以培养海洋与水产事业所需要的德、智、体、美、劳全面发展的高中级和其他各类专业技术人才为己任，励精图治，开拓进取，为祖国的社会主义现代化建设做出了突出贡献。

20世纪80年代以后，学校在改革开放春风的吹拂下，驶上了迅速发展的快车道。面向建设“海上山东”和开发“黄河三角洲”、大跨世纪工程的主战场，走“强身健体”发展内涵为主的道路，把工作重点放在适应市场经济、实行多层次、多渠道办学，努力提高教学质量和办学效益上，学校的教学和其他各项工作不断走向新的水平。1980年被国家教委确认为全国重点中专。1999年选优评估，再次被教育部批准列为国家级重点中专。

1990年经山东省政府批准，与烟台大学联合办学，成立了烟台大学水产学院，实行一校两制。后经山东省科委、国家农业部和劳动部批准，先后设立了“山东烟台水产技术培训中心”、“职业技能鉴定站”、“一、二等远洋渔船职务船员培训基地”、“船舶检验师培训基地”；建有各类实验室44个、专业教室6个、多媒体教室3个；教学仪器设备总值1 000万元，先进的仪器设备占总设备数2/3以上；图书馆藏书18万余册；在校教职工250余人，在校学生1 800余人，在职教师124名，其中有高级讲师49名，讲师51名，获得国家级优秀教师称号1名，获省(部)级优秀教师称号4名；具有博士、硕士学位者5人，正在攻读硕士研究生学位者2名。5%以上的专业课和专业基础课教师获得了与本专业有关的技能证书，达到了“双师型”目标。

建校50年来，学校共培养了大学本科、专科和中专毕业生10 000余名，培养其他各类技术人才15 000余名，遍布在全国20个省、市、自治区的海洋与渔业战线上，所在单位普遍反映水产学校毕业生能吃苦，泥水下得去，钻研精神好，动手能力强，实用、好用。

2001年烟台大学海洋学院的建立，在学校的发展史上又翻开了新的一页。目前学院设有1个本科专业、5个专科专业以及3个五年一贯制专业。同时，海洋学院为了发挥教学优势，充分利用教育资源，根据教育部1998年颁布的本科专业目录，结合学院具体情况，在之后2～3年内，计划增设更多专业，如水产养殖学、航海技术、轮机工程、海洋渔业科学与技术、船舶与海洋工程、海洋技术、海洋科学。烟台大学海洋学院虽然刚刚起步，但山东省水产学校长期积累的办学经验和实力以及扎实的基础、优良的校风，仍将是海洋学院今后发展的根基、烟台大学海洋学院一定会肩负起培养海洋高等技术人才的高级实用型、技能型人才的重任，为中国海洋与水产教育事业做出更大贡献！　(烟台大学海洋学院)

【海军航空工程学院】 学院以军队本科教学评价第一名的优异成绩荣获全军首批教学优秀单位；首次组队参加全国高校数学建模大赛取得国家级一等奖；一举获得两个学科点的博士学位授予权。走出了一条适应21世纪培养新型军事人才的教学改革之路。

在教学改革方面，海军航空工程学院党委经过近年来的不断探索，彻底打破了教材内容陈旧、教学设备落后，师资力量不够、科研项目与教学脱节的局面，形成了全新的现代教学机制。

学院针对以往按型号、按岗位设置专业，造成专业面狭窄，培养的学员适应能力弱的问题，将导弹工程专业指挥干部和专业技术干部，由分训改为合训，培养懂技术、能指挥、会管理的复合型人才；把全院本科专业划分为5大类，实行3年基础合训，1年专业分流的模式，并试行“4+X”(4年本科培训，半年左右专业岗前培训)组训方式改革；加大航空工程和导弹工程重组力度，实行相近专业或专业方向共建；改革老专业，增设适应未来海战需要专业，形成了7个布局合理、各具特色和优势的学科专业群。学院党委遵照统筹规划、突出重点、分类建设、提高效率的指导思想，加强实验室建设，教学保障能力不断增强，现已拥有先进的工业CT、网络分析仪等各类食品及配套装备6 000余套(件)，导弹末制导实验室两次被评为“全国高校实验室系统先进集体”，“无损检测中心”达到国际先进水平。新建成的新装备培训中心，成为海军新型飞机、导弹装备教学和科研的重要基地。

学院党委充分发挥航空和导弹两大专业优势，围绕现代海战技战术的有机结合，积极开展军事科研和学术研究，不断拓展教学科研领域的广度和深度。“九五”期间，学院共有230余个项目通过了鉴定、评审和验收，共获各类科技成果奖励169项，65%以上的项目达到了国际或国内先进水平。其中，“某型战机攻潜分析系统”获国家科技进步二等奖。学院整体办学水平稳步提高，获得博士授予权；代表海军参加全军本科教学评价，以优异成绩名列参评院校之首；获全军首批教学优秀单位；本科学员参加大学英语四级通考，连续10年一次通过率在90%以上，其中连续2年达100%；多次参加基础课通考均取得优异成绩，总部和海军先后转发了该院深化基础课改革的经验。

海军航空工程学院青年教员中具有博士、硕士学位的占68.9%，在全军本科教学评价参评院校中率先达到国家 A 级标准。“九五”期间，该院80%以上的教学科研成果是由中青年教员完成的，新生代已成为教学中坚。

学院党委深入持久地开展骨干工程、尖子工程、名师工程，出台了《优秀青年人才培养奖励细则》、《青年学科带头人选拔培养办法》，先后选拔了33名青年教员作为学科带头人培养对象，配备本专业老教授作导师，有意识把青年教员推上教学科研第一线，让他们在实践中锻炼提高。有些青年教员被安排担任研究生课程教学，给他们创造锻炼授课能力的机会。在大中型科研项目攻关中，让他们在课题组内挑大梁、唱主角。配备教学骨干时，优先考虑学历教育程度高、教学科研能力强、学术研究成果多等因素。近年来，先后有9名青年教员相继走上部系领导岗位，不少青年教员成为教研室正副主任，60余名青年教员破格晋升高级职称。雷达教研室主任何友教授在本专业领域有很深的造诣，被提拔为电子工程系主任。

几年来，学院相继安排一些青年教员出国进修、到国内名牌大学深造；对教员外出考察调研、讲课等费用及时保障，安排专车作为教授工作用车；实行教授、博士优先分房制度，博士毕业生、博士后来院工作按团、师职分配住房。学院拿出资金，支持时宝教授赴意大利参加了第三届世界非线性分析学家大会。

这些举措，大大改善了教员队伍结构，提高了整体素质，目前，具有高级专业技术职务者在全体教员中的比例达到28.1%，以何友、谢晓方、朱平云为代表的一批中青年学者勇立教改潮头，抢占国际学科前沿，形成了一个集团冲锋的博士、硕士人才方阵。学院教员队伍建设经验先后3次在全军、海军有关会议上交流。

近年来，学院充分发挥科研对学科专业发展的牵引作用，用科研促进学科专业的重组和重点学科的发展，培育了新的学科增长点，形成了一批处于学科发展前沿、有发展前景、军事特色鲜明、体系完善的学科专业。该院新增设的几大专业以及获得博士学位授予权的两个学科点，都是在科研牵引下实现的。

学院十分重视科研对高素质人才培养的推动作用，配合学院人才培养计划，促进了教员队伍建设，一大批优秀人才脱颖而出。同时，通过科研实践，提高了学员的综合素质。据统计，学院本部开展的200多项科研项目中，有研究生参加的项目占总数的80％以上，本科生毕业设计题目多数来源于教研室承担的科研项目，有效地培养了他们的科研创新能力和探索精神，提高了人才培养质量。

学院发挥科研对更新教学内容和改善教学条件的实践作用。通过科研为实验室增添了300余台(套)设备，总价值约1 000余万元，购置图书资料18 000余册，总价值近50万元。学院将最新科研和学术成果充实到教学内容中。大学物理融入了红外、超导、激光等新理论；在“航空兵器与火控系统工程”专业课中，融入了精确制导技术、光电制导技术、组合导航技术等新技术；专业设备课内容中融入了新机种和新型导弹的内容。有50余门课程应用科研成果编写了新教材，丰富和更新了教学内容。获军队科技进步一等奖的“海军导弹维修检测方舱”课题，给导弹维修与检测专业注入了新的活力，提高了学员维修与检测导弹的快速反映能力。

在人才培养方面：该院党委根据军委的战略部署，通过教学改革打破常规，超前培养高素质新型军事人才。在德育方面，建立了以邓小平理论为中心的教学内容，创建德育“200工程”体系，坚定学员的政治信念，树立科学的世界观、人生观、价值观，激励学员献身海防事业；在智育方面，强化基础训练，着眼高新技术，突出工程特色，注重素质教育；在军事素质方面，建立了军事、管理、人文课程与其他课程协调发展的内容体系。学院加强基础课教学，将文化基础和专业基础课学时提高3.5％，重点保证高等数学、大学物理、大学英语、计算机4大主干基础课，开设军事基础、军队管理学和人文方面课程，为学员们掌握高精尖技术创造了条件。

学院积极实施能力培养工程，培养学员独立获取知识和综合分析解决实际问题的能力；对有实验教学的课程，20％的时间用于习题课、课堂讨论、社会实践等，并实行专业对口代职实习，要求学员做到能讲理论课、组织专业训练、队列训练、文体活动，能主持会议。每年都举办外语、计算机知识和能力竞赛。学院专门成立了由院首长牵头的学院能力培养工作办公室，配有专职和兼职教员。在学员队模拟连队建制，由学员轮流担任连长、指导员、排长、党(团)支部书记等职务。学院的文体比赛、艺术节、阅兵等重大活动，均由学员队轮流承办，每年都要举办国家二级体育裁判员培训班。学院先后在海军航空兵某师、刘公岛等建立了一批人才共育基地，为学员的实习、参观、当兵代职提供锻炼舞台。

(海军航空工程学院)

附 录

Appendixes

附录1 2001年海洋科研项目获奖成果

Appendix 1 Award-Winning Achievements of the Marine Scientific Research Projects During 2001

【海洋创新成果奖】 国家海洋局完成了2001年海洋创新成果奖的申报和评审工作。2001年海洋创新成果奖评审会议（第一届海洋创新成果奖评审委员会第二次会议）评出中国极地研究所、青岛海洋大学等13个单位的19项海洋创新成果奖，其中一等奖2项，二等奖17项。

2001年海洋创新成果奖获奖项目名单：

一等奖2项：

1. 南极中山站高空大气物理观测研究

完成单位：中国极地研究所

完成人：刘瑞源、杨惠根、钱崇林、贺龙松、秦为稼、刘勇华、胡红桥、刘顺林、张北辰、王　幸、李升贵、董　利、平祖庆、黄德宏

2. 牡蛎三倍体育种苗与增养殖技术研究

完成单位：青岛海洋大学

完成人：王如才、王昭萍、田传远、于瑞海、李　赟

二等奖17项：

1. 中法东海沉积层序和古环境

完成单位：国家海洋局第一海洋研究所

完成人：刘振夏、李培英、吕厚远、李铁刚、程振波、夏东兴、孟宪伟

2. 中日东海特定海区河流入海环境负荷及其对海洋生态系的影响

完成单位：国家海洋局第一海洋研究所、国家海洋局第二海洋研究所、青岛海洋大学、国家海洋局东海分局

完成人：朱明远、周怀阳、王修林、张有份、陈　尚、林以安、石晓勇、李瑞香、许卫忆、吕瑞华

3. 硒化多糖化合物及其制备技术

完成单位：国家海洋局第一海洋研究所

完成人：李光友、缪锦来、刘发义、辛建杰、古宝亮、崔科远

4. 海洋光学遥感信息应用技术研究

完成单位：国家海洋局第二海洋研究所、中国科学院南海海洋研究所、国家海洋局第三海洋研究所、国家海洋局海洋技术研究所、香港科技大学环境及持续研究所、青岛海洋大学、大连海事大学

完成人：潘德炉、李　炎、陈楚群、顾德宇、朱乾坤、陈清莲、方　明、陈文忠、李栖筠、李淑菁

5. 中国多金属结核勘探区资源动态评价及矿区圈定综合研究

完成单位：国家海洋局第二海洋研究所、国土资源部广州海洋地质调查局第二海洋地质调查大队、国家海洋信息中心

完成人：张富元、何高文、殷汝广、章伟艳、程永寿、赵祖斌、王　英、宋连清、朱克超

6. 特定海域和海岸多平台多传感器遥感综合应用研究

完成单位：国家海洋局第三海洋研究所、海军海洋测绘研究所、国家海洋局第二海洋研究所、解放军信息工程大学、测绘学院

完成人：林明森、李秉秋、黄韦艮、张永生、李燕初、李　炎、毛志华、韩晓宏、许德伟、戴晨光

7. 高精度CTD剖面仪及定标检定设备

完成单位：国家海洋局海洋技术研究所、国家海洋标准计量中心

完成人：于厚隆、张兆英、贾肇基、吴明钰、岑世奎、王云泉、田　雨、王　欣、王海峰、陈芙蓉

8. 海水循环冷却技术

完成单位：国家海洋局天津海水淡化与综合利用研究所、渤海化工集团公司、天津碱厂

完成人：侯纯扬、武　杰、张德燕

9. 海岸带环境污染监测支撑关键技术

完成单位：国家海洋环境监测中心

完成人：关道明、马永安、徐恒振、刘现明、韩庚辰、王菊英、闫启仑、陈则铃、郭皓、周传光

10. 近岸海域典型环境污染防治技术应用示范

完成单位：国家海洋环境监测中心、国家海

洋局第一海洋研究所

完成人：杨庆霄、王健国、魏　奎、刘广远、梁玉波、徐明德、赵冬至、文　武、于　涛

11. 高性能膜组器及海水淡化工程技术开发

完成单位：国家海洋局杭州水处理技术研究开发中心

完成人：谭永文、于品早、俞三传、刘玉荣、沈炎章、周冠生、攀　雄、张建飞、张希健、潘巧明

12. 海洋产物甲壳素、壳聚糖的开发应用——壳聚糖药用辅料及药膜研制

完成单位：国家海洋局杭州水处理技术研究开发中心

完成人：孙秀珍、张碧珍、黄金钟、蔡邦肖、叶斐云、贾建东、陈香春、高丛堦

13. 海岸带综合管理地理信息示范系统

完成单位：国家海洋信息中心、辽宁省海洋技术开发中心、华东师范大学、国家海洋环境监测中心

完成人：王　宏、刘百桥、邹德臣

14. 滨海重盐碱地池塘渗水养虾技术研究

完成单位：东营市海洋与渔业局、利津县海洋与水产局、利津县明集乡人民政府

完成人：薄学锋、段美平、魏文英、刘宏伟、赵玉琢、刘艳明、张汉珍、刘金明、黄学东、张汉文、李晓明

15. 海洋环境因素概率预测新理论、联合概率模拟

完成单位：青岛海洋大学、中国科学院南海海洋研究所

完成人：刘德辅、董　胜、宋　艳、温书勤、张经汉、李少英、王树青、焦桂英、孔令双、王盛安

16. 海产虾类遗传及繁殖生物学

完成单位：中国科学院海洋研究所

完成人：相建海、刘瑞玉、周岭华、李富花、吴长功、宋林生、张晓军、王在照、于奎杰、王　兵

17. 南海及邻近热带海域海气相互作用基本特征

完成单位：中国科学院南海海洋研究所

完成人：王东晓、何有海、甘子钧、方文东、王卫强、杜　岩、谢　强　　（辛红梅）

【科研院、所获得的省部级二等奖以上、国家级奖等奖励情况】

1. 海洋钢铁设施腐蚀状态跟踪扫瞄系统

完成单位：中国科学院海洋研究所

获奖类别、等级：山东省科学技术进步奖一等奖

获奖人：侯保荣、孙虎元、朱素兰、李　焰

2. 复合氨基低聚糖农作物抗病增产剂的研制与应用(即农乐一号)

完成单位：中国科学院海洋研究所

获奖类别、等级：山东省科学技术进步奖二等奖

获奖人：李鹏程、宋金明、赵庶群、刘　松

3. 海水养殖动物多倍体育种和性控技术研究

完成单位：中国科学院海洋研究所

获奖类别、等级：中国科学院科学技术进步奖一等奖

获奖人：相建海、王如才、王子臣、姜卫国

4. “农乐一号”海洋生物制剂的研制及应用

完成单位：中国科学院海洋研究所

获奖类别、等级：中国科学院技术发明奖二等奖

获奖人：李鹏程、宋金明、李聪敏、刘　松

5. 中国科学院海洋研究所曾呈奎院士获美国藻类学会“杰出贡献奖”

6. 超声波导入鱼病疫苗的研究

主要完成单位：中国科学院南海海洋研究所、海南大学

获奖类别、等级：海南省科技进步奖二等奖

获奖人：周永灿、黄　晖、张　本、张吕平、陈国华、陈雪芬、王培军、陈廷超、邓红权

7. 亚欧海底光缆系统(SEA-ME-WE3)路由勘察

完成单位：国家海洋局第一海洋研究所

获奖类别、等级：山东省科技进步奖一等奖

获奖人：曲绵旭、徐家声、刘昌荣

（邢桂芳　陈东娇　路应贤）

8. 文蛤工厂化育苗技术研究

完成单位：辽宁省海洋水产研究所

获奖类别、等级：辽宁省科技进步奖二等奖

（辽宁省海洋水产研究所）

【高等院校获省部级二等奖以上、国家级奖励情况】

1. 纤毛虫原生动物的个体及系统发生学

完成单位：青岛海洋大学
获奖类别、等级：中国高校科技奖一等奖
完成人：宋微波

2. 风浪破碎研究
完成单位：青岛海洋大学
获奖类别、等级：中国高校科技奖一等奖
完成人：徐德伦

3. 牡蛎三倍体育苗与养殖技术研究
完成单位：青岛海洋大学
获奖类别、等级：中国高校科技奖一等奖
完成人：王如才

4. 浅海工程勘察与评价研究及其在埕岛油田的应用
完成单位：青岛海洋大学
获奖类别、等级：中国高校科技奖二等奖
完成人：姜效典

5. 计算智能与智能系统
完成单位：青岛海洋大学
获奖类别、等级：山东省科技进步奖二等奖
完成人：孟庆春

6. 春秋时期法律形式的特点及其文化趋势
完成单位：青岛海洋大学
获奖类别、等级：山东省社科优秀成果奖一等奖
完成人：徐祥民。

7. 从全球视角看重组信托公司在中国的发展
完成单位：青岛海洋大学
获奖类别、等级：山东省社科优秀成果奖二等奖
完成人：孙 健 (谢正侠)

8. 海洋沉积动力过程及其环境效应
主要完成单位：南京大学
获奖类别、等级：中国高校自然科学奖一等奖
完成人：高 抒、柯贤坤

9. 网络型集装箱船舶轮机模拟器
完成单位：上海海运学院
获奖类别、等级：上海市科技进步奖二等奖
主要负责人：郑华耀、叶银忠、李杰仁等

10. 2 500吨/小时桥式抓斗卸船机
完成单位：振华港机公司、上海海运学院
获奖类别、等级：上海市科技进步奖二等奖
完成人：上海海运学院参与研制人员：王悦民、章一计、钟 镛等

11. 上海国际航运中心建设中的港口竞争合作研究
完成单位：上海海运学院
获奖类别、等级：上海市第四届决策咨询研究成果政策建议奖二等奖
完成人：施 欣 (胡荣山)

12. 厦门湾海床演变及航道回淤综合分析研究
主要完成单位：河海大学
奖励等级：中国高校科技进步奖二等奖
主要完成人：张长宽、李安中、王 震
(河海大学 王绍泉)

13. 鲍鱼多倍体育种技术研究
主要完成单位：大连水产学院
获奖类别、等级：辽宁省科技进步奖二等奖
(大连水产学院)

【中国水产科学研究院系统获科技进步奖项目】

1. 大菱鲆的引种和苗种生产技术研究
完成单位：中国水产科学研究院黄海水产研究所
获奖类别、等级：国家科技进步奖二等奖

2. 海洋碱性蛋白酶和溶菌酶的研究与开发
完成单位：中国水产科学研究院黄海水产研究所
获奖类别、等级：中国水产科学研究院科技进步奖一等奖

3. 对虾养殖环境生物修复技术
完成单位：中国水产科学研究院黄海水产研究所
获奖类别、等级：中国水产科学研究院科技进步奖二等奖

4. 对虾暴发性流行病病原核酸探针点杂交检测试剂盒
完成单位：中国水产科学研究院黄海水产研究所
获奖类别、等级：中国水产科学研究院科技进步奖二等奖 (刘世禄)

5. 东海区主要捕捞品种渔业资源动态研究
完成单位：中国水产科学研究院东海水产研究所
获奖类别、等级：上海市科技进步奖二等奖
(东海水产研究所)

附录2　中国海洋学术团体

Appendix 2　Marine Learned Societies of China

【中国海洋学会】 2001年，中国海洋学会在中国科协和国家海洋局的领导和支持下主要做了以下工作：

1. 组织建设

(1) 1月9～10日，在北京召开了中国海洋学会组织工作会议。会议回顾了“五大”以来海洋学会组织工作情况，审核了经会员重新登记后会员队伍状况，拟定收缴会费规定；在分支机构的自查基础上，对分支机构进行了综合的等级评估，评出了优秀的分支机构和中国科协学会先进工作者候选人。

(2) 3月8日，在北京召开了中国海洋学会五届三次常务理事会。国家海洋局倪岳峰副局长出席会议并讲了话。会议通过了中国海洋学会2000年工作总结、有关人员聘任事项、推荐科协六大委员、海水淡化与水再利用分会秘书长张维润为中国科协学会先进工作者等事宜。原则通过中国海洋学会2001年工作计划要点(讨论稿)和“中国海洋学会缴纳会费的暂行规定”(讨论稿)，听取了分支机构评估结果和2001年学会推荐中国科学院、中国工程院两院院士候选人的情况报告。

(3) 5月17日，中国海洋学会在上海召开了五届二次秘书长工作会议。会议主要讨论了如何加强中国海洋学会组织建设，增强中国海洋学会的凝聚力问题，交流并推进了会员登记和会费收取工作情况。

(4) 以通信的形式请常务理事审议学会拟新建分支机构、分支机构变更挂靠单位（海洋地质分会的挂靠单位，由原来的上海海洋石油局调整到国土资源部广州地质调查局。）和领导班子组成人选等组织建设事宜；通过了增设军事海洋学、赤潮和海底科学等3个专业委员会以及军事海洋学专业委员会领导班子组成人选等决议。

(5) 严格按照中国海洋学会的组织细则对分支机构领导班子进行了调整并强化对分支机构的管理。10月17日，潮汐与海平面专业委员会召开工作会议，确定了新一届的委员会和秘书处名单及今后的工作计划。

海洋环境科学分会于10月开会，选举产生了由54名全国有关海洋环境方面的专家学者及管理干部组成的第五届委员会，其中兼有高级职称和管理职务的占85%，有高级职称的占98%，2/3以上是新当选的委员，给该学会注入了新鲜血液。

根据国家民政部和中国科协的部署，该学会所属机构填报了复查登记表，从而摸清分支机构的情况，提高了依法办会的意识。

(6) 制作颁发中国海洋学会会员证及建立会员数据库等基础性工作，提高了会员的荣誉感，增强组织意识和学会的凝聚力。

认真组织各分支机构进行工作总结、计划制

【中国海洋石油总公司获奖项目】

1. 渤海上第三系大油田群的勘探发现

获奖类别、等级：国家科技进步奖二等奖

2. 海上大位移钻井技术

获奖类别、等级：中国海洋石油总公司科技进步奖一等奖

3. 海上中深层高分辨率地震勘探技术

获奖类别、等级：中国海油总公司科技进步奖一等奖

4. 高温超压地层压力预测技术等5项科研成果

获奖类别、等级：中国石油总公司科技进步奖二等奖　（中国海洋石油总公司）

【中国石化集团公司获奖项目】

东海西湖凹陷春晓构造带油气勘探项目“九五”总结报告

完成单位：中国石化集团新星公司上海海洋石油局

获奖类别、等级：中国石化集团公司油气勘探成果奖二等奖　（中国石化集团公司）

定、典型事例和综合统计年报等工作，业已形成制度，得到了业务主管部门领导和兄弟学会的认同，被评为统计年报工作优秀单位，并获奖状。

(7) 海洋学会推荐2001年的两院院士候选人9名，其中中国科学院4人，中国工程院5人。王颖教授和胡敦欣研究员当选为中国科学院院士。

2. 学术交流

(1) 中国海洋学会2001年学术年会5月16～17日在上海召开。会议的主题为："21世纪海洋科技与资源开发"。140多位海洋界的专家、学者参加了年会。国家海洋局倪岳峰副局长到会祝贺并讲话。14位来自海洋各界的院士、教授和研究员就物理海洋、海洋生物、海岸海洋科学、大洋钻探、海洋卫星遥感、渤海整治、海洋药物、海洋环境监测、海底科学及海水淡化等学科前沿的最新进展和研究成果作了大会报告,受到了与会代表的欢迎。

本次年会分海洋资源、海洋环境和海洋技术3个专题组进行了交流。会议从本次学术交流的论文中评选出11篇优秀论文。同时推荐3位青年论文作者参加中国科协第四届青年学术年会。会后将论文摘要147篇汇编成册。

(2) 1～2月，中国海洋学会组织专家参加了中国科协的"病虫害防治分析研讨会"和"减轻自然灾害学术研讨会"，海洋专家参加了向国务院报送的《病虫害防治绿皮书》和《减轻自然灾害白皮书》的编写工作。

(3) 受全国科技名词委员会的委托，中国海洋学会2001年5月18～19日在上海召开了《海洋科技名词》编审工作委员会成立暨第一次工作会议。委员及其代表共36人出席了会议。全国科技名词审定委员会副主任潘书祥介绍了全国科技名词审定工作的情况，并向各位委员颁发了聘任证书。国家海洋局副局长倪岳峰出席了会议并讲话，他希望在"全国名词委"的指导下，各位委员积极参与，努力做好这项工作，国家海洋局将给予积极支持。会议推举苏纪兰、管华诗、秦蕴珊为编审委员会顾问，杨文鹤为《海洋科技名词》编审委员会主任，王颖、洪华生、相建海为副主任。

会议明确了本届《海洋科技名词》编审委员会的基本任务：在1989年版的《海洋科学名词》基础上进一步地修订与补充新名词，丰富与完善并加注中英文定义。会议分海洋科学和海洋技术两个组进行了讨论，初步划定了一级与二级海洋分支学科的分类框架，并按分支学科进行了分工，确定了相应的负责人，并安排了《海洋科技名词》编审工作的进度。5个二级学科提前完成了该年度编写计划。秘书处将工作进展编印了简报，让各学科负责人及时了解《海洋科技名词》的编审动态，便于互相沟通和交流。

(4) 风暴潮与海啸分会于6月6～8日在中国海洋石油有限公司天津分公司召开了黄、渤海风暴潮减灾工作经验交流暨学术会议，来自17个单位的38位专家参加了会议。学术交流的主要内容有：风暴潮的数值模拟、数值预报模式、灾害分析预报及实时监测预报系统；潮灾对军事活动的影响；防潮减灾经验及对策等。

(5) 中国科协组织了68个全国性学会撰写并分批出版《21世纪学科发展丛书》。海洋学会组织有关专家参与了撰写工作，由杨文鹤理事长为主编的《海洋与环境》一书已于2001年6月首批正式出版发行。

(6) 7月15～16日，青岛市政府、国务院发展中心、中国海洋学会等7家在青岛主办了"2001年海洋科技与经济发展国际论坛"，来自包括32位院士在内的国内外200余人参加了论坛。7家主办单位围绕"海洋科技与经济发展"主题作了报告；11位国内外院士就"海洋生物工程技术研究与应用"多方面进行了演讲；与会海洋科技专家就海洋战略、海洋经济、海洋生物、海洋环保、海洋矿产和海水利用等领域向大会介绍了最新研究成果。论坛共收到论文81篇，其中院士论文13篇。论坛还举行了"港口、经济与城市"电视特别访谈和"院士青岛行"座谈、考察活动。

(7) 9月15～17日，由中国海洋学会主办、海军大连舰艇学院承办的"首届海洋强国战略研讨会"在海军大连舰艇学院召开。苏纪兰、冯士筰、邱大洪、丁德文4名院士、人大委员张序三中将等军地30余家单位的40余名专家学者出席了会议。海司方江副部长、中国海洋学会理事长杨文鹤出席开幕式并讲话，海军大连舰艇学院郑宝华院长到会致词，冯士筰代表院士讲了话。海军大连舰艇学院200余名研究生与教员听取了大会报告。

研讨会共收到论文21篇，其中16位作者从不同层面、不同视点就中国在21世纪海洋强国战略的理论与实践、战略方案的制定、中国海洋权益与海上安全、军事海洋学基础研究和应用的关键技术、海洋战场环境研究以及提高国民海洋国土观等方面进行了交流与研讨；提出了建议与对策。会后，海洋学会又与中央电视台《中国报道》栏目共同策划并制作了“首届海洋强国战略研讨会”专题新闻和专家访谈节目，于10月14日播出。

(8) 积极组织优秀的专家参加中国科协的学术活动：2001年7月，“第二届科技进步与产业发展专家论坛”；9月，“第四届青年学术年会”；10月，“2001年学术年会”；11月，在北京召开“国际组织后备队工程研讨会”。

(9) 海洋物理分会与海洋观测技术分会联合中国声学会水声学分会和陕西省声学学会于10月12～15日在大同市举行“2001年全国水声学学术会议”。22个单位的57位水声科技工作者与会。征集了69篇论文，由期刊《声学技术》编辑出版专刊。

会上交流了学术论文30篇，涵盖了水声物理、水声信息处理、水声工程、水声换能器及基阵、用水声反演海洋参数等内容，反映了中国从事水声科技工作的单位近年来的工作成绩，特别是在“九五”中的“973”计划、“863”计划、国防预研中的成果。大多数的报告人都是青年水声工作者，不少已成为学术带头人和科研骨干，水声事业后继有人。

(10) 海洋学会潮汐与海平面专业委员会与中国海洋湖沼学会水文气象分会及山东海洋湖沼学会联合举办的潮汐与海平面学术研讨会于10月16～17日在浙江乐清市举行。会上共交流了41篇论文，反映了近年来中国在潮汐和海平面研究及应用方面的成果。

(11)中国海洋学会海洋工程分会、大连理工大学海岸与近海工程国家重点实验室、日本海岸学会和韩国海洋学会共同主办的第一届亚洲及太平洋地区海岸工程国际会议于10月18～21日在大连举行。与会代表100余人，发表论文130篇，就海岸工程、环境工程、港口工程等领域的成果进行了交流。

(12) 海洋工程分会与丹东港务局联合主办的第十届中国海岸工程学术讨论会于10月22～26日在丹东市召开。邱大宏、曾恒一、谢世楞等院士和台湾中华大学校长郭一羽与会。曾恒一院士、罗肇森、郭一羽、李玉成和连琏教授就中国海岸工程发展的回顾与展望作了大会报告。会议收录论文100余篇，反映了中国海岸工程领域的最新成果。海峡两岸学者就中国河口动力、演变及航道整治，海岸动力、海岸泥沙及防浪建筑物，近岸工程、施工技术等专题分组进行了学术交流。

(13)环境科学分会于10月28～30日在宁波召开全国第七届海洋环境与水环境学术研讨会。领导干部和科技人员60多人与会。大会共收到论文50余篇，会议就国内外海洋环境动态、环境污染监测与预报、监测技术与设备、环境影响和评价、水危机对策等方面进行了学术交流。

(14) 11月6～8日，海洋学会作为主办单位之一，与中科院资源环境科学与技术局等 4 单位在北京举办了“新世纪城乡环境污染控制技术研讨会”。50余人与会，在会上有12篇论文进行了交流。

(15) 11月25～12月1日，海水淡化与水再利用分会联合浙江省膜学会邀请了印度盐与海洋化学国家研究中心S. Thampy博士讲学访问。在杭期间的 3 场学术报告共有80余人参加并进行了讨论。

(16) 由连云港市政府和中国海洋学会主办、中国海洋报社协办的“连云港市科技兴海专家座谈”和“海洋经济报告会”于12月3～5日在连云港市举行，中国海洋学会邱大洪院士等11位不同学科的专家出席了会议，连云港市政府以及各级政府部门的领导参加了会议。连云港市陈震宁市长、中国海洋学会杨文鹤理事长、邱大洪院士、江苏省计委王稳卿副主任、江苏省海洋与渔业局魏绍芬副局长在会上讲了话，海洋学会专家介绍了《全国海洋经济发展规划》，通过对连云港市和赣榆县的实地考察和座谈，专家团为连云港市的“十五”海洋经济发展规划、海洋渔业“十五”发展规划和赣榆县的海洋经济开发区建设规划提供咨询和建议，献计献策。在海洋经济报告会上，有7位专家介绍国内外的海洋经济发展动态和本专业的最新科技进展。200余位来自连云港市地县乡的行政领导、管理干部听取了海洋经济报告会。杜碧兰秘书长就国家近期颁布的《中华人民共和国海域使用管理法》做了详细的介绍。

(17) 海洋物理分会以书面论文形式进行学科内的学术交流，向会员征集的40余篇1999～2000

年学术论文，经过筛选和审定，编印《海洋物理学术论文汇编》，内容涵盖海洋声学、海底声学、海洋技术、海洋遥感技术应用等论文22篇，其中SCI收录3篇，比较全面地反映中国在此期间海洋物理学科的进展和水平。

3. 科普工作

宣传普及海洋科技知识，促进全民海洋意识的提高，是中国海洋学会的主要工作之一。

(1) “走进蓝色的梦”海洋科普光盘是1999年中国科协普及部的重点科普项目之一，中国海洋学会于2000年9月初步制成。为提高光盘的水平，2001年经修改重编，进一步搜集图片声像资料，在大连理工大学信息中心的协作下，于2001年5月重新制作完成。

(2) 4月22日参加了由中国地质学会牵头，在西单商场门前组织的“国际地球日”的宣传日活动，活动以“保护我们的地球”为主题，以展板、咨询、散发宣传品等形式展开。海洋学会设计制作了以“海洋与人类”为主题的12块展板参展，孙书贤副司长现场回答公众提出的中国海洋开发、海洋环保等方面问题。

(3) 海洋学会加强与科普基地的的密切联系，向北京海洋科普教育基地提供“海洋与人类”科普展板81块，为该基地的电脑教室提供《走进蓝色的梦》海洋科普光盘。推荐专家在教育基地举办海洋知识科普讲座7次，共3 600人次到场听讲。

海洋学会组织专家，为青岛海洋小学编辑1～6年级的课外辅导读物《海洋知识》。暑假组织了该校的56位高年级学生参加“海洋科普夏令营”。为该校150余名高年级同学做了题为“保护海洋环境”的科普报告。

(4) 海水淡化与水再利用分会，于2001年9月20～28日在杭州市举办了2001年全国水处理技术培训班，来自北京、内蒙、辽宁、山东、山西、河南、湖北、宁夏、云南、江苏、浙江、广东、上海等13个省市的49名学员参加了培训。

(5) 5月海洋学会和中国大洋协会、国际贸促会上海分会联合举办了“2001上海国际海洋开发展览会”。来自美国、英国、加拿大、俄罗斯、瑞典、新加坡、法国等及中国内地和中国香港特别行政区的参展单位近60家。展出的展品和技术有海洋勘探、水下工程及搜索设备，海洋环境及监测技术、海洋声纳技术、船舶通讯导航及船用控制系统技术、海洋预报系统操作技术和设备等。展会期间，美国劳雷和德荣公司还举办了4场专题技术交流会，听众达200人次。

(6) 中国海洋学会及分支机构主办的期刊如《海洋学报》、《海洋工程》、《海洋环境科学》在11月1～4日在北京中国国际展览中心举行的中国期刊展上展出和全国的同行进行了交流，有利于提高办期刊的水平。

(中国海洋学会办公室 刘 萍)

【中国海洋湖沼学会】

2001年中国海洋湖沼学会常务理事会：名誉理事长（按姓氏笔划为序）曾呈奎、文圣常、刘瑞玉、陈吉余；理事长秦蕴珊；副理事长(按姓氏笔划为序)刘永定、苏纪兰、汪品先、陈宜瑜、梁瑞驹、管华诗、相建海；秘书长相建海(兼)；常务副秘书长张首临；学会办公室主任张首临（兼）。学会主办的主要刊物：《海洋与湖沼》，主编：秦蕴珊；《Chinese Journal of Oceanology and Limnology》，主编：曾呈奎；《湖泊科学》，主编：施雅风；《水生生物学报》，主编：王德铭。

2001年中国海洋湖沼学会组织召开了“中国海洋科学青年学术研讨会暨2001年海洋湖沼科学青年学者论坛”等10个学术交流会，参加人数为1 178人次，交流论文850篇。学会2001年开展社区科普讲座宣传活动，以“沧海桑田”为题，以自然界有规律变化的事实，驳斥李洪志有关“人类毁灭”之类的歪理斜说，有力地宣传了科学，弘扬了正气。继续把办好“大手拉小手，青少年科技传播行动”的活动作为开展青少年科技教育活动的一项重点工作。组织20余名同学走进科学实验室，通过观察、动手，对海洋有了进一步的认识，激发了将来当一名海洋科学家，为开发利用海洋做出贡献的思想感情。2001年学会主办刊物《海洋与湖沼》学报获中国科学院优秀期刊一等奖，《湖泊科学》获中国科学院优秀期刊三等奖。

(张首临)

【中国水产学会】 2001年中国水产学会第七届名誉理事长：曾呈奎、孟庆闻、张延喜、涂逢俊；名誉副理事长：曲铭、刘筠；理事长：唐启升；副理事长（以姓氏笔划为序）：王衍亮、刘身利、朱作言、张铭羽、卓友瞻、周应祺、林浩然、相建海、贺寿仑、赵法箴、徐洵、钱志林、管华诗；秘书长：张铭羽(兼)；副秘书长：曲善庆、王淑欣；

学会办的主要刊物及主编：《水产学报》，主编：周应祺；《科学养鱼》，主编：戈贤平；《海洋渔业》，主编：乔庆林；《淡水渔业》，主编：贾敬德。

中国水产学会是1963年成立的由水产及与水产有关的科技工作者自愿结成的全国学术性社会团体，国家一级学会，是依法登记的社团法人，业务主管单位是中国科学技术协会，挂靠单位是农业部，登记管理机关是民政部，是党和政府联系广大水产科技工作者的桥梁和纽带，是国家发展水产科学技术事业的重要力量。该学会宗旨是以邓小平理论和党的基本路线为指导，团结和动员水产科技工作者以经济建设为中心，坚持科学技术是第一生产力的思想，实施科教兴国和可持续发展战略，促进水产科学技术的繁荣和发展，促进水产科学技术的普及和推广，促进水产科技人才的成长和提高，促进水产科学技术与经济的结合，为社会主义物质文明和精神文明建设服务；反映水产科技工作者的意见，维护水产科技工作者的合法权益，为水产科技工作者服务；充分发挥跨部门、跨行业的特点，为加速实现中国社会主义现代化建设事业做出贡献；本会的活动遵守宪法、法律和国家政策，遵守社会道德风尚，坚持民主办会的原则和“百花齐放、百家争鸣”的方针，提倡各种学术观点的自由讨论和献身、创新、求实、协作的精神。

学会业务范围主要是围绕水产及水产有关科技领域开展以下活动：①组织开展国内和国际学术交流。举办各种形式的学术会议、讲座、展览会、科技考察等活动，促进同香港、澳门特别行政区和台湾省及国外的科技团体、科技工作者的友好往来和科技合作。②传播科学思想和方法，普及水产科学知识，推广先进水产科学技术；开展向青少年传播水产科学技术的活动。③开展水产方面的科学论证，提出政策性建议。④为国内外提供水产科技和信息咨询服务，促进科技成果转化。⑤接受委托，承担项目评估、成果鉴定、质量认证、专业技术职务资格评审等。⑥开展水产科技继续教育和培训工作。⑦推荐人才，表彰奖励优秀水产科技工作者。⑧组织出版水产学术期刊、科普读物和声像制品。⑨依法兴办经济实体。⑩承办渔业行政主管部门委托办理的其他事项。

学会会员分为个人会员、单位会员。个人会员包括普通会员、资深会员、学生会员和外籍会员。中国水产学会的最高权力机构是全国会员代表大会。理事会是全国会员代表大会的执行机构，在代表大会闭会期间领导本会开展日常工作。常务理事会由理事会选举产生，在理事会闭会期间行使理事会职权。秘书处是负责处理本会日常事务的办事机构，负责组织实施年度工作计划，协调各分支机构、刊物编辑委员会开展工作和发展会员。目前秘书处下设办公室、学术交流处、科学普及处、信息咨询处和渔业战略发展研究中心 5 个处室，共有专职办事人员21名。

该学会下设学术工作委员会、科技咨询工作委员会、基金管理委员会和渔业史编委会等 4 个内设机构，分支机构有科普工作委员会、水产名词审定委员会、淡水养殖分会、海水养殖分会、渔业资源与环境分会、渔船和渔业机械分会、水产捕捞分会、水产品加工和综合利用分会、鱼病专业委员会、渔业制冷专业委员会、渔业工程专业委员会、渔业信息专业委员会、水产动物营养与饲料专业委员会、鲑鱼类专业委员会和观赏鱼专业委员会等14个分会和专业委员会，有资深会员450余人，单位会员50余家。并与亚洲水产学会、世界水产养殖学会、美洲水产学会、澳大利亚鱼类生物学会、世界观赏鱼联合会及其他一些国际组织建立了友好关系。

该学会出版物有《水产学报》、《海洋渔业》、《淡水渔业》、《科学养鱼》等，其中《水产学报》是国内水产学术领域的权威性期刊。学会还不定期出版发行国内外研讨会的论文集及普及性的科学丛书。

中国水产学会愿与全体水产科技工作者一道携手共创21世纪中国渔业的辉煌，愿与世界各国朋友交流与合作。

主要活动　第七次全国会员代表大会　根据《中国水产学会章程》的规定，经中国水产学会六届七次常务理事会决定，并报请中国科协和农业部批准，中国水产学会第七次全国会员代表大会于2001年6月13～14日在辽宁省大连市召开。来自全国34个省、自治区、直辖市及计划单列市水产学会和有关科研教育及企事业单位所推荐的155名代表出席了会议。代表们围绕本次会议议程，审议并通过了六届理事会工作报告及《中国水产学会章程》（修改草案），选举产生了新一届理事会。

会议选举了唐启升院士为七届理事会理事长，王衍亮等13人为副理事长，马志佳等41人为常务理事，秘书长由副理事长张铭羽兼任。会议一致推荐曾呈奎、孟庆闻、张延喜、涂逢俊为名誉理事长，曲铭、刘筠为名誉副理事长。

全国水产学会秘书长工作座谈会 2001年12月27～28日中国水产学会在广东省深圳市召开了“全国水产学会秘书长工作座谈会”。来自全国20个省（自治区、直辖市）的水产学会秘书长(理事长)参加了会议。会议以沟通情况、交流经验、加强协作、加深友谊、探讨新世纪学会共同发展为主题。会议传达了江泽民总书记在中国科协第六次代表大会上的重要讲话和中国科协关于所属全国性学会改革的意见。中国水产学会秘书长张铭羽主持了会议，并在会上介绍了中国水产学会2001年的主要工作及2002年的工作设想。中国水产学会赵法箴、贺寿仑副理事长也应邀出席了会议。

2001年学术年会暨养殖展览会 为进一步活跃国内的学术气氛，推动中国水产养殖技术、经验和产品的交流，展示中国水产养殖业的成果，探讨新世纪中国水产养殖业发展的方向。2001年中国水产学会学术年会暨全国水产养殖展览会于2001年6月14～17日在大连星海会展中心召开。大会邀请朱作言院士、唐启升院士分别就基因工程、渔业科技发展等内容作了主题报告。此次会议共收到论文270余篇，其中80篇论文在会上参加了交流。会议期间有来自全国各省、自治区、直辖市500余人参加了此次学术会议。

第三届中国水产学会青年学术年会 为培养和造就水产科技人才队伍，促进优秀青年科技工作者的成长，进一步活跃青年科技工作者间学术交流的气氛，中国水产学会于2001年12月6～8日在青岛召开了主题为“迈向可持续发展的水产业”中国水产学会第三届青年学术年会。大会共设5个专题，共收到论文154篇，其中有102篇进行了大会交流。年会为青年科技工作者交流科学思想、传播科技知识提供了舞台，展示了广大青年水产科技工作者献身科学，致力创新的风采。

国际学术交流 2001年4月26～28日，中国水产学会组织以中国水产科学研究院珠江水产研究所所长吴淑勤为团长的7人代表团参加了在意大利召开的“2001年世界水产养殖大会暨水产科技贸易展”。在会上中国水产学会代表向与会的水产养殖学者、专家介绍了中国渔业发展的有关情况及他们在自己所研究的领域中所取得的成就，深受与会者好评。2001年11月，中国水产学会与澳大利亚渔业生物学会在悉尼共同举行“中澳渔业合作研讨会中澳渔业状况评估和合作前景”研讨会，组织15名相关的渔业科研、院校、企业、行政单位的代表参加研讨会。

会员和分支机构的管理 秘书处在学会第七次全国会员代表大会之后，按照七届一次常务理事会关于加强组织工作、增强组织观念的精神，本着更好地加强会员管理与服务，密切地方学会及各有关单位的联系，制定了《中国水产学会会员管理办法》，针对单位和个人会员分别制定了发展办法。会员发展工作得到了理事会的肯定和支持。各分支机构也按照理事会的决定，换届工作在顺利进行，《中国水产学会分支机构管理办法》在进一步征求意见后将正式印发执行。

筹备“2002年世界水产养殖大会” 2002年世界水产养殖大会经国务院批准后，部领导对开好此次会议非常重视，曾召开常务会专门听取筹备工作汇报，并做出重要指示。目前工作取得重大进展。组织工作：成立了大会组织领导机构——中国组委会、国际指导委员会和学术委员会，召开了国际指导委员会、学术委员会第一次会议，确定了大会的主题、专题、时间、地点、语言、规模、专题召集人和初步日程；中国组委会也将在12月份召开第一次会议，研究大会筹备工作的组织、协调，决定与大会有关的重大事宜。宣传工作：通过建立网站，向各国驻华使馆发送邀请信、出席国际会议、利用发起组织的有关刊物和委托友好人士在各种国际会议上散发大会材料等手段广泛宣传大会，共发出英文通知5 000余份。中文通知也向国内有关单位发送。赞助方面：学会秘书利用多种渠道，积极主动向国内外企业、团体联系征集赞助。目前已有一些国内外企业表示赞助意向。大会已经有400余名海外代表注册，28家企业认购50个展位。

青少年科普 在农业部渔业局的大力支持下，8月2～10日，该学会组织了2001年中国水产学会“走进西部”青少年科普夏令营。在京渔业系统的29位职工子女（中学生）参加了本次活动。举办本次活动，对加强在京渔业系统职工子女的渔业科技教育和爱国主义教育以及在组织纪律性、生活自理能力锻炼方面都起到了积极的促进作用。

科技扶贫 结合中国水产学会承担的中国科协西部科普工程项目贵州生态渔业技术的示范普及。中国水产学会在贵州省清镇县和福泉县，通过庭院生态渔业、池园生态渔业、稻田生态渔业和山塘生态渔业等4种养殖模式的示范。向当地农民普及推广生态渔业技术，增加农民收入，效果十分明显，预计2002年将有更多的农民受益。同时中国水产学会还向在贵州省德江县沙溪乡黄坝中心完小和楠杆乡覃坝小学捐赠了2台电脑，这对学校普及电脑知识起到了较大的促进作用。

渔业统计和市场信息体系建设 中国水产学会在协助渔业局搞好统计，做好月报、半年报和搞好渔业政务信息网维护工作，每周做到两次更新内容的同时，还做了以下几方面工作：①INFOYU后续项目的工作已得到农业部的批准，目前项目已报FAO；②每月出版一期INFOYU贸易快讯，为国内外企业提供及时有效的国内外水产品贸易动态信息；③协助渔业局编辑出版《中国渔业画册》和《各省渔业手册》；④为协助渔业局准备在青岛召开的全国水产品进出口发展战略研讨会起草、翻译了FAO的研究报告《世界贸易组织对全球水产品贸易的影响》，编辑出版《WTO与中国渔业》和《全国水产品进出口发展战略研讨会材料》两份会议材料；⑤4月份与FAO合作，召开了WTO对中国渔业影响研讨会，约50位政府和企业界人士参加了研讨会，取得良好的效果；⑥完成统计软件升级，并协助渔业局举办全国各省渔业统计员培训班，对更新的软件进行了培训；⑦强化中国水产品市场信息网的建设，完成外网建设方案的申报工作。

自身建设 面对生存发展的挑战与压力，中国水产学会按部人事劳动司关于事业单位改革指导意见，努力探索奖勤罚懒、效率优先、兼顾公平的工资分配机制。注意加强内部自身建设。调动大家的积极性、主动性和创造性，进一步提高工作质量，完善制定了《中国水产学会秘书处职责与工作制度》。 （中国水产学会 赵文武）

【中国渔业协会】“中国渔业协会”是中国渔业界非营利性的独立社会团体法人，成立于1954年。长时期内的主要任务是协助政府解决中国与邻国的渔业关系，发展同各国（地区）渔业界的民间友好往来及经济技术合作。

1955年1月，中国渔业协会与日本日中渔业协议会开始了第一次民间渔业谈判。同年4月15日双方签订了《中国渔业协会和日中渔业协议会关于黄东海渔业协定》。1970年6月20日，针对渔业资源的变化和作业秩序方面存在的问题，对协定条款做了补充修改。同年12月31日，中日民间签订了《中国渔业协会和日中渔业协议会关于灯光围网渔船捕鱼的规定》。

中日建交后，1975年8月15日两国政府部门签订了中日政府间渔业协定。根据双方协定的规定，同年9月22日中国渔业协会和日中渔业协议会签订了《中国渔业协会和日中渔业协议会渔业安全作业协议书》，就两国渔业航行和作业安全、维护正常作业秩序等问题作了具体的规定。

近年来，为了妥善解决与韩国的渔业海事纠纷和海损事故，1994年中国渔业协会又与大韩民国水产业协同组合中央会签订了《关于渔船海损事故处理协议书》。此后，中国渔业协会成为执行与日、韩渔业安全作业协议书和通过民间渠道处理涉外渔业海事纠纷和海损事故并开展对外渔业合作的专门机构。

为更好地维护东、黄海区的渔业作业秩序，保护渔业资源，维护中国渔业权益，从1993年开始，还同日本以西延绳钓渔业协会就有关渔场作业秩序问题举行会谈和交流，进行了经常性的协调工作。同时，与中国水产（集团）总公司等单位联合开展了对日本以西底拖网渔业协会的渔业劳务合作。

历年担任过中国渔业协会会长的有杨煜、肖鹏、张延喜、卓友瞻。现任会长为农业部渔业局局长杨坚。

1999年，农业部根据国务院和民政部对社团整顿的要求和当前中国渔业工作发展的需要，决定中国渔业协会在原有的工作基础上，扩大其职能范围，将筹建中的中国远洋渔业协会及其他还没有行业性协会协调的工作统由中国渔业协会管起来。并在中国渔业协会下设了两个分会：远洋渔业分会和鳗业工作委员会。

目前，中国渔业协会的任务是协助政府搞好行业管理，规范行业行为，协调会员间的关系，向政府反映会员的意见和要求，维护会员的合法权益；沟通渔业生产与科研、教学、推广部门的密切联系，为会员提供经营管理和渔业技术的培训和咨询，并提供渔业信息服务；协助执行政府间的渔业协定，发展同各国（地区）渔业界的民间友好往来、科学技术交流和经济技术合作，为推进中国渔业的持续发展服务。

2000年，完善了秘书处的组织建设，在秘书处下设了 4 个部：综合事务部、远洋渔业部、养殖部和合作交流部，并明确了任务分工。

2001年3月，中国渔业协会同大日本水产会召开了关于渔船海上事故处理协议会，对大部分案件的处理达成了一致意见，并逐一签署了赔偿协议。10月30～31日，在北京又举行中日渔船海损事故处理碰头会，为2002年在中国召开中日渔船海损事故协议会做准备，双方对遗留的 7 起案件进行了分析、确认并达成了共识。

中国渔业协会和韩国水产业协同组合中央会于2001年3月20～21日在韩国汉城举行了中韩渔船海上事故处理第六次协议会。双方代表就解决海上事故原则等问题充分交换了意见，并依照有关国际法规和惯例，认真协商了现存尚未解决的中韩两国渔船间海上事故。

2001年3月，召开了2000年度鱿钓生产总结交流大会。通过总结、交流和研究如何进一步搞好鱿钓业产业结构调整规划的思路，提出了2001年鱿钓业工作设想、安全生产措施，推动鱿钓的持续发展；会议还表彰和奖励了先进单位和先进集体。7月30日，又在大连市召开了2001年度北太鱿钓生产形势分析和对策研讨会，认真分析了2001年7月份以前中国船队在北太平洋渔场的生产形势和 8 月份以后的鱼发趋势及渔场分布；研讨了2001年旺汛期和入渔期的具体工作和对策。

2001年，在协助部渔业局在促进鱿钓、金枪鱼捕捞企业享受国家扶持远洋渔业发展优惠政策方面有了突破。海关支持扩大了北太平洋鱿钓渔业使用保税油的试点规模。由于工作扎实，有望2002年在北太平洋的鱿钓生产企业能全面享受使用保税油的政策。

2001年5月，组织召开了全国鳗业情况交流会，总结了近几年中国鳗业生产情况，分析了国内外市场形势及存在的主要问题，提出了控制养殖规模、组织开发国内市场、减轻饲料企业负担等项保证养鳗业持续发展的措施和建议。

2001年度内，中国渔业协会接待了台湾省高雄区渔会大陆事务谈访问团、台湾省水产协会渔业代表团及台北大学、台湾海洋大学教授，双方的会谈与交流对两岸渔业界增进了解、加深感情、促进交流与合作起了积极的作用。此外，还接待了多个日本、韩国访华团。

受农业部渔业局的委托，从2001年开始，协会负责签发犬牙鱼再出口证书工作，先后为数十家加工企业多批次及时签发了证书，为他们的犬牙鱼再加工出口提供了快速有效的服务。

为适应中国入世给渔业企业带来的机遇和挑战，协会开展了这方面的研究和准备工作。在青岛举办的2001全国水产品进出口发展战略研讨会上，中国渔业协会与中国水产流通与加工协会联合作了题为“继续探索行业自律机制，提高渔业行业组织化程度”的报告，阐述了渔业行业协会过去为渔业的快速发展做出的积极贡献和在加入WTO后应能发挥的作用，提出了行业协会在提高渔业行业组织化程度中的作用的建议。

中国渔业协会经过一年多的申请工作，于2001年5月获得民政部批准重新登记。

（中国渔业协会）

【中国太平洋学会】　2001年中国太平洋学会机构设置：中国太平洋学会会长于光远；执行会长张海峰；副会长张序三、谭文瑞、陈鲁直、李慎之、肖向前、罗钰如、葛有信；秘书长鹿守本。

其下设分支机构：港口与航运专业委员会、金融专业委员会、进化与发展专业委员会、黄河文化专业委员会、民间传统专业委员会、法律专业委员会太平洋区域安全专业委员会、太平洋论坛、裕民经济与技术研究中心。

主办刊物：《太平洋学报》。

2001年中国太平洋学会主要活动：

（1）中国太平洋学会进化与发展专业委员会于2001年1月、7月和12月举办了 3 次“新世纪学术论坛”，300余人参加了会议。第一次会议邀请上海社科院世界经济研究所所长、中国世界经济学会副会长伍贻康作了“当前世界经济形势及由此引发的几点思考”的报告，讨论了中国加入WTO后在东亚经济发展中的作用。第二次会议特邀著名经济学家、上海市人大常委会副主任、上海社科院厉无畏所长作了“增强竞争力，迎接新增长”的报告，有200余人出席了报告会。会后不少同志反映报告对观察和了解21世纪中国经济的发展是非常重要的。第三次会议约请阿富汗问题专家王德华作了“9·11事件和国际反恐怖斗争及其历史背景”的报告，引起与会人员的广泛兴趣，原上海市政协副主席邓励志等90余人参加了会议。

(2) 2001年11月16日中国太平洋学会进化与发展专业委员会与上海水产学会联合举办了“2001年海洋环境和海洋渔业学术年会”，专业委员会负责人乐美龙、辛元欧等出席，参加会议的人员150人左右。专业委员会由水产大学和国家海洋局东海分局组织了6篇学术报告。

(3) 2001年11月17日中国太平洋学会进化与发展专业委员会与上海市农委联合召开“上海郊区农业现代化发展恳谈会”。会前出版了论文集，会上上海农委袁以星主任作了有关上海市郊区现代化农业建设经验及发展情况的报告，通过多媒体展示了上海郊区农业现代化近、远期的发展蓝图及上海郊区现代化农业建设中的全新思路。会上一些农业专家得以与市农委领导直接对话，开创了学术活动的新形式。

(4) 2001年中国太平洋学会教育培训部共举办了培训班11期，培训学员744名。其中举办“全国民营经济理论与实务高级培训班”8期，培训学员582名；举办“全国地方（新郑市）发展民营经济领导干部高级培训班”2期，培训新郑市副局以上领导干部120名；举办两年制“首届民营企业家工商管理研究生课程进修班”1期，培训学员70余名，集中上课3次。为使参加学习的学员真正学到有用的知识，对所学内容，根据不同培训对象进行了筛选，聘请了中央国家机关、北京知名大学的专家、教授约160人次前来授课，使讲授的内容适合学员的口味，方法灵活，理论与实例相结合，收到了较好的教学效果，受到学员们的好评。

（张 滨）

【中国造船工程学会】 中国造船工程学会于1943年2月1日在重庆成立，是中国成立最早的学术团体之一。中国造船工程学会是中国船舶及海洋工程科技工作者自愿组成的公益性、学术性法人社会团体，是中国科学技术协会的组成部分，是发展中国船舶及海洋工程科技事业的重要社会力量。

学会宗旨：团结、组织船舶及海洋工程专业的科技工作者，积极开展国内和国际学术交流等活动，不断提高本会各专业学科水平，努力促进船舶及海洋工程科技进步，为增强国力服务。

学会现有个人会员2.9万人，团体会员近800个单位，主要来自中国船舶工业集团公司、中国船舶重工集团公司、交通部、海军、农业部、中国海洋石油总公司、中国石油天然气集团公司、中国石油化学集团公司、中国远洋运输（集团）总公司和有关高等院校等系统。有18个省(区)、市成立有造船工程学会。

学会的主要任务：积极组织开展国内和国际学术交流、科学普及、咨询服务、继续教育、编辑出版、厂会协作、维护会员权益和反对伪科学等活动；接受政府船舶行业主管部门授权，开展船舶设计资质认证、科技成果评审和科技咨询等工作。

学会的领导机构是理事会，下设3个工作委员会，15个专业学术委员会，此外，学会在扬州和上海有2个学术活动中心，并有《中国造船》、《船舶工程》和《舰船知识》3个编辑部。

学会已参加和保持联系的国际学术组织有国际海事学会联合会（AMLS）、计算机在造船中应用国际会议（ICCAS）、国际轮机系统工程组织(ICMES)、国际近海工程与极区工程会议（OMAE）、国际船摸实验水池会议（ITTC）、国际船舶结构大会（ISSC）和国际船舶使用设计大会（PRADS）等国际学术组织。还与美国、英国、德国、荷兰、俄罗斯、瑞典、乌克兰、日本、韩国、新加坡等国的造船、轮机学会建立了双边友好学术交流关系。

学会与台湾省和香港、澳门特别行政区的海事界保持友好往来，两岸三地的专家学者互访频繁。

学会编辑出版了《船舶工程词典》、《英汉船舶与近海工程词典》、《日汉船舶科技词

典》、《法汉船舶科技词典》、《德汉船舶科技词典》、《俄汉船舶科技词典》和舰船科普读物、手册等。 （金向军）

【中国船舶工业行业协会】 中国船舶工业行业协会是经中华人民共和国民政部批准注册登记的社团组织，具有法人资格，1995年4月19日成立。

中国船舶工业行业协会是由船舶制造与修理、船舶主辅机制造、船用仪器仪表制造及其他船舶配套设备制造等企业，船检部门、科研设计院所、专业院校以及相关联的企事业单位，按平等自愿的原则组成的全国性船舶工业行业组织。中国船舶工业行业协会的现有会员中，包含了全国船舶工业的所有大、中型企事业单位，639家会员单位中，企业数量占到82%，其产品产量占全国船舶工业总产量的90%以上。

中国船舶工业行业协会愿与世界各国和地区的同行们发展友好关系，增进友谊，开展业务交流，为发展世界的船舶工业做出自己的贡献！

主要活动范围

1. 行业发展、战略调研与建议

(1) 宣传、贯彻国家有关行业发展的方针政策；

(2) 接受政府委托参与制订行业发展规划的前期调研，提出行业发展的建议；

(3) 积极向政府部门提出船舶工业存在的共性问题，接受政府委托，针对本行业急需、共性、热点问题，开展行业活动；

(4) 调查研究船舶工业的发展形势与动态，研究本行业与国民经济体系相关行业之间的问题，提出对策与建议；

(5) 组织交流企业改革和管理、调整产品结构、转换造船模式等有关先进经验。

2. 开拓国内外市场，促进合作与交流

(1) 拓展国际合作，与各国船舶工业行业协会建立双边合作关系；

(2) 调查研究世界船舶市场和中国船舶市场发展状况，分析和预测国内和国际市场需求形势，向会员通报市场信息；

(3) 组织出访和接待来访的船舶工业的制造商、船东及用户参观考察、洽谈贸易和合作；

(4) 开展促进船舶、造船配套机电产品、造船钢材出口的活动，并协助船厂招揽国内外船舶修理、改装业务。

3. 行业统计

(1) 定期发布船舶工业的有关经济技术指标完成情况；

(2) 中国船舶出口情况及发展趋势；

(3) 定期发布中国船舶工业企业产值、产量、出口贸易创汇的统计和排行榜。

4. 推广计算机应用技术

(1) 在全行业推广计算机辅助设计和计算机管理；

(2) 组织研讨开发计算机应用的基础技术；

(3) 组织专家队伍为企业应用计算机技术进行咨询服务。

5. 培训工作

组织船舶工业行业企业单位进行为发展服务的专项培训，提高企业人员素质；

(1) 举办新技术、新工艺推广研讨班；

(2) 举办转换造船模式、缩短造船周期培训班。

6. 产品价格协调

(1) 调查研究行业产品价格状况，贯彻国家有关产品价格的方针、政策、法规；

(2) 交流同类产品的价格信息；

(3) 协调行业内部同一产品的价格水平；

(4) 制订产品价格本。

7. 出版报刊及有关资料

(1) 出版《中国船舶报》（周报）；

(2) 出版《中国船舶工业行业信息》（半月刊）；

(3) 出版《中国船舶工业企事业单位名录》。

8. 附属经营实体——北京全舟咨询服务有限责任公司

利用中国船舶工业行业协会与国内外企业的广泛联系和丰富的信息，组织有关单位进行下列经营活动：

(1) 为船舶制造、设计、造型、配套提供经济信息服务；

(2) 为国内外企业的合作生产、技术转让、合资经营提供咨询服务；

(3) 主办展览会、技术交流会、技术开发、技术咨询、企业管理咨询等服务。

9. 举办论坛、讲座及展览会

(1) 举办行业发展相关的方针政策及战略策

划论坛；

(2) 组织市场营销策略、技术合作交流会议；

(3) 开设讲座，介绍先进的造船新技术、新工艺、新装备及现代造船模式；

(4) 举办各种类型展览会。

机构设置

1. 中国船舶工业行业协会理事长、副理事长、秘书长

2001年中国船舶工业行业协会理事长：王荣生；常务理事长：孟辉；副理事长：于世春、王辉、王晓东、李汇成、陈乔、吴晓东、陈金海、林奋、张圣坤、胡国良、康振山、黄宗建、谢金海；秘书长：丁瑞。

中国舰船工业行业协会常务理事、理事单位名单（按地区排列，“☆”为常务理事单位）：

北京市：☆中国船舶工业行业协会、☆中国船舶工业总公司、☆中国水产（集团）总公司、☆中国远洋运输（集团）总公司工业公司、☆中国金燕汽车船舶工业公司、☆中国船级社、☆中国船舶工业物资总公司、☆中国舰船研究院、☆中国船舶工业总公司综合技术经济研究院、☆中国船舶报社。

天津市：☆天津船舶工业公司、天津造船公司、河北省海运总公司塘沽船厂。

河北省：保定风帆集团有限责任公司、山海关船厂。

辽宁省：☆中国水产大连渔轮公司、☆大连船舶工业公司（集团）、☆大连造船厂、☆大连造船新厂、渤海造船厂、☆大连船用柴油机厂、中国人民解放军第7814厂、☆中国人民解放军第4810厂。

黑龙江省：☆哈尔滨工程大学、哈尔滨船舶修造厂。

上海市：交通部上海船舶运输科学研究所、上海长江轮船公司、☆上海船舶工业公司、☆沪东造船集团、☆上海交通大学、上海海运联合船坞有限公司立丰船厂、中国人民解放军第4805厂、上海船舶设计研究院、中国船舶工业总公司船舶工艺研究所、☆上海船厂、☆江南造船（集团）有限责任公司、上海船用柴油机研究所、中国船舶及海洋工程设计研究院、中华造船厂、上海船舶设备研究所、上海新东联船舶工程有限公司、上海渔轮厂、上海航海仪器总厂、☆中国船舶工业总公司第九设计研究院。

江苏省：中国长江航运集团金陵船厂、口岸船舶工业公司、江苏省新华船舶股份有限公司、常州兰翔天利公司玻璃钢造船厂、江苏省昆山市造船厂、江苏扬子江船厂、☆江苏省船舶工业公司、中国船舶科学研究中心、江苏泰州海田变压器有限公司、江苏海星电机集团有限公司、☆正茂集团有限责任公司、淮阴清江机器制造厂、☆扬州江扬船舶集团公司、☆中国长江航运集团长江工业总公司、☆国营绿洲机器厂、海鹰企业集团有限责任公司、☆泰州航海电器总厂、南通航海机械有限公司、常州能源设备总厂、☆南通远洋船务工程有限公司、江苏省镇江船厂。

浙江省：中国人民解放军第4806厂、浙江船厂、杭州前进齿轮箱集团公司、☆温州东方船厂、☆浙江省船舶工业公司、宁波渔轮厂、宁波中策动力机电集团公司、舟山市船舶工业总公司。

安徽省：☆安徽省船舶工业公司、合肥动力机械总厂、☆安徽省蚌埠船厂。

福建省：☆福建马尾造船厂、福建省厦门造船厂、☆福建省船舶工业集团公司、福建省渔轮修造厂。

江西省：☆九江船舶工业公司、江西省江州造船厂、铁道部大桥工程局船舶工程总公司、☆九江仪表厂。

山东省：山东省航运管理局、☆山东省船舶工业公司、山东省黄海造船厂、☆青岛造船厂。

河南省：河南柴油机厂。

湖北省：武汉船舶设计研究所、湖北船厂、☆武汉船舶工业公司、☆武昌造船厂、☆交通部长江船舶设计院、武汉重型铸锻厂、☆武汉船用机械厂、☆中国长江航运集团青山船厂。

湖南省：湖南美光船舶制造有限公司。

广东省：☆广州广船国际股份有限公司、广州文冲船厂、广州柴油机厂、☆广东省粤中船厂、中国人民解放军第4804厂、☆广东省船舶工业联合公司、广州黄埔造船厂、海虹老人牌涂料有限公司、☆广州船舶工业公司。

广西：☆华南船舶机械厂、广西梧州造船厂。

重庆市：重庆长江轮船公司江渝船厂、☆重庆船舶工业公司、☆重庆船厂、重庆华渝电气仪表总厂、国营重庆造船厂、四川柴油机厂、长江航

运集团川江船厂、川东造船厂。

四川省：四川省交通厅航务管理局。

云南省：云南昆船第一机械有限公司、☆昆明船舶设备集团公司。

贵州省：贵州省赤水船厂。

陕西省：☆西安船舶设备工业公司、

（中国船舶工业行业协会）

【中国海洋法学会】 按照第二届代表大会确定的工作方向和工作思路，本着为促进国内外海洋法研究，为广大会员搭建一个联系、交流的平台这样一个宗旨，2001年中国海洋法学会主要作了如下工作：

(1) 加强学会制度建设。在年初制订了本年度的工作计划，并在2001年1月8日召开的理事会上获得通过。其次制订了《“中国海洋法学会优秀论文著作奖”评选办法》及《中国海洋法学会捐款管理暂行办法》。

(2) 加强学术交流、促进国内外海洋法研究。这是学会在2001年的主要工作内容之一。举办的会议主要有：①纪念我国批准《国际海洋法公约》（以下简称《公约》）5周年座谈会。本次会议是中国海洋法学会和中国国际法学会于2001年5月联合在京召开的，参加会议的包括海洋法学会和国际法学会部分在京理事会成员，并特别邀请了外交部、农业部、国家海洋局、中国海洋石油总公司及部分科研单位的专家学者。会议主要围绕《公约》的制定过程、《公约》与维护海洋权益、海军与海洋法以及中美撞机事件等展开讨论。国家海洋局副局长孙志辉到会并讲话。②2001年9月召开了“钓鱼岛问题的研究现状及相关问题”学术座谈会，邀请了中国第一历史档案馆鞠德源教授就钓鱼岛问题作了专题发言，会议代表就这一问题展开了热烈讨论。③邀请外交部门简要介绍了中越北部湾划界的有关情况和最新进展。

(3) 作好学会日常工作，努力为广大会员服务。在人员少、工作重的情况下，学会秘书处除了组织好学术交流活动外，还完成了会员登记、资料归档、证件制作工作，并及时编发《会员通讯》2期，使广大会员能及时了解国内外海洋法研究和学会活动的信息。

(4) 开始办理变更法定代表人证书工作。因学会法定代表人变更，需办理相关手续。

（中国海洋法学会秘书处 吴继陆）

【中国大洋矿产资源研究开发协会】 中国大洋矿产资源研究开发协会办公室作为国家大洋专项的常设办事机构，根据协会理事会和常务理事会的决定，组织落实经协会理事会、常务理事会确定的工作，并承办协会日常事务。根据1999年国家海洋局“关于中国大洋协会办公室机构调整的批复”，协会办公室现内设机构为秘书处、项目管理处、计划财务处和技术开发处。办公室的主要职责为：①执行协会理事会和常务理事会的决定和指示；②组织研究中国国际海底区域资源研究开发战略，拟定规划、计划和规范；③组织有关国际海底区域制度等方面的研究，向国家提出有关的决策建议；④组织协调中国在国际海底区域的勘探、环境评价、采矿、冶炼等研究开发活动，进行业务监督；⑤组织实施协会对外交流与合作计划；⑥组织实施协会应履行的国际义务；⑦组织项目的立项论证，签订合同、中期评估和验收工作；⑧负责国家大洋专项经费的日常管理工作；⑨向协会常务理事会、协会业务主管部门和国际海底管理局提交工作报告。2001年协会办公室在协会理事会、常务理事会领导下，扎实工作，做好办公室的日常事务，并稳步组织开展协会主体业务工作，保证了理事会和常务理事会的各项决议顺利实施，并且在项目管理、经费管理、航次组织、船舶增改装工程和设备引进等方面注意改革创新，并进一步加强财务监督，完善了内部控制程序。

协会业务工作重点 2001年协会业务工作的重点是：①在国际海底区域执行以富钴结壳靶区调查和多金属结核勘探合同区环境调查为主兼顾其他的DY105-11航次调查；②加强以船舶改造和设备引进工作为重点的基本技术力量建设；③在2001年上半年按计划完成采矿系统部分设备的湖试；④全面启动“十五”期间资源、环境、技术项目的立项工作；⑤协会成立10周年宣传工作。

（王秀梅）

【中国航海学会】 中国航海学会（以下简称总会）及其二级机构和各地区航海学会都做了大量卓有成效的工作，开展了许多具有重大社会效益的活动。

国内学术交流 总会一如既往地本着“以学为主”的宗旨和投身经济建设中心的要求，积极开展了贴近生产实际、为生产一线和主管部门服务的学术交流活动。总会2001年9月为配合交通部第2个水上安全管理年活动，组织召开了有74个单位和81位同志参加的“航运安全研讨会”。第一次吸收了除大型水运企业以外的诸多中小型水运企业成员与会。会议议题贴切实用，人员涉面广泛，会议形式灵活，材料新鲜集中，是总会2001年学术交流活动的一种新的尝试，效果良好，此次常务理事扩大会后召开的年度学术交流和优秀论文评选是学会2001年组织的又一次重大学术交流活动，已从56篇报送论文中筛选出35篇优秀论文。

2001年，总会组织了13篇论文和15位专家参加了中国科协于9月在长春召开的中国科协第三届学术年会；组织了4篇论文和5名同志参加了中国科协于10月在北京举行的中国科协第四届青年学术年会，这是中国科协2001年组织的两次全国性重大学术活动。海洋船舶驾驶专业委员会连续召开了“现代高科技在海上的应用”、“渔船海上安全与避碰”和“21世纪航海科技发展动向”等3个学术交流与研讨会，收集论文百余篇，涉会百余人；内河海事专业委员会召开了“海事管理学术交流研讨会”和“第四次专家组学术会”，船舶防污染专业委员会召开了“内河船舶防污研讨会”；救捞专业委员会召开了“救助技术研讨会”；航标专业委员会也开展了本专业的专题研讨。浙江航海学会召开了“加入WTO对浙江港航业影响”的研讨会；苏、浙、闽、沪三省一市学会召开了“21世纪航海科技发展动向”的交流会；由山东航海学会召开了“当地海洋产业可持续发展”、“黄、渤海区气象与航行安全”学术交流会；辽宁航海学会举行了船舶压载水问题、新型防腐、防污材料等学术研讨会；天津航海学会召开了学术年会；江苏航海学会12月召开了“江苏与台湾直航”研讨会。

这些学术活动的主题来自实践，其成果又服务于实践，为推动、解决当地航海生产中的热点、难点和重点问题乃至为全国航海科技的进步和发展起到了积极的作用。

国际民间合作 2001年是总会国际民间交流和合作取得丰硕成果的一年。

总会组织参加了9月在韩国仁川举办的第七次中、韩航海学术交流会，在卫星导航、计算机模拟、AIS、DGPS等领域与韩国同行深入交流了有关信息和双方在各该领域取得的最新科研和应用成果。此次会后，总会组团赴日参加第七次中、日航海学会学术研讨会，将在安全航行、船舶防污及物流等方面进行交流。总会与中国工程院机械与运载学部及中国造船工程学会联合成功主办了“第八届国际船舶设计大会”，总会魏家福和李科浚两位副理事长亲往参加并分别作了讲话和专题报告，总会防污染、船闸、船检、危险货物运输、集装箱等5个专业委员会分别组团前往欧洲考察学习。在了解和学习国外先进技术、团结广大同行以及扩大影响等方面取得了很大成就。广州航海学会举办了两次国际学术交流与技术研讨会。总会2001年还两次接待了日本和韩国航海学会的来访，为进一步扩大国际民间合作和拓展交流渠道作了很好的铺垫。

决策咨询服务 2001年3月，总会受上海国际航运中心办公室委托，联合上海市航海学会组织全国17位专家学者对洋山港船舶进出和靠离泊安全课题进行了咨询评估，为国家重大项目提供了权威的专家服务。总会还应邀派专家参加了温州港发展规划研讨会，为当地港航发展提供了专业性意见，受到当地有关部门的称颂。磁罗经校正技术服务进一步加强了管理力度，工作继续有序进行，还新成立了广西分部，收入亦有所增长。总会年内还完成了交通部委托的全国船舶系列高级职称评审工作。救捞专业委员会举办了产品展示及推介活动，并协办了“中国国际水上休闲潜水展览会”。引航专业委员会举办了引航新技术和一级引航员考试两个培训班。集装箱运输专业委员会积极参与和承办了国家经贸委及有关部委组织的“中国集装箱运输发展问题与展望”的研究及编写工作。上海航海学会根据长江口疏浚出现的新的水深和航道的情况，组织专家适时编写出《长江口深水航道安全航行》，受到航海界莫大的欢迎。山东航海学会承办了16次海事技术咨询，辽宁航海学会为大连海事法院船舶碰撞案进行了海事技术鉴定。广州航海学会完成了3项科技咨询和技术论证。这些活动为企业和有关主管部门排忧解难，建言献策，有力地支援了水上航运安全和船舶防污染工作的开展。

科学普及活动 目前，总会的科普活动主要依靠科普杂志的宣传和组织航海夏令营活动等方式。总会2001年暑期组织了有近60名青少年学生参加的在青岛举办的航海夏令营，这是继1994年恢复该活动后的连续第8次同类活动。活动中对营员们进行了航海科普知识和爱国主义的教育，并使营员们经受了集体主义和独立生活的锻炼。上海航海学会继2000年组织去韩国开展此项活动后，2001年又组织了两期去日本的航海夏令营活动。这一活动在上海航海界、上海市科协范围内引起了极大的反响，在日本所到之处亦引起了不小的轰动。在国外举办航海夏令营活动为拓展航海科普活动开辟了一条崭新的思路和渠道。天津航海学会积极参加了天津市第15届科技周活动，举办了“崇尚科学、反对迷信”、“环保科普系列宣传”、“渤海环境整治”等图片展览，受到热烈欢迎。辽宁航海学会在世界环境日开辟科普画廊，大力宣传了环保的重要意义。

表彰奖励 2001年初，总会继续开展了航海院校上船专业航海奖学金评定及颁发工作，共有18所院校40名学生申报本科和大专奖学金以及11所学校17名学生申报中专奖学金，经严格审定，35名大专学生和14名中专学生获得通过，总会共颁发奖学金5.24万元。

2001年总会系统共评出42名学会工作积极分子，按规定分别颁发了奖状和奖金。

船闸专业委员会开展了活动积极分子的评审和奖励工作。该专业委员会及其他部分专业委员会和地区航海学会还开展了交流论文的评奖工作。天津航海学会再次成功举办了“郑和杯”优秀论文评奖活动；广州航海学会等单位也都举办了优秀论文评选活动。

此外，经总会常务理事会通信会议决定向上申报的，代表总会的中国极地研究所董兆乾研究员和总会秘书长胡裕生同志分别获得中国科协“全国优秀科技工作者”和“中国科协先进工作者”的称号。

自身建设 总会发展了一批新的团体和个人会员。新成立的船闸和船检两个专业委员会于2001年9月得到了中国科协和国家民政部的正式批准。一些专业委员会进行了改选换届，有的对委员作了调整和增补。

整个学会系统在收刊出版方面也作了大量的工作，《中国引航史》和《中国航标史》正式问世。《航海技术》编辑部召开了两次编委会会议总结和部署工作。《中国航海》编辑部为改变困境，正在研究采取新的举措。各种期刊、论文集的质量不断提高。

综上所述，一年来，无论总会、专业委员会和地区学会都在紧紧围绕航运经济的安全运营和持续发展以及自身的进步和提高，紧紧依靠广大航海科技工作者、实际工作者和各级管理人员，积极开展学术交流、决策咨询和学会章程规定的其他各项工作，并且取得了一定成绩，为中国的航海事业做出了应有的贡献。但是也应看到，发展还是不够平衡：少数专业委员会很少开展活动，个别研究会和地区学会已有较长时间停滞不前；改革探索还缺乏力度，上下左右也还沟通不够。总体上说，总会在机制、人员等方面还不能适应社会主义市场经济和大力拓展工作的要求。所有这些，必须采取切实措施，予以改进。

（中国航海学会 胡裕生）

【中国信息协会海洋分会】 中国信息协会海洋分会自1994年12月成立以来，已通过多种形式的活动将各涉海不同行业、不同层次的相关单位和部门连接起来，对增进了解、促进科技成果转化起到了积极的作用。

中国信息协会海洋分会（以下简称“分会”）的会员单位涉及海洋科研、院校，省、市、县三级海洋行政管理部门，县级人民政府以及海洋企业单位，具有较完整的覆盖范围。几年来紧紧围绕为政府和社会服务的宗旨，以“大海洋”为基础，在众多涉海产、学、研各会员单位的支持和协作下，曾先后在青岛(1996)、长岛(1998)、上海(2000)、舟山(2001)等地主办过规模不等、适用性强的跨行业、跨部门、跨地区海洋信息交流暨技术成果、产品展示会。由协会编印的“海洋信息快报”（每月1期），截至2001年年底已编印了72期，是协会会员单位开展日常交流的重要信息载体，它设有海洋科技成果、产品及转让信息、海洋科技信息、海洋工作信息（含海洋管理、开发信息等）、信息工作论坛、会员单位动态、会议及出版消息等栏目，全方位报道各类海洋信息。该“海洋信息快报”除寄发会员单位外，也及时提供“中国海洋信息网”发布，海洋信息协会主页是更新最快的网页之一，受到众多网络用户的青睐。

浙江·舟山新世纪海洋开发技术交流洽谈会 舟山市隆重纪念江泽民总书记“开发海洋，振兴

附录3 2001年海洋界知名人物、新增中国科学院和工程院院士名录

Appendix 3 Name List of Celebrities and Academicians of the Chinese Academy of Sciences and the Chinese Academy of Engineering from the Marine Community During 2001

【团中央等表彰“全国杰出青年文明号”，北礵海洋站等榜上有名】 6月19日，“全国青年文明号集体信用建设示范行动推进会暨杰出青年文明号表彰大会”在京召开。国家海洋局东海分局北礵海洋站等37个青年文明号集体被命名为首届“全国杰出青年文明号”。在120个首批全国青年文明号信用建设示范创建单位中，东海分局北礵海洋站、北海分局日照海洋站、浙江杭州西斗门膜工业公司工程部榜上有名。全国政协副主席周铁农及共青团中央、国家经贸委、国家工商行政管理局总局、国家海洋局等部委有关领导出席了会议。

被命名为首届“全国青年文明号”的青年集体是全国各行各业广大青年集体的杰出代表和优秀典型。他们在平凡的岗位上创造了不平凡的业绩，在服务群众的过程中体现了自身价值，以过硬的本领、一流的服务和良好的信用赢得了群众的赞誉和社会的好评，展示了新世纪青年积极向上、奋发进取、勇于奉献、开创新风的崭新风貌和青春风采。共青团中央及有关部委同时要求深入推进“青年文明号信用建设示范行动”，并以此为突破口，全面深化青年文明号活动，为建立规范的市场经济秩序，促进改革开放和社会主义现代化建设做出新的更大的贡献。

【徐洵院士荣获全国“十行百佳”妇女荣誉称号】 全国“十行百佳”妇女表彰大会6月8日上午在北京人民大会堂隆重举行。国家海洋局第三海洋研究所徐洵院士荣获全国“十行百佳”妇女荣誉称号，同时获得“全国三八红旗手”奖章。

徐洵教授1951年9月至1957年8月就读于中国医科大学生物化学专业，毕业后留校从事教学科研工作，任助教、讲师。1979年11月起在中国科技大学生物系工作，任讲师、副教授、教授、博士生导师。1991年1月调到国家海洋局第三海洋研究所，创建中国第一个海洋生物基因工程实验室并任主任，率先将海洋基因工程技术应用于海洋环境污染监测、海洋水产增养殖，并组织开展对虾白斑杆状病毒（WSBV）基因组全序列测定工作。1999年12月，徐洵教授以其在海洋基因工程、生物化学领域的杰出成就，被评为中国工程院“农业、轻纺与环境工程部”院士。

徐洵院士曾于1985年5月至1986年10月、1989年2月至1990年10月两次赴美国加州大学UCSD分子

舟山”题词10周年系列活动之一的《浙江·舟山新世纪海洋开发技术交流洽谈会》于2001年10月15日在浙江舟山举办。

该项活动由舟山市人民政府、国家海洋信息中心和中国信息协会海洋分会共同主办，舟山市纪委、经贸委、科技局、海洋与渔业局和浙江海洋学院共同承办旨在通过信息发布、技术成果与产品展示、专题讲座和企业考察等活动促进海洋领域内产学研的广泛结合，以推动地方海洋经济的发展。

参加该次活动的有海洋科研院、所、高校、企业等20家单位，向3 000余名各界参观者展示了大量的图片、资料、实物，其中可供推广应用的技术成果有近200项，并在虫害技术防治等方面达成了洽谈意向13项，取得了预期效果。

该次活动还分别组织了以适用技术交流为主的技术交流讲座和以介绍高新技术为主的专题报告。前者主题包括水产养殖技术、深水网箱研究技术、海洋水产业灾害防治技术、生物制品开发深加工技术等；后者由中国科学院光学机械研究所陈卫标博士向舟山地区科技人员作的题为“海洋环境参数光学检测技术”的专题报告。活动受到了沿海地区一些政府部门的关注，河北省国土资源厅、中共天津市塘沽区区委分别由主管领导组团前来参观考察。

（徐志道）

遗传学中心，以访问学者身份开展合作研究，以其杰出的成就和才华为国外同行所瞩目。美国科学院院士R. F. Poolittle教授和美国加州大学分子生物研究所圣亚尼奥所长等均力邀徐洵教授主持他们的研究室，并许以高薪、全家定居、终身职位等优厚待遇。徐洵教授不为所动。她怀着报效祖国的赤子之心毅然回国后，就一直在平凡的科研岗位执着地追求、奉献，以其强烈的事业心、高度的责任感和严谨的工作作风影响带动了一大批科研工作者。

1. 率先将基因工程技术应用于海洋环境污染监测

20世纪80年代率先在海洋低等生物中克隆到人功能蛋白的原始基因，构建了多种海洋生物cDNAY文库，解决了科学界多年悬而未决的难题。

20世纪90年代率先建立了海洋环境中贝类受甲肝病毒污染的PCR快速检测技术，利用基因技术中的逆转录聚合酶链式反应快速、高效的特点，使检测时间和灵敏度以几何级数提高，“成果达到国际先进水平”。还应联合国科教文组织生物效应专家组提出的“优先研究和发展重金属污染引起的生物效应监测技术”全球战略的要求，在中国率先建立了酶标免疫法检测重金属污染引起的海洋生物效应。

2. 在世界上率先破译对虾白斑杆状病毒遗传密码

自1993年以来，对虾病毒给中国养殖业造成上百亿元的经济损失。揭示其主要病原——白斑杆状病毒（WSBV）感染增殖的机理，对建立虾病防治办法至关重要。但对虾病毒极易降解，提纯病毒在世界上是一个科学难题。在徐洵教授的指导下，实验室找到一种快速纯化方法，在世界上第一个得到完整的杆状病毒全DNA，建立了对虾白斑杆状病毒基因检测技术，研制出检测试剂盒并申请了专利。并于1999年在世界上率先完成含30万个碱基对的病毒基因组全序列测定工作。这是世界上第一个被破解的海洋动物病毒基因，对人类认识海洋环境病毒的特性及作用机理提供了首例模型，为控制海洋病毒奠定了基础。这一成果被评为“1999年中国十大基础科学研究新闻”、“2000年度中国十大科技进展”新闻。

3. 成功构建了可供生产的鱼生长激素基因工程菌

从中国3种海水鱼脑下垂体中分别提取、克隆了鱼生长激素基因，成功构建了中国第一个拥有自主知识产权、高效表达的海水鱼生长激素基因工程酵母菌。产品可促使鱼类快速生长，具有重要的经济开发价值。

4. 育人不倦，悉心培养科研事业的跨世纪人才

1999年她就被国务院学位委员会批准为博士生导师，在中国科技大学生物系是第一位。目前，她仍担任着中国科技大学、厦门大学的博士生导师，并指导国家海洋局第三海洋研究所的硕士生培养工作。她治学严谨，诲人不倦，先后培养硕士生、博士生20余名，为祖国的科研和海洋事业培养了一批有理想、有抱负、知识面宽、业务基础扎实的高精尖人才。 （海 网）

【2001年新增中国科学院和工程院院士】

郑守仪 女，海洋原生动物学家，中国科学院海洋研究所研究员。1931年5月生于菲律宾马尼拉，祖籍广东中山。1954年毕业于菲律宾东方大学教育系，次年就读于国立菲律宾大学研究生院生物系。1956年回国，开创并全面发展了我国现代有孔虫学研究。2001年11月当选中国科学院院士。

回国初期，她与郑执中先生合作完成中国海浮游有孔虫分类与生态研究，填补了国内空白。随后进行底栖有孔虫研究，改革创新，突破了传统的主要凭外部形态鉴定种类的方法，使我国现代有孔虫研究在高起点上后来居上。迄今已描记1 500余种，包括1新科、24新属和290新种。新属*Septotextularia* 的建立，纠正了前人近百年来的误识。

她完成上千测站的有孔虫计数，系统总结了中国海有孔虫区系、生态特征和多项有孔虫参数的分布规律。已发表《中国动物志胶结有孔虫》等共320万字的学术论文和专著，获国家自然科学三等奖、中国科学院和山东省自然科学一等奖。曾获全国劳动模范、全国三八红旗手、巾帼科技发明者等荣誉称号。

为使微小的海洋原生动物成为人们看得见摸得着的宏观教具、科普展品和旅游工艺品，她开创了有孔虫属种放大模型制作项目，创制的有孔虫模具已获4项国家实用新型专利。

胡敦欣 男，1936年10月生，汉族，山东省

即墨市人。中国科学院院士，中国科学院海洋研究所研究员、博士生导师。曾任中国科学院海洋研究所副所长、学术委员会主任，中国海洋学会副理事长，国际地圈-生物圈计划（IGBP）科学委员会委员，全球海洋通量研究（JGOFS）科学指导委员会委员，海岸带陆海相互作用（LOICZ）科学指导委员会委员，国际气候变化与海洋委员会（CCCO）太平洋分会委员，世界大洋环流实验（WOCE）第一核心工作组成员等。现任海洋环流与气候环境联合研究中心主任，"Chinese Journal of Oceanology and Limnology" 副主编，"The Yellow Sea" 主编，北太平洋海洋科学组织（PICES）物理海洋与气候科学委员会委员，国际黄海研究会副会长，JGOFS/LOICZ中国委员会主任委员等职。

胡敦欣从事海洋学研究40余年，在海洋环流、海气相互作用和海洋通量等领域有多项科学发现和创新学术成就，是我国海洋通量研究领域的开拓者。发现并命名太平洋“棉兰老潜流”；率先发现中国海陆架中尺度涡“东海冷涡”；改进了大洋环流反演理论模式；修正了沿岸上升流理论；在国际上率先开展陆架海洋通量研究，得出“东海是大气二氧化碳弱汇区”的科学结论；发现并从动力学上解释了“陆架上凡有上升流的地方，海底沉积必为软泥”的科学现象，开辟了新的交叉学科研究领域。多次参与国家地球科学与海洋科学基础研究发展规划的研讨与制定，参与了数项国际海洋前沿研究计划的科学设计、制定和实施，并将有关研究引入中国，为推动国内外海洋学的发展做出了重要贡献。在国内外发表科学论文120余篇，出版专著3部。曾获中国科学院科技成果一等奖，中国科学院自然科学二等奖，中国科学院竺可桢野外科学工作奖奖章等多个奖项。 (刘保忠)

王 颖 海岸海洋地貌与沉积学家。女，汉族，辽宁省康平县人。1956年毕业于南京大学地理系。1961年北京大学地质地理系副博士研究生毕业。1979～1982年在加拿大Dalhousie大学地质系任海洋地质学研究员，在Bedford海洋研究所做访问学者。2001年获加拿大Waterloo大学环境学荣誉博士学位，2001年11月当选中国科学院院士。现任南京大学地学院院长、南京大学海岸与海岛开发教育部重点实验室学术委员会主任委员、中国海洋学会副理事长、国际海洋研究委员会(SCOR)“相对海平面与世界淤泥质海岸”工作组主席、国际地理学家联合会海洋地理专业委员会委员、"Marine Policy"编委、"Ocean & Coastal Management"编委、《海洋与湖沼》副主编、《海洋学报》编委。

王颖在淤泥潮滩海岸、鼓丘海岸及河海体系与大陆架沉积等研究领域有重要贡献，总结了潮滩动力环境的沉积与生态模式，深入分析了中、新生代淤泥粉砂岩的沉积环境，把我国潮滩研究推向国际先进水平。她从中国主要河流对陆架的沉积作用的研究，深入到河海体系相互作用、沉积物搬运与陆源通量、黄海辐射沙洲形成演变等方面的研究，推动了具有学科交叉特点的海洋地理学的发展。近年来，她将陆海相互作用研究和全球变化相结合，并且应用于海岸建设，发展了海岸海洋科学。共出版专著13部，论文110篇。

(高 抒)

潘德炉 男，1945年12月出生，中共党员，浙江东阳人。1968年毕业于南京理工大学，同年分配到国防科工委下属研究所，1987年调入国家海洋局第二海洋研究所，任研究员，硕士、博士生导师。先后在加拿大海洋科学研究所、德国GKSS研究中心、韩国航空和航天研究院、日本宇航局EORC及国内多家科研院所作为高级访问学者、受聘首席科学家和客座教授。同时，在多个学术团体中担任职务。2001年11月当选中国工程院院士。其主要贡献：长期从事海洋水色遥感和遥感模拟仿真科学技术研究，为建立和发展我国海洋水色遥感科学和遥感模拟仿真科学的研究起到了奠基和关键的作用。在水色荧光遥感机理研究、水色遥感反演模式研究、水色遥感大气校正技术研究、水色遥感应用技术研究、遥感卫星应用效果模拟仿真理论、模拟仿真系统的建立及其应用6个方面有创造性的成就和突出贡献。完成了国家“八五”和“九五”科技攻关、国家“863”、国家海洋局、国家自然科学基金和国际合作等海洋遥感项目共15项，其中获省部级科技进步一等奖2项，二等奖3项，三等奖2项；获国家海洋局第二海洋研究所科技进步奖一等奖5项。在国内外发表论文共75篇。

(孙煜华 沈伟林)

附录4 2001年逝世的海洋界知名人士

Appendix 4 Noted Personages in the Marine Community in China Who Passed Away During 2001

【国家海洋局原副局长刘志平同志逝世】 中国共产党优秀党员、忠诚的共产主义战士、国家海洋局原副局长、正军职离休干部刘志平同志，因病于2001年9月20日在北京逝世，享年92岁。

刘志平同志1910年8月生于山东武城县，1938年加入中国共产党，1940年8月入伍，参加过抗日战争。1951年7月，刘志平同志调海军工作，历任华东军区海军司令部情报处处长、办公室主任，海军防险救生处处长、海军司令部办公室主任等职。1963年刘志平同志调任海军航保部副部长，兼国家科委海洋组副组长、办公室主任。1964年10月，由周恩来总理颁布命令，任命刘志平同志为国家海洋局副局长。1988年被授予中国人民解放军独立功勋荣誉奖章。

刘志平同志在60余年的革命生涯中，把毕生的精力献给了中国人民的独立与解放事业，献给了海军国防科研事业和我国的海洋事业。

在战争年代，他作战勇敢、机智果断，经受了生与死的严峻考验，为中国人民的独立和解放立下了战功。在海军工作期间，他认真学习，刻苦钻研，深入基层，为海军国防建设作出了积极贡献。作为中国海洋事业开拓者之一，他参与了中国海洋科研规划制定和国家海洋局创建工作，他主持了海岸带调查和海上断面调查工作，负责建立了海洋调查监测体系，负责并督促海洋调查船的建造，组织力量开展了近岸、近海及远洋调查观测工作，并出版了海岸带调查资料和图集。参与制定了《国家海洋局1976～1985年海洋工作发展规划纲要》、《海洋调查规范》并颁发实施。他作为发起人之一，提出了“查清中国海，进军三大洋，登上南极洲”的宏伟规划。在他的直接参与下，“中国海洋综合调查”等7项海洋调查与科研课题被列入全国科学技术发展计划的重点项目。他组织参与了首次对东海大陆架综合调查，4次组船完成了“718”远洋调查任务。

刘志平同志一生忠于党、忠于人民、忠于革命军队，具有坚定的共产主义信念，对党和革命事业充满信心。他拥护党的十一届三中全会以来的各项方针政策，拥护以江泽民同志为核心的党中央的领导集体，自觉地在政治上、思想上、行动上同党中央保持一致。离休后，他仍然关心党和军队的建设，关心海洋事业的建设与发展，自始至终模范地实践“三个代表”，为我们树立了光辉的榜样。刘志平同志一生追求光明，追求真理，胸怀坦荡，光明磊落。他对革命工作兢兢业业，勇挑重担，不计名利，无私奉献。他长期担任领导职务，具有很强的组织协调和决策指挥能力，执行命令坚决，处理问题果断，工作上勇于开拓进取，理论联系实际。他具有高度组织观念，顾全大局，一切服从组织安排。他平易近人，乐观豁达，善于团结同志，密切联系群众，关心群众疾苦。他尊重知识，尊重人才，关心知识分子和青年干部的成长。他严于律己，克己奉公，艰苦朴素，清正廉洁，一身正气，两袖清风。他的一生是革命的一生，战斗的一生。全心全意为人民服务的一生，他的革命精神、高尚品德和优良作风，将永远值得我们怀念和学习。

（海 网）

【徐怀恕教授逝世】 青岛海洋大学海洋生命学院海洋生物系原系主任、联合国教科文组织中国海洋生物工程中心主任、联合国教科文组织生物工程委员会委员、著名的海洋微生物学家、博士生导师徐怀恕教授于2001年6月14日因病去世，终年65岁。

徐怀恕教授于1936年7月7日生于河北省遵化县。他自幼刻苦读书，以居里夫人为榜样，献身于科学事业，1954年中专毕业后，到中国科学院北京植物研究所工作，1955年考入南开大学生物系。1960年9月毕业后到原山东海洋学院（现青岛海洋大学）海洋生物系工作，历任助教、讲师、副教授、教授、博士生导师、系主任。1980年赴美国罗得岛大学学习，师从美国国家科学基金会主席、世界微生物学会联盟前主席、著名的生物学家柯威尔（Rita R. Colwell）教授。1995年组建联合国教科文组织中国海洋生物工程中心并任主任。1998年当选为联合国教科文组织生物工程委员会委员。

徐怀恕教授一生从事海洋微生物学的教学与科研工作，他曾讲授过生物化学、微生物学、海洋微生物学、环境微生物学、细菌分类学、水产养殖动物病害学等课程，指导博士后1名，博士生14名，硕士生35名。他在世界上首次发现并报道了细菌的特殊生命现象——“细菌的活的非可培养状态”，开辟了细菌学的一个分支学科，开创了细菌遗传学、细菌基因组，以及细菌生理学和生物化学的新研究领域。

徐怀恕教授先后承担过国家“九五”攻关项目“863”（子课题）和“973”（子课题）等课题、国家级科研项目、英国达尔文合作项目和欧盟国际合作项目等国际国内项目。他获得国家、省部级奖多项，发表研究论文112篇，专著、国际会议论文集各1部。为中国的科学事业、为把青岛海洋大学建设成为高水平特色大学贡献了毕生的精力。他还担任农业部海水增养殖病害与生态重点开放实验室学术委员会委员、中国水产科学院黄海水产研究所客座研究员、山东省海水养殖研究所客座研究员、浙江省舟山海洋环境生态监测站客座研究员、中国生态学会理事、中国微生物学会理事、山东省微生物学会常务理事、山东省微生物学会副理事长、中国《生物多样性》编委、《青岛海洋大学学报》编委、中国《微生物学报》编委、《海洋水产研究》编委等多项社会工作。

徐怀恕教授在国际学术交流活动中成绩显著，为提高我国在海洋生物学界的国际学术地位，促进青岛海洋大学与国际上的交流和合作做出了不可磨灭的贡献。联合国教科文组织为了促进发展中国家生物工程学的发展，将惟一的“海洋生物工程中心”设在中国，并挑选徐怀恕担任“中心”主任。“中心”的学术活动促进了亚洲地区海洋生物工程学的发展，促进了国际学术交流与合作，成为在东南亚地区重要的海洋生物工程学研究、人才培养及学术交流的基地。

徐怀恕教授在从事教学科研工作的同时，还应邀在国际上作学术报告20余次。在他病重期间还赴印度讲学，并坚持作了一个大型学术报告，这次报告成为他一生的最后一次报告。

徐怀恕教授毕生从事于中国的海洋教育科研事业，他热爱社会主义祖国，忠诚党的教育事业，他为人正直、热情，治学严谨，工作认真负责、一丝不苟，他用辛勤的汗水为海洋科学教育事业做出了重大贡献。他以独特的人格魅力，在国内外广交朋友，并赢得广泛的信任、支持与赞誉，在国际上提高了青岛海洋大学乃至中国在海洋生物学科领域里的地位。他始终关心青年人的成长，呕心沥血，为中国的教育事业培养了大量高素质人才。他的逝世是青岛海洋大学的重大损失，是海洋科学教育事业的重大损失！他那种热爱海洋科学教育事业并为之奋斗终生的精神永远值得我们学习。

（谢正侠）

附录5　中国海洋行政机构和涉海企事业单位简介

Appendix 5　A Brief Introduction to China's Marine Administrative Organs and Ocean-Related Institutions and Enterprises

国家海洋局及其下属机构

【中国海监总队】 中国海监总队是国家海洋局领导下的由中国海监北海总队、中国海监东海总队、中国海监南海总队、沿海各省、区、市海监总（支）队共同组成的海上执法队伍。

中国海监总队依照法律、法规和国务院的规定，对中国内海、领海、毗连区、大陆架及专属经济区实施巡航监视和监督管理，并对违法、违规行为依法进行处罚。其主要职责为：根据第八届全国人大常委会第十九次会议批准的《联合国海洋法公约》及中国有关法律，对经批准进入中国管辖海域的外国调查船及其他运输工具的科学考察、海底电缆、管道铺设等活动实施监视；对未经批准进入中国管辖海域的外国船只、平台及其他运载工具等按有关规定查处，必要时可进行监视和搜索；负责对海洋石油勘探开发和海洋倾废活动等造成的污染损害事件进行调查取证，并依法处理；对未经批准进行海洋资源的勘查、开发活动及破坏海洋资源的事件进行调查取证；负责海洋监察队伍的建设和管理，并对沿海省、区、市海洋监察工作进行业务指导和监督；负责培训和管理海洋监察员，核发海洋监察员公务证书；负责海洋监察行动和进行监察的船舶、飞机的调度、指挥；根据国家需要，配合有关部门参与海上救助及其他军事保障等工作。

2001年中国海监各级执法队伍，依照有关海洋法律、法规加大了海域使用、海砂勘查开采、涉外海洋科学研究、铺设海底电缆管道、海洋工程建设项目环境保护、海洋倾废、海洋生态环境保护等方面的执法监察力度，有重点地开展了专项或综合性执法检查行动和应急巡航监视，并加强了与其他部门的合作，多次开展联合检查行动，对发现的违法、违规行为及时进行了查处。

2001年中国海监共出动中国海监飞机198架次，飞行633小时，累计航程14.6万千米；出动中国海监船舶178艘次，累计航程6.45万海里；陆岸巡视近16万千米；检查各类项目963个，累计3 416次，发现违法、违规行为850起，作出行政处罚609件；监视赤潮46起，海上溢油11起，陆源排污32起。

（中国海监总队办公室）

【国家海洋局北海分局】 国家海洋局北海分局成立于1965年7月，是国家海洋局派驻青岛并代表其在北海区实施海洋行政管理的机构。负责国家海洋法律、法规在本海区的监督实施，依法对北海区实施海洋行政管理，完成国家下达的维护海洋权益、保障海洋资源的合理利用与开发、保护海洋环境、预防及减少海洋灾害等任务。

北海分局负责管辖苏鲁交界的绣针河口以北中国海域，包括渤海和南黄海北部海域。现有职工1 700余人，其中海洋技术人员987人，高级科技人员100余人。学科涉及法律、管理、海洋经济、水文、气象、物理、生物、化学、地质、电子信息等专业。

维护国家的海洋权益是北海分局的神圣职责。近年来，北海分局根据国家海洋局的指示先后多次出色地组织完成了对外国船舶在中国专属经济区进行科技调查等活动的跟踪监视任务，为维护国家的海洋权益做出了突出的贡献，充分展示了国家海上执法监察能力。

北海分局积极履行海洋行政管理、海洋科技调查和海洋公益服务等职责，努力为国民经济建设和国防建设服务。近年来，先后开展了海洋石油勘探开发环境保护管理、海洋倾废区选划与海洋废弃物倾倒管理、海底电缆管道铺设管理、海域使用规划与管理及涉外海洋科学研究管理；组织实施了海上维权执法行动、海域使用联合执法行动、北海区海域使用执法大检查、北海区海砂执法大检查以及海洋石油勘探开发执法大检查等；承担并完成了海岸带和海涂资源调查，海岛资源调查，全国第一、二次海洋污染基线调查，中国大陆架及专属经济区调查；参加了“中日黑潮合作调查”、“大洋多金属结核勘查”、联合国世界气象组织的“全球大气试验”、“大型海洋资料浮标的研制开发”、“联合国UNDP项目”和中美、中法联合研究；承揽并完成了“中韩光缆路由调查”、“埕岛天然气集输工程路由调查”、“辽河油田水深勘测”、核电厂选址等海洋工程项目；组织完成了黄渤海海区各地三类废弃物倾倒区选划；开展了“胶州湾陆源排污入海总量控制研究”、“渤海溢油对海洋生物影响的研究”、“海上溢油估算及飘移扩散规律的研究”、“赤潮航空高光谱遥感监测技术研究”（国家“863”计划“818”主题），并6次远征南极，完成南极建站物资运输和南大洋考察，为维护国家海洋权益、开发海洋资源、保护海洋环境和防灾减灾做出了重要贡献。

2001年北海分局领导人变动情况：7月，杨志华任北海分局党委书记；武辛卯任北海分局党委副书记兼纪委书记；滕征光任北海分局副局长

地址：青岛市抚顺路22号；邮编：266033；电话：(0532)5625044；传真：(0532)5621244

E-mail : wscenter@public.qd.sd.cn

（国家海洋局北海分局）

【国家海洋局东海分局】 国家海洋局东海分局是国家海洋局设在东海海区负责监督管理海域使用和海洋环境保护、依法维护海洋权益、管理东海海监队伍的国家海洋行政主管部门，代表国家海洋局在东海区行使海洋行政管理职能。管辖北起江苏连云港南至福建东山的南黄海和东海海域。

国家海洋局东海分局领导班子于2001年12月作了调整，调整后的班子成员为：局长兼党委副书记张有份，党委书记濮继红，党委副书记兼纪委书记成纯发，副局长沈阿坤、贾建军、房建孟。其中，房建孟于2001年12月参加干部交流，任浙江省海洋与渔业局副局长。

国家海洋局东海分局下设东海监测中心，上海海洋预报中心，厦门、宁波、温州海洋预报台，中国海监第四、第五、第六支队等单位。现有职工1 719人，专业技术人员656人(其中具有高级技术职称60余名)，拥有专业的海洋执法队伍和海洋技术队伍，拥有执法调查专用船9艘，海监飞机2架；有海洋勘探、调查、测试分析、观测预报等方面的先进仪器设备。具有海洋地质勘探、水下地形测量、海洋环境监测、水动力要素观测、气象要素观测、生物种类鉴定、放化残毒分析、海洋环境要素预报、海洋灾害预测预报的能力。

主要职能：

1. 海洋行政管理

依据有关法律、法规的授权，监督管理海域使用，颁发海域使用许可证，实施海域有偿使用制度；审批海底电缆管道路由调查和铺设；监督涉外海洋设施建造及海底工程；主管海洋石油勘探开发和海洋倾废污染损害海洋的环境保护，签发海洋倾倒许可证，负责海洋石油勘探开发和海洋环境工程的环境影响报告书的审批和审核；负责监督陆源污染物排海和海洋生态的环境保护工作。

2. 海洋执法监察

组织实施管辖海域的巡航监视、监察工作。依法查处侵犯中华人民共和国海洋权益、违法使用海域、损害海洋环境与资源、破坏海洋设施、扰乱海上秩序等违法违规行为。

3. 公益服务

负责海洋环境观测监测、海洋基础与综合调查、海洋标准计量检定和技术监督等工作；负责海洋灾害预报警报、海洋环境预报和海洋环境质量评价工作；发布海区海平面公报、海洋灾害公报、海洋灾害年度预测和海洋环境公报。

通讯地址：上海市东塘路630号；邮编：200137；电话：58614939（总机）；传真：58611647

（国家海洋局东海分局）

【国家海洋局南海分局】 国家海洋局南海分局是国家海洋局设在广州的南海区海洋行政管理机构，依法对南海海域实施海洋综合管理，以维护海洋权益、开发海洋资源、保护海洋环境和减灾防灾为宗旨，负有对所在海区内广东、广西、海南3省（区）海洋管理工作实施指导、协调、监督和服务，以及对中国海监南海总队行使管理的职能，同时负责组织完成国家下达的海洋科研调查、监测、监视、海洋环境预报和执法监察等任务。2001年，分局发扬锐意改革、开拓创新、与时俱进的精神，积极联合地方走共同发展之路，在抓好海域使用、环境保护、执法监察3项管理，发展科技服务、公益服务2个支撑，完善综合保障1个体系等方面实现了预期目标，进一步强化了南海分局在南海区海洋管理工作的形象。

根据分局事业单位机构改革部署和海洋工作

发展的需要，通过整编，2001年将原国家海洋局汕尾、珠海、北海中心海洋站，更名为国家海洋局汕尾、珠海、北海海洋环境监测中心站；为了提升专业人员的业务水平和扩展业务队伍，分局与青岛海洋大学签订了共办研究生班的协议书，25名技术人员报名并参加了全国研究生联考和专业考试；与中山大学联合申办物理海洋学硕士点获得了批准；年度引进本科生9名、大专生1名。

随着南海海洋事业的快速发展，分局已建立较完善的海洋管理机构，同时拥有一支实力较强的海洋科技开发与公益服务的专业队伍。分局机关内设12个职能处室，另有直辖17个处级建制单位。其中，中国海监南海总队内设4个职能处室，直辖第七、八、九支队，以及5个业务单位。现有员工1 378人，从事水文、化学、地质、地球物理、气象、生物、遥测浮标、环境科学、计量检定、通讯导航、信息服务等各类专业技术人员436人，其中高级、中级和初级技术职称人员分别为59人、179人、198人；具有装备先进、集海洋执法和科研调查多功能于一体的“中国海监”船11艘，船员365人；并有遍布两广的海洋监测站网和遥测海洋环境数据的浮标网，形成了由船舶、飞机、浮标、海洋站组成的立体、多维的海洋监测监视网、海洋执法管理系统、海洋水文与环境预报系统、海洋灾害预警预报系统和海洋信息资料服务系统；同时还有一批现代化的海洋监测、调查、测试分析和计量鉴定的仪器设备。

（国家海洋局南海分局　李仲钦）

【国家海洋局海洋发展战略研究所】 海洋发展战略研究所是国家海洋局的直属事业单位，成立于1987年，全所编制30人，其中科研人员编制25人。目前，科研人员全部为高中级技术职称，其中高级科研人员占2/3以上。秉承快捷高效的工作作风，严谨踏实的工作态度以及理论研究服务于实际应用的指导思想，战略所积极参与了国家海洋政策、法律、权益、经济、环境保护等多方面研究工作，为国家海洋局及有关部委提供了多方面海洋政策研究及决策咨询，开展了广泛的国际合作与交流。经过十多年的建设和发展，在海洋政策、海洋法律、海洋经济及资料信息等领域形成了自己的优势和特色，现已成为国内及亚太地区海洋政策与法律问题的权威研究机构之一。

在海洋政策研究方面，先后完成了多项国家海洋政策和规划研究课题。其中一些科研成果已被政府采纳，转化为指导中国海洋事业发展的重要的政策性文件。其中包括1998年国务院公布的《中国海洋政策》白皮书、1996年出台的《中国海洋21世纪议程》、《全国科技兴海规划纲要》以及正在进行的《中国海洋事业“十五”计划及2015年规划纲要》等。

为维护国家海洋权益，在国际法、国内法两方面做了系统的、全面的研究，如岛屿主权、海域划界、图们江口出海权、南海问题、国际海底区域等问题。先后完成了黄海、东海、北部湾划界研究，主持和参与了“领海及毗连区法”、“专属经济区和大陆架法”、“海洋环境保护法”及“海域使用管理法”等法律的制订、修订和起草工作。另外，在海域划界计算机技术开发研究方面取得了突破性进展。

发展海洋经济是中国海洋工作的中心任务，该所在海洋资源、环境经济评价和管理技术方面取得了多项研究成果，如海洋资源、环境价值量核算、海岸带综合管理技术、气候变化对沿海地区海平面影响及对策、实施“伦敦倾废公约”及对策、海洋高新技术产业化问题研究等，为国家的海洋管理提供了科学依据。

此外，该所还开展了广泛的国际合作与交流，除了双边合作项目外，还积极参与了UNDP、IMO、UNEP等国际和地区性组织主持的海洋环境保护和海岸带综合管理示范区项目的研究工作。

世纪之交的海洋已成为全球日益关注的焦点，海洋正成为世界各国开发和争夺的最后一片资源环境空间。作为一个沿海人口大国，有效维护国家海洋权益、合理开发利用海洋资源、切实保护海洋生态环境、实现海洋资源与环境的可持续利用和海洋事业的协调发展，都迫切需要对海洋事务各个方面进行深入研究。海洋战略研究工作面临着时代的机遇和挑战。

（海洋发展战略研究所）

【中国大洋矿产资源研究开发协会】 中国大洋矿产资源研究开发协会是1991年经国务院批准成立的社会团体，负责组织协调中国在国际海底区域矿产资源研究和开发活动。1991年协会在联合国登记注册为国际海底区域先驱投资者。协会的宗旨是通过国际海底区域矿产资源的研究开发活动，为中国经济可持续发展储备新的矿产资源和能源，促进中国深海高新技术产业的形成与发展，维护中国在国际海底区域的权益，并为人类开发利用国际海底资源做出贡献。协会主要机构为理事会、常务理事会和协会办公室。理事会为协会的最高权利机关，对有关协会发展的重大事项做出决定；常务理事会由国家有关部门推荐、经协会理事会选举的常务理事组成，是协会的执行机关，主要负责审定协会的重大业务问题；办公室为协会的常设办事机构，根据协会理事会和常务理事会决定，负责承办协会日常事务。协会现任理事长为陈炳鑫同志，马洪先生为协会高级经济顾问，倪征[日奥]先生为协会高级法律顾问，王淀佐院士、李廷栋院士和陈毓川院士为协会高级技术顾问，中国驻国际海底管理局代表处郭崇立大使为协会特别顾问。

协会办公室作为国家大洋专项的常设办事机构，根据协会理事会和常务理事会的决定，组织落实经协会理事会、常务理事会确定的工作，并承办协会日常事务。根据1999年国家海洋局“关于中国大洋协会办公室机构调整的批复”，协会办公室现内设机构为秘书处、项目管理处、计划财务处和技术开发处。办公室的主要职责为：①执行协会理事会和常务理事会的决定和指示；②组织研究中国国际海底区域资源研究开发战略，拟定规划、计划和规范；③组织有关国际海底区域制度等方面的研究，向国家提出有关的决策建议；④组织协调中国在国际海底区域的勘探、环境评价、采矿、冶炼等研究开发活动，进行业务监督；⑤组织实施协会对外交流与合作计划；⑥组织实施协会应履行的国际义务；⑦组织项目的立项论证，签订合同、中期评估和验收工作；⑧负责国家大洋专项经费的日常管理工作；⑨向协会常务理事会、协会业务主管部门和国际海底管理局提交工作报告。2001年协会办公室在协会理事会、常务理事会领导下，扎实工作，做好办公室的日常事务，并稳步组织开展协会主体业务工作，保证了理事会和常务理事会的各项决议顺利实施，并且在项目管理、经费管理、航次组织、船舶增改装工程和设备引进等方面注意改革创新，并进一步加强财务监督，完善了内部控制程序。 （刘 峰）

【国家海洋局极地考察办公室】 国家海洋局极地考察办公室（原名为国家南极考察委员会办公室）成立于1981年，是承担中国极地考察具体工作的职能部门。其基本任务是组织协调和管理中国极地考察研究工作。极地考察办公室还负责管理驻智利南极代表处、亚布力训练基地。20世纪80年代以来，中国先后在西南极乔治王岛建成常年科学考察站——长城站，在东南极的拉斯曼丘陵建立中山站，拥有了“雪龙”号极地考察破冰船，在上海浦东建立了中国极地研究所，在黑龙江省亚布力滑雪场开辟了极地考察训练基地，在智利设有南极代表处。至2001年，中国已成功地组织了18次南极考察。

2001年，国家海洋局本着进一步加强极地管理水平，提高干部队伍整体素质和工作效率，优化人员结构的原则，对国家海洋局极地考察办公室的主要职责、内设机构和人员编制进行改革。主要内容有：国家海洋局极地考察办公室将“长城站”和“中山站”的管理及其后勤保障职能移交中国极地研究所；国家海洋局极地考察办公室是国家海洋局直属公益性事业单位，是从事极地考察工作的职能部门，负责对极地考察工作进行组织、协调和管理；国家海洋局极地考察办公室设4个职能处，分别为综合处（党委办公室）、计划财务装备处、科技发展处、对外联络处；国家海洋局极地考察办公室编制为40名，控制编制26名，依照国家公务员制度管理。 （夏立民）

【国家海洋环境预报中心】 国家海洋环境预报中心主要职能是负责中国海洋环境预报、海洋灾害预报和警报的发布及业务管理，为海洋经济发展、海洋管理、国防建设、海洋防灾减灾等提供服务和技术支持。其基本任务是：

(1) 组织全国海洋环境预报业务系统和网络的建设、运行、维护和管理，对全国海洋环境预报工作实施业务指导、协调和服务。

(2) 拟订全国海洋环境预报业务发展规划、计划、管理制度和技术规范、标准；组织全国海洋环境预报信息服务资格认证的评审及预报产品的质量评定工作。

(3) 负责制作中国管辖海域和邻近海区及全球海洋环境、海洋灾害的预报、警报及分析、预测产品，发布海洋环境及灾害的预报警报。

(4) 负责全球海洋水文气象资料、海洋监测站、船舶、浮标、雷达站、航空监测、卫星遥感和传真资料及公共信息网实时资料等的收集、处理、质量控制、存储及全国海洋预报系统实时资料的分发服务；建立海洋灾害和预报基础资料数据库及信息系统。

(5) 开展风暴潮、海浪、海流、海冰、海水温度、海水盐度、赤潮、水质、地震海啸、厄尔尼诺、海平面上升、海上溢油扩散等海洋环境要素分析、预报和预测服务。

(6) 组织全国海洋灾害的预测、会商及重大海洋灾害的灾情调查、分析评估和预报总结，编制《中国海洋灾害公报》。

(7) 开展海气相互作用、海气边界层研究和海洋预报业务基础理论与方法、高新技术的研究和成果推广应用工作；开展海洋环境数值预报研究，承担业务化及解释应用工作，制作和发布数值预报产品。

(8) 负责极地海洋水文气象的观测、预报及其远洋和极地考察的航线预报保障工作；开展极地气候以及对中国及全球气候变化的研究工作，参加极地及邻近洋区和大洋的水文气象调查和考察工作。

(9) 开展专项海洋环境、海洋气象预报服务、有关海洋水文气象环境评价和技术服务及为国防建设的服务保障工作；开展海洋环境预报遥感技术研究及应用开发工作，提供海洋环境预报遥感业务化产品。

(10) 承担国际组织的有关海洋预报工作，开展国际间和地区间海洋环境相关科学研究的技术交流与合作。

(11) 承担国家海洋局交办的其他任务。

根据承担的任务，国家海洋环境预报中心对外发布海洋环境预报，可使用国家海洋预报台名称，并可在有关工作中继续沿用国家海洋环境预报研究中心名称。

国家海洋环境预报中心业务机构设置：海洋水文预报一室、海洋水文预报二室、海洋气象预报室、极地远洋预报室、声像技术室、通信台、卫星遥感部、计算机部、海气相互作用研究室、资料室等10个业务部门。现有预报技术科研人员278名，其中中国科学院院士1名，研究员和教授工程师28人，副研究员和高级工程师74人，中级技术职称人员175名，具有硕士学位授予权，先后培养30余名硕士生。

该中心成立30余年来，认真履行海洋环境预报公益服务职责，通过中央电视台、中央人民广播电台、有线传真、无线传真广播、Internet、邮政信函等方式向社会公众发布海浪、风暴潮、海温、海冰、赤潮、厄尔尼诺预报预测信息；通过内部传真方式向国务院有关部委、沿海省市人民政府发送风暴潮、灾害性海浪、严重海冰、异常海温等海洋灾害预报警报；先后完成国家运载火箭发射试验、大洋科学考察、南北极科学考察队、海军舰艇编队出国访问等30余项重大海上航行作业安全海洋预报保障任务；每年组织全国海洋环境预报部门进行海洋灾害中长期预测会商，对重大海洋灾害过程进行调查分析评估，汇编《中国海洋灾害公报》；每天对全球海洋水文气象实时资料进行接收处理分发传输，为海洋预报部门提供实时资料服务。1980年以来先后为海洋石油生产、海洋工程作业、海洋运输、海洋渔业捕捞等海洋经济建设进行专项海洋预报服务。

在进行海洋环境预报服务同时，还进行海洋环境预报应用研究，先后承担国家“七五”科技攻关项目——海洋环境数值预报研究，国家“八五”科技攻关项目——灾害性海洋环境数值预报及关键性技术研究等课题，国家“863”项目海洋领域研究课题，国家自然科学基金课题和国家专项研究课题。30余年来取得科技成果90余项，其中风暴潮预报服务及现行预报技术、表层海水温度预报方法研究及预报技术、海浪预报服务及预报技术、海洋环境数值预报计算机系统等17项科技成果获国家级和省部级科技进步奖。

地址：北京市海淀区大慧寺路8号；电话：(010)62173628；网址：www.nmefc.gov.cn

(国家海洋环境预报中心业务处)

【国家卫星海洋应用中心】 国家卫星海洋应用中心于2001年11月18日正式挂牌，国防科工委副主任、国家航天局局长栾恩杰与国家海洋局局长王曙光为国家卫星海洋应用中心揭牌。

该中心的主要任务是：拟订海洋系列卫星及其应用研究的规划，负责对全国重大海洋卫星遥感应用项目和系列海洋卫星发展进行综合论证；管理海洋卫星遥感业务及其应用的技术工作，组织开展海洋卫星遥感应用技术研究；拟订海洋卫星遥感应用业务化系统的建设规划，组织实施海洋卫星遥感应用业务；负责海洋卫星地面应用系统及海洋卫星地面接收站的建设和管理，负责海洋卫星专用软件的研制及其系统更新、升级；负责中国海洋卫星数据的实时接收、处理、产品存档与分发服务与海洋卫星信息产品的发布；建设和管理海洋卫星数据库和信息系统，负责数据和系统的更新、升级；负责制订海洋卫星数据格式、数据处理及产品形式的标准、规范；负责海上辐射校正场和真实性检验场的规划、建立和维护管理，负责海上和陆地试验场工作任务的组织实施；组织开展海洋卫星遥感的国际技术合作和学术交流；承担国家海洋局交办的其他任务。

目前，卫星中心下设办公室、业务处、技术一部、技术二部、北京卫星地面站和三亚卫星地面站等部门，核定卫星中心人员编制60名，现已建立起一支高效、精干的科研、业务运行和管理的队伍。 （国家卫星海洋应用中心）

【国家海洋信息中心】 国家海洋信息中心（并赋予国家海洋局海洋科技情报研究所、国家海洋资料中心、海洋档案馆、国际海洋学院中国业务中心的职责）创办于1958年，是国家海洋局直属的归口管理全国海洋信息资源，为加强海洋综合管理，促进海洋经济发展，维护我国海洋权益和增强国防军事建设提供技术支撑与信息服务的综合性海洋信息技术和公益性事业单位。

国家海洋信息中心的主要职责是组织协调全国海洋信息工作，负责各类海洋信息的搜集、处理、贮存和服务，建设各类海洋数据库，提供各种海洋信息、信息产品和信息服务，代表国家参加有关国际组织。

多年来，国家海洋信息中心紧紧围绕落实国家海洋局所赋予的职能，以海洋管理技术支撑和公益服务为主线，为建立完善、高效的海洋信息管理与服务体系，为建成海洋领域的国家海洋业务中心，开拓进取，努力拼搏，不仅在基础和公益性工作、重大项目的完成等方面取得了明显进步，而且在维护国家海洋权益，为国家和地方海洋宏观决策提供科学依据和技术支撑等方面，也取得了显著成绩。

2001年是国家海洋信息中心的“改革落实年”，在国家海洋局党组和机关的领导和大力支持下，经过中心全体职工齐心协力，在业务工作等方面取得了丰硕的成果。

(1) 提供海洋信息技术支撑和服务。

承担的海洋综合管理信息系统建设工作得到国家海洋局主管部门和地方海洋机构领导的高度肯定，编辑的“海洋功能区划技术规程”等为《海域法》的实施奠定了基础；开发和推广海域使用管理信息系统也按照计划圆满完成了17个示范区中的9个示范区的信息系统建设。针对海域使用管理信息系统的建设，进一步制定统一的技术标准和应用规范；拟定国家海域使用统一指标体系和管理办法；在海域使用审批、使用权和使用金管理以及海洋管理和规划等方面，提供快速、高效、共享的信息资源和技术支撑环境，为国家和地方全面管理、开发和利用海洋，提供实时、动态和全面的数据和决策分析信息产品。完成了《国内外海洋规划管理信息及技术方法研究》；通过对国民经济与社会发展对信息领域的需求分析、国内外信息发展的现状和趋势等，编制了我国海洋信息工作“十五”发展计划。完成了“中国海洋执法监察信息管理系统建设”、“三亚国家珊瑚礁自然保护区海洋环境管理信息示范系统建设”、“北部湾海洋生态环境综合管理建设”、“国家海洋信息化工程建设”、“渤海综合整治信息系统能力建设”等多篇项目建议书。在海洋执法管理方面，建立了“海洋行政执法文书管理系统”，分别签订了“海洋信息质量与标准体系建设”和“海洋科技数据库建设”研究合同。

(2) 建立国家海洋信息业务体系，力争3年内完成体系建设。

2001年，开展了省市海洋信息分中心实体建设的试点，并开展业务系统的共建、联建工作。开始实施了国家海洋信息中心质量管理体系建设的设计、文件制定和人员培训工作。质量管理体系工作进入试运行阶段。

(3) 加强公益和基础业务规划与能力建设。

2001年，信息中心不断强化公益和基础业务规划与能力建设，致力于建设国家级数据中心，在收集、处理海洋基础数据的基础上，进行海洋数据体系规划、海洋数据产品、海洋基础数据库和质量控制体系规划与建设工作；并逐步开展海洋基础数据及其产品的共享与服务。加大了网络系统能力建设力度，着手构造高速、宽带、多功能海洋通信网络体系和先进可靠的网络中心管理系统；同时，加强了网络服务，积极拓展服务领域，进一步做好国家海洋局政府网站和中国海洋信息网的信息规划、更新维护、共享发布等工作的同时，与地方联合开展了地方政府海洋网站的建设。针对海洋文献投入不足的现状，加大文献信息化力度，开展网络虚拟图书馆的建设。积极发挥海洋档案馆的业务职能作用，从疏通收集渠道、规划业务系统、拟定相关技术标准、规范入手，扎扎实实地开展了档案工作。

（国家海洋信息中心）

【国家海洋环境监测中心】 国家海洋环境监测中心暨国家海洋局海洋环境保护研究所是国家海洋局直属的、以公益服务为主体，同时从事应用基础研究和技术开发工作的公益服务型科研事业单位，是我国最早从事海洋环境监测业务化管理的专业机构。

国家海洋环境监测中心主要负责全国海洋环境监测的业务管理和海域使用管理技术支持，开展海洋环境保护规划、管理、治理等应用技术研究和开发，为国家和地方海洋综合管理以及海洋产业发展提供技术支撑。

中心目前主要从事海洋生物、化学、地质、水文、海冰、遥感与地理信息系统等专业学科研究与技术应用，设海洋环境业务管理技术、海域使用管理技术、海洋监察技术、海洋污染控制等8个业务室和鲅鱼圈雷达海冰观测站。中心还肩负“国家海域使用管理技术总站”、“国家海洋局大连海洋工程勘察设计和环保开发中心（甲级）”、“国家海洋环境监测中心国际培训部”、“海洋环境工程学院”、“海洋工程研究院”、“国家海洋环境科学与工程重点实验室”等职能，并具有对外提供技术仲裁等职能。

中心人员编制388人，现有中国工程院院士1人，研究员和教授级高级工程师24人，副研究员和高级工程师118人，中级技术职称人员100余人，已初步形成任务与学科相结合，具有从事中国海洋环境监测技术研究和业务管理、海洋环境科学应用基础与应用技术研究能力和老中青专家组成的综合性科技骨干队伍。

中心科研工作十分活跃，科研硕果累累。成立20年来，获得科研成果300余项，100余项获得各种奖励，其中获国家级和省部级奖励51项，获国家发明专利11项，出版各种学术著作30余部。

（国家海洋环境监测中心）

【国家海洋标准计量中心】 国家海洋标准计量中心成立于1990年7月，是国家海洋局直属事业单位，并同时兼为国家海洋计量站，是国家质检总局授权的国家级法定计量检定机构和国家科技部与国家质检总局联合授权的科技成果检测鉴定国家级检测机构。

国家海洋标准计量中心的主要职能是管理全国海洋标准化、计量和质量工作，为海洋管理、海洋经济发展、海洋科技进步和国防建设提供技术支撑与公益服务。其基本任务是：①宣传并贯彻执行国家有关质量技术监督工作的方针、政策和法律法规；拟订全国海洋质量技术监督工作的法规、管理制度和规划、计划，并对全国海洋质量技术监督工作实施业务指导和协调。②负责全国海洋标准化技术归口工作，开展全国海洋标准化方针、政策和标准体系等有关技术的研究；组织全国海洋标准化采标技术和标准化效果评价技术的研究工作。③组织或承担海洋国家标准、行业标准的制（修）订工作；负责全国海洋标准的标准化技术审查和标准宣传贯彻工作，负责标准复审和标准实施情况的监督检查。④负责研究建立和保存海洋学特殊量值的计量基准、标准，制定计量检定系统；负责海洋计量检定、检测和校准方法的研究，制定计量检定规程；开展量值传递、计量检定和测试工作。⑤开展海洋学特殊量值的计量管理、检定、仲裁及监督工作；承担对海洋产品质量检验机构和向社会提供公证数据单位的计量认证和实验室认可。⑥负责对海洋调查、观测、监测、监视等项目的仪器设备、实施过程和资料产品产出各个环节的质量进行监督检查。⑦负责海洋仪器设备、苦咸水处理设备和标准物质等产品的检测、环境试验及海洋专用产品命名、型号管理、海洋工作计量器具的注册登记和使用许可证的发放工作。⑧负责对授权范围内全国海洋科技成果的检测鉴定。⑨负责国内外有关海洋标准、计量和质量信息资料的收集、处理、储存；负责全国海洋质量技术监督工作的技术培训、咨询、服务和考核认证的技术工作。⑩承担国家海洋局交办的其他任务。

国家海洋标准计量中心现有职工51名，其中研究员8名，高级工程师11名，国家级计量认证评审员3名，计量监督员2名，计量检定员16名。中心已建立温度、深度计量标准实验室、盐度仪器检定实验室、海水温盐深现场综合测量仪检定实验室、化学实验室、中国标准海水实验室、水密耐压测试实验室、水位计（验潮仪）检定实验室、波浪浮标检测实验室和环境实验室。经国家质检总局考核（复查）授权可作为社会公用的海洋计量标准装置有6项，它们是：颠倒温度表检定装置，温、盐、深检定装置，船用pH计检定装置，验潮仪（水位计）检定装置。

国家海洋标准计量中心认真履行国家海洋局和国家质检总局赋予的职责，贯彻“以质量为中心，以标准化、计量为基础”的工作方针，遵守“科学、公正、严谨、高效”的职业道德，强化质量体系建设与管理，注重人员技术培训与提高，在海洋标准计量监督管理、计量认证、计量检定/校准和测试工作中取得了显著成绩。

（国家海洋标准计量中心综合办公室）

【国家海洋局第一海洋研究所】 国家海洋局第一海洋研究所是国内一流、国际知名的基础研究与公益服务研究并重的综合性海洋研究所。新任命赵进平为副所长。有两院院士3人、博士生导师16人、博士52人、硕士103人；研究员级72人、副研究员级109人、助研级185人、外聘国内外知名学者23人。由国家海洋局“海洋环境科学与数值模拟重点实验室”、“海洋生物活性物质重点实验室”、“海洋生态环境科学与工程重点实验室”和所级“海洋资源与环境地质重点实验室”、“海洋物理与海洋技术重点实验室”、“海岸带开发与管理研究中心”、“海洋测绘与工程勘察技术研究中心”、“海洋高新技术发展研究中心”、“海洋信息中心”及“青岛海洋工程勘察设计研究院”组成。

该所与科技部续签了公益类《科技体制改革试点任务书》，重点调整人员结构、缩编管理部门、以重点实验室建设促进重点学科发展，加大人才引进与培养力度和仪器设备投入力度。制定了国家海洋局第一海洋研究所的科技体制改革总体实施方案。修定了“科技管理规定”、“转岗分流暂行办法”、“离岗退养暂行规定”、“待岗人员管理暂行规定”、“停薪留职人员管理暂行规定”等。5月召开了第三届所管理指导委员会第一次会议，审议讨论了深化科技体制改革、学科发展与重点实验室规划，进一步推进海洋工程勘察设计研究院的企业化运行及改制等问题。

该所共组织申报各类课题181项，已获批准56项，其中“973”计划1项、“863”计划8项、“十五”科技攻关项目2项、大洋矿产资源勘探项目8项、海上国防项目1项、国家自然科学基金项目7项、国际海上区域研究开发项目5项、基础和公益性研究12项、国家海洋局青年基金项目6项、国际合作项目3项、青岛市科技发展计划项目3项。全年安排科研项目238项，其中新上项目51项；完成指令性科研项目64项，其中签定验收20项；科技开发项目57项。撰写科研报告91个，发表研究论文129篇。获省部级科技进步一等奖1项、二等奖3项、科技专利3项。

地址：青岛市高科技工业园仙霞岭路6号；邮编266061；所办电话：8890202；传真：8895544

（路应贤）

【国家海洋局第二海洋研究所】 国家海洋局第二海洋研究所创建于1966年，是一个享誉国内外、学科齐全、科技力量雄厚、设备先进的综合型公益性海洋研究机构。主要从事中国海及大洋、极地海洋环境与资源的调查、勘测、预报和应用基础研究。具有与国际接轨并跻身于世界先进行列的海底探测技术和海洋环境调查技术与能力、很强优势的海洋遥感技术与海洋动力过程研究；具备为海底、海上和海岸等工程进行选址、勘测、设计、环境质量评价、数值模拟与预测预报能力及将高科技应用于海洋资源（矿产资源和渔业资源等）、海洋权益、海洋环境（环境监测、污染监测）、海洋管理等方面的能力。在海底探测、海洋遥感、物理海洋、海洋环境、海洋工程和海洋产业等方面形成了一支稳定的科技队伍和一批在国内外有影响的造诣颇深的学术带头人，全所现有科技人员296人，其中两院院士3人，研究员60人，是国务院学位委员会首批批准的硕士学位授予单位，并招收多专业的博士生。建有两个国家海洋局重点实验室（国家海洋局海底科学重点实验室和国家海洋局海洋动力过程与卫星海洋学重点实验室），进一步加强了海洋基础性科学研究和技术研发能力。该所是浙江遥感中心挂靠单位，主编出版海洋综合性学术期刊《东海海洋》，主持完成众多高水平、综合性的重大项目，为中国海洋科学的发展作出了重要贡献。目前是大洋多金属资源勘查研究、国家海洋高技术项目（“863”）、国家重点基础研究项目（“973”）、国家自然科学基金重大、重点项目和国际合作项目等的主要承担者和技术骨干。

2001年，该所共承担计划科研项目75项99个课题。其中“863”项目1项1个课题；“973”项目6项12个课题；国家自然科学基金项目12项；国际合作项目2项；国家专项9项27个课题；省部委重大（点）计划11项。

2001年该所共完成32项科技成果鉴定、评审和验收工作。涌现出一批优秀的科研成果。获国家海洋局海洋创新成果奖二等奖3项；浙江省科技进步奖二等奖1项，三等奖1项。

在国际和地区合作方面，2001年该所共接待了来自美国、英国、法国、澳大利亚和中国香港特别行政区、台湾省等9个国家和地区，共23批46人次。外宾在该所共作各种学术报告21场，活跃了该所的学术空气。

2001年，该所共派出44批95人次赴美国、德国、韩国、日本等12个国家和地区参加合作和研究、出席国际学术会议和访问考察等，（孙煜华）

【国家海洋局第三海洋研究所】 国家海洋局第三海洋研究所成立于1959年，隶属于国家海洋局，是一所公益性综合型海洋科学研究所，现有在职职工352人。其中，中国工程院院士1人，副高级以上科技人员168人；博士、硕士65人；法人代表：郑连福。现持有国家质量技术监督局颁发的《中华人民共和国计量认证合格证书》；国家建设部颁发的甲级《海洋工程勘察设计证书》，乙级《环境工程设计证书》；国家环保总局颁发的甲级《建设项目环境影响评价证书》；国家海洋局颁发的甲级《海域使用可行性论证资格证书》；国家测绘局颁发的乙级《测绘资格证书》。是国务院学位委员会第二批批准的硕士学位授予单位。全所占地面积6.3万平方米，实验、办公楼及附属设施和生活用房建筑面积4.4万平方米，各类仪器设备达2 000余台/套，资产总价值6 000余万元(原值)，馆藏中外科技书刊8万余册，主办中国自然科学核心期刊《台湾海峡》。

该所主要从事：海洋生物技术应用基础研究；海洋自然生态和实验生态研究；海洋一大气化学与全球变化研究；海洋环境动力学和军事海洋学研究；海洋声学技术研究；海洋环境评价与海岸带管理技术研究；海洋环境监测技术与海洋标准研究；海洋环境数值预报；海洋微波遥感及海洋污染光学遥感研究；台湾海峡、南中国海及周边海域环境调查；南北极海洋环境调查；放射性同位素海洋学研究及核技术应用；海洋工程勘察设计；环境工程设计等。工作海区涉及台湾海峡、南海、东海、大洋、南北两极等海域。

2001年该所承担了国家攀登计划预研项目、国防建设专项、国家“863”计划、国家“973”计划项目、科技部基础性研究项目和公益性研究项目、国家海洋勘测专项、国家勘界办专项、国家海洋局科技专项、中国大洋协会“十五”专项，福建省重大科技计划项目等大、中型项目，总经费4 000余万元；完成各类科研项目近100项，编撰各类调查研究报告200余篇，发表科学论文57篇，其中录入SCI 10篇、EI 1篇；申请2项国家专利，获省部级以上科技创新成果奖1项。

（国家海洋局第三海洋研究所）

【国家海洋技术中心】 该中心的前身国家海洋局海洋技术研究所创建于1965年，现有职工500余人，其中科技人员350余名，有研究员和高级工程师130余名。几十年来，取得了一批有较高学术和技术水平的研究成果，研制了数百项海洋调查观测和监测监视仪器设备和系统。质量管理体系通过了英国劳氏质量认证（LRQA）。

该所从事的专业技术：①卫星遥感应用技术，重点是光学遥感器的辐射校正技术；②温度、盐度、深度、电磁场等测量传感器技术和仪器系统；③水声应用技术，重点是动力环境参数和声学参数测量及声学定位技术；④浮标技术，重点是锚系资料浮标、潜标、漂流浮标、抛弃式浮标技术；⑤台站水文气象和水质自动监测技术；⑥数据通信、网络、数据处理及系统集成平台技术；⑦电源、新能源、船用甲板机械及工业技术开发，重点是船用电动绞车、特殊电源和表面处理技术，先后研制了几十套舰船用绞车、20余种特殊电源，为工厂设计了百余条涂装生产线。

在海洋监测高技术研究方面，“九五”期间，该所主持并完成了多项国家“863”计划海洋监测技术主题高技术研究项目和“863”重大项目Z40的研究任务。高精度CTD剖面仪和定标检测设备、多功能ADCP、近海环境自动监测系统等多项成果接近或达到世界先进水平。海洋技术研究所是国家海洋高技术研究的主要力量之一。

经中央编制委员会办公室正式批准，从2001年11月20日起，该所更名为“国家海洋技术中心”。 （国家海洋技术中心）

【国家海洋局天津海水淡化与综合利用研究所】

国家海洋局天津海水淡化与综合利用研究所1984年经国务院批准成立，是目前中国惟一专门从事海水资源开发利用发展战略、公用基础和产业化关键技术研究的国家级研究机构。其主要研究领域为海水（苦咸水）淡化、海水直接利用、海洋环境工程、海水化学资源综合利用、膜技术与水处理、海洋防腐等。该所拥有一支高素质、专业齐备的专业队伍和国内一流的科研、检测手段。为国家海洋行业甲级设计单位，全面推行ISO9001质量管理体系。

建所以来，始终面向国家水资源安全保障战略需求，顺应海洋经济建设的需要，致力建设成为一个国内一流，且具开放性、权威性的国家重点海洋科研机构。经过不懈努力，通过承担“863”计划、国家及地方科技攻关等重大项目，奠定了该所在海水资源开发利用领域的龙头地位和领先水平。已成为中国在该领域综合实力最强、水平最高的研究机构之一。

自1984年建立以来，主要开展了压汽蒸馏、低温多效海水淡化装置与技术，反渗透海水（苦咸水）淡化技术与装置，纯水、超纯水制备技术研究，海水直接利用（包括海水直流冷却、海水循环冷却、大生活用海水）技术研究，海水、盐湖卤水、地下卤水化学资源提取与综合利用技术研究、膜生产技术开发应用以及海洋工程防腐技术研究等。曾荣获国家科技进步三等奖和省部级科技进步奖近20项，国家发明专利数10项，在相关技术工程化、产业化的推广应用方面，也取得了骄人的成绩。

全所下辖13个研究、开发机构和一个实验基地。2001年在职职工400余人，其中，研究员30人，高级工程师100余人，资产总额3 540万元。

（国家海洋局天津海水淡化与综合利用研究所）

地方海洋管理机构

【沿海省、市、自治区海洋管理机构】

吉林省海洋管理办公室
辽宁省海洋与渔业厅
大连市海洋局
河北省海洋局
天津市海洋局
山东省海洋与渔业厅
青岛市海洋与渔业局
江苏省海洋与渔业局
上海市海洋局
浙江省海洋与渔业局
宁波市海洋与水产局
福建省海洋局
厦门市人民政府海洋管理办公室
广东省海洋与渔业局
广西海洋局
海南省海洋与渔业厅

农业部涉海机构

【中国水产科学研究院】 中国水产科学研究院（简称“水科院”）是农业部领导下的综合性、多学科、社会公益性的渔业科学研究机构。目前全院下属 9 个研究所和 4 个增殖实验站，按海区设有黄海、东海、南海水产研究所，按流域设有黑龙江、长江、珠江水产研究所和淡水渔业研究中心，按专业设有渔业机械仪器研究所、渔业工程研究所，环渤海设有北戴河中心实验站、营口、长岛、下营增殖实验站。院部在京除设有精干的职能管理部门外，还设有渔业综合信息研究中心、远洋渔业研究中心、渔业环境保护研究室等非独立科研机构。

2001年度院领导成员：院长、党组书记：王衍亮；副院长：李明旗、司徒建通、李杰人、张显良。

2001年是全院深化科技体制改革工作开始全面实施的一年。部党组对院领导班子进行了较大幅度的调整和补充，从组织上保证了全院各项工作的顺利开展。一年来，在农业部的正确领导下，在部有关司局的支持下，新一届院党组以邓小平理论为指导，认真深入学习江泽民总书记“三个代表”的重要思想、“七一”重要讲话和十五届六中全会精神，贯彻落实中共中央、国务院《关于加强技术创新，发展高科技，实现产业化的决定》和《国务院办公厅转发科技部等部门关于深化科研机构管理体制改革实施意见的通知》的精神，组织和领导全院干部职工积极开展工作，使全院职工的精神面貌发生了较大变化，各项工作都取得了新的进展。

1. 积极探索建立新的运行机制、推进全院深化科技体制改革工作

(1) 认真制定并积极组织实施全院深化改革实施方案。根据国务院办公厅38号文件精神和科技部、农业部的要求，新一届院党组把深化科技体制改革工作作为关系全院生存和发展的头等大事来抓。2001年初，院党组先后召开了院中层干部会和全院工作座谈会成立了由院主要领导牵头、院有关职能处室负责人和科技专家参加的院改革工作小组，于4月底完成了“改革方案”的起草工作。

“改革方案”明确提出了全院的发展目标。主要是建立精干的国家渔业科研创新体系，研究解决公益性、基础性、全局性的重大渔业科技问题，提高科技水平；同时组建全院性的科技集团公司，加快科技产业发展，使科技成果尽快转化为现实生产力和组建科技中介服务机构，适应渔业经济发展的新要求。在“改革方案”制定过程中，注重把全院的改革放在全国渔业经济的大格局中去。根据水产业在优化农业和农村经济结构，增加农民收入中的重要作用以及水产业出现的一些新的特点和趋势，对科技提出的新要求，调整全院的科研方向和重点，拓展全院的工作领域和服务范围。

制定“改革方案”的基本原则，就是要从全院及各所（中心）站的实际出发。通过改革，既要更好地发挥全院作为水产科研国家队的作用，又要解决目前存在的科研工作与生产脱节、不能满足新阶段中国渔业经济发展的要求，学科专业设置比较传统、且多集中在产中领域，产前、产后和市场开拓技术研究不够，新兴学科、交叉学科发展不快、科技创新能力不强，机制不活、管理不顺、科研力量分散、研究内容低水平重复，机构臃肿、人浮于事、分配不合理，科技中介服务机构发育不够，功能不强等问题；既要发挥按海区、流域、专业设立的研究机构比较符合农（渔）业区域性强、布局比较合理的优势，又要形成合力，更好地发挥全院的整体优势；既要根据工作性质、人才队伍、成果积累、科研设施等明确各单位的整体改革定位，又要从实际出发，搞好各单位内部的分类改革。

(2) 积极推进人事劳动制度改革，努力建立起新的运行机制。人事劳动制度改革是科技体制改革的重要内容，也是使全院形成充满生机与活力的运行机制的重要措施。2001年根据农业部《关于深化事业单位人事劳动制度改革的若干意见》的有关要求并结合全院实际，提出了全院人事劳动制度改革的目标即尽快建立起公开平等、竞争择优的选人用人机制，形式多样、自主灵活的工资分配激励机制。形成一个人员能进能出、职务能上能下、待遇能升能降，有利于优秀人才脱颖而出，充满生机与活力的人事劳动管理运行机制，并具体提出了改革的主要任务及内容：

根据“精简效能，分类管理”的原则调整机构设置。区别部门的不同工作性质进行分类管理，进一步理顺管理体制，建立起精干高效、责权明晰、运转灵活、决策科学的管理体系和业务工作体系。

根据“公开、平等、竞争、择优”的原则，改革现有的用人制度。全面引入竞争机制，实施全员聘用制，实行双向选择、竞聘上岗。形成富有生机活力的用人机制。

根据“按劳分配，多劳多得”的原则，改革现有的收入分配制度，通过实行绩效挂钩，按岗计酬的分配方式来改变原有的大锅饭的收入分配，充分体现责、权、利的统一，建立起新的分配激励机制。

院属各单位根据院党组的要求在2001年不同程度地进行了本单位的人事劳动制度改革。普遍进行了内设机构的调整、实施了全员聘用制、中层干部竞聘上岗、工作人员的双向选择、择优聘任和适合本单位特点的分配制度改革。院部京内单位、渔机所、南海所、珠江所、黄海所等单位在人事劳动制度改革方面都有一些好的做法并取得了预期的效果。其中，院部和京内单位的人事劳动制度改革力度较大、效果较好。院党组十分重视院部京内单位人事劳动制度的改革工作，专门成立了由一把手挂帅的领导机构，在充分调研的基础上形成了《中国水产科学研究院关于京内

单位人事劳动制度改革的决定》等 6 个有关文件，并在提交全体职工讨论通过后组织实施。在调整内设机构、合理设置岗位、确定岗位职责的基础上，开展了中层管理人员竞聘上岗，工作人员双向选择、择优聘任的改革。

通过改革，院京内单位的职能管理部门由12个调整为 9 个；业务部门由 4 个调整为 3 个。

根据“公开、平等、竞争、择优”的原则，进行处级干部竞聘上岗。除人事处处长岗位由院党组在征得农业部人事劳动司同意后任命外，其余12个正处级职位全部由竞争产生。通过资格审查的24名同志经过严格的笔试、面试、民主测评、组织考察和院党组会议研究，有12人被确定为正处级干部；39名符合副处级任职条件的人员通过面试、民主测评、组织考察和院党组会议研究，有19人被确定为副处级干部。此次竞聘上岗后正处级干部由19人减至13人，比原来减少了31.58%。平均年龄由48.36岁降至42.46岁；副处级干部平均年龄由40.5岁降至38.15岁。其中新提任的10人，平均年龄36.6岁；处级干部中具有大学本科以上文化程度的占74.19%。为打破干部终身制的原则，此次竞聘上岗规定新提任的正副处级干部试用期为半年。

其他工作人员的双向选择工作，各部门采取面试、述职、演讲等不同形式对人员进行综合测评后择优提名，经人事处考核，由院办公会研究决定。目前，上岗人员基本到位。

通过此次竞聘上岗工作，水科院把职工和单位的固定关系变为聘用关系，由身份管理转变为岗位管理，由国家用人转变为单位用人。初步建立起了公开平等、竞争择优的选人用人机制，形成了人员能进能出、职务能上能下、待遇能升能降的人事劳动管理运行机制。职工普遍认为改革是成功的。此次人事劳动制度改革力度之大、范围之广、影响之深，在全院从未有过。改革增强了单位的凝聚力，激发了大家的工作积极性和责任感，一种积极向上的工作氛围正在形成。聘用工作结束后，全院各部门将进一步细化岗位职责，确立岗位责任制，建立和完善新的管理办法和规章制度。目前，全院正在按照“按岗定酬、按任务定酬、按业绩定酬、绩效挂钩”的原则，稳步推进职工收入分配制度改革。

2. 坚持科研为本，不断提高科技创新能力

(1) 争取“十五”科研任务有一个比较好的开局。2001年是“十五”计划的第一年，也是争取“十五”科研任务的关键一年。争取科研任务的多少，关系到全院的生存与发展大局。面对新的形势和任务，全院上下高度重视，积极组织科技人员多渠道多层次争取各类科研任务，并集中力量抓国家级和部级科研计划项目的争取工作。

在争取国家“十五”科技攻关重点项目“水产集约化及健康养殖技术开发与示范”的 6 个课题任务中，全院科研部门一方面积极协助农业部渔业局做好“十五”国家科技攻关计划申请立项的论证工作。一方面，积极做好为适应国家科技攻关计划由择优委托选择承担单位到公开招标转变的组织协调工作。对院属单个单位优势不明显的课题，注意在各所间搞好整合和力量集成，实现优势互补；对涉及研究内容、参加单位较多的课题，由主管院长带队，主动与中国科学院水生所、上海水产大学、福建省水产研究所、江苏省淡水研究所等单位联系，联合课题的相应投标，发挥全院整体优势，由院属单位主标。经过有效组织和全院上下的共同努力，由院组织投标的5个课题均由院属单位作为课题的第一承担单位中标，占国家水产科技攻关 6 个课题的83%以上，另外 1 个课题全院也是参标单位。全院争取的经费超过国家水产科技攻关经费一半以上，比“九五”经费比例增加10个百分点以上。

在争取“863”计划任务工作中，全院共有 7 个研究所申报或参加申报“863”计划课题，参加答辩的课题12个，目前已有 8 个课题草签了合同，另外还参加了 8 个其他单位主持课题的研究工作，争取到的合同总经费超过1 650万元；据了解，还有1～2个项目可望签订合同，经费也将进一步增加，达到了历史上的最好水平。尤为可喜的是，南海所、珠江所首次争取到“863”计划课题，使全院在争取国家重大科研项目方面有了新的突破。

院科研部门还积极组织争取国家科技基础性工作和社会公益研究专项、“973”、基础研究重大项目前期研究专项、“948”、跨越计划、丰收计划等计划项目。由于精心组织和科技人员的共同努力，各类科技计划项目的争取工作都取得不同程度的进展。到目前为止，“948”项目 2 项被资助、3项追加经费（共475万元），农业科技跨

越计划1项被资助（经费195万元），丰收计划2项被资助（经费50万元）。

另外，还组织了2002年“948”（6项）、农业科技跨越计划（2项）、丰收计划（4项）等项目的申报工作。

全院各单位还充分发挥自身科研力量优势，积极为国家其他领域和地方经济建设服务，在争取相关科研项目方面也取得长足进步，共争取地方（国家其他领域）资助的科技项目58项，在争取到一定经费的同时，也拓宽了今后发展的渠道。如渔机所承担国家航天计划“921工程”的“高海况拦截臂打捞网研制”项目，获得283万元的合同经费；南海所承担地方科研项目仅2001年立项的经费就近200万元。

通过全院上下的共同努力，全院各单位共新争取到各类科研项目196项，新增合同经费5 700余万元（其中“863”计划1 650万元、攻关计划400万元、国家专项1 125万元、“948”项目475万元、跨越计划195万元、丰收计划50万元、其他部级课题810万元、地方和其他项目470万元）。争取“十五”科研任务有了一个比较好的开局。

(2) 在研项目进展良好，在出成果方面取得了新的成绩。2001年全院各单位共承担各级各类科研项目386项。其中，国家和部级科技计划项目144项，主要包括主持和参加“国家重点基础研究发展规划‘973’”项目各1项，共承担13个课题(子课题)；国家自然科学基金项目3个；“863”高新技术计划课题9项；负责国家勘测专项7个课题、承担22个专题；国家科技攻关计划课题6个；“948”项目19项、农业科技跨越计划3项、丰收计划7项、其他部级课题62项；省市级项目55项，其他科研项目187项。

通过科技人员的刻苦攻关和共同努力，承担的各类科研课题大多数进展情况良好，到期的国家“九五”科技攻关计划专题已全部通过验收；一些重大计划如“973”计划、国家专项、“863”计划、“948”引进计划等项目均按计划进行了不同层次的验收。其中，由首席科学家唐启升院士主持的“973”项目“东、黄海生态系统动力学与生物资源可持续利用”，在多学科交叉综合研究方面取得了突出进展，顺利通过了科技部组织的中期评估，专家组对其取得的成果和创新给予了高度评价；由黄海所、东海所和南海所等单位共同承担的国家海洋勘测专项近海生物资源补充调查已全面完成，将为合理保护中国海洋生物资源提供科学依据；由黄海所、黑龙江所分别承担的“948”项目大菱鲆、史氏鲟的引进、苗种繁殖和推广，形成了年产值上10亿元的产业，促进了水产养殖品种结构的调整和经济效益的提高；由东海所在河北省沧州市进行的盐碱地水产养殖开发技术研究，通过了由科技部组织的验收，为合理开发利用盐碱地探索了一条新的路子，深受当地政府和广大农民的欢迎。

围绕出成果、出效益，认真抓好科研项目的组织鉴定和申报成果奖工作。2001年，全院共有12项成果通过鉴定，1项成果（大菱鲆的引种和苗种生产技术研究）获国家科技进步二等奖、2项成果获省（部）级奖励、7项成果获院级奖励，另有一批项目通过了验收。另外，院淡水中心夏德全先生被光荣增补为中国工程院院士。

(3) 学科建设和重点实验室建设有了新的进展。在重点学科建设方面，院科研部门按照全院深化科技体制改革、建立新型渔业科研创新体系的总体要求，从推进新的农业科技革命、提高科研创新能力和促进渔业可持续发展的需要出发，结合全院的实际，提出了渔业资源调查评估与管理、远洋与极地渔业资源开发、渔业水域生态环境监测与保护、水产品食用安全与质量监控、水产养殖容量和健康养殖、水产养殖基础生物学和遗传育种、水产生物技术、渔业重大病害灾变预警与控制水产养殖对象营养学、特殊生境鱼类遗传及养殖生物学、渔业产物资源与生物制品、渔业信息技术、水生实验动物研究与开发、水产标准化工作等15个全院性的重点学科（研究领域）和科研创新的重点；明确了院属各所的优势学科和重点研究领域；提出了与之相配套的学科带头人培养、重点实验室、科研基地建设等方面的规划和措施。

在重点实验室和科研基地建设方面，一是积极组织好依托在院黄海水产研究所的“农业部海洋渔业资源可持续利用重点开放实验室”参加国家重点实验室的评估工作。由于上下重视，精心组织，准备充分，加上多年来在科研成果、人才培养、学术交流等方面取得的较好成绩，“农业部海洋渔业资源可持续利用重点开放实验室”最终在科技部组织的生命学部参评的56个重点实验室中位列第27，在7个农业部推荐参评的农业部重点实验室中列第2。二是今年落实了院重点实验室的运转经费，并提出了“十五”期间院级重点实验室建设规划；三是适应国家注重原始创新和基础数据积累的需要，配合农业部科教司做好水产野外观测台（站）的规划工作。

(4) 进一步加强科研管理工作。在加强科研项目的管理方面，一是加强对由院主持的科技基础性工作和公益性研究项目的组织实施和检查督促工作，特别是对影响全院下一步争取任务的科研项目，进行了重点检查、督促，强化了组织实施措施。二是派出检查组分别到黄海所、南海所、长江所、珠江所等单位实地检查各单位承担课题的进展情况，帮助解决存在的问题，对承担单位和科技人员按时完成科研任务起到了较好的促进作用。三是着手清理到研究期限的科研课题，积极组织好验收、鉴定、结题等工作。

在加强规章制度建设方面，重点是起草了中国水产科学研究院重点开放实验室评估管理办法、中国水产科学研究院重点开放实验室评估指标体系、中国水产科学研究院重点开放实验室管理办法（修订稿）、中国水产科学研究院科研基金管理办法（修订稿）、中国水产科学研究院在京单位科研项目管理办法（修订稿）等5个管理办法。除“中国水产科学研究院重点开放实验室评估管理办法和评估指标体系”正在征求意见外，其他均已完成初稿，为下一步规范全院的科研管理工作打下了一定的基础。

目前，全院设有农业部重点开放实验室4个：海洋渔业可持续发展重点实验室（黄海所）；北方鱼类生物工程育种重点实验室（黑龙江所）；淡水鱼类种质资源与生物技术重点实验室（长江所）；热带亚热带鱼类选育与养殖重点实验室（珠江所）。

院级重点开放实验室8个：增养殖环境质量优化与污染控制重点实验室（黄海所）；长江口渔业生态重点实验室（东海所）；海洋渔业生态环境与污染监控技术重点实验室（南海所）；冷水性鱼类增养殖生物学与鱼类生理重点实验室（黑龙江所）；淡水及河口鱼类增养殖重点实验室（珠江所）；鱼类遗传育种重点实验室（淡水中心）；渔业水体净化技术和系统研究重点实验室（渔机所）；沿黄渔业环境监测与淡水养殖病害重点实验室（黄河所）。

国家级、部级质量监督检验测试（认证）中心6个：国家水产品质量检测中心；国家渔业机械仪器质量监督检验中心；中国水产品质量认证中心；农业部船用产品及环保设备质量检测中心；农业部绳索网具产品质量监督检验测试中心；农业部淡水鱼类种质监测检验测试中心。

国际水产培训中心2个，全国水产行业的2个标准化技术委员会和7个分支委也全部挂靠在水科院。

目前，水科院已基本形成了一个学科较为齐全，地理布局较为合理的渔业科研体系，成为全国渔业科研的主力军。全院现有职工3 439人，其中在职人员2 142人。在职职工中有科技人员1 242人，他们中有赵法箴、唐启升、夏德全等3位中国工程院院士，另外具有高级专业技术职务的352人（研究员64人），部级以上有突出贡献的中青年专家39人，享受政府特殊津贴专家202名。经过多年的发展建设，水科院的科研条件也大大改善，全院编辑出版《中国水产科学》等10余种水产科技期刊。全院共建成科研实验基地16处，中间试验水面206.67公顷(海水113.33公顷，淡水93.33公顷)。还拥有性能先进、可在全球水域进行海洋渔业资源调查的“北斗号”调查船和全国惟一的大型拖网、围网试验水池，以及PCR仪、DNA序列分析仪、电子显微镜等大、中型仪器设备近千台套。

全院与美国、日本、挪威、韩国、加拿大、FAO、UNDP、IDRC、NACA等60余个国家和国际组织建立了科技合作关系，实施了30余个国际科技合作项目，为68个发展中国家和地区培训了920名水产技术人员，先后派出1 700余人次，接待来访1 000余人次，拓展了国际渔业科技交流和合作的领域。

3. 坚持开放办院、拓宽合作领域与范围，不断提高水科院的知名度和社会影响力

(1) 加强与地方渔业相关部门的联系与合作，为地方渔业经济的发展服务。年初，院领导班子提出了开放办院的口号，其目的是使全院的科研工作与全国渔业经济发展紧密结合，使渔业科技直接服务于渔业经济建设，同时激活院内部的科研创新，扩大水科院的知名度和社会影响力。2001年全院组织了“科技西部行”活动，根

据西部地区有关省（区）的要求，组织知名专家先后赴贵州、内蒙、宁夏、陕西和河北等地进行了科技讲座和咨询，受到了普遍好评，收到了良好反响；院各单位还与内蒙、浙江、天津、广西等省（市、区）签订了渔业科技合作协议，拟进行实质性的科技合作。其中与广西合作进行的“广西海洋产业开发总体规划”已进入具体实施阶段。与其他省（市、区）的合作也取得了良好的开端，为2002年在更深、更广的层次探讨渔业科研与地方生产紧密结合问题奠定了较好的基础。

(2) 加强国际合作，积极参与国际科技交流和竞争。水科院与美国、韩国、泰国、挪威等国家的水产科研机构和FAO、NACA、ICLARM等国际组织的合作进一步加强。在引进派出方面，2001年全院共邀请国外专家学者17批53人次来院讲学和访问，接待国外专家、学者的顺访320人次。派出49批、93人次的专家和研究人员赴34个国家和地区参加各种类型的学术交流、合作研究以及科技考察活动。在科技合作项目方面，主要完成了中美海洋渔业与科技议定书框架下的中美海洋生物资源协调工作组项目的实施；中挪“北斗”项目的实施；中韩水产两院科技合作项目的实施；中加WTO与中国渔业项目的实施和欧盟第五框架项目的实施。在国际研讨会方面，举办了“第二届中韩渔业研讨会--负责任的海水养殖研讨会”和“中国加入WTO与未来的渔业发展论坛”等7个研讨会及培训班。在公派留学工作方面，2001年有两人获得了派往英国和美国留学的资格，取得了24 000美元的公派留学基金。

此外，全院还承担对外科技合作项目5项，落实“948”引进项目6项，参加对外经贸活动多项。对提高全院科研水平、培养高素质人才、增加经济效益和扩大院、所的国际知名度起到积极的推动作用。

4. 加速成果转化、进一步发展和壮大科技产业，为组建院科技集团公司做好前期准备

院科技体制改革方案中明确提出了水科院科技产业的发展方向是组建以院、所（站）为股东，以院部和所（站）现有下属的公司和经济实体为基础的中国水产科技产业（集团）有限责任公司，统一经营和管理全院的科技产业。此举的目的在于一是克服现在各企业（实体）普遍存在的小、散、管理不规范、形不成规模、竞争力不强，甚至相互之间恶性竞争的弊端。通过组建具有独立法人地位、按现代企业制度运行和管理、具有一定规模的集团公司，将全院的科技人才、经营人才、技术优势、市场网络以及生产设备和资金结合起来，凝聚总体力量，突出以技术创新为前提，以生物技术为龙头，以特种水产种苗和养殖技术、渔用药物、海洋生物制品及渔用设备为支柱，不断开发和更新科技含量高及有特色的新产品、新技术、新工艺，增强创名牌意识，大幅度提高院科技产业在国内外市场经济中的竞争能力，成为国内一流、国际知名的科技型龙头企业，形成规模效益，发挥“船大抗风浪”的作用。二是为了拓展全院、特别是转制所（站）的生存空间，通过进入全院集团公司，避免属地化的问题。在明确目标、统一思想后，全院上下都在共同努力，争取早日实现这一目标。为此，院专门成立了集团公司筹备处，具体负责有关工作。院科技改革把工作重点放在发展和壮大已有的科技产业，规范和加强企业管理，努力按照现代企业制度运作，不断提高企业经济效益上面。在市场竞争日趋激烈的情况下，全院科技开发工作又取得了新的成绩。珠江所的水产药物实验厂、南海所健康养殖中心、淡水中心中水渔药厂2001年的科技产品的产值都超过了1 000万元，院部的鑫洋公司和渔夫鲟鱼繁育中心、院渔机所在激烈的市场竞争中继续保持了较好的发展势头，黄海所、东海所的科技开发、“四技服务”工作都取得了较大的进步。他们在取得较好的社会效益的同时也创造了可观的经济效益，同时，各单位都不同程度地在探索改制工作和按照现代企业制度运作的经验，为下一步院集团公司的组建奠定基础。

（刘大安）

【黄海水产研究所】 中国水产科学研究院黄海水产研究所建于1947年。现有职工536人，在职319人中，有中国工程院院士2人，高级职称者85人，中级职称者96人。有3人被评为国家级有突出贡献专家，3人入选国家百千万人才工程，1人获“中华农业科教奖”，9人被评为部级有突出贡献专家，3人获“省级专业技术拔尖人才”称号，53人享受政府特殊津贴；现有博士生、硕士生导师22人，聘请14位国内外知名专家任客座研究员。

现有部级重点开发实验室1个、研究中心3个、研究室10个、海水增养殖实验基地1个、开发总公司1个、挂靠机构4个；拥有世界先进水平的海洋科学调查船北斗号；万元以上仪器设备200余台；馆藏中外文图书10万余册，中外文期刊3.5万余册；编辑出版学报级刊物《海洋水产研究》。

全所列入科研计划主持承担的课题共有80余项，其中：主持国家重点基础研究发展规划（“973”）项目1项，课题5项，子课题5项；国家海洋领域“863”计划课题6项（含青年基金1项）；国家“十五”攻关项目3项；国家专项5项，子专题4项；国家自然科学基金面上项目2项；科技部社会公益研究专项资金项目2项；科技部基础性工作项目1项；农业科技跨越计划项目1项；农业部“948”引进计划1项，农业部标准项目18项；水科院基金课题9项；省科技厅项目12项，省自然科学基金1项；其他课题9项。全年发表论文132篇，SCI论文2篇，著作7部。

青岛是中国海洋科学事业的摇篮，青岛引领了中国四次海洋生物产业革命性浪潮，并拥有目前国内最雄厚的海洋科研力量。2001年，本所联合国家海洋局第一海洋研究所、青岛海洋大学、中国科学院海洋研究所积极推动“国家海洋科学研究中心”在青岛的建设与成立。

2001年，成立了水科院和青岛市海洋酶重点实验室和青岛市海洋酶中试基地。

该所主持的国家重点基础研究发展规划项目（“973”）——“东、黄海生态系统动力学与生物资源可持续利用”，在科技部组织的中期评估中受到普遍好评，2001年又完成了8个航次的海上调查和大量实验室工作，召开多次学术研讨会。在多学科交叉研究方面取得突出进展。

该所主持的国家专题项目，2001年一是完成了200万字左右的项目调查研究报告的编写；二是完成了技术图件的编绘，共4 200余幅；三是完成了数据汇交和建成了数据库。

国家重点基础研究发展规划项目（“973”）——“海水重要养殖生物病害发生和抗病力的基础研究”中的“对虾病毒感染的细胞与分子机理”研究，首次明确定位了对虾白斑病病毒（WSSV）的受体结合蛋白，完成了43株WSSV CDNA克隆的部分测序和分析。2001年度工作总结会上受到项目专家的好评并通报表扬。

国家跨越计划项目在2001年度进展顺利，提出了适合中国北方生态特点的中国对虾健康养殖技术规范，小面积对虾养殖成活率达80%以上，在示范区一般亩产200千克左右，最高达6 900千克/公顷，已全面完成计划指标。2001年9月份通过专家验收。

国家自然科学基金面上项目“海洋嗜冷杆菌低温碱性蛋白酶的基因克隆、测序和表达”课题2001年主要开展了以下工作：①分离纯化了海洋低温碱性蛋白酶；②制备了多克隆抗体；③构建了基因组文库；④从文库中筛选和克隆了基因。本年度已完成论文5篇，发表论文3篇，已接收论文1篇（SCI文章），正在修改1篇。

国家自然科学基金重点项目“莱州湾及黄河口水域渔业生物多样性及其保护研究”课题于2001年通过国家自然科学基金委员会生命科学部组织的重点项目验收。该项目共完成论文46篇。其中，在国外杂志、国内学报级和核心刊物上发表的论文31篇，包括SCI收录的3篇。项目实施期间，参与3次国际学术交流；培养了博士研究生3名，硕士研究生10名。

国家自然科学基金重大项目“渤海生态系统动力学及生物资源持续利用”，最近在杭州通过验收，专家们给予很高的评价，称项目取得若干重要的创新成果，促进了海洋生态系统动力学这一新学科前沿领域在中国的发展。

2001年，该所共有4项项目获奖。其中，“大菱鲆的引种和苗种生产技术研究”课题获国家科技进步二等奖；“海洋碱性蛋白酶和溶菌酶的研究与开发”获水科院科技进步一等奖，“对虾养殖环境生物修复技术”、“对虾暴发性流行病病原核酸探针点杂交检测试剂盒”获水科院科技进步二等奖。另外，有6项项目分别通过了农业部科技司、山东省科委组织的鉴定；有3个项目通过了农业部“948”办公室组织的项目验收。

该所有3位同志获农业部有突出贡献中青年专家称号；1位获国务院政府特殊津贴；1位获青岛市贡献突出人才称号，奖金15万元。该所同时被授予“青岛市贡献突出人才有功单位”称号。有2位同志获得第七届中国农学会青年科技奖（该奖项是为青年农业科技工作者设立的最高学术奖）；

1位同志因在国家高技术研究发展计划（“863”）工作中做出重要贡献，被国家科技部、总装备部授予先进个人称号；1位专家被评为第二届“全国优秀农业科技工作者”。有2位专家通过青岛海洋大学和中山大学博士生导师评审，被授予博导资格，4位专家通过上海水产大学硕士生导师评审，被授予硕士生导师资格。

2001年，该所共接待来自17个国家、地区、国际组织的专家共40批182人次；共派出23人次出国考察、访问、合作研究，有10余人次在国际学术会议上进行学术交流。在申办和筹备“全球海洋生态系统动力学第二届开放科学大会”和“北太海洋科学组织11届年会”方面做了大量工作，目前，这项工作正在紧锣密鼓地进行筹备之中。先后与136个国家和地区建立了资料交换关系。

地址：山东省青岛市南京路106号；邮编：266071；电话：(0532)5833580 E-mail: liusl@ysfri.ac.cn （黄海水产研究所 刘世禄）

【东海水产研究所】 东海水产研究所是中国水产科学研究院所属综合性海洋渔业科技研究所之一。所领导成员：所长、党委副书记：陈雪忠；党委书记、副所长：袁骏康；副所长：谢营梁、樊国强。该所2001年的工作基本围绕“一个中心、两个基本点”展开。一个中心即是积极稳妥地推进深化改革；两个基本点一是立足科研阵地，多方面争取“十五”科研课题，多出科研成果；二是加强科技成果产业化，办好所三产，争取横向项目，多出经济效益。

该所现有职工总数239人，147人取得专业技术职务资格，高级职称34人，中级职称54人，初级职称54人。其学历构成为：硕士研究生10人，大学本科73人，大专27人，其中35岁以下58人，占职工总数的24%。

1. 科技体制改革

根据中国水产科学研究院深化改革的3个“有利于”原则和农业科技深化改革的总体要求，该所拟将原有的研究体系按不同的特点和性质划分为科研创新、科技开发和成果转化、科技中介、科研辅助保障(后勤服务)4类体系进行改革，并实施不同的管理体制和运行机制。

科研创新体系。围绕国家目标、世界渔业科学前沿和解决制约中国渔业持续、健康发展的关键技术，大幅度调整专业结构，对主要承担公益性、应用基础研究的研究室，进行多学科、多专业的合理调配和优化组合，以建立结构优化、特色明显、创新能力强、精干高效、适应现代渔业发展要求的科研创新和知识创新体系。

科研创新体系以科研、知识创新为重点，开展海区及其河口的渔业资源调查、评估、可捕量等国家实施渔业科学管理的支持技术研究；渔业水域生态环境的监测与保护、渔业水域环境调节和生态修复、重建技术研究；远洋与极地渔业资源开发利用研究；水产品食用安全与质量监控技术和渔业生物资源与生物制品技术研究；渔业信息技术研究；渔业可持续利用捕捞保障技术的基础与应用研究；内陆盐咸水域水产养殖技术，河口、浅海、滩涂健康养殖技术及水产标准化等方面的创新研究，为解决阻碍中国渔业发展“瓶颈”的关键技术和中国渔业持续健康发展提供技术储备和技术支撑。

2. 人事劳动制度改革

(1)建立以全员聘用合同制和竞争上岗为核心的用人制度，深化科研人事制度改革。

根据中国水产科学研究院《关于深化改革的实施方案》，该所改革后组建为非营利性科研机构的研究所。建立“开放、流动、竞争、协作”的科研新机制，单位自主用人、人员自主择业、单位依法管理、配套措施完善的分类管理体制；符合专业技术人员、管理人员和工勤人员各自岗位要求的具体管理制度；形成一个人员能进能出，职务能上能下，待遇能升能降，优秀人才能够脱颖而出，充满生机与活力的用人机制，实现事业单位人事管理的法制化、科学化的现代科研所管理体制。

(2)实行按岗位、任务、业绩定酬的绩效挂钩的分配制度。

根据按岗位定酬、按任务定酬、按业绩定酬的精神，结合该所的实际情况，逐步建立起重业绩、重贡献、重管理，向优秀人才和关键岗位倾斜的自主灵活的分配激励机制。对从事科技成果转化工作的科技人员，在分配上要探索技术、管理等生产要素参与分配的实现形式，可以在科技成果转化的收益中，提取一定比例用于奖励项目完成人和对产业化有贡献的人员，也可以采取高薪聘请拔尖人才、实行期权、技术入股、重奖突出贡献人员等方式，促进事业的发展。

3. 科技创新

2001年是“十五”第一年，该所的科研工作除继续抓好项目任务的质量和完成率外，争取项目也是今年的一项重点工作。今年共承担国家、部、院以及上海市各类纵向项目43项。其中，延续项目16项，延续经费247万元；今年实际新上项目27项，合同经费830万元。近日又争取到“863”项目“大洋渔场环境信息获取和应用技术”，研究经费约100万元。此外，还在争取和已申报的项目有：“863”海洋生物技术主题青年基金2项，“973”前期研究专项2项，中央级科研院所基础性公益性研究专项2项，跨越计划1项，农业部专项基金1项。

该所有2个项目获得省、部级二等奖。“东海区主要捕捞品种渔业资源动态研究”获2001年度上海市科技进步二等奖；“863”项目“海洋渔业遥感信息与资源评估服务系统技术及集成、示范试验”获2001年度中国科学院科技进步二等奖。

此外，2001年该所发表在一级学术刊物上的论文有9篇(至11月底)，国际会议论文4篇。

4. 成果转化和科技产业

该所的科技成果转化、四技服务、经济实体及其他的总收入800余万元。其中科技成果转化收入为262万元；四技服务收入为233.79万元；经济实体及其他的收入为252.62万元。

【南海水产研究所】 南海水产研究所是中国水产科学研究院所属综合性海洋渔业研究所之一。所领导成员：所长、党委书记：贾晓平；副所长、党委副书记：蓝国生；副所长：管世权，江世贵。南海所在中国水产科学研究院的领导下，在广东省渔业部门的支持下，已发展成为面向南海区，从事热带亚热带水产基础与应用基础研究、水产高新技术研究和水产重大应用技术研究的社会公益性和基础性国家级科学研究机构，重点承担国家级或省部级等全局性、基础性、关键性、方向性重大水产科技任务。所内设有中国水产科学研究院海洋渔业生态环境与污染监控技术重点开放实验室、海洋渔业资源与渔捞技术研究室、渔业生物病害防治研究室、海洋渔业环境保护研究室、营养与食品工程研究室和农业部渔业环境监测中心南海区监测站、社会与劳动保障部农业——164号特有工种职业技能鉴定站。在广东省深圳市和海南省三亚市分别设有野外实验基地。内设学科齐全，实验手段先进。在海洋渔业资源、渔业水域生态环境、增养殖技术与遗传育种、渔业重大病害防治、海洋食品工程与水产品质量安全等研究领域已形成学科优势和较深厚的积累。全所编制490人，现有职工345名，其中，科技人员177人，研究员10人，副研究员35人，中级技术职务53人，初级技术职务79人。离退休人员222名。获得国家、部级专家称号7名，享受政府特殊津贴27人，获全国、省级劳动模范称号5人次，获广东省丁颖科技奖2人。

1. 科技体制改革基本情况

(1) 建立起新的科技体制，不同类型机构实行不同运行机制，按该所改革方案，对全所的机构和运行机制进行全面改革，建立了创新体系、中介机构、科技企业和后勤服务机构4大类型机构，不同机构实行不同的运行模式和相应的激励分配制度。其中，创新体系包括科研机构、管理机构和辅助机构，实行以首席科学家为核心、实验室为依托、职能机构为保障、辅助机构为支撑的“开放、流动、竞争、协作”的现代科研所管理体制，按非营利性事业单位管理。

(2) 明确发展目标和方向，确立创新学科研究领域。根据渔业产业发展和渔业科学发展的需求，把该所改革和发展的目标定位为从事热带亚热带水产基础与公益性研究、水产高新技术研究和水产重大应用技术研究的社会公益性和基础性国家级科学研究机构，重点承担全局性、基础性、关键性、方向性重大水产科技任务。根据海洋渔业科学发展的方向，立足于解决制约渔业发展的重点、难点、热点问题。据此，对原有学科设置进行了适当调整，确立渔业资源调查评估与管理、渔业水域生态环境监测与保护、水产品食用安全与质量监控、水产养殖容量和健康养殖、渔业生物多样性保护与种质资源保存、水产养殖基础生物学和遗传育种、水产生物技术、渔业重大病害灾变预警与控制、水产养殖对象营养和饲料、渔业产物资源与生物制品、水产标准化等11个学科研究领域为重点研发方向。

(3) 全面引入竞争机制，各类人员竞聘上岗。对首席科学家、责任科学家、管理机构、辅助机构和服务机构的处级干部按照“公开、平等、竞争、择优”的原则，实行竞聘上岗。竞聘后，有5位首席科学家、11位责任科学家和5位辅助机构负责人走上了岗位，责任科学家的学历明显提高，平均年龄比原研究室主任下降2岁，一些年富力强、高学历、有科研才华的青年人挑起了该所学科带头人的重任，其中最年轻的责任科学家为28岁的博士。管理机构的处级领导职位由原来的9个减少到现在的7个，降低22%，平均年龄由原来的46.3岁降低到现在的42.4岁。对其他科技人员、辅助机构人员、管理机构工作人员和服务体系工勤人员实行双向选择竞聘上岗，有145人被聘用，受聘率为85.3%。竞聘上岗后，管理机构工作人员比原来减少了35%，平均年龄下降了9.2岁。

(4) 改革分配制度，初建激励机制。2001年，根据《南海水产研究所分配制度改革实施方案》，对4类机构实行相应的激励分配制度。现阶段实行以岗位、贡献、效益为主，等级工资为辅的收入分配办法。科研人员实行基础工资加项目工资分配办法；管理人员实行基础工资加动态岗位工资分配办法；科技企业人员实行基础工资加效益工资分配办法；后勤服务体系实行基础工资加定额浮动岗位工资分配办法。科技企业人员和后勤服务人员的分配与创新体系脱钩。以激励为主的分配制度初步建立和运行，使该所科技体制的改革迈出了非常关键的一步。

2. 科研创新实力明显增强，研究水平不断提高

(1) 抢抓机遇，精心组织，团队合作，全力争取高层次科研项目。根据21世纪中国海洋水产业发展的需求和该所的学科优势，找准重点热点研究方向，选准突破口，确定重点任务，组织全所多学科力量，联合高校、科研院所和企业，组成团队，集中优势力量联合申报高层次的科研项目，取得了新的突破。2001年共申报各类项目76项，其中省部级以上项目占55%，共有34项获得资助，占申报项目的45%，其中省部级以上项目占52%，新上项目合同经费1 090.5万元，新上项目的数量、经费和层次均比2000年有新的提高。

(2) 加大科研管理力度，在研项目进展良好。2001年，该所共承担各类研发项目81项，其中延续项目36项，新上项目34项，参加项目11项，项目合同总经费1 426.7万元，到位经费897.2万元。在该所主持的66项纵向科研项目中，国家海洋“863”项目1项；国家专项课题2项、专题5项；国家“十五”攻关1项；科技部公益项目5项；科技部技术开发研究专项资金2项；国家科技基础性工作项目2项；农业部标准项目3项；农业部丰收计划项目1项；农业部环境监测中心项目1项；国际引进项目1项；广东省科技兴海重大项目2项；广东省百强创新工程项目3项；广东省自然科学基金项目3项；广东省科技计划项目9项；南海区渔政渔港监督管理局项目4项；水科院科研基金项目14项；广东省海洋与渔业局项目5项；本所所长基金项目4项。在研项目中省部级以上项目占5项。2001年全所承担的研发项目数量、总经费、到位经费分别比2000年增长35%、123%和184%。

(3) 积极开展学术活动，加强科研创新信息交流。2001年，积极举办或参与举办各种学术活动，选派科技人员参加国内外各种学术交流活动，参加国际、全国和地方各种类型的科技成果展示会，进一步加强了产学研之间的联系，活跃和增强了该所的研究与学术氛围。一年来，全所科技人员在各类刊物公开发表的论文共100余篇，撰写各类学术报告40余本，绘制图集8册，出版《水产品加工质量保证体系(HACCP)的建立与审核》、《水产品保鲜与加工技术》、《新型水产品加工技术》3本学术著作，出版《南海水产研究》2期，《水产文摘》12期。组织专题学术报告会5场。先后接待了来自美国、日本、韩国、越南、阿曼等6个学术团体32人次，就有关研究工作开展了学术交流。　(刘大安)

中国科学院涉海机构

【中国科学院海洋研究所】 中国科学院海洋研究所始建于1950年8月，是中国目前规模最大、综合实力最强的海洋科学研究机构。现有科技人员461人，其中：中国科学院院士5人，中国工程院院士1人，第三世界科学院院士1人，高级研究人员162人，博士生导师84人。设有5个博士点和8个硕士点，是中国海洋科学一级学科博士学位授予单位，中国科学院博士研究生重点培养基地和国家海洋科学博士后流动站。2001年有在学博士生111人、硕士生96人，在站博士后12人。

海洋研究所是中国科学院知识创新工程试点单位,面向国家战略需求，面向国际海洋科学前沿，在蓝色农业优质、高效、持续发展的理论基础与关键技术，海洋环境与生态系统动力过程，海洋环流与浅海动力过程，大陆边缘地质演化与资源环境效应等 4 个优先发展领域的 9 个科学方向上开展基础性、战略性和前瞻性研究。在国家“973”海洋领域的 6 个项目中，作为首席科学家主持3项，并参与另外 2 项，第一单位主持课题14项；主持“863”课题26项、国家自然科学基金等47项。2001年取得省部级以上科技成果11项，其中：国际奖 1 项、省部级一等奖 2 项；申请国家专利45项，获国家专利授权41项；发表专著 9 部；发表学术论文295篇，其中：在SCI发表53篇、EI发表12篇、CSCD发表230篇。

海洋研究所设有实验海洋生物学与生物技术、海洋生态与环境科学院级重点实验室和海洋环流与波动、海洋地质过程与古环境开放实验室等 4 个基础性研究室，海洋生物工程技术和海洋环境工程技术 2 个应用研究发展中心；还有中国科学院现代海底热液活动研究青年实验室、胶州湾生态系统研究站和收藏67万余号的海洋生物标本馆；还与国外联合建有 3 个开放实验室（研究中心）；与青岛市共建了 2 个重点实验室。研究所还设有文献信息中心、分析测试中心；拥有一支包括“科学一号”、“金星二号”在内的远洋科学考察船队。

主办的学术刊物有《海洋与湖沼》、《中国海洋湖沼学报》（英文版）、《海洋科学》、《海洋科学集刊》。（邢桂芳）

【中国科学院南海海洋研究所】 中国科学院南海海洋研究所成立于1959年1月，是目前我国规模最大的综合性海洋研究机构之一，已进入中国科学院知识创新工程试点序列。全所现有在职职工438人，其中高级科技人员130余人。拥有国家、中国科学院、省重点实验室、站和科考船；有博士学位授予点 2 个，硕士授予点 6 个；已初步形成一支具有热带海洋学科特色、有创新力的高素质人才队伍。

40余年来，本所在南海及邻近海域开展了众多综合性海洋调查研究，共取得科研成果498项，获国家、中国科学院、部委和省市级成果奖208项，成为国内外积累南海和相邻热带海洋科学资料和研究成果最为系统全面的单位之一，为海洋科学发展和南海的资源开发作出了重要贡献。

该所基础研究的重点领域是热带海洋环境动力过程研究和边缘海地质与环境研究；应用研究的重点领域是海洋生物资源可持续利用研究。该所也承担各类海洋工程环境评价、勘测及调查研究任务，海洋生物资源综合利用与开发以及海洋新药与保健食品研制等工作技术服务。（莫伟才）

海洋交通涉海机构

【交通部涉海直属单位】

交通部海事局
交通部环境保护中心
中国海事服务中心
辽宁海事局
营口海事局
河北海事局
天津海事局
山东海事局
烟台海事局
江苏海事局
连运港海事局
上海海事局
浙江海事局
福建海事局
厦门海事局
广东海事局
汕头海事局
深圳海事局
湛江海事局
广西海事局
海南海事局
黑龙江海事局
交通部海上救助打捞局
交通部上海海上救助打捞局
交通部广州海上救助打捞局
交通部烟台海上救助打捞局
中国船级社
交通部科学研究院
交通部水运科学研究所

交通部天津水运工程科学研究所
交通部规划研究院
人民交通出版社
中国交通报社
中国交通通信中心
长江航务管理局
珠江航务管理局
大连海事大学

协会学会：

中国港口协会
中国船东协会
中国船东互保协会
中国集装箱工业协会
海峡两岸航运交流协会
中国水上消防协会
中国交通企业管理协会
中国交通教育研究会
中国交通报刊协会
中国航海学会

【中国海洋工程公司】 中国海洋工程公司（原名中国海洋工程服务有限公司），是交通部所属国有企业，是外经贸部批准开展对外承包工程、国际劳务合作及进出口贸易的国际经济技术合作公司，专门从事近海石油工程、水工工程、海洋工程服务、劳务输出、进出口贸易、大件吊装、远洋拖航、海上重大件货物运输、沉船沉物打捞等业务。

公司于1981年6月在北京注册成立，设有烟台、上海、广州公司，在沿海地区设有代表机构。

20年来，公司不断发展壮大，总公司及分支机构共有职工9 000余人，其中工程技术人员3 000余人，潜水员近400人，船员3 600余人。拥有由170余艘各种船舶、设备组成的大型船队，包括远洋拖轮、驳船、浮吊及各种先进的海洋工程和潜水服务设备。经营范围不断拓展，业务已遍及东亚、东南亚、中东、南美洲、北美洲、大洋洲和欧洲的40余个国家和地区。承接了海上平台安装、港口码头、水下隧道、道路桥梁、填海造地、航道清理、水下油气管道及电缆敷设，水库修补、堤岸防护、修建船舶、大件吊装、沉船沉物打捞等工程，向国外派遣了大量的海员、潜水员、海洋工程各类劳务人员。

（中国海洋工程公司）

【交通部救助打捞局】 交通部救助打捞局所属的救助打捞队伍是我国惟一的国家专业救助打捞力量，担负着我国沿海水域海上救生、船舶财产救助，沉船沉物打捞清障、海上消防、海上溢油的应急清除和其他海上交通运输以及海洋资源开发活动的安全保障任务。同时，按国家赋予的使命代表国家履行有关国际公约、双边海运协定等国际义务。在党和政府的关心、支持下，我国的救助打捞力量不断发展壮大，已经成为国家海洋和航运事业一支不可缺少的重要的支持保障力量。2001年，救捞系统共有职工8 700余人，其中工程技术人员3 000余人，潜水员近400人；拥有各类船舶160余艘，其中大功率远洋救助拖轮22艘，打捞工程船20艘，专业救助直升机 2 架，此外，还拥有沉船抽油和溢油回收装备、遥控潜水器(ROV)等一批先进的辅助救捞设备。中国救捞队伍已成为世界上屈指可数的专业救助力量之一，为维护我国海上交通安全，保护国家和人民的生命财产，履行国际海上安全义务做出了重要贡献。

（交通部救助打捞局）

【中国远洋运输集团】 中国远洋运输集团是世界最大的船公司之一，拥有和经营着500余艘现代化商船，共计2 300万载重吨，航线遍及世界各地。现在，中远正在由传统的远洋运输企业转变为一个以国际航运为依托，整合船舶代理、海上燃料供应、陆地货运、航空货运代理和电子商务等航运相关产业的雄厚力量的新型跨国综合物流企业。同时，还广泛涉足房地产、工业、国际贸易、金融、旅游等陆上产业，取得了令人瞩目的成绩。

（中国远洋运输集团）

中国气象局

【中国气象局涉海机构】

总体规划研究设计室
国家气象中心
国家卫星气象中心
国家气候中心
中国气象科学研究院
中国气象行政管理局
中国气象局培训中心
中国气象出版社
中国气象报社

中国气象学会

中国华云技术开发公司

海洋油气业涉海机构

【中海物探工程勘察公司】 中海物探工程勘察公司是中国海洋石油总公司所属的一家专门从事海洋、陆地工程勘察作业、土工试验、工程分析及技术咨询的综合性专业公司。具有国家建设部颁发的甲级工程勘察证书及甲级海洋专项工程勘察证书，技术力量雄厚，设备先进齐全，具备承担各类海上及陆地大型工程建设项目的基础勘察及分析研究能力。公司拥有综合性海洋工程调查船3艘，可实施海洋工程物探调查、海洋工程地质调查、海洋环境调查，对调查资料诸如多道数字地震、海底地形地貌、浅层地质剖面、磁力变化、流浪潮等可进行现场实时采集、记录、处理分析及提供成果图件。装备有大型钻机的海洋工程地质钻探船具备在300米水深钻探150米及完成包括CPT原位测试项目和现场土工实验的作业能力。陆地综合性土工实验室可按各种现行国家规范及ASTM等国际规范提供实验服务。陆地钻探设备具备承担在各类土质条件下的钻探能力及动、静力触探试验。公司所属的资料处理中心具有从国外引进的多种资料处理及工程分析软件系统，可为各类工程勘察提供技术服务和咨询。近几年还将其勘察服务业务延伸至海底管线的管外检测。其野外资料采集、工程解释报告及土工分析技术在国内均处于领先地位，已接近国际先进水平。

自1975年创立至80年代末，公司从事的作业以中国渤海、南海海域的中国海洋石油总公司内部钻井船井场调查以及采取对外合作进行油田早期开发的海洋工程勘察为主。90年代后，公司步入了快速发展的阶段，勘察业务覆盖了南中国海、东海、南黄海及渤海，同时多次进军东南亚、日本、韩国及俄罗斯远东地区海上工程勘察市场，多次成功的为CNOOC、BP、AGIP、TEXICO、CHEVRON、EXXON、Kerr-McGee、APACHE、ARCO、DEVEN、AMOCO、PHILLIPS、CACT、大港油田、胜利油田等多家中外石油公司组织和实施了海上工程勘察作业，如锦州20-2、绥中36-1、秦皇岛32-6、东海平湖、涠13-1、东方1-1、文昌13 1／13 2、番禺4-2／5-1，涠12-1、涠11-4等油气田开发的工程勘察作业。为我国的海洋石油事业、国民经济建设做出了贡献。

建立健全质量管理制度，不断提高质量意识和工作质量水平是公司追循的一贯目标。1991年工程勘察公司因全面质量管理达标获建设部颁发的“工程勘察设计单位全面质量管理达标合格证书”。1996年通过了挪威船级社ISO9002质量体系资质论证并获证书。按照ISO9002质量管理体系要求，公司制定了各种管理标准、技术工作标准、岗位标准、产品质量检验管理程序，对所有勘察项目从招标投标、合同签订、合同履行、勘察过程质量检查、报告编写、售后服务的全过程进行质量控制。公司始终坚持“预防为主、保证安全、保持健康、保护环境、适航守纪、优质服务”的健康、安全和环保方针，2000年，公司的安全管理体系符合国际船舶安全营运和防止污染管理规定的要求而获得国家海事局颁发的符合证明书。使得全员从质量控制及安全生产上均有章可循、违章必究，公司几年来未出现重大的质量和安全重大事故。

目前，公司中大多数中高级工程技术人员具有多年从事海洋工程勘察工作经验，能在大型项目中承担项目主持人、项目经理、技术监督。为了提高员工的素质，该公司对机关管理人员、工程技术人员及操作岗位工人进行了各类培训，尤其是岗位持证培训及上岗培训。对提高职工专业技术素质起到了很好的作用。

在20余年的海洋工程勘察实践中，该公司通过不断学习和掌握国内外的先进技术理论，积累实际工作经验，使工程勘察技术力量和技术水平得到不断的提高和发展。所完成的项目均达到了工程建设的技术要求并得到业主的好评，赢得了较好的信誉，其中多项作业获得部级和国家级优秀勘察奖。 (中海物探工程勘察公司)

中国船舶业涉海机构

【中国船舶重工集团公司】 中国船舶重工集团公司是在原中国船舶工业总公司部分企事业单位基础上组建的特大型国有企业，是中国最大的造修船企业集团公司之一，拥有48个工业企业、28个科研院所、19个专业公司，员工16万人。

中船重工的战略目标是：努力构建主业突

出、核心能力强，具有较强国际竞争力的大型企业集团，成为中国海军装备最强最大的供应商和中国造船业的主导力量。

（中国船舶重工集团公司）

【中国船舶重工集团公司第七一九研究所】 第七一九研究所是国家重点国防工程总体研究设计单位。全所有船舶及海洋工程、动力、机械、机电一体化、计算机、自控、深潜器、压力容器、消防及电视监控等学科共30余个专业，获得国家科学技术进步特等奖3项。自行研制的补偿中子测井仪、特种高温超高压压力容器装置、船用300米饱和潜水系统、一体化蜂蜜加工设备等拥有自主知识产权的高科技产品多次填补国家空白。

地址：湖北省武汉市中山路450号；电话：027-88041811；传真：027-88041822

（中国船舶重工集团公司第七一九研究所）

【七一〇研究所】 七一〇研究所始建于1958年。是我国舰船科技、海洋工程重点骨干研究所，国家“863”高技术项目研究单位，国防磁学计量站定点建设单位，湖北省最佳文明单位。

七一〇研究所在水下多功能平台、水下浮体定深、海洋智能拖曳、高抗流水下机器人，实时传输潜标系统、磁检测与应用等方面，掌握着核心技术优势，引领着该行业的发展。

七一〇研究所具备很强的新产品、新技术开发能力，现有专业技术人员660余人，其中国家级和省部级中青年专家17人，享受政府特贴人员28人，硕士生导师8人，研究员68人。拥有亚洲一流的高标准弱磁实验基地和我国室内最深的现代化试验水池等一系列先进的科研设施。40余年来，七一〇研究所共获得国家科技进步一等奖等科技奖302项。其中，国家级奖40余项，省部级奖120余项。

近年来，七一〇研究所携核心技术优势和人才优势，积极投身国民经济主战场，在海洋工程、信息产业、烟草机械、工业自动化、广场智能工程与磁声应用技术等领域多有建树，是省市政府部门、多家上市公司和大型企事业单位的重要技术合作伙伴。

七一〇研究所总部位于湖北省宜昌市。在上海、北京、武汉设有分支科研机构。

地址：湖北省宜昌市体育场路15号；电话：0717-6436047；传真：0717-6448936

【中船重工七院七〇四研究所】 该所创建于1956年，下设14个产品研发机构及试验检测中心，国家扭矩计量专业站，综合试验基地及试制工厂等部门，拥有30个专业实验室和15个船用环境条件和标准实验室。主要从事舰船特辅机电设备的应用研究和设计开发，产品有甲板机械、舱室机械、特种装置及电机电器等船舶设备。最近开必的小型船舶减摇鳍、油水分离、海水淡化等设备性能优越。

电话：021-64330308；传真：021-64339592

（中船重工七院七〇四研究所）

其　他

【青岛海洋地质研究所】 青岛海洋地质研究所是中国惟一的海洋地质专业研究机构。原名国土资源部青岛海洋地质研究所，2000年11月，经国土资源部批准，更为现名。

至2001年底，该所有在职职工203人，内有各类科技人员146人。其中，具有高级专业技术职务者66人、中级44人，博士后1人，博士6人、硕士35人；定向委培在读博士生5人、硕士生4人。有14人获得国家政府特殊津贴。

该所设有海洋区域地质调查研究室、海洋油气与固体矿产资源调查研究室、海洋环境地质调查研究室、资料信息室、实验测试中心、国土资源部海洋沉积开放研究实验室、中国地质调查局海岸带地质研究中心、青岛海洋地质工程勘察院、海洋地质研究所培训中心等12个调查研究和开发经营部门，并设有海洋地质硕士研究生学位授予点。

该所主要从事海洋区域地质、海洋油气与固体矿产资源地质和海洋环境地质调查研究；拥有先进的海上调查和实验分析测试设备；主办《海洋地质与第四纪地质》、《海洋地质动态》等学术刊物。其中，《海洋地质与第四纪地质》被山东省新闻出版局评为优秀期刊，总引用率和影响因子有所提高。

该所承担了国家海洋专项的专题、国家“大洋”专项的专题、“863”计划“820”主题的专题及国家科技部、国土资源部、中国地质调查局、国家自然科学基金和山东自然科学基金项目近60余项，均按计划完成了年度进度或结题，取得了重要的调查和研究成果；并完成了青岛海湾大桥工程的地质勘察等各类城市建设工程项目151个，取得了较好的经济效益和社会效益。

2001年该所接待了外国专家8批、20人次来所讲学及合作研究，派出7批、11人次赴有关国家考察、讲学、合作工作及参加有关国际学术会议；11月，成功承办了国际性“CCOP-PETRAD-PGS-MIR”油气勘探开发数据管理研讨班。（王建华）

【山东省海洋药物科学研究所】 山东省海洋药物科学研究所是国内最早成立的以海洋药物、海洋保健品研制开发为主的专业研究所，下设海洋药物研究室、天然药物研究室、化学分析室、药理研究室等7个研究科室，信息情报研究中心还承办了中国药学会主办的全国惟一的海洋药物专业刊物《中国海洋药物》杂志。应科技体制改革的需要，该所1996年与青岛国风药业实行紧密联合并整合为该企业的技术开发中心。近年来该所先后开展各类健康新产品开发10余项，其中2001年在海洋活性物质的研究开发方面主要有“国风”牌海活素胶囊、“国风”牌金海胆胶囊、海葵素3个项目。

(1) “国风”牌海活素胶囊：本品是以海洋贝类牡蛎为主要原料制成的保健食品，同时配用了动物红细胞和硫酸锌，不但能提供钙、锌、铁等元素，且富含丰富的蛋白质和氨基酸及人体所必需的多种微量元素。本品的主要原料来源于海洋，无毒副作用，其主要功效成分与一般的同类补充剂相比，具有较高的生物活性。2001年，本品完成生产工艺研究后，进行了安全性、稳定性、卫生学等检测，已上报国家卫生部终审。

(2) “国风”牌金海胆胶囊：本品选用海中珍品海胆为主要原料，另配黄芪、西洋参等精良药材经科学加工精制而成。具有抗疲劳，延缓衰老的保健功能，对慢性疲劳综合症有显著的疗效。2001年，该产品完成了工艺研究、功效性评价、毒理学安全性、稳定性、卫生学检验等，并上报国家卫生部进行审评。

(3) 海葵素：本品由该所与复旦大学生命科学学院合作研发，是国家科技部“九五”攻关项目。本品以青岛周边海域的黄海葵为原料，采用现代生化提取分离及纯化方法，得到高纯度、高活性的多肽类物质海葵素AP-Q。初步试验表明海葵素AP-Q具有高安全性、高效等特点，对心律失常、心肌肥厚等有显著的疗效。2001年主要针对该物质在药效学、药理学、毒理学、稳定性等方面开展了实验室研究，并通过了国家科技部的终期验收。

地址：青岛市莱芜二路二号甲；邮编：266003；电话：0532-2795956；传真：0532-2795939；E-mail：hyskyk@eyoy.com

（山东省海洋药物研究所）

【山东海洋经济研究所】 山东社会科学院海洋经济研究所是中国第一所海洋经济研究机构，于1982年5月在山东省青岛市成立。海洋经济研究所主要从事海洋区域经济、海洋产业经济、滨海旅游经济、海洋带开发与管理、海洋政策法规等领域的研究。近20年来，完成了20余项重大课题，例如：《山东省海岸带和滩涂资源综合调查》、《渤海开发与保护》、《环渤海区域经济可持续发展研究》、《中国海洋区域经济》、《“海上山东”建设概论》。

电话：0532-5816784 5821565；传真：5839248；地址：青岛市金湖路8号；邮编：266071；E-mail:mie@public.qd.sd.cn

（山东海洋经济研究所）

附录6　国外海洋工作简况

Appendix 6　Summary of Foreign Marine Work

海洋战略计划

【国外海洋发展战略简介】 进入21世纪，海洋对于人类生存和发展的重大战略意义已被普遍认识和重视，世界沿海国家把目光投向海洋，不同程度地把海洋开发问题提到了政府重要工作内容之中。为应对资源、环境和人口问题的挑战，参与国际海洋事务竞争，各沿海国家纷纷调整和改组本国海洋管理机构和科研机构，制定新时期海洋科技、海洋经济发展战略和计划。

【欧洲建立海洋局计划】 由法国和葡萄牙提出的关于建立“欧洲海洋局”的计划已得到欧洲理事会同意。理事会认为海洋问题在经济与科学上的重要意义应使全欧洲给予更大的政治支持并对之采取更富前瞻性的态度。海洋研究开发具有很高的经济与政治利益，涉及到石油勘探、捕鱼业、海运、海岸管理、污染控制和气候变化等方面的活动。我们不能低估欧洲的海洋组分。理事会指出“欧洲的海洋研究能力太分散，同时思维太过于各国化”，欧洲需要明确的海洋政策，如能集中欧洲的海洋资源并采取更具战略性的思维，局面将会改善。

根据所提出的方案，欧洲海洋局将负责协调全欧洲的有关跨部门研究开发海洋资源事务。海洋局的授权将由定期举行的欧盟部长会议决定，这将和欧空局的授权情况相同。由于海洋问题的纷繁多样，因此难于完全纳入一个集中化的业务机构进行管理。但不论建立任何新的机构都应是一个旨在协调科学、工业和政治活动的轻型结构。据提交给欧洲科学技术委员会理事会的一项草案报告，拟议的海洋局将研究一些重大的挑战性海洋问题，构思和管理研究海洋计划，规划建设大型研究设施以及有关的国际研究计划中作为欧洲的共同发言人。

另据报道，欧洲各国也就建立海洋局计划开始了行动。法国、英国和德国已同意合作利用现有的40余艘海洋勘探研究船只，并考虑合作共建造一些新的船只，建立“一支欧洲研究船队”。欧洲海洋与极地科学委员会(EMAPS)提出一项欧洲海洋生物多样性研究计划。

【俄罗斯世界大洋规划】 世界大洋规划是俄罗斯新的目标性规划，其目的是：为国家的经济发展和安全的捍卫综合地解决研究、开发和有效利用世界大洋问题。《世界大洋》专项规划应当成为协调联邦和区域关于解决世界大洋局部问题的规划，以及这类规划对获取国家在提高经济效率及保障民族利益和国家地缘政治利益方面的政策一致目的的导向方面的一个手段。

《世界大洋》专项规划的实施，还应当做如下的工作：

根据国家发展的目标和任务，促进俄罗斯在世界大洋活动的开展；

促进俄罗斯在世界大洋的活动以及将来获得具体的实际结果为目标的实现；

考虑到物质及其他保障的实际具有的能力，促进联邦执行权力机关和俄罗斯联邦主体执行权力机关在世界大洋的活动的最大协调及效力的提高。

《世界大洋》专项规划的实施分3个阶段：开始阶段（1997～2002年），在“国际法律问题及捍卫国家利益的政策和策略”、“俄罗斯在世界大洋的军事战略利益”、“世界大洋生物资源的利用”、“俄罗斯在世界大洋的交通运输”等方面的框架内，应当将主要的注意力集中于下述问题：

通过建立相应的法律基础来确保俄罗斯联邦在世界大洋权利的实现；

与相邻接的国家调解有关海上疆界的争议问题；

巩固国家、区域及全球的安全；

形成建立进行首要的海上作业的技术和工艺的科学技术基础；

达到保障居民对鱼类及其他水产品供应的水平及必要的客货运输量的办法。

在第二阶段（2003～2007年），《世界大洋》专项规划将遵循下述方面实施，即“世界大洋自然环境研究”、“世界大洋、北极和南极的矿产资源”、“人文问题”、“北极开发与利用以及南极调查与研究”，其目标应当是：以工业规模获取矿物原料；俄罗斯沿岸地区足够的能源保障；俄罗斯联邦海岸带综合管理；天气-气候条件观测及其预报。

第三阶段，对“贸易关系及国际商品及技术市场对等可能性的保障”、“建立开发世界大洋资源和空间的技术”、“建立全国统一的世界大洋状况信息系统”等应当预先提出下述要求：

由于俄罗斯在世界大洋活动的加强而巩固其在世界商品和劳务市场的经济地位；

在运用新技术基础上，由于利用世界大洋水下区域和大洋过程而扩大国家空间和功能的潜力；

俄罗斯领土上自然系统的平衡的功能；

依据世界大洋中自然过程和人为过程的相互作用及相互依赖性，保障国家的经济、生态和社会过程的稳定。

为了实施《世界大洋》专项规划，俄罗斯必须在以下方面采取一整套综合措施：

(1) 国际法律问题及其政策，保卫国家利益的策略；

(2) 贸易关系，世界商品和技术市场对等可能性的保障；

(3) 世界大洋环境研究；

(4) 俄罗斯在世界大洋的军事战略利益；

(5) 世界大洋、北极和南极的矿产资源；

(6) 研究开发世界大洋资源和空间的技术；

(7) 世界大洋生物资源的利用；

(8) 俄罗斯在世界大洋的交通运输；

(9) 北极的开发利用和南极的调查研究；

(10) 建立全国统一的世界大洋状况信息系统；

(11) 人文科学问题。

俄罗斯《世界大洋》规划已制定并决定实施20余个联邦专项规划。在《世界大洋》专项规划的各子规划及在该规划框架内直接制定的各方案中，还可列入一些已经实施的最重要的一些联邦专项规划。在实施《世界大洋》专项规划的最初阶段，在竞争的基础上，从上述各项规划中分解出一些最有效的，而在可能性方面能够迅速实施的方案是合适的，这些方案与海上活动直接相关，并能在最短的时间内达到具体的目的。

【海洋综合观测系统战略计划】 海洋综合观测系统战略计划旨在将美国各地不同部门不同产业和不同科研机构技术水平不一致的分散海洋观测系统联合起来，按统一标准和规程进行长期连续海洋观测，以现有投资强度，获取最大量的海洋数据和信息。

海洋综合观测系统战略的使命为：①测量和预报海洋在气候变异方面的作用；②保证海上作业安全；③保障国家安全；④管理海洋生物资源，以保证资源的可持续利用；⑤保护和恢复海洋生态系统；⑥减轻海洋自然灾害；⑦保护公众健康。

海洋综合观测系统应具有的特点是：

(1) 综合性（多学科性）。海洋中的物理、化学、生物和地质过程是相互关联的，因此需要对海洋进行综合观测。观测战略应能使包括生物和化学信息在内的多学科系统得到发展。

(2) 长期性和连续性。任何观测战略在满足短期的、可变的科学和实际需要的同时必须维护主要的长期测定的连续性。在涉及气候研究的情况下，观测战略应根据全球数字模式的需要来设计。海洋观测的时间尺度需要与海洋过程的时间尺度一样的长，只有这样才能全面、正确地认识一个海洋全过程。有些海洋过程的周期很长，变化也是缓慢而连续发生的，因此，所进行的海洋观测要体现这种过程的长期性和连续性。

(3) 完整性。海洋作为一个整体，应对其进行全面的观测，除了对海表面、水体、沉积物等进行观测外，还应通过海底对地球深层进行观测。由于卫星遥感的飞速发展，海洋观测的覆盖面已达到了很大程度，但观测参数所涉及的学科还不太全面。另外，海底观测系统也已处于快速发展阶段，通过这种观测系统，将能提供地球内部的弹性、热量、化学磁力等方面的资料和海洋变量的全部情况。

(4) 网络化。随着通信技术和计算机网络技术的发展。整个海洋观测系统将成为一个互相关联的有机系统。此外，海洋观测系统还应与其他观测系统（如全球气候观测系统、地球观测系统）联网，达到多个观测系统所获得的资料能够共享和推进多学科的研究工作。

(5) 业务化观测与研究目标和实际应用相结合。观测可以揭示变化（现象）的方式，而研究可以确定变化的原因和结果。二者结合在一起可以极大地提高检测和预报变化的能力。此外，观测系统还应与尽可能多的用户结合起来，为更多的实际用户提供服务，使观测系统能够获得尽可能多的更新和维护支持。

【韩国21世纪海洋发展战略计划】 为在21世纪加速海洋业的发展，韩国政府制定了新的海洋战略计划，其核心内容为：

(1) 扩大全球海洋经济领域，增强管理能力：①制定增强“海洋世纪”国家制海权计划；②在颁布1995年领海与毗连区条例之后，宣布专属经济区，为韩国与中国和日本之间正在谈判的领海纠纷做好充分准备；③制定国家政策，启动包括海洋事务、渔业、环境、海底矿产和技术转让等在内的新一轮海洋谈判的国际对话。

(2) 将具有世界水平的技术应用于海洋科学和产业，为世界海洋开发利用做贡献。

除生物技术外，韩国通过传感器、机器人和电子技术等领域的技术进步，促进海洋科学贸易，争取在国际市场上占有最大最好的份额。为此做到：①做好“海洋世纪”高新技术创新；②除提高自动化程度外，减轻设备重量，缩小体积，研制具有世界水平的海洋观测设备；③重组海洋科研机构，提高海洋科学技术开发能力，并加强有关实验室、设备和研究船等科研基础设施建设；④开拓海洋科学领域培训渠道，与其他国家谈判技术转让项目。

(3) 将加德岛港和广阳港开发成货客两运港，将海事后勤基地由高成本、低效率改造为低成本、高效率。利用韩国天然港口的特殊地理位置，韩国可以很快成为世界第5航运大国。鉴于此，韩国政府的任务是：①实施港口开发计划（1997～2001年），提高韩国港口的吞吐能力，降低运输成本，在釜山、蔚山、浦项和木浦港增建港口设施，扩建釜山、广阳、乌山和仁川港；②构建类似于新加坡港所采用的港口“信息高速公路”；③履行第二船舶登记国籍，在既定的全国最低航运能力水平或高于此水平的层级上营运。

(4) 渔业从狩猎型向养殖型转变，通过渔业外交，建立充满经济活力的渔村，开辟多样化的远洋渔场。为此，海洋与渔业部将采取以下措施：①恢复韩国在70年代后的渔业生产力；②应用环境无害高技术，建设海洋牧场；③扩大全球渔业外交，维持远洋渔业；④为了激励都市化向渔村的回归，改善现有渔村的条件。

(5) 采取规范化措施，制定应急计划，保持海域的安全和清洁。

海洋与渔业部的任务是：①构建一个广泛的海上交通安全系统；②为后代创建并维持一个生机盎然的清洁海洋；③建立海岸带综合管理系统。

(6) 在公民中开展持久的新海洋观教育：①提高海洋教育水平；②建设海洋渡假村和海事博物馆；③每年按法定假日庆祝“海洋日”，2006年举办世界海洋展。(国家海洋信息中心 于保华)

海洋环境保护

【概述】 自联合国里约环境与发展大会确认了“可持续发展”应是人类发展的惟一可行道路之后，环境与发展的协调问题被提到一个空前的高度，保护海洋环境，实施海洋资源开发利用可持续发展已成为全世界各沿海国的共识。进入21世纪，国际社会和各沿海国家纷纷采取措施，促进海洋环境与海洋开发利用的协调发展。

2001年6月联合国秘书长安南在纽约联合国总部正式启动全球生态系评估项目，希望它能向各国决策者提供更新信息，使其弥补知识空缺，正确处理环境与发展的关系，更好地进行决策。

根据联合国的有关资料，全球生态系统评估项目将耗资2 100万美元，约有1 500名科学家参与。他们将在5年内完成对全球草地、森林、河流湖泊、耕地和海洋等系统生态状况的评估。如被证明有效，评估活动还将重复进行。联合国呼吁各国政府和社会群体积极参与这一项目。

2001年11月26～30日，联合国环境规划署（UNEP）在蒙特利尔召开部长级会议，来自20多个国家的环境部长评审了《保护世界海洋环境及阻止陆源污染的全球行动计划》。该会议是1995年11月108个国家和欧盟在美国签订《全球保护海洋环境行动计划》以来第一次对保护海洋生态环境所做的工作进行全面的回顾。该计划旨在要求人们防止和控制陆源污染物质对海洋及沿海环境的危害，加强污水、重金属、难降解的有机污染物、放射性物质、沉淀物质等污染物质的管理，以保护海洋环境。

在蒙特利尔会议上，科学家呼吁人们立即行动起来，阻止陆地人们落后的管理方式及不可持续发展的消费模式破坏了海洋生态环境。

2000年6月，第13次亚太经济合作组织海洋资源保护会议在秘鲁召开，来自中国、日本、俄罗斯、美国、加拿大和澳大利亚等21个亚太经合组织成员的50余名代表出席了会议。会议主要讨论如何合理评估、使用和保护海洋资源，回收利用废弃的石油和天然气海上开采平台以及完善亚太经合组织范围内的信息系统等问题，制定海洋资源合理开发和保护的有关政策。

2001年底美国世界观察研究所发表的《2001年世界咨文》中呼吁扭转全球环境恶化趋势。报告中指出：许多政府在20世纪90年代经济繁荣时期，未能抓住扭转环境恶化的时机，“而在目前的政治气候和经济不稳定情况下，如果美国和其他西方国家领导人降低环境立法标准，或达不到关键的国际协议，那么几十年的进展将出现倒退。”

报告还指出，新的科学证据表明，许多全球性生态系统正处于危险境地。如今，北极冰盖已经变薄42%，全球27%的珊瑚礁已经消失，这些数字说明地球上一些关键生态系统正在恶化，而环境恶化又引发了更多的自然灾害。在过去10年，自然灾害造成的经济损失达6 080亿美元，比过去40年造成的损失总和还要多。扭转环境恶化趋势是项艰苦的工作，但许多事实证明人类可以采取积极行动，选择走更安全的可持续发展之路。如2000年12月122个国家通过协商同意严格限制几种有毒化学物质的生产等。

为保护海洋生态环境，美国哈佛大学和英国、加拿大等国科学家组成的国际研究小组，把全球18处栖息生物种类丰富的珊瑚礁群编成目录，并对3 225种鱼类、珊瑚和节肢动物的生存状况分析后，选定日本的冲绳周边、菲律宾、印度洋北部和红海等环境受破坏最大的10处珊瑚礁群，作为全球海洋最急需采取紧急保护措施的海域。

此外，美国政府制定了拯救珊瑚礁措施，包括：对美国在太平洋的珊瑚礁进行全面测绘和评估，建立珊瑚礁保护区的协调网络；实施协调一致的珊瑚礁监测计划，支持建立全球珊瑚礁监测网络；联邦政府、州政府等共同开展紧急救援珊瑚礁的行动。

日本建设省发表了“开发保护和治理河流技术五年计划”，把管理水循环、保护河流、水库和海岸生态环境等11项技术作为今后5年重点研究开发课题。

里海沿岸5国合作开展的里海环境研究项目目前已基本完成污染物取样和初步分析工作。该项目是由里海沿岸5国阿塞拜疆、伊朗、哈萨克斯坦、俄罗斯和土库曼斯坦于1998年联合开展的里海环境研究项目。该项目第一阶段的任务是对俄罗斯和阿塞拜疆水域的污染物进行了分析，于2000年完成。第二阶段的任务是在一些国家石油公司和其他机构的资助下，研究人员历时21天，对伊朗和哈萨克斯坦水域的总共62个点进行了污染物取样工作，并对当地的污染状况进行了初步分析，于2001年3月31日顺利完成。下一阶段的工作将根据以上取样的最终分析化验结果来制定新的行动计划。

瑞典政府于2001年设立“波罗的海水奖”，以鼓励为保护和改善波罗的海的海水水质作出贡献的个人与集体。据瑞典外交部介绍，“波罗的海水奖”奖金额为1万欧元，由瑞典有关方面专家评选，在每年8月中旬举行的斯德哥尔摩水节上颁布，波罗的海沿岸国家的任何个人、组织或政府机构都享有获奖的权利。第一届“波罗的海水奖”授予波兰的普拉奇水公司，以鼓励该公司为改善波罗的海的海水质作出努力。普拉奇公司采取了两方面的行动：一是在波兰一些主要河流建立清污厂，以清除流入波罗的海的河水中含有磷与氮等化学物质；二是清除波罗的海的沿岸城市入海口处的污染物。

赤 潮 灾 害

【概况】 2001年，世界上许多沿海国家都不同程度地遭受赤潮侵袭。8月下旬，韩国西南部沿海出现赤潮，此后，赤潮随风浪不断向东南部海岸蔓延。韩国的南部和东部沿海是海水养殖的集中地区。赤潮所到之处鱼类大量死亡，据韩国海洋与水产部统计，日均鱼死亡数量为23万条，截至8月30日，已有273余万尾鱼死亡，经济损失50亿韩元（约合391万美元）。韩国的养殖鱼类主要有鲷鱼、鲐鱼、鳕鱼、偏口鱼、鱿鱼等。赤潮灾害后，为减少渔民的经济损失，稳定水产品价格，韩国海洋与水产部投放大批农水产品物价稳定基金，并采取迅速收购渔民养殖的活鱼，急速冷冻后储存在当地的冷库中等措施。尽管这样，韩国水产品价格仍在一定时间内产生了很大波动。

2001年8月上旬，墨西哥尤卡坦海域发生赤潮灾害，一周之内，尤卡坦海域的浮游生物迅速增长，形成40余千米长的赤潮区，不仅严重威胁到沿海50余种海洋生物的正常生长，而且也给这个旅游胜地的旅游业和捕捞业造成很大损害。

同年的9月上旬，中美洲太平洋沿海地区遭受了严重的赤潮灾害，其中受影响最大的是哥斯达黎加、危地马拉和萨尔瓦多。据中美洲地区渔业和水产组织报道，哥斯达黎加的赤潮灾害严重，在北部瓜纳卡斯特沿海，贝壳类吸收的毒素指数是人类承受此类毒素的38倍以上。在中部沿海地区，贝壳类的毒素含量也大大超过限量。

危地马拉赤潮监控委员会在赤潮发生期间宣布全国海产业进入“红色戒备状态”，禁止捕捞、销售任何贝壳类海产品，同时告诫消费者不要食用虾头、鱼头及其内脏。

萨尔瓦多两大海产品生产基地均受到赤潮的严重袭击。萨政府除禁止在国内销售贝壳类产品外，也“暂时中止”从危地马拉进口任何海鲜产品。

据报道，这次赤潮是自1987年以来影响面最广、持续时间最长、经济损失最严重的一次，哥斯达黎加有51人中毒，经济损失超过150万美元。萨尔瓦多和危地马拉的渔业生产也损失惨重。为此，中美洲各国于2001年9月中旬在哥斯达黎加首都何塞召开紧急会议，共同商讨联合对付赤潮的办法。

海洋资源开发

【天然气水合物开发】 天然气水合物被公认为21世纪新型洁净高效能源。迄今已至少在全球116个地区发现了水合物，其中陆地38处（永久冻土带），海洋78处。按国家划分，其分布为：美国12处，日本12处，俄罗斯8处，加拿大5处，挪威、墨西哥、中国各3处，秘鲁、巴拿马、阿根廷、智利、印度、澳大利亚、新西兰、哥伦比亚各2处，巴西、巴巴多斯、尼加拉瓜、危地马拉、委内瑞拉、哥斯达黎加、乌克兰、巴基斯坦、阿曼、南非、韩国各1处，南极永冰带5处。

据统计，目前至少已有30多个国家和地区针对天然气水合物进行了调查研究，已经取得了重大发现和突破。美国是开展天然气水合物研究最早的国家，目前美国已将天然气水合物的勘探与开发纳入国家发展计划的经费投入达2 000万美元，计划到2015年实现商业性开采。

日本是资源匮乏的国家，早在1994年，日本能产省、地质调查局、加上10家石油公司共同组织参加了“天然气水合物及开发推进初步计划”，年投入3 000万美元（是美国的1.5倍），至今已在日本周边海域完成了高分辨率的地震调查和南海海槽的局部地区三维地震和大地热流测量等，并在加拿大西部进行了开采天然气水合物的实验，取得了成功。日本计划在今后10年开发实用技术，用于近海海底天然气水合物的开采。

加拿大在其西北部永久冰土带进行了钻探、调查，采取的37米岩心保留了天然气水合物层序互层的特征。其中，碎屑砂岩和砾石层孔隙度分别为32%～45%和23%～29%。

印度是发展中国家，它每年对天然气水合物的投入相当于9 000万元人民币。目前已分别在其东、西部近海海域发现了BSR（强烈反映层）。

韩国将天然气水合物研究视为其最为重要的研究学科之一。韩国商业、工业和能源部（M-OCIE）制定了天然气水合物长期规划，从2000年开始已在执行该规划调查和研究3阶段任务的第一阶段5年计划。其中，主要工作任务将是完成其管辖海域内的区域地球物理调查和评价。第二和第三阶段的更为详尽的计划在第一阶段工作成果的基础上确定。包括远景区的详尽调查、资源评价、技术开发、天然气运输和储存的各种经济的和安全生产的技术等等。

【海洋药物开发】 **生物工程开发** 海洋药物基因工程是指利用分离自海洋的有价值的药物基因或以产业化的海水养殖生物作为表达受体进行遗传操作，从而大量获得高产值的目标药物。根据基因和表达受体不同，主要有3方面：①自陆地的药物基因转入海洋生物中表达；②将海洋药物基因转入陆地微生物、植物或动物中表达；③将海洋药物基因转入海水养殖生物中表达。近年来国际上研究较深入的有海葵多肽毒素（Ap-A，Ap-B，Ap-C）。它们具有显著的强心作用，可增强心肌收缩力，并有降血脂、抗血凝、降低血液粘稠度、抑制血栓形成以及改善心肌梗塞、增强心肌收缩等作用，是治疗心衰的极有潜力药物。

海洋生物活性筛选 以生物筛选为引导，从海洋生物中寻找活性成分已成为筛选海洋药物的常规方法。以药物作用靶点如酶和受体作为筛选模型，使海洋药物筛选有了更高的特异性。此外，以基因作为靶点的筛选模型也大量出现，这种模型可提供药物作用机理等信息。利用计算化学、分子图形学等进行受体。酶或其他药物作用靶美的结构模拟，配体——受体复合物的结构模拟等方法将成为海洋药物研究的重要方法。

海洋生物药用资源产业化开发 目前，国际上许多大药业公司已投巨资用于海洋真菌与细菌的实验室及工业化大规模培养。研究的依据是海洋动植物中的80％以上活性成分被证明源于海洋微生物，海洋生物毒素生源学研究证明，绝大多数生物毒素源于低级海洋生物如藻类。因此，应用生物培养、DNA 重组、基因工程等技术可大量获得海洋生物活性物质。目前，Scripps研究所已收集3 800余种微生物，从中提取了35 000余种提取物，并对培养条件进行优化，培养出一批生物活性成分，已发现的微生物约150余万种，其中72 000种存在于陆地，而海洋微生物只研究了1 500种，故仍有大量的海洋真菌和细菌等待深入开发。最近该研究所的科研人员从加勒比海真菌Lyngbra majuscula中分得的Curacin A 是一种具有潜力的抗肿瘤剂，临床试验证明它对某些肿瘤有很高的抑制率。因此，海洋微生物是获得生物活性物质的新来源。现已证实许多海洋毒素如河豚毒素(tetrodo-toxin)、海葵毒素(Ap-A,Ap-B)、石房蛤毒素（Osaxitoxin）等的真正来源是海洋微生物。目前，科学家们已从海洋微生物如细菌、放线菌、真菌中分离出大量抗生素、抗病毒、抗肿瘤、酶类抑制剂。

海 洋 科 学

【大西洋环流和气候实验（ACCE）】 ACCE代表了世界环流实验(WOCE)的最新阶段。在ACCE实验期间，在大西洋南纬6°以北处布放了大约250个剖面浮标。这些浮标提供的数据用于以下研究：①上部海洋在驱动海表面温度变化中所起的作用；②在1 000米标准深度处的海洋中深度环流；③大西洋数种类型水域的形成。

ACCE 的实际目标包括：建立上层温度和盐度场的有效监测策略；为气候预报模型提供初始化和校验数据。迄今，模型研究人员已经能够通过全球电信系统以近实时的方式获得ACCE浮标的主要温度数据。他们将进一步评估这些资料在气候预报模型初始化处理和科学研究方面的价值，以及对现有的以现场测量和遥感方式进行的海洋监测策略方面的补充作用。将为在长期持续观测系统中使用漂流浮标的评估提供部分正反面的依据。

【全球海洋观测计划（ARGO）】 ARGO计划是由美国等国家大气、海洋科学家于1998年推出的一个全球海洋观测试验项目，旨在快速、准确、大范围收集全球海洋上层的海水温、盐度剖面资料，以提高气候预报的精度，有效防御全球日益严重的气候灾害给人类造成的威胁。

ARGO计划构想用3～4年时间（2000～2003年）在全球大洋中每隔300千米布放1个卫星跟踪浮标，总计为3 000个，组成一个庞大的ARGO全球海洋观测网。ARGO所利用的RALACE（自律式拉格朗日环流剖面观测）浮标的设计寿命为4～5年，最大测量深度为2 000米，每隔10天发送一组剖面实时观测资料，每年可获得多达10万个0～2 000米水深的温度、盐度和海流剖面测量资料。

ARGO的目标有如下几个方面：①ARGO可以对大洋上层的演变过程及海洋气候变化的形态进行详尽的描述，其中包括热量和淡水的贮存和输运；②ARGO数据可以通过对海面以下温盐垂直结构及参考层的流速测量来提升Jason高度计的使用价值，为解释高度计获得的海面高度的变化提供足够的覆盖范围和分辨率；③ARGO数据可应用于海洋及耦合预报模式进行初始化、数据同化及动力学模拟。

ARGO计划尽管发起的时间不长，但发展速度惊人。2000年6～10月间，美国和澳大利亚率先在东印度洋（9个）和东太平洋（12个）施放了21个PALACE浮标，从而正式拉开了ARGO全球海洋观测网建设的序幕。日本计划在2001年和2002年分别在西北太平洋、印度洋和南大洋投放150个剖面浮标。韩国计划从2001年起每年布放50个剖面浮标，布设区域为韩国附近海域和西北太平洋。

参加ARGO计划的国家有美国、英国、德国、法国、加拿大、澳大利亚、新西兰、欧共体、日本、韩国和印度。

ARGO计划已经引起全世界范围的广泛关注和

支持，它将使长期、自动、实时和连续获取大范围深层海洋资料的理想有可能变成现实，将从根本上弥补目前天气预报中对海洋内部信息缺少了解的局面，从而大大提高天气预报的准确度。

【全球赤潮生态学与海洋学研究计划(GEOHAB)】 GEOHAB 计划是由联合国海洋科学委员会（SCOR）和政府间海洋科学委员会（IOC）共同支持的国际赤潮研究计划。其主要使命是培育具有相同或相似特征生态系统之间的比较关键的赤潮藻和影响其种群动力学过程的国际间的合作研究。其总体科学目标是：加强赤潮生物学、赤潮化学、赤潮物理学的综合研究，阐明赤潮藻种群动力学机制，提高和改善赤潮的预报能力。

GEOHAB的主要任务是：协调有关国家及区域性和全球性的赤潮研究合作计划，包括发展一些科学方法和资源共享，更有效地使用资源如研究船只、协调和资料管理的标准化，从而进一步进行研究结果的整合与全球合成。GEOHAB计划在多种层次上进行全球性大规模、多学科的联合研究，包括协调和统一一些具体过程的实验室研究方法。GEOHAB将协助不同国家具有不同科学背景的科学家们一起进行技术、概念和发现的交流，这些步骤将通过组织正式或非正式的研讨会、工作小组或合作小组的形式来实现。

GEOHAB计划的实施方法主要是从细胞到生态系统水平上的比较研究，通过对赤潮生物种类及其受影响系统的比较研究，揭示赤潮生态学和海洋学的奥秘；以生物、化学和物理过程的重要相互作用作为焦点，培育多学科在广泛尺度上的联合攻关，围绕全球性赤潮问题，通过运用统一的方法，进行比较研究，识别引发赤潮发生机制和基本过程的异同点，对于具有相似赤潮生物种类和水文状况的生态系统，改进研究模式无疑会有助于对某些特殊赤潮种类的生长和累积进行预测。

GEOHAB确定了计划的5个组成部分作为优先研究项目，这5个部分包括：关键赤潮藻的分布和多样性变化；赤潮和富营养化；赤潮藻的适应策略；赤潮的生态学过程；赤潮的观测、建模和预测。 （于保华）

【美国天然气水合物国家研究和开发计划】 天然气水合物是天然气资源的一个潜在的重要组成部分，是一种清洁能源，也是一种可靠的能源。天然气水合物已经成为全世界研究能源和全球气候变化的一个重大课题。迄今为止的研究基本上都是为了探明世界天然气水合物的储量，并寻找一种实用的、环境上安全的开发和使用这种丰富资源的技术和方法。美国很早就进行了这项研究，能源部化石能源办公室从1982年起就组织进行了一项为期10年的研究项目，每年投资100万美元。这项研究计划虽于1992年结束，但美国地质调查局、海军研究所以及一些大学仍然在继续这方面的研究。

“天然气水合物国家研究和开发计划”由美国能源部和地质调查局、海军研究所以及国家实验室共同制定并于1999年开始实施，当年拨款500万美元，2001年拨款1 100万美元，2003年将增至1 200万美元。为集中各方的研究力量，专门成立了由来自有关大学、工业界、政府部门、国家实验室和国家科学基金会的人员组成的研究小组，联邦政府对各方的研究进行协调和综合。他们将研究的重点放在开发天然气水合物技术和经济可行性方面，目的是：

(1) 建立一个设计良好的关于资源、生产、海底稳定性、安全、环境-气候要素的数据库；

(2) 到2010年，消除开采天然气水合物的技术障碍；

(3) 致力解决工业界在这种环境中生产的安全问题；

(4) 到 2015 年为商业生产天然气水合物提供指导；

(5) 保证国家能源安全；

(6) 使美国在全球能源市场上占有重要位置。

这项计划的首要任务之一，就是由能源部、地质调查局、海军研究所、国家实验室、大学联合体、工业界对美国沿海和世界范围内的天然气水合物的生产潜力进行评估。据初步估计，该资源的储量十分巨大，在10万～20万万亿立方英尺之间。进一步研究可能有助于将二氧化碳气体生成二氧化碳水合物进行转贮，以减少这种气体对环境的危害。

任务 能源部与其合作者将加快制定最大程度地提高国家运输和使用从天然气水合物中生产的天然气的能力，从而促进经济增长、加强国家安全、改善环境的政策。通过对各种设计方案的研究和分析，确定一种将为21世纪的能源市场带来一场革命的从天然气水合物中开发天然气的技术和方法。

展望 能源部制定的这项国家天然气水合物研究和开发计划，将使美国能够安全经济地从天然气水合物中生产天然气，并评估这种资源对全球碳循环系统的影响。

计划的总体目标和战略 对全球天然气水合物开发研究的总体目标是评估和了解天然气水合物的蕴藏地点，以便对此进行商业性开发。要达到这一总体目标，首先要：①确定天然气水合物的分布范围；②估算潜在储量；③开发勘探和生产技术。

计划的研究开发(R&D)项目 该项目将通过研究、开发、对天然气水合物的开采技术的试验来发展勘探和生产技术。研究开发重点将放在有助于未来能源供应安全的特别技术和方法上。天然气水合物的巨大资源潜力，说明冒高风险研究开发这种资源的突破性技术是值得的。

目前的任务是如何使当前的技术水平达到计划的总体目标所要求的水平。研究开发项目设计了4个研究框架：①天然气水合物的定性；②生产；③全球碳循环；④安全和海底稳定性。这4个研究领域将共享数据、理论和成果。数据收集、实验室试验、模式设计和现场验证都将平行进行。

该计划的研究开发项目将选择重点区域进行。北极的阿拉斯加海岸将是首选目标地，因为此处已进行了很好的测井和生产试验。近岸作业和利用现有的工业基础结构不仅可以降低成本，而且也可以降低风险。第二个目标地是墨西哥湾的近海，最近在该处的天然气水合物富集区进行的常规作业，刺激了对天然气水合物风险分析和减灾技术发展的兴趣。选择这一区域，还因为该处有大量的地震和测井资料。全球碳循环和海底稳定性研发重点将放在美国东西海岸的近海，以充分利用这些地区的海洋学研究成果和经验。

研发工作的重点将首先放在资源的定性方面。随着研发工作从实验室走向现场，生产资金也将逐步增加。全球碳循环、安全和海底稳定性的研究也将有可靠的资金保证，以满足近期和长期的研究需要。（*大洋矿产资源开发研究协会　毛　彬*）

【水下探测技术】 美国国家海洋大气局在加勒比海建造了新型水下研究中心。该中心实际上是一艘水下潜水器，长约13米，宽4米，高5米，能容纳6人。潜水器内分成生活间、实验室和电子计算机房3部分。在潜水器中通过摄影设备，可真实地反映出海洋生物和海底的全部景象。潜水器与海面的母船相连结，在万一发生事故引起断电、缺氧的情况下，潜水器里的紧急生命维持系统可供使用72个小时。

该潜水器将用于研究鱼群、海底构造以及水下工程等。借助于它，科学家可以对海底进行不受时间限制的长期考察。在最近一次考察中，科研人员研究了氧气对海底生物的作用。这一潜水器现已被安放在美属维尔京群岛附近海域。因这一带水下环境丰富多彩，水温较高，有利于科研人员在此常年连续工作。

日本政府2001年初决定用10年时间开发续航能力达1 500千米的鱼雷型深潜器。该深潜器将装有能承受350个大气压的燃料电池，可以在3 500米深海处潜行。在此之前，同类型的无人驾驶深海勘探机器人“浦岛”号已于2000年3月由日本海洋科学技术中心研制成功。“浦岛”号以锂电池作动力，能够在3 500米深海底以每小时5～6千米的巡航速度航行与作业，续航能力仅百余千米。新的开发计划是要在“浦岛”号的基础上实现高技术化，即用以氢气为燃料的大功率燃料电池，最终把续航能力提高到1 500千米，并且将配置高灵敏度、连续摄影的数码相机和声呐断层摄像装置，以便准确地勘察海底地形，接近海底火山等危险区域。

俄罗斯最近研制的新型深潜器“罗斯”可在水下6 000米工作。“罗斯”可在水下行进速度为每小时6千米。执行搜寻沉没的物体和完成其他复杂的水下作业并在完成任务后能够自动回到释放和启动它的水上舰船和辅助船上。该潜器目前正在俄罗斯重要的海军基地波罗的斯克进行。

澳大利亚研制的新型水下潜器可以在水下两米处随洋流漂浮，每隔10天通过卫星向澳大利亚科学院提供一次海洋资料以及预测雨量和环保方面的情况。由于采用了新的技术。这种潜器可以深入探究洋流改变在长短期内对天气的影响，并向科学家提供海洋吸纳温室效应热量的情况以及辨认干旱、洪水和海洋生物环境系统的资料。目前澳人利亚科学院正在澳大利亚西部海岸水底设置了10部这类海洋机器人。（于保华）

图书在版编目（CIP）数据

中国海洋年鉴. 2002 / 《中国海洋年鉴》编纂委员会编.
—北京：海洋出版社，2003.7
ISBN 7-5027-5885-2

Ⅰ. 中… Ⅱ. 中… Ⅲ. 海洋—中国—2002—年鉴
Ⅳ. P7-54

中国版本图书馆 CIP 数据核字（2003）第 044497 号

2002 ZHONGGUO HAIYANG NIANJIAN
海洋出版社 出版发行
http: //www.oceanpress.com.cn
（100081 北京市海淀区大慧寺 8 号）
正文印刷：国家海洋信息中心印刷厂
彩色印刷：廊坊市锦华印刷有限公司
2003 年 7 月第 1 版 2003 年 7 月第 1 次印刷
开本：787mm×1 092mm 1/16 印张：37.5（插页：50 页）
字数：1 080 千字 印数：1～2 500 册
定价：160.00 元

国家海洋局第一海洋研究所

所长：袁业立院士

国家海洋局第一海洋研究所是国内一流，国际知名的基础研究与公益服务研究并重的综合性海洋研究所。由3个省部级重点实验室、2个所级重点实验室、3个研究中心、1个信息中心和1个海洋勘察设计研究院组成。拥有4个硕士学位授权点和1个合办博士学位授权点。与科技部续签了“科技体制改革试点任务书”。有院士3人、博导16人。设有所管理指导委员会并召开了三届一次会议。全年在研项目238个，完成项目121个。2001年与青岛海洋大学、中科院海洋所和黄海水产所共同组建“青岛国家海洋科学研究中心”。

海洋一所主办的国际会议

海洋一所又一部级重点实验室成立

2001年6月科技部副部长邓楠参观国家海洋局第一海洋研究所的部级重点实验室

国家海洋局局长王曙光和副局长倪岳峰等视察二所

国家海洋局第二海洋研究所创建于1966年，是一座享誉国内外、学科齐全、科技力量雄厚、设备先进的综合型公益性海洋研究机构。主要从事中国海及大洋、极地海洋环境与资源的调查、勘测、预报和应用基础研究。具有与国际接轨并跻身于世界先进行列的海底探测技术和海洋环境调查技术、很强优势的海洋遥感技术与海洋动力过程研究能力；具备为海底、海上和海岸等工程进行选址、勘测、设计、环境质量评价、数值模拟与预测预报能力。在海底探测、海洋地质与地球物理、海洋遥感、物理海洋、海洋环境、海洋工程和海洋产业等方面形成了一支稳定的科技队伍和一批在国内外有影响的造诣颇深的学术带头人。建有两个国家海洋局重点实验室，注重海洋基础性科学研究。主编出版海洋综合性学术期刊《东海海洋》。

国家海洋局第二海洋研究所

所长：张海生研究员

潘德炉院士在实验室工作

电话：(0571)88076924
传真：(0571)88071539
网址：www.sio.org.cn
Email：SIOSOA@mail.hz.zj.cn

金翔龙院士与来华访问的美国自然科学基金会海洋部主任Bilal Haq博士洽谈合作事宜，并就该所代表中国加入InterMARGINS的具体问题进行了磋商

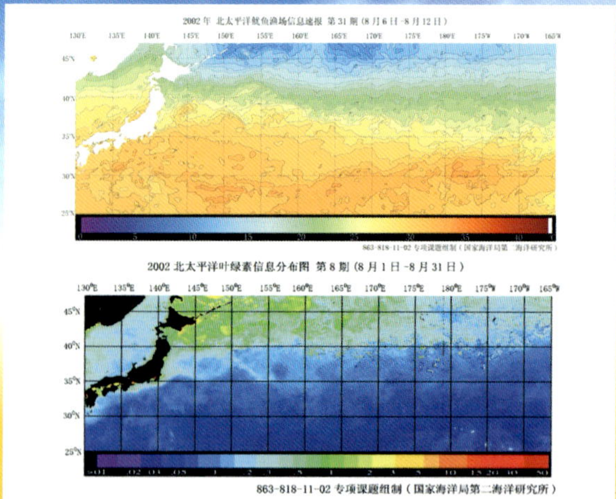

国家863计划成果之一：北太平洋鱿鱼渔场环境信息的获取、传输、处理和分析

由中国海洋学会、美国国际光学工程学会、日本TOHOKU技术研究院主办，国家海洋局第二海洋研究所承办的“2002国际亚太环境遥感学术大会”于2002年10月23日～27日在杭州召开。国家海洋局第二海洋研究所苏纪兰院士为大会总主席，国家海洋局局长王曙光到会讲话。图为苏纪兰院士在大会主席台上（自左向右为陈述彭院士、苏纪兰院士、美国国际光学工程学会前主席）

2002年10月22日，由美国航天局（NASA）副局长Ghassem Asrar和美国海洋大气局（NOAA）副局长Gregory W·Withee以及美国光学工程学会（SPIE）主席Theodore T·Saito等官员和科学家组团访问二所并进行学术交流

海洋生态环境科学与工程
国家海洋局重点实验室

主要研究方向

- 河口－近海系统陆海相互作用规律及生态环境效应
- 海洋环境污染与生态退化机制及其调控与修复技术
- 赤潮生态学及其灾害机理
- 浮游生态系统动力学
- 海洋生态系统健康与服务功能及其海洋管理

实验室介绍 海洋生态环境科学与工程国家海洋局重点实验室是一个以海洋生态系统、海洋环境和海岸带为研究对象的综合性实验室。实验室将紧紧围绕海洋环境污染、生态系统退化、海岸带灾害及全球变化负效应等前沿热点问题开展应用基础理论和工程技术开发研究。

实验室主任：丁德文院士

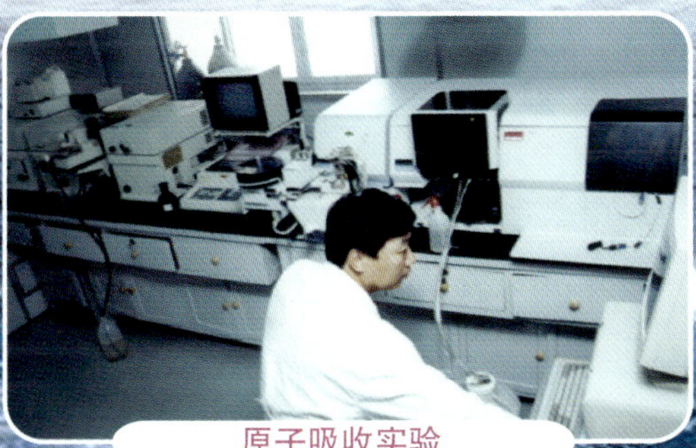

原子吸收实验

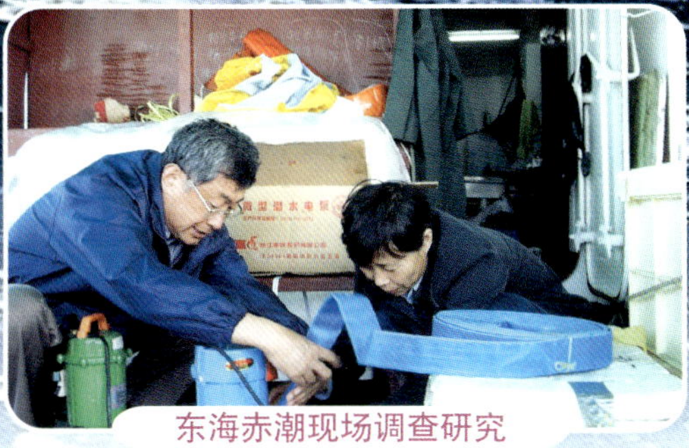

东海赤潮现场调查研究

主办国际原子能机构会议

主要研究课题与成果

近年来，完成重点课题和项目几十项，出版专著15部，发表学术论文300多篇，获海洋局科技进步奖8项，获农业部科技进步奖1项。

目前正在进行的课题包括：973（首席科学家）1项、973课题3项、国家自然科学基金重点项目1项、863项目2项、重大国际合作2项、十五攻关课题1项、国家自然科学基金面上项目10余项、海洋局重点项目多项、省市等地方攻关多项。

人／才／培／养

已培养博士研究生5名，硕士研究生15名；在读博士11名，在读硕士12名。

安德拉海流计

安德拉波潮仪

SIMRAD
HPR410
超短基线水下定位系统

C2C 海底光缆系统香港段
路由勘察合同签字仪式

工程院吴桑云同志被评为山东省优秀共产党员

青岛海洋工程勘察设计研究院

青岛海洋工程勘察设计研究院(简称工程院)2001年根据建设部资质换证和深化科技体制改革的精神，完成了企业工商注册。同时完成了ISO9001:2000版转版认证工作，成为国内勘察企业中最早实现由94版到2000版转版的单位之一，在质量管理工作上又上一新台阶。

一年来工程院科研开发工作保持了稳步发展，相继承担了C2C上海段、东亚2号香港段以及中国联通的区域海底光缆路由调查，并首次参与中海石油公司渤海海洋石油井场及管道路由勘察项目。全年完成合同额2 300万元。同时还承担了国家重大项目703、国家专项以及全国省际划界等指令性科研工作。同时，在2000年的基础上又投入300多万元购置设备，进一步充实了工程院仪器设备，拓宽了开发领域。

年内工程院获建设部工程勘察金奖1项，银奖1项；获山东省科学进步一等奖1项；获青岛市优秀测绘工程一等奖1项，三等奖1项。

国家卫星海洋应用中心揭牌仪式

国防科工委副主任、
中国航天局局长栾恩杰（左）
国家海洋局局长王曙光（右）

国家卫星海洋应用中心

国家卫星海洋应用中心是隶属国家海洋局的事业单位，她的前身是1996年5月国家海洋局成立的海洋卫星总体部，2000年9月中编办批复同意成立国家卫星海洋应用中心。2001年11月18日中心正式挂牌，重点负责拟订海洋系列卫星及其应用研究的规划，管理海洋卫星遥感业务及其应用的技术工作，负责海洋卫星地面应用系统建设和管理等工作。

现有正式职工52人，其中高级职称11人，中级职称12人，博士3人，硕士11人。

国家卫星海洋应用中心自成立以来，主要开展HY-1卫星地面应用系统建设工作，现已建成由北京、三亚地面站和北京数据处理中心构成的，具备接收、处理、存档、产品分发、通信、运行控制、辐射定标与真实性检验和应用示范功能的卫星应用系统，该地面应用系统于2001年运行正常。

HY-1卫星于2002年5月15日上午9：50分在太原卫星发射中心由长征四号乙运载火箭(CZ-4B)发射成功，HY 1卫星地面应用系统开始进入业务化运行，目前HY 1卫星地面应用系统运行正常。

国家卫星海洋应用中心在承担建设HY-1卫星地面应用系统的同时，还承担了国防科工委卫星应用项目、国家“863”计划和中国载人航天民用遥感器数据处理系统等相关课题，并开展了HY-2卫星用户需求和预研工作。

浙江海洋学院

浙江海洋学院是1998年由创建于1958年的原浙江水产学院和建于1978年的原舟山师范专科学校合并成立，2000年7月和9月舟山卫生学校和浙江水产学校先后并入，2001年6月浙江省海洋水产研究所成建制进入，2002年9月由中国石化总公司主管的舟山石化学校并入。浙江海洋学院是中国内地第三所也是浙江省唯一一所以海洋冠名的省属本科院校。学校占地面积100余公顷，教职工900余人，全日制在校生近8000人。现有院士1人，副高级职称以上教师200余人，其中浙江省中青年学科带头人6人，浙江省“151”第二层次人才7人，享受国家政府特殊津贴18人。

浙江海洋学院坚持以提高人才培养质量为中心，以科技创新和学科建设为龙头，以师资队伍建设为重点的办学指导思想，积极探索产、学、研一体化的办学模式。目前学校设有工程学院、渔业学院、海洋科学与技术学院、管理学院、信息学院等11个学院和3个直属系；设有海洋科学、海洋技术、海洋渔业科学与技术、船舶与海洋工程、水产养殖、农业资源与环境、食品科学与工程等22个本科专业和渔船轮机技术与管理、石油与天然气储运等地方经济急需的高职专业，形成了以浙江省海洋水产研究所暨浙江海洋学院海洋与渔业研究所、海洋科学研究所、渔业科学研究所、船舶与机电工程设计研究所、海洋文化研究所、海洋经济研究所、深水网箱养殖工程研究中心、浙江省远洋渔业培训中心、海洋管理培训中心和中国石化销售公司舟山职工培训中心等12个科研和培训机构为依托的海洋类学科建设体系。有“捕捞学”、“海洋生物学”、“渔业资源”、“旅游管理”等9个省、校级重点学科。学校重视教学改革，注重科学研究和技术推广，坚持走产学研相结合的开放式办学路子，积极为地方经济建设和社会发展服务，其中“深海抗风浪网箱研制”项目2001年被列入国家“十五”“863”计划。1978年以来，包括浙江海洋学院海洋与渔业研究所（浙江省海洋水产研究所）在内该校科研成果先后获国家和地方科技成果奖100余项，其中国家级奖8项，省部级科技进步奖47项。目前还承担着国家专项课题“东海虾蟹资源调查”、国家教育部重点项目“深水网箱养殖海域环境保护技术研究”、国家外交部为划界设立的“东海渔业资源调查状况和合理利用对策研究（浙江部分）”和浙江省重大科技攻关项目“深海抗风浪网箱及高效养殖技术”等31项重大课题的研究与调查。

学校积极开展对外合作和交流，先后与多所国内高校、科研机构实行了多形式的联合办学，与日本、加拿大、德国、韩国等国外的高校和科研机构建立校际交流关系。

21世纪是海洋的世纪，开发海洋，教育先行。浙江海洋学院肩负着培养海洋开发人才、振兴海洋科教事业的神圣使命。目前学校正不断弘扬“海纳百川、自强不息”的校训精神，全力实施以“扩大规模、提高质量、增强实力、办出特色”为主题的新一轮创业，规划到2005年前后把浙江海洋学院办成一所以海洋为特色，海洋科学、水产、海洋与船舶工程为重点，理学、农学、工学、文学、管理学、教育学和医学等多学科相结合，规模、结构、质量、效益协调发展的省属万人大学。

浙江海洋学院大型抗风浪深水网箱养殖基地

由浙江海洋学院控股的浙江大海洋科技有限公司深水网箱设备制造基地

浙江海洋学院校园一角

河海大学交通与海洋工程学院

河海大学是教育部直属的以水利为特色，工科为主，理、工、经、管、文、法多学科协调发展的全国重点大学。交通与海洋工程学院是河海大学的传统特色学院之一，由创建于50年代的水港系和海洋水文系等历经50年建设与发展整合拓建而成。现设水道与港口工程系、海洋技术与科学系、交通运输与工程系、船舶与海洋工程系等4个系，海岸及海洋工程研究所、风暴潮灾害研究所等2个研究所，河口海岸工程实验中心，港口航道工程实验中心等2个实验中心。

学院现有院士2名，教授13名，副教授23名。教师中具有博士学位的占40.4%，大批中青年学术骨干脱颖而出，成为教学、科研的骨干。已为交通、海洋等部门培养专门人才5000余名，目前在读博士生50名，硕士生151名，本科生1300余名。港口、海岸及近海工程学科具有博、硕士学位授予权，物理海洋学学科、交通运输规划与管理学科具有硕士学位授予权。港口、海岸及近海工程学科是学院的优势学科，1994年成为江苏省“九五”重点学科，1996年成为水利部重点学科，1997年成为国家“211工程”重点建设学科，2000年获准设立长江学者奖励计划特聘教授岗位，2002年再次被评为江苏省“十五”期间重点学科。

中共中央政治局常委、国务院副总理李岚清视察该院河口海岸实验室，该实验室拥有多功能综合水池，可模拟多向不规则浪、潮、流的综合作用

学院在涉海研究领域所开展的主要研究方向和取得的代表性成果有：①在河口与浅海动力学研究方向，承担国家自然科学基金重点项目“黄海海底辐射沙洲形成演变研究”，主要完成的“长江口拦门沙航道演变规律与深水航道整治方案研究”获1999年度交通部科技进步一等奖，负责完成的“厦门湾海床演变及航道回淤综合分析研究”获2001年度中国高校科技进步二等奖；②在灾害性海洋动力过程研究方向，负责完成的“水利系统天文潮及风暴潮数值预报模型”获1995年度水利部科技进步一等奖、1996年度国家科技进步三等奖，国家防汛抗旱总指挥部已将该模型作为汛期沿海风暴潮水情预报作业软件；③在海洋界面物理过程研究方向，围绕非线性随机理论描述波动特性，完善了非线性不规则随机波的理论表达式，分析了非线性随机模拟波与天然海浪的特性，以及非线性随机波与海工建筑物相互作用的波动能量随频率方向分布规律及和频、差频等频散效应；④在海岸带环境规划与管理研究方向，负责完成的“中国海岸带和海涂资源综合调查研究”获1992年度国家科技进步一等奖，“江苏省海岛资源综合调查”获1995年度江苏省科技进步二等奖；⑤在港口海岸及近海工程研究方向，负责完成的“大亚湾核电站港口及取排水口布置方案研究”获1992年度国家科技进步一等奖。

1990年以来，承担“中国海岸带和海涂资源综合调查研究”、“大亚湾核电站港口及取排水口布置方案研究”等国家重大项目5项，国家自然科学基金及科技攻关项目32项，28项研究成果获国家及省部级科技成果奖，其中3项获国家科技进步一等奖。出版各类教材及著作16部，发表论文500余篇。

面向21世纪，学院将不懈攀登，奋力前行，为我国海洋事业的发展做出新贡献。

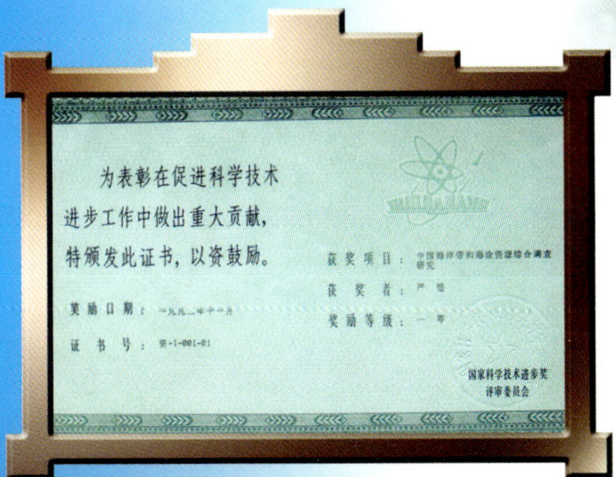

为表彰在促进科学技术进步工作中做出重大贡献，特颁发此证书，以资鼓励。

获奖项目：中国海岸带和海涂资源综合调查研究

获奖者：严恺

奖励等级：一等

奖励日期：一九九二年十一月

证书号：[illegible]

国家科学技术进步奖评审委员会

“中国海岸带和海涂资源综合调查研究”项目，获1992年度国家科技进步一等奖，该院两院院士严恺教授任领导小组成员兼技术指导小组组长

国家海洋局第三海洋研究所

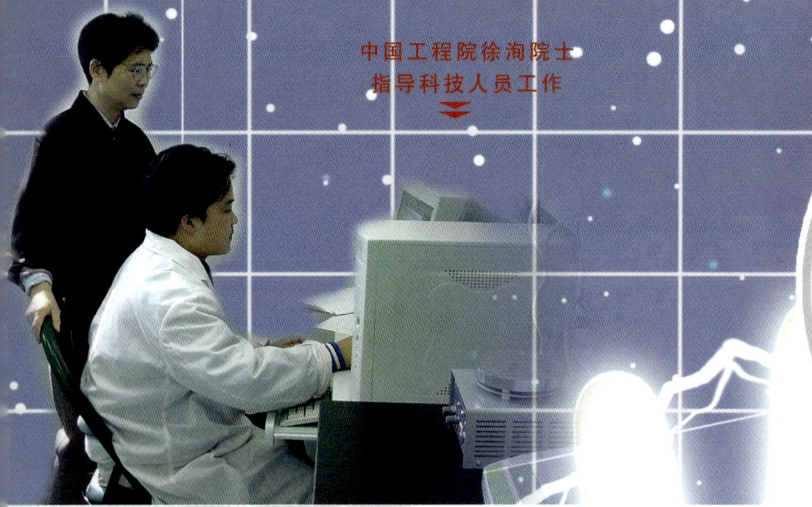

中国工程院徐洵院士指导科技人员工作

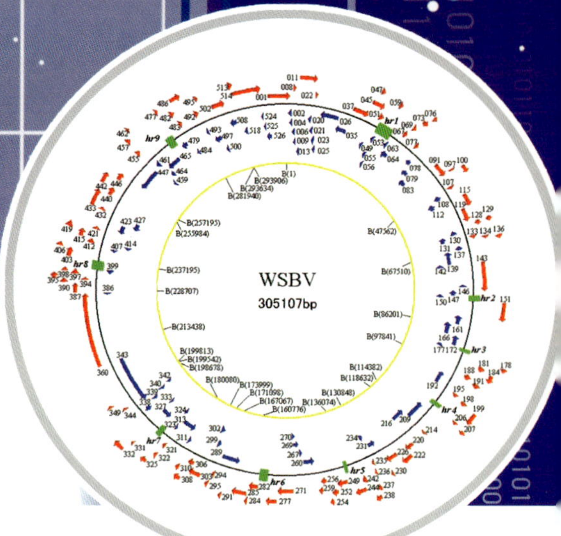

对虾白斑杆状病毒(WSBV)基因组结构图谱

地址：厦门市大学路178号　　邮编：361005

电话：(0592)2085831　　传真：(0592)2086646

国家海洋局三所所部

国家海洋局第三海洋研究所系公益性综合型海洋研究机构，成立于1959年，是国务院学位委员会第二批批准的硕士学位授予单位，拥有中国工程院院士1人、教授级科技人员44人、博士、硕士 75人。1997年5月国家科委公布的全国百强综合性研究所中，名列综合实力第69位，运行绩效第76位。

该所设有国家海洋局海洋生物工程重点实验室、国家海洋局海洋－大气化学与全球变化重点实验室、中国大洋生物基因研究开发基地等4个重点（开放）实验室和6个技术研究中心。

该所持有《中华人民共和国计量认证合格证书》、《海洋工程设计证书》（甲级）、《建设项目环境影响评价证书》（甲级）、《海域使用可行性论证资格证书》（甲级）、《环境工程设计证书》（乙级）。

近三年来，该所承担了国家攻关、国家攀登计划、国防建设专项、国家“863”计划、国家“973”计划、福建省重大科技计划等200多项科研任务。在世界上率先完成了对虾白斑杆状病毒基因组全部密码的破译和分析工作，该项成果于1999年和2000年连续入选中国十大科技进展新闻。

该所积极为福建省和厦门市经济建设服务，近几年来完成了400多项技术服务项目，是福建省内最具实力的海洋科研与技术服务单位。

中国大洋生物基因研究开发基地揭牌仪式

1 揭阳贝类特产西施舌。目前，揭阳市西施舌护养增殖自然保护区面积1 086公顷。

2 揭阳神泉渔港休渔渔船整齐停泊。2001年全市拥有海洋捕捞机动渔船1 819艘，捕捞产量6.5万吨。

3 揭阳海水产品加工业朝多样化、规模化方向发展。全市海水产品加工量2.7万吨。

广东省揭阳市海洋与渔业局

发展中的揭阳特色渔业

揭阳市位于广东东翼，具有明显的区位优势，是全省14个沿海市之一。拥有海岸线长82千米，海域(渔场)面积9 300平方千米，-15米等深以浅面积2万公顷，内陆水域1.73万公顷，滩涂面积0.17万公顷。渔业资源丰富，发展特色渔业十分有利，发展潜力巨大，前景广阔。2001年，揭阳市已初步形成适应市场需求、渔业特色经济比较明显的发展格局。主要表现在：一是贯彻以养殖为主，养殖、捕捞、加工并举的渔业发展方针，生产规模进一步扩大，生产能力显著提高，结构调整初见成效，特色渔业逐步走上规模化、基地化、集约化的发展路子。2001年，全市水产品总产量134 339吨，其中，优质鱼总产量83 290吨，占62%，海、淡水养殖面积10 926.6公顷，其中，淡水养殖9 314公顷。揭东白塔1万亩商品鱼养殖基地，地都1万亩青蟹养殖基地，惠来1万亩对虾养殖基地，1万亩浅海滩涂贝类增养殖基地，1万立方米水体工厂化鲍鱼养殖基地等5个养殖基地建设步伐加快，促进了鱼、虾、蟹、贝等特色渔业的快速发展。全市拥有2 061艘渔船，19 363吨位，总功率70 094千瓦。2001年捕捞量6.5万吨，实现海洋捕捞产量负增长。全市已有水产品加工企业295家，年加工量3万吨以上，水产冷库30座，冷藏能力2 752吨/次。二是良种良法广泛推广，渔业产业化经营水平和产品档次明显提高。目前，优势产品有罗非鱼、淡水白鲳、青蟹、甲鱼、鲍鱼、对虾、鲷鱼、鲻鱼、大闸蟹等，水产良种率达到62.3%(含混养)。揭东县的“青屿蟹”、鲻鱼，惠来县的鲍鱼、对虾，普宁市的淡水白鲳，都有较高知名度。以揭阳市丽仕食品有限公司、广东佳隆食品股份有限公司为代表的水产品加工企业瞄准国内外市场的发展方向，不断扩大生产规模，开发新产品，提高产品档次和质量，实现生产、加工、销售一体化。丽仕食品有限公司生产的水产品加工品通过欧盟认证和美国FDA检查，开通揭阳市水产品加工企业出口欧美发达国家的绿色通道。广东佳隆食品股份有限公司是全省24家渔业企业龙头企业之一，突破巴西鲷淡水鱼加工项目，发展前景广阔。三是服务性、配套性渔业基础设施逐步建立和完善。全市五大渔港按计划完成整治任务，发挥了渔港的功能作用。市、县、乡镇水产技术推广网络逐步建立和完善，水产种苗工程建设继续推进。一批生产实用先进技术和新的养殖方式广泛应用于生产，引进和推广了名、特、优新品种30多个，全市淡水鱼苗场25个，面积74公顷，年育苗20亿尾，海水育苗场(培苗室)47个，1.5万立方米水体，年繁育各种种苗10亿尾。饲料厂6座，年产人工配合饲料2万吨。以主产区和主销区为主的水产品初级市场8个，年交易量8万吨。四是渔业资源保护和管理进一步加强，走上可持续发展轨道。通过控制捕捞强度，打击电、毒、炸等违规作业，保护了渔业资源。组织和实施伏季休渔，增殖放流，保护了一批名贵经济鱼类，取得了较好的社会效益、经济效益和生态效益。特色渔业的迅猛发展，渔业产业化进程的加快，促进了农村经济的发展，改善和提高了人民群众的生活质量，增加了渔农民的收入。2001年，全市渔业总产值8.43亿元，占全市农业总产值12.5%。渔民人均纯收入4405元，大批农民通过发展渔业生产，收入普遍提高1/3以上。

“十五”时期，揭阳市将以“三个代表”重要思想为指导，围绕渔区稳定、渔业增效、渔农民增收的总目标，努力推进传统渔业向现代渔业的转变，加快发展特色渔业，将渔业做大做强。

广东省徐闻县海洋与渔业局

徐闻县位于中国大陆最南端，与海南岛隔海相望，是广东省西部地区的一个重点渔业县。2001年全县渔业产值75 851万元。该县海岸线长达372.3千米，海滩涂平坦辽阔，海区水质优良，污染小，属南亚热带气候，光照时间长，年均气温达24℃，年均水温24.64℃，年均盐度31.58，是海水养殖的最佳海区。

该县现有虾塘3 260公顷。养殖品种有：班节对虾、南美白对虾、日本对虾等。2001年成品对虾产量8 000余吨。活鲜虾通过海、陆、空畅销全国各地。成品虾经加工成凤尾虾、虾仁、除头虾、冰冻虾、急冻虾后，出口日本、韩国、美国、西欧等国家及香港、澳门特别行政区和台湾省等地区。

珍珠养殖也是该县海洋经济的一大支柱。年产优质珍珠14吨，该县产出的珍珠珠层厚，光质明丽，深受美国、韩国、日本、西欧及东南亚等国珠宝商青睐，被冠称为“南珠”。

墨西哥湾扇贝、文蛤、翡翠贻贝等优质贝类养殖现已发展到3 294公顷。现在该县的海水养殖业已逐步形成产业化。

近海珊瑚礁群更是徐闻一绝。位于该县西部海区，绵延几十千米，面积达2万多公顷，种类近70多种的自然珊瑚礁群，是我国大陆近海面积最大、种类最多、保护最完好的珊瑚礁区。五颜六色、千姿百态、形状各异的珊瑚礁，还有那些恋礁鱼类，形成了一道亮丽的海底风景线，吸引了不少国内外游客到徐闻观礁旅游。

赭色海底柏

粗野鹿角珊瑚

石松鹿角珊瑚

东莞市海洋与渔业局

1

1 内强素质　外树形象

2

2 增值放流　保护资源

3 依法行政　文明执法

3

4 依靠科技求发展　强化管理求效益

迈向现代化的东莞海洋产业

东莞市位于广东省南部，珠江三角洲东北部、北距广州50千米，南离深圳90千米，水路至香港47海里，是粤港澳经济走廊的中心地带，拥有海岸线115.94千米，主航道岸线53千米，5米等深线内的浅海滩涂面积4 500公顷，全市有6个临海镇。东莞市海洋具有资源优势、区位优势、科技优势和总体经济实力优势。港口建设、海水养殖、海洋捕捞、滨海旅游、滨海工业等全面、协调发展。建设中的虎门港区建成2 000吨级至35 000吨级泊位11个，设计能力600万吨。年出口量连续7年位居全国大中城市第三位。到2010年，东莞市将建成以国际加工制造业基地、高新技术研究开发基地和外贸出口基地为基础的具有国际水平的工业、贸易、港口城市。

4

深圳市海洋局

西涌海滨

油气码头

现代化的盐田集装箱港

集约化无公害水产品生产基地

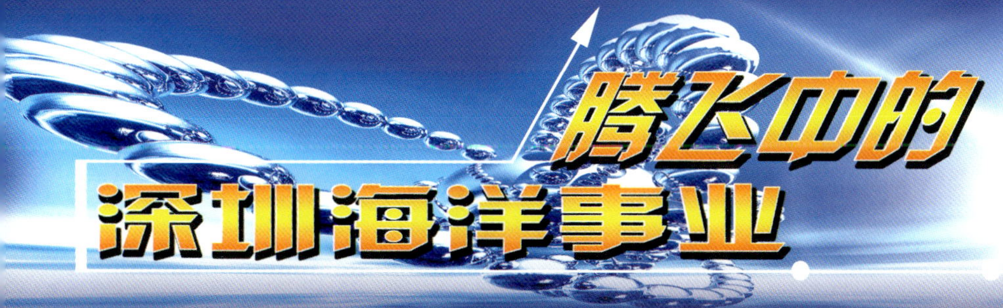

防城港市海洋局

发现全国稀有大叶藻

全国20个主枢纽港之一，"防城港一角"

查处违法淘矿行为

夕阳下的养殖基地

全国最大的连片红树林，"茂密的海底森林"

海洋环境监测

联合执法讨论

防城港市海洋局是我国大西南惟一沿海沿边的地级市海洋行政主管部门，成立于1998年，其前身是1993年成立的防城港市海洋管理办公室，负责监督管理防城港市584千米的海岸线及毗邻海域的海域使用和海洋环境保护，依法维护海洋权益，组织海洋科技研究等，对合理开发利用海域资源、促进资源的可持续发展作出了积极的贡献。

防城港市海洋局下设北仑河口国家级自然保护区管理处、防城港市海洋环境监测预报中心。该局成立以来，完成了联合国GEF/UNDP防城港市示范区项目建设工作，严格执行海洋管理的法律法规，积极落实国家海洋局提出的"八大工程"，在海域使用立法，探讨海域使用管理模式工作中，均做出很大的贡献。2002年5月，被国家海洋局评为国家级海域使用管理示范区先进单位。

广西壮族自治区防城港市海洋局

地址：防城港市港口区中华大道3号　　邮编：538001

电话：(0770)2829650

国家海洋信息中心

① 全国人大农委主任高德占来国家海洋信息中心视察工作

② 国家海洋局局长王曙光在国家海洋信息中心考察

③ 国家海洋信息中心业务体系改革动员大会

④ 印度代表团访问国家海洋信息中心

繁荣的前湾港

青岛经济技术开发区

(青岛市黄岛区)海洋与渔业局

地址:长江中路369号泽润大厦0563室　邮编:266555　电话:(0532)6988070　传真:(0532)6988089

现代化的鲍鱼育苗车间

青岛经济技术开发区(青岛市黄岛区)位于黄海之滨、著名的胶州湾畔，是一个拥有106千米海岸线、1.3多万公顷海域，海上港口、交通、运输业繁荣，船舶制造等工业兴旺、海洋渔业发达的沿海经济开发区。

近年来，青岛开发区(黄岛区)海洋与渔业局作为青岛开发区管委、黄岛区政府主管海洋事务与渔业行政工作的综合部门，坚持以“三个代表”重要思想为指导，紧紧围绕加快海洋经济发展的目标任务，大力实施依法管海、科技兴渔、经济国际化和可持续发展“四大战略”，切实加强海洋综合管理，全面推进以质量化、效益化和外向化现代精品渔业发展，取得显著成效，各项工作步入青岛市、山东省乃至全国先进行列。

今日的青岛开发区(黄岛区)，已率先实现海域使用由传统“三无”到现在“三有”的根本性转变，海洋管理步入制度化、规范化、科学化轨道；前湾港全面负担起青岛港西移重任；海洋工业与日兴旺；以养殖为主导、水产品加工对外贸易为重点、捕捞为补充的现代精品渔业格局逐步形成，整个海洋产业实现持续、稳定、健康发展。2002年，全区实现海洋产业总产值23.8亿元，同比增长23.6%。完成水产品总产量达11.5万吨，实现总收入8.5亿元，多年来，渔业效益始终保持年逾15%的速度增长。其中，以海水鱼和海参、鲍鱼等为代表的高附加值精品渔业，规模分别达到10 000箱600多万尾和800万头、2 000万粒，三项收入突破3亿元，占全区养殖业总收入的50%。日益成为全区渔业的支柱产业和我国北方重要的海水鱼、海珍品养殖基地。

竭诚欢迎国内外有识之士，来青岛开发区投资合作，共同发展青岛海洋事业更美好的明天。

青岛经济技术开发区
青　岛　市　黄　岛　区　海洋与渔业局局长、党委书记:孙建国

国家级日照中国对虾原种场一角

地址：日照市泰安路东首　　邮编：276826

日照市海洋与渔业局

美丽的日照海滨

▲日照市海洋与渔业局局长卢绪敏（右一）向在日照检查工作的国家海洋局局长王曙光（中）汇报海洋管理工作，左一为日照市委常委、副市长孙运河

▼海洋监察执法人员正在监察执法

日照市地处山东半岛最南端，与日本、韩国隔海相望。拥有99.6千米的海岸线，负20米等深线以内的浅海滩涂面积约6.67万公顷，气候适宜，冬无严寒，夏无酷暑，其海域是许多经济鱼类繁殖越冬、索饵的必经之路和繁衍地，发展海洋与渔业具有得天独厚的自然条件和资源优势。盛产对虾、海参、鲍鱼、金乌贼、贝类、藻类及各种经济鱼类。旅游资源丰富，“碧海、蓝天、金沙滩”为沿海一景。拥有国家一类开放港口2个，万吨级以上泊位10个。日照市海洋与渔业局主管全市渔业行政与海洋事务，内设7个科室，4个执法单位，1个水产科研机构，1个渔业技术推广机构。主要从事海洋综合管理、渔业生产管理与执法、海洋与渔业科学研究与技术推广。所属日照市水产研究所和其“国家级日照中国对虾原种场”可向社会提供无病毒中国对虾、牙鲆、梭子蟹、扇贝等几十种水产苗种。日照市以最优越的资源条件和最优惠的扶持政策，竭诚欢迎国内外有识之士前来投资开发，共同发展海洋与渔业经济。

青岛海洋地质研究所

青岛海洋地质研究所通过ISO9001:2000质量管理体系认证

拥有自主知识产权的天然气水合物模拟实验室在青岛海洋地质研究所建成，并成功合成水合物

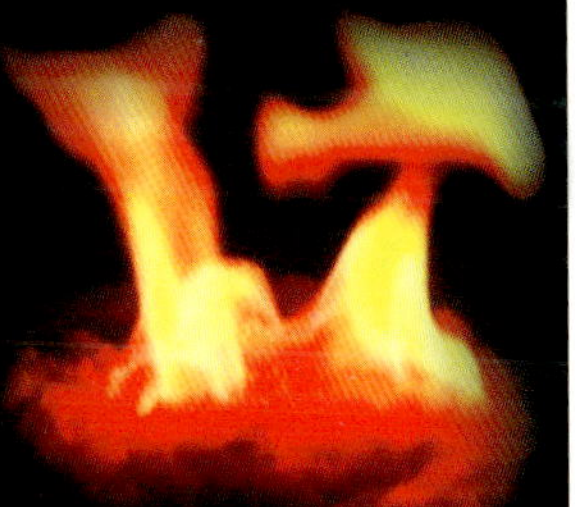

实验室合成水合物在燃烧

海岸带地质与可持续发展学术研讨会

国土资源部副部长兼中国地质调查局局长寿嘉华（女）视察青岛海洋地质研究所

青岛海洋地质研究所是国土资源部中国地质调查局所属的承担海洋地质调查研究的事业单位，2000年11月经中编办和国土资源部批准更为现名。

该所发展方向是：以区域海洋地质调查研究为基础，以海洋油气及固体矿产地质调查研究和海洋环境地质调查研究为重点，以中国管辖海域为主要工作区，以高新技术为支持，为国家和社会公众服务的调查与研究一体化的海洋地质调查研究中心。

所属调查、研究机构有：海洋区域地质调查研究室、海洋油气与固体矿产资源调查研究室、海洋环境地质调查研究室、实验检测中心、资料信息室。国土资源部海洋沉积开放研究实验室、中国地质调查局海岸带地质研究中心也设在该所。开发经营机构有：青岛海洋地质工程勘察院、青岛海洋地质研究所培训中心。

该所拥有教育部批准的与吉林大学、中国地质大学（武汉）共建的海洋地质硕士学科点和与中国海洋大学共建的海洋地球化学硕士学科点。

该所拥有一大批高技术含量的海上调查和实验分析测试设备，具有较强的技术队伍。建所二十多年来，先后完成各类调查和科研项目120余项，有73项获国家、部和省、市科技成果奖。

该所正在承担国家专项、“863”计划、“973”计划、科技部、国土资源部、中国地质调查局、国家和山东省自然科学基金等调查研究项目共60余项。

该所已同18个国家和地区的44所大学和研究单位建立了学术交流及合作关系，开展了中荷、中美、中俄、中澳、中比和中韩合作，加强了与台湾地区的合作与交流。

该所主办有《海洋地质与第四纪地质》、《海洋地质动态》等学术刊物。《海洋地质与第四纪地质》是中国科技核心期刊。

该所及其所属的工程勘察院、实验检测中心已分别通过ISO质量管理体系认证。实验检测中心1992年通过国家技术监督局计量认证（CMA），1997年通过了复审，即将通过国家实验室认可委员会的机构认可认证。

地址：青岛市福州南路62号
邮编：266071
邮箱：9768
电话：(0532)5725313　5776406
传真：(0532)5720553
网址：www.qimg.cgs.gov.cn

青岛海洋地质研究所主楼外景

惠州市海洋与渔业局

惠州市海洋与渔业局职能

惠州市海洋与渔业局是主管全市海洋综合管理与渔业工作的市人民政府工作部门，其主要职能是：

（一）研究拟定海洋与渔业管理的规章，制订本市海洋资源、渔业资源管理的技术标准规程、规范和办法，组织编制海洋功能区划、海域使用规划、海洋产业与渔业发展总体规划，并监督实施。

（二）监督管理国家授权的海域使用，协调各部门、各行业的海洋开发活动，按规定实施海域使用许可证制度和海域有偿使用制度，监管海底电缆、管道的铺设和海上人工构造物的设置，核准海洋、海岸带的涉海工程项目。

（三）负责海洋环境保护的管理工作，组织海洋环境的调查、监测，协助市有关部门拟定陆源污染物排海标准和总量控制制度，并监督实施；负责防治海洋工程项目、海洋倾倒废弃物对海洋污染损害以及渔业生态的环境保护工作，监督管理海洋自然保护区和特别保护区以及渔业资源的增殖工作，管理国家分工的海洋自然资源。

（四）依法实施辖区内海洋及渔业水域的巡航监视、监督管理，查处违法活动，维护国家海洋与渔业权益；依法行使海洋监察、渔船检验和渔政渔港监督管理权，指导海洋渔业与渔业执法队伍建设；负责水生野生动物保护，指导渔业电信和渔船管理工作。

（五）组织深海和远洋渔业开发活动，指导渔业产业结构调整、产品品质的改善、渔业产业化和渔业可持续发展工作，组织实施伏季休渔制度，指导渔港、水产品市场的规划和建设。

（六）研究拟订渔业发展的重大技术进步措施，负责海洋与渔业的科技管理工作；实施＂科教兴海＂、＂科教兴渔＂战略，组织科技攻关和重大科研项目的研究及成果管理。

（七）负责海洋与渔业的外事、外经工作，组织开展对外和香港、澳门特别行政区及台湾地区的经济、技术交流与合作，处理有关涉外事务；指导和管理港澳流动渔民办公室工作。

（八）200 海里专属经济区海洋与渔业资源的行政管理职能。

（九）组织实施伏季休渔制度的行政管理职能。

广东省阳江市海洋与渔业局

地址：江城区东风三路6号

邮编：529500

电话：(0662)3322588

水泥预制构件作为人工鱼礁进行投放

阳江市海陵湾万亩桩架吊养牡蛎（蚝）基地

阳江市地处广东省西南沿海，是广东省的海洋大市和渔业大市，素有“广东大鱼仓”之称。2001年，全市水产品总产量80.49万吨，位居广东省前列。全市海(岛)岸线长476.6千米，海岛40个，海域面积约10 000平方千米，港湾众多，著名的有海陵湾，港口资源丰富，经农业部批准的渔港有东平、闸坡、沙扒、溪头、河北、对岸、江城渔港，其中闸坡渔港被国家农业部列为全国首批6个国家级中心渔港之一。

阳江市海洋与渔业局是主管阳江市海洋综合管理与渔业工作的市人民政府组成部门。主要职责是贯彻执行海洋与渔业的法律法规和方针、政策；监督管理国家授权的海域使用；负责海洋环境保护的管理工作；依法维护国家海洋与渔业权益，实施辖区内的海洋与渔业监督管理，查处违法活动；组织深海、外海和远洋渔业开发活动，组织实施伏季休渔制度；负责海洋与渔业的科技管理工作；负责海洋与渔业的有关涉外事务；负责建设和管理海洋业务系统及其基础设施等。

辽宁省盖州市海洋水产局

▲辽宁省盖州市海洋水产局党委书记、局长宋金德同志正在工作

盖州市九龙海产品养殖场工厂化综合性水产养殖项目

项目概况

1. 项目单位：盖州市九龙海产品养殖场
2. 项目地址：盖州市九垄地镇仙人岛村
3. 项目类别：海水养殖、水产品收购加工、冷藏
4. 项目建设期：2002～2004 年，寿命期 30 年

项目设计总投资

项目设计总投资 8 300 万元，其中固定资产投资 6 580 万元(100 座养殖厂房 6 000 万元，其他设施 580 万元)，流动资产投资 1 720 万元(购苗种 1 030 万元，饵料 400 万元，其他费用 290 万元)。

项目建设规模

1. 新建 100 座工厂化养殖厂房。2002 年建 20 座现正在施工，近期可建成 8 座，8 月末全部完工，交付使用。2003 年建 40 座，2004 年建 40 座。
2. 新建 2 万立方米水体储水池一座。
3. 新建自动控制过滤水厂房 20 座。
4. 新建 100 吨冷库一座。

◀工厂化养殖厂厂房内景

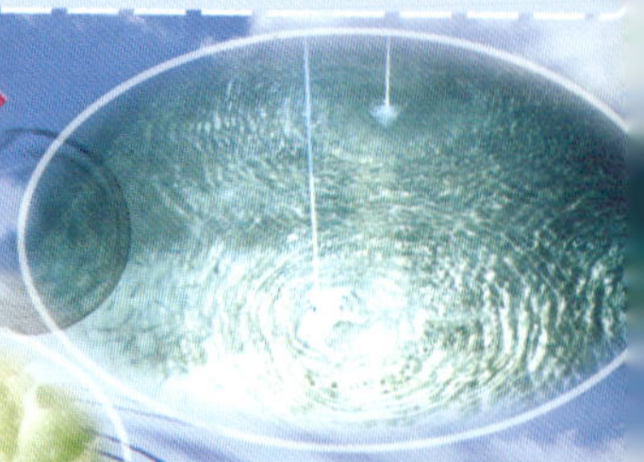

池内养殖的对虾 ▶

池内养殖的大菱鲆鱼

项目生产能力

项目预计达产期为 2004 年，达产后，每年可产大菱鲆鱼 25 万尾，牙鲆 20 万尾，河豚 20 万尾，其他新特品种 20 万尾，产值可达 4 580 万元，扣出成本费用 2 175 万元，利润可达 2 405 万元，投资利润率 157.9%，产值利润率 53.3%，投资回收期为 3 年

此项目适合本地自然环境，部局合理，管理系统健全，有明显的经济效益和社会效益，前景可观。

辽宁省盖州市水垅地镇工厂化海产品养殖厂外景

养殖工人正在投放饵料

广东省海丰县海洋与渔业局

海丰县位于广东省东南沿海，海岸线长，海洋资源丰富，故取义于“南海物丰”，称海丰。县内海岸线 116.7 千米，大陆架内海域面积 6 000 平方千米，其中 20 米等深线内适用于发展水产养殖的浅海滩涂 5.95 万公顷；辖下海域还分布有 6 个岛屿，岛岸线长 9.36 千米，岛屿面积 1.52 平方千米；主要的海洋渔业资源有 14 类、173 种，海底蕴藏着丰富的矿产资源，拥有自然风光优美，历史、人文内容丰富的滨海旅游资源。近年来，该县的海洋与渔业建设取得了显著成绩，工作经验和取得的成效多次在媒体中报道、宣传，并得到国家、省、市级部门的肯定和表彰。1999 年以来，先后荣获南海区、省、市“伏季休渔先进单位”和省“渔业技术推广先进单位”等称号。2001 年，全县渔业总产量 9.4538 万吨，总产值 11.0389 亿元，分别比上年递增 3.08% 和 20.64%，总产值占农业总产值的 36.6%。其中：以对虾、蟹、牡蛎、鲍鱼、经济贝类、粤尼鱼及 4 大家鱼等为主导品种的水产养殖面积 1.29 万公顷，养殖产量 6.1 万吨，分别是 1987 年的 19.6 倍和 13.4 倍。新的世纪，该县全体海洋与渔业工作者将振奋精神，与时俱进，开拓进取，努力开创该县海洋与渔业的新局面。

2002 年 8 月，海丰县 8 家企业、近 20 个产品参加广东西部(西安)展销会。中央、省、市主管部门领导莅临指导

建设海上海丰，成绩斐然

地址：海丰县城农林路 40 号
邮编：516400